TEACHER'S EDITION

DESCUBRE 3

Lengua y cultura del mundo hispánico

VISTA®
HIGHER LEARNING

Boston, Massachusetts

On the cover: Artisans making *alebrijes*, brightly colored Mexican folk art sculptures of fantastical creatures, in a workshop, Oaxaca, Mexico.

Creative Director: José A. Blanco

Chief Content and Innovation Officer: Rafael de Cárdenas López

Editorial Director: Harold Swearingen

Editorial Development: Diego García, Stefanía Zapata

Project Management: Erik Restrepo

Rights Management: Jorgensen Fernandez, Kristine Janssens, Juan Esteban Mora, Annie Pickert Fuller

Technology Production: Egle Gutiérrez, Lauren Krolick

Design: Paula Díaz, Daniela Hoyos, Radoslav Mateev, Gabriel Noreña, Andrés Vanegas

Production: Oscar Díez, Sebastián Díez, Andrés Escobar, Adriana Jaramillo, Daniel Lopera, Daniela Peláez

Student Text ISBN: 978-1-54333-124-0
Teacher's Edition ISBN: 978-1-54333-129-5
Library of Congress Control Number: 2020938730

1 2 3 4 5 6 7 8 9 TC 25 24 23 22 21 20

Printed in Canada.

Contents

Scope & Sequence: *Descubre 1A & 1B*

1A

contextos	cultura	estructura	adelante

Lección preliminar: Previews some of the topics covered throughout the year.

Lección 1 Hola, ¿qué tal?

contextos	cultura	estructura	adelante
Greetings and leave-takings Identifying yourself and others Expressions of courtesy	**En detalle:** Los saludos y el espacio personal **Perfil:** La plaza principal	**1.1** Nouns and articles **1.2** Numbers 0–30 **1.3** Present tense of **ser** **1.4** Telling time	**Lectura:** *Mafalda* (de Quino) **Panorama:** Estados Unidos y Canadá

Lección 2 En la clase

contextos	cultura	estructura	adelante
The classroom and school life Fields of study and school subjects Days of the week Class schedules	**En detalle:** La escuela secundaria en México **Perfil:** Escuela21. Educación innovadora	**2.1** Present tense of –**ar** verbs **2.2** Forming questions in Spanish **2.3** Present tense of **estar** **2.4** Numbers 31 and higher	**Lectura:** *Cursos de español en Salamanca* **Panorama:** España

Lección 3 La familia

contextos	cultura	estructura	adelante
The family Identifying people Professions and occupations	**En detalle:** Tradiciones familiares **Perfil:** La familia real española	**3.1** Descriptive adjectives **3.2** Possessive adjectives **3.3** Present tense of –**er** and –**ir** verbs **3.4** Present tense of **tener** and **venir**	**Lectura:** *Gente... Las familias* **Panorama:** Ecuador

Lección 4 Los pasatiempos

contextos	cultura	estructura	adelante
Pastimes Sports Places in the city	**En detalle:** La pasión por el fútbol **Perfil:** Miguel Cabrera y Paola Espinosa	**4.1** Present tense of **ir** **4.2** Stem-changing verbs: **e:ie, o:ue** **4.3** Stem-changing verbs: **e:i** **4.4** Verbs with irregular **yo** forms	**Lectura:** *No sólo el fútbol* **Panorama:** México

1B

contextos	cultura	estructura	adelante

Lección preliminar: A brief overview of the contexts and grammar from Level 1A

Lección 5 Las vacaciones

contextos	cultura	estructura	adelante
Travel and vacation Months of the year Seasons and weather Ordinal numbers	**En detalle:** Destinos turísticos latinoamericanos **Perfil:** Punta del Este	**5.1 Estar** with conditions and emotions **5.2** The present progressive **5.3 Ser** and **estar** **5.4** Direct object nouns and pronouns	**Lectura:** *Turismo ecológico en Puerto Rico* **Panorama:** Puerto Rico

Lección 6 ¡De compras!

contextos	cultura	estructura	adelante
Clothing and shopping Negotiating a price and buying Colors More adjectives	**En detalle:** Los mercados al aire libre **Perfil:** Francisco Cancino	**6.1 Saber** and **conocer** **6.2** Indirect object pronouns **6.3** Preterite tense of regular verbs **6.4** Demonstrative adjectives and pronouns	**Lectura:** *La vuelta al mundo de Cinthia Scoch*, de Ricardo Mariño **Panorama:** Cuba

Lección 7 La rutina diaria

contextos	cultura	estructura	adelante
Daily routine Personal hygiene Time expressions	**En detalle:** La siesta **Perfil:** El mate	**7.1** Reflexive verbs **7.2** Indefinite and negative words **7.3** Preterite of **ser** and **ir** **7.4** Verbs like **gustar**	**Lectura:** *¡Qué día!* **Panorama:** Perú

Lección 8 La comida

contextos	cultura	estructura	adelante
Food Food descriptions Meals	**En detalle:** Desayunos exquisitos **Perfil:** Ferran Adrià: arte en la cocina	**8.1** Preterite of stem-changing verbs **8.2** Double object pronouns **8.3** Comparisons / **8.4** Superlatives	**Lectura:** *Gastronomía* **Panorama:** Guatemala

Lección 9 Las fiestas

contextos	cultura	estructura	adelante
Parties and celebrations Personal relationships Stages of life	**En detalle:** Año Nuevo. Una sola fiesta con muchas variaciones **Perfil:** Festival de Viña del Mar	**9.1** Irregular preterites **9.2** Verbs that change meaning in the preterite **9.3** ¿**Qué?** and ¿**cuál?** **9.4** Pronouns after prepositions	**Lectura:** *Vida social* **Panorama:** Chile

Scope & Sequence: *Descubre 1*

contextos	cultura	estructura	adelante

Lección preliminar: Previews some of the topics covered throughout the year.

Lección 1 Hola, ¿qué tal?

Greetings and leave-takings Identifying yourself and others Expressions of courtesy	**En detalle:** Los saludos y el espacio personal **Perfil:** La plaza principal	**1.1** Nouns and articles **1.2** Numbers 0–30 **1.3** Present tense of **ser** **1.4** Telling time	**Lectura:** *Mafalda* (de Quino) **Panorama:** Estados Unidos y Canadá

Lección 2 En la clase

The classroom and school life Fields of study and school subjects Days of the week Class schedules	**En detalle:** La escuela secundaria en México **Perfil:** Escuela21. Educación innovadora	**2.1** Present tense of –**ar** verbs **2.2** Forming questions in Spanish **2.3** Present tense of **estar** **2.4** Numbers 31 and higher	**Lectura:** *Cursos de español en Salamanca* **Panorama:** España

Lección 3 La familia

The family Identifying people Professions and occupations	**En detalle:** Tradiciones familiares **Perfil:** La familia real española	**3.1** Descriptive adjectives **3.2** Possessive adjectives **3.3** Present tense of –**er** and –**ir** verbs **3.4** Present tense of **tener** and **venir**	**Lectura:** *Gente... Las familias* **Panorama:** Ecuador

Lección 4 Los pasatiempos

Pastimes Sports Places in the city	**En detalle:** La pasión por el fútbol **Perfil:** Miguel Cabrera y Paola Espinosa	**4.1** Present tense of **ir** **4.2** Stem-changing verbs: **e:ie, o:ue** **4.3** Stem-changing verbs: **e:i** **4.4** Verbs with irregular **yo** forms	**Lectura:** *No sólo el fútbol* **Panorama:** México

Lección 5 Las vacaciones

Travel and vacation Months of the year Seasons and weather Ordinal numbers	**En detalle:** Destinos turísticos latinoamericanos **Perfil:** Punta del Este	**5.1 Estar** with conditions and emotions **5.2** The present progressive **5.3 Ser** and **estar** **5.4** Direct object nouns and pronouns	**Lectura:** *Turismo ecológico en Puerto Rico* **Panorama:** Puerto Rico

Lección 6 ¡De compras!

Clothing and shopping Negotiating a price and buying Colors More adjectives	**En detalle:** Los mercados al aire libre **Perfil:** Francisco Cancino	**6.1 Saber** and **conocer** **6.2** Indirect object pronouns **6.3** Preterite tense of regular verbs **6.4** Demonstrative adjectives and pronouns	**Lectura:** *La vuelta al mundo de Cinthia Scoch,* de Ricardo Mariño **Panorama:** Cuba

Lección 7 La rutina diaria

Daily routine Personal hygiene Time expressions	**En detalle:** La siesta **Perfil:** El mate	**7.1** Reflexive verbs **7.2** Indefinite and negative words **7.3** Preterite of **ser** and **ir** **7.4** Verbs like **gustar**	**Lectura:** *¡Qué día!* **Panorama:** Perú

Lección 8 La comida

Food Food descriptions Meals	**En detalle:** Desayunos exquisitos **Perfil:** Ferran Adrià: arte en la cocina	**8.1** Preterite of stem-changing verbs **8.2** Double object pronouns **8.3** Comparisons **8.4** Superlatives	**Lectura:** *Gastronomía* **Panorama:** Guatemala

Lección 9 Las fiestas

Parties and celebrations Personal relationships Stages of life	**En detalle:** Año Nuevo. Una sola fiesta con muchas variaciones **Perfil:** Festival de Viña del Mar	**9.1** Irregular preterites **9.2** Verbs that change meaning in the preterite **9.3** ¿**Qué?** and ¿**cuál?** **9.4** Pronouns after prepositions	**Lectura:** *Vida social* **Panorama:** Chile

Scope & Sequence: *Descubre 2*

Scope & Sequence: *Descubre 3*

3

contextos	enfoques	estructura	lecturas y videos

Lección preliminar: A brief overview of the contexts and grammar from Level 2

Lección 1 Las relaciones personales

La personalidad Los estados emocionales Los sentimientos Las relaciones personales	**En detalle:** Amor y amistad en los países hispanos **Perfil:** Isabel Allende y Roger Cukras	**1.1** The present tense **1.2** **Ser** and **estar** **1.3** Progressive forms	**En pantalla:** *Ramona* **Literatura:** *Poema 20* de Pablo Neruda **Cultura:** *Sonia Sotomayor: la niña que soñaba*

Lección 2 Las diversiones

La música y el teatro Los lugares de recreo Los deportes Las diversiones	**En detalle:** El nuevo cine mexicano **Perfil:** Gael García Bernal	**2.1** Object pronouns **2.2** **Gustar** and similar verbs **2.3** Reflexive verbs	**En pantalla:** *El dorado de Ford* **Literatura:** *Idilio* de Mario Benedetti **Cultura:** *El toreo: ¿Cultura o tortura?*

Lección 3 La vida diaria

En casa De compras Expresiones La vida diaria	**En detalle:** La Familia Real **Perfil:** Letizia Ortiz	**3.1** The preterite **3.2** The imperfect **3.3** The preterite vs. the imperfect	**En pantalla:** *Di algo* **Literatura:** *Autorretrato* de Rosario Castellanos **Cultura:** *El arte de la vida diaria*

Lección 4 La salud y el bienestar

Los síntomas y las enfermedades La salud y el bienestar Los médicos y el hospital Las medicinas y los tratamientos	**En detalle:** De abuelos y chamanes **Perfil:** La ciclovía de Bogotá	**4.1** The subjunctive in noun clauses **4.2** Commands **4.3** **Por** and **para**	**En pantalla:** *Ayúdame a recordar* **Literatura:** *Mujeres de ojos grandes* de Ángeles Mastretta **Cultura:** *Colombia gana la guerra a una vieja enfermedad*

Lección 5 Los viajes

De viaje El alojamiento La seguridad y los accidentes Las excursiones	**En detalle:** La ruta del café **Perfil:** El Canal de Panamá	**5.1** Comparatives and superlatives **5.2** Negative, affirmative, and indefinite expressions **5.3** The subjunctive in adjective clauses	**En pantalla:** *La autoridad* **Literatura:** *La luz es como el agua* de Gabriel García Márquez **Cultura:** *La ruta maya*

Lección 6 La naturaleza

La naturaleza Los animales Los fenómenos naturales El medio ambiente	**En detalle:** Los bosques del mar **Perfil:** Parque Nacional Submarino La Caleta	**6.1** The future **6.2** The subjunctive in adverbial clauses **6.3** Prepositions: **a**, **hacia**, and **con**	**En pantalla:** *Tiburón Toro* **Literatura:** *El eclipse* de Augusto Monterroso **Cultura:** *La conservación de Vieques*

Lección 7 La tecnología y la ciencia

La tecnología La astronomía y el universo Los científicos La ciencia y los inventos	**En detalle:** Argentina: tierra de animadores **Perfil:** Innovar	**7.1** The present perfect **7.2** The past perfect **7.3** Diminutives and augmentatives	**En pantalla:** *Happy Cool* **Literatura:** *Ese bobo del móvil* de Arturo Pérez-Reverte **Cultura:** *Hernán Casciari: arte en la blogosfera*

Lección 8 La economía y el trabajo

El trabajo Las finanzas La economía La gente en el trabajo	**En detalle:** Las telenovelas **Perfil:** Carolina Herrera	**8.1** The conditional **8.2** The past subjunctive **8.3** **Si** clauses with simple tenses	**En pantalla:** *Clown* **Literatura:** *La abeja haragana* de Horacio Quiroga **Cultura:** *Gustavo Dudamel: la estrella de "El Sistema"*

Lección 9 Los medios de comunicación

La televisión, la radio y el cine La cultura popular Los medios de comunicación La prensa	**En detalle:** El mate **Perfil:** Las murgas y el candombe	**9.1** The present perfect subjunctive **9.2** Relative pronouns **9.3** The neuter **lo**	**En pantalla:** *Sintonía* **Literatura:** *Dos palabras* de Isabel Allende **Cultura:** *Guaraní: la lengua vencedora*

Lección 10 La literatura y el arte

La literatura Los géneros literarios Los artistas / El arte Las corrientes artísticas	**En detalle:** Las casas de Neruda **Perfil:** Neruda en el cine	**10.1** The future perfect **10.2** The conditional perfect **10.3** The past perfect subjunctive	**En pantalla:** *Jóvenes valientes* **Literatura:** *Continuidad de los parques* de Julio Cortázar **Cultura:** *De Macondo a McOndo*

Spanish
as a World Language

GRADES K - 7

GRADE 8

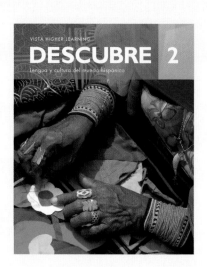

OR

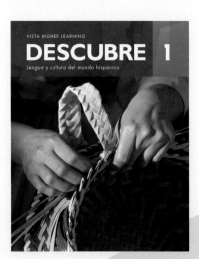

GRADE 9

GRADES 10 - 12

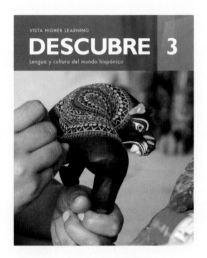

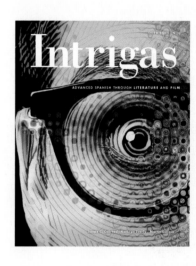

DESCUBRE vs. DESCUBRE
PRIME
Ⓢupersite

At Vista Higher Learning, we recognize that classrooms and districts across the country are at different stages in the implementation of technology. That's why we offer two levels of technology with **Descubre: Prime** or **Supersite.** Regardless of a school's resources and readiness, **Descubre** is the perfect fit with any curriculum and infrastructure. It meets customers where they are, and will take them where they want to be.

For the Teacher

COMPONENT	WHAT IS IT?	PRIME	Ⓢupersite
Teacher's Edition	Teacher support for core instruction	•	•
Activity Pack	Supplementary activities for language practice and communication	•	•
Assessment Program (with Answer Key)	Quizzes, tests, and exams; includes IPAs	•	•
Assessment Program Audio	Audio to accompany all tests and exams	•	•
Audio files	Audio files for all textbook and Practice Workbook activities	•	•
Audio and Video Scripts	Scripts for all audio and video selections: • Textbook audio • Assessment Program audio • Video Virtual Chat scripts • *Fotonovela, Flash Cultura,* and *En pantalla* • Grammar Tutorials	•	•
Digital Image Bank	Images and maps from the text to use for presentation in class, plus a bank of illustrations to use with the Instructor-Created Content tool	•	•
Grammar Presentation Slides	Grammar presentations reformatted in PowerPoint	•	•
I Can Worksheets	Lesson Objectives broken down by section and written in student-friendly "I Can" statement format	•	•
Implementation Guides	In-depth support for every stage of instruction—from planning and implementation, to assessment and remediation	•	•
Index to AP® Themes and Contexts	Overview chart on where you can explore the various themes and contexts with students	•	•
Learning Templates	Pre-built course templates that provide you with flexible options to suit your On-level, Above-level, and Heritage Speaker classes	•	
Lesson Plans	Editable block and standard schedules	•	•
Pacing Guides	Guidelines for how to cover the level's instructional material for a variety of scenarios (standard, block, etc.)	•	•

For the **Student**

COMPONENT	WHAT IS IT?	PRIME	Supersite
Student Edition	Core instruction for students	•	•
Audio-synced Readings	Audio to accompany all Lecturas	•	•
Dictionary	Easy digital access to dictionary	•	•
eBook	Downloadable Student Edition	•	•
En pantalla Video	Authentic short films, documentaries, and TV segments from across the Spanish-speaking world	•	•
Enhanced Diagnostics	Embedded assessment activities provide immediate feedback to students	•	
Flash Cultura Video	Young broadcasters from the Spanish-speaking world share cultural aspects of life	•	•
Fotonovela Video	Engaging storyline video	•	•
Grammar Tutorials	Animated tutorials pair lesson concepts with fun examples and interactive questions that check for understanding		•
Grammar Tutorials with Diagnostics	Interactive tutorials featuring embedded quick checks and multi-part diagnostic with real-time feedback and remediation	•	
Learning Progression	Unique learning progression logically contextualizes lesson content	•	
My Vocabulary	A variety of tools to practice vocabulary	•	•
News and Cultural Updates	Monthly posting of authentic resource links with scaffolded activities	•	•
Partner Chat Activities	Pairs of students work synchronously to record a conversation in the target language	•	•
Personalized Study Plan	Personalized prescriptive pathway highlights areas where students need more practice	•	
Practice Tests with Diagnostics	Students get feedback on what they need to study before a test or exam	•	•
Speech Recognition	Innovative technology analyzes students' speech and provides real-time feedback	•	
vText	Virtual interactive textbook for browser-based exploration		•
Video Virtual Chat Activities	Students create simulated conversations by responding to questions delivered by video recordings of native speakers	•	•
Vocabulary Tutorials (Interactive)	Lesson vocabulary taught in a cyclical learning sequence—Listen & repeat, Match, Say it—with Speech Recognition and diagnostics	•	
Web-enhanced Readings	Dynamic presentation with audio	•	

Teacher-Driven Technology

Descubre Prime allows your unique teaching style to shine through. With convenient, ready-made Learning Templates, you'll have the time and flexibility to create and incorporate your own activities, videos, assignments, and assessments. Adding your own voice is easy—and your students will hear your unique accent loud and clear.

So what are Learning Templates?

Learning Templates are pre-built lesson plans that provide flexible options to suit your On-level, Above-level, or Heritage Speaker Spanish classes.

Once you've selected a Learning Template as a base for your course, **Descubre Prime** will automatically set all of the assignments for the entire year, as well as create your gradebook. You can then add or delete activities, change due dates, and customize assessments. You can even add your own personal touches, including activities, videos, and notes to students.

Student-Directed Learning

To effectively learn a new language, students need opportunities for meaningful practice—both inside and outside of the classroom. **Descubre Prime** provides students with the interactive tools and engaging content they need to stay motivated and on track throughout the school year.

Descubre Prime is unique in its organization and delivery of lesson content. Each color-coded strand features a progression that contextualizes the learning experience for students by breaking lesson content into comprehensible language chunks.

Explore and Learn

Explore and Learn activities engage students, so they can actively learn and build confidence in a safe online environment. With these low-stakes activities, students receive credit for participation, not performance.

Explore

Explore activities activate students' prior knowledge and connect them with the material they are about to learn.

Contextos Explore features a multimodal presentation with audio, text, and carefully curated photos that enhance students' understanding of new vocabulary.

Fotonovela Explore mini video clips in an easy-to-follow storyboard format set the context for the entire episode.

Estructura Explore features carefully designed charts and diagrams that call out key grammatical structures as well as additional active vocabulary. Audio and point-of-use photos from the **Fotonovela** episode provide additional context.

Descubre Prime

Learn

Learn activities shift from purely receptive to interactive learning, inviting students to be active participants and take ownership of their learning. Embedded quick checks give students immediate feedback, without grading or demotivating them.

Vocabulary Tutorials feature a cyclical learning sequence that optimizes comprehension and retention:

- **Listen & repeat:** How does the word look and sound?

- **Match:** Which picture represents the word?

- **Say it:** Do you recognize the picture? Do you know how to say the word?

Audio hints and cognate/false cognate icons help students understand and remember new vocabulary.

Speech Recognition, embedded in the Vocabulary Tutorials and *Fotonovela*, identifies student utterances in real time and objectively determines whether a student knows the word.

This innovative technology increases student awareness of pronunciation through low-stakes production practice.

Learn

En detalle features a dynamic web-enhanced presentation of the reading with audio to engage 21st century learners.

Speech Recognition, embedded in **En pantalla** and **Lecturas,** helps students practice key vocabulary.

An initial presentation requires students to listen and repeat key words and expressions. Real-time feedback via embedded Speech Recognition gives students an opportunity to hone their speaking and listening skills.

Interactive flashcards then provide students with an opportunity to recall the vocabulary prior to watching the video or reading the text.

Practice

Practice activities are carefully scaffolded—moving from discrete to open-ended—to support students as they acquire new language. This purposeful progression develops students' confidence and skills as they master new vocabulary and structures.

Descubre Prime

Communicate

Communicate activities provide opportunities for students to develop their oral skills and build confidence, reducing the affective filter. Scaffolded activities build on the three modes of communication: interpretive, interpersonal, and presentational.

Partner Chats
Pairs of students work synchronously to record a conversation in the target language. This collaborative activity allows for spontaneous and creative communication.

Video Virtual Chats
Students create simulated conversations by responding to questions delivered by video recordings of native speakers. Unlike other listening activities where students can easily pause and repeat, Video Virtual Chats require them to answer questions in real time—just as they do when they engage in conversations with fluent speakers of the target language.

Self-check

Self-check activities support the self-directed nature of learning by enabling students to gauge their performance every step of the way. These low-stakes activities feature real-time feedback and personalized remediation that highlights areas where students may need more practice.

Autoevaluación is a self-check activity that provides students with low-stakes diagnostic opportunities for vocabulary and each grammar point. Depending on their performance, students are provided with opportunities to review the vocabulary (using My Vocabulary) or each grammar point (by rewatching the interactive Grammar Tutorial).

93%

Assessment

A variety of formative and summative assessments allow for varied and ongoing evaluation of student learning and progress. Tailor these assessments to meet the needs of your students.

Prueba de práctica is a multi-question practice test that provides students with a low-stakes opportunity for assessing their knowledge of the vocabulary and grammar points covered in each lesson.

A **Personalized Study Plan** highlights areas where students need additional support and recommends remediation activities for completion prior to the lesson test.

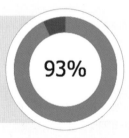

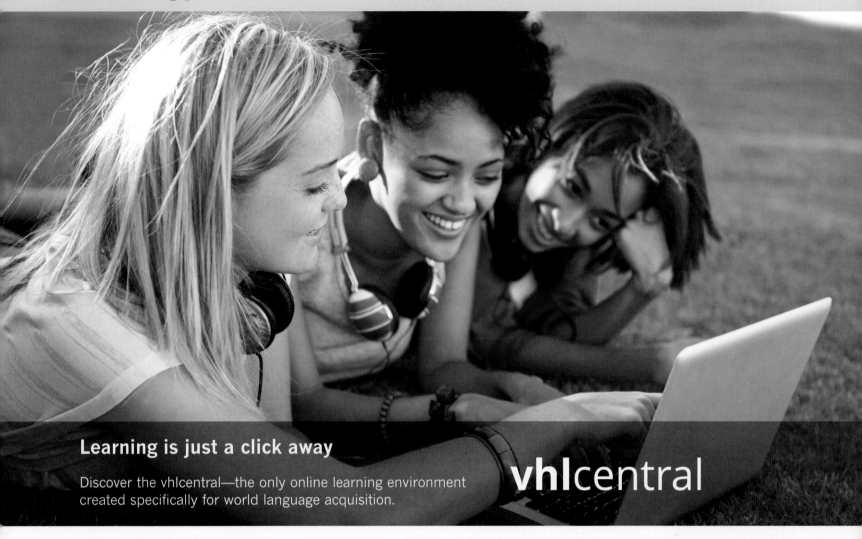

Learning is just a click away

Discover the vhlcentral—the only online learning environment created specifically for world language acquisition.

vhlcentral

For students

Plenty of Practice

Learning a new language takes practice. With vhlcentral, students have hundreds of program-specific, thematically based, and carefully scaffolded practice activities right at their fingertips.

Safe Environment

Language learning can be intimidating for many students. With its uncluttered interface, innovative tools, and seamless textbook-technology integration, vhlcentral will help you reach students and build their love of language in a safe digital space.

Engaging Media

Episodic storyline videos, authentic short films, synchronous video chat activities, audio-sync readings, and audio by native speakers... vhlcentral has it all.

 500,000+
secondary student
enrollments per year

 OVER
500,000
average daily
activity submissions

"Everything about the VHL's online learning environment is tremendously engaging and appealing to the students."

Richard Mcmullan
Groves High School

For teachers

Time-Saving Tools

No need to spend your time hunting down authentic materials…finding the perfect video…crafting scaffolded activities…creating assessments…or grading homework. We've done the heavy lifting for you, providing everything you need to plan, prepare, teach, and assess.

Powerful Course Management

Choose what you use and how you use it. With vhlcentral, you can easily shape our curriculum to fit your instructional goals and teaching preferences. Plus, you can monitor student progress, communicate securely with individual students or the entire class, and track and report on student effort and outcomes.

Enhanced Support

Get all the guidance you need to use vhlcentral to its fullest potential—from face-to-face presentations and training webinars by fellow educators to pre-recorded videos on a variety of topics.

Plus!
Monthly News and Cultural Updates

Receive monthly links to carefully curated authentic resources from across the Spanish-speaking world. From online newspaper articles to TV news segments, each source is chosen for its age-appropriate content, currency, and high interest to students. Each selection includes scaffolded pre-, during-, and post-reading and viewing activities for a wide range of learning abilities.

 TRY IT FOR YOURSELF!
vistahigherlearning.com/contact-a-rep

Lesson Walkthrough: Descubre 3

Descubre is built around Vista Higher Learning's proven six-step instructional design. Each lesson is organized into color-coded strands that present new material in clear, comprehensible, and communicative ways. With a focus on personalization, authenticity, cultural immersion, and the seamless integration of text and technology, Spanish-language learning comes to life in ways that are meaningful to each and every student.

Contextos ensures students' understanding and application of new vocabulary by presenting new words and phrases in real-life contexts.

Fotonovela sitcom videos bridge language and culture, providing a glimpse into everyday life in the Spanish-speaking world.

El mundo hispano exposes students to different aspects of Hispanic cultures tied to the lesson theme. Students can relate to other cultures by comparing them to their own.

Estructura provides a clear and concise presentation of relevant grammar and scaffolded activities for building confidence, fluency, and accuracy. Grammar is presented as a tool, not a topic.

En pantalla features award-winning short films by contemporary Hispanic filmmakers as well as documentaries and current events selections from television.

Lecturas fosters reading and writing skill-building through cultural exploration of the Spanish-speaking world.

Icons

Familiarize yourself with these icons that appear throughout **Descubre**.

 Pair activity

 Partner Chat / Virtual Chat Activities

 Group activity

 Listening activity/section

 Activity with handout

 Video available for this paragraph of **Panorama**

Beginning with the
student in mind

Ideas on how to incorporate the **six-step instructional design** specifically in each lesson.

All chapters open with images that provide visual context for the chapter theme.

Communicative Goals introduce the chapter's learning objectives.

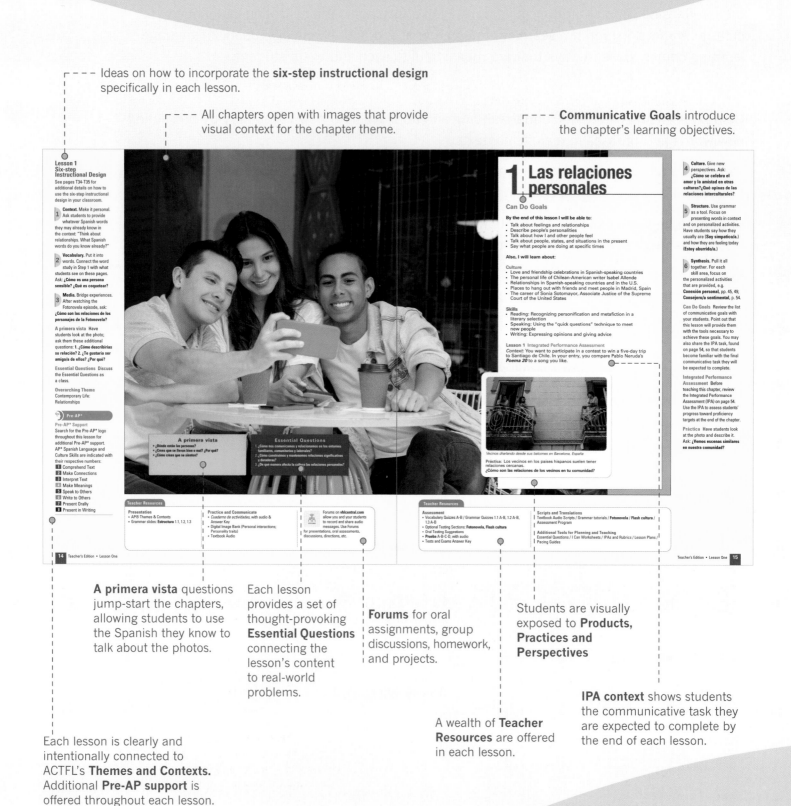

A primera vista questions jump-start the chapters, allowing students to use the Spanish they know to talk about the photos.

Each lesson provides a set of thought-provoking **Essential Questions** connecting the lesson's content to real-world problems.

Forums for oral assignments, group discussions, homework, and projects.

Students are visually exposed to **Products, Practices and Perspectives**

IPA context shows students the communicative task they are expected to complete by the end of each lesson.

A wealth of **Teacher Resources** are offered in each lesson.

Each lesson is clearly and intentionally connected to ACTFL's **Themes and Contexts.** Additional **Pre-AP support** is offered throughout each lesson.

Setting the stage
for communication

Theme-related vocabulary is introduced through expansive, full-color illustrations and easy-to-reference lists.

Communicative Goals encourage students to anticipate the section's objectives, showing them what communicative skills they can expect to be able to perform upon completing the section.

Práctica starts the chapter's activity sequence with controlled practice.

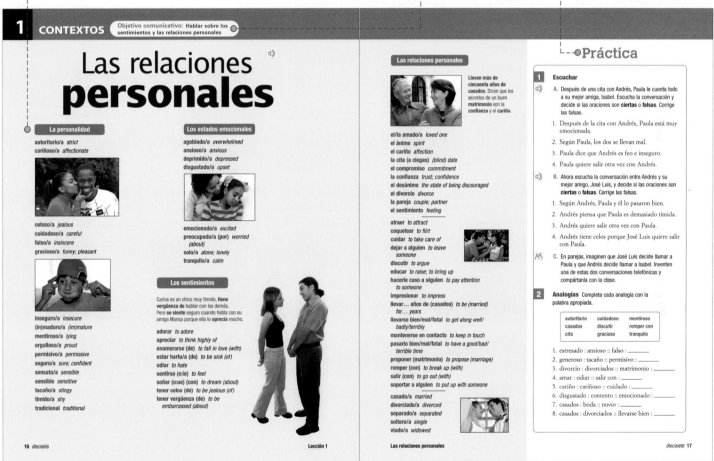

The **vText** online textbook is fully interactive. Students can click the links to access practice activities, audio, and video.

Walkthrough

Fotonovela
bridges language and culture

Fotonovela storyline video brings chapter vocabulary and grammar to life. Students follow the unpredictable events in the life of a family from Oaxaca, Mexico.

Products, perspectives, and practices are featured in every episode.

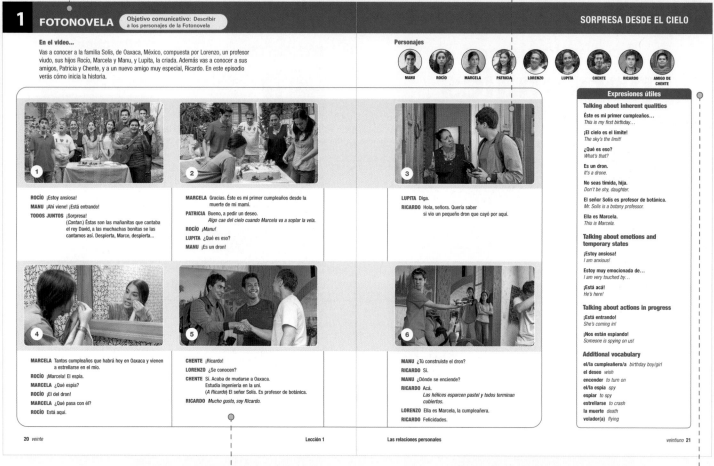

The easy-to-follow storyboard sets the context for the video and the dialogue boxes reinforce the lesson's vocabulary and preview the language structures that will be covered later in the lesson.

Expresiones útiles boxes highlight words and expressions from the episode or in connection to it.

Assign pre- and post-viewing activities online to test student comprehension of lesson vocabulary and key language functions.

Culture
presented in context

En detalle explores the chapter's theme in-depth.

Así lo decimos presents familiar words and phrases related to the lesson's theme that are used in everyday spoken Spanish.

Perfil focuses on Spanish-speaking personalities and places in the Spanish-speaking world of high interest to students.

---

1 EL MUNDO HISPANO | Objetivo comunicativo: Hablar sobre celebraciones de amor y amistad en mi cultura y en otras

En detalle

AMOR Y AMISTAD
EN LOS PAÍSES HISPANOS

Casi todos los países hispanohablantes celebran una versión del Día de San Valentín, pero en cada país tiene un nombre diferente y se festeja en fechas distintas. Además, las costumbres para su celebración son diferentes en cada nación. Aunque en España se celebra el día de San Valentín el 14 de febrero, en varias regiones del país también se festeja el día de San Jorge, que tiene lugar el 23 de abril. Dado que coincide con el día del libro (porque en esa fecha se conmemora la muerte de dos grandes escritores, uno español, Miguel de Cervantes Saavedra, y otro inglés, William Shakespeare), ahora es una costumbre que, además de rosas rojas y dulces, entre los amigos y los enamorados se regalen libros.

En México se expresa el amor entre novios o esposos regalando rosas y chocolates el 14 de febrero, y para los amigos se estableció que el 30 de julio sea el Día Internacional de la Amistad. En Bolivia, el Día del Amor y la Amistad es el 21 de septiembre. Esta fecha coincide con el comienzo de la primavera y tradicionalmente las parejas de novios intercambian flores, regalos y tarjetas. En algunos países, como Colombia y Paraguay, se tiene la costumbre de jugar "amigo secreto" unos días antes de la fecha de celebración. El juego consiste en repartir° de manera secreta los nombres de los participantes, quienes anónimamente se envían dulces durante esos días. El día del "descubrimiento", los grupos de amigos se reúnen y cada quien revela quién era su amigo secreto y le entrega un regalo. ■

San Jorge y el dragón
Rogier van der Weyden (1399/1400–1464)

Amor y amistad en América Latina
- En los países centroamericanos se llama "Día del Amor y la Amistad" o "Día del cariño", y también se festeja el 14 de febrero.
- Colombia: El "Día del Amor y la Amistad" se celebra el tercer sábado de septiembre con intercambio de dulces y regalos. Antes se llamaba el "Día de los Novios".
- Uruguay: El "Día de los Enamorados" se celebra el 21 de septiembre. Desde hace unos años también se celebra el Día de San Valentín el 14 de febrero.

repartir *to distribute*

ASÍ LO DECIMOS
Las relaciones

chavo/a (Méx.) enamorado/a (Pe.)	boyfriend/girlfriend
amorcito cariño cielo	dear, honey
estar de novio(s) estar en pareja con (Esp.)	to be dating someone
ponerse de novio/a (con)	to start dating someone
estar bueno/a	to be attractive

EL MUNDO HISPANOHABLANTE
Las relaciones

Tendencias
- Aunque en la mayoría de los países hispanos ya no hay reglas fijas, es costumbre que el hombre invite° en los primeros encuentros.
- En los Estados Unidos, cada vez más latinos participan en citas rápidas° para encontrar pareja.

Costumbres
- En Oaxaca, México, las bodas tradicionales duran tres días: el primer día se celebra la unión civil, el segundo día se lleva a cabo la boda religiosa y la fiesta con banquete, y el tercer día continúa la fiesta con música tradicional hasta el amanecer.
- En algunos pueblos de México, como Zacatecas, es costumbre que las mujeres y los hombres solteros vayan a caminar solos o en grupos alrededor de la plaza los domingos. Las mujeres y los hombres caminan en dirección contraria para poder observarse mutuamente.

invito *pays* citas rápidas *speed dating*

PERFIL
ISABEL Y ROGER

La escritora chilena Isabel Allende y el abogado estadounidense Roger Cukras se conocieron en 2016 y desde entonces viven un romance apasionado que comenzó por correspondencia. Mientras iba en su carro hacia Boston, Roger quedó cautivado luego de escuchar por la radio una entrevista a Isabel y decidió escribirle. Según ella, él "Escribió un correo, y otro, y otro, a mi oficina. Al tercero, le contesté yo misma porque lo acompañó de un ramo de flores°". Después de cinco meses de intercambiar° mensajes todos los días, Isabel aprovechó° un viaje de trabajo para ver a Roger. "Ahí, en cinco minutos, se armó la cosa°", dice Isabel. Roger también cree que fue inesperado° encontrar una relación tan significativa a los 75 años. Ambos quieren vivir un amor intenso pero maduro: "Soy brutalmente independiente y privada para muchas cosas.", comenta Isabel. Al igual que ella, Roger valora° la independencia. Por ello seguirá trabajando como abogado desde San Francisco y viajará de vez en cuando a Nueva York, donde tiene su bufete°. Los dos están poniendo a prueba su nueva relación. "No hay amor sin riesgo", dice Isabel, quien dedicó a Roger su novela *Más allá del invierno*.

ISABEL ALLENDE
MÁS ALLÁ DEL INVIERNO

" Echo de menos la familia y el idioma, el sentido del humor, porque nadie me tiene que explicar un chiste en Chile, mientras que acá no los entiendo. " (Isabel Allende)

ramo de flores *bouquet of flowers* intercambiar *exchanging* aprovechó *took advantage of* se armó la cosa *it all began* inesperado *unexpected* valora *values* bufete *law offices*

El mundo hispanohablante continues the exploration of the lesson's cultural theme.

Continue the communication-culture connection with additional readings and activities.

Walkthrough

Culture
presented in context

¿Qué aprendiste? activities demonstrate comprehension and personalization of the cultural context.

Flash cultura videos feature young broadcasters from across the Spanish-speaking world sharing aspects of life related to the chapter's theme.

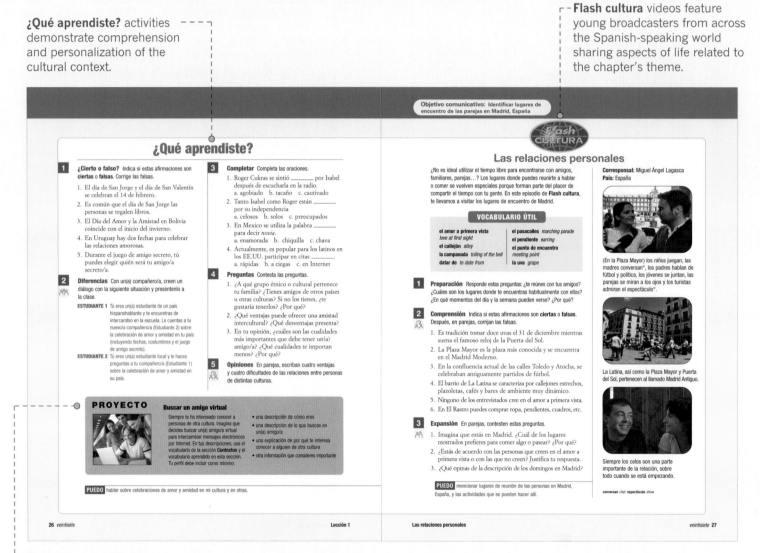

Objetivo comunicativo: Identificar lugares de encuentro de las parejas en Madrid, España

¿Qué aprendiste?

1 ¿Cierto o falso? Indica si estas afirmaciones son **ciertas** o **falsas**. Corrige las falsas.

1. El día de San Jorge y el día de San Valentín se celebran el 14 de febrero.
2. Es común que el día de San Jorge las personas se regalen libros.
3. El Día del Amor y la Amistad en Bolivia coincide con el inicio del invierno.
4. En Uruguay hay dos fechas para celebrar las relaciones amorosas.
5. Durante el juego de amigo secreto, tú puedes elegir quién será tu amigo/a secreto/a.

2 Diferencias Con un(a) compañero/a, creen un diálogo con la siguiente situación y preséntenlo a la clase.

ESTUDIANTE 1 Tú eres un(a) estudiante de un país hispanohablante y te encuentras de intercambio en la escuela. Le cuentas a tu nuevo/a compañero/a (Estudiante 2) sobre la celebración de amor y amistad en tu país (incluyendo fechas, costumbres y el juego de amigo secreto).

ESTUDIANTE 2 Tú eres un(a) estudiante local y le haces preguntas a tu compañero/a (Estudiante 1) sobre la celebración de amor y amistad en su país.

3 Completar Completa las oraciones.

1. Roger Cukras se sintió _____ por Isabel después de escucharla en la radio.
   a. agobiado b. tacaño c. cautivado
2. Tanto Isabel como Roger están _____ por su independencia
   a. celosos b. solos c. preocupados
3. En Mexico se utiliza la palabra _____ para decir *novia*.
   a. enamorada b. chiquilla c. chava
4. Actualmente, es popular para los latinos en los EE.UU. participar en citas _____
   a. rápidas b. a ciegas c. en Internet

4 Preguntas Contesta las preguntas.

1. ¿A qué grupo étnico o cultural pertenece tu familia? ¿Tienes amigos de otros países u otras culturas? Si no los tienes, ¿te gustaría tenerlos? ¿Por qué?
2. ¿Qué ventajas puede ofrecer una amistad intercultural? ¿Qué desventajas presenta?
3. En tu opinión, ¿cuáles son las cualidades más importantes que debe tener un(a) amigo/a? ¿Qué cualidades te importan menos? ¿Por qué?

5 Opiniones En parejas, escriban cuatro ventajas y cuatro dificultades de las relaciones entre personas de distintas culturas.

PROYECTO
Buscar un amigo virtual

Siempre te ha interesado conocer a personas de otra cultura. Imagina que decides buscar un(a) amigo/a virtual para intercambiar mensajes electrónicos por Internet. En tus descripciones, usa el vocabulario de la sección **Contextos** y el vocabulario aprendido en esta sección. Tu perfil debe incluir como mínimo:

- una descripción de cómo eres
- una descripción de lo que buscas en un(a) amigo/a
- una explicación de por qué te interesa conocer a alguien de otra cultura
- otra información que consideres importante

PUEDO hablar sobre celebraciones de amor y amistad en mi cultura y en otras.

Las relaciones personales

¿No es ideal utilizar el tiempo libre para encontrarse con amigos, familiares, parejas...? Los lugares donde puedes reunirte a hablar o comer se vuelven especiales porque forman parte del placer de compartir el tiempo con tu gente. En este episodio de **Flash cultura**, te llevamos a visitar los lugares de encuentro de Madrid.

VOCABULARIO ÚTIL

el amor a primera vista *love at first sight*	**el pasacalles** *marching parade*
el callejón *alley*	**el pendiente** *earring*
la campanada *tolling of the bell*	**el punto de encuentro** *meeting point*
datar de *to date from*	**la uva** *grape*

1 Preparación Responde estas preguntas: ¿te reúnes con tus amigos? ¿Cuáles son los lugares donde te encuentras habitualmente con ellos? ¿En qué momentos del día y la semana pueden verse? ¿Por qué?

2 Comprensión Indica si estas afirmaciones son **ciertas** o **falsas**. Después, en parejas, corrijan las falsas.

1. Es tradición tomar doce uvas el 31 de diciembre mientras suena el famoso reloj de la Puerta del Sol.
2. La Plaza Mayor es la plaza más conocida y se encuentra en el Madrid Moderno.
3. En la confluencia actual de las calles Toledo y Atocha, se celebraban antiguamente partidos de fútbol.
4. El barrio de La Latina se caracteriza por callejones estrechos, plazoletas, cafés y bares de ambiente muy dinámico.
5. Ninguno de los entrevistados cree en el amor a primera vista.
6. En El Rastro puedes comprar ropa, pendientes, cuadros, etc.

3 Expansión En parejas, contesten estas preguntas.

1. Imagina que estás en Madrid. ¿Cuál de los lugares mostrados prefieres para comer algo o pasear? ¿Por qué?
2. ¿Estás de acuerdo con las personas que creen en el amor a primera vista o con las que no creen? Justifica tu respuesta.
3. ¿Qué opinas de la descripción de los domingos en Madrid?

PUEDO mencionar lugares de reunión de las personas en Madrid, España, y las actividades que se pueden hacer allí.

Corresponsal: Miguel Ángel Lagasca
País: España

(En la Plaza Mayor) los niños juegan, las madres conversan°, los padres hablan de fútbol y política, los jóvenes se juntan, las parejas se miran a los ojos y los turistas admiran el espectáculo°.

La Latina, así como la Plaza Mayor y Puerta del Sol, pertenecen al llamado Madrid Antiguo.

Siempre los celos son una parte importante de la relación, sobre todo cuando se está empezando.

conversan chat **espectáculo** *show*

26 *veintiséis*   Lección 1

Las relaciones personales   *veintisiete* 27

Proyecto activities expand cultural application through projects and research.

Watch all the **Flash cultura** clips online.

Grammar
as a tool not a topic

Clear and concise explanations followed by visually appealing examples.

Photos from the **Fotonovela** show grammar in context.

Sidebars connect previous and current learning.

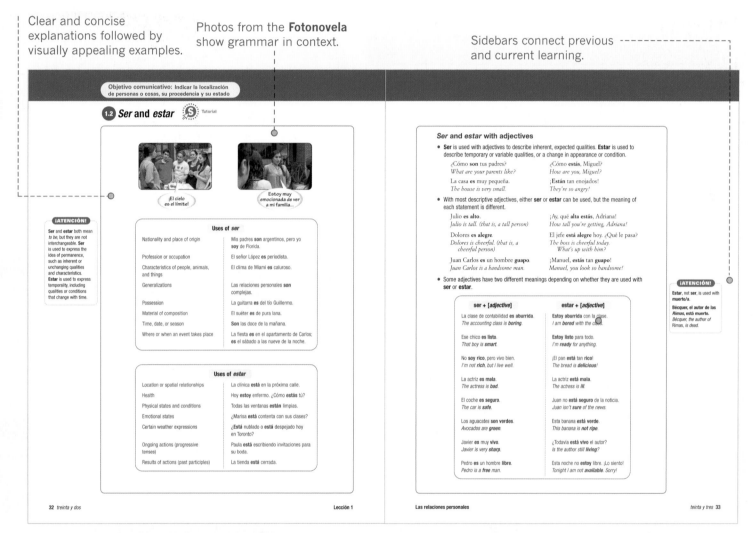

Objetivo comunicativo: Indicar la localización de personas o cosas, su procedencia y su estado

1.2 Ser and estar · Tutorial

¡El cielo es el límite!

Estoy muy emocionada de ver a mi familia...

¡ATENCIÓN!

Ser and estar both mean *to be*, but they are not interchangeable. Ser is used to express the idea of permanence, such as inherent or unchanging qualities and characteristics. Estar is used to express temporality, including qualities or conditions that change with time.

Uses of ser

Nationality and place of origin	Mis padres **son** argentinos, pero yo **soy** de Florida.
Profession or occupation	El señor López **es** periodista.
Characteristics of people, animals, and things	El clima de Miami **es** caluroso.
Generalizations	Las relaciones personales **son** complejas.
Possession	La guitarra **es** del tío Guillermo.
Material of composition	El suéter **es** de pura lana.
Time, date, or season	**Son** las doce de la mañana.
Where or when an event takes place	La fiesta **es** en el apartamento de Carlos; **es** el sábado a las nueve de la noche.

Uses of estar

Location or spatial relationships	La clínica **está** en la próxima calle.
Health	Hoy **estoy** enfermo. ¿Cómo **estás** tú?
Physical states and conditions	Todas las ventanas **están** limpias.
Emotional states	¿Marisa **está** contenta con sus clases?
Certain weather expressions	¿**Está** nublado o **está** despejado hoy en Toronto?
Ongoing actions (progressive tenses)	Paula **está** escribiendo invitaciones para su boda.
Results of actions (past participles)	La tienda **está** cerrada.

Ser and estar with adjectives

- **Ser** is used with adjectives to describe inherent, expected qualities. **Estar** is used to describe temporary or variable qualities, or a change in appearance or condition.

¿Cómo **son** tus padres?	¿Cómo **estás**, Miguel?
What are your parents like?	*How are you, Miguel?*
La casa **es** muy pequeña.	¡**Están** tan enojados!
The house is very small.	*They're so angry!*

- With most descriptive adjectives, either **ser** or **estar** can be used, but the meaning of each statement is different.

Julio **es** alto.	¡Ay, qué **alta estás**, Adriana!
Julio is tall. (that is, a tall person)	*How tall you're getting, Adriana!*
Dolores **es alegre**.	El jefe **está alegre** hoy. ¿Qué le pasa?
Dolores is cheerful. (that is, a cheerful person)	*The boss is cheerful today. What's up with him?*
Juan Carlos **es** un hombre **guapo**.	¡Manuel, **estás** tan **guapo**!
Juan Carlos is a handsome man.	*Manuel, you look so handsome!*

- Some adjectives have two different meanings depending on whether they are used with **ser** or **estar**.

ser + [adjective]	estar + [adjective]
La clase de contabilidad **es aburrida**.	**Estoy aburrida** con la clase.
The accounting class is boring.	*I am bored with the class.*
Ese chico **es listo**.	**Estoy listo** para todo.
That boy is smart.	*I'm ready for anything.*
No **soy rico**, pero vivo bien.	¡El pan **está** tan **rico**!
I'm not rich, but I live well.	*The bread is delicious!*
La actriz **es mala**.	La actriz **está mala**.
The actress is bad.	*The actress is ill.*
El coche **es seguro**.	Juan no **está seguro** de la noticia.
The car is safe.	*Juan isn't sure of the news.*
Los aguacates **son verdes**.	Esta banana **está verde**.
Avocados are green.	*This banana is not ripe.*
Javier **es** muy **vivo**.	¿Todavía **está vivo** el autor?
Javier is very sharp.	*Is the author still living?*
Pedro **es** un hombre **libre**.	Esta noche no **estoy libre**. ¡Lo siento!
Pedro is a free man.	*Tonight I am not available. Sorry!*

¡ATENCIÓN!

Estar, not ser, is used with muerto/a.

Bécquer, el autor de las *Rimas*, **está** muerto. *Bécquer, the author of Rimas, is dead.*

32 treinta y dos

Lección 1

Las relaciones personales

teinta y tres 33

Students compare and contract English and Spanish structures—showing them how language works.

Students can watch the grammar rules come alive with animated **Grammar Tutorials** featuring **el profesor.**

Visually engaging
and carefully scaffolded formats

Práctica sections include contextualized, personalized activities.

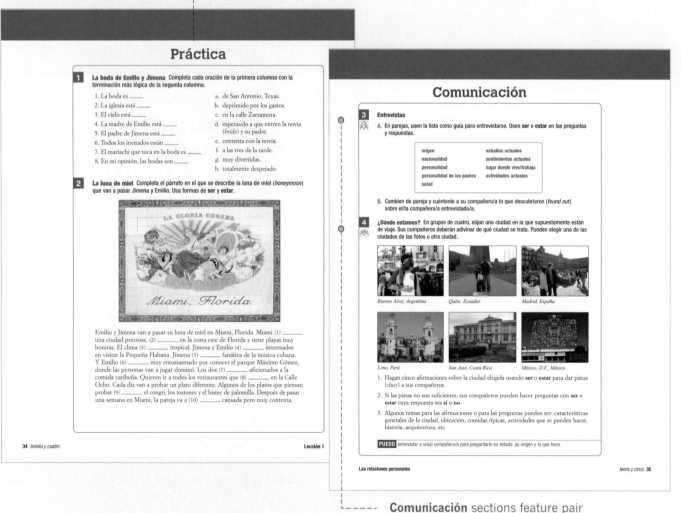

Práctica

1 **La boda de Emilio y Jimena** Completa cada oración de la primera columna con la terminación más lógica de la segunda columna.

1. La boda es _____
2. La iglesia está _____
3. El cielo está _____
4. La madre de Emilio está _____
5. El padre de Jimena está _____
6. Todos los invitados están _____
7. El mariachi que toca en la boda es _____
8. En mi opinión, las bodas son _____

a. de San Antonio, Texas.
b. deprimido por los gastos.
c. en la calle Zarzamora.
d. esperando a que entren la novia (*bride*) y su padre.
e. contenta con la novia.
f. a las tres de la tarde.
g. muy divertidas.
h. totalmente despejado.

2 **La luna de miel** Completa el párrafo en el que se describe la luna de miel (*honeymoon*) que van a pasar Jimena y Emilio. Usa formas de **ser y estar**.

LA GLORIA CUBANA

Miami, Florida

Emilio y Jimena van a pasar su luna de miel en Miami, Florida. Miami (1) _____ una ciudad preciosa. (2) _____ en la costa este de Florida y tiene playas muy bonitas. El clima (3) _____ tropical. Jimena y Emilio (4) _____ interesados en visitar la Pequeña Habana. Jimena (5) _____ fanática de la música cubana. Y Emilio (6) _____ muy entusiasmado por conocer el parque Máximo Gómez, donde las personas van a jugar dominó. Los dos (7) _____ aficionados a la comida caribeña. Quieren ir a todos los restaurantes que (8) _____ en la Calle Ocho. Cada día van a probar un plato diferente. Algunos de los platos que piensan probar (9) _____ el congrí, los tostones y el bistec de palomilla. Después de pasar una semana en Miami, la pareja va a (10) _____ cansada pero muy contenta.

Comunicación

3 **Entrevistas**

A. En parejas, usen la lista como guía para entrevistarse. Usen **ser** o **estar** en las preguntas y respuestas.

origen	estudios actuales
nacionalidad	sentimientos actuales
personalidad	lugar donde vive/trabaja
personalidad de los padres	actividades actuales
salud	

B. Cambien de pareja y cuéntenle a su compañero/a lo que descubrieron (*found out*) sobre el/la compañero/a entrevistado/a.

4 **¿Dónde estamos?** En grupos de cuatro, elijan una ciudad en la que supuestamente están de viaje. Sus compañeros deberán adivinar de qué ciudad se trata. Pueden elegir una de las ciudades de las fotos u otra ciudad.

Buenos Aires, Argentina   *Quito, Ecuador*   *Madrid, España*

Lima, Perú   *San José, Costa Rica*   *México, D.F., México*

1. Hagan cinco afirmaciones sobre la ciudad elegida usando **ser** o **estar** para dar pistas (*clues*) a sus compañeros.

2. Si las pistas no son suficientes, sus compañeros pueden hacer preguntas con **ser** o **estar** cuya respuesta sea **sí** o **no**.

3. Algunos temas para las afirmaciones o para las preguntas pueden ser: características generales de la ciudad, ubicación, comidas típicas, actividades que se pueden hacer, historia, arquitectura, etc.

PUEDO entrevistar a un(a) compañero/a para preguntarle su estado, su origen y lo que hace.

Comunicación sections feature pair and group activities for interpersonal and presentational practice.

Assign additional web-only activities online to solidify learning.

Skill synthesis
Viewing (Interpretive Communication)

En pantalla features award-winning short films (**cortometrajes**) and documentaries from around the Spanish-speaking world.

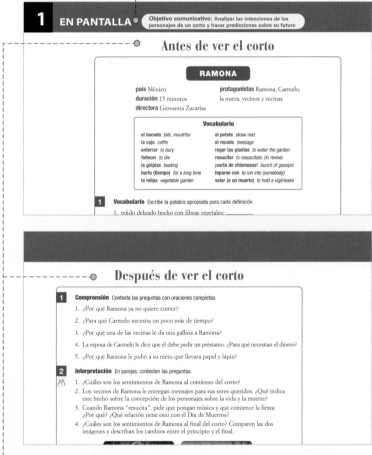

Antes de ver and Después de ver activities provide opportunities for reflection, personalization, and application pre- and post-viewing.

Storyboarding sets the stage for enjoyment as well as understanding of the authentic film.

Watch all the **En pantalla** films online.

Walkthrough

Skill synthesis
Reading (Interpretive Communication)

Sobre el autor (Sobre la autora) places the writing and its author in historical and cultural context.

Literatura readings offer a wide selection of authors and literary genres to engage students with authentic sources.

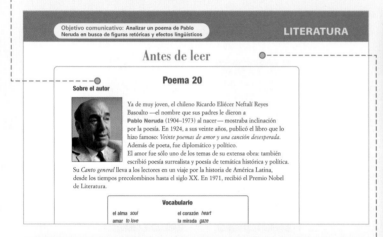

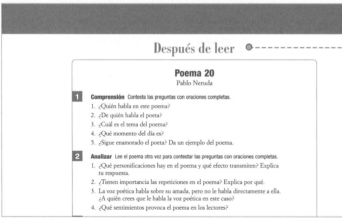

Literary analysis activities prepare students for advanced literary studies.

Activities in the **Antes de leer** and **Después de leer** sections provide context, vocabulary practice, personalization, and cross-curricular connections that give students tools to be successful reading authentic material.

The audio-synced readings allow students to follow a reading easily as they listen.

Skill synthesis
Reading (Interpretive Communication)

Antes de leer activities set cultural context in a broader framework to allow students to be successful reading authentic materials.

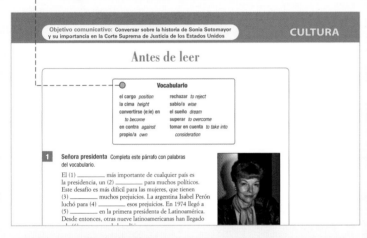

Objetivo comunicativo: Conversar sobre la historia de Sonia Sotomayor y su importancia en la Corte Suprema de Justicia de los Estados Unidos

CULTURA

Antes de leer

Vocabulario

el cargo *position*	**rechazar** *to reject*
la cima *height*	**sabio/a** *wise*
convertirse (e:ie) en *to become*	**el sueño** *dream*
en contra *against*	**superar** *to overcome*
propio/a *own*	**tomar en cuenta** *to take into consideration*

1 **Señora presidenta** Completa este párrafo con palabras del vocabulario.

El (1) _____ más importante de cualquier país es la presidencia, un (2) _____ para muchos políticos. Este desafío es más difícil para las mujeres, que tienen (3) _____ muchos prejuicios. La argentina Isabel Perón luchó para (4) _____ esos prejuicios. En 1974 llegó a (5) _____ en la primera presidenta de Latinoamérica. Desde entonces, otras nueve latinoamericanas han llegado

Después de leer

Sonia Sotomayor: la niña que soñaba

1 **Comprensión** Indica si las siguientes oraciones son **ciertas** o **falsas**. Luego, en parejas, corrijan las falsas.

1. Sonia Sotomayor se considera una persona extraordinaria.
2. Ella conocía a todos los empleados de la corte, desde los jueces hasta los conserjes.
3. De pequeña, Sonia quería ser detective como Nancy Drew.
4. Sus padres eran neoyorquinos.
5. Celina Sotomayor trabajaba como vendedora de enciclopedias.
6. Sonia fue la inspiración de un personaje de la serie de televisión *Law and Order*.

2 **Interpretación** En parejas, contesten las preguntas con oraciones completas y justifiquen sus respuestas.

1. ¿Les parece que la historia de Sonia Sotomayor es extraordinaria? ¿Por qué?
2. ¿En qué sentido piensan que su madre es "la inspiración de su vida"?
3. ¿Creen que su carrera es una prueba de que el sueño americano existe?
4. ¿Piensas que ella, como mujer y como hispana, y con la historia de su vida, puede

Después de leer activities provide comprehension, interpretation, analysis, and reflection practice.

1 **LECTURAS**

Sonia Sotomayor:
la niña que s

Lecturas culturales provide informational readings about the products, practices, and perspectives of the Spanish-speaking world in both historical and contemporary contexts.

The audio-synced readings allow students to follow a reading easily as they listen.

Skill Synthesis
Interpersonal Speaking & Presentational Writing

¡A conversar! provides interpersonal speaking focused on the contexts found throughout the chapter.

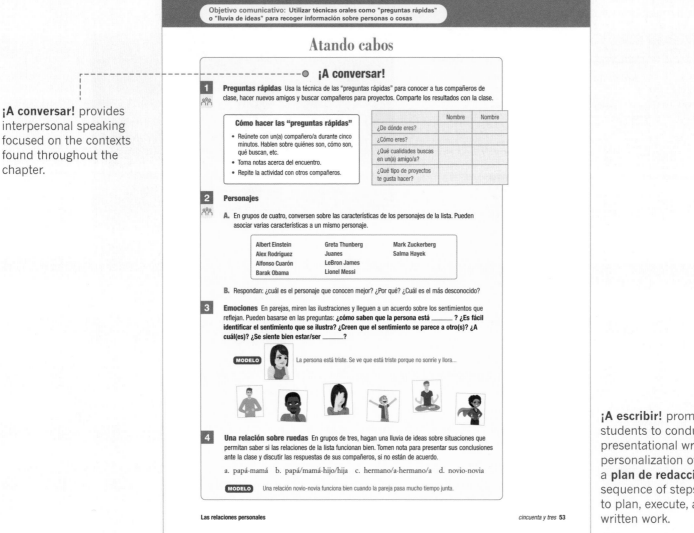

Objetivo comunicativo: Utilizar técnicas orales como "preguntas rápidas" o "lluvia de ideas" para recoger información sobre personas o cosas

Atando cabos

¡A conversar!

1 Preguntas rápidas Usa la técnica de las "preguntas rápidas" para conocer a tus compañeros de clase, hacer nuevos amigos y buscar compañeros para proyectos. Comparte los resultados con la clase.

Cómo hacer las "preguntas rápidas"

- Reúnete con un(a) compañero/a durante cinco minutos. Hablen sobre quiénes son, cómo son, qué buscan, etc.
- Toma notas acerca del encuentro.
- Repite la actividad con otros compañeros.

	Nombre	Nombre
¿De dónde eres?		
¿Cómo eres?		
¿Qué cualidades buscas en un(a) amigo/a?		
¿Qué tipo de proyectos te gusta hacer?		

2 Personajes

A. En grupos de cuatro, conversen sobre las características de los personajes de la lista. Pueden asociar varias características a un mismo personaje.

Albert Einstein	Greta Thunberg	Mark Zuckerberg
Alex Rodríguez	Juanes	Salma Hayek
Alfonso Cuarón	LeBron James	
Barak Obama	Lionel Messi	

B. Respondan: ¿cuál es el personaje que conocen mejor? ¿Por qué? ¿Cuál es el más desconocido?

3 Emociones En parejas, miren las ilustraciones y lleguen a un acuerdo sobre los sentimientos que reflejan. Pueden basarse en las preguntas: **¿cómo saben que la persona está _____? ¿Es fácil identificar el sentimiento que se ilustra? ¿Creen que el sentimiento se parece a otro(s)? ¿A cuál(es)? ¿Se siente bien estar/ser _____?**

MODELO La persona está triste. Se ve que está triste porque no sonríe y llora...

4 Una relación sobre ruedas En grupos de tres, hagan una lluvia de ideas sobre situaciones que permitan saber si las relaciones de la lista funcionan bien. Tomen nota para presentar sus conclusiones ante la clase y discutir las respuestas de sus compañeros, si no están de acuerdo.

a. papá-mamá b. papá/mamá-hijo/hija c. hermano/a-hermano/a d. novio-novia

MODELO Una relación novio-novia funciona bien cuando la pareja pasa mucho tiempo junta.

Las relaciones personales

cincuenta y tres **53**

¡A escribir! prompts students to conduct extended presentational writing based on personalization of the context; a **plan de redacción** provides a sequence of steps in a process to plan, execute, and review written work.

You can also assign the writing task using the composition engine online.

Vocabulary

Vocabulario summarizes all the active vocabulary in the chapter.

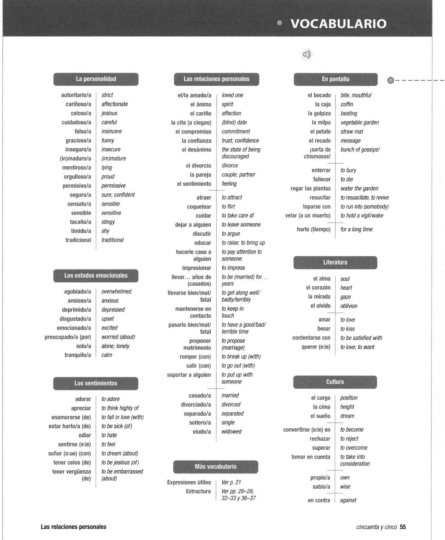

● VOCABULARIO

La personalidad

autoritario/a	strict
cariñoso/a	affectionate
celoso/a	jealous
cuidadoso/a	careful
falso/a	insincere
gracioso/a	funny
inseguro/a	insecure
(in)maduro/a	(im)mature
mentiroso/a	lying
orgulloso/a	proud
permisivo/a	permissive
seguro/a	sure; confident
sensato/a	sensible
sensible	sensitive
tacaño/a	stingy
tímido/a	shy
tradicional	traditional

Los estados emocionales

agobiado/a	overwhelmed
ansioso/a	anxious
deprimido/a	depressed
disgustado/a	upset
emocionado/a	excited
preocupado/a (por)	worried (about)
solo/a	alone; lonely
tranquilo/a	calm

Los sentimientos

adorar	to adore
apreciar	to think highly of
enamorarse (de)	to fall in love (with)
estar harto/a (de)	to be sick (of)
odiar	to hate
sentirse (e:ie)	to feel
soñar (o:ue) (con)	to dream (about)
tener celos (de)	to be jealous (of)
tener vergüenza (de)	to be embarrassed (about)

Las relaciones personales

el/la amado/a	loved one
el ánimo	spirit
el cariño	affection
la cita (a ciegas)	(blind) date
el compromiso	commitment
la confianza	trust; confidence
el desánimo	the state of being discouraged
el divorcio	divorce
la pareja	couple; partner
el sentimiento	feeling
atraer	to attract
coquetear	to flirt
cuidar	to take care of
dejar a alguien	to leave someone
discutir	to argue
educar	to raise; to bring up
hacerle caso a alguien	to pay attention to someone
impresionar	to impress
llevar… años de (casados)	to be (married) for… years
llevarse bien/mal/fatal	to get along well/badly/terribly
mantenerse en contacto	to keep in touch
pasarlo bien/mal/fatal	to have a good/bad/terrible time
proponer matrimonio	to propose (marriage)
romper (con)	to break up (with)
salir (con)	to go out (with)
soportar a alguien	to put up with someone
casado/a	married
divorciado/a	divorced
separado/a	separated
soltero/a	single
viudo/a	widowed

Más vocabulario

Expresiones útiles	Ver p. 21
Estructura	Ver pp. 28–29, 32–33 y 36–37

En pantalla

el bocado	bite, mouthful
la caja	coffin
la golpiza	beating
la milpa	vegetable garden
el petate	straw mat
el recado	message
¡sarta de chismosos!	bunch of gossips!
enterrar	to bury
fallecer	to die
regar las plantas	water the garden
resucitar	to resuscitate, to revive
toparse con	to run into (somebody)
velar (a un muerto)	to hold a vigil/wake
harto (tiempo)	for a long time

Literatura

el alma	soul
el corazón	heart
la mirada	gaze
el olvido	oblivion
amar	to love
besar	to kiss
contentarse con	to be satisfied with
querer (e:ie)	to love; to want

Cultura

el cargo	position
la cima	height
el sueño	dream
convertirse (e:ie) en	to become
rechazar	to reject
superar	to overcome
tomar en cuenta	to take into consideration
propio/a	own
sabio/a	wise
en contra	against

Las relaciones personales

cincuenta y cinco **55**

Each grouping includes active vocabulary that ties to the Communicative Goals presented at the beginning of each lesson.

Active vocabulary is recorded for convenient study and practice. Flashcards for all terms are also available.

The Vista Higher Learning
Difference

As a specialized publisher, we focus on what we love and do best—developing language materials that get teachers and students as excited about language and culture as we are. Our singular focus has been on creating the highest-quality, integrated print and digital solutions that meet the needs of all language learners—from those learning a new language, improving a second language, or perfecting their native language.

What does that mean for you?

- Unparalleled service from day one, including personalized training by nationally-renowned language educators.

- Superior technology support to ensure that your classes run smoothly throughout the year.

- Seamless integration of technology, content, and resources to ensure success for you and your students.

"My **Vista Higher Learning rep** is absolutely fantastic. He is **responsive to the needs** of my department and colleagues."

Sally Sefami, Sage High School
Newport Coast, CA

VISTA
HIGHER LEARNING

World-Readiness Standards
for Learning Languages

Descubre blends the underlying principles of the World-Readiness Standards with features and strategies tailored specifically to build students' language and cultural competencies.

GOAL AREAS	STANDARDS		
COMMUNICATION Communicate effectively in more than one language in order to function in a variety of situations and for multiple purposes	**Interpersonal Communication:** Learners interact and negotiate meaning in spoken, signed, or written conversations to share information, reactions, feelings, and opinions.	**Interpretive Communication:** Learners understand, interpret, and analyze what is heard, read, or viewed on a variety of topics.	**Presentational Communication:** Learners present information, concepts, and ideas to inform, explain, persuade, and narrate on a variety of topics using appropriate media and adapting to various audiences of listeners, readers, or viewers.
CULTURES Interact with cultural competence and understanding	**Relating Cultural Practices to Perspectives:** Learners use the language to investigate, explain, and reflect on the relationship between the practices and perspectives of the cultures studied.		**Relating Cultural Products to Perspectives:** Learners use the language to investigate, explain, and reflect on the relationship between the products and perspectives of the cultures studied.
CONNECTIONS Connect with other disciplines and acquire information and diverse perspectives in order to use the language to function in academic and careerrelated situations	**Making Connections:** Learners build, reinforce, and expand their knowledge of other disciplines while using the language to develop critical thinking and to solve problems creatively.		**Acquiring Information and Diverse Perspectives:** Learners access and evaluate information and diverse perspectives that are available through the language and its cultures.
COMPARISONS Develop insight into the nature of language and culture in order to interact with cultural competence	**Language Comparisons:** Learners use the language to investigate, explain, and reflect on the nature of language through comparisons of the language studied and their own.		**Cultural Comparisons:** Learners use the language to investigate, explain, and reflect on the concept of culture through comparisons of the cultures studied and their own.
COMMUNITIES Communicate and interact with cultural competence in order to participate in multilingual communities at home and around the world	**School and Global Communities:** Learners use the language both within and beyond the classroom to interact and collaborate in their community and the globalized world.		**Lifelong Learning:** Learners set goals and reflect on their progress in using languages for enjoyment, enrichment, and advancement.

Adapted from ACTFL's *World-Readiness Standards for Learning Languages.*
ACTFL was not involved in the production of, and does not endorse, this product.

Six-step instructional design

Take advantage of the unique, powerful six-step instructional design in *Descubre*. With a focus on personalization, authenticity, cultural immersion, and the seamless integration of text and technology, language learning comes to life in ways that are meaningful to each and every student.

STEP 1

Context
Begin each lesson by asking students to provide from their own experience words, concepts, categories, and opinions related to the theme. Spend quality time evoking words, images, ideas, phrases, and sentences; group and classify concepts. You are giving students the "hook" for their learning, focusing them on their most interesting topic—themselves—and encouraging them to invest personally in their learning.

STEP 2

Vocabulary
Now turn to the vocabulary section, inviting students to experience it as a new linguistic code to express what they already know and experience in the context of the lesson theme. Vocabulary concepts are presented in context, carefully organized, and frequently reviewed to reinforce student understanding. Involve students in brainstorming, classifying and grouping words and thoughts, and personalizing phrases and sentences. In this way, you will help students see Spanish as a new tool for self-expression.

STEP 3

Media
Once students see that Spanish is a tool for expressing their own ideas, bridge their experiences to those of Spanish speakers through the *Fotonovela* section. The *Fotonovela* Video Program storyline presents and reviews vocabulary and structure in accurate cultural contexts for effective training in both comprehension and personal communication.

STEP 4

Culture

Now bring students into the experience of culture as seen from the perspective of those living in it. Here we share Spanish-speaking cultures' unique geography, history, products, perspectives, and practices. Through *Flash cultura* (instructional video) and *En pantalla* (authentic film) students experience and reflect on cultural experiences beyond their own.

STEP 5

Structure

Through context, media, and culture, students have incorporated both previously-learned and new grammatical structures into their personalized communication. Now a formal presentation of relevant grammar demonstrates that grammar is a tool for clearer and more effective communication. Clear presentations and invitations to compare Spanish to English build confidence, fluency, and accuracy.

STEP 6

Skill synthesis

Pulling all their learning together, students now integrate context, personal experience, communication tools, and cultural products, perspectives, and practices. Through extended reading, writing, listening, speaking, and cultural exploration in scaffolded progression, students apply all their skills for a rich, personalized experience of Spanish.

Differentiation

Knowing how to appeal to learners of different abilities and learning styles will allow you to foster a positive teaching environment and motivate all your students. Here are some strategies for creating inclusive learning environments. Consider also the ideas at the base of the Teacher's Edition (TE) pages. Extension and expansion activities are also suggested.

Learners with Special Needs

Learners with special needs include students with attention priority disorders or learning disabilities, slower-paced learners, at-risk learners, and English-language learners. Some inclusion strategies that work well with such students are:

Clear Structure By teaching concepts in a predictable order, you can help students organize their learning. Encourage students to keep outlines of materials they read, classify words into categories such as colors, or follow prewriting steps.

Frequent Review and Repetition Preview material to be taught and review material covered at the end of each lesson. Pair proficient learners with less proficient ones to practice and reinforce concepts. Help students retain concepts through continuous practice and review.

Multi-sensory Input and Output Use visual, auditory, and kinesthetic tasks to add interest and motivation, and to achieve long-term retention. For example, vary input with the use of audio recordings, video, guided visualization, rhymes, and mnemonics.

Additional Time Consider how physical limitations may affect participation in special projects or daily routines. Provide additional time and recommended accommodations.

Different Learning Styles

Visual Learners learn best by seeing, so engage them in activities and projects that are visually creative. Encourage them to write down information and think in pictures as a long-term retention strategy; reinforce their learning through visual displays such as diagrams, videos, and handouts.

Auditory Learners best retain information by listening. Engage them in discussions, debates, and role-playing. Reinforce their learning by playing audio versions of texts or reading aloud passages and stories. Encourage them to pay attention to voice, tone, and pitch to infer meaning.

Kinesthetic Learners learn best through moving, touching, and doing hands-on activities. Involve such students in skits and dramatizations; to infer or convey meaning, have them observe or model gestures such as those used for greeting someone or getting someone's attention.

Advanced Learners

Advanced learners have the potential to learn language concepts and complete assignments at an accelerated pace. They may benefit from assignments that are more challenging than the ones given to their peers. The key to differentiating for advanced learners is adding a degree of rigor to a given task. Examples include sharing perspectives on texts they have read with the class, retelling detailed stories, preparing analyses of texts, or adding to discussions. Here are some other strategies for engaging advanced learners:

Timed Answers Have students answer questions within a specified time limit.

Persuading Adapt activities so students have to write or present their points of view in order to persuade an audience. Pair or group advanced learners to form debating teams.

Pre-AP®

While Pre-AP® strategies are associated with advanced students, all students can benefit from the activities and strategies that are categorized as Pre-AP® in *Descubre.* Long-term success in language learning starts in the first year of instruction, so these strategies should be incorporated throughout students' language-learning career.

Descubre is particularly strong in fostering interpretive communication skills. Students are offered a variety of opportunities to read and listen to spoken language. The *Lectura* sections provide various types of written texts, and the *En pantalla* and *Flash cultura* videos feature Spanish spoken at a natural pace. Encourage students to interact with as much authentic language as possible, as this will lead to long-term success.

Advanced Placement, Advanced Placement Program, and AP are registered trademarks of the College Board, which was not involved in the production of, and does not endorse, this product.

Heritage Language Learners

Heritage language learners are students who come from homes where a language other than English is spoken. Spanish heritage learners are likely to have adequate comprehension and conversation skills, but they could require as much explicit instruction of reading and writing skills as their non-heritage peers. Because of their background, heritage language learners can attain, with instruction adapted to their needs, a high level of proficiency and literacy in Spanish. Use these strategies to support them:

Support and Validate Experiences Acknowledge students' experiences with their heritage culture and encourage them to share what they know.

Focus on Accuracy Alert students to common spelling and grammatical errors made by native speakers, such as distinguishing between **c, s,** and **z** or **b** and **v** and appropriate use of irregular verb forms such as **hubo** instead of **hubieron.**

Develop Literacy and Writing Skills Help students focus on reading as well as grammar, punctuation, and syntax skills, but be careful not to assign a workload significantly greater than what is assigned to non-heritage learners.

Best Practices

The creators of **Descubre** understand that there are many different approaches to successful language teaching and that no one method works perfectly for all teachers or all learners. These strategies and tips may be applied to any language-teaching method.

Maintain the Target Language

As much as possible, create an immersion environment by using Spanish to *teach* Spanish. Encourage the exclusive use of the target language in your classroom, employing visual aids, mnemonics, circumlocution, or gestures to complement what you say. Encourage students to perceive meaning directly through careful listening and observation, and by using cognates and familiar structures and patterns to deduce meaning.

Cultivate Critical Thinking

Prompt students to reflect, observe, reason, and form judgments in Spanish. Engaging students in activities that require them to compare, contrast, predict, criticize, and estimate will help them to internalize the language structures they have learned.

Encourage Use of Circumlocution

Prompt students to discover various ways of expressing ideas and of overcoming potential blocks to communication through the use of circumlocution and paraphrasing.

Learning to Use Your **Teacher's Edition**

Descubre offers you a comprehensive, thoroughly developed Teacher's Edition (TE). It features student text pages overprinted with answers to all activities with discrete responses. Each page also contains annotations for most activities that were written to complement and support varied teaching styles, to extend the already rich contents of the student textbook, and to save you time in class preparation and course management.

In the Teacher Wrap

- **Section Goals** summarize what students will learn and practice in each section
- **Suggestions** offer ideas for working with on-page materials, carrying out specific activities, and presenting new vocabulary or grammar
- **Expansions** present ways to expand or vary the activities on the page
- **Script** Transcripts of the audio and video recordings
- **21st Century Skills** incorporate the Partnership for 21st Century Skills framework to identify and classify skills that high school students need to meet today's workplace requirements

A strong **Pre-AP® Spanish program** is built from the beginning, through backward design, and well-scaffolded AP tasks that are slowly spiraled and built from lesson to lesson and level to level. The College Board Course and Exam Description (CED) explains eight color-coded skill categories that are assessed on the AP exam. To support student AP preparation and effective communication in general, Vista Higher Learning has interwoven these skills and tasks into the **Descubre** program, starting with **Descubre 1**, from the first lesson and building over time to help students develop these eight skills (and task models) slowly and steadily from the very beginning. To help teachers identify and understand their use in **Descubre**, these skills are color-coded to match the CED and identified for teachers throughout the **Descubre** program.

1 Comprehend Text
2 Make Connections
3 Interpret Text
4 Make Meanings
5 Speak to Others
6 Write to Others
7 Present Orally
8 Present in Writing

Pre-AP is a registered trademark of the College Board, which was not involved in the production of, and does not endorse, this product.

Please visit **vhlcentral.com** for additional teaching support.

"I Can" Statements

Students can assess their own progress by using "I Can" (or "Can-Do") Statements. The template below may be customized with the Student Objectives found in *Descubre* to guide student learning, and to train students to assess their progress.

Editable worksheets in the **Content > Resources** area online

I Can Statements
Descubre 3, Lección 1

Nombre _____ Fecha _____

¿Cómo voy?

4	*¡Excelente!*	I know this well enough to teach it to someone.
3	*Muy bien*	I can do this with almost no mistakes.
2	*Más o menos*	I can do much of this, but I have questions.
1	*Es difícil*	I can do this, but only with help.
0	*¡Ayúdame!*	I can't do this, even with help.

Contextos (páginas 16-19)

	¿Dónde?	¿Cómo voy?
Interpretive		
I can understand expressions related to emotions, feelings, relationships and types of personalities in a radio broadcast.	Online	
I can understand questions about my personality in a simple survey.	SE/Online	
Presentational		
I can write an email asking for advice in a personal relationship.	SE/Online	

Fotonovela (páginas 21-23)

	¿Dónde?	¿Cómo voy?
Interpretive		
I can understand the characters' emotions and reactions in a short video about personal relationships.	SE/Online	
Presentational		
I can write a description of a character from a video, including my personal impression.	SE/Online	

Notas:_____

_____

Assessment

As you use the **Descubre** program, you can employ a variety of assessments to evaluate progress. The program provides comprehensive, discrete answer assessments, as well as more communicative assessments that elicit open-ended, personalized responses.

Diagnostic Testing

The *Recapitulación* section in each lesson of Levels 1 and 2 provides you with an informal opportunity to assess students' readiness for the listening, reading, and writing activities in the *Adelante* section. If some students need additional practice or instruction in a particular area, you can identify this before students move on.

If students have moderate or high access to computers, they could complete the *Recapitulación* auto-graded quiz, also available for Level 3, on the **Descubre** online platform. After finishing the quiz, each student receives an evaluation of his or her progress, indicating areas where he or she needs to focus. The student is then presented with several options—viewing a summary chart, accessing an online tutorial, or completing some practice items—to reach an appropriate level before beginning the activities in the *Adelante* section. You will be able to monitor how well students have done through the online gradebook and be able to recommend appropriate study paths until they develop as reflective learners and can decide on their own what works best for them.

Writing Assessment

In each lesson of Levels 1 and 2, the *Adelante* section includes an *Escritura* page that introduces a writing strategy, which students apply as they complete the writing activity. The Teacher's Edition contains suggested rubrics for evaluating students' written work.

You can also apply these rubrics to the process writing activities in the *Cuaderno de actividades comunicativas* for all three levels of **Descubre.** These activities include suggestions for peer- and self-editing that will focus students' attention on what is important for attaining clarity in written communication.

Assessment Program

The **Descubre** Assessment Program now offers two Quizzes for each *Contextos* section and every grammar point in *Estructura*. Each Quiz A uses discrete answer formats, such as multiple-choice, fill-in-the-blanks, matching and completing charts, while Quiz B uses more open-ended formats, such as asking students to write sentences using prompts or respond to a topic in paragraph format. There is no listening comprehension section for the Quizzes.

Six Tests are available for Levels 1 and 2. Versions A and B are interchangeable, for purposes of administering make-up tests. Tests C and D are shorter versions of Tests A and B. Tests E and F provide a third interchangeable pair that check students' mastery of lesson vocabulary and grammar. All of the Tests contain a listening comprehension section. Level 3 has four Tests for each lesson. Tests A and B contain a greater proportion of controlled activities, while Tests C and D have more open-ended activities. Cumulative Exams are available for all levels.

The tests are also available online so that you can customize them by adding, eliminating, or moving items according to your classroom and student needs.

Portfolio Assessment

Portfolios can provide further valuable evidence of your students' learning. They are useful tools for evaluating students' progress in Spanish and also suggest to students how they are likely to be assessed in the real world. Since portfolio activities often comprise classroom tasks that you would assign as part of a lesson or as homework, you should think of the planning, selecting, recording, and interpreting of information about individual performance as a way of blending assessment with instruction.

You may find it helpful to refer to portfolio contents, such as drafts, essays, and samples of presentations when writing student reports and conveying the status of a student's progress to his or her parents.

Ask students regularly to consider which pieces of their own work they would like to share with family and friends, and help them develop criteria for selecting representative samples of essays, stories, poems, recordings of plays or interviews, mock documentaries, and so on. Prompt students to choose a variety of media in their activities wherever possible to demonstrate development in all four language skills. Encourage them to seek peer and parental input as they generate and refine criteria to help them organize and reflect on their own work.

Strategies for Differentiating Assessment

Here are some strategies for modifying tests and other forms of assessment according to your students' needs and your own purposes for administering the assessment.

Adjust Questions Direct complex or higher-level questions to students who are equipped to answer them adequately and modify questions for students with greater needs. Always ask questions that elicit thinking, but keep in mind the students' abilities.

Provide Tiered Assignments Assign tasks of varying complexity depending on individual student needs. Appealing to learners of different abilities and learning styles will allow you to foster a positive teaching environment.

Promote Flexible Grouping Encourage movement among groups of students so that all learners are appropriately challenged. Group students according to interest, oral proficiency levels, or learning styles.

Adjust Pacing Pace the sequence and speed of assessments to suit your students' learning needs. Time advanced learners to challenge them and allow slower-paced learners more time to complete tasks or answer questions.

Integrated
Performance Assessment

Integrated performance assessments (IPA) begin with a real-life task that engages students' interest. To complete the task, students progress through the three modes of communication: they read, view, and listen for information (interpretive mode); they talk and write with classmates about what they have experienced (interpersonal mode); and they share formally what they have learned (presentational mode).

Editable worksheets in the
Content > Resources area
online

ASSESSMENT   Lección 1

Integrated Performance Assessment Rubric

	5 points	3 points	1 point
Interpretive	The student can identify several positive and several negative personality traits and workplace behaviors.	The student has difficulty identifying positive and negative personality traits and workplace behaviors.	The student cannot identify positive nor negative personality traits and workplace behaviors.
Interpersonal	The student can complete an interview demonstrating mutual understanding. The result of the interview is a master list of 5 positive personality traits for an employee and a decision about who to recommend for the job.	The student can complete an interview with only some difficulty in mutual understanding. The result of the interview is a master list of fewer than 5 positive personality traits for an employee and a possible decision about who to recommend for the job.	The student can complete an interview but does not reach mutual understanding. The student is able to make a master list of only 1 or 2 positive personality traits for an employee and cannot decide who to recommend for the job.
Presentational	The student can provide relevant information about who he/she is recommending for the job, including describing at least 5 of his/her positive personality traits.	The student can provide relevant information about who he/she is recommending for the job, as well as a description of several positive personality traits, but details are	The student can provide some relevant information about who he/she is recommending for the job, but the presentation lacks detail and contains many errors.

PERFORMANCE ASSESSMENT   Lección 1

All responses and communication must be in Spanish.

Context

You listen to a radio program that streams live online from Santiago de Chile. The station is holding a contest: the prize is a five-day trip to the city, including tickets to two concerts. To enter, you must record a short opinion of one of Pablo Neruda's love poems. You choose **Poema 20** and decide that you will participate by comparing the poem to a popular song you like.

First, you will read the poem and note the images you conjure and feelings you experience. Then, with a partner, you will discuss the poem and compare it to popular songs you know. Finally, you will record your contest entry.

Interpretive task

Read **Poema 20,** by Chilean poet Pablo Neruda, on page 33 of your textbook. As you read, write a list of three positive images and three negative images and any feelings that the poem evokes in you.

Interpersonal task

Discuss your list with a partner and talk about how the poem makes you each feel and what images you both share. Talk about some popular songs of different genres that the poem reminds you of; after all, many songs are poems set to music. What images and feelings do these songs evoke in you? Pick one song that you feel particularly strongly about and give four or five reasons why you chose that song.

Presentational task

Record your contest entry. It should not exceed one minute. Summarize the song you selected and compare it to the poem you read. Talk about the person(s) you think the song is written for, what emotions it is meant to convey, the images it brings to mind, and why it is special to you. (You can write out what you want to say if that is helpful, but make the recording sound as natural and unrehearsed as possible.)

    | 1 | **Lesson 1**   Integrated Performance Assessment

A critical step in administering the IPA is to define and share rubrics with students before beginning the task. They need to be aware of what successful performance should look like.

Descubre 3 Pacing Guide

DAY	WARM-UP / ACTIVATE	PRESENT / PRACTICE / COMMUNICATE	REFLECT / CONCLUDE / CONNECT
1 Context for Communication	Evoke student experiences & vocabulary for context [5] Present **A primera vista** [5] 10 minutes	Present vocabulary using illustrations, phrases, categories, association [15] Students demonstrate, role-play, illustrate, classify, associate, & define [10] 25 minutes	Students restate context [5] Introduce homework: Complete selected **Práctica** activities (text and/or online) [5] 10 minutes
2 Vocabulary as a Tool	Students restate context and connect to vocabulary [5] Assessment: **Contextos** [5] 10 minutes	Students complete **Práctica** [5] Students do **Comunicación** activities [20] 25 minutes	Students review and personalize key vocabulary in context [5] Introduce homework: online flashcards, end-of-chapter list and audio; remaining auto-graded activities [5] 10 minutes
3 Media as a Bridge	Student pairs/small groups review vocabulary [5] Assessment: **Contextos** [5] 10 minutes	Orient students to **Fotonovela** and **Expresiones útiles** through video stills with observation, role-play, and prediction [5] Begin reading **Fotonovela** as a class [10] First viewing of **Fotonovela** [10] 25 minutes	Student pairs reflect on **Fotonovela** content and connection to vocabulary and context [5] Introduce homework: Complete (selected) text or online **Comprensión** and **Ampliación** activities [5] 10 minutes
4 Media as a Bridge	Role-play or review of homework activities [5] Review **Fotonovela** and **Expresiones útiles** [5] 10 minutes	Second viewing of **Fotonovela** [10] **Comprensión** and **Ampliación** activities [10] Student pairs/small groups write/illustrate sentences on context-vocabulary-**Fotonovela** connections [5] 25 minutes	Students share sentences/illustrations with whole class [5] Introduce homework: Watch **Fotonovela** again online; complete remaining auto-graded activities [5] 10 minutes
5 Culture for Communication	Review **Fotonovela** and **Expresiones útiles** [5] Student pairs/small groups review homework activities [5] 10 minutes	Present (select) **Enfoques** features in whole class or in small groups using jigsaw, numbered heads together, etc. [20] Student pairs/small groups do selected item(s) from **¿Qué aprendiste?** [10] 30 minutes	Introduce homework: Use Complete **Entre culturas** and/or **¿Qué aprendiste?** online 5 minutes
6 Grammar as a Tool	Check comprehension by having students complete the **Más cultura** reading and activities online 5 minutes	Present **Flash cultura** [15] Present grammatical concept using text, online content and **Fotonovela** segments [15] Students complete **Flash cultura**, sharing results with partners [5] 35 minutes	Introduce homework: Complete (selected) **Práctica** activities using text and/or online activities; have students complete **Flash cultura** activities online 5 minutes
7 Grammar in Context	Student pairs re-present grammatical structures to each other and share results of completed **Práctica** activities 10 minutes	Student pairs/small groups complete **Práctica** activities [5] Students do **Comunicación** activities [25] 30 minutes	Introduce homework: Complete (selected) **Práctica** and/or **Comunicación** activities in text and/or **online** 5 minutes
8 Grammar as a Tool	Student groups review homework activities [5] Assessment: **Estructura** [10] 15 minutes	Present grammatical concept using text, online content, and **Fotonovela** segments 20 minutes	Student pairs explain grammatical structure to partner; begin **Práctica** activities [5] Introduce homework: Complete (selected) **Práctica** activities using text and/or online activities [5] 10 minutes
9 Grammar in Context	Student pairs re-present grammatical structures to each other and share results of completed **Práctica** activities 10 minutes	Student pairs/small groups complete **Práctica** activities [5] Students do **Comunicación** activities [25] 30 minutes	Introduce homework: Complete (selected) **Práctica** and/or **Comunicación** activities in text and/or online 5 minutes
10 Grammar as a Tool	Student groups review homework activities [5] Assessment: **Estructura** [10] 15 minutes	Present grammatical concept using text, online content, and **Fotonovela** segments 20 minutes	Student pairs explain grammatical structure to partner; begin **Práctica** activities [5] Introduce homework: Complete (selected) **Práctica** activities using text and/or online content [5] 10 minutes

Traditional Schedule

DAY		WARM-UP / ACTIVATE	PRESENT / PRACTICE / COMMUNICATE	REFLECT / CONCLUDE
11	Grammar in Context	Student pairs re-present grammatical structures to each other and share results of completed **Práctica** activities 10 minutes	Student pairs/small groups complete **Práctica** activities [5] Students do **Comunicación** activities [25] 30 minutes	Introduce homework: Complete (selected) **Práctica** and/or **Comunicación** activities in text and/or online 5 minutes
12	Media as a Bridge	Student groups review homework activities [5] Assessment: **Estructura** [10] 15 minutes	Present **En pantalla** using the video stills [10] First viewing of **En pantalla** [10] 20 minutes	Student pairs reflect on video and make connections to vocabulary and grammar of the context [5] Introduce homework: Watch **En pantalla** again online and complete selected **Después de ver el corto** activities [5] 10 minutes
13	Media as a Bridge	Student pairs review homework activities 10 minutes	Second viewing of **En pantalla** [10] Students complete **Después de ver** activities [10] Student pairs/small groups do activities listed in your TE [10] 30 minutes	Introduce homework: Complete remaining auto-graded **En pantalla** activities online 5 minutes
14	Skill Synthesis: Interpretive (Literatura)	Review **En pantalla** and answer any remaining questions 5 minutes	Guide students through **Antes de leer**, including **Análisis literario** [10] Students read **Literatura** (whole class or small groups) [20] 30 minutes	Student pairs/small groups begin **Después de leer** [5] Introduce homework: Reread **Literatura** and complete **Después de leer** activities (text or online) [5] 10 minutes
15	Skill Synthesis: Interpretive (Cultura Reading)	Review **Literatura** [5] Review homework activities [5] 10 minutes	Reread **Literatura** with the class [10] Student pairs/small groups complete **Después de leer** [5] Present **Cultura** and guide students through **Antes de leer** [15] 30 minutes	Introduce homework: Read the **Cultura** selection and have students make a list of grammar examples they find in the reading 5 minutes
16	Skill Synthesis: Interpretive (Cultura Reading)	Student pairs review the **Cultura** reading 10 minutes	Read the **Cultura** selection as a class or in small groups [20] Students complete **Después de leer** activities [10] 30 minutes	Introduce homework: Students reread **Cultura** and complete **Después de leer** activities online; students read **Atando cabos** 5 minutes
17	Skill Synthesis: Presentational (Speaking and Writing)	Review **Cultura** reading [5] Review homework activities [5] 10 minutes	Student groups discuss **¡A conversar!** in **Atando cabos** and plan their presentations [15] Guide students through **¡A escribir!** [5] Students start a first draft of **¡A escribir!** [10] 30 minutes	Introduce homework: Students prepare and practice their **¡A conversar!** projects and finish writing the first draft of **¡A escribir!** 5 minutes
18	Skill Synthesis: Presentational (Speaking and Writing)	Give student groups time to converse about their presentations 5 minutes	Student groups present their **¡A conversar!** projects to the class [25] Students exchange their **¡A escribir!** drafts with a partner [10] 35 minutes	Introduce homework: Students revise their **¡A escribir!** drafts 5 minutes
19	Communication-based Synthesis and Review	Ask student volunteers to read their **¡A escribir!** assignments in front of the class 5 minutes	Student pairs/small groups/whole class prepare and check **Assessment** online [20] Guide review of lesson context, vocabulary, structures, skills [10] 30 minutes	Confirm understanding of assessment content and grading rubric [5] Introduce homework: Prepare for lesson test using text and online content [5] 10 minutes
20	Assessment	**Orientation** Students look over lesson content in preparation 5 minutes	**Assessment** Lesson Test: 40 minutes	

Descubre 3 Pacing Guide

DAY		WARM-UP / ACTIVATE		PRESENT / PRACTICE / COMMUNICATE	
1	Context for Communication	Evoke student experiences & vocabulary for context [5] Present **A primera vista** [5] 10 minutes		Present vocabulary using illustrations, phrases, categories, association [15] Students demonstrate, role-play, illustrate, classify, associate, & define [15] 30 minutes	
2	Media as a Bridge	Student pairs/small groups review vocabulary [5] Assessment: **Contextos** [5] 10 minutes		Orient students to **Fotonovela** and **Expresiones útiles** through video stills with observation, role-play, and prediction [10] First viewing of **Fotonovela** [10] 20 minutes	
3	Culture for Communication	Review **Fotonovela**, **Expresiones útiles**, and homework activities 10 minutes		Present (select) **Enfoques** features in whole class or in small groups using jigsaw, numbered heads together, etc. [20] Student pairs/small groups do selected item(s) from **¿Qué aprendiste?** [15] 35 minutes	
4	Grammar as a Tool	Check comprehension by having students complete the **Más cultura** reading and activities online 10 minutes		Students complete remaining **Flash cultura** activities [5] Present grammatical concept using text, online content, and **Fotonovela** segments [25] Students start **Práctica** activities [5] 35 minutes	
5	Grammar as a Tool	Review homework activities [5] Assessment: **Estructura** [10] 15 minutes		Present grammatical concept using text, online content (tutorials, slides), and **Fotonovela** segments 25 minutes	
6	Grammar as a Tool	Review homework activities [5] Assessment: **Estructura** [10] 15 minutes		Present grammatical concept using text, online content (tutorials, slides), and **Fotonovela** segments 25 minutes	
7	Media as a Bridge	Review homework activities [5] Assessment: **Estructura** [10] 15 minutes		Present **En pantalla** using the video stills and guide students through **Antes de ver** [15] First viewing of **En pantalla** [10] 25 minutes	
8	Skill Synthesis Interpretive (Literatura)	Review **En pantalla** and homework activities 10 minutes		Guide students through **Antes de leer** and **Análisis literario** for **Literatura** [10] Students read **Literatura** (whole class or small groups) and do **Después de leer** [25] 35 minutes	
9	Skill Synthesis Interpretive (Cultura Reading)	Review the **Cultura** selection 10 minutes		Read the **Cultura** selection with the class and do **Después de leer** 25 minutes	
10	Presentational (Speaking and Writing) and Assessment	Guide review of lesson context, vocabulary, structures, skills 5 minutes		Present the **Atando cabos** activities and have students complete **¡A conversar!** or **¡A escribir!** 35 minutes	

Block Schedule

REFLECT	PRESENT / PRACTICE / COMMUNICATE	REFLECT / CONCLUDE	DAY
Students restate context (individually or in pairs) and create personalized sentences 5 minutes	Students do select **Práctica** activities [15] Students do **Comunicación** activities [15] 30 minutes	Students review key vocabulary through personalized phrases and sentences [5] Introduce homework: online content; end-of-lesson list and audio; auto-graded activities [5] 10 minutes	1
Student pairs reflect on **Fotonovela** and begin **Comprensión** activities 10 minutes	Second viewing of **Fotonovela** [10] Students complete **Comprensión** and **Ampliación** activities [15] Student pairs/small groups write/illustrate vocabulary-**Fotonovela** connections and share their work with the class [10] 35 minutes	Students reflect on connection of vocabulary and video to lesson context [5] Introduce homework: Watch **Fotonovela** again online; complete remaining auto-graded activities [5] 10 minutes	2
Individual students reflect on information presented and identify concept or topic of initial personal interest 5 minutes	Orient students to **Flash cultura** vocabulary, content, and learning outcomes online [10] Present **Flash cultura** and discuss [15] 25 minutes	Student pairs/small groups do selected item(s) from **¿Qué aprendiste?** [5] Introduce homework: Complete **Flash cultura** activities, **Entre culturas**, and/or **¿Qué aprendiste?** online [5] 10 minutes	3
Student pairs explain grammatical structure to partner 5 minutes	Student pairs do select **Práctica** activities [15] Students do **Comunicación** activities [15] 30 minutes	Introduce homework: Complete (selected) **Práctica** and/or **Comunicación** activities in text and/or online 5 minutes	4
Student pairs explain grammatical structure to partner 5 minutes	Student pairs/small groups do select **Práctica** activities [15] Students do **Comunicación** activities [20] 35 minutes	Introduce homework: Complete (selected) **Práctica** and/or **Comunicación** activities in text and/or online 5 minutes	5
Student pairs explain grammatical structure to partner 5 minutes	Student pairs/small groups do select **Práctica** activities [15] Students do **Comunicación** activities [20] 35 minutes	Introduce homework: Complete (selected) **Práctica** and/or **Comunicación** activities in text and/or online 5 minutes	6
Student pairs reflect on **En pantalla** content and make connections between video and lesson context 5 minutes	Second viewing of **En pantalla** [10] Students do **Después de ver** activities [15] 25 minutes	Student pairs/small groups do activities listed in TE [10] Introduce homework: Complete (selected) **Práctica** and/or **Comunicación** activities in text and/or online [5] 15 minutes	7
Ask a few comprehension questions about the reading, using grammar structures and vocabulary from the lesson 5 minutes	Students complete **Después de leer** activities [10] Review **Después de leer** with the whole class or in small groups [10] 20 minutes	Guide students through **Antes de leer** for the **Cultura** reading [10] Introduce homework: Read the **Cultura** selection and make a list of grammar examples from the lesson that appear in the reading [5] 15 minutes	8
Students complete selected **Despues de leer** activities 5 minutes	Students complete **Después de leer** activities [10] Review **Después de leer** answers with the whole class or in small groups [10] 20 minutes	Students do **Assessment** online [15] Confirm understanding of assessment content and grading rubric [5] Introduce homework: Review for the lesson test using the textbook and online content [5] 25 minutes	9
Introduce homework: Prepare **¡A conversar!** or **¡A escribir!** to present in the next class session 5 minutes	**Assessment** Lesson Test: 40 minutes		10

Index of Cultural References

Afro-Hispanic Culture
African heritage in Uruguay, 363
afrocolombianos (20% of population), 177
comparsas (*candombe music groups*), 363
desfile de llamadas (*carnival procession celebrating mixed-race heritage*, Uruguay), 363
esclavos africanos (in Uruguay and Argentina), 362
raíces africanas (*African musical roots*), 364
ritmos africanos, 363

Animals
alpacas, 321

Architecture
arquitectura modernista (*modernist architecture*), 403
Calatrava, Santiago (Spain: architect), 401
Hemisférico, el (Valencia, Spain), 401
pirámide maya (*Mayan pyramid*), 221
Rodríguez, Germán (Spain: architect), 401 (Internet)

Art and Artists
Kahlo, Frida (painter, Mexico), 401
Núñez, Guillermo (painter, Chile), 401

Celebrations
Carnaval de Montevideo, 363
Desfile de llamadas (Afro-Uruguayan procession), *see* **Afro-Hispanic Culture**
Día de San Jorge (*St. George's Day*, celebrated in the Catalan culture), 24–25
murgas (carnival performance, Afro-Uruguayan), 363
Primero de mayo (*1st of May,* International Workers' Day), 319 (Internet)

Countries and Regions
Argentina, 67, 278–279, 318–319, 362, 365
Bolivia, 93, 235
Caribe, el, 236
Chile, 237, 400–402
Colombia, 53, 93, 150–151, 319
Costa Rica, 187, 194
Cuba, 67, 151, 236
Ecuador, 93
93, 108–109, 133

Andalucía, 118
Barcelona, 111
Madrid, 27
Guatemala, 219–221
Honduras, 221, 257
Mesoamérica, 199
México, 67, 91, 93, 151, 220, 221, 318, 319
Nicaragua, 93, 194
Panamá, 195
Paraguay, 362, 370, 384, 387
Perú, 93
Puerto Rico, 236, 239, 243, 261, 264
República Dominicana, 236, 243
Uruguay 87, 362, 365, 387
Venezuela, 93, 151 318, 319

Fashion Design
Balenciaga, Cristóbal (Spain), 345
Herrera, Carolina (Venezuela), 319
Renta, Oscar de la (Dominican Republic), 345

Food
café (*coffee*), 194
calabaza (*gourd,* for making **mate**), 362
foods and crops from the Americas, 195
hierba luisa (Peruvian herb), 363
horchata (beverage), 363
Inka Cola, 363
Lacayo Argueñal, Ariel (Nicaraguan chef), 401
maíz (*corn*), 195
mateína (substance similar to caffeine found in yerba mate), 362
papa (*potato*), 195
patata, *see* **papa**
tereré (Paraguayan cold version of mate), 340
tres leches, las (dessert), 129
tomate (*tomato*), 195
yerba mate, 362

History and Politics
Bolívar, Simón (Venezuela), 137
Canal de Panamá, construcción del, 195
comercio justo (*fair trade*), 194
Felipe IV (King Philip IV of Spain), 135
Felipe VI (King Philip VI of Spain 2014–present), 108
Franco, General Francisco, 108

inventos (inventions, Argentina), 279, 281
Innovar (Argentina), 279
Juan Carlos I (Juan Carlos de Borbón, king of Spain 1975–2014), 108
Ortiz, Letizia (Queen of Spain; wife of Felipe VI), 109
royal family of Spain (**la familia real**), 108
Siglo de Oro (Golden Age of Spain), 133
Sotomayor, Sonia (United States), 49–51

Indigenous Peoples
artefactos precolombinos, 179
aztecas, 221
Chimila, 178–180
comunidades indígenas en Colombia, 150
guaraní, 332
dios Tupá (legend of mate), 362
language, 384–387
proverbs in, 386
television in, 387
tereré (word for beverage derived from guaraní; *see* **Food**)
languages, indigenous, 385
maya, 219–222
logros intelectuales de los, 219
olmeca, 221
sitios arqueológicos, 221
tolteca, 221

Languages
spoken in Latin America
guaraní, *see* **Indigenous**
sesenta lenguajes indígenas (Colombia), 177
spoken in Spain
vasco (*Basque*), 383

Literature
fábula (*fable*), 339
grupo McOndo, 420–422
literary criticism, terms of, 395
microcuento, 257
narrativa oral (*oral narrative tradition* in Paraguay), 385
realismo fantástico, 415
realismo mágico (*magical realism*), 214, 415, 419

Index of Cultural References

DESCUBRE 3

Lengua y cultura del mundo hispánico

VISTA®
HIGHER LEARNING

Boston, Massachusetts

On the cover: Artisans making *alebrijes*, brightly colored Mexican folk art sculptures of fantastical creatures, in a workshop, Oaxaca, Mexico.

Creative Director: José A. Blanco

Chief Content and Innovation Officer: Rafael de Cárdenas López

Editorial Director: Harold Swearingen

Editorial Development: Diego García, Stefanía Zapata

Project Management: Erik Restrepo

Rights Management: Jorgensen Fernandez, Kristine Janssens, Juan Esteban Mora, Annie Pickert Fuller

Technology Production: Egle Gutiérrez, Lauren Krolick

Design: Paula Díaz, Daniela Hoyos, Radoslav Mateev, Gabriel Noreña, Andrés Vanegas

Production: Oscar Díez, Sebastián Díez, Andrés Escobar, Adriana Jaramillo, Daniel Lopera, Daniela Peláez

Student Text ISBN: 978-1-54333-124-0
Library of Congress Control Number: 2020938730

1 2 3 4 5 6 7 8 9　TC　25 24 23 22 21 20

Printed in Canada.

DESCUBRE 3

Lengua y cultura del mundo hispánico

Table of Contents

Lección
Preliminar

Lección 1
Las relaciones personales

Lección 2
Las diversiones

Lección 3
La vida diaria

Table of Contents

Table of Contents

El mundo

- Países hispanohablantes
- Países con alto número de hispanohablantes

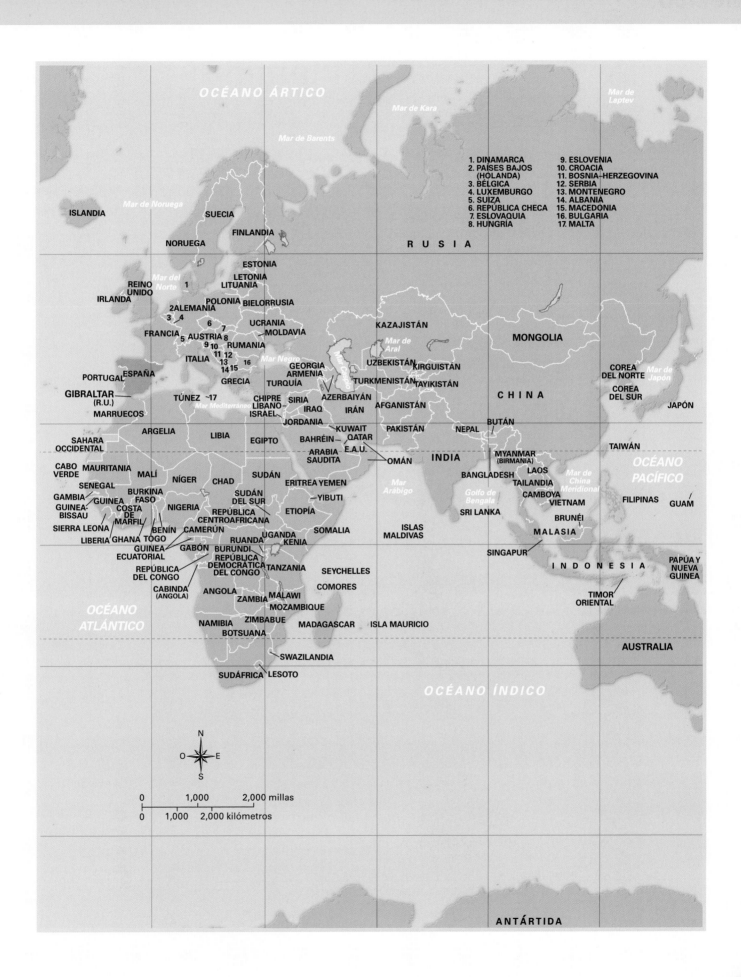

OCÉANO ÁRTICO

Mar de Kara

Mar de Laptev

Mar de Barents

Mar de Noruega

ISLANDIA

SUECIA

NORUEGA

FINLANDIA

RUSIA

1. DINAMARCA	9. ESLOVENIA
2. PAÍSES BAJOS (HOLANDA)	10. CROACIA
3. BÉLGICA	11. BOSNIA–HERZEGOVINA
4. LUXEMBURGO	12. SERBIA
5. SUIZA	13. MONTENEGRO
6. REPÚBLICA CHECA	14. ALBANIA
7. ESLOVAQUIA	15. MACEDONIA
8. HUNGRÍA	16. BULGARIA
	17. MALTA

ESTONIA

Mar del Norte

LETONIA

LITUANIA

REINO UNIDO

IRLANDA

POLONIA

BIELORRUSIA

ALEMANIA

UCRANIA

MOLDAVIA

KAZAJISTÁN

MONGOLIA

FRANCIA

AUSTRIA

RUMANIA

ITALIA

Mar de Aral

Mar Negro

UZBEKISTÁN

KIRGUISTÁN

COREA DEL NORTE

Mar de Japón

PORTUGAL

ESPAÑA

GRECIA

GEORGIA
ARMENIA

TURQUÍA

Mar Caspio

TURKMENISTÁN

TAYIKISTÁN

CHINA

COREA DEL SUR

JAPÓN

GIBRALTAR (R.U.)

TÚNEZ ~17

CHIPRE

SIRIA

AZERBAIYÁN

MARRUECOS

Mar Mediterráneo

LÍBANO–ISRAEL

IRAQ

IRÁN

AFGANISTÁN

TAIWÁN

JORDANIA

ARGELIA

LIBIA

EGIPTO

KUWAIT

BAHRÉIN

QATAR

E.A.U.

PAKISTÁN

NEPAL

BUTÁN

SAHARA OCCIDENTAL

ARABIA SAUDITA

OMÁN

INDIA

MYANMAR (BIRMANIA)

OCÉANO PACÍFICO

CABO VERDE

MAURITANIA

MALÍ

NÍGER

CHAD

SUDÁN

ERITREA YEMEN

Mar Arábigo

BANGLADESH

LAOS

Mar de China Meridional

SENEGAL

BURKINA FASO

SUDÁN DEL SUR

YIBUTI

Golfo de Bengala

TAILANDIA

GAMBIA

GUINEA

NIGERIA

REPÚBLICA CENTROAFRICANA

ETIOPÍA

CAMBOYA

VIETNAM

FILIPINAS

GUAM

GUINEA-BISSAU

COSTA DE MARFIL

SRI LANKA

SIERRA LEONA

BENÍN

CAMERÚN

UGANDA

SOMALIA

ISLAS MALDIVAS

BRUNÉI

LIBERIA

GHANA

TOGO

RUANDA

KENIA

MALASIA

GUINEA ECUATORIAL

GABÓN

BURUNDI

REPÚBLICA DEMOCRÁTICA DEL CONGO

SINGAPUR

INDONESIA

PAPÚA Y NUEVA GUINEA

REPÚBLICA DEL CONGO

TANZANIA

SEYCHELLES

CABINDA (ANGOLA)

ANGOLA

ZAMBIA

MALAWI

COMORES

TIMOR ORIENTAL

OCÉANO ATLÁNTICO

MOZAMBIQUE

NAMIBIA

ZIMBABUE

BOTSUANA

MADAGASCAR

ISLA MAURICIO

AUSTRALIA

SWAZILANDIA

SUDÁFRICA

LESOTO

OCÉANO ÍNDICO

N
O E
S

0	1,000	2,000 millas
0	1,000	2,000 kilómetros

ANTÁRTIDA

Mexico

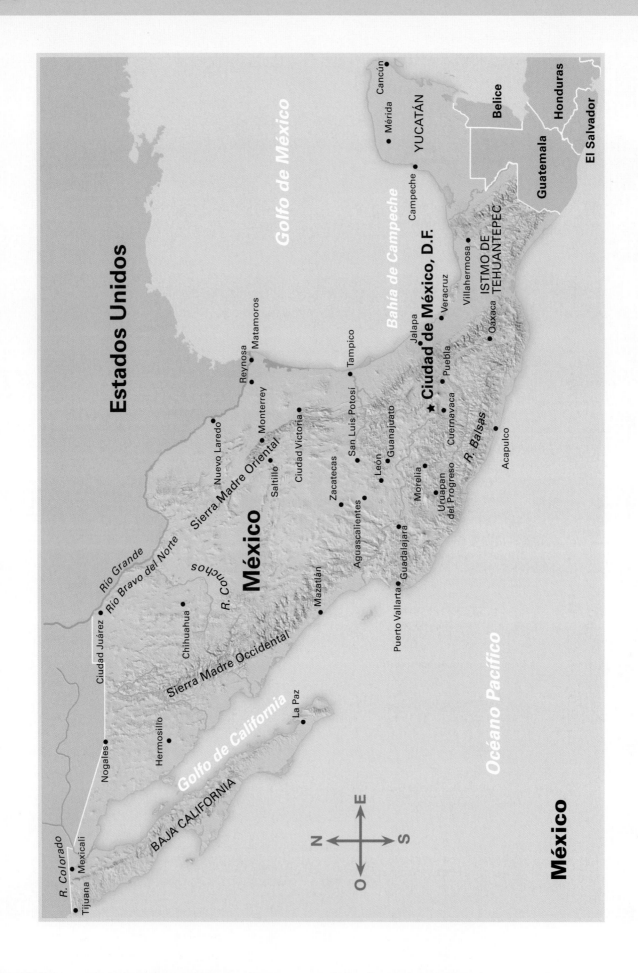

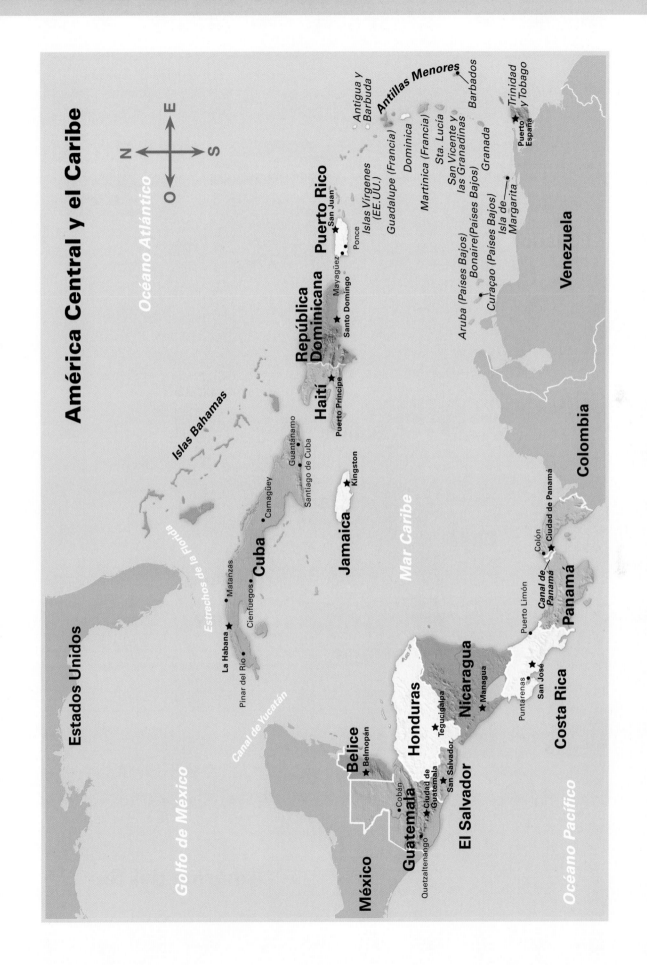

Océano Atlántico

América Central y el Caribe

N — E
O — S

Estados Unidos

Golfo de México

Islas Bahamas

Estrechos de la Florida

Canal de Yucatán

La Habana
Pinar del Río
Matanzas
Cienfuegos
Cuba
Camagüey
Santiago de Cuba
Guantánamo

Jamaica
Kingston

Haití
Puerto Príncipe

República Dominicana
Santo Domingo

Puerto Rico
San Juan
Mayagüez
Ponce

Islas Vírgenes (EE.UU.)

Antigua y Barbuda

Antillas Menores

Guadalupe (Francia)
Dominica
Martinica (Francia)
Sta. Lucía
San Vicente y las Granadinas
Granada
Barbados

Trinidad y Tobago
Puerto España

Aruba (Países Bajos)
Bonaire (Países Bajos)
Curaçao (Países Bajos)
Isla de Margarita

Mar Caribe

Venezuela

Colombia

México

Quetzaltenango
Cobán
Guatemala
Ciudad de Guatemala
San Salvador
El Salvador

Belice
Belmopán

Honduras
Tegucigalpa

Nicaragua
Managua

Costa Rica
Puntarenas
San José
Puerto Limón

Colón
Ciudad de Panamá
Canal de Panamá
Panamá

Océano Pacífico

Mar Caribe

Barranquilla
Maracaibo
Caracas ★
Puerto España ★
Trinidad y
Tobago

Venezuela

Medellín

Colombia
★ Bogotá
• Cali

Georgetown ★
Guyana
Paramaribo ★
Cayena •
Surinam
**Guayana
Francesa**

Pasto

R. Orinoco

Islas Galápagos

Océano
Pacífico

Isla Pinta
Isla
Marchena
Isla
Genovesa
Isla
Isabela
Línea ecuatorial
Volcán Darwin
Isla Santiago
(San Salvador)
Isla
Fernandina
Puerto Ayora
Isla San
Cristóbal
Isla Santa
Cruz
Santo
Tomás
Puerto Baquerizo
Moreno
Isla
Santa María
Isla Española

Ecuador
★ Quito
Guayaquil

R. Negro

R. Amazonas

• Belém

Perú

Iquitos •
Manaus •

R. Madeira

Recife •

Lima ★

Cuzco •

Cordillera de los Andes

Lago Titicaca

Salvador •

Brasil
★ Brasilia

Arequipa •
★ La Paz

Bolivia
Arica •
Sucre ★
Iquique •

R. Paraguay

Belo Horizonte •

Océano
Pacífico

R. Paraná

Antofagasta •

Paraguay
São Paulo •
Rio de Janeiro •
Santos •

• Salta
Asunción ★

Chile
R. Uruguay

Pôrto Alegre •

Córdoba •
R. Paraná

Valparaíso •
Mendoza •
• Rosario
Uruguay
Santiago ★
Buenos Aires ★
★
Montevideo

Océano
Atlántico

Concepción •
Argentina

• Bahía Blanca

N

Puerto Montt •

O   E

Cordillera de los Andes

S

*Estrecho de
Magallanes*
Islas Malvinas
• Punta Arenas

*Tierra
del Fuego*

América del Sur

Spain

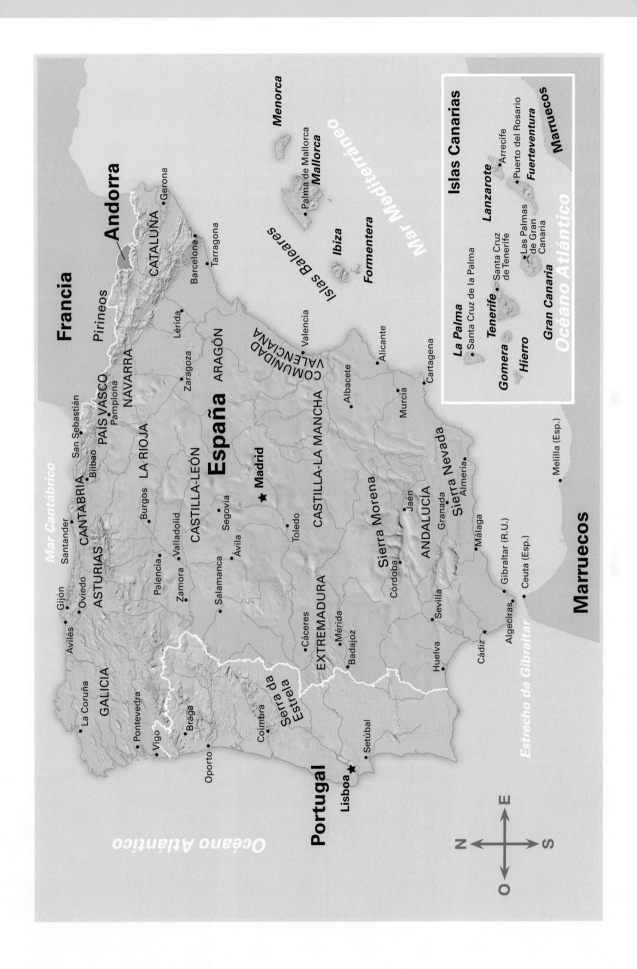

Video Programs

Fotonovela video program

The Main Characters

Learn more about the characters you'll meet in the **Fotonovela**:

 Lorenzo Solís is the head of the Solís family. He is a botany professor at the University of Oaxaca, and his passion is to take care of the cacti he has around the house.

 Rocío Solís is a dedicated student of medicine, and the eldest among the three Solís siblings. She is always eager about things and is prone to overreact.

 Marcela Solís is a history student at the local university and drives a taxi. She also loves to sing.

 Manuel Solís is the youngest of the three siblings. He is about to graduate high school, but has not chosen what to study in college.

 Ricardo Hernández just moved to Oaxaca, and studies engineering. He designed and flies a drone he built himself. He really likes Marcela.

 Lupita has been the Solís' family maid for almost 20 years. Her relationship with Lorenzo and his children is very close, as if they are her family members.

 Patricia is an art student, and best friends with Marcela.

 Chente (Vicente) is a guitarist in a mariachi band, and Patricia's boyfriend. He also studies engineering in the University of Oaxaca with Ricardo.

 Doctora Hernández is a physician. She treats patients at the local hospital.

The Story

The **Fotonovela** video is a 10-episode story about a not-so-typical family set against the unique background of Oaxaca, Mexico, a World Heritage Site. Cultural elements and stunning aerial footage drive the fast-paced storyline. Humor and dramatic tension, along with many surprising twists and turns, promise to keep you engaged and give you a sense of modern, day-to-day life in Mexico. The behind the scenes photos below show the video crew in action.

Flash cultura video program

The dynamic **Flash cultura** video provides an entertaining and authentic complement to the **El mundo hispano** section of each lesson. Correspondents from various Spanish-speaking countries report on aspects of life in their countries, conducting street interviews with residents along the way. These episodes draw attention to the similarities and differences between Spanish-speaking countries and the U.S., while highlighting fascinating aspects of the target culture.

Film Collection

The **Descubre** Film Collection contains the short films and documentaries by Hispanic filmmakers that are the basis for the **En pantalla** section of every lesson. These award-winning films offer entertaining and thought-provoking opportunities to build your listening comprehension skills and your cultural knowledge of the Spanish-speaking world.

Film Synopses

Lección 1 *Ramona* (México) An elderly woman decides it is time for her to die and lets her family and neighbors know about her decision.

Lección 2 *El dorado de Ford* (Argentina) Two men embark in an adventure to catch a legendary fish.

Lección 3 *Di algo* (España) A young blind woman falls in love with a man based on his voice. The only problem is that she has never heard him in person... just on a recording.

Lección 4 *Ayúdame a recordar* (España) A woman believes that the best place for her sick father is a nursing home, but she changes her mind when she realizes how important his relationship with his grandson is.

Lección 5 *La autoridad* (España) A family is stopped by Spanish police while driving home from a vacation in Morocco.

Lección 6 *Playa del Carmen: Tiburón Toro* (México). A group of professional divers tell us about their face-to-face encounters with sharks in the waters of Playa del Carmen, Mexico.

Lección 7 *Happy Cool* (Argentina) A man decides to wait out a recession by having himself cryogenically frozen until better economic times.

Lección 8 *Clown* (España) Companies will go to any length to collect what is due to them... and to make sure they have hired the right person for the job.

Lección 9 *Sintonía* (España) Stuck in traffic, the only way a man can get the attention of a woman is to figure out which radio station she's listening to and call in.

Lección 10 *Jóvenes valientes (Colombia).* A group of young dancers offer a first-hand testimony of what it takes to be a performing artist.

Online Content

Each section of your textbook comes with online resources and activities. You can access them from any computer with an Internet connection. Visit vhlcentral.com to get started.

My Vocabulary	**CONTEXTOS** Listen to audio of the **Vocabulary**, and practice using Flashcards and activities that give you immediate feedback.
Video: *Fotonovela*	**FOTONOVELA** Follow the unpredictable events in the life of a family from Oaxaca, Mexico. Watch the **Video** again at home to see the characters use the vocabulary in a real context.
Reading **Additional Reading** **Video:** *Flash cultura*	**EL MUNDO HISPANO** Explore cultural topics through the *Entre culturas* activity or **reading** the *Más cultura* selection. Watch the *Flash cultura* again outside of class to reinforce your understanding.
Explanation **Tutorial** **Diagnostics** **Remediation Activities**	**ESTRUCTURA** Review the **Explanation** or watch an animated **Tutorial**, and then play the games to make sure you got it. Complete the Diagnostic *Recapitulación* to see what you might still need to study. Get additional **Remediation Activities**.
Video: Short Film	**EN PANTALLA** Viewing and understanding films created by and for native Spanish speakers is a true test of your progress in learning Spanish. Work through the pre- and post-viewing activities and watch the **film** as many times as you need to understand the dialogue, plot, and cultural aspects offered by each film.
Audio: Dramatic Recording **Audio: Synced Reading**	**LECTURAS** A dramatic audio recording accompanies all of the selections in the **Literatura** section, and each **Cultura** reading is provided as a synced audio reading. Improve your comprehension of native speakers as you read along with the audio. Or, see how much you can understand when listening with your book closed.

Icons

Icons

Familiarize yourself with these icons that appear throughout *Descubre*.

 Listening

The listening icon indicates that audio is available. You will see it in the lesson's **Contextos**, **Pronunciación**, **Escuchar**, and **Vocabulario** sections.

Pair Activities

Two heads indicate a pair activity.

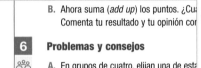

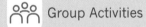 Group Activities

Three heads indicate a group activity.

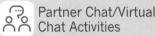 Partner Chat/Virtual Chat Activities

Two heads with a speech bubble indicate that the activity may be assigned as a Partner Chat or a Virtual Chat activity online.

The Spanish-Speaking World

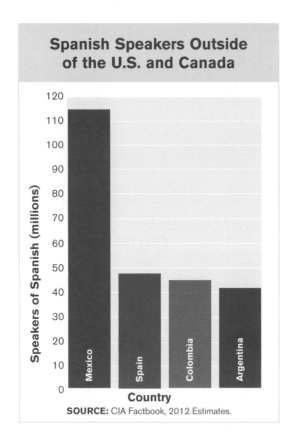

Spanish Speakers Outside of the U.S. and Canada

Speakers of Spanish (millions) — Country

Mexico, Spain, Colombia, Argentina

SOURCE: CIA Factbook, 2012 Estimates.

Do you know someone whose first language is Spanish? Chances are you do! More than approximately forty million people living in the U.S. speak Spanish; after English, it is the second most commonly spoken language in this country. It is the official language of twenty-two countries and an official language of the European Union and United Nations.

The Growth of Spanish

Have you ever heard of a language called Castilian? It's Spanish! The Spanish language as we know it today has its origins in a dialect called Castilian (**castellano** in Spanish). Castilian developed in the 9th century in north-central Spain, in a historic provincial region known as Old Castile. Castilian gradually spread towards the central region of New Castile, where it was adopted as the main language of commerce. By the 16th century, Spanish had become the official language of Spain and eventually, the country's role in exploration, colonization, and overseas trade led to its spread across Central and South America, North America, the Caribbean, parts of North Africa, the Canary Islands, and the Philippines.

Spanish in the United States

1500   **1600**   **1700**

16th Century
Spanish is the official language of Spain.

1565
The Spanish arrive in Florida and found St. Augustine.

1610
The Spanish found Santa Fe, today's capital of New Mexico, the state with the most Spanish speakers in the U.S.

Spanish in the United States

Spanish came to North America in the 16th century with the Spanish who settled in St. Augustine, Florida. Spanish-speaking communities flourished in several parts of the continent over the next few centuries. Then, in 1848, in the aftermath of the Mexican-American War, Mexico lost almost half its land to the United States, including portions of modern-day Texas, New Mexico, Arizona, Colorado, California, Wyoming, Nevada, and Utah. Overnight, hundreds of thousands of Mexicans became citizens of the United States, bringing with them their rich history, language, and traditions.

This heritage, combined with that of the other Hispanic populations that have immigrated to the United States over the years, has led to the remarkable growth of Spanish around the country. After English, it is the most commonly spoken language in 43 states. More than 12 million people in California alone claim Spanish as their first or "home" language.

You've made a popular choice by choosing to take Spanish in school. Not only is Spanish found and heard almost everywhere in the United States, but it is the most commonly taught foreign language in classrooms throughout the country! Have you heard people speaking Spanish in your community? Chances are that you've come across an advertisement, menu, or magazine that is in Spanish. If you look around, you'll find that Spanish can be found in some pretty common places. For example, most ATMs respond to users in both English and Spanish. News agencies and television stations such as **CNN** and **Telemundo** provide Spanish-language broadcasts. When you listen to the radio or download music from the Internet, some of the most popular choices are Latino artists who perform in Spanish. Federal government agencies such as the Internal Revenue Service and the Department of State provide services in both languages. Even the White House has an official Spanish-language webpage! Learning Spanish can create opportunities within your everyday life.

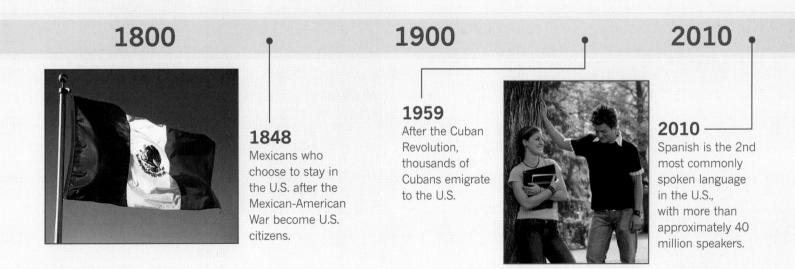

1800

1848
Mexicans who choose to stay in the U.S. after the Mexican-American War become U.S. citizens.

1900

1959
After the Cuban Revolution, thousands of Cubans emigrate to the U.S.

2010

2010
Spanish is the 2nd most commonly spoken language in the U.S., with more than approximately 40 million speakers.

Why Study Spanish?

Learn an International Language

There are many reasons to learn Spanish, a language that has spread to many parts of the world and has along the way embraced words and sounds of languages as diverse as Latin, Arabic, and Nahuatl. Spanish has evolved from a medieval dialect of north-central Spain into the fourth most commonly spoken language in the world. It is the second language of choice among the majority of people in North America.

Understand the World Around You

Knowing Spanish can also open doors to communities within the United States, and it can broaden your understanding of the nation's history and geography. The very names Colorado, Montana, Nevada, and Florida are Spanish in origin. Just knowing their meanings can give you some insight into, of all things, the landscapes for which the states are renowned. Colorado means "colored red;" Montana means "mountain;" Nevada is derived from "snow-capped mountain;" and Florida means "flowered." You've already been speaking Spanish whenever you talk about some of these states!

State Name	Meaning in Spanish
Colorado	"colored red"
Florida	"flowered"
Montana	"mountain"
Nevada	"snow-capped mountain"

Connect with the World

Learning Spanish can change how you view the world. While you learn Spanish, you will also explore and learn about the origins, customs, art, music, and literature of people in close to two dozen countries. When you travel to a Spanish-speaking country, you'll be able to converse freely with the people you meet. And whether in the U.S., Canada, or abroad, you'll find that speaking to people in their native language is the best way to bridge any culture gap.

Why Study Spanish?

Expand Your Skills

Studying a foreign language can improve your ability to analyze and interpret information and help you succeed in many other subject areas. When you first begin learning Spanish, your studies will focus mainly on reading, writing, grammar, listening, and speaking skills. You'll be amazed at how the skills involved with learning how a language works can help you succeed in other areas of study. Many people who study a foreign language claim that they gained a better understanding of English. Spanish can even help you understand the origins of many English words and expand your own vocabulary in English. Knowing Spanish can also help you pick up other related languages, such as Italian, Portuguese, and French. Spanish can really open doors for learning many other skills in your school career.

Explore Your Future

How many of you are already planning your future careers? Employers in today's global economy look for workers who know different languages and understand other cultures. Your knowledge of Spanish will make you a valuable candidate for careers abroad as well as in the United States or Canada. Doctors, nurses, social workers, hotel managers, journalists, businessmen, pilots, flight attendants, and many other professionals need to know Spanish or another foreign language to do their jobs well.

How to Learn Spanish

Start with the Basics!

As with anything you want to learn, start with the basics and remember that learning takes time! The basics are vocabulary, grammar, and culture.

Vocabulary | Every new word you learn in Spanish will expand your vocabulary and ability to communicate. The more words you know, the better you can express yourself. Focus on sounds and think about ways to remember words. Use your knowledge of English and other languages to figure out the meaning of and memorize words like **conversación, teléfono, oficina, clase,** and **música**.

Grammar | Grammar helps you put your new vocabulary together. By learning the rules of grammar, you can use new words correctly and speak in complete sentences. As you learn verbs and tenses, you will be able to speak about the past, present, or future, express yourself with clarity, and be able to persuade others with your opinions. Pay attention to structures and use your knowledge of English grammar to make connections with Spanish grammar.

Culture | Culture provides you with a framework for what you may say or do. As you learn about the culture of Spanish-speaking communities, you'll improve your knowledge of Spanish. Think about a word like **salsa**, and how it connects to both food and music. Think about and explore customs observed on **Nochevieja** (New Year's Eve) or at a **fiesta de quince años** (a girl's fifteenth birthday party). Watch people greet each other or say good-bye. Listen for idioms and sayings that capture the spirit of what you want to communicate!

Teenagers celebrating at a **fiesta de quince años.**

Listen, Speak, Read, and Write

Listening | Listen for sounds and for words you can recognize. Listen for inflections and watch for key words that signal a question such as **cómo** (*how*), **dónde** (*where*), or **qué** (*what*). Get used to the sound of Spanish. Play Spanish pop songs or watch Spanish movies. Borrow books on CD from your local library, or try to visit places in your community where Spanish is spoken. Don't worry if you don't understand every single word. If you focus on key words and phrases, you'll get the main idea. The more you listen, the more you'll understand!

Speaking | Practice speaking Spanish as often as you can. As you talk, work on your pronunciation, and read aloud texts so that words and sentences flow more easily. Don't worry if you don't sound like a native speaker, or if you make some mistakes. Time and practice will help you get there. Participate actively in Spanish class. Try to speak Spanish with classmates, especially native speakers (if you know any), as often as you can.

Reading | Pick up a Spanish-language newspaper or a pamphlet on your way to school, read the lyrics of a song as you listen to it, or read books you've already read in English translated into Spanish. Use reading strategies that you know to understand the meaning of a text that looks unfamiliar. Look for cognates, or words that are related in English and Spanish, to guess the meaning of some words. Read as often as you can, and remember to read for fun!

Writing | It's easy to write in Spanish if you put your mind to it. And remember that Spanish spelling is phonetic, which means that once you learn the basic rules of how letters and sounds are related, you can probably become an expert speller in Spanish! Write for fun—make up poems or songs, write e-mails or instant messages to friends, or start a journal or blog in Spanish.

Tips for Learning Spanish

Practice, practice, practice!
Seize every opportunity you find to listen, speak, read, or write Spanish. Think of it like a sport or learning a musical instrument—the more you practice, the more you will become comfortable with the language and how it works. You'll marvel at how quickly you can begin speaking Spanish and how the world that it transports you to can change your life forever!

- Listen to Spanish radio shows. Write down words that you can't recognize or don't know and look up the meaning.

- Watch Spanish TV shows or movies. Read subtitles to help you grasp the content.

- Read Spanish-language newspapers, magazines, or blogs.

- Listen to Spanish songs that you like —anything from Shakira to a traditional mariachi melody. Sing along and concentrate on your pronunciation.

- Seek out Spanish speakers. Look for neighborhoods, markets, or cultural centers where Spanish might be spoken in your community. Greet people, ask for directions, or order from a menu at a Mexican restaurant in Spanish.

- Pursue language exchange opportunities (**intercambio cultural**) in your school or community. Try to join language clubs or cultural societies, and explore opportunities for studying abroad or hosting a student from a Spanish-speaking country in your home or school.

- Connect your learning to everyday experiences. Think about naming the ingredients of your favorite dish in Spanish. Think about the origins of Spanish place names in the U.S., like Cape Canaveral and Sacramento, or of common English words like *adobe, chocolate, mustang, tornado,* and *patio.*

- Use mnemonics, or a memorizing device, to help you remember words. Make up a saying in English to remember the order of the days of the week in Spanish (L, M, M, J, V, S, D).

- Visualize words. Try to associate words with images to help you remember meanings. For example, think of a **paella** as you learn the names of different types of seafood or meat. Imagine a national park and create mental pictures of the landscape as you learn names of animals, plants, and habitats.

- Enjoy yourself! Try to have as much fun as you can learning Spanish. Take your knowledge beyond the classroom and find ways to make the learning experience your very own.

Thematic Vocabulary

La clase y la escuela

el **autobús** *bus*
el **chico** *boy*
la **chica** *girl*
el/la **compañero/a de clase** *classmate*
la **conversación** *conversation*
la **cosa** *thing*
el **día** *day*
el **escritorio** *desk*
la **escuela** *school*
el/la **estudiante** *student*
el **libro** *book*
la **mochila** *backpack*
la **papelera** *wastebasket*
la **pizarra** *blackboard*
la **pluma** *pen*
la **tiza** *chalk*

la **biblioteca** *library*
la **cafetería** *cafeteria*
el **laboratorio** *laboratory*

el **curso, la materia** *course*
el **examen** *test, exam*
el **horario** *schedule*
la **prueba** *test; quiz*
la **tarea** *homework*

El tiempo libre

almorzar (o:ue) *to have lunch*
cenar *to have dinner*
comprar *to buy*
desayunar *to have breakfast*
dormir (o:ue) *to sleep*
escuchar la radio/música *to listen to the radio/music*
hablar *to talk; to speak*
jugar (u:ue) *to play*
llegar *to arrive*
mirar *to look (at); to watch*
necesitar (+ inf.) *to need*
tomar *to take; to drink*
viajar *to travel*

Los días de la semana

lunes *Monday*
martes *Tuesday*
miércoles *Wednesday*
jueves *Thursday*
viernes *Friday*
sábado *Saturday*
domingo *Sunday*

Los viajes y las vacaciones

acampar *to camp*
hacer las maletas *to pack (one's suitcases)*
hacer un viaje *to take a trip*
ir de vacaciones *to go on vacation*

ir en autobús (m.), auto(móvil) (m.), avión (m.), barco (m.), motocicleta (f.), taxi (m.) *to go by bus, car, plane, boat, motorcycle, taxi*
sacar/tomar fotos (f. pl.) *to take photos*

el **aeropuerto** *airport*
el **campo** *countryside*
el **equipaje** *luggage*
el **mar** *sea*
el **paisaje** *landscape*
el **pasaporte** *passport*
la **playa** *beach*

Pasatiempos

andar en patineta *to skateboard*
bucear *to scuba dive*
escalar montañas (f. pl.) *to climb mountains*
escribir un mensaje electrónico *to write an e-mail message*
esquiar *to ski*
nadar *to swim*
pasear *to take a walk; to stroll*
patinar (en línea) *to skate (in-line)*
practicar deportes (m. pl.) *to play sports*
ser aficionado/a (a) *to be a fan (of)*
tomar el sol *to sunbathe*
ver películas (f. pl.) *to see movies*

el **fin de semana** *weekend*
el **tiempo libre** *free time*

La familia

el/la **abuelo/a** *grandfather/grandmother*
el/la **cuñado/a** *brother-in-law/sister-in-law*
el/la **esposo/a** *husband; wife; spouse*
el/la **hermano/a** *brother/sister*
el/la **hijo/a** *son/daughter*
la **madre** *mother*
el/la **nieto/a** *grandson/ granddaughter*
la **nuera** *daughter-in-law*
el **padre** *father*
el/la **primo/a** *cousin*
el/la **sobrino/a** *nephew/niece*
el/la **suegro/a** *father-in-law/ mother-in-law*
el/la **tío/a** *uncle/aunt*
el **yerno** *son-in-law*

La ropa

el **abrigo** *coat*
los **bluejeans** *jeans*
el **calcetín** *sock*
la **camisa** *shirt*
la **camiseta** *t-shirt*
la **chaqueta** *jacket*
el **cinturón** *belt*
la **corbata** *tie*
la **falda** *skirt*
los **guantes** *gloves*
el **impermeable** *raincoat*
los **pantalones** *pants*
los **pantalones cortos** *shorts*
la **ropa interior** *underwear*
la **sandalia** *sandal*
el **sombrero** *hat*
el **suéter** *sweater*

Thematic Vocabulary

La ropa (cont.)

el traje *suit*
el traje (de baño) *(bathing) suit*
el vestido *dress*

Ir de compras

el almacén *department store*
la caja *cash register*
el centro comercial *shopping mall*
el/la dependiente/a *clerk*
el dinero *money*
(en) efectivo *cash*
un par de zapatos *a pair of shoes*
la rebajá *sale*
la tarjeta de crédito *credit card*
la tienda *shop; store*

costar (o:ue) *to cost*
gastar *to spend (money)*
hacer juego (con) *to match (with)*
llevar *to wear; to take*
pagar *to pay*

barato/a *cheap*
caro/a *expensive*
corto/a *short (in length)*
largo/a *long (in length)*

Las comidas

el/la camarero/a *waiter*
la comida *food; meal*
el menú *menu*

el almuerzo *lunch*
la cena *dinner*
el desayuno *breakfast*

Las frutas

las frutas *fruits*
el limón *lemon*
la manzana *apple*
la naranja *orange*
la pera *pear*
la sandía *watermelon*

Las verduras

las arvejas *peas*
la cebolla *onion*
el champiñón *mushroom*
la ensalada *salad*
los espárragos *asparagus*
los frijoles *beans*
la lechuga *lettuce*
el tomate *tomato*
las verduras *vegetables*
la zanahoria *carrot*

La carne y el pescado

el atún *tuna*
el bistec *steak*
los camarones *shrimp*
la carne *meat*
la hamburguesa *hamburger*
los mariscos *shellfish*
el pavo *turkey*
el pescado *fish*
el pollo (asado) *(roast) chicken*
la salchicha *sausage*

Las bebidas

el agua (mineral) (f.) *(mineral) water*
la bebida *drink*
el jugo (de fruta) *(fruit) juice*
la leche *milk*
el refresco *soft drink*

El cuerpo

la boca *mouth*
el brazo *arm*
la cabeza *head*
el corazón *heart*

El cuerpo (cont.)

el cuello *neck*
el cuerpo *body*
el dedo *finger*
el estómago *stomach*
la garganta *throat*
el hueso *bone*
la muela *molar*
la nariz *nose*
el oído *(sense of) hearing; inner ear*
el ojo *eye*
la oreja *(outer) ear*
el pie *foot*
la pierna *leg*
la rodilla *knee*
el tobillo *ankle*

La salud

el/la dentista *dentist*
el/la doctor(a) *doctor*
el dolor (de cabeza) *(head)ache; pain*
el examen médico *physical exam*
la farmacia *pharmacy*
la gripe *flu*
el medicamento *medication*
la pastilla *pill; tablet*
la receta *prescription*
el resfriado *cold (illness)*
la salud *health*
el síntoma *symptom*
la tos *cough*

caerse *to fall (down)*
doler (o:ue) *to hurt*
estar enfermo/a *to be sick*
estornudar *to sneeze*
romperse (la pierna) *to break (one's leg)*
sacar(se) una muela *to have a tooth removed*
ser alérgico/a (a) *to be allergic (to)*
tener fiebre *to have a fever*
toser *to cough*

congestionado/a *congested; stuffed-up*
mareado/a *dizzy; nauseated*
sano/a *healthy*

Thematic Vocabulary

El bienestar

el bienestar *well-being*

aliviar el estrés *to reduce stress*
disfrutar (de) *to enjoy; to reap the benefits (of)*
(no) fumar *(not) to smoke*
llevar una vida sana *to lead a healthy lifestyle*
tratar de (+ inf.) *to try (to do something)*

activo/a *active*
fuerte *strong*
sedentario/a *sedentary; related to sitting*
entrenarse *to practice; to train*
estar en buena forma *to be in good shape*
hacer ejercicio *to exercise*

La tecnología

la calculadora *calculator*
la cámara digital/de video *digital/video camera*
el canal *(TV) channel*
el control remoto *remote control*
el disco compacto *CD*
el (teléfono) celular *cell phone*
el televisor *television set*

apagar *to turn off*
funcionar *to work*
poner, prender *to turn on*
sonar (o:ue) *to ring*

La computadora

el archivo *file*
arroba *@ symbol*
la dirección electrónica *e-mail address*
la impresora *printer*
la página principal *home page*
la pantalla *screen*
el ratón *mouse*
la red *network; Web*
el reproductor de DVD *DVD player*
el sitio web *website*
el teclado *keyboard*

La computadora (cont.)

borrar *to erase*
descargar *download*
grabar *to record*
guardar *to save*
imprimir *to print*
navegar (en Internet) *to surf (the Internet)*

La vivienda

las afueras *suburbs; outskirts*
el alquiler *rent (payment)*
el barrio *neighborhood*
el/la vecino/a *neighbor*
la vivienda *housing*

la alcoba, el dormitorio *bedroom*
la cocina *kitchen*
el comedor *dining room*
el cuarto *room*
el garaje *garage*
el jardín *garden, yard*
el pasillo *hallway*
la sala *living room*
el sótano *basement; cellar*

Los quehaceres domésticos

cocinar *to cook*
hacer la cama *to make the bed*
hacer quehaceres domésticos *to do household chores*
lavar (el suelo, los platos) *to wash (the floor, the dishes)*
pasar la aspiradora *to vacuum*
planchar la ropa *to iron the clothes*
poner la mesa *to set the table*
quitar la mesa *to clear the table*
sacar la basura *to take out the trash*

La naturaleza

el árbol *tree*
el césped, la hierba *grass*
el cielo *sky*
el desierto *desert*
la estrella *star*
la flor *flower*
el lago *lake*
la luna *moon*
la nube *cloud*
la piedra *stone*
el río *river*
el sol *sun*
la tierra *land; soil*
el valle *valley*

El medio ambiente

la conservación *conservation*
la contaminación (del aire; del agua) *(air; water) pollution*
la ecología *ecology*
la energía (nuclear, solar) *(nuclear, solar) energy*
el medio ambiente *environment*
el reciclaje *recycling*
el recurso natural *natural resource*

estar contaminado/a *to be polluted*
evitar *to avoid*
mejorar *to improve*
proteger *to protect*
reciclar *to recycle*
reducir *to reduce*
respirar *to breathe*

En la ciudad

el banco *bank*
la heladería *ice cream shop*
la lavandería *laundromat*

Thematic Vocabulary

En la ciudad (cont.)

la panadería bakery
la peluquería, el salón de belleza beauty salon
el supermercado supermarket
la zapatería shoe store

hacer cola to stand in line

el cartero mail carrier
el correo mail/post office
la estampilla, el sello stamp
el sobre envelope

echar (una carta) al buzón to put (a letter) in the mailbox; to mail
enviar, mandar to send; to mail

el cajero automático ATM
la cuadra (city) block
la dirección address
la esquina corner
el letrero sign

cruzar to cross
dar direcciones to give directions
doblar to turn
quedar to be located

derecho straight (ahead)
enfrente de opposite; facing
hacia toward

Las ocupaciones

el/la abogado/a lawyer
el actor, la actriz actor
el/la arquitecto/a architect
el/la bombero/a firefighter
el/la carpintero/a carpenter
el/la científico/a scientist
el/la cocinero/a cook, chef
el/la corredor(a) de bolsa stockbroker

Las ocupaciones (cont.)

el/la diseñador(a) designer
el/la electricista electrician
el/la peluquero/a hairdresser
el/la pintor(a) painter
el/la político/a politician
el/la psicólogo/a psychologist
el/la reportero/a reporter

Las bellas artes

el baile, la danza dance
el boleto ticket
la canción song
la comedia comedy; play
el concierto concert
la escultura sculpture
el espectáculo show
la obra work (of art, music, etc.)
la ópera opera
la orquesta orchestra
el personaje (principal) (main) character
la pintura painting
el poema poem
la poesía poetry
el público audience
el teatro theater

aburrirse to get bored
aplaudir to applaud
apreciar to appreciate
dirigir to direct
esculpir to sculpt
hacer el papel (de) to play the role (of)
tocar (un instrumento musical) to touch; to play (a musical instrument)

el bailarín, la bailarina dancer
el/la cantante singer
el/la compositor(a) composer
el/la director(a) director; (musical) conductor
el/la dramaturgo/a playwright
el/la escritor(a) writer
el/la escultor(a) sculptor
la estrella de cine movie star
el/la músico/a musician
el/la poeta poet

La televisión

el concurso game show; contest
los dibujos animados cartoons
el documental documentary
el premio prize; award
el programa de entrevistas talk show
la telenovela soap opera

Los medios de comunicación

el acontecimiento event
el artículo article
el diario newspaper
el informe report
el/la locutor(a) (TV or radio) announcer
los medios de comunicación media
las noticias news
el noticiero newscast
la prensa press
el reportaje report

anunciar to announce; to advertise
durar to last
informar to inform

Las noticias

el crimen crime; murder
el desastre (natural) (natural) disaster
el desempleo unemployment
la discriminación discrimination
el ejército army
la guerra war
la huelga strike
el huracán hurricane
el incendio fire
la inundación flood
la libertad liberty; freedom
la paz peace
el racismo racism
el sexismo sexism
el terremoto earthquake
la violencia violence

Acknowledgments

On behalf of its authors and editors, Vista Higher Learning expresses its sincere appreciation to the many instructors and teachers across the U.S. who contributed their ideas and suggestions. Their insights and detailed comments were invaluable to us as we created *Descubre*.

In-depth reviewers

Patrick Brady
Tidewater Community College, VA

Christine DeGrado
Chestnut Hill College, PA

Martha L. Hughes
Georgia Southern University, GA

Aida Ramos-Sellman
Goucher College, MD

Reviewers

Jaclyne Ainlay
Tower School, MA

Jacklyn Alvarez
Snake River High School, ID

Hilda Ávalos
Paloma Valley High School, CA

Melissa Badger
New Albany High School, IN

Delia Bahena
Chino Hills High School, CA

Mary Jo Baldwin
Mullen High School, CO

Darren Belles
Foresthill High School, CA

Susan Bennitt
Hopkins School, CT

Tania Berkowitz
Severn School, MD

Sara Blanco
Holmes Junior High
Cedar Falls School District, IA

Melissa Blazek
Paloma Valley High School, CA

Scott Boydston
Heritage High School, CA

Heather Bradley
Floyd Central High School, IN

Florencia Bray
St. Pius X Catholic School, TX

Jaclyn Browning
Gateway High School, PA

Alexandra Byers
Lakeridge Junior High, OR

Lee-Anne Calhoon
Pleasant Valley High School, CA

Mary Carmignani
Burr Ridge Middle School, IL

Jane Chambers
Thetford Academy, VT

Pamela Chovnick
Kettle Run High School, VA

Debbie Cullum
Grapevine High School, TX

Cecilia de Lankford
River Oaks Baptist School, TX

Sharon Deering
Arlington Independent School
District (AISD), TX

Cristina Deirmengian
Episcopal Academy, PA

Betty Díaz
Crete Middle School, NE

Kathleen Eiden
Academy of Holy Angels, MN

Sam Eisele
Harrisburg High School, SD

Lisa Evonuk
Lake Oswego High School, OR

Yvette Fisher
Sierra High School, CA

Alejandra Galeano
Desert High School, CA

Martha Galviz
Kittatinny Regional High School, NJ

Mariella Garay
Perris Union High School District, CA

Carita García
Laguna Beach High School, CA

Maria Gernert
Wyomissing Area Junior
Senior High School, PA

Sharon Gordon-Link
Del Oro High School, CA

Adrián Gutiérrez
Lindsay High School, CA

Jacqueline M. Gutiérrez
IC Catholic Prep, IL

David Hamilton
Harrisburg High School, SD

Daniel Hanson
Manteca High School, CA

Martha Hardy
Laurel School, OH

Amanda Howard
Mallard Creek High School, NC

Johanna Hribal
New Albany High School, KY

Gabriela F. Irwin
River Oaks Baptist School, TX

Ciro Jiménez
Bishop O'Connell, VA

Norma Jovel
Ramona Convent Secondary School, CA

Acknowledgments

Reviewers

Nora Kinney
Montini Catholic High School, IL

Dina Knouse
Albuquerque Academy, NM

Amie Kosberg
Marymount High School, CA

Deinorah Kraus
Lynn Classical High School, MA

Traci Lerner
Woodward Academy, GA

Deborah Lewicki
Highland Park High School, IL

José B. López
Dawson School, CO

Shelly D. Loyall
North Oldham High School, KY

Susan Loyd-Turner
Westover School, CT

María F. Maldonado
Albuquerque Academy, NM

Michael Mandel
H-B Woodlawn Secondary Program, DC

Wuiston A. Medina Rodríguez
Bruns Academy, NC

Griselda Mercedes
Lynn Public Schools, MA

Sandra Meyer
South Meck High School, NC

Anita Minguela
Kennesaw Mountain High School, GA

Kelly Nalty
Lake Oswego High School, OR

Jason Nino
Waddell Language Academy, NC

Beatriz O'Connell
Paloma Valley High School, CA

María Olivas
Denair High School, CA

Isaac Ortiz
Anderson High School, CA

Diana Page
The Potomac School, VA

Marino Perea
Bishop Kelly High School, ID

Sherrill Piazza
Middletown High School North, NJ

James Poleto
Clearfield Area Junior Senior High School, PA

Michelle Popovich
Pratt High School, KS

Natalie Puhala
Gateway High School, PA

Araceli Qualls
St. Joseph Central Catholic High School, WV

Cori Quick
Isbell Middle School, CA

Kathleen Ramirez
Charlotte Catholic High School, NC

Samuel Ramírez
Santa Paula High School, CA

Dina Reece
Carroll County High, VA

Scott Rowe
Seabury Academy, KS

Christine D. Ruvalcaba
Saint Bonaventure High School, CA

Xochitl Safady
River Oaks Baptist School, TX

Will Salzman
Bullis Charter School, CA

Jessica Schriever
Chaska High School, MN

Daniel Shannon
The Potomac School, VA

Joan Smith
Concord Christian School, TN

Maria Elena Sonnekalb
Arlington Public Schools, VA

Alyssa Stern
Fox Valley Lutheran High School, WI

Jaqueline Sullivan
St. Joseph High School, CT

Macarena Teixeira
Avenues: The World School, NY

Denise Troha
Notre Dame Cathedral Latin, OH

Virginia Vinales
A.J. Dimond High School, AK

Angela Wagoner
Crete High School, NE

Anna Walcutt
Tower School, MA

Ruth Ward
Auburn Middle School, VA

Stephanie Wittie
Clearfield Area Junior Senior High School, PA

Scott Wood
Snake River Junior High School, ID

Christina Ziegler
David W. Butler High School, NC

Stephanie Zinzun
Perris High School, CA

About the Author

José A. Blanco founded Vista Higher Learning in 1998. A native of Barranquilla, Colombia, Mr. Blanco holds degrees in Literature and Hispanic Studies from Brown University and the University of California, Santa Cruz. He has worked as a writer, editor, and translator for Houghton Mifflin and D.C. Heath and Company, and has taught Spanish at the secondary and university levels. Mr. Blanco is also the co-author of several other Vista Higher Learning programs: **Vistas, Panorama, Aventuras,** and **¡Viva!** at the introductory level; **Ventanas, Facetas, Enfoques, Imagina,** and **Sueña** at the intermediate level; and **Revista** at the advanced conversation level.

Descubre 3
Lección preliminar

The **Lección preliminar** for **DESCUBRE 3** provides students with an opportunity to review the contexts and grammar they learned in Level 2. Each section in the **Lección preliminar** addresses specific topics and language skills introduced in the previous course, using clear explanations, samples, and straightforward practice activities. Students are given time to practice the vocabulary and grammar from previous lessons before moving on from controlled practice to interpersonal and presentational tasks.

Teaching Suggestions:
- Set a comfortable classroom routine while establishing expectations for the year.
- Provide students with a place to start. Use this preliminary lesson as an opportunity to get to know your students, activate their prior knowledge, and identify what they can do with the language.
- Whet students' appetite for more information about the cultures of Spanish-speaking people using the **Cultura** section.
- Use the end-of-lesson **Síntesis** activities to pull it all together by means of in-class group activities. Consider this section as an opportunity to gain an understanding of your students' abilities and to inform instruction and curriculum for future lessons. **¡Buena suerte!**

A primera vista Ask students these additional questions: **¿Cuáles son tus destinos turísticos preferidos? ¿Adónde irás en tus próximas vacaciones?**

Essential Questions Discuss the Essential Questions as a class. Encourage students to use the vocabulary and grammar they learned in Level 2 in their responses.

A primera vista
- ¿Qué te inspira esta foto?
- ¿Dónde crees que es? ¿Por qué?
- ¿Cómo crees que se siente la mujer?
- ¿Qué crees que hará después?

Essential Questions
1. ¿Qué influencia tiene la geografía en la cultura de un lugar?
2. ¿Qué retos enfrentan los habitantes del campo y la ciudad en los diversos países?
3. ¿A qué retos se enfrentará la humanidad en las próximas décadas?

INSTRUCTIONAL RESOURCE

Forums on **vhlcentral.com** allow you and your students to record and share audio messages. Use Forums for presentations, oral assessments, discussions, directions, etc.

Lección preliminar

Can Do Goals

By the end of this lesson I will be able to:

- Read an article about food and nutrition
- Listen to a report on cities in the 21st Century
- Communicate with a potential employer
- Discuss current events and present the news
- Talk about plans for my next vacation

Also, I will learn about:

Culture
- Female artists with Hispanic roots in the U.S.
- Colombian artist Nadín Ospina

Una enfermera habla en español con sus pacientes.

Práctica: Hablar español es útil en muchas profesiones.
¿En qué profesiones en tu comunidad es útil hablar español?

Lesson Goals

In **Lección preliminar**, students will cover the following:

Leamos: El bienestar
- vocabulary related to health and well-being
- the present progressive
- the present perfect
- reading skills

Escuchemos: La ciudad
- vocabulary related to the city
- the subjunctive
- past participles
- listening skills

El mundo hispano
- contemporary Latin American artists

Escribamos: El trabajo
- vocabulary related to jobs and occupations
- the future
- the conditional
- writing skills

Hablemos: Las actualidades
- vocabulary related to news and the media
- **si** clauses
- the subjunctive with doubt, disbelief, and denial
- speaking skills

Síntesis: La naturaleza
- talk about plans for the future
- talk about healthy habits

The Lección preliminar
The **Lección preliminar** can provide a primarily inductive analysis of students' knowledge and skills of second year study, whether through **DESCUBRE 2** or another program. In addition, student and teacher use of and reflection on such online tools as instructional media and grammar tutorials can keep this review fresh, communicative, and purposeful.

Práctica As a class, create a list of occupations and professions in which speaking a second language can be beneficial, including Spanish.

Section Goals

In **Lección preliminar**, students will review the grammar and vocabulary from previous **Descubre** levels and will practice the four language skills.

Teaching Tip Go over the explanations and examples for the grammar points first; then have students complete the activities. Activities 1 and 2 practice the present progressive. Activity 3 practices the present perfect. If students need additional review of the formation of the past participle, have them review the explanation in point 2.2 on page 4.

1 Teaching Tip Add a visual aspect to this grammar presentation. Use photos to elicit sentences with the present progressive. Ex: **¿Qué está haciendo el hombre alto? (Está jugando al baloncesto.)**

2 Expansion Have students ask and answer similar questions in pairs. Encourage them to be creative. Ex: **¿Qué están haciendo Alicia y Pedro en el río? (Están pescando. / Están nadando.)**

3 Expansion Have pairs think about recent changes in their town and make a list using the present perfect. Encourage them to share their lists with the class.

1.1 The present progressive

The present progressive consists of the present tense of the verb *to be* and the present participle of another verb (the *-ing* form in English).

Rosa **está comprando** frutas.
Rosa is buying fruit.

Estamos comiendo más verduras.
We are eating more vegetables.

- The present participle of regular **-ar**, **-er**, and **-ir** verbs is formed as follows:

infinitive	stem	ending	present participle
hablar	habl-	-ando	hablando
comer	com-	-iendo	comiendo
escribir	escrib-	-iendo	escribiendo

- When the stem of an **-er** or **-ir** verb ends in a vowel, the present participle ends in **-yendo**: leer: **leyendo**; oír: **oyendo**; traer: **trayendo**.

- Several verbs have irregular present participles. Some examples are **ir: yendo; poder: pudiendo; venir: viniendo**.

1.2 The present perfect

The present perfect is used to talk about what someone *has done*. In Spanish, it is formed with the present tense of the auxiliary verb **haber** and a past participle.

Present indicative of *haber*

Singular forms	Plural forms
yo he	**nosotros/as** hemos
tú has	**vosotros/as** habéis
Ud./él/ella ha	**Uds./ellos/ellas** han

Tú no **has aumentado** de peso.
You haven't gained weight.

Muchos inmigrantes **han venido** al país.
Many immigrants have come to the country.

- The past participle does not change in form when it is part of the present perfect tense; it changes in form only when it is used as an adjective.

Clara **ha abierto** las ventanas.
Clara has opened the windows.

Las ventanas están **abiertas**.
The windows are open.

2 *dos*

Práctica

1 La salud La clase de español de Camila está organizando "La semana de la salud" en su escuela. Completa las oraciones con el presente progresivo de los verbos entre paréntesis.

1. Raúl y Teresa ___están buscando___ (buscar) información sobre estilos de vida saludables.
2. Yo ___estoy leyendo___ (leer) un artículo sobre frutas y verduras populares en nuestra región.
3. Luis ___está escribiendo___ (escribir) un artículo para el periódico escolar.
4. Todos ___estamos haciendo___ (hacer) carteles informativos.
5. El equipo de vóleibol ___está organizando___ (organizar) un torneo para toda la escuela.

2 Preguntas Completa las respuestas con el presente progresivo de los verbos de la lista.

arreglar	buscar	descargar	jugar	ver

1. ¿Qué están haciendo las chicas en el estadio?
   ___Están jugando___ al fútbol.
2. ¿Qué estás haciendo en la biblioteca?
   ___Estoy buscando___ un libro de matemáticas.
3. ¿Qué están haciendo tus tías en el centro comercial?
   ___Están viendo___ una película.
4. ¿Qué está haciendo Rafael en el garaje?
   ___Está arreglando___ su bicicleta.
5. ¿Qué está haciendo Jorge con su teléfono inteligente? ___Está descargando___ una aplicación.

3 Cambios Completa el párrafo con el presente perfecto de los verbos de la lista.

llegar	mejorar	traer	ver

En mi ciudad ha habido muchos cambios en las últimas décadas. Por ejemplo, cada vez (1) ___han llegado___ más inmigrantes de otros países que (2) ___han traído___ muchas de sus costumbres y tradiciones. Recientemente, yo (3) ___he visto___ frutas y verduras nuevas en el supermercado local, que vienen de otras partes del mundo. Creo que con sus aportes los inmigrantes (4) ___han mejorado___ la oferta de productos naturales en mi región.

Lección preliminar

EXPANSION

For Kinesthetic Learners Play charades. In groups of four, students take turns miming actions for the rest of the group to guess. Ex: Student pretends to read a newspaper. (**Estás leyendo el periódico.**) For incorrect guesses, the student should respond negatively. Ex: **No, no estoy estudiando.**

EXPANSION

Extra Practice Ask students what they have done over the past week to lead a healthy lifestyle. Ask follow-up questions to elicit a variety of different conjugations of the present perfect. Ex: **¿Qué han hecho esta semana para llevar una vida sana? Y tú ___, ¿qué has hecho? ¿Qué ha hecho ___ esta semana?**

Antes de leer

Teaching Tips
- Have students scan the article for examples of the present progressive and the present perfect. Present progressive: **el creciente número de inmigrantes […] está generando cambios; su influencia se está extendiendo; la demanda de otros alimentos tropicales […] está creciendo.** Present perfect: **La fisonomía […] ha cambiado; Roberta Cook […] ha hecho investigaciones; Un sector […] ha aumentado su consumo de frutas y verduras; su consumo no ha crecido en los últimos veinte años.**
- Have students read the article's title. Ask them to make predictions about the content of the article.
- Have students read the words glossed at the end of the article. Ask them to choose five words from the list and write a sentence with each. Ask them to share the sentences with the class.

Estrategia   Share this reading strategy with your students: **Relacionar el tema con las propias experiencias: Tus experiencias sobre el tema pueden ayudarte a entender un contexto nuevo. Mientras lees, piensa en tus propios hábitos de alimentación.** Making Connections

Después de leer   Lifelong Learning

5 Expansion   Have students create one or two more true/false questions based on the article, and ask the class to answer them.

Expansion   Conduct a class discussion using these questions: **¿Cómo han influido los inmigrantes hispanos y asiáticos en la dieta estadounidense? ¿Por qué se dice en el artículo que el aumento en el consumo de frutas y verduras "está generando cambios positivos en la población en general"? ¿Tu familia y tus amigos consumen frutas tropicales? ¿Dónde las compran usualmente?**

Antes de leer
Interpretive Communication

4   **La salud**   Las siguientes palabras se encuentran en la lectura. Escribe cada palabra frente a su definición.

consumir	economista	población
crecer	mercado	verdura

1. __mercado__ : espacio para vender y comprar productos
2. __verdura__ : planta, usualmente de color verde, que se puede comer
3. __economista__ : especialista en economía
4. __consumir__ : tomar un alimento
5. __población__ : conjunto de personas de una comunidad
6. __crecer__ : aumentar de tamaño

Después de leer
Interpretive Communication

5   **¿Cierto o falso?**   Indica si lo que afirman las siguientes oraciones es **cierto** o **falso**. Corrige las oraciones falsas.

1. El artículo se basa en suposiciones de la señora Cook. Falso. El artículo se basa en investigaciones que ha hecho la señora Cook.
2. Los hispanos y asiáticos tienden a consumir más grasas y carbohidratos. Falso. Tienden a consumir más frutas y verduras.
3. Los inmigrantes hispanos y asiáticos están teniendo una influencia positiva en la alimentación de la población estadounidense. Cierto.
4. Hace veinte años, los consumidores estadounidenses experimentaban más con la alimentación. Falso. Hace veinte años estaban menos dispuestos a experimentar con nuevos sabores.
5. La transformación demográfica ha generado cambios en la alimentación de los estadounidenses. Cierto.

Leamos

Inmigrantes diversifican el mercado de frutas y verduras

Extensión Cooperativa de la Universidad de California

DAVIS (UC) – La fisonomía° de los mercados locales ha cambiado en los últimos veinticinco años. Cada día hay más frutas tropicales, como papaya y mango, así como una gran variedad de verduras poco conocidas pero muy apreciadas° por los [inmigrantes] […].

Roberta Cook, economista agrícola° de Extensión Cooperativa de la Universidad de California, ha hecho investigaciones sobre las nuevas tendencias alimenticias° de los estadounidenses; estas revelan° que el creciente° número de inmigrantes hispanos y asiáticos, grupos que tienden a° consumir más frutas y verduras, está generando cambios positivos en la población en general, tales como:

- Un sector importante de la población ha aumentado su consumo° de frutas y verduras,

- El mercado de frutas y hortalizas° frescas se ha diversificado°, y
- El consumidor° estadounidense está más dispuesto° que hace veinte años a experimentar con nuevos sabores.

"Algunas frutas tropicales como papaya, piña y mango, que en el pasado tenían un nivel de consumo muy bajo en los Estados Unidos, actualmente mantienen una demanda mucho mayor; esto se debe° en parte a los cambios en la población del país. Ahora tenemos más hispanos y asiáticos y ellos consumen más frutas y verduras, y su influencia se está extendiendo a la población en general", señala la especialista en economía agrícola. […]

Cook menciona a la manzana y al plátano como dos frutas que consumen bastante los estadounidenses, pero añade° que su consumo no ha crecido

en los últimos veinte años. En cambio la demanda de otros alimentos tropicales como el aguacate y la papaya, antes prácticamente desconocidos° en los mercados locales, está creciendo muy rápidamente.

Los cambios en la alimentación son, en parte, producto de la transformación demográfica que se ha visto en el país. Hace dos décadas, los latinos conformaban° el 7 por ciento de la población; ahora son 50 millones, y representan el 16 por ciento de los 310 millones de habitantes en la nación. […]

fisonomía *characteristics* **apreciadas** *valued* **agrícola** *agricultural* **tendencias alimenticias** *food trends* **revelan** *reveal* **creciente** *growing* **tienden a** *tend to* **consumo** *consumption* **hortalizas** *vegetables* **diversificado** *diversified* **consumidor** *consumer* **dispuesto** *willing* **se debe** *is due* **añade** *she adds* **desconocidos** *unknown* **conformaban** *made up*

tres **3**

EXPANSION   Interpretive Communication

Evaluation and Analysis   Have students write a different title for the article. Ask them to form groups of three and discuss the different titles they suggested.

EXPANSION   Relating Cultural Practices to Perspectives   Cultural Comparisons

Evaluation and Analysis   Have small groups discuss why they think people in the U.S. are more willing to try new foods now than they were 20 years ago. Encourage heritage speakers to participate by sharing their experiences in their countries of origin.

Interpersonal Communication

Acquiring Information & Diverse Perspectives

Leamos: El bienestar   **3**

Teaching Tips

- If students need to review forms of the subjunctive, refer them to **Estructura 4.1** on p. 154.
- **For Visual Learners.** Use magazine pictures or Internet images to compare and contrast the uses of the indicative and subjunctive in adjective clauses. Ex: **Esta escuela es limpia. Yo quiero estudiar en una escuela que sea limpia. Este edificio tiene vistas al mar. Yo quiero vivir en un edificio que tenga vistas al mar.** Encourage students to create similar sentences based on the images you show.
- Ask volunteers to answer questions that describe their wishes: Ex: **¿Qué buscas en una película?** (Busco que una película sea divertida.) **¿Qué buscas en un(a) amigo/a?** (Busco que una amiga sea sincera.)

1 **Teaching Tip** Briefly review the use of the indicative and subjunctive in adjective clauses. Write a few contrasting sentences on the board. Ex: **Conozco una pastelería donde sirven café. No hay ninguna pastelería en este barrio donde sirvan café.** Then ask volunteers to explain why the indicative or subjunctive was used in each sentence.

2 **Teaching Tip** Have students create three similar questions starting with **¿Conoces...?; ¿Hay algún/ alguna/alguien...?** Ask volunteers to read their questions out loud and elicit answers from the class.

3 **Expansion** To provide oral practice with past participle agreement, create substitution drills. Ex: **Camilo está enojado. (Liliana/Las niñas/Gustavo y yo)** Say a sentence and have students repeat. Say a cue. Have students replace the subject of the original sentence with the cued subject and make any other necessary changes.

2.1 The subjunctive

The subjunctive can be used in adjective clauses to express uncertainty.

- The subjunctive is used in an adjective clause that refers to a person, place, thing, or idea that either does not exist or whose existence is uncertain.

  Quiero vivir en **esta ciudad** que **está** frente al mar.
  I want to live in this city that is on the ocean.

  Quiero vivir en **una ciudad** que **esté** frente al mar.
  I want to live in a city that is on the ocean.

- When the person, place, thing, or idea is clearly known, certain, or definite, use the indicative.

  Tengo **un amigo** que **vive** cerca de mi casa.
  I have a friend who lives near my house.

- The subjunctive is commonly used in questions when the speaker is trying to find out information. If another person knows the information, the indicative is used.

  — ¿Hay un parque que **esté** cerca de aquí?
  Is there a park near here?

  — Sí, hay un parque que **está** muy cerca de aquí.
  Yes, there is a park very near here.

2.2 Past participles

Use past participles in verb tenses like the present perfect or as adjectives.

- In Spanish, regular **-ar** verbs form the past participle with **-ado**. Regular **-er** and **-ir** verbs form the past participle with **-ido** (**bailar → bail**ado; **comer → comido; vivir → viv**ido).

- Some past participles have an irregular form.

abrir	**abierto**	morir	**muerto**
decir	**dicho**	poner	**puesto**
describir	**descrito**	resolver	**resuelto**
descubrir	**descubierto**	romper	**roto**
escribir	**escrito**	ver	**visto**
hacer	**hecho**	volver	**vuelto**

- Past participles can be used as adjectives, often with the verb **estar**. They must agree in gender and number with the nouns they modify.

  La mesa está **puesta.**
  The table is set.

  Hay letreros **escritos** en español.
  There are signs written in Spanish.

4 *cuatro*

Práctica

1 **Escoger** Completa estas oraciones con la forma correcta del indicativo o del subjuntivo de los verbos entre paréntesis.

1. Se necesita un asistente que (1) ___hable___ (hablar) español.
2. Buscamos a una persona que (2) ___tenga___ (tener) experiencia.
3. Conozco a un estudiante que (3) ___habla___ (hablar) tres idiomas.
4. Luis quiere ir al restaurante que (4) ___está___ (estar) en la esquina.
5. Necesitamos un empleado que (5) ___haga___ (hacer) los informes.
6. Fuimos a la tienda que (6) ___vende___ (vender) ropa importada.

2 **Preguntas** Contesta estas preguntas con un(a) compañero/a. Respondan afirmativamente con oraciones completas. Answers will vary

| Interpersonal Communication |

MODELO
—¿Hay por aquí cerca un restaurante que venda hamburguesas?
—Sí, el restaurante El Corral vende unas hamburguesas deliciosas.

1. ¿Conoces a alguien que hable francés y alemán?
2. ¿Conoces una librería que venda libros baratos?
3. ¿Conoces algún lugar donde arreglen zapatos?
4. ¿Hay una frutería cerca de tu casa?
5. ¿Hay algún banco que esté cerca de la escuela?

3 **Preparativos** Túrnense con un(a) compañero/a para hacerse estas preguntas sobre los preparativos (*preparations*) de un viaje. Respondan afirmativamente usando el participio pasado.

| Interpersonal Communication |

MODELO
—¿Compraste los pasajes de avión?
—Sí, los pasajes ya están comprados.

1. ¿Confirmaste las reservaciones para el hotel?
   Sí, las reservaciones ya están confirmadas.
2. ¿Firmaste tu pasaporte?
   Sí, mi pasaporte ya está firmado.
3. ¿Lavaste la ropa?
   Sí, la ropa ya está lavada.
4. ¿Pagaste todas las cuentas?
   Sí, las cuentas ya están pagadas.
5. ¿Hiciste las maletas?
   Sí, las maletas ya están hechas.

Lección preliminar

EXPANSION | Presentational Communication |

Pairs Have students use the subjunctive to write a description of the kind of place where they would like to go on vacation. Then have them exchange papers and suggest appropriate destinations. Ex: **Quiero ir de vacaciones a un lugar donde pueda esquiar en julio. (Bariloche, Argentina, es un lugar donde puedes esquiar en julio.)**

EXPANSION | Presentational Communication |

Extra Practice Ask students to transform their conversation in **Actividad 3** into a short composition on a trip they have planned, inventing additional details. They should use past participles as adjectives. Ex: **Para mi viaje este fin de semana, los boletos ya están comprados y las reservaciones confirmadas. Además, mi ropa ya está...**

Vocabulario útil

abordar *to address, to tackle*	**consenso** *agreement*
actual *current*	**desarrollo** *development*
acuñar / acuñado/a *to coin /*	**invernadero** *greenhouse*
coined (a word)	**fase** *phase*
alcalde *mayor*	**juvenil** *youth (adj.)*
auspiciada *supported; favored*	**mediados** *half-way through,*
cambio climático *climate*	*mid-*
change	**retos** *challenges*

Después de escuchar

4 **Completar** Completa las oraciones utilizando las palabras de la lista de **Vocabulario útil**. *Interpretive Communication*

1. En la conferencia se van a (1) ___abordar___ los siguientes temas: salud, educación y empleo.

2. Los asistentes a la conferencia no se han puesto de acuerdo. No hay (2) ___consenso___ en tres puntos de la agenda.

3. El clima del planeta ha cambiado mucho debido al efecto (3) ___invernadero___ por acumulación de gases en la atmósfera.

4. Los principales (4) ___retos___ que deben superar las ciudades del siglo XXI son: el empleo, la seguridad y el transporte público.

5. Uno de los problemas que más les preocupa a los alcaldes es la seguridad y el desempleo (5) ___juvenil___.

5 **Nota de radio** Con un(a) compañero/a, hagan una lista de los principales retos de su ciudad y otra lista con las posibles soluciones. Luego, graben una nota de radio en la que hablen de los retos y las soluciones. Presenten su grabación a la clase. *Presentational Communication* *Making Connections*

MODELO —En nuestra ciudad hay mucha contaminación.
—Debemos establecer programas de reciclaje y controlar la emisión de los gases de efecto invernadero.

Escuchemos: La ciudad

Escuchemos

Las ciudades del siglo XXI

◁)) Escucha el informe de Radio ONU sobre los retos para las ciudades del siglo XXI. Luego elige la mejor respuesta para cada pregunta.

1. La locutora (*announcer*) menciona dos grandes retos de los próximos años. ¿Cuáles son?
   a. un nuevo modelo de ciudad y el efecto invernadero
   b. el desempleo y el cambio climático
   c. la urbanización y la industrialización
   d. el desempleo y la industrialización

2. ¿Qué generan los grandes centros urbanos, en relación con el cambio climático actual?
   a. el 70% de los gases de efecto invernadero
   b. el 60% de los gases de efecto invernadero
   c. el 70% del desempleo juvenil
   d. el audio no menciona este dato

3. Según el audio, ¿cuál es el cargo de Joan Clos?
   a. exalcalde de Barcelona
   b. exalcalde de Roma
   c. director ejecutivo de ONU-Hábitat
   d. entrevistador de Radio ONU

4. Según Joan Clos, ¿Qué tipo de urbanización se requiere ahora?
   a. una urbanización que sea como la del siglo XX
   b. una urbanización que cambie el modelo actual
   c. una urbanización que mejore la industrialización
   d. una urbanización que genere desempleo

5. Según el audio, ¿cuál es uno de los problemas que genera la crisis económica?
   a. el desempleo juvenil
   b. el efecto invernadero
   c. la urbanización
   d. todas las anteriores

Lifelong Learning

cinco **5**

Teaching Tips
• Have students go over the vocabulary list first to get familiar with words included in the audio selection.
• Have students listen to the audio for the first time with their books closed and write down as many words as they can understand. Have them listen to the audio selection two more times to complete the first **Después de escuchar** activity.

Estrategia Share this listening strategy with your students: **Predecir: Para poder predecir la información más importante del audio, lee las preguntas de comprensión antes de escuchar. Apunta las ideas centrales que piensas que contiene la grabación.**

Las ciudades del siglo XXI
Locutora: ¿Cómo deben ser las ciudades del siglo XXI para que se adapten al futuro que queremos? La Campaña Urbana Mundial auspiciada por ONU-Habitat busca llegar a un consenso sobre un nuevo modelo de ciudad que pueda abordar los grandes retos de los próximos años, como el desempleo y el cambio climático. En la actualidad, los grandes centros urbanos generan el 70% de los gases de efecto invernadero y no dan respuesta al grave problema de desempleo juvenil. En una entrevista con Radio ONU, el director ejecutivo de ONU-Habitat, Joan Clos, subrayó que el modelo actual de urbanización fue pensado a principios del siglo XX, en la fase industrial del desarrollo. Clos recordó la "ciudad ideal" acuñada en la Grecia y la Roma clásica, que tenía en cuenta el bienestar físico y los derechos económicos y sociales de sus habitantes.

Joan Clos: Necesitamos mucho más empleo para la población, sobre todo para la población joven en los países jóvenes también.
(Continued on p. 6)

CRITICAL THINKING *Interpretive Communication* *School & Global Communities*

Evaluation and Analysis Have small groups of students answer this question about the listening selection: **¿Cómo deben ser las ciudades del siglo XXI para que se adapten al futuro que queremos?** Ask them to share their responses with the class.

EXPANSION *Interpersonal Communication* *Making Connections* *Acquiring Information & Diverse Perspectives*

Knowledge and Application Have students form groups of three and discuss solutions to the problems mentioned in the audio selection, particularly climate change and youth unemployment. Then, as a class discuss possible solutions.

Objetivo comunicativo: Dar mi opinión
sobre la obra de algunos artistas latinos

En detalle

ESTADOS UNIDOS

ARTISTAS LATINAS
en Estados Unidos

Con sus raíces° culturales, los artistas plásticos de origen hispano han enriquecido° el arte y la cultura de Estados Unidos.

En el siglo XX, muchos artistas hispanoamericanos vivieron en Estados Unidos durante algún tiempo, o bien pasaron largas temporadas° en ciudades del país, donde exhibieron sus obras y compartieron sus opiniones, sus estéticas y su trabajo con artistas estadounidenses en galerías, escuelas y universidades. Nombres como Diego Rivera y Frida Kahlo de México, Eugenio Granell de España, o Raúl Martínez de Cuba han dejado su huella° en el arte estadounidense.

En el siglo XXI esta influencia continúa, con nuevas generaciones de artistas nacidos por fuera de Estados Unidos, o cuyos padres han emigrado al país. En particular, las mujeres artistas con raíces hispanoamericanas han hecho un aporte° invaluable al arte plástico actual.

Linda Lucía Santana

Entre las artistas latinas que viven en Estados Unidos resaltan° Natalia Anciso, una artista chicana-tejana que explora la historia de los tejanos en la frontera entre México y Estados Unidos; Yelitza Díaz, venezolana radicada° en Carolina del Sur, que explora las diferentes técnicas de la cerámica para crear interesantes figuras humanas, Nanibah Chacón, artista mexicana radicada en Albuquerque, Nuevo México, que recrea la ilustración de los años cuarenta y cincuenta, o Linda Lucía Santana, también mexicana, que ilustra las canciones populares mexicanas, conocidas como corridos, inspirada por el realismo mágico. ■

Museos de arte latinoamericano en Estados Unidos

• Museo de Arte Latinoamericano (MOLAA). Ubicado en Long Beach, California, está dedicado al arte latinoamericano moderno y contemporáneo.
• Museo Alameda. Ubicado en el corazón de San Antonio, Texas, atrae alrededor de 400.000 visitantes al año.
• Colección de Arte Latino del Smithsonian American Art Museum. Fundado hace casi cuarenta años, expone el arte latinoamericano desde el período colonial hasta el presente.

raíces *roots* **enriquecido** *enriched* **temporadas** *periods (of time)* **huella** *footprint* **aporte** *contribution* **resaltan** *stand out* **radicada (en)** *residing*

NADÍN OSPINA

El artista colombiano Nadín Ospina nació en Bogotá en 1960. A inicios de los noventa, los medios de comunicación lo consideraron un artista revelación, y los que afirmaron que su trabajo permanecería en el tiempo no se equivocaron. Lleva 35 años expresándose en las diferentes formas del arte; es escultor, pintor, un poco músico y realizador audiovisual.

Sus obras se nutren° de elementos de la cultura popular y generalmente son críticas; es imposible hablar de él sin recordar a la familia de Homero Simpson y a Mickey Mouse y a sus amigos tallados° en piedra al mejor estilo del arte precolombino. Esa es su manera de hacer referencia a la cultura latinoamericana tan influenciada por la estadounidense.

Las obras de Nadín Ospina son expresión del intercambio de ideas que caracteriza a nuestra época. El carácter híbrido de sus obras pone en evidencia la constante redefinición de las culturas locales como consecuencia del auge° de las redes de comunicación y de los intercambios económicos y culturales mundiales.

❝ Pienso en la obra como un todo, como una experiencia multimedia. Mi proceso creativo parte de espacios vacíos° que lleno con volúmenes coloridos. ❞ (Nadín Ospina)

Entre culturas

¿Cuáles son los/las artistas latinos/as más importantes de principios del siglo XXI?

Investiga sobre este tema en Internet.

nutren *feed* **tallados** *carved* **auge** *rise* **vacíos** *empty*

¿Qué aprendiste?

1 Interpretive Communication

Artistas latinas en Estados Unidos Completa las siguientes oraciones con una de las palabras de la selección.

1. El artista Raúl Martínez es originalmente de nacionalidad ___cubana___.
2. El aporte de los artistas hispanoamericanos al arte estadounidense ha sido ___invaluable___.
3. Nanibah Chacón está radicada en Albuquerque, pero tiene ___raíces___ mexicanas.
4. La técnica favorita de Yelitza Díaz es la ___cerámica___.
5. Linda Santana ilustra unas canciones populares llamadas ___corridos___.

2 Interpretive Communication

Nadín Ospina Indica si las siguientes afirmaciones son **ciertas** o **falsas**. Corrige las oraciones falsas.

1. Nadín Ospina tiene 35 años de vida artística. Cierto.
2. Uno de los materiales que usa Ospina es la piedra. Cierto.
3. A Ospina nunca le ha interesado la música. Falso. Es también un poco músico y realizador audiovisual.
4. Las figuras de Nadín Ospina imitan el arte precolombino. Cierto.
5. Las obras de Ospina expresan la influencia del arte precolombino en la cultura estadounidense. Falso. Expresan la influencia de la cultura estadounidense en la cultura latinoamericana.

3 Interpersonal Communication / Making Connections / Acquiring Information & Diverse Perspectives

Opiniones En parejas, discutan estas preguntas.

1. ¿Cómo fue la influencia de los artistas latinos en Estados Unidos en el siglo XX? ¿Y cómo es esa influencia en el siglo XXI?
2. De los/las artistas mencionados/as aquí, ¿cuál te parece más interesante? ¿Por qué?
3. Si fueras artista, ¿qué tema(s) te gustaría representar en tus obras? ¿Por qué?

siete **7**

3.1 The future

In Spanish, the future is a simple tense that consists of one word.

Future tense	
estudiar	estudiaré, estudiarás, estudiará estudiaremos, estudiaréis, estudiarán
aprender	aprenderé, aprenderás, aprenderá aprenderemos, aprenderéis, aprenderán
recibir	recibiré, recibirás, recibirá, recibiremos, recibiréis, recibirán

- All verbs have the same endings in the future tense, and all endings have a written accent except **nosotros/as**.

  ¿Cuándo **recibirás** el ascenso?
  When will you receive the promotion?

- For regular verbs, add the endings to the infinitive. For irregular verbs, add the endings to the stem.

decir	dir-	diré	saber	sabr-	sabré
hacer	har-	haré	salir	saldr-	saldré
poner	pondr-	pondré	tener	tendr-	tendré
querer	querr-	querré	venir	vendr-	vendré

- The future may be used in the main clause of sentences in which the present subjunctive follows a conjunction of time.

  Cuando llegues a la oficina, hablaremos.
  When you arrive at the office, we will talk.

3.2 The conditional

The conditional tense expresses what you *would do* or what *would happen* under certain circumstances.

- The conditional tense endings are the same for all verbs, both regular and irregular. For regular verbs, add the appropriate endings to the infinitive (**comer: comería, comerías, comería, comeríamos, comeríais, comerían**).

- For irregular verbs, add the conditional endings to irregular stems.

INFINITIVE	STEM	CONDITIONAL
decir	dir-	diría
hacer	har-	haría
poder	podr-	podría
poner	pondr-	pondría
haber	habr-	habría

8 *ocho*

Práctica

1 **Completar** Completa las oraciones con la forma apropiada del futuro de los verbos de la lista.

| comenzar | hacer | tener |
| haber | ir | vivir |

1. El lunes yo (1) ___tendré___ un examen.
2. ¿Cuándo (2) _haremos / comenzaremos_ tú y yo las tareas?
3. Si no ahorramos agua, pronto no (3) _habrá / tendremos_ ni una gota.
4. Pronto yo (4) _comenzaré / tendré_ mis clases de piano.
5. ¿Dónde crees que tú (6) ___vivirás___ en 20 años?
6. Ricardo (7) ___irá___ al concierto el lunes.

2 **Planes** Andrea quiere encontrar un empleo y le está contando algunos planes a su mejor amiga. Repite lo que dice, usando el tiempo futuro. Answers will vary.

MODELO
Voy a escribir mi currículum mañana.
Escribiré mi currículum mañana.

1. Voy a consultar los anuncios laborales. Consultaré…
2. Voy a leer los anuncios todos los días. Leeré…
3. Voy a practicar la entrevista de trabajo con Arturo. Practicaré…
4. Luis va a leer mi currículum y me va a dar recomendaciones. Luis leerá… y me dará
5. Ana me va a presentar a una tía suya que es gerente de una compañía. Ana me presentará…

3 **¿Qué harías?** En parejas, pregúntense qué harían en estas situaciones. Utilicen las palabras del recuadro. Answers will vary.

Interpersonal Communication

| aconsejar | decir | llamar |
| buscar | explicar | preguntar |

1. A tu mejor amiga le acaban de ofrecer el trabajo de sus sueños, pero ella lo rechazó.
   Le preguntaría por qué lo rechazó.
2. En una entrevista de trabajo te preguntan por qué deberían contratarte a ti.
   Diría que me deberían contratarme porque sé hablar dos idiomas.
3. Tienes una cita muy importante a las 8 a.m. al otro lado de la ciudad y te despiertas a las 7:50 a.m.
   Llamaría a la persona con la que tengo la cita.
4. Estás escribiendo tu trabajo final para una clase y tu computador de repente se descompone. No tienes copia de tu trabajo.
   Buscaría un técnico inmediatamente.

Lección preliminar

Teaching Tips

- Go over the explanations and examples for the grammar points first; then have students complete the activities. Activities 1 and 2 practice the future. Activity 3 practices the conditional.
- Review the **ir a** + [*infinitive*] construction to express the future in Spanish. Then, work through the paradigm for the formation of the future tense. Go over regular and irregular verbs and ask students to provide you with examples in sentences.
- Ask students about their future activities using **ir a** + [*infinitive*]. After they answer, repeat the information using the future tense. Ex: **Mis amigos y yo almorzaremos a la una.**
- Check that students remember how to create future forms by asking volunteers to give different forms of verbs that are not listed. Ex: **renunciar, ofrecer, invertir.**
- Point out that, as in the future, there is only one set of endings in the conditional.

1 Expansion Ask students to write three sentences using the future form of the verbs in the word bank about their plans for the next few weeks.

2 Teaching Tip Have students write similar sentences about looking for a job using the **ir a** + [*infinitive*] construction on strips of paper. Collect the strips and distribute them among the class. Ask students to read the sentences they received out loud and transform them by using the future tense.

3 Teaching Tip After students have discussed the situations in pairs, ask them to switch partners and share their ideas with another classmate.

TEACHING OPTIONS

Pairs Ask students to use the future tense to write ten resolutions for the school year. Ex: **Haré todas mis tareas a tiempo. Saldré en la lista de honor este año.** Have students share their resolutions with a partner, who will then report back to the class. Ex: ____ **hará todas sus tareas a tiempo. Saldrá en la lista de honor este año.**

TEACHING OPTIONS

Interpersonal Communication

Pairs Have students take turns asking each other for favors, using courtesy expressions with the conditional. Partners respond by saying whether they will do the favor; if they will not, they should provide an excuse. Ex: **¿Me podrías ayudar a hacer mis tareas esta tarde?** (Lo siento, pero no puedo. Tengo un partido de fútbol.) Have students react to their partners' responses.

Preparación

Escribamos

4 **El trabajo** Completa las oraciones con las palabras.

Interpersonal Communication

ascenso	beneficios	profesión
aspirantes	currículum	teletrabajo

1. Te sugiero que a la entrevista lleves una copia impresa de tu __currículum__.
2. En la entrevista de trabajo puedes preguntar por el salario y los __beneficios__.
3. Alicia recibió un __ascenso__. A partir del lunes será la gerente.
4. Ricardo trabaja como profesor, pero es contador de __profesión__.
5. Había otras tres personas en la entrevista. Conmigo, éramos cuatro __aspirantes__.

5 **Definiciones** Escribe la palabra que se está describiendo.

aspirante	entrevista	salario
consejera	entrevistador	teletrabajo

1. hombre que le hace preguntas a un/a aspirante a un empleo: __entrevistador__
2. cantidad de dinero que recibe un empleado por su trabajo: __salario__
3. persona que quiere ser elegida para un empleo: __aspirante__
4. mujer que escucha los problemas de las personas y les ofrece orientación: __consejera__
5. trabajo que se realiza de manera remota utilizando medios digitales: __teletrabajo__

6 **Los empleos** Enumera la siguiente lista de beneficios laborales de **1** (más importante) a **6** (menos importante). Luego, comparte tus opiniones con dos compañeros/as. Explica tus respuestas. Answers will vary.

_____ el salario
_____ el número de días de vacaciones
_____ las posibilidades de ascenso
_____ tener buenos compañeros/as de trabajo
_____ tener un(a) buen(a) jefe/a
_____ tener un teletrabajo

Una carta En un sitio en Internet, acabas de encontrar un anuncio sobre un empleo que te llama la atención. El anuncio dice que los aspirantes que quieran más información deben escribirle una carta a la gerente, la señora Gómez. Escríbele una carta a ella para pedirle información sobre el empleo y solicitarle una entrevista.

Interpersonal Communication

Utiliza el condicional en tu carta, con expresiones de cortesía como **me gustaría..., podría usted..., sería posible....** Recuerda que te debes dirigir a la señora Gómez con la forma de **usted**. Estos son algunos temas sobre los que le puedes preguntar:

- las habilidades requeridas
- el salario
- los horarios de trabajo
- los beneficios

Estimada señora Gómez,
Acabo de enterarme en el sitio _____ que su compañía está ofreciendo el puesto de _____ y me gustaría hacerle algunas preguntas sobre el trabajo. En primer lugar, quisiera saber...

Un mensaje electrónico Después de pasar el proceso de selección en la empresa de la señora Gómez, te acaban de ofrecer el puesto que tanto querías. Le escribes un mensaje electrónico a tu amigo Jorge para contarle todo sobre tu empleo.

Utiliza el tiempo futuro en tu mensaje. Dile a tu amigo cuándo empezarás a trabajar, cuánto ganarás, dónde trabajarás o quién será tu jefe. Termina tu correo haciéndole algunas preguntas sobre lo que hará en los próximos días y si pueden encontrarse para celebrar.

De:	mateo25@tucorreo.com
A:	jorgeavelez@tucorreo.com
Tema:	Sobre la oferta trabajo

Hola, Jorge:

Imagínate que me ofrecieron el puesto del que te hablé la otra vez, ¿recuerdas? ¡¡¡Estoy súper feliz!!! Empezaré a trabajar el próximo lunes. Te cuento que tendré...

nueve **9**

Una carta

Expansion Have students exchange their letters and play the role of **señora Gómez**. Ask them to write a response to the letter they received. Encourage them to use the conditional, the future, and the **usted** form in their responses.

Estrategia Share this writing strategy with your students: **Usar el registro adecuado: Hay que saber elegir el registro apropiado cuanto te diriges a alguien. Por ejemplo, debes usar la forma "usted" cuanto te diriges a una persona desconocida y probablemente mayor que tú.**

Un mensaje electrónico

Expansion Again, have students exchange their e-mails and write a response. Remind them that because the e-mail is addressed to a friend, they should use the **tú** form.

5 Teaching Tip Have students write definitions for other related terms, such as **el anuncio, la solicitud, la reunión, despedir, renunciar.** Ask them to read their definitions out loud, and the rest of the class should guess what words they refer to.

6 Teaching Tip Do this activity yourself, rating the benefits based on your preferences. Go around the classroom and participate in the conversations of the student groups. Explain your own choices and ask them to explain theirs to you.

TEACHING OPTIONS   *Interpersonal Communication*   *Relating Cultural Practices to Perspectives*   **PRE-AP®**   *Making Connections*   *Acquiring Information & Diverse Perspectives*   *Cultural Comparisons*

Expansion Have student pairs prepare a short interview using the **usted** form. If necessary, review the **usted** conjugations. Encourage them to present their interviews to the class.

Cultural Comparison Have small groups of students research labor conditions and customs in Spanish-speaking countries and make comparisons with their own country. These are some of the topics they may compare: **las entrevistas de trabajo, la jornada laboral** (*working hours*)**, los beneficios laborales, las vacaciones, la seguridad social, la jubilación.**

Teaching Tips

- Give students a contrary-to-fact situation and make statements about it. Ex: **Si no estuviéramos en clase, yo tomaría el sol y comería un helado. Y ustedes, ¿qué harían?**
- Provide students with main clauses that can be used with **si** clauses to express conditions or events that are possible or likely to occur. Have volunteers finish the sentence with a **si** clause. Ex: **Iré contigo… (si vas a participar en el debate.)**
- Introduce a few of the expressions of doubt, disbelief, or denial by talking about a topic familiar to the class. Ex: **Dudo que el equipo de baloncesto vaya a ganar el partido este fin de semana. Es probable que el otro equipo gane.**

1 Prepare a few complete sentences that begin with **si** clauses. Write them on strips of paper and cut the strips so that the clauses are separated. Make enough copies so that every student gets one. Distribute the strips of paper to the class, and have one student at a time say his/her part out loud. Whoever has a matching clause should say it aloud as well. Evaluate whether the two clauses match logically. If they do, write the full sentence on the board.

2 In preparation for this activity, work through one topic with the class as a whole.

3 **Expansion** As homework, ask students to check news sites for articles about events in Spanish-speaking countries. Ask them to prepare a few sentences giving their opinions on the events. Ex: **Dudo que el presidente de _____…; No estoy segura de que las elecciones en _____…; No es verdad que la guerra en_____…**

4.1 *Si* clauses

Si (*If*) clauses describe a condition or event upon which another condition or event depends. Sentences with **si** clauses also have a main (or result) clause.

- **Si** clauses can speculate or hypothesize about what *would happen* if an event or condition *were to occur*.

  Si **vieras** el noticiero, **estarías** mejor informado.
  If you watched the TV news, you would be better informed.

- **Si** clauses can also describe what *would have happened* if an event or condition *had occurred*.

  Si **hubiera sabido** que estabas en casa, te **habría llamado.**
  If I had known that you were home, I would have called you.

- **Si** clauses can also express conditions or events that are possible or likely to occur.

  Si **puedes** venir, **llámame.**
  If you can come, call me.

4.2 The subjunctive with doubt, disbelief, and denial

The subjunctive is required with expressions of doubt, disbelief, and denial.

- The subjunctive is always used in a subordinate clause when there is a change of subject and the expression in the main clause implies negation or uncertainty.

Here is a list of some common expressions of doubt, disbelief, or denial.

Expressions of doubt, disbelief, or denial	
dudar	to doubt
negar (e:ie)	to deny
no creer	not to believe
no estar seguro/a (de)	not to be sure
no es cierto	it's not true/certain
no es seguro	it's not certain
no es verdad	it's not true
es imposible	it's impossible
es improbable	it's improbable

Dudo que el comité **resuelva** el problema.
I doubt that the committee will solve the problem.

No es verdad que ella **estudie** biología.
It's not true that she studies biology.

10 *diez*

Práctica

1 **Completar** Completa las oraciones con las frases.

no sabré qué hacer	dile que me llame
perderá muchos votos	habrías visto a María
saldrá del campeonato	ya sería médico

1. Si el candidato no hace una buena campaña, <u>perderá muchos votos</u>.

2. Si hubieras llegado más temprano, <u>habrías visto a María</u>.

3. Si Ramiro hubiera estudiado medicina, <u>ya sería médico</u>.

4. Si nuestro equipo pierde este partido, <u>saldrá del campeonato</u>.

5. Si no hablo con Rafael hoy, <u>no sabré qué hacer</u>.

6. Si te ves con Jimena esta tarde, <u>dile que me llame</u>.

2 **Soluciones** En grupos pequeños, recomienden soluciones para algunos de los siguientes temas sociales, utilizando cláusulas con **si**. Compartan y discutan sus propuestas con toda la clase.

Interpersonal Communication

Making Connections

MODELO
— Si las empresas generaran más fuentes (*sources*) de empleo, habría menos desempleo.
— Si la semana pasada se hubiera anunciado el desastre con tiempo, se habrían evitado muchas muertes.

el crimen	las elecciones
el desempleo	los derechos humanos
el racismo	los desastres naturales
el sexismo	los políticos

3 **La actualidad** ¿Qué opinas de la situación social actual? Escribe 5 opiniones usando el subjuntivo y expresiones de duda o negación. Comparte tus opiniones con la clase.

MODELO
— No creo que las industrias generen más empleo.
— Es improbable que la desigualdad se reduzca pronto.

Lección preliminar

EXPANSION

Extra Practice To provide oral practice, ask students to finish these sentences logically: **1. Si tomas español otra vez el año próximo, … 2. Si la tormenta no pasa pronto, … 3. Si no hubiera llegado el ejército, … 4. Si quieres ser locutor(a) de televisión, …**

EXPANSION

Interpretive Communication

Extra Practice Bring in articles and photos from Spanish-language tabloids. As you hold up each one, have students react, using expressions of doubt, disbelief, and denial. Ex: **Es improbable que una señora hable con extraterrestres.**

Preparación

4 **Completar** Completa las oraciones con las palabras.

Interpersonal Communication

deber	elecciones
derechos	encuestas
discurso	impuestos

1. Esperamos que el gobierno reduzca los ___impuestos___.

2. El día de las ___elecciones___ los ciudadanos votan.

3. En una democracia, votar se considera un ___deber___ de los ciudadanos.

4. La estación de radio emitió el ___discurso___ del candidato presidencial.

5. Los activistas sociales luchan por los ___derechos___ de los ciudadanos.

6. Las ___encuestas___ sirven para conocer las opiniones de los ciudadanos.

5 **Definiciones** Escribe la palabra que se está describiendo.

desempleo	elecciones	huelga
desigualdad	encuestas	prensa
ejército	guerra	reportaje

1. falta de puestos de trabajo: ___desempleo___

2. período en que los empleados no trabajan para defender sus derechos: ___huelga___

3. confrontación entre los países con el uso de armas: ___guerra___

4. grupo de soldados: ___ejército___

5. falta de oportunidades iguales para todos los ciudadanos: ___desigualdad___

6. informe de un periodista sobre un tema específico: ___reportaje___

6 **Categorías** Escribe dos o tres ejemplos de cada una de estas categorías de palabras. Answers will vary.

1. desastres naturales: el huracán, la inundación, el terremoto

2. medios de comunicación: la radio, la prensa, la televisión

3. políticos: el alcalde, el presidente, el candidato

4. problemas sociales: el desempleo, la desigualdad, la discriminación

Hablemos

Una entrevista Utiliza el siguiente cuestionario para entrevistar a uno/a de tus compañeros/as. Puedes añadir otras preguntas si lo consideras necesario. Toma nota de sus respuestas para compartirlas con toda la clase.

1. ¿Qué medio de comunicación prefieres para mantenerte informado/a?

2. ¿Cuáles son las noticias que más te interesan (política, deportes, sociedad, cultura)?

3. ¿Con qué frecuencia lees el periódico?

4. ¿Con qué frecuencia ves los noticieros / oyes las noticias en la radio?

5. ¿Crees que votar es importante? ¿Por qué?

6. En tu opinión, ¿cuáles de estos problemas son los que más afectan a nuestro país? Explica.

   a. el desempleo
   b. la discriminación
   c. el crimen
   d. la corrupción
   e. otro(s) (¿Cuáles?)

Un noticiero estudiantil En grupos pequeños, sigan estos pasos para hacer un noticiero sobre su escuela.

- Decidan qué secciones tendrá el noticiero.

- Elijan un(a) "experto/a" en cada una de las secciones, que se encargará de redactar una noticia para su sección, incluyendo una imagen.

- Reúnan los artículos de todas las secciones y léanlos en voz alta.

- Presenten el noticiero ante la clase.

En sus noticias, incluyan oraciones con **si** y el subjuntivo estudiado en esta lección.

Una noticia Busca en la prensa una noticia de actualidad en algún país hispanoamericano y preséntala ante la clase. Antes de tu presentación, escribe una lista de vocabulario nuevo y compártela con tus compañeros para que puedan entender mejor.

Interpretive Communication | Interpersonal Communication

Teaching Tip Make a list of other words related to current events that are not included on this page. As the focus of this section is *speaking*, emphasize pronunciation.

Una entrevista Have students take turns interviewing each other so that all have the chance to respond to the questions. Ask them to present their conversations before the class. After a few interviews, have the class draw some conclusions. Ex: **El medio de comunicación favorito en la clase es Internet. Las noticias que más nos interesan son las de deportes. Casi nadie lee los periódicos.**

Un noticiero estudiantil Have groups film their newscasts and share them with other Spanish classes in your school or other schools in your district.

Estrategia Share this speaking strategy with your students: **Expresarse claramente: Cuando te diriges a un grupo, asegúrate de hablar en voz alta y clara. Para que te entiendan, es importante que todos te oigan y que pronuncies bien las palabras. No hables demasiado rápido. Tómate tu tiempo, respira bien e intenta relajarte.**

5 Teaching Tip Have students write definitions for other related terms, such as **la protesta, la libertad (de prensa), el racismo, luchar (por una causa)**. Ask them to read their definitions out loud, and the rest of the class should guess what words they refer to.

TEACHING OPTIONS

Variación léxica Review common newspaper terms: **el titular** (*headline*), **la sección de deportes** (*sports section*), **la carta al/a la director(a)** (*letter to the editor*), **las tiras cómicas** (*comic strips*).

EXPANSION

Interpersonal Communication | Presentational Communication | School & Global Communities

Heritage Speakers Ask heritage speakers to watch a news broadcast in Spanish or surf the Internet for the latest news in their families' countries of origin. Have them summarize the report for the class, who can ask follow-up questions.

Objetivo comunicativo: Hablar sobre mis planes para las próximas vacaciones

Section Goals

In **Síntesis**, students will demonstrate they can:

- use previously learned and reviewed grammatical structures
- use acquired vocabulary
- work cooperatively in a group
- use communicative skills and creativity

Teaching Tips

- Try to group quieter students with extroverts, heritage speakers and more advanced students with those needing more support, and so on.
- Allow students a few minutes near the end of class the day before you plan to work on **Síntesis** to break into their assigned groups and select roles. Then, assign the first draft of the script as homework.
- Allow some time at the next class meeting for peer editing, peer review, and rehearsal. Circulate to answer questions and keep students on task.
- Encourage students to bring props or images of the places they will be talking about.

Rubrics

- Present the rubric you plan to use at the beginning of **Síntesis.**
- Before the final presentation, explain the scoring system to students and make sure they understand each criterion.

Descripción

En grupos de tres o cuatro, escriban una conversación de un grupo de compañeros/as que están charlando entre clases sobre sus planes para las próximas vacaciones. Por coincidencia, todos van a hacer viajes de ecoturismo. Presenten sus conversaciones a la clase.

Paso a paso

1 Decidan a qué lugar va a viajar cada integrante del grupo y hagan una investigación preliminar sobre el lugar. Pueden elegir alguno de estos sitios:

- Caño Cristales (Colombia)
- la Isla del Coco (Costa Rica)
- Laguna Colorada (Bolivia)
- las Cataratas del Iguazú (Argentina y Brasil)
- las islas Galápagos (Ecuador)
- el Salto Ángel (Venezuela)

2 Redacten la conversación, incluyendo una descripción del lugar que cada quien va a visitar. Háganse preguntas mutuas sobre sus viajes. Recuerden usar los temas repasados en esta lección.

MODELO
— **Pasaremos** las vacaciones en una cabaña frente a la montaña.
— **Si** tenemos suerte, **podremos** ver tortugas gigantes.
— ¡Mis maletas ya están **hechas**!

Interpretive Communication

Interpersonal Communication

Acquiring Information & Diverse Perspectives

Lifelong Learning

3 Lean su conversación para prepararla con antelación. Mientras cada quien lee su parte de la conversación, los demás le hacen comentarios constructivos.

Evaluación

Al presentar la conversación del grupo ante la clase, serás evaluado/a con base en los siguientes criterios. Usa esta lista de chequeo para verificar que estás bien preparado/a para la presentación:

- Usas el vocabulario apropiado.
- Te refieres adecuadamente a cosas que pasarán en el futuro.
- Te expresas con claridad, usando pronunciación y entonación adecuadas.
- Participas activamente haciéndoles preguntas a tus compañeros/as.

RUBRICS

Criteria	Scale	Scoring	
Student's script is grammatically correct and uses topical vocabulary.	1 2 3 4 5	Strong	18–20
Events are narrated clearly using appropriate tenses.	1 2 3 4 5	Good	14–17
Student speaks clearly with correct pronunciation, inflection, and intonation.	1 2 3 4 5	Satisfactory	10–13
The presentation overall is well-paced, interesting, and coherent.	1 2 3 4 5	Weak or Poor	<10

SÍNTESIS: LA SALUD Y EL BIENESTAR

Objetivo comunicativo: Promover hábitos saludables en mi escuela

Descripción

En grupos de tres o cuatro, preparen una campaña para promover hábitos saludables en su escuela. Cada miembro del equipo debe elegir un tema y preparar una breve presentación usando ayudas visuales.

Paso a paso

1 Decidan qué tema va a presentar cada miembro del equipo y hagan una investigación preliminar. Pueden elegir alguno de estos temas:

- buenos hábitos de salud y alimentación
- el deporte y la actividad física
- buenos hábitos de higiene
- el manejo del estrés y la ansiedad

2 Cada integrante del equipo escribe un guión de su presentación, incluyendo la descripción de las mejores prácticas en el tema elegido. Asegúrense de usar los temas repasados en esta Lección Preliminar, como el presente progresivo, el presente perfecto, el subjuntivo o las cláusulas con *si*.

> **MODELO** **Hemos hecho** un plan de actividad física para toda la clase. Los jóvenes **nos estamos alimentando** muy mal. Es necesario **que mejoremos** nuestros hábitos alimenticios. **Si** nos alimentamos mejor, vamos a tener una mejor salud.

3 Preparen sus presentaciones leyéndolas en grupo. Mientras cada integrante lee su parte de la presentación, los demás le hacen comentarios constructivos. Diseñen carteles atractivos sobre los temas para apoyar sus presentaciones y para después exhibirlos en la escuela como parte de su campaña.

Presentational Communication

Making Connections

School & Global Communities

Lifelong Learning

Evaluación

En tu presentación serás evaluado/a con base en los siguientes criterios. Usa esta lista de chequeo para verificar que estás bien preparado/a para la presentación:

- Usas el vocabulario apropiado.
- Ofreces consejos útiles y relacionados con el tema que elegiste.
- Utilizas los temas gramaticales repasados en esta lección.
- Te expresas con claridad, usando pronunciación y entonación adecuadas.
- Utilizas ayudas visuales para apoyar tu presentación y tu campaña.

Section Goals

In **Síntesis**, students will demonstrate they can:
- use previously learned and reviewed grammatical structures
- use acquired vocabulary
- work cooperatively in a group
- use communicative skills and creativity

In-Class Tips
- Try to group quieter students with extroverts, heritage speakers and more advanced students with those needing more support, and so on.
- Allow students a few minutes near the end of class to break into their assigned groups and select topics. Then, assign the first draft of the script and illustrations as homework.
- Allow some time at the next class meeting for peer editing, peer review, and practicing their presentation. Circulate to answer questions and keep students on task.
- Encourage students to prepare persuasive, attractive posters that they will post around the school as part of their campaign.

Rubrics
- Present the rubric you plan to use at the beginning of **Síntesis**.
- Before the final presentation, explain the scoring system to students and make sure they understand each criterion.

RUBRICS

Criteria	Scale	Scoring	
Student's script is grammatically correct and uses topical vocabulary.	1 2 3 4 5	Strong	18–20
Events are narrated clearly using appropriate tenses.	1 2 3 4 5	Good	14–17
Student speaks clearly with correct pronunciation, inflection, and intonation.	1 2 3 4 5	Satisfactory	10–13
The presentation overall is well-paced, interesting, and coherent.	1 2 3 4 5	Weak or Poor	<10

See pages T34-T35 for additional details on how to use the six-step instructional design in your classroom.

1 **Context.** Make it personal. Ask students to provide whatever Spanish words they may already know in the context: "Think about relationships. What Spanish words do you know already?"

2 **Vocabulary.** Put it into words. Connect the word study in Step 1 with what students see on these pages. Ask: **¿Cómo es una persona sensible? ¿Qué es coquetear?**

3 **Media.** Bridge experiences. After watching the Fotonovela episode, ask: **¿Cómo son las relaciones de los personajes de la Fotonovela?**

A primera vista Have students look at the photo; ask them these additional questions: **1. ¿Cómo describirías su relación? 2. ¿Te gustaría ser amigo/a de ellos? ¿Por qué?**

Essential Questions Discuss the Essential Questions as a class.

Overarching Theme Contemporary Life: Relationships

Pre-AP*

Pre-AP* Support
Search for the Pre-AP* logo throughout this lesson for additional Pre-AP* support. AP* Spanish Language and Culture Skills are indicated with their respective numbers:

1 Comprehend Text
2 Make Connections
3 Interpret Text
4 Make Meanings
5 Speak to Others
6 Write to Others
7 Present Orally
8 Present in Writing

A primera vista
- ¿Dónde están las personas?
- ¿Crees que se llevan bien o mal? ¿Por qué?
- ¿Cómo crees que se sienten?

Essential Questions
1. ¿Cómo nos comunicamos y relacionamos en los entornos familiares, comunitarios y laborales?
2. ¿Cómo construimos y mantenemos relaciones significativas y duraderas?
3. ¿De qué manera afecta la cultura las relaciones personales?

Teacher Resources

Presentation
- AP® Themes & Contexts
- Grammar slides: **Estructura** 1.1, 1.2, 1.3

Practice and Communicate
- *Cuaderno de actividades*, with audio & Answer Key
- Digital Image Bank (Personal interactions; Personality traits)
- Textbook Audio

Forums on **vhlcentral.com** allow you and your students to record and share audio messages. Use Forums for presentations, oral assessments, discussions, directions, etc.

1 Las relaciones personales

Can Do Goals

By the end of this lesson I will be able to:

- Talk about feelings and relationships
- Describe people's personalities
- Talk about how I and other people feel
- Talk about people, states, and situations in the present
- Say what people are doing at specific times

Also, I will learn about:

Culture

- Love and friendship celebrations in Spanish-speaking countries
- The personal life of Chilean-American writer Isabel Allende
- Relationships in Spanish-speaking countries and in the U.S.
- Places to hang out with friends and meet people in Madrid, Spain
- The career of Sonia Sotomayor, Associate Justice of the Supreme Court of the United States

Skills

- Reading: Recognizing personification and metafiction in a literary selection
- Speaking: Using the "quick questions" technique to meet new people
- Writing: Expressing opinions and giving advice

Lesson 1 Integrated Performance Assessment
Context: You want to participate in a contest to win a five-day trip to Santiago de Chile. In your entry, you compare Pablo Neruda's **Poema 20** to a song you like.

Vecinos charlando desde sus balcones en Barcelona, España

Práctica: Los vecinos en los países hispanos suelen tener relaciones cercanas.
¿Cómo son las relaciones de los vecinos en tu comunidad?

---

4 **Culture.** Give new perspectives. Ask: **¿Cómo se celebra el amor y la amistad en otras culturas?¿Qué opinas de las relaciones interculturales?**

5 **Structure.** Use grammar as a tool. Focus on presenting words in context and on personalized activities. Have students say how they usually are (**Soy simpatico/a.**) and how they are feeling today (**Estoy aburrido/a.**)

6 **Synthesis.** Pull it all together. For each skill area, focus on the personalized activities that are provided, e.g. **Conexión personal,** pp. 45, 49; **Consejero/a sentimental,** p. 54.

Can Do Goals Review the list of communicative goals with your students. Point out that this lesson will provide them with the tools necessary to achieve these goals. You may also share the IPA task, found on page 54, so that students become familiar with the final communicative task they will be expected to complete.

Integrated Performance Assessment Before teaching this chapter, review the Integrated Performance Assessment (IPA) on page 54. Use the IPA to assess students' progress toward proficiency targets at the end of the chapter.

Práctica Have students look at the photo and describe it. Ask: **¿Vemos escenas similares en nuestra comunidad?**

Objetivo comunicativo: **Hablar sobre los sentimientos y las relaciones personales**

Las relaciones personales

La personalidad

autoritario/a *strict*
cariñoso/a *affectionate*

celoso/a *jealous*
cuidadoso/a *careful*
falso/a *insincere*
gracioso/a *funny; pleasant*

inseguro/a *insecure*
(in)maduro/a *(im)mature*
mentiroso/a *lying*
orgulloso/a *proud*
permisivo/a *permissive*
seguro/a *sure; confident*
sensato/a *sensible*
sensible *sensitive*
tacaño/a *stingy*
tímido/a *shy*
tradicional *traditional*

Los estados emocionales

agobiado/a *overwhelmed*
ansioso/a *anxious*
deprimido/a *depressed*
disgustado/a *upset*

emocionado/a *excited*
preocupado/a (por) *worried (about)*
solo/a *alone; lonely*
tranquilo/a *calm*

Los sentimientos

Carlos es un chico muy tímido, **tiene vergüenza de** hablar con los demás. Pero **se siente** seguro cuando habla con su amiga Marisa porque ella lo **aprecia** mucho.

adorar *to adore*
apreciar *to think highly of*
enamorarse (de) *to fall in love (with)*
estar harto/a (de) *to be sick (of)*
odiar *to hate*
sentirse (e:ie) *to feel*
soñar (o:ue) (con) *to dream (about)*
tener celos (de) *to be jealous (of)*
tener vergüenza (de) *to be embarrassed (about)*

Las relaciones personales

Llevan más de cincuenta años de casados. Dicen que los secretos de un buen **matrimonio** son la **confianza** y el **cariño**.

el/la amado/a *loved one*
el ánimo *spirit*
el cariño *affection*
la cita (a ciegas) *(blind) date*
el compromiso *commitment*
la confianza *trust; confidence*
el desánimo *the state of being discouraged*
el divorcio *divorce*
la pareja *couple; partner*
el sentimiento *feeling*

atraer *to attract*
coquetear *to flirt*
cuidar *to take care of*
dejar a alguien *to leave someone*
discutir *to argue*
educar *to raise; to bring up*
hacerle caso a alguien *to pay attention to someone*
impresionar *to impress*
llevar... años de (casados) *to be (married) for... years*
llevarse bien/mal/fatal *to get along well/ badly/terribly*
mantenerse en contacto *to keep in touch*
pasarlo bien/mal/fatal *to have a good/bad/ terrible time*
proponer (matrimonio) *to propose (marriage)*
romper (con) *to break up (with)*
salir (con) *to go out (with)*
soportar a alguien *to put up with someone*

casado/a *married*
divorciado/a *divorced*
separado/a *separated*
soltero/a *single*
viudo/a *widowed*

Las relaciones personales

Práctica

1 Escuchar
Interpretive Communication

A. Después de una cita con Andrés, Paula le cuenta todo a su mejor amiga, Isabel. Escucha la conversación y decide si las oraciones son **ciertas** o **falsas**. Corrige las falsas.

1. Después de la cita con Andrés, Paula está muy emocionada. **Cierto.**
2. Según Paula, los dos se llevan mal.
   Falso. Según Paula, los dos se llevan muy bien.
3. Paula dice que Andrés es feo e inseguro.
   Falso. Paula dice que Andrés es guapo y seguro.
4. Paula quiere salir otra vez con Andrés. **Cierto.**

B. Ahora escucha la conversación entre Andrés y su mejor amigo, José Luis, y decide si las oraciones son **ciertas** o **falsas**. Corrige las falsas.

1. Según Andrés, Paula y él lo pasaron bien.
   Falso. Según Andrés, lo pasaron fatal.
2. Andrés piensa que Paula es demasiado tímida. **Cierto.**
3. Andrés quiere salir otra vez con Paula.
   Falso. Andrés no quiere salir otra vez con Paula.
4. Andrés tiene celos porque José Luis quiere salir con Paula. **Falso.** Andrés no tiene nada de celos.

C. En parejas, imaginen que José Luis decide llamar a Paula y que Andrés decide llamar a Isabel. Inventen una de estas dos conversaciones telefónicas y compártanla con la clase.

Interpersonal Communication

2 Analogías Completa cada analogía con la palabra apropiada.
Language Comparisons

autoritario	cuidadoso	mentiroso
casados	discutir	romper con
cita	gracioso	tranquilo

1. estresado : ansioso :: falso : ___mentiroso___
2. generoso : tacaño :: permisivo : ___autoritario___
3. divorcio : divorciados :: matrimonio : ___casados___
4. amar : odiar :: salir con : ___romper con___
5. cariño : cariñoso :: cuidado : ___cuidadoso___
6. disgustado : contento :: emocionado : ___tranquilo___
7. casados : boda :: novio : ___cita___
8. casados : divorciados :: llevarse bien : ___discutir___

Critical Thinking and Problem Solving
Students practice aural comprehension as a tool to negotiate meaning in Spanish.

(A) Audio Script
ISABEL Paula, ¿qué me cuentas de tu cita con Andrés? ¡Quiero saberlo todo!
PAULA ¡Ay, Isabel, estoy tan emocionada! Andrés y yo nos llevamos muy bien.
ISABEL Pero dime, ¿cómo es él?
PAULA Es guapo, seguro y, sobre todo, cariñoso. Me impresiona muchísimo.
ISABEL ¿Así que piensas salir con él otra vez?
PAULA Espero que sí. ¡Creo que me estoy enamorando de él!
Teacher Resources online

(B) Audio Script
JOSÉ LUIS Oye, Andrés, ¿cómo lo pasaste con Paula anoche?
ANDRÉS Hombre, ¡lo pasamos fatal!
JOSÉ LUIS ¿Por qué, Andrés? Ella es tan bonita, tan interesante…
ANDRÉS Bonita, sí, pero ¿interesante? Sabes, Paula es tan tímida que casi no habla. Y estaba tan ansiosa, tan… tan… insegura.
JOSÉ LUIS Andrés, el problema es que no sabes coquetear. ¡Tienes que ser más gracioso, hombre!
ANDRÉS José Luis, no te soporto. Mira, si adoras tanto a Paula, aquí está su número de teléfono. No voy a tener nada de celos si quieres salir con ella.
JOSÉ LUIS ¡Qué buen amigo eres, Andrés! Para agradecerte, te doy a ti el número de otra amiga. Se llama Isabel…
Teacher Resources online

2 Connections:
Language Arts Explain that formal analogies are "equations" that show how ideas are related to one another. Give examples in English; then have students create additional analogies in Spanish.

DIFFERENTIATION
Language Comparisons

Heritage Speakers Ask a heritage speaker to play the role of teacher. Supply flashcards for him or her to review vocabulary with the class. The first time through the flashcards, have the "teacher" say the word when showing each flashcard. This is a good opportunity for heritage speakers to share some of the richness of varied Hispanic accents with classmates.

DIFFERENTIATION

For Inclusion Point to pictures in the textbook or hold up pictures from a magazine. Ask true/false questions about the pictures, using vocabulary from the chapter. Students indicate thumbs up if the answer is true; thumbs down if it is false.

3 To facilitate **Actividad 3**, tell students that half the questions and answers include infinitives. Ask them how they can tell. (the **–ar, –er,** or **–ir** on the end of the word)

4 Remind students of the title of the chapter (**Las relaciones personales**). Ask how the **pareja** pictured in **Actividad 4** differs from the **parejas** on the previous two pages. (Answer: **novios/ esposos** vs. **hermanos**)

Formative Assessment
Use the activities on this page as a formative check for interpreting thematic use of expressions for feelings, personality, and emotional states, then apply vocabulary appropriately.

NATIONAL STANDARDS
Communities Have students look in local television listings to identify Spanish-language soap operas available in your area. Ask them to watch episodes and keep a list of vocabulary they learn from watching.

School & Global Communities

Práctica

3 **Definiciones** Indica las palabras que corresponden a cada definición.

<u>b</u> 1. Compromiso entre dos o más personas sobre el lugar, la fecha y la hora para encontrarse.

<u>d</u> 2. Que sufre de tristeza o desánimo.

<u>f</u> 3. Enseñar a una persona a comportarse según ciertas normas.

<u>g</u> 4. Prestarle atención a alguien.

<u>h</u> 5. Conjunto formado por dos personas o cosas que se complementan o son semejantes como, por ejemplo, hombre y mujer.

<u>a</u> 6. Estimar o reconocer el valor de algo o de alguien.

a. apreciar
b. cita
c. cuidar
d. deprimido/a
e. discutir
f. educar
g. hacerle caso
h. pareja
i. viudo/a

Presentational Communication

4 **Contrarios** Mauricio y Lucía son gemelos, pero tienen personalidades muy distintas. Completa las descripciones con el adjetivo correspondiente.

MODELO Mauricio siempre es muy seguro, pero Lucía es… insegura.

1. Mauricio es sincero, pero Lucía es… falsa/mentirosa.
2. Lucía es muy generosa con su dinero, pero Mauricio es… tacaño.
3. No sabes lo sociable que es Mauricio, pero Lucía es muy… tímida.
4. Lucía es permisiva con sus hijos, pero Mauricio es… autoritario.
5. A Mauricio le gusta estar con gente, pero Lucía prefiere estar… sola.
6. Todos piensan que Lucía es moderna, pero Mauricio es… tradicional.
7. Lucía se porta (*behaves*) como un adulto, pero Mauricio es muy… inmaduro.
8. Mauricio es muy modesto, pero Lucia es muy… orgullosa.
9. Mauricio es muy…, pero Lucia es muy…
10. A Mauricio le gusta…, pero Lucia prefiere…

LEARNING STYLES

For Auditory Learners Divide the class into two teams. Point to a team member and call out an original statement or question based on **Contextos**. Ex: **Si una persona no está ansiosa, ¿cómo está?** If the student responds appropriately, his or her team earns a point. Continue for 10–15 points.

LEARNING STYLES

For Kinesthetic Learners Play **La pizarra** game. Form teams and have one player from each team go to the board. Ask questions. Ex: **Completa esta oración: Si te gusta hablar en público, eres ____.** (Answer: **extrovertido/a**) The first student to write the answer correctly wins the point for his or her team.

Comunicación

5 **¿Cómo eres?** Trabaja con un(a) compañero/a.

A. Contesta las preguntas del test.

	Sí	A veces	No	Clave		
				Sí = 0 puntos		
1. ¿Te pones nervioso/a cuando estás con otras personas?				**A veces** = 1 punto		
2. ¿Te incomoda expresar tus emociones?				**No** = 2 puntos		
3. ¿Te parece difícil iniciar una conversación?						
4. ¿Te ponen nervioso/a las citas a ciegas?				**Resultados**		
5. ¿Te sientes inseguro/a cuando te critican?				**0 a 3** Eres muy introvertido/a.		
6. ¿Tienes vergüenza de hablar en público?				**4 a 7** Tiendes a ser introvertido/a.		
7. ¿Piensas mucho antes de tomar una decisión?				**8 a 11** No eres ni introvertido/a ni extrovertido/a.		
8. ¿Piensas que, si eres muy simpático/a, las personas pueden creer que eres falso/a?				**12 a 16** Tiendes a ser extrovertido/a.		
9. ¿Piensas que coquetear es inmaduro?				**17 a 20** Eres muy extrovertido/a.		
10. ¿Te llevas bien con las personas muy tímidas?						

B. Ahora suma (*add up*) los puntos. ¿Cuál es el resultado del test? ¿Estás de acuerdo? Comenta tu resultado y tu opinión con tu compañero/a.

6 **Problemas y consejos**

A. En grupos de cuatro, elijan una de estas situaciones. Inventen más detalles para describir la situación. ¿Cómo son los personajes? ¿Dónde se encuentran? ¿Desde cuándo se conocen? ¿Cómo empezó la situación? ¿Cómo pueden resolverla?

1. Son buenos amigos, pero discuten mucho. Quieren llevarse mejor y evitar problemas.

2. Tienen un buen matrimonio, pero cuando ella está hablando él no le hace mucho caso. A ella esto le parece una falta de respeto.

3. Su madre es muy autoritaria. Durante la semana no deja que sus hijos salgan por la noche. Los viernes y sábados, ellos tienen que estar en casa antes de las diez.

4. Tiene celos de su hermano, porque él es muy seguro y gracioso. Se siente muy tímido/a e inmaduro/a.

5. Se quieren, pero discuten por cualquier cosa.

B. Ahora, escriban un breve correo electrónico en el que el personaje describe su problema y le pide consejos a un(a) amigo/a. Lean el mensaje a la clase para que sus compañeros ofrezcan sus consejos.

PUEDO hablar sobre mis sentimientos y mis emociones con otras personas.

Las relaciones personales

diecinueve **19**

Teaching Tips

5 Have students do this exercise in pairs as an interview and report the final results to the class.

5 Have students add at least two of their own questions using the lesson vocabulary, and revise the scoring.

5 To facilitate, have students brainstorm where they would usually find a questionnaire similar to this one.

5 Ask students if their school has similar questionnaires that try to match students with their "perfect study partner."

5 Virtual Chat
Available online.

6 Affective Dimension
Have students pick one of the items in **Actividad 6** and create a dialogue based on it. Let them rehearse a few times, so that they will feel more comfortable with the material and less anxious when presenting before the class.

NATIONAL STANDARDS
Communities Have students find similar personality tests in magazines or online, in both Spanish and English. Have them identify vocabulary from this chapter that is used in the self-tests. Do they notice any cultural differences?

Acquiring Information & Diverse Perspectives

Cultural Comparisons

School & Global Communities

DIFFERENTIATION

For Inclusion Provide sentence starters for students responding to open-ended questions such as those in the direction lines of **Actividad 6**.

Lifelong Learning

DIFFERENTIATION

For Inclusion Remind students of the value of making their own flashcards to practice the vocabulary for each lesson. Hint: Recommend that they organize their flashcards by putting them in a hole-punched, heavy-duty, self-closing food storage bag, which they place in their Spanish binder to have on hand for later review.

 21st Century Skills

Flexibility and Adaptability
Remind students to include input from all team members, adapting their presentation so it represents the whole group.

FOTONOVELA

Objetivo comunicativo: Describir a los personajes de la Fotonovela

Section Goals

In **Fotonovela,** students will:
- practice listening to authentic conversation
- learn functional phrases regarding family celebrations, feelings, and introductions.

Pre-AP*

AP Skill Categories
1 **2** **3** **4**

Student Resources
Cuaderno de actividades, pp. 4–5
Online Video and Activities

Teacher Resources
Workbook TE; Video Script & Translation

Video Synopsis

It's **Marcela**'s birthday, and her friends and family are throwing a surprise party for her. Suddenly, a strange object falls on the birthday cake. Somebody rings the doorbell, and the **Solís** family meet **Ricardo**, a special new friend.

Pre-AP*

Interpretive Reading

Have students quickly scan the **Fotonovela** video stills and script and make a list of the cognates they find. Ask them to predict what this episode is about based on the visuals and the cognates.

Teaching Tips

- Before showing the **Fotonovela,** write four or five of the **Expresiones útiles** and Additional Vocabulary on the board and go over meanings.
- Tell students they are responsible for all **Expresiones útiles.**

En el video...

Vas a conocer a la familia Solís, de Oaxaca, México, compuesta por Lorenzo, un profesor viudo, sus hijos Rocío, Marcela y Manu, y Lupita, la criada. Además vas a conocer a sus amigos, Patricia y Chente, y a un nuevo amigo muy especial, Ricardo. En este episodio verás cómo inicia la historia.

ROCÍO ¡Estoy ansiosa!

MANU ¡Ahí viene! ¡Está entrando!

TODOS JUNTOS ¡Sorpresa!
(*Cantan.*) Éstas son las mañanitas que cantaba el rey David, a las muchachas bonitas se las cantamos así. Despierta, Marce, despierta...

MARCELA Gracias. Éste es mi primer cumpleaños desde la muerte de mi mami.

PATRICIA Bueno, a pedir un deseo.
Algo cae del cielo cuando Marcela va a soplar la vela.

ROCÍO ¡*Manu!*

LUPITA ¿Qué es eso?

MANU ¡Es un dron!

MARCELA Tantos cumpleaños que habrá hoy en Oaxaca y vienen a estrellarse en el mío.

ROCÍO ¡Marcela! El espía.

MARCELA ¿Qué espía?

ROCÍO ¡El del dron!

MARCELA ¿Qué pasa con él?

ROCÍO Está aquí.

CHENTE ¡Ricardo!

LORENZO ¿Se conocen?

CHENTE Sí. Acaba de mudarse a Oaxaca. Estudia ingeniería en la uni.
(*A Ricardo*) El señor Solís. Es profesor de botánica.

RICARDO *Mucho gusto, soy Ricardo.*

LEARNING STYLES

For Visual Learners Show the captioned version of the **Fotonovela** before showing the version without captions. Through this strategy, students have an additional opportunity to associate the sound of the word with the printed word and, by extension, to support their increased comprehension.

LEARNING STYLES

For Kinesthetic Learners On strips of paper, write questions and important statements from the **Fotonovela** script, and an equal number of the characters' answers/rejoinders. Put them in a bag and have each student draw one paper from the bag. Students circulate around the room to find the classmate whose script line completes theirs.

Personajes

 MANU

 ROCÍO

 MARCELA

PATRICIA

LORENZO

LUPITA

CHENTE

RICARDO

AMIGO DE CHENTE

3

LUPITA Diga.

RICARDO Hola, señora. Quería saber si vio un pequeño dron que cayó por aquí.

6

MANU ¿Tú construiste el dron?

RICARDO Sí.

MANU ¿Dónde se enciende?

RICARDO Acá.
Las hélices esparcen pastel y todos terminan cubiertos.

LORENZO Ella es Marcela, la cumpleañera.

RICARDO Felicidades.

Expresiones útiles

Talking about inherent qualities

Éste es mi primer cumpleaños…
This is my first birthday…

¡El cielo es el límite!
The sky's the limit!

¿Qué es eso?
What's that?

Es un dron.
It's a drone.

No seas tímida, hija.
Don't be shy, daughter.

El señor Solís es profesor de botánica.
Mr. Solís is a botany professor.

Ella es Marcela.
This is Marcela.

Talking about emotions and temporary states

¡Estoy ansiosa!
I am anxious!

Estoy muy emocionada de…
I am very touched by…

¡Está acá!
He's here!

Talking about actions in progress

¡Está entrando!
She's coming in!

¡Nos están espiando!
Someone is spying on us!

Additional vocabulary

el/la cumpleañero/a *birthday boy/girl*
el deseo *wish*
encender *to turn on*
el/la espía *spy*
espiar *to spy*
estrellarse *to crash*
la muerte *death*
volador(a) *flying*

Las relaciones personales

veintiuno **21**

Teaching Tips
- Ask students to create a family tree of the **Solís** family. Then, have them draw their own family tree, and compare the **Solís** family one with theirs.
- Tell students that their conversational skills will grow more quickly as they learn each lesson's **Expresiones útiles**. This feature is designed to teach phrases that will be useful in conversation, and it will also help students understand key phrases in each **Fotonovela**.
- Play the first part of the episode, until the moment when the drone falls from the sky. Then ask the class to describe what they saw and to predict what will happen next.

Cultural Comparison
Have students research where Oaxaca is located on a map, as well as distinguishing features, population, etc. Have students compare Oaxaca to their own city by asking questions such as **¿Cuál es la población de Oaxaca? ¿Es una ciudad costera? Explica.**

DIFFERENTIATION

For Inclusion Remind students how helpful cognates can be when they preview the **Fotonovela** (Ex: **botánica, cámara, dramática, dron, espía, estudia, límite, profesor, turístico**).

DIFFERENTIATION

Cultural Comparisons

Heritage Speakers Lorenzo works as a botany professor. Ask heritage speakers what careers are especially popular with young people in their families' countries of origin. Have the class compare and contrast them with the most popular jobs for recent graduates in the U.S.

Teaching Tips

- Display a map of Mexico and a world map with Spanish-speaking countries highlighted.
- When talking about **Ricardo**, have a student find Oaxaca and México, D.F., on the map of the Spanish-speaking world.
- Have students use the legend on the map of Mexico to estimate the distance between Oaxaca and México, D.F.
- Ask students the distance between the two coasts of the U.S. (Ex: New York to California or Maine to Florida).

1 Ask students to create two more **cierto** or **falso** statements, and exchange them with a partner.

2 Have students work in pairs to write a physical description of each of the characters in the episode and share them with the rest of the class. The class will have to guess which character they are describing.

3 Have students work in pairs to write an alternative plot to this **Fotonovela** episode. **Ricardo**'s drone never ended up in the **Solís'** house. **¿Cómo terminó la fiesta de cumpleaños de Marcela?**

Interpretive Communication

1 **¿Cierto o falso?** Decide si estas oraciones son **ciertas** o **falsas**. Corrige las falsas.

Cierto	Falso	
☐	☑	1. Rocío está muy tranquila cuando espera a Marcela. Falso. Rocío está ansiosa.
☑	☐	2. La familia y los amigos de Marcela le preparan una fiesta sorpresa de cumpleaños. Cierto.
☑	☐	3. Cuando Marcela está pidiendo un deseo, un dron cae del cielo. Cierto.
☐	☑	4. El dron es de uno de los amigos de Marcela. Falso. El dron es de Ricardo.
☐	☑	5. Marcela abre la puerta para ver quien está tocando. Falso. Lupita abre la puerta.
☐	☑	6. Ricardo está espiando a la familia Solís con su dron. Falso. El dron cayó en el pastel accidentalmente.

Interpretive Communication

2 **Descripciones** Selecciona el personaje al que se refiere cada descripción.

 CHENTE   **LORENZO**   **LUPITA**

 MAMÁ DE MARCELA **MANU**   **ROCÍO**

1. Es hermano de Marcela y Rocío. Manu
2. Trabaja de criada en casa de los Solís. Lupita
3. Es profesor de botánica. Lorenzo
4. Toca la guitarra. Chente
5. Murió hace menos de un año. mamá de Marcela
6. Es muy dramática. Rocío

Interpretive Communication

3 **Preguntas**

A. Contesta las preguntas con oraciones completas. Answers may vary. Sample answers.

1. ¿Por qué Marcela está tan emocionada por este cumpleaños en particular?
   Porque es el primer cumpleaños desde la muerte de su mamá y todos sus amigos y familiares están con ella.
2. ¿Dónde cae el dron?
   El dron cae en el pastel de Marcela.
3. ¿Por qué piensa Rocío que los están espiando?
   Porque el dron tiene una cámara.
4. ¿Qué pasa cuando Ricardo enciende el dron?
   De nuevo, el dron salpica pastel por todas partes.
5. Al final del episodio, ¿cuáles son los sentimientos de Ricardo hacia Marcela? ¿Y los de Marcela hacia Ricardo? Ricardo siente amor a primera vista, pero Marcela está muy enojada con él.

 B. Ahora, compara tus respuestas con las de un(a) compañero/a. ¿Coinciden?

LEARNING STYLES

For Visual Learners Based on **Actividad 2,** students brainstorm a list of personality descriptions of the **Fotonovela** characters while a notetaker writes the list on the board. Make a web to show aspects of the characters that overlap and aspects that are distinct.

LEARNING STYLES

For Auditory Learners Have students write a sentence about where they would like to attend college, work after college, or live in the future (Ex: **Quiero asistir a la universidad en...,** **Quiero trabajar en...,** or **Quiero vivir en...**). Students put their sentences in a bag. Pull sentences from the bag and read them aloud to the class. Have students guess who wrote each one.

Ampliación

4 **Adivinar** En parejas, describan la personalidad de dos personajes de la fotonovela sin mostrarle a su compañero/a. Después, túrnense para leer cada descripción y adivinar de qué personaje se trata.

> **MODELO** **ESTUDIANTE 1** Es una persona muy sensible y cariñosa. Se emociona fácilmente.
> **ESTUDIANTE 2** ¡Es Marcela!
> **ESTUDIANTE 1** ¡Sí! ¿Cómo es tu personaje?...

Interpretive Communication
Interpersonal Communication

5 **Continuación** En parejas, dramaticen una posible continuación de la conversación entre Marcela y Ricardo al final del episodio.

> **MODELO** **ESTUDIANTE 1** (En el rol de Marcela) ¿Es la primera vez que usted vuela ese dron?
> **ESTUDIANTE 2** (En el rol de Ricardo) No. Lo tengo hace muchos meses, ¿por qué?
> **ESTUDIANTE 1** (En el rol de Marcela) Pues porque no sabe cómo controlarlo.

Interpersonal Communication

6 **Apuntes culturales** En parejas, lean los párrafos y contesten las preguntas.

Interpersonal Communication
Relating Cultural Practices to Perspectives
Relating Cultural Products to Perspectives

Centro de la ciudad de Oaxaca

Estado de Oaxaca, México

La familia Solís vive en la ciudad de Oaxaca de Juárez, capital del estado de Oaxaca. Ubicado en el suroeste del país, Oaxaca es un estado multicultural en el que conviven quince grupos étnicos, y que atrae cada año a miles de turistas por su arquitectura, sus zonas arqueológicas y sus mercados de artesanías.

Las mañanitas

Familiares y amigos cantan "Las mañanitas" a Marcela en el día de su cumpleaños. Esta canción es tradicional de México y se les canta en los cumpleaños a personas de cualquier edad. En otros países, como en Colombia, se les canta principalmente a las quinceañeras. Ha sido interpretada por artistas destacados, como los mexicanos Pedro Infante y Jorge Negrete.

Pedro Infante

El cactus: planta nacional de México

En varios lugares de la casa de los Solís hay cactus. El cactus, como símbolo de México, se remonta a la época prehispánica. La leyenda de la fundación de México dice que los aztecas, después de viajar cientos de años, se establecieron en el lugar que hoy se conoce como Tenochtitlán, donde vieron un águila sobre un cactus, devorando una serpiente. Dicha escena está representada en la bandera nacional de México.

1. Cuando visitas un lugar nuevo, ¿prefieres ir con un guía (*guide*) turístico en un viaje planeado o prefieres explorar y descubrir cosas por ti mismo/a? ¿Cuáles son las ventajas (*advantages*) y las desventajas (*disadvantages*) de los viajes planeados?

2. ¿Conoces la canción de "Las mañanitas"? ¿Qué canciones tradicionales forman parte de tu cultura?

3. ¿Qué tradiciones siguen tu familia y amigos para celebrar los cumpleaños?

4. ¿Alguna vez has comido cactus? ¿Con qué otros símbolos asocias México? ¿Por qué?

> **PUEDO** describir las personalidades de los personajes de la Fotonovela.

DIFFERENTIATION

Relating Cultural Practices to Perspectives
Cultural Comparisons

Heritage Speakers Ask heritage speakers to describe the close-knit family structure that may be typical in their families and ask if it may be a reason why people do not traditionally move great distances away. Elicit examples of changes in that custom. Ask students who may have relatives living in distant communities to compare the customs.

DIFFERENTIATION

To Challenge Students **Ricardo** has recently moved to Oaxaca. Have students write as many advantages as they can of moving to a new city to live. Have the class vote on the best list based on the number and quality of ideas.

Objetivo comunicativo: Hablar sobre celebraciones de amor y amistad en mi cultura y en otras

Section Goals

In **El mundo hispano,** students will:
- discuss celebrations of love and friendship in Spanish-speaking countries
- learn about the personal life of Chilean-American writer Isabel Allende
- watch a video about meeting points in Madrid

Pre-AP*

AP Skill Categories
1 2 3 4

Student Resources
Online Video and Activities

Teacher Resources
Video Script & Translation

Antes de leer
- Have students describe the image on this page. Encourage them to speculate about the story it depicts.
- Tell the class the legend of Saint George and the dragon. **La leyenda se origina posiblemente en el siglo IX y es popular en muchos países de Europa.**

En una ciudad aparecía un dragón cerca de la fuente que ofrecía agua a los habitantes. Para apartar al dragón, éstos debían sacrificar todos los días a una persona. Un día eligieron a la princesa local para el sacrificio.

Antes de ser devorada por el dragón, aparece Jorge, un soldado cristiano, quien se enfrenta con el dragón, lo mata y salva a la princesa.

La leyenda cuenta que en el lugar donde quedó la sangre del dragón creció una hermosa rosa roja.

Pre-AP*

AP Skill Category 7

En detalle

AMOR Y AMISTAD
EN LOS PAÍSES HISPANOS

Casi todos los países hispanohablantes celebran una versión del Día de San Valentín, pero en cada país tiene un nombre diferente y se festeja en fechas distintas. Además, las costumbres para su celebración son diferentes en cada nación. Aunque en España se celebra el día de San Valentín el 14 de febrero, en varias regiones del país también se festeja el día de San Jorge, que tiene lugar el 23 de abril. Dado que coincide con el día del libro (porque en esa fecha se conmemora la muerte de dos grandes escritores, uno español, Miguel de Cervantes Saavedra, y otro inglés, William Shakespeare), ahora es una costumbre que, además de rosas rojas y dulces, entre los amigos y los enamorados se regalen libros.

En México se expresa el amor entre novios o esposos regalando rosas y chocolates el 14 de febrero, y para los amigos se estableció que el 30 de julio sea el Día Internacional de la Amistad. En Bolivia, el Día del Amor y la Amistad es el 21 de septiembre. Esta fecha coincide con el comienzo de la primavera y tradicionalmente las parejas de novios intercambian flores, regalos y tarjetas.

En algunos países, como Colombia y Paraguay, se tiene la costumbre de jugar "amigo secreto" unos días antes de la fecha de celebración. El juego consiste en repartir° de manera secreta los nombres de los participantes, quienes anónimamente se envían dulces durante esos días. El día del "descubrimiento", los grupos de amigos se reúnen y cada quien revela quién era su amigo secreto y le entrega un regalo. ∎

San Jorge y el dragón
Rogier van der Weyden (1399/1400–1464)

Amor y amistad en América Latina

- En los países centroamericanos se llama "Día del Amor y la Amistad" o "Día del cariño", y también se festeja el 14 de febrero.
- Colombia: El "Día del Amor y la Amistad" se celebra el tercer sábado de septiembre con intercambio de dulces y regalos. Antes se llamaba el "Día de los Novios".
- Uruguay: El "Día de los Enamorados" se celebra el 21 de septiembre. Desde hace unos años también se celebra el Día de San Valentín el 14 de febrero.

repartir *to distribute*

EXPANSION | Cultural Comparisons

Heritage Speakers Have heritage speakers talk about celebrations of love and friendship in their countries of origin. Encourage them to make comparisons with the celebration of Valentine's Day in the U.S.

PRE-AP® | Presentational Communication | Acquiring Information & Diverse Perspectives

Interpersonal Speaking: Legends In preparation for this activity, have students research other legends from Spanish-speaking countries and choose one that they can easily narrate. Encourage them to prepare the narration hand create a list of new terms (or even illustrations) to share with their partners as they tell the legend. Ask them to use the list of terms or illustrations to help them narrate the legend to a classmate.

ASÍ LO DECIMOS

Las relaciones

chavo/a (Méx.) enamorado/a (Pe.)	*boyfriend/girlfriend*
amorcito cariño cielo	*dear, honey*
estar de novio(s) estar en pareja con (Esp.)	*to be dating someone*
ponerse de novio/a (con)	*to start dating someone*
estar bueno/a	*to be attractive*

EL MUNDO HISPANOHABLANTE

Las relaciones

Tendencias

- Aunque en la mayoría de los países hispanos ya no hay reglas fijas, es costumbre que el hombre invite° en los primeros encuentros.

- En los Estados Unidos, cada vez más latinos participan en citas rápidas° para encontrar pareja.

Costumbres

- En Oaxaca, México, las bodas tradicionales duran tres días; el primer día se celebra la unión civil, el segundo día se lleva a cabo la boda religiosa y la fiesta con banquete, y el tercer día continúa la fiesta con música tradicional hasta el amanecer.

- En algunos pueblos de México, como Zacatecas, es costumbre que las mujeres y los hombres solteros vayan a caminar solos o en grupos alrededor de la plaza los domingos. Las mujeres y los hombres caminan en dirección contraria para poder observarse mutuamente.

invite *pays* **citas rápidas** *speed dating*

PERFIL

ISABEL Y ROGER

La escritora chilena Isabel Allende y el abogado estadounidense Roger Cukras se conocieron en 2016 y desde entonces viven un romance apasionado que comenzó por correspondencia. Mientras iba en su carro hacia Boston, Roger quedó cautivado luego de escuchar por la radio una entrevista a Isabel y decidió escribirle. Según ella, él "Escribió un correo, y otro, y otro, a mi oficina. Al tercero, le contesté yo misma porque lo acompañó de un ramo de flores°". Después de cinco meses de intercambiar° mensajes todos los días, Isabel aprovechó° un viaje de trabajo para ver a Roger. "Ahí, en cinco minutos, se armó la cosa°", dice Isabel. Roger

también cree que fue inesperado° encontrar una relación tan significativa a los 75 años. Ambos quieren vivir un amor intenso pero maduro: "Soy brutalmente independiente y privada para muchas cosas.", comenta Isabel. Al igual que ella, Roger valora° la independencia. Por ello seguirá trabajando como abogado desde San Francisco y viajará de vez en cuando a Nueva York, donde tiene su bufete°. Los dos están poniendo a prueba su nueva relación. "No hay amor sin riesgo", dice Isabel, quien dedicó a Roger su novela *Más allá del invierno*.

> " Echo de menos la familia y el idioma, el sentido del humor, porque nadie me tiene que explicar un chiste en Chile, mientras que acá no los entiendo. " (Isabel Allende)

ramo de flores *bouquet of flowers* **intercambiar** *exchanging* **aprovechó** *took advantage of* **se armó la cosa** *it all began* **inesperado** *unexpected* **valora** *values* **bufete** *law offices*

CRITICAL THINKING	Acquiring Information & Diverse Perspectives	Cultural Comparisons		DIFFERENTIATION	Relating Cultural Practices to Perspectives

Analysis Brainstorm some traditional ways of dating in both the U.S. and Spanish-speaking countries. Ask students to do some additional research and compare dating in their country with dating in Spanish-speaking countries.

Heritage Speakers Ask heritage speakers to expand the **Así lo decimos** list to include words and expressions that are commonly used in their culture or country of origin. Ask volunteers to describe dating traditions they have learned from their parents or grandparents.

Expansion
Perfil Assign groups to research other famous intercultural couples. Have them write a short profile.

Culture Note Explain that Isabel Allende is a famous Chilean author and that her husband, Roger Cukras, is a highly respected New York lawyer.

 Pre-AP*

Interpersonal Speaking
Working in pairs, students imagine it is the day after Roger heard Isabel on the radio. Have them write and act the scene between Isabel and Roger in which they decide to get married.

Expansion Students write an e-mail from Roger to Isabel, asking her out, then peer-edit one another's e-mails and share them with the class.

NATIONAL STANDARDS
Communities If any students know bicultural couples, have them interview the couples to learn about their history. What are the benefits of being in a bicultural relationship? What are the challenges? Is one language used in particular situations? If there are children, are they being raised bilingually?

Connections: Literature
Have students research Isabel Allende. What are some of her most famous works? What are common themes in her novels? Have students prepare a short presentation for the class.

School & Global Communities

Making Connections

21ST Century Skills

Information and Media Literacy: Entre culturas
Students can go online to complete the **Entre culturas** activity for additional practice accessing and using culturally authentic sources.

1 Give students these
additional questions as items
6-7: **6. El 23 de abril se
conmemora la muerte de San
Jorge. (Falso. Se conmemora
la muerte de Miguel de
Cervantes Saavedra y William
Shakespeare.) 7. La manera
como las parejas de novios y
esposos celebran su amor en
México es similar a la de
Estados Unidos. (Cierto.)**

2 Partner Chat
Available online.

3 Ask volunteers explain
the statement in item 2:
**"Tanto Isabel como Roger
están preocupados por su
independencia".** Ask: ¿Por
qué? ¿Cómo lo logran?
¿Cómo podemos mantener la
independencia en nuestras
relaciones amorosas?

4 Virtual Chat
Available online.

5 For this activity, students
can refer to the story of Isabel
and Roger or the other stories
they research in the Internet.

¿Qué aprendiste?

1 | Interpretive Communication | Acquiring Information & Diverse Perspectives

¿Cierto o falso? Indica si estas afirmaciones son **ciertas** o **falsas**. Corrige las falsas.

1. El día de San Jorge y el día de San Valentín se celebran el 14 de febrero.
   Falso. El día de San Jorge se celebra el 23 de abril.
2. Es común que el día de San Jorge las personas se regalen libros. Cierto.
3. El Día del Amor y la Amistad en Bolivia coincide con el inicio del invierno.
   Falso. Coincide con el inicio de la primavera.
4. En Uruguay hay dos fechas para celebrar las relaciones amorosas. Cierto.
5. Durante el juego de amigo secreto, tú puedes elegir quién será tu amigo/a secreto/a. Falso. Los nombres de los participantes se reparten de manera secreta.

2 | Interpersonal Communication | Relating Cultural Practices to Perspectives

Diferencias Con un(a) compañero/a, creen un diálogo con la siguiente situación y preséntenlo a la clase.

ESTUDIANTE 1 Tú eres un(a) estudiante de un país hispanohablante y te encuentras de intercambio en la escuela. Le cuentas a tu nuevo/a compañero/a (Estudiante 2) sobre la celebración de amor y amistad en tu país (incluyendo fechas, costumbres y el juego de amigo secreto).

ESTUDIANTE 2 Tú eres un(a) estudiante local y le haces preguntas a tu compañero/a (Estudiante 1) sobre la celebración de amor y amistad en su país.

3 | Interpretive Communication

Completar Completa las oraciones.

1. Roger Cukras se sintió ___cautivado___ por Isabel después de escucharla en la radio.
   a. agobiado   b. tacaño   c. cautivado
2. Tanto Isabel como Roger están ___preocupados___ por su independencia
   a. celosos   b. solos   c. preocupados
3. En Mexico se utiliza la palabra ___chava___ para decir *novia*.
   a. enamorada   b. chiquilla   c. chava
4. Actualmente, es popular para los latinos en los EE.UU. participar en citas ___rápidas___.
   a. rápidas   b. a ciegas   c. en Internet

4 | Relating Cultural Practices to Perspectives

Preguntas Contesta las preguntas.

1. ¿A qué grupo étnico o cultural pertenece tu familia? ¿Tienes amigos de otros países u otras culturas? Si no los tienes, ¿te gustaría tenerlos? ¿Por qué?
2. ¿Qué ventajas puede ofrecer una amistad intercultural? ¿Qué desventajas presenta?
3. En tu opinión, ¿cuáles son las cualidades más importantes que debe tener un(a) amigo/a? ¿Qué cualidades te importan menos? ¿Por qué?

5 **Opiniones** En parejas, escriban cuatro ventajas y cuatro dificultades de las relaciones entre personas de distintas culturas.

| Interpersonal Communication | Cultural Comparisons | Relating Cultural Practices to Perspectives

PROYECTO

Buscar un amigo virtual

Siempre te ha interesado conocer a personas de otra cultura. Imagina que decides buscar un(a) amigo/a virtual para intercambiar mensajes electrónicos por Internet. En tus descripciones, usa el vocabulario de la sección **Contextos** y el vocabulario aprendido en esta sección. Tu perfil debe incluir como mínimo:

- una descripción de cómo eres
- una descripción de lo que buscas en un(a) amigo/a
- una explicación de por qué te interesa conocer a alguien de otra cultura
- otra información que consideres importante

PUEDO hablar sobre celebraciones de amor y amistad en mi cultura y en otras.

Interpersonal Writing After students have read **Perfil** and worked through the related activities, have them write an e-mail. The boys can pretend to be Roger, and the girls can be Isabel. They are just beginning their relationship. Tell students: **1. Saluda al otro/a la otra. 2. Haz una pregunta. 3. Describe a tu familia. 4. Dile en qué parte del mundo estás y cuéntale de las cosas que te gustan. 5. Despídete.**

Informal Reading and Writing Give each student an e-mail from Roger or Isabel. Correct grammatical errors before handing them out. Say: **1. Saluda al otro/a la otra y contesta la pregunta. 2. Describe a tu familia y hazle una pregunta adicional acerca de la suya. 3. Dile en qué parte del mundo estás y cuéntale de las cosas que te gustan. 4. Despídete.**

Las relaciones personales

¿No es ideal utilizar el tiempo libre para encontrarse con amigos, familiares, parejas…? Los lugares donde puedes reunirte a hablar o comer se vuelven especiales porque forman parte del placer de compartir el tiempo con tu gente. En este episodio de **Flash cultura**, te llevamos a visitar los lugares de encuentro de Madrid.

VOCABULARIO ÚTIL

el amor a primera vista *love at first sight*	**el pasacalles** *marching parade*
el callejón *alley*	**el pendiente** *earring*
la campanada *tolling of the bell*	**el punto de encuentro** *meeting point*
datar de *to date from*	**la uva** *grape*

1 **Preparación** Responde estas preguntas: ¿te reúnes con tus amigos? ¿Cuáles son los lugares donde te encuentras habitualmente con ellos? ¿En qué momentos del día y la semana pueden verse? ¿Por qué?

2 **Comprensión** Indica si estas afirmaciones son **ciertas** o **falsas**. Después, en parejas, corrijan las falsas.

> Interpretive Communication

> Acquiring Information & Diverse Perspectives

1. Es tradición tomar doce uvas el 31 de diciembre mientras suena el famoso reloj de la Puerta del Sol. Cierto.
2. La Plaza Mayor es la plaza más conocida y se encuentra en el Madrid Moderno. Falso. La Plaza Mayor se encuentra en el Madrid Antiguo.
3. En la confluencia actual de las calles Toledo y Atocha, se celebraban antiguamente partidos de fútbol. Falso. En la confluencia de las calles Toledo y Atocha, se celebraba el mercado principal de Madrid.
4. El barrio de La Latina se caracteriza por callejones estrechos, plazoletas, cafés y bares de ambiente muy dinámico. Cierto.
5. Ninguno de los entrevistados cree en el amor a primera vista. Falso. Algunos de ellos creen en el amor a primera vista.
6. En El Rastro puedes comprar ropa, pendientes, cuadros, etc. Cierto.

3 **Expansión** En parejas, contesten estas preguntas.

> Interpersonal Communication

> Cultural Comparisons

1. Imagina que estás en Madrid. ¿Cuál de los lugares mostrados prefieres para comer algo o pasear? ¿Por qué?
2. ¿Estás de acuerdo con las personas que creen en el amor a primera vista o con las que no creen? Justifica tu respuesta.
3. ¿Qué opinas de la descripción de los domingos en Madrid?

> **PUEDO** mencionar lugares de reunión de las personas en Madrid, España, y las actividades que se pueden hacer allí.

Corresponsal: Miguel Ángel Lagasca
País: España

(En la Plaza Mayor) los niños juegan, las madres conversan°, los padres hablan de fútbol y política, los jóvenes se juntan, las parejas se miran a los ojos y los turistas admiran el espectáculo°.

La Latina, así como la Plaza Mayor y Puerta del Sol, pertenecen al llamado Madrid Antiguo.

Siempre los celos son una parte importante de la relación, sobre todo cuando se está empezando.

conversan *chat* **espectáculo** *show*

Teaching Tips
- Display a map of Madrid and point out the places that are highlighted in the video. Show students photos of each area and ask them to make observations of the buildings, people, and activities they see.
- Have students share anecdotes about people that they know who fell in love at first sight.
- Tell students that a synonym for **amor a primera vista** is **flechazo**, meaning the arrow shot by Cupid that makes the victim fall instantly in love.

 Pre-AP*

Interpersonal Speaking Expansión
Before answering the questions, have student pairs brainstorm three lists of vocabulary, one for each of the question topics: **lugares en Madrid, el amor, and actividades para los domingos en Madrid.**

21st Century Skills

Technology Literacy
Divide students into small groups and challenge them to produce promotional videos about places to see and things to do in their town. Encourage them to use vocabulary from the video, such as **punto de encuentro, pasacalles, el callejón, and datar de.**

> Presentational Communication

21st Century Skills

Information and Media Literacy
Students can go online to complete the **Entre culturas** activity associated with **Flash cultura** for additional practice accessing and using culturally authentic sources.

PRE-AP*

> Interpersonal Communication

Small Groups Form students into groups of three or four. Have them write and perform interviews with people on the street about topics from the video, such as leisure time, New Year's Eve traditions, a typical Sunday, or love.

CRITICAL THINKING

> Relating Cultural Practices to Perspectives

Evaluation Divide the class into teams. One team plays the role of a couple's parents/extended family who are opposed to an intercultural relationship; the other plays the role of the couple and friends who are supportive of their relationship. The class debates the question of whether the couple should stay together.

Section Goals

In **Estructura**, students will:

- review the present tense of regular, irregular, and stem-changing verbs
- review the uses of **ser** and **estar**
- contrast the use of **ser** and **estar** with adjectives
- review the present progressive

Student Resources
Cuaderno de actividades, pp. 7–9
Online Activities, *eCuaderno*

Teacher Resources
Workbook TEs; Grammar Slides; Digital Image Bank; Audio Activities online; Audio Script; Assessment Program Quizzes

Teaching Tips

- Quickly review the present tense of regular –**ar**, –**er**, and –**ir** verbs, perhaps as a homework assignment that you will go over the next day in class.
- Some irregular verbs can be grouped to help students' memories (Ex: the –**go** verbs like **salir, poner,** etc., and the –**zco** verbs that include **conocer, conducir,** etc).
- Divide students into pairs or groups of three. Distribute small whiteboards and a dry-erase marker to each group. Say the Spanish infinitive and subject; students write the conjugated verb form. The first group to hold up the correct answer wins a point.

---

1 **ESTRUCTURA**   Objetivo comunicativo: Hablar sobre acciones habituales

1.1 The present tense Tutorial

Regular –*ar*, –*er*, and –*ir* verbs

- The present tense (**el presente**) of regular verbs is formed by dropping the infinitive ending –**ar,** –**er,** or –**ir** and adding personal endings.

The present tense of regular verbs			
	hablar *to speak*	**beber** *to drink*	**vivir** *to live*
yo	hablo	bebo	vivo
tú	hablas	bebes	vives
Ud./él/ella	habla	bebe	vive
nosotros/as	hablamos	bebemos	vivimos
vosotros/as	habláis	bebéis	vivís
Uds./ellos/ellas	hablan	beben	viven

- The present tense is used to express actions or situations that are going on at the present time and to express general truths.

  ¿Te **mantienes** en contacto con tus primos?   Sí, los **llamo** cada semana.
  Do you stay in touch with your cousins?   *Yes, I call them every week.*

- The present tense is also used to express habitual actions or actions that will take place in the near future.

  Mis padres me **escriben** con frecuencia.   Mañana les **mando** una carta larga.
  My parents write to me often.   *Tomorrow I'm sending them a long letter.*

Stem-changing verbs

- Some verbs have stem changes in the present tense. In many –**ar** and –**er** verbs, **e** changes to **ie,** and **o** changes to **ue.** In some –**ir** verbs, **e** changes to **i.** The **nosotros/as** and **vosotros/as** forms never have a stem change in the present tense.

Stem-changing verbs		
e:ie	**o:ue**	**e:i**
pensar *to think*	**poder** *to be able to; can*	**pedir** *to ask for*
pienso	puedo	pido
piensas	puedes	pides
piensa	puede	pide
pensamos	podemos	pedimos
pensáis	podéis	pedís
piensan	pueden	piden

¡ATENCIÓN!

Subject pronouns are normally omitted in Spanish. They are used to emphasize or clarify the subject.

¿Viven en California?

Sí, ella vive en Los Ángeles y él vive en San Francisco.

¡ATENCIÓN!

Jugar changes its stem vowel from **u** to **ue.** As with other stem-changing verbs, the **nosotros/as** and **vosotros/as** forms do not change.

jugar
juego, juegas, juega, jugamos, jugáis, juegan

• • • •

Construir, destruir, incluir, and **influir** have a spelling change and add a **y** before the personal endings (except the **nosotros/as** and **vosotros/as** forms).

incluir

incluyo, incluyes, incluye, incluimos, incluís, incluyen

LEARNING STYLES

For Visual Learners Students work in groups of three. Distribute to each group cards with the following written on them: subjects, verb stems (both regular and stem-changing), and verb endings. Group members divide up the cards among themselves. You call: **cerrar, tú;** students hold up **tú cierras.** The first group to hold up the correct answer wins the point.

LEARNING STYLES

For Kinesthetic Learners Students work in groups of three or four. Members of each group take turns acting out a verb or action for another group to guess. The group guessing need only guess the verb. Ex: **Juegas.** The person acting responds **Sí, juego** or **No, no juego.** Encourage students to be creative.

Irregular *yo* forms

- Many –er and –ir verbs have irregular **yo** forms in the present tense. Verbs ending in –**cer** or –**cir** change to –**zco** in the **yo** form; those ending in –**ger** or –**gir** change to –**jo**. Several verbs have irregular –**go** endings, and a few have individual irregularities.

¡ATENCIÓN!

Some verbs with irregular **yo** forms have stem changes as well.

conseguir (e:i) → consigo
to obtain

corregir (e:i) → corrijo
to correct

elegir (e:i) → elijo
to choose

seguir (e:i) → sigo
to follow

torcer (o:ue) → tuerzo
to twist

Ending in -go

caer *to fall*	yo caigo
distinguir *to distinguish*	yo distingo
hacer *to do; to make*	yo hago
poner *to put; to place*	yo pongo
salir *to leave; to go out*	yo salgo
traer *to bring*	yo traigo
valer *to be worth*	yo valgo

Ending in -zco

conducir *to drive*	yo conduzco
conocer *to know*	yo conozco
crecer *to grow*	yo crezco
obedecer *to obey*	yo obedezco
parecer *to seem*	yo parezco
producir *to produce*	yo produzco
traducir *to translate*	yo traduzco

Ending in -jo

dirigir *to direct; manage*	yo dirijo
escoger *to choose*	yo escojo
exigir *to demand*	yo exijo
proteger *to protect*	yo protejo

Other verbs

caber *to fit*	yo quepo
saber *to know*	yo sé
ver *to see*	yo veo

- Verbs with prefixes follow these same patterns.

reconocer *to recognize*	yo reconozco	oponer *to oppose*	yo opongo
deshacer *to undo*	yo deshago	proponer *to propose*	yo propongo
rehacer *to re-make; re-do*	yo rehago	suponer *to suppose*	yo supongo
aparecer *to appear*	yo aparezco	atraer *to attract*	yo atraigo
desaparecer *to disappear*	yo desaparezco	contraer *to contract*	yo contraigo
componer *to make up; to fix*	yo compongo	distraer *to distract*	yo distraigo

Irregular verbs

- Other commonly used verbs in Spanish are irregular in the present tense or combine a stem change with an irregular **yo** form or other spelling change.

dar *to give*	decir *to say*	estar *to be*	ir *to go*	oír *to hear*	ser *to be*	tener *to have*	venir *to come*
doy	digo	estoy	voy	oigo	soy	tengo	vengo
das	dices	estás	vas	oyes	eres	tienes	vienes
da	dice	está	va	oye	es	tiene	viene
damos	decimos	estamos	vamos	oímos	somos	tenemos	venimos
dais	decís	estáis	vais	oís	sois	tenéis	venís
dan	dicen	están	van	oyen	son	tienen	vienen

Teaching Tips
- Write **seguir, ir, venir,** and **andar** on the board. Ask students to identify the two verbs with first-person changes (**seguir, venir**), the irregular verb (**ir**), and the regular verb (**andar**).
- Explain that verbs ending in –**ger** and –**gir** change to **jo** to preserve the soft **g** sound of the infinitive.
- Likewise, **distinguir** drops the **u** in the **yo** form to maintain correct pronunciation.

Extra Practice Go to **vhlcentral.com** for additional practice of the present tense.

NATIONAL STANDARDS
Comparisons Students may not recognize that English also has a large number of irregular verbs. Some of these show irregularities in the present tense (Ex: *to be*), but most English irregularities show up in past-tense forms. Have students list as many verbs as they can think of that deviate from the regular –*ed* pattern in the past tense (*write/wrote, speak/spoke, do/did, tell/told,* etc.). Have students discuss the challenges that this would pose for people learning English.

Language Comparisons

DIFFERENTIATION

For Inclusion Recommend that students use the first letter of each verb to learn the lists of irregular verbs: Ex: –**go** verbs: <u>C</u>athy <u>D</u>oes <u>H</u>urry <u>P</u>ast <u>S</u>chool <u>T</u>o <u>V</u>olleyball (<u>c</u>aer, <u>d</u>istinguir, <u>h</u>acer, <u>p</u>oner, <u>s</u>alir, <u>t</u>raer, <u>v</u>aler).

DIFFERENTIATION

Language Comparisons   Cultural Comparisons

Heritage Speakers If you have students from Argentina, ask them to talk about the word **vos**—its meaning, use, examples, and even a sample conversation, in which the heritage speaker uses **vos** and his or her classmate replies using **tú**. If you have heritage speakers from Spain, try this strategy with **vosotros**.

Práctica

1 **Un apartamento infernal** Miguel tiene quejas (*complaints*) del apartamento donde vive con su familia. Completa la descripción de su apartamento. Puedes usar los verbos más de una vez.

caber	estar	ir	ser
dar	hacer	oír	tener

Mi apartamento (1) __está__ en el quinto piso. El edificio no (2) __tiene__ ascensor y para llegar al apartamento, (3) __tengo__ que subir por la escalera. El apartamento es tan pequeño que mis cosas no (4) __caben__. Las paredes (*walls*) (5) __son__ muy finas. A todas horas (6) __oigo__ la radio o la televisión de algún vecino. El apartamento sólo (7) __tiene__ una ventana pequeña y, por eso, siempre (8) __está__ oscuro. ¡(9) __Voy__ a buscar otro apartamento!

2 Model one or two sentences with the class.

2 In pairs, have students check each other's work.

2 Encourage students who finish early to write a sentence using each verb.

2 **¿Qué hacen los amigos?** Escribe cinco oraciones usando los sujetos y los verbos de las columnas.

Sujetos	Verbos	
los malos amigos	apreciar	exigir
nosotros/as	compartir	hacer
tú	creer	pedir
un(a) buen(a) amigo/a	defender	prestar
yo	discutir	recordar

1. _____
2. _____
3. _____
4. _____
5. _____

Interpersonal Communication

3 **La verdad** En parejas, túrnense (*take turns*) para hacerse las preguntas.

MODELO **Luis: llegar temprano a la oficina / dormir hasta las 9:00**
—¿Luis llega temprano a la oficina?
—¡Qué va! (*Are you kidding?*) Luis duerme hasta las 9:00.

1. Ana: jugar al tenis con Daniel / preferir pasar la tarde charlando con Sergio
2. Felipe: salir a bailar todas las noches / tener clase de química a las 8:00 de la mañana
3. Jorge y Begoña: ir a la playa / querer viajar a Arizona
4. Dolores y Tony: comer muchas hamburguesas / ser vegetarianos
5. Fermín: pensar viajar a México con su amigo Mario / no pasarlo bien con él

DIFFERENTIATION

Interpersonal Communication | Relating Cultural Products to Perspectives | Lifelong Learning

Heritage Speakers Encourage heritage learners to bring in children's books from their families' countries of origin to show to the class. Encourage classmates to look carefully at the books and elicit their comments. Ex: the style of artwork, the type of paper used, and the range of verb tenses used even in children's books.

DIFFERENTIATION

For Inclusion Hold up pictures from magazines (some may be of favorite celebrities) and ask questions. Ex: **¿De dónde sale Lindsay Lohan? ¿A qué hora sales tú de casa por la mañana? ¿Quién conduce este coche? ¿Tú conduces?** Students answer in complete sentences. This type of activity also makes connections to students' lives.

Comunicación

4 ¿Qué sabes de tus compañeros? En parejas, háganse preguntas basadas en las opciones y contesten con una explicación.

Interpersonal Communication

> **MODELO** soñar con / hacer algo especial este mes
> —¿Sueñas con hacer algo especial este mes?
> —Sí, sueño con ir al concierto de Wisin & Yandel.

1. pensar / realizar este año algún proyecto
2. decir / mentiras
3. acordarse / de tu quinto cumpleaños
4. conducir / estar muy cansado
5. reír / mucho con tu familia
6. dar / consejos (*advice*) sobre asuntos que / no conocer bien
7. venir / a clase tarde con frecuencia
8. escoger / el regalo perfecto para el cumpleaños de tu novio/a
9. corregir / los errores en las composiciones de tus compañeros
10. traer / un diccionario a la clase de español

5 Escena de telenovela Trabajen en grupos de tres o cuatro para representar una discusión familiar que va a formar parte de un episodio de una telenovela popular. Preparen la discusión con las frases de la lista.

Interpersonal Communication

(no) apreciar	(no) hacerle caso a alguien	(no) soportar a alguien
(no) cuidar la casa	llevarse bien/mal/fatal	tener celos (de)
estar harto/a (de)	(no) mantenerse en contacto	tener vergüenza (de)

6 ¿Cómo son tus amigos?

Presentational Communication

Interpersonal Communication

A. Describe a un(a) buen(a) amigo/a tuyo/a. ¿Cómo es? ¿Está de acuerdo contigo en todo? ¿Discuten algunas veces? ¿Se divierten ustedes cuando están juntos/as? ¿Siempre sigue tus consejos? ¿Te miente a veces?

B. Ahora, comparte tu descripción con tres compañeros/as. Juntos/as, escriban una lista de cinco cosas que los buenos amigos hacen con frecuencia y cinco cosas que no hacen casi nunca. ¿Coincidieron los grupos en las acciones que eligieron?

PUEDO describir a un(a) amigo/a y hablar de las actividades que acostumbramos hacer.

Teaching Tips

4 Encourage students to add at least one topic to the list. Ask them to share their statements with the class.

4 **Partner Chat**
Available online.

5 Ask volunteers to perform their role-plays for the class.

21st Century Skills

Productivity and Accountability
As a class, brainstorm the qualities that would constitute an "A" assignment. Use the top four suggestions as the class rubric for student work. Ask students to prepare their oral exchanges or presentations against the rubric before they perform it for you or the class.

Lifelong Learning

Pre-AP*

AP Skill Category 5

6 Part B: Ask each group to share its list with the class. Write their answers on the board and discuss.

LEARNING STYLES

For Visual Learners For whole-class correction of **Actividad 4** and **5**, make a transparency of these exercises as they appear in the book, i.e., without answers. Project it and fill in the answers as students say them. In this way, students obtain visual reinforcement of the spoken words, with the added benefit of being able to check their own spelling. This strategy also supports students who find spelling challenging.

LEARNING STYLES

For Auditory Learners Play **el juego de los rincones**. Post a sheet of chart paper in each corner. Label sheets consecutively: **Hago...**, **Conozco...**, **Escojo...**, and **Doy...** or **Digo...** Place a bag of prepared **yo** form sentences in each corner. Students choose a corner and a group member reads a sentence from the bag. Other group members take turns writing the sentences they hear on the correct sheet. Award points for correct spelling.

Teaching Tips
- Elicit from students the English meaning of **ser** and **estar,** and remind them that *to be* is the verb that is conjugated as *I am, you are, he is, she is,* etc.
- Remind students of the most basic difference they already know between **ser** and **estar: estar** is for location, health, and emotional states; **ser** is for almost everything else.
- Have volunteers offer sentences using the two verbs, or ask questions that prompt the use of **ser** and **estar** in their responses. Use the students' examples to help them deduce some specific rules that they have learned so far for uses of each verb.
- Tell students that now they are going to review the differences between **ser** and **estar** in depth.

1.2 *Ser* and *estar* Tutorial

¡El cielo
es el límite!

Estoy muy
emocionada de ver
a mi familia...

¡ATENCIÓN!

Ser and **estar** both mean *to be*, but they are not interchangeable. **Ser** is used to express the idea of permanence, such as inherent or unchanging qualities and characteristics. **Estar** is used to express temporality, including qualities or conditions that change with time.

Uses of *ser*

Nationality and place of origin	Mis padres **son** argentinos, pero yo **soy** de Florida.
Profession or occupation	El señor López **es** periodista.
Characteristics of people, animals, and things	El clima de Miami **es** caluroso.
Generalizations	Las relaciones personales **son** complejas.
Possession	La guitarra **es** del tío Guillermo.
Material of composition	El suéter **es** de pura lana.
Time, date, or season	**Son** las doce de la mañana.
Where or when an event takes place	La fiesta **es** en el apartamento de Carlos; **es** el sábado a las nueve de la noche.

Uses of *estar*

Location or spatial relationships	La clínica **está** en la próxima calle.
Health	Hoy **estoy** enfermo. ¿Cómo **estás** tú?
Physical states and conditions	Todas las ventanas **están** limpias.
Emotional states	¿Marisa **está** contenta con sus clases?
Certain weather expressions	¿**Está** nublado o **está** despejado hoy en Toronto?
Ongoing actions (progressive tenses)	Paula **está** escribiendo invitaciones para su boda.
Results of actions (past participles)	La tienda **está** cerrada.

Ser and estar with adjectives

- **Ser** is used with adjectives to describe inherent, expected qualities. **Estar** is used to describe temporary or variable qualities, or a change in appearance or condition.

¿Cómo **son** tus padres?	¿Cómo **estás**, Miguel?
What are your parents like?	*How are you, Miguel?*
La casa **es** muy pequeña.	¡**Están** tan enojados!
The house is very small.	*They're so angry!*

- With most descriptive adjectives, either **ser** or **estar** can be used, but the meaning of each statement is different.

Julio **es alto**.	¡Ay, qué **alta estás**, Adriana!
Julio is tall. (that is, a tall person)	*How tall you're getting, Adriana!*
Dolores **es alegre**.	El jefe **está alegre** hoy. ¿Qué le pasa?
Dolores is cheerful. (that is, a cheerful person)	*The boss is cheerful today. What's up with him?*
Juan Carlos **es** un hombre **guapo**.	¡Manuel, **estás** tan **guapo**!
Juan Carlos is a handsome man.	*Manuel, you look so handsome!*

- Some adjectives have two different meanings depending on whether they are used with **ser** or **estar**.

ser + [adjective]	estar + [adjective]
La clase de contabilidad **es aburrida**. *The accounting class is **boring**.*	**Estoy aburrida** con la clase. *I am **bored** with the class.*
Ese chico **es listo**. *That boy is **smart**.*	**Estoy listo** para todo. *I'm **ready** for anything.*
No **soy rico**, pero vivo bien. *I'm not **rich**, but I live well.*	¡El pan **está** tan **rico**! *The bread is **delicious**!*
La actriz **es mala**. *The actress is **bad**.*	La actriz **está mala**. *The actress is **ill**.*
El coche **es seguro**. *The car is **safe**.*	Juan no **está seguro** de la noticia. *Juan isn't **sure** of the news.*
Los aguacates **son verdes**. *Avocados are **green**.*	Esta banana **está verde**. *This banana is **not ripe**.*
Javier **es** muy **vivo**. *Javier is very **sharp**.*	¿Todavía **está vivo** el autor? *Is the author still **living**?*
Pedro **es** un hombre **libre**. *Pedro is a **free** man.*	Esta noche no **estoy** libre. ¡Lo siento! *Tonight I am **not available**. Sorry!*

> **¡ATENCIÓN!**
>
> **Estar**, not **ser**, is used with **muerto/a**.
>
> Bécquer, el autor de las *Rimas*, está muerto.
> *Bécquer, the author of* Rimas, *is dead.*

Teaching Tips

- Remind students before beginning **Actividad 1** that there are clues in the sentences. Ex: If there is a **de** immediately after the blank, the verb is usually a form of ___ (**ser**); if there is an **en** immediately after the blank, the verb is usually a form of ___ (**estar**). Exception: *to take place* = **ser en.**

1 Go over the answers as a class to check comprehension. Ask students to explain why **ser** or **estar** is used in each case.

2 As a follow-up, have students write a different story about Emilio and Jimena using **ser** and **estar**.

Formative Assessment
Walk around to monitor how students do in identifying **ser** vs. **estar** situations and correct application.

NATIONAL STANDARDS
Communities Have students imagine that they are going on a date in Miami. Have them do research online—in Spanish—to plan a special day or evening. Have them choose a restaurant and an event to attend and report details about their outing to the class.

> Acquiring Information & Diverse Perspectives

> Relating Cultural Practices to Perspectives

---

1 **La boda de Emilio y Jimena** Completa cada oración de la primera columna con la terminación más lógica de la segunda columna.

1. La boda es ___c/f___
2. La iglesia está ___c___
3. El cielo está ___h___
4. La madre de Emilio está ___e___
5. El padre de Jimena está ___b___
6. Todos los invitados están ___d___
7. El mariachi que toca en la boda es ___a___
8. En mi opinión, las bodas son ___g___

a. de San Antonio, Texas.
b. deprimido por los gastos.
c. en la calle Zarzamora.
d. esperando a que entren la novia (*bride*) y su padre.
e. contenta con la novia.
f. a las tres de la tarde.
g. muy divertidas.
h. totalmente despejado.

> Presentational Communication

2 **La luna de miel** Completa el párrafo en el que se describe la luna de miel (*honeymoon*) que van a pasar Jimena y Emilio. Usa formas de **ser** y **estar.**

Emilio y Jimena van a pasar su luna de miel en Miami, Florida. Miami (1) ___es___ una ciudad preciosa. (2) ___Está___ en la costa este de Florida y tiene playas muy bonitas. El clima (3) ___es___ tropical. Jimena y Emilio (4) ___están___ interesados en visitar la Pequeña Habana. Jimena (5) ___es___ fanática de la música cubana. Y Emilio (6) ___está___ muy entusiasmado por conocer el parque Máximo Gómez, donde las personas van a jugar dominó. Los dos (7) ___son___ aficionados a la comida caribeña. Quieren ir a todos los restaurantes que (8) ___están___ en la Calle Ocho. Cada día van a probar un plato diferente. Algunos de los platos que piensan probar (9) ___son___ el congrí, los tostones y el bistec de palomilla. Después de pasar una semana en Miami, la pareja va a (10) ___estar___ cansada pero muy contenta.

Comunicación

3 Entrevistas

A. En parejas, usen la lista como guía para entrevistarse. Usen **ser** o **estar** en las preguntas y respuestas.

origen	estudios actuales
nacionalidad	sentimientos actuales
personalidad	lugar donde vive/trabaja
personalidad de los padres	actividades actuales
salud	

B. Cambien de pareja y cuéntenle a su compañero/a lo que descubrieron (*found out*) sobre el/la compañero/a entrevistado/a.

4 ¿Dónde estamos? En grupos de cuatro, elijan una ciudad en la que supuestamente están de viaje. Sus compañeros deberán adivinar de qué ciudad se trata. Pueden elegir una de las ciudades de las fotos u otra ciudad.

Buenos Aires, Argentina

Quito, Ecuador

Madrid, España

Lima, Perú

San José, Costa Rica

México, D.F., México

1. Hagan cinco afirmaciones sobre la ciudad elegida usando **ser** o **estar** para dar pistas (*clues*) a sus compañeros.

2. Si las pistas no son suficientes, sus compañeros pueden hacer preguntas con **ser** o **estar** cuya respuesta sea **sí** o **no**.

3. Algunos temas para las afirmaciones o para las preguntas pueden ser: características generales de la ciudad, ubicación, comidas típicas, actividades que se pueden hacer, historia, arquitectura, etc.

PUEDO entrevistar a un(a) compañero/a para preguntarle su estado, su origen y lo que hace.

Interpersonal Communication

Presentational Communication

Interpersonal Communication

Teaching Tips

3 Part A: Ask follow-up questions such as: **¿De dónde es?** and **¿Cómo está(s)?/¿Cómo se/te siente(s)?** Whenever possible, ask questions with **estar**.

3 Part B: Model the activity using a different student. Move from left to right as you assume the two roles for the interview.

Pre-AP*

AP Skill Category **7**

3 Partner Chat Available online.

4 Ask students to name other well-known cities in the Spanish-speaking world, such as Santiago de Chile, La Paz, Bogotá, Asunción, Tegucigalpa, etc.

NATIONAL STANDARDS
Communities Have students search in the Internet for the biggest Latin American communities living in the U.S. Have them compare their results, and ask each other: **¿Tienes amigos o conocidos que vienen de esos países? ¿Desde cuándo viven en los Estados Unidos? ¿Qué piensas de estas comunidades de inmigrantes en los Estados Unidos?**

School & Global Communities

LEARNING STYLES

For Kinesthetic Learners Play **El juego de la búsqueda**. Give students a list of questions that incorporate the present progressive tense. They need to find someone in the class who is currently doing these things. When a student finds someone who answers **Sí...**, that student signs the signature sheet next to the question.

LEARNING STYLES

For Visual Learners You need 14 large cards. Write Spanish sentences using **ser** and **estar** on seven cards and the translation on the others. Place them face down on the floor. Form teams. The first player uncovers two squares. If the uncovered squares reveal a match, the player earns a point for the team. If not, he or she turns the squares over again and the other team takes a turn.

Student Resources
Cuaderno de actividades,
pp. 15–18
Online activities, *eCuaderno*

Teacher Resources
Workbook TEs; Grammar
Slides; Audio Activities
online; Audio Script;
Assessment Program
Quizzes

Teaching Tips
• Explain that the present
progressive is for talking
about what you are *in
the process of doing;* for
example: *Right now I am
studying Spanish verbs.*

• Contrast this concept with
the present tense—for
things you do now—for
example: *I speak Spanish in
Spanish class, and I speak
English in English class.*

• In pairs, have students mime
actions for their partner to
describe using the present
progressive. Or, do as a full
class activity.

• Remind students that the
present participle in English
is [*verb*] + *-ing.*

Language
Comparisons

1.3 Progressive forms

The present progressive

• The present progressive (**el presente progresivo**) narrates an action in progress. It is formed with the present tense of **estar** and the present participle (**el gerundio**) of the main verb.

Manu **está cantando.**
Manu is singing.

¡Nos **están espiando**!
Someone is spying on us!

Lupita **está abriendo** la puerta.
Lupita is opening the door.

¡Ahí viene!
¡Está entrando!

• The present participle of regular **–ar**, **–er**, and **–ir** verbs is formed as follows:

INFINITIVE	STEM		ENDING		PRESENT PARTICIPLE
bailar	bail–	+	–ando		bailando
comer	com–		–iendo		comiendo
aplaudir	aplaud–		–iendo		aplaudiendo

• Stem-changing verbs that end in **–ir** also change their stem vowel when they form the present participle.

-ir stem-changing verbs	
Infinitive	**Present Participle**
decir	diciendo
dormir	durmiendo
mentir	mintiendo
morir	muriendo
pedir	pidiendo
sentir	sintiendo
sugerir	sugiriendo

• **Ir**, **poder**, **reír**, and **sonreír** have irregular present participles (**yendo**, **pudiendo**, **riendo**, **sonriendo**). **Ir** and **poder** are seldom used in the present progressive.

Marisa está **sonriendo** todo el tiempo.
Marisa is smiling all the time.

Maribel no está **yendo** a clase últimamente.
Maribel isn't going to class lately.

¡ATENCIÓN!

When progressive forms
are used with reflexive
verbs or object pronouns,
the pronouns may either
be attached to the present
participle (in which case
an accent mark is added
to maintain the proper
stress) or placed before
the conjugated verb. See
2.1 Object pronouns, pp.
70–71 and **2.3 Reflexive
verbs,** pp. 78–79 for more
information.

Se están enamorando.
Están enamorándose.
They are falling in love.

Te estoy hablando.
Estoy hablándote.
I am talking to you.

• • • •

Note that the present
participle of **ser** is **siendo**.

DIFFERENTIATION

For Inclusion Remind students that **hablo,** for example, means
I speak and *I do speak.* Acknowledge that both translations
express present time, but emphasize the difference between
hablo and **estoy hablando,** which means *I am speaking* or *I am
in the process of speaking.*

Language
Comparisons

DIFFERENTIATION

To Challenge Students Have students tell what a friend or
family member is doing right now and also something that this
person does now. Reinforce the difference between the present
progressive and present in Spanish and English.

- When the stem of an **–er** or **–ir** verb ends in a vowel, the **–i–** of the present participle ending changes to **–y–**.

INFINITIVE	STEM	ENDING	PRESENT PARTICIPLE
construir	constru–	–yendo	**constru**yendo
leer	le–	–yendo	**le**yendo
oír	o–	–yendo	**o**yendo
traer	tra–	–yendo	**tra**yendo

(with **+** between STEM and ENDING)

- Progressive forms are used less frequently in Spanish than in English, and only when emphasizing that an action is *in progress* at the moment described. To refer to actions that occur over a period of time or in the near future, Spanish uses the present tense instead.

PRESENT TENSE	PRESENT PROGRESSIVE
Lourdes **estudia** economía en la UNAM.	Ahora mismo, Lourdes **está tomando** un examen.
Lourdes is studying economics at UNAM.	*Right now, Lourdes is taking an exam.*
¿**Vienes** con nosotros al Café Pamplona?	No, no puedo. Ya **estoy cocinando**.
Are you coming with us to Café Pamplona?	*No, I can't go. I'm already cooking.*

Other verbs with the present participle

- Spanish expresses various shades of progressive action by using verbs such as **seguir, continuar, ir, venir, llevar,** and **andar** with the present participle.

- **Seguir** and **continuar** with the present participle express the idea of *to keep doing something*.

Emilio **sigue hablando**.	Mercedes **continúa quejándose**.
Emilio keeps on talking.	*Mercedes keeps complaining.*

- **Ir** with the present participle indicates a gradual or repeated process. It often conveys the English idea of *more and more*.

Cada día que pasa **voy disfrutando** más de esta clase.	Ana y Juan **van acostumbrándose** al horario de clase.
I'm enjoying this class more and more every day.	*Ana and Juan are getting more and more used to the class schedule.*

- **Venir** and **llevar** with the present participle indicates a gradual action that accumulates or increases over time.

Hace años que **viene diciendo** cuánto le gusta el béisbol.	**Llevo insistiendo** en lo mismo desde el principio.
He's been saying how much he likes baseball for years.	*I have been insisting on the same thing from the beginning.*

- **Andar** with the present participle conveys the idea of *going around doing something* or of *always doing something*.

José siempre **anda quejándose** de eso.	Román **anda diciendo** mentiras.
José is always complaining about that.	*Román is going around telling lies.*

¡ATENCIÓN!

Other tenses may have progressive forms as well. These tenses emphasize that an action was/will be in progress.

PAST (pp. 112–123)
Estaba marcando su número justo cuando él me llamó.
I was dialing his number right when he called me.

FUTURE (pp. 240–243)
No vengas a las cuatro, todavía estaremos trabajando.
Don't come at four o'clock; we will still be working.

Teaching Tip El juego de dados Students work in groups of three: one "teacher" and two "players." Distribute a die and a list of verbs to each group, plus an answer sheet for the "teacher." The answer sheet should illustrate a model conjugation for a regular verb of each type: **–ar, –er,** and **–ir,** plus any irregular verbs you wish to include. Players throw the die to determine what verb form they should give:
1 = **yo**
2 = **tú**
3 = **Ud./él/ella**
4 = **nosotros/as**
5 = **Uds./ellos/ellas**
6 = **"teacher's" choice**
Players follow the verb list in order when giving verb forms and receive a point for each correct answer.
Note: If you teach **vosotros,** adjust the list of subjects to have 6 = **vosotros**.

LEARNING STYLES

For Visual Learners Display a collection of photos around the room. Students choose a picture and write a short description. They should use new vocabulary, present tense (include at least one stem-changing or irregular verb), and one verb in the present progressive tense. Put the descriptions into a bag and distribute them. Classmates find the picture that fits "their" description.

LEARNING STYLES

For Auditory Learners Play Bingo. Photocopy a bingo card for each student, at the top of which you have listed infinitives of verbs and, below the infinitive, in a column, the first, second, and third persons singular and plural of the verb in the present progressive tense. Call an infinitive and a subject; students say the answer, and if they have the verb form on their bingo card, they write an "X" next to it.

1 **Una conversación telefónica** Daniel es nuevo en la ciudad y no sabe cómo llegar al estadio de fútbol. Decide llamar a su exnovia Alicia para que le explique cómo encontrarlo. Completa la conversación con la forma correcta del gerundio (*present participle*).

ALICIA ¿Aló?

DANIEL Hola Alicia, soy Daniel; estoy buscando el estadio de fútbol y necesito que me ayudes… Llevo (1) _____caminando_____ (caminar) más de media hora por el centro y sigo perdido.

ALICIA ¿Dónde estás?

DANIEL No estoy muy seguro, no encuentro el nombre de la calle. Pero estoy (2) _____viendo_____ (ver) un centro comercial a mi izquierda y más allá parece que están (3) _____construyendo_____ (construir) un estadio de fútbol. (4) _____Hablando_____ (hablar) de fútbol, ¿dónde tengo mis boletos? ¡He perdido mis entradas!

ALICIA Madre mía, ¡sigues (5) _____siendo_____ (ser) un desastre! Algún día te va a pasar algo serio.

DANIEL ¡Siempre andas (6) _____pensando_____ (pensar) lo peor!

ALICIA ¡Y tú siempre estás (7) _____olvidándote_____ (olvidarse) de todo!

DANIEL ¡Ya estamos (8) _____discutiendo_____ (discutir) otra vez!

Interpretive Communication

2 **Organizar un festival** En parejas, pregunten y respondan qué está haciendo cada uno de estos personajes. Túrnense.

MODELO **Elga Navarro / descansar**
—¿Qué está haciendo Elga Navarro?
—Elga Navarro está descansando en una clínica.

1. Juliana Paredes / bailar

2. Emilio Soto / casarse

4. Aurora Gris / recoger un premio

3. Elga Navarro / descansar

5. Héctor Rojas / jugar a las cartas

Comunicación Diagnostics

3 **Una cita** En parejas, representen una conversación en la que Alexa y Guille intentan buscar una hora del día para reunirse.

> **MODELO**
>
> **ALEXA** ¿Nos vemos a las diez de la mañana para estudiar?
> **GUILLE** No puedo, voy a estar durmiendo. ¿Qué te parece a las 12?

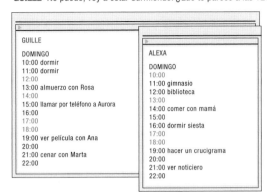

GUILLE		ALEXA
DOMINGO		DOMINGO
10:00 dormir		10:00
11:00 dormir		11:00 gimnasio
12:00		12:00 biblioteca
13:00 almuerzo con Rosa		13:00
14:00		14:00 comer con mamá
15:00 llamar por teléfono a Aurora		15:00
16:00		16:00 dormir siesta
17:00		17:00
18:00		18:00
19:00 ver película con Ana		19:00 hacer un crucigrama
20:00		20:00
21:00 cenar con Marta		21:00 ver noticiero
22:00		22:00

4 **Síntesis** Tu psicólogo utiliza la hipnosis para hacerte recordar los momentos más importantes de tu pasado. En parejas, dramaticen la conversación entre el doctor Felipe y su paciente, utilizando verbos en el presente y el presente progresivo. Elijan una situación de la lista o inventen otro tema. Sean creativos.

> **MODELO**
>
> **DR. FELIPE** Estás volviendo al momento de conocer a tu primer amor. ¿Qué están haciendo?
> **PACIENTE** Estoy caminando por la calle… una mujer preciosa me está saludando…
> **DR. FELIPE** Muy bien, muy bien. ¿Y qué estás pensando? ¿Cómo te sientes?
> **PACIENTE** Estoy pensando que esto es el amor a primera vista. Me siento…
> ¡Ay, no! Me estoy cayendo en medio de la calle, ¡enfrente de ella!

tu primer amor	el nacimiento de un(a) hermano/a
un viaje importante	el mejor/peor momento de tu vida

PUEDO hablar sobre lo que hacen las personas en momentos específicos.

LEARNING STYLES

For Visual Learners Post a list of scrambled present progressive verb forms (Ex: **dsytdtnseeaoiuo** unscrambles to **estoy estudiando**) on the board. Students have a specified amount of time to unscramble the verb forms and write them down. Volunteers write the unscrambled answers on the paper next to the scrambled ones so that all can check their answers.

LEARNING STYLES

For Kinesthetic Learners Distribute large cards to the class. Half the class receives a card containing the first part of a sentence; the other half receives a card with the second part. Students circulate to find the match. When all have found their match, they stand next to each other, hold up their cards, and read the sentence. Example: First card: **Penélope Cruz…** Matching card: **…está actuando en una nueva película.**

Teaching Tip
Working in pairs, students complete a questionnaire, taking turns asking and answering the questions and taking brief notes on their partner's responses. The following are sample questions: **¿Qué está haciendo tu mejor amigo/a ahora? ¿Qué está haciendo tu hermanito/a?**

3 If students finish early, have them write down their own schedules for the next two days and repeat the activity with their partners.

3 **Partner Chat** Available online.

4 For each situation listed, call on one or two pairs to perform their role-plays for the class.

 **Pre-AP***

AP Skill Category **5**

NATIONAL STANDARDS
Connections: Mathematics
Remind students about the 24-hour clock that is used in much of the world. Give them practice with the clock by asking them to calculate what time it is in various parts of the world at different U.S. times.

Making Connections

Section Goals

In **En pantalla**, students will:
- watch the short film *Ramona*
- practice listening for and using vocabulary and structures learned in this lesson

Pre-AP*

AP Skill Categories
1 2 3 4

Student Resources
Online Video and Activities

Teacher Resources
Transcripts & Translations

Variación léxica
caja ⟷ ataúd
golpiza ⟷ paliza
petate ⟷ estera

Teaching Tips
- First, teach the vocabulary under the heading *Ramona* as well as that in the **Vocabulario** box.
- Have students discuss these questions in small groups:

1. **¿Les gustan los cortometrajes?**
2. **¿En qué lugares pueden ver cortometrajes?**
3. **¿Qué ventajas tiene para ustedes como estudiantes la oportunidad de ver cortos de distintos países hispanos?**

❶ Teaching Tip Have students write a few sentences using words from the vocabulary list. Ask them to share their sentences with a small group of classmates.

❷ Expansion In preparation for Activity 2, ask students to do some research on the topics by searching online, talking with family members, or consulting other literary resources. Examples: **Tanto los aztecas como los mayas creían que la muerte era sólo un paso más en el ciclo de la vida. Ponían prendas de vestir y objetos de los muertos en sus tumbas para que les ayudaran en el viaje al más allá.**

---

1 EN PANTALLA

Objetivo comunicativo: Analizar las intenciones de los personajes de un corto y hacer predicciones sobre su futuro

Antes de ver el corto

RAMONA

país México

duración 15 minutos

directora Giovanna Zacarías

protagonistas Ramona, Carmelo, la nuera, vecinos y vecinas

Vocabulario

el bocado *bite, mouthful*	**el petate** *straw mat*
la caja *coffin*	**el recado** *message*
enterrar *to bury*	**regar las plantas** *to water the garden*
fallecer *to die*	**resucitar** *to resuscitate, (to revive)*
la golpiza *beating*	**¡sarta de chismosos!** *bunch of gossips!*
harto (tiempo) *for a long time*	**toparse con** *to run into (somebody)*
la milpa *vegetable garden*	**velar (a un muerto)** *to hold a vigil/wake*

1 **Vocabulario** Escribe la palabra apropiada para cada definición.

1. tejido delgado hecho con fibras vegetales: __petate__
2. encontrarse con alguien por casualidad: __toparse con__
3. volver a la vida: __resucitar__
4. pequeño cultivo de vegetales: __milpa__
5. dejar de existir; morir: __fallecer__
6. porción de comida que se lleva a la boca: __bocado__

Making Connections

2 **Preguntas** En grupos pequeños, contesten estas preguntas. Luego, compartan sus respuestas con la clase.

Interpersonal Communication

Relating Cultural Practices to Perspectives

1. Las culturas antiguas, como los egipcios, los mayas o los aztecas, realizaban diferentes rituales funerarios. ¿Qué sabes de estos rituales? ¿Se parecen a los rituales en la actualidad? ¿De qué manera se asemejan o se diferencian?
2. ¿Cuál es tu opinión sobre la muerte? ¿Crees que es algo trágico y triste? ¿Piensas que es algo natural y que puede recibirse con tranquilidad?
3. ¿Qué costumbres hay en tu comunidad cuando una persona muere?

Interpretive Communication

3 **¿Quiénes son?** En parejas, miren el fotograma y discutan quiénes creen que son las personas que aparecen allí. ¿Cómo es la relación entre estas cuatro personas? ¿Qué están haciendo? ¿De qué pueden estar hablando?

---

40 cuarenta

Lección 1

Relating Cultural Practices to Perspectives

Cultural Comparisons

DIFFERENTIATION

Heritage Speakers Ask heritage speakers or other bicultural students to share what they know about funerals in their country of origin with the class. Have them discuss their country's customs and traditions related to death and dying.

TEACHING OPTION

Comprehension Before showing the film, explain to students that they do not need to understand every word they hear. Tell them to rely on visual cues and to listen for cognates and words from **Vocabulario**.

Columba Domínguez es

RAMONA

Un cortometraje de
Giovanna Zacarías

Premio Ariel de Plata
al mejor cortometraje de
ficción 2015, México

Premio La Palmita
al mejor corto mexicano en
el 18º Tour de Cine Francés
2014, México

Una producción de **CONACULTA/IMCINE/MIL NUBES CINE/INDIA HERMOSA PRODUCCIONES**
Producción **ROBERTO FIESCO** Producción ejecutiva **HUGO ESPINOSA, ERNESTO MARTÍNEZ
ARÉVALO, ILIANA REYES** Guion **GIOVANNA ZACARÍAS, ANA DÍAZ SESMA**
Dirección **GIOVANNA ZACARÍAS** Dirección de arte **JESÚS TORRES TORRES** Edición **ÓSCAR
FIGUEROA** Fotografía **ALEJANDRO CANTÚ** Música **LEO HEIBLUM, JACOBO LIEBERMAN**
Sonido **MIGUEL HERNÁNDEZ MONTERO, ARMANDO NARVÁEZ DEL VALLE**
Actores **COLUMBA DOMÍNGUEZ, ÁNGELES CRUZ, GERARDO TERACENA, GUSTAVO TERRAZAS,
MÓNICA DEL CARMEN, ROBERTO SOSA, XOCHIQUETZATL RODRÍGUEZ Y MAYAHUEL DEL MONTE**

- Tell students that the film features characters ranging in age from young to very old, and that their ages are very important to the plot.
- Ask students to name other movies about relationships between young and older people. (Possible answers: *Hunger Games, The Hobbit, We Bought a Zoo*) Can they describe what influence the age difference had on the relationship?
- Ask students if they have heard of **Día de Muertos** and if they can find references to this celebration in the poster. (Ex: **La representación de la muerte como una mujer alta y delgada; la cercanía o familiaridad de la muerte con las personas; el uso de flores durante la celebración**)

Culture Note **Una de las tradiciones relacionadas con la muerte más reconocidas en toda Latinoamérica es la celebración del Día de Muertos. En México comienza el 1.° de noviembre, cuando se honra la memoria de los santos inocentes, es decir, de los niños fallecidos, y el día siguiente se dedica a los adultos muertos. Las familias asisten a los cementerios, decoran las tumbas de sus seres queridos con velas, flores, alimentos, bebidas, entre otros adornos, y comparten con vecinos y amigos sus recuerdos y experiencias. La UNESCO declaró esta celebración mexicana como Patrimonio Inmaterial de la Humanidad en el año 2003.**

CRITICAL THINKING | Relating Cultural Practices to Perspectives

Comprehension and Analysis Discuss how young people and elderly people in the U.S. perceive each other in daily life. Discuss whether these perceptions are depicted in TV programs students have seen, and, if so, explain how they are conveyed.

CRITICAL THINKING | Relating Cultural Practices to Perspectives | Cultural Comparisons

Analysis Ask if members of the class live in the same house as their grandparents. Point out that it is common for extended families in Latin America to live together in the same house (although recently this practice has been changing). Ask the class how this differs from families in the U.S.

Escenas

ARGUMENTO Una anciana decide que es hora de morir y se lo anuncia a su familia y a sus vecinos. Al despedirse de ella, los vecinos aprovechan para enviar mensajes a sus familiares muertos. Al final, todos se llevarán una gran sorpresa.

RAMONA ¡Yo ya estoy lista para morir!
CARMELO Está bueno. Sólo denos unas semanas para conseguir lo de su caja.

VECINA Pues yo sólo venía a dejarle esta carta para mi madrecita santa, que en paz descanse. Y esta gallinita, por el favor.

CARMELO Con esto no nos alcanza° ni para enterrarla en un petate.
NUERA Pues entonces mañana antes de irte a la milpa pasas a la casa del Rosendo y le pides un prestadito°.

NUERA Pues, bueno… ¿cuándo piensa dejarnos?
CARMELO Es que… la caja ya lleva harto ahí. Además, todos los del pueblo ya vinieron a despedirse.

VECINA 5 ¿Cuándo se va a llevar los recados? ¡Ya que se muera!

NUERA ¡Que Dios la tenga en su santa gloria!
NIETO ¡Ya tengo cama!

no nos alcanza *it is not enough* **el prestadito** *a loan*

CRITICAL THINKING · Interpretive Communication

Comprehension and Analysis Have small groups of students write a summary of the events of the video in their own words. Have groups share their summaries with the class.

CRITICAL THINKING · Interpretive Communication

Application and Synthesis Ask pairs of students to predict the end of the film by writing a short script for "scene 7." Have them practice it aloud, then present their scenes to the class. Take a survey of which ending students consider to be the most likely.

Después de ver el corto

1 | Comprensión Contesta las preguntas con oraciones completas. *Answers will vary.*

1. ¿Por qué Ramona ya no quiere comer?
   Porque está triste, quiere morir y siente que no hay necesidad de hacerlo más.
2. ¿Para qué Carmelo necesita un poco más de tiempo?
   Para conseguir dinero y poder pagar los gastos del entierro.
3. ¿Por qué una de las vecinas le da una gallina a Ramona?
   La vecina le da una gallina para agradecerle el favor.
4. La esposa de Carmelo le dice que él debe pedir un préstamo. ¿Para qué necesitan el dinero?
   Para poder pagar una caja, pues no les alcanza el dinero ahorrado.
5. ¿Por qué Ramona le pidió a su nieto que llevara papel y lápiz?
   Para escribir todos los mensajes de los vecinos y no olvidarlos.

2 | Interpretación En parejas, contesten las preguntas.

1. ¿Cuáles son los sentimientos de Ramona al comienzo del corto?
2. Los vecinos de Ramona le entregan mensajes para sus seres queridos. ¿Qué indica este hecho sobre la concepción de los personajes sobre la vida y la muerte?
3. Cuando Ramona "resucita", pide que pongan música y que comience la fiesta. ¿Por qué? ¿Qué relación tiene esto con el Día de Muertos?
4. ¿Cuáles son los sentimientos de Ramona al final del corto? Comparen las dos imágenes y describan los cambios entre el principio y el final.

3 | Intenciones Responde a estas preguntas. Luego, discute tus respuestas con un(a) compañero/a.

1. ¿Qué quería la nuera de Ramona? ¿Cómo se siente al final, cuando Ramona "resucita"?
2. ¿Qué quería el hombre que le dio flores a Ramona? ¿Cómo se siente al final?
3. ¿Por qué Ramona se ríe alegremente al final del corto?
4. ¿Cuál crees que fue la intención de la directora con este corto?

4 | El final ¿Qué crees que pasará con los personajes después de la "resurrección" de Ramona? Describe las imágenes que en tu opinión tendría una segunda parte del corto y comparte tus descripciones con la clase. Sigue el modelo.

> **MODELO** La nuera: habla con Carmelo y le dice que está cansada de que su suegra no haga lo que ha prometido.

1. Carmelo
2. el nieto de Ramona
3. el hombre que le da flores a Ramona
4. Ramona

PUEDO analizar las intenciones de los personajes de un corto y hacer predicciones sobre su futuro.

Culture Note *El compadrazgo*
Los campesinos mexicanos, así como los de otros países latinoamericanos, establecen una red de apoyo mutuo conocida como *compadrazgo*. Aunque en principio se trata de una relación familiar asociada al bautismo, el concepto se extiende a la comunidad en general para ayudarse en momentos difíciles, como una dura situación económica o la muerte de un familiar. En este último caso, los compadres y comadres se reúnen para velar al muerto, rezar el rosario y, en algunas comunidades, incluso para entonar cantos y rituales tradicionales. Es común que entre los compadres y las comadres se hagan regalos mutuos, como alimentos o animales domésticos pequeños. La palabra compadre se ha extendido a otros círculos sociales, tanto así que en países como Chile, Colombia, México y Perú, se usa para referirse a los amigos.

2 | Teaching Tip After students have answered the questions in pairs, go over each question as a class, adding supplementary details to each answer if possible.

2 | Partner Chat Available online.

3 Discuss the questions as a class.

Pre-AP*

AP Skill Category 5

4 | Teaching Tip Tell students that the director of this short film is Giovanna Zacarías (1976–), a Mexican film director, actress, and stage director. Her short film **Ramona** was awarded **La Palmita** for best short in the 18th French Film Tour in Mexico in 2014.

Section Goals

In **Lecturas**, students will:

• read about **Pablo Neruda**, then read and analyze his **"Poema 20"**

• read about Supreme Court Justice **Sonia Sotomayor**

Pre-AP*

AP Skill Categories
1 **2** **3** **4**

Student Resources
Cuaderno de actividades,
p. 21
Online Activities, *eCuaderno*

Teacher Resources
Workbook TE

Teaching Tips

• Ask students who Picasso was and why this particular painting of his *(Los enamorados)* is very appropriate for this chapter. (Answer: The overarching theme of the chapter is **Las relaciones personales**.)

• Bring images of some of Pablo Picasso's most famous paintings to class and show them to students. Ask pairs to observe the colors, shapes, and human figures, and identify differences and similarities. Then, have them compare these paintings with *Los enamorados* and answer these questions: **¿Reconocen a un mismo pintor o parece otro artista? ¿Qué sentimientos o emociones les provoca cada cuadro?** Share the answers in class and note the similarities and differences of opinion on the board.

NATIONAL STANDARDS

Connections: Art Have students do research in the library or online to identify other pieces of art by Spanish-speaking artists that show people in relationships. Ask them to share copies of the art with the class and describe the people shown and their relationship.

Presentational Communication | Making Connections

"La única fuerza y la única verdad que hay en esta vida es el amor."

José Martí

Los enamorados, 1923
Pablo Picasso, España

Interpretar En parejas, contesten estas preguntas. Some answers will vary.

1. ¿Qué ven en el cuadro?

2. Según los detalles de la pintura, ¿dónde les parece que están los personajes?

3. ¿Cuál es la relación entre los personajes del cuadro y qué sucede en el momento que retrata el pintor?

4. ¿Qué estado de ánimo imaginan en la pareja de este cuadro?

5. En su opinión, ¿qué emociones provoca el artista en los observadores del cuadro?

PUEDO conversar con un(a) compañero/a sobre un cuadro de un artista español reconocido.

Making Connections | Acquiring Information & Diverse Perspectives

CRITICAL THINKING

Analysis **"Poema 20"** is part of Neruda's early work. Have students research the chronology of his poetry, either in books or online. Ask students to examine the body of his work and determine whether, later in his career, he also wrote poetry about relationships.

CRITICAL THINKING

Evaluation Students discuss whether they agree with José Martí's quotation, **"La única fuerza y la única verdad que hay en esta vida es el amor,"** and defend their opinion.

Antes de leer

Poema 20

Sobre el autor

Ya de muy joven, el chileno Ricardo Eliécer Neftalí Reyes Basoalto —el nombre que sus padres le dieron a **Pablo Neruda** (1904–1973) al nacer— mostraba inclinación por la poesía. En 1924, a sus veinte años, publicó el libro que lo hizo famoso: *Veinte poemas de amor y una canción desesperada*. Además de poeta, fue diplomático y político.

El amor fue sólo uno de los temas de su extensa obra: también escribió poesía surrealista y poesía de temática histórica y política. Su *Canto general* lleva a los lectores en un viaje por la historia de América Latina, desde los tiempos precolombinos hasta el siglo XX. En 1971, recibió el Premio Nobel de Literatura.

Vocabulario

el alma *soul*	el corazón *heart*
amar *to love*	la mirada *gaze*
besar *to kiss*	el olvido *oblivion*
contentarse con *to be satisfied with*	querer (e:ie) *to love; to want*

---

1 **Poema** Completa este poema con las opciones correctas.

Quiero (1) ___besarte___ (besarte/amarte) porque te (2) ___quiero___ (quiero/olvido),
pero tú te alejas y desde lejos me miras.

Mi (3) ___corazón___ (corazón/olvido) no (4) ___se contenta___ (quiere/se contenta)
con una (5) ___mirada___ (alma/mirada) triste.

Entonces me voy y sólo espero el (6) ___olvido___ (corazón/olvido).

2 **Conexión personal** Responde estas preguntas: ¿Has estado enamorado/a alguna vez? ¿Te gusta leer poesía? ¿Has escrito alguna vez una carta o un poema de amor?

3 **Análisis literario: la personificación**

La personificación es una figura retórica (*figure of speech*) que consiste en atribuir cualidades humanas a seres inanimados (*inanimate objects*), ya sean animales, cosas o conceptos abstractos. Observa estos ejemplos de personificación: *me despertó el llanto* (crying) *del violín; tu silencio habla de dolores pasados*. En *Poema 20*, Pablo Neruda utiliza este recurso en varias ocasiones. Mientras lees el poema, prepara una lista de las personificaciones. ¿Qué cualidad humana atribuye el poeta al objeto?

PRE-AP* | Interpersonal Communication

Interpersonal Writing Have students complete the following assignment. Say: **Como ya sabes, "Poema 20" es un poema de amor que fue escrito a principios del siglo XX. Imagina que eres el/la poeta y que estás vivo/a pero no tienes tiempo** **para escribir un poema. Escribe un correo electrónico a tu amada/o expresándole tus sentimientos. ¡No te olvides de usar vocabulario y un tono que utilizaría un(a) joven del siglo XXI!**

Pre-AP*

AP Skill Category **5**

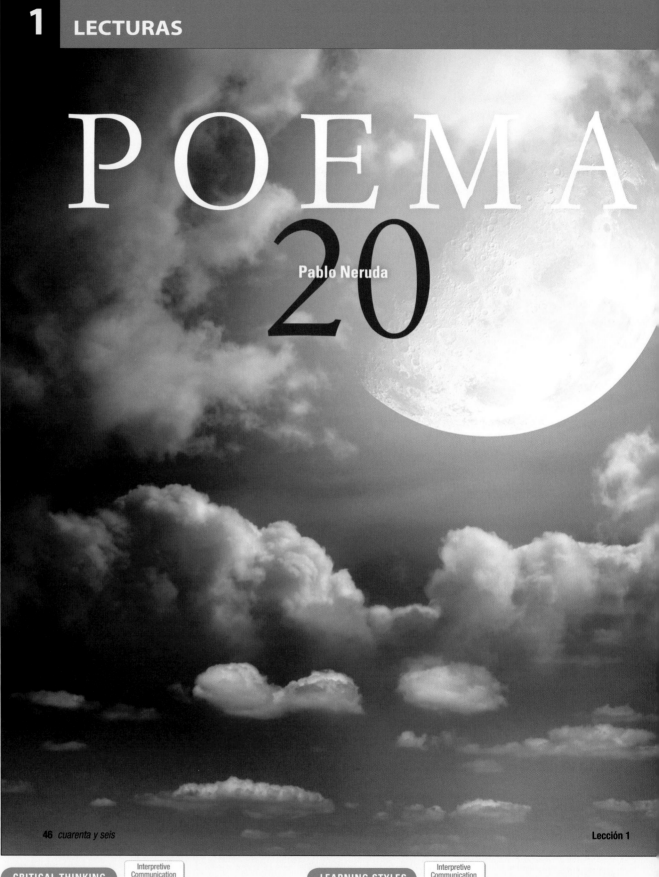

POEMA 20

Pablo Neruda

Teaching Tips
- Have students look at the title page of the poem. Discuss what they see pictured there.
- Remembering the discussion about personification on page 45, ask students why they think the picture of a starry sky is an appropriate introduction to the poem.

Reading Strategy Before discussing the poem, give students a few minutes to read the poem aloud to a partner. Remind them that it is not necessary to understand every single word, especially during the first read-through.

CRITICAL THINKING — Interpretive Communication

Analysis Discussion topic: **¿Por qué se titula así el poema?** (Possible answer: **Neruda publicó el poema a los veinte años.**) After students make their suggestions, tell them that this poem is from a compilation entitled *Veinte poemas de amor y una canción desesperada.*

LEARNING STYLES — Interpretive Communication

Auditory Learners Have students listen to the recording of this reading online or play it for them in class. Encourage them to record their own version with a musical soundtrack to share with the class.

Audio:
Dramatic Reading

P uedo escribir los versos más tristes esta noche.
Escribir, por ejemplo: "La noche está estrellada°,   *starry*
y tiritan°, azules, los astros°, a lo lejos°".   *stars/in the distance*

blink; tremble

El viento de la noche gira° en el cielo y canta.   *turns*

5 Puedo escribir los versos más tristes esta noche.
Yo la quise, y a veces ella también me quiso.

En las noches como ésta la tuve entre mis brazos.
La besé tantas veces bajo el cielo infinito.

Ella me quiso, a veces yo también la quería.
10 Cómo no haber amado sus grandes ojos fijos°.   *fixed*

Puedo escribir los versos más tristes esta noche.
Pensar que no la tengo. Sentir que la he perdido.

Oír la noche inmensa, más inmensa sin ella.
Y el verso cae al alma como al pasto el rocío°.   *like the dew on the grass*

15 Qué importa que mi amor no pudiera guardarla°.   *keep; protect*
La noche está estrellada y ella no está conmigo.

Eso es todo. A lo lejos alguien canta. A lo lejos.
Mi alma no se contenta con haberla perdido.

to bring closer   Como para acercarla° mi mirada la busca.
20 Mi corazón la busca, y ella no está conmigo.

La misma noche que hace blanquear° los mismos árboles.   *to whiten*
Nosotros, los de entonces, ya no somos los mismos.

Ya no la quiero, es cierto, pero cuánto la quise.
voice   Mi voz° buscaba el viento para tocar su oído.

25 De otro. Será de otro. Como antes de mis besos.
Su voz, su cuerpo claro. Sus ojos infinitos.

Ya no la quiero, es cierto, pero tal vez la quiero.
Es tan corto el amor, y es tan largo el olvido.

Porque en noches como ésta la tuve entre mis brazos,
30 mi alma no se contenta con haberla perdido.

Aunque éste sea el último dolor que ella me causa,
y éstos sean los últimos versos que yo le escribo. ∎

Expansion Ask these questions:

1. **Se repite varias veces la expresión "Puedo escribir". ¿Por qué usa el poeta la palabra "puedo"? ¿Qué indica?**
2. **¿Qué palabras y frases usa el poeta para describir la noche?**
3. **¿Por qué escribe el poeta de noche y no de día?**
4. **Señala las alusiones a la naturaleza que hay en el poema.**
5. **¿Hay repetición de sonidos —las vocales, por ejemplo? Si la hay, ¿qué efecto produce?**
6. **¿Qué palabras y frases usa el poeta para describir a su amada?**
7. **¿Qué palabra une claramente a la amada con la naturaleza? (Answer: infinito —el cielo infinito, sus ojos infinitos)**
8. **¿Qué palabras y frases usa el poeta para describir cómo se siente?**

PRE-AP* | Interpretive Communication | Interpersonal Communication | Presentational Communication |

Synthesis of Skills Show students selected scenes from *Il Postino*. Explain that this film is based on the Chilean novel, *El cartero de Neruda,* by Antonio Skármeta. Explain the plot of the movie and that the postman is very naïve and in love. Have them write the Spanish conversation between Neruda and **el** **cartero** as they see the film excerpts. Read **"Poema 20"**, and brainstorm with the class what it means. Then say to students: **Explica con tus propias palabras qué significa el poema. Compara tus ideas con las de tu grupo. Luego escribe unas 100 palabras, resumiendo las ideas de tu grupo.**

Después de leer

Poema 20
Pablo Neruda

Interpretive Communication

1 **Comprensión** Contesta las preguntas con oraciones completas.

1. ¿Quién habla en este poema? Un hombre enamorado / Un poeta habla en este poema.
2. ¿De quién habla el poeta? El poeta habla de su amada. / El poeta habla de su antigua novia.
3. ¿Cuál es el tema del poema? El tema del poema es el amor.
4. ¿Qué momento del día es? Es de noche.
5. ¿Sigue enamorado el poeta? Da un ejemplo del poema. El poeta no lo sabe. Ejemplo: "Ya no la quiero, es cierto, pero tal vez la quiero."

Interpretive Communication

2 **Analizar** Lee el poema otra vez para contestar las preguntas con oraciones completas.

1. ¿Qué personificaciones hay en el poema y qué efecto transmiten? Explica tu respuesta.
2. ¿Tienen importancia las repeticiones en el poema? Explica por qué.
3. La voz poética habla sobre su amada, pero no le habla directamente a ella. ¿A quién crees que le habla la voz poética en este caso?
4. ¿Qué sentimientos provoca el poema en los lectores?

Interpretive Communication

3 **Interpretar** Contesta las preguntas con oraciones completas.

1. ¿Cómo se siente el poeta? Da algún ejemplo del poema.
2. ¿Es importante que sea de noche? Razona tu respuesta.
3. Explica con tus propias palabras este verso: "Es tan corto el amor, y es tan largo el olvido".
4. Explica el significado de estos versos y su importancia en el poema. ¿Por qué el poeta escribe una oración "entre comillas"?

> Puedo escribir los versos más tristes esta noche. Escribir, por ejemplo: "La noche está estrellada, y tiritan, azules, los astros, a lo lejos".

Interpretive Communication

Interpersonal Communication

4 **Metaficción** En grupos de tres, lean esta definición y busquen ejemplos de metaficción en el poema de Neruda. ¿Qué efecto tiene este recurso en el poema?

❝ La metaficción consiste en reflexionar dentro de una obra de ficción sobre la misma obra. ❞

Interpretive Communication

Interpersonal Communication

5 **Imaginar** En parejas, imaginen la historia de amor entre el poeta y su amada. Preparen una conversación en la que se despiden para siempre. Inspírense en algunos de los versos del poema.

PUEDO analizar la personificación y la metaficción en un poema de Pablo Neruda.

Teaching Tips

1 Have students work in pairs to write on a sheet of paper two more questions about the poem. They should exchange these questions with another pair, who will then write their answers below the questions on the sheet and return the sheet to the pair who wrote the original questions. The original pair corrects the answers. If any are incorrect, they must inform the students who provided them and suggest correct answers.

3 Ask students to work in small groups to discuss the answers to these questions. One student from each group will be responsible for summarizing the group's ideas about each question to share with the rest of the class.

4 Ask students to complete the activity again, but this time also describing the poet.

5 Give students the option of writing a story from the point of view of the woman in the poem, explaining what happened in her own words. Was it an unrequited love, a fading love, a case of opposites attracting?

Presentational Communication

CRITICAL THINKING | Presentational Communication

Synthesis Give students the option of writing a haiku **poema de amor**. If they prefer to write something less personal, they may choose to write from the perspective of a fictitious character (Ex: Shrek, when he thinks his love is unrequited) or of a celebrity.

CRITICAL THINKING | Acquiring Information & Diverse Perspectives | Making Connections | Cultural Comparisons

Evaluation On the Internet, have students research some other Spanish-speaking poets who were contemporaries of Pablo Neruda, such as Federico García Lorca, Octavio Paz, and Pedro Salinas. Students then work in groups to compare and contrast the poets, putting the information into a web, which they then share with the class.

Objetivo comunicativo: Conversar sobre la historia de Sonia Sotomayor y su importancia en la Corte Suprema de Justicia de los Estados Unidos

CULTURA

Antes de leer

Vocabulario

el cargo *position*	**rechazar** *to reject*
la cima *height*	**sabio/a** *wise*
convertirse (e:ie) en *to become*	**el sueño** *dream*
en contra *against*	**superar** *to overcome*
propio/a *own*	**tomar en cuenta** *to take into consideration*

1 **Señora presidenta** Completa este párrafo con palabras del vocabulario.

El (1) ___cargo___ más importante de cualquier país es la presidencia, un (2) ___sueño___ para muchos políticos. Este desafío es más difícil para las mujeres, que tienen (3) ___en contra___ muchos prejuicios. La argentina Isabel Perón luchó para (4) ___superar___ esos prejuicios. En 1974 llegó a (5) ___convertirse___ en la primera presidenta de Latinoamérica. Desde entonces, otras nueve latinoamericanas han llegado a la (6) ___cima___ de la política.

2 **Conexión personal** Responde estas preguntas: ¿Con qué soñabas cuando eras pequeño/a? ¿Qué querías ser de grande? ¿Tienes todavía las mismas metas que tenías de niño/a o has cambiado? ¿Crees que vas a alcanzar tus metas?

Contexto cultural

Esta frase pronunciada por Sonia Sotomayor en 2001 causó revuelo (*commotion*) y despertó posiciones en contra y a favor: "Quiero pensar que una sabia mujer latina, con su riqueza de experiencias, puede tomar mejores decisiones que un sabio hombre blanco que no ha vivido esa vida." Sotomayor después se excusó diciendo que se había expresado mal. Aunque estas palabras generaron incertidumbre en relación con su nominación a la Corte Suprema, paralelamente, la frase fue utilizada en grupos de Facebook, en camisetas y en carteles como una reafirmación de la identidad femenina latina. ¿Qué opinas tú? ¿Influyen nuestras experiencias, nuestro sexo y nuestro origen en las decisiones que tomamos? Si así lo crees, ¿piensas que este hecho es positivo o negativo? ¿Crees que es posible dejar de lado los sentimientos y el pasado para tomar en cuenta solamente la ley? ¿O crees que la subjetividad puede tener lugar en la justicia?

- Ask students whether they have had a bad experience due to something they said backfiring or being misinterpreted. Did they stand by their words and try to explain them better, or did they withdraw? Why?
- As a follow-up you might write this saying on the board and ask the class to discuss its meaning. **"Las palabras están vivas. Si las cortas, sangran."** Ralph Waldo Emerson
- Ask the class to discuss political correctness, and if it might make us more hesitant to express ourselves.
- Ask students questions to spark discussion. Ex: **En América Central y del Sur ha habido diez presidentas y en Norteamérica ninguna. ¿Cuáles creen que pueden ser las razones?**
- Go over students' responses to **Conexión personal.**

PRE-AP* | Presentational Communication | Acquiring Information & Diverse Perspectives

TEACHING OPTIONS

Presentational Writing Have students research other high-achieving minority figures and write a short composition about their lives. They can choose a scientist, politician, activist, entertainer, educator, etc.

Expansion Ask students to discuss if ethnicity and gender should be taken into account the next time there is a vacancy on the Supreme Court. **¿Creen Uds. que la Corte Suprema ya tiene un balance adecuado entre hombres y mujeres? ¿Entre blancos y gente de otras razas? ¿Creen que el presidente debe buscar candidatos para la Corte Suprema que sean de un perfil particular?**

- Before reading, have students talk about the title *Sonia Sotomayor: la niña que soñaba.* Ask what they think it says about her when she was a child.
- Highlight the fact that books were the first thing to set Sotomayor on her career path. Have students talk in small groups about what books they read as children, and how those books affected their idea of what they wanted to be then, and what their goals are now.

NATIONAL STANDARDS
Connections: Social Studies/Civics Ask students how being a detective or a lawyer relates to Sotomayor's current position. What values do these professions have in common? Then have students discuss what values are most important to them and how those values affect their professional goals.

Making Connections

Sonia Sotomayor:
la niña que soñaba

Sonia Sotomayor era una niña que soñaba. Y, según cuenta, lo que soñaba era convertirse en detective, igual que su heroína favorita, Nancy Drew. Sin embargo, a los ocho años, tras un diagnóstico de diabetes, sus médicos le recomendaron que pensara en una carrera menos agitada. Entonces, sin recortar 5 sus aspiraciones ni resignarse a menos, encontró un nuevo modelo en otro héroe de ficción: Perry Mason, el abogado encarnado° en televisión *played by* por Raymond Burr. "Iba a ir a la universidad e iba a convertirme en abogada: y supe esto cuando tenía diez años. Y no es una broma" declaró ella en 1998.

Heritage Speakers Ask heritage speakers if they had a favorite Spanish-language author when they were younger. Have them bring in books from those authors or others for the class to read.

Expansion Have students brainstorm a list of questions they would ask if they were interviewing Sonia Sotomayor. Then have pairs role-play the interview, inventing their own responses or basing them on the reading. Have two volunteers act out the interview for the class.

Teaching Tips
• Remind students how helpful cognates can be. Ex: **aceptación, nominación, fundamental, corporativo, inspiración,** etc.
• Remind students that it's not necessary to understand every word—the gist of the **lectura** is what is important at first.

10 Robin Kar, secretario de Sonia Sotomayor entre 1988 y 1989, afirma que la jueza no sólo *amazing* tiene una historia asombrosa°, sino que además es una persona asombrosa. Y cuenta que, en la corte, ella no solamente conocía a sus pares°, *peers* 15 como los otros jueces y políticos, sino que también se preocupaba por conocer a todos los porteros, a los empleados de la cafetería y a los *janitors* conserjes°, y todos la apreciaban mucho.

En su discurso de aceptación de la 20 nominación a la Corte Suprema, Sonia Sotomayor explicó su propia visión de sí misma: "Soy una persona nada extraordinaria que ha tenido la dicha de tener oportunidades y experiencias extraordinarias." Pero ni *wildest* 25 siquiera sus sueños más descabellados° podían prepararla para lo que ocurrió en mayo de 2009, cuando Barack Obama la nominó como candidata a la Corte Suprema de Justicia de Estados Unidos. En su discurso, 30 el presidente destacó el "viaje extraordinario" de la jueza, desde sus modestos comienzos hasta la cima del sistema judicial. Para él, los sueños son importantes y Sonia Sotomayor es la encarnación del sueño americano.

35 Nació en el Bronx, en Nueva York, el 25 de junio de 1954, y creció en un barrio de viviendas *housing project* subsidiadas°. Sus padres, puertorriqueños, habían llegado a Estados Unidos durante la Segunda Guerra Mundial. Su padre, que había 40 estudiado sólo hasta tercer grado y no hablaba inglés, murió cuando Sonia tenía nueve años, y su madre, Celina, tuvo que trabajar seis días *raise them* a la semana como enfermera para criarlos° a ella y a su hermano menor. Como la señora 45 Sotomayor consideraba que una buena educación era fundamental, les compró a sus hijos la Enciclopedia Británica y los envió a una escuela católica para que recibieran la mejor instrucción posible. Seguramente los resultados 50 superaron también sus expectativas: Sonia estudió en las universidades de Princeton y Yale, y su hermano Juan estudió en la Universidad

de Nueva York, y es médico y profesor en la Universidad de Siracusa.

Sonia Sotomayor trabajó durante cinco 55 años como asistente del fiscal de Manhattan, Robert Morgenthau (quien inspiró el personaje del fiscal del distrito Adam Schiff en la serie de televisión *Law and Order*). Luego se dedicó al derecho corporativo y más tarde fue jueza 60 de primera instancia de la Corte Federal de Distrito antes de ser nombrada jueza de Distrito de la Corte Federal de Apelaciones. En 2009 se convirtió en la primera hispana —y la tercera mujer en toda la historia— en llegar 65 a la Corte Suprema de Justicia de Estados Unidos, donde suelen tratarse cuestiones tan controvertidas como el aborto, la pena de muerte, el derecho a la posesión de armas, etc.

Cuando el presidente Obama nominó 70 a la jueza Sotomayor para su nuevo cargo, Celina Sotomayor escuchaba desde la primera fila° con los ojos llenos de lágrimas. *front row* En su discurso de aceptación, Sonia la señaló como "la inspiración de toda mi vida". 75 Tal vez, en el fondo, lo que soñaba realmente la niña del Bronx era ser, como su madre, una "sabia mujer latina". ∎

Cómo Sotomayor salvó al béisbol

En 1994, de manera unilateral, los propietarios de los equipos de las Grandes Ligas de béisbol implantaron un tope (*limit*) salarial; esto fue rechazado por los jugadores y su sindicato, que declararon una huelga (*strike*). El caso llegó a Sonia Sotomayor, en ese entonces la jueza más joven del Distrito Sur de Nueva York, en 1995. Ella escuchó los argumentos de las dos partes y anunció su dictamen (*ruling*) a favor de los jugadores. Logró acabar así con la huelga que llevaba ya 232 días y, además, ganarse el título de "salvadora del béisbol".

Relating Cultural Practices to Perspectives

TEACHING OPTIONS

Small Groups Ask students if they believe in "The American Dream." Is Sotomayor a good example of this? Have students split into small groups and share real-life stories of the American Dream. Have each group present one to the class.

TEACHING OPTIONS

Expansion Ask students if they agree that Sotomayor is the **"salvadora del béisbol."** What would have happened if she had ruled in favor of the owners?

Teaching Tips

① Ask students: **¿Creen que algunas personas tienen más posibilidades que otras para alcanzar sus sueños (debido a su sexo, educación, situación económica, raza, etc.)?**

② For an expansion activity, assign small groups to research and write brief profiles of other famous women holding positions of responsibility and power in the U.S. (Ex: Hillary Clinton, Nancy Pelosi, Condoleezza Rice, Elena Kagan, etc.). Ask: **¿El hecho de que sean mujeres las ayuda o las perjudica?**

③ Have students discuss the influence parents have in shaping their children's goals and behaviors. Tell them that Abraham Lincoln also said: "All that I am or hope to be, I owe to my mother." Ask them to find other examples of famous people that give all the credit to their parents.

③ **Virtual Chat**
Available online.

Sonia Sotomayor: la niña que soñaba

Interpretive Communication

1 **Comprensión** Indica si las siguientes oraciones son **ciertas** o **falsas**. Luego, en parejas, corrijan las falsas.

1. Sonia Sotomayor se considera una persona extraordinaria. Falso. Sonia Sotomayor se considera una persona nada extraordinaria que tuvo oportunidades y experiencias extraordinarias.
2. Ella conocía a todos los empleados de la corte, desde los jueces hasta los conserjes. Cierto.
3. De pequeña, Sonia quería ser detective como Nancy Drew. Cierto.
4. Sus padres eran neoyorquinos. Falso. Sus padres eran puertorriqueños.
5. Celina Sotomayor trabajaba como vendedora de enciclopedias.
   Falso. Celina Sotomayor trabajaba como enfermera.
6. Sonia fue la inspiración de un personaje de la serie de televisión *Law and Order*.
   Falso. Su jefe, Robert Morgenthau, inspiró un personaje de la serie *Law and Order*.

Interpretive Communication
Interpersonal Communication
Acquiring Information & Diverse Perspectives

2 **Interpretación** En parejas, contesten las preguntas con oraciones completas y justifiquen sus respuestas.

1. ¿Les parece que la historia de Sonia Sotomayor es extraordinaria? ¿Por qué?
2. ¿En qué sentido piensan que su madre es "la inspiración de su vida"?
3. ¿Creen que su carrera es una prueba de que el sueño americano existe?
4. ¿Piensas que ella, como mujer y como hispana, y con la historia de su vida, puede asegurar un mejor debate en la Corte Suprema? ¿Por qué?
5. ¿Les parece que la experiencia de vida es más importante, menos importante o igualmente importante para las personas que los estudios que tengan? ¿Por qué?

Interpretive Communication
Interpersonal Communication
Presentational Communication
Acquiring Information & Diverse Perspectives

3 **Retrato**

A. Algunos candidatos presidenciales en los Estados Unidos han señalado a sus madres como una inspiración fundamental de sus vidas. En parejas, lean y comenten las citas.

> "Sé que (mi madre) fue el espíritu más bondadoso y generoso que jamás he conocido y que lo mejor de mí se lo debo a ella." Barack Obama, *Los sueños de mi padre*

> "Roberta McCain nos inculcó su amor a la vida, su profundo interés en el mundo, su fortaleza y su creencia de que todos tenemos que usar nuestras oportunidades para ser útiles a nuestro país. No estaría esta noche aquí si no fuera por la fortaleza de su carácter." John McCain, Discurso de aceptación en la Convención Republicana

B. Escriban cuatro oraciones sobre cómo imaginan a Celina Sotomayor, la madre de Sonia Sotomayor. ¿Qué dirían de ella sus hijos? Luego, compartan sus oraciones con la clase.

 MODELO Celina es una mujer trabajadora. Ella no está de acuerdo con perder el tiempo y quiere que sus hijos estudien y mejoren. Es paciente, pero está llena de energía...

Presentational Communication

4 **Modelos de vida** Escribe una entrada de blog sobre una persona sabia a la que admiras. Describe su personalidad y su historia, y explica por qué es importante para ti.

PUEDO narrar experiencias de Sonia Sotomayor y hablar de su nombramiento en la Corte Suprema de Justicia de los Estados Unidos.

EXPANSION | Relating Cultural Practices to Perspectives | Acquiring Information & Diverse Perspectives | Lifelong Learning

Research Project Assign small groups to research and write brief profiles of other famous women holding positions of responsibility and power in the U.S. (Hillary Clinton, Nancy Pelosi, Condoleezza Rice, Elena Kagan, etc.). Ask: **¿El hecho de que sean mujeres las ayuda o las perjudica?**

TEACHING OPTIONS | Interpretive Communication | Presentational Communication | Making Connections

Expansion Have students locate census or demographic statistics about Latinos in the U.S., using either U.S. Census Bureau information or marketing information available to the public. Have them draw graphs and charts to present their findings to the class.

Student Resources
Cuaderno de actividades,
pp. 19–20, 22
Online activities, *eCuaderno*

Teacher Resources
Workbook TEs; Textbook and Testing Audio online; Audio Scripts; Assessment Program Tests

Atando cabos

¡A conversar!

1 **Preguntas rápidas** Usa la técnica de las "preguntas rápidas" para conocer a tus compañeros de clase, hacer nuevos amigos y buscar compañeros para proyectos. Comparte los resultados con la clase.

Interpersonal Communication

Cómo hacer las "preguntas rápidas"

- Reúnete con un(a) compañero/a durante cinco minutos. Hablen sobre quiénes son, cómo son, qué buscan, etc.
- Toma notas acerca del encuentro.
- Repite la actividad con otros compañeros.

	Nombre	Nombre
¿De dónde eres?		
¿Cómo eres?		
¿Qué cualidades buscas en un(a) amigo/a?		
¿Qué tipo de proyectos te gusta hacer?		

2 **Personajes**

Interpersonal Communication

A. En grupos de cuatro, conversen sobre las características de los personajes de la lista. Pueden asociar varias características a un mismo personaje.

Albert Einstein	Greta Thunberg	Mark Zuckerberg
Alex Rodríguez	Juanes	Salma Hayek
Alfonso Cuarón	LeBron James	
Barak Obama	Lionel Messi	

B. Respondan: ¿cuál es el personaje que conocen mejor? ¿Por qué? ¿Cuál es el más desconocido?

3 **Emociones** En parejas, miren las ilustraciones y lleguen a un acuerdo sobre los sentimientos que reflejan. Pueden basarse en las preguntas: **¿cómo saben que la persona está _____ ? ¿Es fácil identificar el sentimiento que se ilustra? ¿Creen que el sentimiento se parece a otro(s)? ¿A cuál(es)? ¿Se siente bien estar/ser _____?**

Interpretive Communication

Interpersonal Communication

MODELO La persona está triste. Se ve que está triste porque no sonríe y llora...

4 **Una relación sobre ruedas** En grupos de tres, hagan una lluvia de ideas sobre situaciones que permitan saber si las relaciones de la lista funcionan bien. Tomen nota para presentar sus conclusiones ante la clase y discutir las respuestas de sus compañeros, si no están de acuerdo.

Interpersonal Communication

a. papá-mamá   b. papá/mamá-hijo/hija   c. hermano/a-hermano/a   d. novio-novia

MODELO Una relación novio-novia funciona bien cuando la pareja pasa mucho tiempo junta.

Teaching Tips
- Since students are "tying up ends" on this page, have them review vocabulary of personality and emotions. Suggestion: Students choose three words from each category on pages 16–17 and write a sentence about each one.
- **¡A conversar!** Have students answer these discussion questions in small groups.
  1. **¿Participaron alguna vez en un evento de "preguntas rápidas" para conocer gente?**
  2. **¿Qué oportunidades ofrece tu escuela para conocer gente de otras culturas?**
  3. **¿Qué esperan cuando conocen nuevas personas?**
  4. **¿Qué consejos le darían a un(a) estudiante a quien le resulta difícil conocer gente nueva?**

CRITICAL THINKING

Cultural Comparisons

Synthesis Have students do this activity: During a class trip to Spain, you attend a **preguntas rápidas** session. With a partner, write out a conversation that you might have during a **preguntas rápidas** session. Rehearse it several times and then act it out for the class. Add costumes and props to make the situation more real.

CRITICAL THINKING

Evaluation As a follow-up to the synthesis activity, have students assess the qualities they looked for in the person they "met." They should consider these questions: **¿Por qué buscaste esas características? ¿Por qué las consideras importantes? ¿Cómo se puede decidir en pocos minutos que uno/a quiere conocer mejor a la persona que acaba de conocer?**

- **¡A escribir!** Before writing, have students organize the information in two lists: things that Alonso should improve or change, and things that his friend should improve or change.
- Have students work in pairs to come up with four different situations that challenge people's emotional intelligence and how to tackle them wisely. Give them this example: **Tu amigo/a acaba de perder un partido de su deporte favorito y se pone a llorar. ¿Qué haces? ¿Cómo lo/a ayudas?** Then, have students share the situations they think of, asking the class for possible solutions, and comparing the class solutions with theirs.

Lesson 1 Integrated Performance Assessment
Context: You want to participate in a contest to win a five-day trip to Santiago de Chile. In your entry, you compare Pablo Neruda's **Poema 20** to a song you like.

You can find the IPA activity and scoring rubric in the Assessment Program and in the Resources section online.

Atando cabos

¡A escribir!

Interpretive Communication

Interpersonal Communication

Consejero/a sentimental Lee el correo electrónico que envió Alonso a la sección de consejos sentimentales de una revista y usa las frases del recuadro para responder a la carta de Alonso.

Expresar tu opinión

Estas frases pueden ayudarte a expresar tu opinión:
- En mi opinión,…
- Creo que…
- Me parece que…

De:	alonso17@tucorreo.com
A:	consejos_sentimentales@larevista.com
Tema:	Necesito un consejo

Me llamo Alonso. Tengo 17 años y soy de Colombia. Vine a Boston con mi familia porque mi padre consiguió un nuevo trabajo. Conocí a Sean en la clase de español. Ahora somos muy buenos amigos. Nos llevamos bien y lo pasamos muy bien en las clases. Nos gusta comparar las diferencias culturales entre los latinoamericanos y los estadounidenses.

Los problemas comenzaron cuando Sean y yo empezamos a salir con un grupo de sus amigos después de las clases. Todos sus amigos son estadounidenses. Pienso que a nadie le interesa charlar conmigo, y a mí tampoco me interesa hablar con ellos de béisbol y esas cosas. Cuando voy a la casa de Sean para comer y llevo comida colombiana para compartir, su familia me mira con desconfianza. Cuando trato de hablar con ellos en inglés, cometo errores y siento vergüenza. A veces pienso que no debo tratar de hacer amistades con estudiantes estadounidenses como Sean, pero nos llevamos muy bien en el colegio. Sólo tenemos problemas fuera de la escuela. ¿Qué puedo hacer para sentirme menos nervioso con otras personas estadounidenses fuera de la escuela?

PUEDO usar las técnicas de "preguntas rápidas" o de "lluvia de ideas" para obtener información de personas o cosas.

CRITICAL THINKING

Application Emotional intelligence helps people manage their emotions positively. Share these situations with students to see how they would apply their emotional intelligence: **Tus padres se enojan con facilidad. ¿Cómo haces para contarles que te va muy mal en varios cursos? Tienes un(a) amigo(a) que te desespera por hablar mucho. ¿Qué le dices para que deje de hacerlo sin herir sus sentimientos?**

CRITICAL THINKING

Analysis Technology has a significant role in human entertainment today. In Spain and Mexico, surveys reveal that people spend about 2-3 hours per day only in social networks. Have students compare the time they spend in social networks with Spain and Mexico people. Then, come to a conclusion on how that time spent impacts their lives.

VOCABULARIO

La personalidad

autoritario/a	strict
cariñoso/a	affectionate
celoso/a	jealous
cuidadoso/a	careful
falso/a	insincere
gracioso/a	funny
inseguro/a	insecure
(in)maduro/a	(im)mature
mentiroso/a	lying
orgulloso/a	proud
permisivo/a	permissive
seguro/a	sure; confident
sensato/a	sensible
sensible	sensitive
tacaño/a	stingy
tímido/a	shy
tradicional	traditional

Los estados emocionales

agobiado/a	overwhelmed
ansioso/a	anxious
deprimido/a	depressed
disgustado/a	upset
emocionado/a	excited
preocupado/a (por)	worried (about)
solo/a	alone; lonely
tranquilo/a	calm

Los sentimientos

adorar	to adore
apreciar	to think highly of
enamorarse (de)	to fall in love (with)
estar harto/a (de)	to be sick (of)
odiar	to hate
sentirse (e:ie)	to feel
soñar (o:ue) (con)	to dream (about)
tener celos (de)	to be jealous (of)
tener vergüenza (de)	to be embarrassed (about)

Las relaciones personales

el/la amado/a	loved one
el ánimo	spirit
el cariño	affection
la cita (a ciegas)	(blind) date
el compromiso	commitment
la confianza	trust; confidence
el desánimo	the state of being discouraged
el divorcio	divorce
la pareja	couple; partner
el sentimiento	feeling
atraer	to attract
coquetear	to flirt
cuidar	to take care of
dejar a alguien	to leave someone
discutir	to argue
educar	to raise; to bring up
hacerle caso a alguien	to pay attention to someone
impresionar	to impress
llevar... años de (casados)	to be (married) for… years
llevarse bien/mal/ fatal	to get along well/ badly/terribly
mantenerse en contacto	to keep in touch
pasarlo bien/mal/ fatal	to have a good/bad/ terrible time
proponer matrimonio	to propose (marriage)
romper (con)	to break up (with)
salir (con)	to go out (with)
soportar a alguien	to put up with someone
casado/a	married
divorciado/a	divorced
separado/a	separated
soltero/a	single
viudo/a	widowed

Más vocabulario

Expresiones útiles	Ver p. 21
Estructura	Ver pp. 28–29, 32–33 y 36–37

En pantalla

el bocado	bite, mouthful
la caja	coffin
la golpiza	beating
la milpa	vegetable garden
el petate	straw mat
el recado	message
¡sarta de chismosos!	bunch of gossips!
enterrar	to bury
fallecer	to die
regar las plantas	water the garden
resucitar	to resuscitate, to revive
toparse con	to run into (somebody)
velar (a un muerto)	to hold a vigil/wake
harto (tiempo)	for a long time

Literatura

el alma	soul
el corazón	heart
la mirada	gaze
el olvido	oblivion
amar	to love
besar	to kiss
contentarse con	to be satisfied with
querer (e:ie)	to love; to want

Presentational
Communication

Cultura

el cargo	position
la cima	height
el sueño	dream
convertirse (e:ie) en	to become
rechazar	to reject
superar	to overcome
tomar en cuenta	to take into consideration
propio/a	own
sabio/a	wise
en contra	against

Las relaciones personales

cincuenta y cinco **55**

Teaching Tips
- Make flashcards or a vocabulary list with Spanish and English. (Helpful hint: Keep these flashcards or vocabulary lists for reviewing later in the year, especially for mid-year and final exams.)
- Working in pairs, students quiz each other on vocabulary. One gives the English meaning and the other answers with the Spanish word.
- Students choose ten words and write a paragraph using them, perhaps to describe an ideal relationship (Ex: a couple, friends, or family members).

 21st Century Skills

Creativity and Innovation
Ask students to prepare a presentation on their top two or three prospective professions.

21st Century Skills

Leadership and Responsibility Extension Project
Establish a partner classroom in a Spanish-speaking country. As a class, have students decide on three questions they want to ask the partner class related to the topic of the lesson they have just completed. Based on the responses they receive, work as a class to explain to the Spanish-speaking partners one aspect of their responses that surprised the class and why.

School & Global
Communities

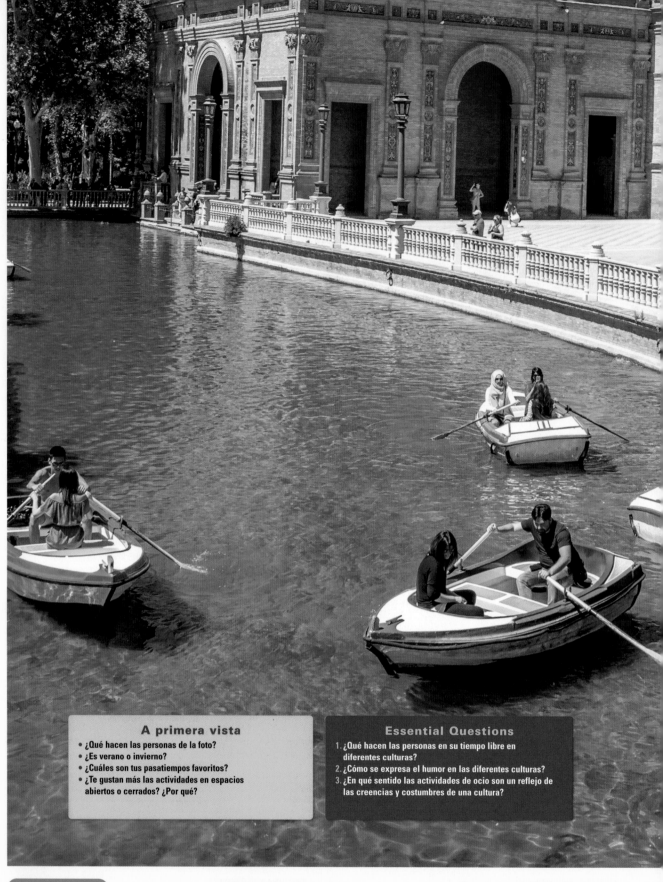

Lesson 2
Six-step Instructional Design

See pages T34-T35 for additional details on how to use the six-step instructional design in your classroom.

1 **Context.** Make it personal. Ask students to provide whatever Spanish words they may already know in the context: "Think about leisure and entertainment. What Spanish words come to mind?"

2 **Vocabulary.** Put it into words. Connect the word study in Step 1 with what students see on these pages. Ask: **¿Qué hace un árbitro? ¿Qué es un empate?**

3 **Media.** Bridge experiences. After watching the **Fotonovela** episode, ask: **¿Cómo se divierten los personajes de la Fotonovela en este episodio?**

A primera vista Have students look at the photo; ask these additional questions:
1. **¿Qué actividades te gusta hacer los fines de semana?**
2. **¿Adónde vas con tus amigos o familiares los fines de semana?**
3. **¿Qué otras actividades o pasatiempos te gustan?**

Essential Questions Discuss the Essential Questions as a class. Tell students that they will learn about leisure and entertainment in Spanish-speaking countries in **Fotonovela, El mundo hispano,** and **Flash cultura**.

Overarching Theme: Contemporary Life: Entertainment

A primera vista
- ¿Qué hacen las personas de la foto?
- ¿Es verano o invierno?
- ¿Cuáles son tus pasatiempos favoritos?
- ¿Te gustan más las actividades en espacios abiertos o cerrados? ¿Por qué?

Essential Questions
1. ¿Qué hacen las personas en su tiempo libre en diferentes culturas?
2. ¿Cómo se expresa el humor en las diferentes culturas?
3. ¿En qué sentido las actividades de ocio son un reflejo de las creencias y costumbres de una cultura?

Teacher Resources

Presentation
- AP® Themes & Contexts
- Grammar slides: **Estructura** 2.1, 2.2, 2.3

Practice and Communicate
- *Cuaderno de actividades*, with audio and Answer Key
- Digital Image Bank (Leisure and entertainment; Sports and outdoor activities)
- Textbook Audio

Forums on **vhlcentral.com** allow you and your students to record and share audio messages. Use Forums for presentations, oral assessments, discussions, directions, etc.

2 Las diversiones

Can Do Goals

By the end of this lesson I will be able to:

- Plan leisure time activities
- Talk about places to hang out and exercise
- Say who does something and when
- Discuss likes and dislikes
- Talk about daily routines and personal care

Also, I will learn about:

Culture

- The Mexican film industry
- The evolution of Mexican actor Gael García Bernal's career
- Bullfighting in the Spanish-speaking world

Skills

- Reading: Identifying the use of verb forms
- Speaking: Planning a presentation
- Writing: Writing an informal e-mail

Lesson 2 Integrated Performance Assessment

Context: You have been asked to write a short text for a web site aimed at helping exchange students from Spanish-speaking countries get acquainted with your city. You prepare your text and present it to the website's administrator.

Jugadores de dominó en Cuba.

Práctica: El dominó es un juego muy popular en los países del Caribe.
¿Cuál es el juego más popular en tu comunidad?

4 **Culture.** Give new perspectives. Ask: **¿Han visto películas mexicanas? ¿Qué directores o actrices/actores mexicanos conocen?**

5 **Structure.** Use grammar as a tool. Focus on presenting words in context and on personalized activities. Ask students about their favorite movies, music, sports, games, etc. Encourage them to use verbs other than **gustar**, like **encantar**, **fascinar**, **interesar**, etc.

6 **Synthesis.** Pull it all together. For each skill area, focus on the personalized activities that are provided, e.g. **Conexión personal,** pp. 87, 91; **Correo electrónico,** p. 96.

Can Do Goals Review the list of communicative goals with your students. Point out that this lesson will provide them with the tools necessary to achieve these goals. You may also share the IPA task, found on page 96, so that students become familiar with the final communicative task they will be expected to complete.

Integrated Performance Assessment Before teaching this chapter, review the Integrated Performance Assessment (IPA) on page 96. Use the IPA to assess students' progress toward proficiency targets at the end of the chapter.

Práctica If you have heritage speakers from the Caribbean, ask them to tell the class about dominoes in their community of origin. Ask them to mention how, when, and where people play this game, using the photo as a reference.

Section Goals

In **Contextos**, students will learn and practice:
- vocabulary related to music and theater, recreation, sports, and games
- listening to a conversation and an advertisement that contain the new vocabulary words

 Pre-AP*

AP Skill Categories
1 2 3 4

Student Resources
Cuaderno de actividades,
pp. 25–28
Online Activities, *eCuaderno*

Teacher Resources
Workbook TEs; Digital Image Bank; Textbook and Audio Activities online; Audio Scripts; Assessment Program Quizzes

Teaching Tip With books closed, hold up magazine pictures of teens spending free time together and name the activities each teen is doing. Have students repeat. Then point to the pictures asking, **¿Están en un concierto?**, etc. Follow up by asking students about what they do in their free time.

NATIONAL STANDARDS
Communities Have students ask Spanish speakers in your school or community to name their favorite locations for entertainment. Are there Spanish-speaking sports leagues, either formal or informal? What sports are played?

Las diversiones

La música y el teatro

Mis amigos y yo tenemos un **grupo musical**. Yo soy el cantante. Ayer fue nuestro segundo **concierto**. Esperamos grabar pronto nuestro primer **álbum**.

el álbum *album*
el asiento *seat*
el/la cantante *singer*
el concierto *concert*
el conjunto/grupo musical *musical group; band*
el escenario *scenery; stage*
el espectáculo *show*
el estreno *premiere*
la función *performance (theater; movie)*
el/la músico/a *musician*
la obra de teatro *play*
la taquilla *box office*
————
aplaudir *to applaud*
conseguir (e:i) boletos/entradas *to get tickets*
hacer cola *to wait in line*
poner música *to play music*

Los lugares de recreo

el cine *movie theater*
el circo *circus*
la discoteca *night club*
la feria *fair*
el festival *festival*
el parque de atracciones *amusement park*
el zoológico *zoo*

Los deportes

el/la árbitro/a *referee*
el campeón/la campeona *champion*
el campeonato *championship*
el club deportivo *sports club*
el/la deportista *athlete*
el empate *tie (game)*
el/la entrenador(a) *coach; trainer*
el equipo *team*
el/la espectador(a) *spectator*
el torneo *tournament*
————
anotar/marcar (un gol/un punto) *to score (a goal/a point)*

desafiar *to challenge*
empatar *to tie (games)*
ganar/perder (e:ie) un partido *to win/lose a game*
vencer *to defeat*

Lección 2

DIFFERENTIATION | Cultural Comparisons

For Inclusion Label it! Give small groups of students each a magazine picture. Encourage them to use the vocabulary words to make labels for as many objects as possible in their picture. Then have them exchange labels and pictures with another group and work to place the labels correctly on the picture.

DIFFERENTIATION

To Challenge Students Play **Concentración**. Pairs place their flashcards Spanish-side down, English-side up. Set a timer on one minute. Say, "Student A, Go!" Student A points to a card, names the vocabulary, and flips the card over to check. If correct, A keeps the card. If incorrect, A returns the card to Spanish-side down. After one minute is up, set the timer for Student B. At the end of six minutes, pairs see who has the most cards.

Las diversiones

Ricardo y sus amigos **se reúnen** todos los sábados. Les **gustan el billar** y **el boliche**, y son verdaderos **aficionados** a **las cartas**.

el ajedrez *chess*
el billar *billiards*
el boliche *bowling*
las cartas/los naipes *(playing) cards*
los dardos *darts*
el juego de mesa *board game*
el pasatiempo *pastime*
la televisión *television*
el tiempo libre/los ratos
   libres *free time*
el videojuego *video game*

aburrirse *to get bored*
alquilar una película *to rent*
   a movie
brindar *to make a toast*
celebrar/festejar *to celebrate*
dar un paseo *to take a stroll/walk*
disfrutar (de) *to enjoy*
divertirse (e:ie) *to have fun*

entretener(se) (e:ie) *to amuse (oneself)*
gustar *to like*
reunirse (con) *to get together (with)*
salir (a comer) *to go out (to eat)*

aficionado/a (a) *enthusiastic about;*
   a fan (of)
animado/a *lively*
divertido/a *fun*
entretenido/a *entertaining*

Las diversiones

Práctica

1 Escuchar [Interpretive Communication]

 A. Mauricio y Joaquín están haciendo planes para el fin de semana. Quieren ir al cine pero no logran ponerse de acuerdo. Escucha la conversación y contesta las preguntas con oraciones completas.

1. ¿Cuándo planean ir al cine Mauricio y Joaquín?
   <small>Planean ir al cine el sábado.</small>
2. ¿Qué película quiere ver Joaquín?
   <small>Joaquín quiere ver *Los invasores de la galaxia.*</small>
3. ¿Por qué Mauricio no quiere verla? <small>No quiere verla</small>
   <small>porque hay que hacer cola para los estrenos y no le gusta la ciencia ficción.</small>
4. ¿Qué alternativa sugiere Mauricio?
   <small>Mauricio sugiere ver un documental sobre el campeonato nacional de fútbol.</small>
5. ¿Qué le pasa a Joaquín cuando mira documentales? <small>Joaquín se aburre cuando mira documentales.</small>

B. Ahora, escucha el anuncio radial de *Los invasores de la galaxia* y decide si las oraciones son **ciertas** o **falsas**. Corrige las falsas.

1. Este fin de semana estrenan una película de ciencia ficción. <small>Cierto.</small>
2. *Los invasores de la galaxia* ya se estrenó en otros lugares. <small>Cierto.</small>
3. La película tuvo poco éxito en Europa.
   <small>Falso. Ganó tres premios en varios festivales europeos.</small>
4. Si compras cuatro boletos, te regalan la banda sonora (*soundtrack*). <small>Falso. Te regalan la banda sonora si</small>
   <small>compras cinco boletos.</small>
5. Si te vistes de extraterrestre, te regalan un boleto para una fiesta exclusiva. <small>Cierto.</small>
6. El estreno de la película es a las nueve de la mañana. <small>Falso. La taquilla abre a las nueve de la mañana.</small>

C. En parejas, imaginen que, después de escuchar el anuncio radial, Joaquín trata de convencer a Mauricio para ir a ver *Los invasores de la galaxia.* Inventen la conversación entre Mauricio y Joaquín y compártanla con la clase. [Interpersonal Communication]

2 Relaciones Escoge la palabra que no está relacionada.

1. película (estrenar / dirigir / (empatar))
2. obra de teatro (boleto / (campeonato) / taquilla)
3. concierto ((vencer) / aplaudir / hacer cola)
4. juego de mesa (ajedrez / naipes / (videojuego))
5. celebrar (divertirse / (aburrirse) / disfrutar)
6. partido (deportista / árbitro / (circo))

[Language Comparisons]

(A) Audio Script

MAURICIO Entonces vamos a ver una película el sábado, ¿no?
JOAQUÍN Sí, justamente es el estreno de *Los invasores de la galaxia.* ¿Vamos a verla?
MAURICIO Mira, prefiero no ver un estreno porque siempre hay que hacer cola para comprar boletos. Además, no me gusta la ciencia ficción.
JOAQUÍN ¿Qué te gustaría ver entonces?
MAURICIO ¿Por qué no vamos a ver el documental sobre el campeonato nacional de fútbol que estrenaron la semana pasada?
JOAQUÍN No me interesa. Siempre me aburro cuando veo documentales.
Teacher Resources online

(B) Audio Script

Este fin de semana estrenan la película de ciencia ficción más esperada de los últimos años: *Los invasores de la galaxia.* Finalmente podremos ver este gran éxito que ya ha ganado tres premios en varios festivales europeos. El día del estreno, con la compra de cinco boletos, recibirás un CD con la banda sonora de la película. Si llegas vestido de extraterrestre, te regalaremos un boleto para una fiesta exclusiva. ¡No te pierdas esta película! La taquilla del Cine Monumental abrirá a las nueve de la mañana para que puedas comprar tus boletos temprano sin hacer cola.
Teacher Resources online

Teaching Tip Ask students about their extracurricular activities: **¿Qué les gusta hacer en su tiempo libre? ¿Salen entre semana o sólo los fines de semana? ¿Con quiénes salen?** Review names of sports in Spanish: **el béisbol, el tenis,** etc.

LEARNING STYLES

For Kinesthetic Learners Have the class play charades. Give small groups of students a scenario to act out. Allow a few minutes' preparation and planning time. Then each group silently performs its scenario. The first group to guess correctly earns a point. The team with the most points at the end of the game wins.

LEARNING STYLES

For Visual Learners Allow time for students to read the **Escuchar** questions before playing the Audio. Play the Audio at least twice. Then ask students to create a five-scene comic strip presentation of Mauricio and Joaquín's conversation. Show sample comic strips to encourage students to use techniques such as conversation and thought bubbles. Have the class share the comic strips.

Teaching Tips

3 Remind students to first read the answer choices and then each item carefully, circling key words. Also, after they complete the exercise, they should make sure they have used each answer choice only once and then reread the items to check that the answers fit.

3 **Expansion** In pairs, have students add three more descriptions to the activity using three new items: **circo**, **feria**, and **festival**.

4 Encourage students to study the visual for clues to help understand **Actividad 4**. Ask them to describe each boy and what he is doing.

4 After completing the activity, have students act out the conversation with a partner.

• Pairs make flashcards with the vocabulary word on one side, and on the other a picture, a cloze sentence, or an illustrative example. Pairs can then quiz each other using the flashcards.

• Ask students to share how they feel watching a sporting event. Have them use vocabulary from the **Contextos** section in their responses if possible. Example:
—¿**Cómo te sientes cuando miras un partido de fútbol?**
—**Me siento aburrido.**
—¿**Por qué?**
—**Porque no me interesa mucho el fútbol.**
—¿**Qué deporte te interesa más?**
—**Me gusta más el fútbol americano.**

3 **¿Dónde están?** Indica dónde están estas personas.

_e_ 1. Llegamos muy temprano, pero hay una cola enorme. El hombre que vende los boletos parace estar de muy mal humor.

_g_ 2. Hoy es el cumpleaños de mi hermana menor. En lugar de celebrarlo en casa, quiere pasar el día acá, con los tigres y los elefantes.

_a_ 3. Una red (*net*), una pelota amarilla y dos deportistas. ¿Quién será la campeona?

_b_ 4. Hay máquinas que suben, bajan, dan vueltas hacia la derecha y hacia la izquierda. La más espectacular dibuja un laberinto de líneas en el aire.

_h_ 5. ¿Cómo puede ser que cuatro personas hagan tanto ruido en un campo de fútbol lleno de gente? Mi amiga se está divirtiendo mucho, pero ¡yo no entiendo nada de lo que cantan!

_d_ 6. ¡Qué nervios! ¿Qué pasa si se abre el telón y me olvido de lo que tengo que decir?

a. un torneo de tenis
b. un parque de atracciones
c. un cine
d. un escenario
e. una taquilla
f. una discoteca
g. un zoológico
h. un concierto de rock

4 **Goles y fiestas** Completa la conversación.

aburrirte	celebrar	equipo
animadas	disfruten	espectadores
árbitro	divertidos	ganar
campeonato	empate	televisión

PEDRO Mario, ¿todavía estás mirando (1)___televisión___? ¿No ves que vamos a llegar tarde?

MARIO Lo siento, pero no puedo ir a la fiesta de tu amiga. Pasan un partido de fútbol.

PEDRO Pero las fiestas de mi amiga son más (2)___animadas___ y más entretenidas que cualquier partido de fútbol. Todos los partidos son iguales… Veintidós tontos corriendo detrás de una pelota, los (3)___espectadores___ gritando (*shouting*) como locos y el (4)___árbitro___ pitando (*whistling*) sin parar.

MARIO Hoy no me puedes convencer. Es la final del (5)___campeonato___ y estoy seguro de que mi (6)___equipo___ favorito va a (7)___ganar___.

PEDRO ¿Y no vas a (8)___aburrirte___, aquí solito, mientras todos tus amigos bailan?

MARIO ¡Jamás! ¡Todos vienen a ver el partido conmigo! Y después vamos a (9)___celebrar___ la victoria.

PEDRO Que (10)___disfruten___ del partido. Ya me voy… Espera, mi amiga me está llamando al celular… ¿Qué me dices, Rosa? ¿Que la fiesta es aquí en mi casa? ¿Que tú también quieres ver el partido? ¡Ay, que yo me rindo (*give up*)!

DIFFERENTIATION | Cultural Comparisons

Heritage Speakers Ask students about soccer in their families' home countries. Have them describe how important it is to people they know, how often, where, and with what emotions people watch games. Encourage other students to ask questions and share information about soccer's importance in the United States.

DIFFERENTIATION

For Inclusion Display magazine or downloaded pictures of the places from **Actividad 3** around the room. Ask pairs to make labels, copying the words from the list of places in **Actividad 3**. Pairs then walk around the room, labeling the pictures. When students have completed the labeling, they stand next to each picture and read the description of the place from **Actividad 3**. Students use the picture and pantomime to convey meaning.

Comunicación

Interpersonal Communication

5 Diversiones

A. Sin consultar con tu compañero/a, prepara una lista de cinco actividades que crees que le gustan a él/ella. Escoge actividades del recuadro y añade otras.

> bailar en una discoteca
> escuchar música clásica
> ir a la feria
> ir al estreno de una película
> jugar al ajedrez
>
> jugar al boliche
> jugar videojuegos
> mirar televisión
> practicar deportes en un club
> salir a cenar con amigos

B. Ahora, habla con tu compañero/a para confirmar tus predicciones. Sigue el modelo.

MODELO —Creo que te gusta jugar al ajedrez.
—Es verdad, juego siempre que puedo. / —Te equivocas, me aburre. ¿Y a ti?

6 Lo mejor
En grupos de cuatro, imaginen que son editores/as de un periódico local y quieren publicar la lista anual de *Lo mejor de la ciudad*.

Interpersonal Communication

Presentational Communication

A. Primero, escojan las categorías que quieren premiar (*to award*).

Lo mejor de la ciudad

Mejor cine _____
Mejor discoteca _____
Mejor espectáculo sobre hielo _____
Mejor equipo deportivo _____
Mejor parque para pasear _____

Mejor festival de arte _____
Mejor restaurante para
celebrar un cumpleaños _____
Mejor grupo musical en vivo (*live*) _____
Mejor ... _____

B. Luego, preparen una encuesta (*survey*) y entrevisten a sus compañeros/as de clase. Anoten las respuestas.

C. Ahora, compartan los resultados con la clase y decidan qué lugares y eventos recibirán el premio *Lo mejor*.

7 Un fin de semana extraordinario
Dos amigos con personalidades muy diferentes tienen que pasar un fin de semana en una ciudad que nunca han visitado. Hacen muchas sugerencias interesantes, pero no se ponen de acuerdo en nada. En parejas, improvisen una conversación utilizando las palabras del vocabulario.

Interpersonal Communication

MODELO —¿Vamos al parque de atracciones? Es muy divertido.
—No, me mareo (*get dizzy*) en la montaña rusa (*roller coaster*)...

PUEDO planear y describir actividades en diferentes lugares de entretenimiento.

Teaching Tips

5 With a volunteer, model **Actividad 5** by reading the **Modelo** and then suggesting an activity that the volunteer then either accepts or rejects.

5 When students complete **Actividad 5**, ask individuals at random about their partners' favorite activities. Then ask if their initial guesses were correct.

5 **Partner Chat** Available online.

6 To facilitate, write the first few questions of the survey as a class. Encourage the class to propose questions and then write them on the board. Then have students return to their groups to create more questions for the survey.

7 Help students expand their responses in **Actividad 7** by having them ask each other, **¿Por qué?** after each suggestion. Ex: —**¿Vamos al parque de atracciones?** —**¿Por qué?** —**Porque todos dicen que es muy divertido.**

7 **Partner Chat** Available online.

 Pre-AP*

AP Skill Category **5**

NATIONAL STANDARDS
Communities Have students examine a local Spanish-language newspaper or one from another city. What sorts of events are advertised? What is featured in the articles? Have students choose an event they would like to attend and then invite a partner to attend with them. The partner can accept or refuse the invitation.

Interpersonal Communication

School & Global Communities

LEARNING STYLES

For Auditory Learners Prepare mini-conversations that people might have at each of the places in **Actividad 6**. (Ex: —**¿Me prestas tu raqueta? Se me olvidó la mía.** —**Sí, cómo no.**) Have pairs of students read the conversations while the class listens and guesses where each takes place (Ex: **el club deportivo**).

LEARNING STYLES

For Kinesthetic Learners **El teatro.** Have students form groups of five and assign roles: two actors, one director, one student in charge of props, and one student in charge of scenery. Groups practice **Actividad 7** as a skit with props (brochures, computer printouts, etc.) and actions (gestures to show frustration, etc.). Then have groups present the skits to the class.

Section Goals

In **Fotonovela**, students will:
- practice listening to authentic conversation
- learn functional phrases regarding expressing emotions, talking about ownership, and encouraging other people

Pre-AP*

AP Skill Categories
1 2 3 4

Student Resources
Cuaderno de actividades, pp. 28–29
Online Video and Activities, *eCuaderno*

Teacher Resources
Workbook TE; Video Script & Translation

Video Synopsis

Manu and **Lorenzo** run through the streets of Oaxaca to the city square. In the square, **Patricia** is listening to **Chente**'s mariachi band and calls **Marcela** to join her, but **Marcela** cannot go because she needs to study. **Marcela** is on the phone while she drives, and an accident occurs.

Teaching Tip

In scene 2, **Manu** tells his father **"Te invito a un tejate."** Share with students that in many Spanish speaking countries, in informal situations, the preposition **a** is omitted when treating someone to have a bite or to have something to drink.

Hasta ahora, en el video...

La familia Solís y sus amigos celebran el cumpleaños de Marcela cuando un dron cae accidentalmente en el pastel de cumpleaños. Ricardo llama a la puerta para recuperar su dron y descubre que Marcela está muy disgustada. En este episodio verás cómo sigue la historia.

LORENZO ¿Hacemos una carrera a la plaza?

MANU ¿Me quieres desafiar? ¡Cómo te atreves!

LORENZO ¿No quieres hacerlo? ¿Te preocupa perder?

MANU ¡No! Cuando te gane, será culpa tuya, no mía.

LORENZO Tranquilo. Va a ser divertido.

MANU Bueno. ¡Pero no hagas trampa, eh!

LORENZO Arrancamos a la cuenta de tres. Uno, dos...
Lorenzo hace trampa y sale a correr primero.

LORENZO ...¡tres!

MANU ¡Sí! ¡Le gané! ¡Ay, al fin llegaste! ¡Es inútil que hagas trampa! ¡Igual no me ganas! Eso te pasa por comerte todo el pastel del cumpleaños. ¿Eh?

LORENZO (*sin aliento*) Sí, claro.

MANU ¡Vamos, anímate! Te hace falta energía. Te invito a un tejate.

PATRICIA ¡Bueno, abúrrete! Oye, te vas a sorprender cuando sepas quiénes están en la plaza.

MARCELA ¿Quiénes?

PATRICIA Tu papá y tu hermano. Se están tomando un tejate.

MARCELA Estaban haciendo ejercicios. Luego mi papá se va a andar quejando de que le duele todo.

Lorenzo y Manu compran tejates a la vendedora.

MANU La cuenta es tuya.

LORENZO ¿No invitabas tú?

MANU ¡Sí, pero tú los pagas! ¡Yo gané la carrera!

LORENZO ¿Cuánto le debo, señora?

VENDEDORA $30 y $20, por favor.
A lo lejos se oye un chirrido de frenos (squeal of breaks).

Interpretive Communication

DIFFERENTIATION

For Inclusion Have groups of students read the **Fotonovela** script before viewing. Then as a class, make predictions about what happens in each scene.

DIFFERENTIATION

For Inclusion After showing the **Fotonovela** for the first time, encourage students to point to each still and say a phrase or sentence about the characters or scene. Affirm and then expand what each student says. Ex: **Se llama Lorenzo. Sí, ¿y cómo se llama el que está con él? Patricia habla por teléfono. Sí, ¿y qué hace Marcela? Ricardo está tirado en el suelo. Sí, ¿por qué está así?**

¡TE RETO A UNA CARRERA!

Personajes

 MANU
 LORENZO
 MARCELA
 PATRICIA
 VENDEDORA
 RICARDO

3

Suena el teléfono de Marcela.

MARCELA ¿Qué tal, Pati?

PATRICIA Aquí no más en la plaza, escuchando al mariachi del Chente.

MARCELA ¡Ah, mira! Yo estoy cerca.

PATRICIA ¡Pues ven! ¡Si a ti te encanta!

MARCELA Es que no puedo. Tengo que ir a estudiar para mi clase de historia.

6

Marcela, paralizada, mira al frente con cara de terror.

PATRICIA ¿Marce? ¿Marce? ¿Estás ahí? ¿Marcela?

Expresiones útiles

Expressing emotions

¿Me quieres desafiar?
Do you want to challenge me?

¿No quieres hacerlo?
Don't you want to do it?

¡Si a ti te encanta!
You'll love it!

¿Te preocupa perder?
Are you worried about losing?

Te vas a sorprender cuando sepas…
You'll be surprised when you find out…

Talking about ownership

Cuando te gane, será culpa tuya, no mía.
When I beat you it'll be your fault, not mine.

La cuenta es tuya.
You are buying. (Lit. The check is yours.)

Luego mi papá se va a andar quejando de…
Then my dad will be complaining about…

mi canción favorita
my favorite song

Tu papá y tu hermano.
Your dad and your brother.

Encouraging other people

Pues ven.
So come on.

Vamos, anímate.
Come on. Cheer up.

Additional vocabulary

arrancar *to go, to start (a race)*
atreverse *to dare*
la carrera *race*
deber *to owe*
doler (o:ue) *to hurt*
hacer trampa *to cheat*
retar *to challenge*
el truco *trick*

Las diversiones

sesenta y tres **63**

Teaching Tips
- **Expresiones útiles** Call students' attention to the expressions to encourage others and communicate emotions. Remind students how frequently they use these expressions and how useful they are. Then encourage students to suggest in which **Contextos** categories they might place the additional vocabulary.
- Tell students that they are responsible for all items in **Expresiones útiles** on page 63. Model the pronunciation of each item and have the class repeat. Also, practice the **Expresiones útiles** in short conversations with individual students.
- After showing the **Fotonovela** episode, divide the class into six groups. Assign each group a different character from the **Fotonovela**. Ask the groups to describe their character's personality and what he/she does in this episode. Then ask them to predict what types of activities their character enjoys.

Teaching Tips
- To review the present tense, have students describe three activities happening in the video stills. For example: **Lorenzo y Manu corren.**
- Have students create a timeline of the events in the episode.

LEARNING STYLES — Interpretive Communication

For Auditory Learners After students watch the **Fotonovela**, cover the screen and play the episode a second time, so that only the auditory track plays. Then have students form small groups to summarize the episode.

LEARNING STYLES

For Kinesthetic Learners On strips of paper, write quotes from the **Fotonovela** script. Photocopy or draw pictures of each character and place them around the room. Give each student a strip of paper. Students read the quote and go to the picture of the character that they think said it. Then, together with the other students who arrive at that character's photo, they can use their books to check if they are correct.

Comprensión

Interpretive Communication

1 **¿Manu o Lorenzo?** Decide si cada una de estas acciones las realiza Manu o Lorenzo.

Manu Lorenzo

☐	☑	1. Propone hacer una carrera a la plaza. Lorenzo
☑	☐	2. Cambia de canción antes de correr. Manu
☐	☑	3. Hace trampa. Lorenzo
☑	☐	4. Gana la carrera. Manu
☐	☑	5. Se queja de que le duele todo. Lorenzo
☐	☑	6. Paga los tejates. Lorenzo

Interpretive Communication

2 **¿Quién lo dijo?** Indica qué personaje dijo cada oración.

MARCELA   **MANU**   **LORENZO**   **PATRICIA**

1. ¿Me quieres desafiar? ¿Cómo te atreves? Manu

2. ¿No quieres hacerlo? ¿Te preocupa perder? Lorenzo

3. Déjame cambiarla a mi canción favorita. Manu

4. ¡Pues ven! ¡Si a ti te encanta! Patricia

5. Luego mi papá se va a andar quejando de que le duele todo. Marcela

6. ¡Sí, pero tú los pagas! Manu

Interpretive Communication

3 **Oraciones**

A. Crea oraciones con los elementos dados sobre lo que pasa en la fotonovela. Some answers will vary.

MODELO   A Patricia le gustan los mariachis.

Lorenzo	aburrir	correr
Manu	disgustar	dolor
Manu y	encantar	energía
Lorenzo	gustar	estudiar
Marcela	hacer falta	mariachi
Patricia	quejarse de	pagar

Interpersonal Communication

 B. Ahora, en parejas, túrnense para hacerse preguntas sobre los personajes de este episodio.

MODELO   ESTUDIANTE 1 ¿Qué les gusta hacer a Lorenzo y a Manu?
ESTUDIANTE 2 A Lorenzo y a Manu les gusta correr.
¿Y qué le encanta a Marcela?

Teaching Tips

❶ Ask students to create two more items, but this time related to **Marcela** and **Patricia**, and exchange them with a partner. For example: **Está escuchando el mariachi. (Patricia); Estudia para su clase de historia. (Marcela)**

❷ Write items 1 and 3 on the board. Circle the Object pronouns (**Estructura 2.1**) and tell them what nouns they replace. Then, read aloud items 4 and 6, and have students say the object pronouns they find. Finally, challenge them to try to identify which noun each pronoun is replacing.

❸ You may want to preview **Gustar** and similar verbs (**Estructura 2.2**), and Reflexive verbs (**Estructura 2.3**).

TEACHING OPTIONS

Small Groups Have students tell the class which character from this episode they identify with more, according to what they like to do in their free time. Ask: **¿A quién le gusta hacer ejercicio como Lorenzo y Manu?; ¿A quién le gusta escuchar música en vivo como Patricia?**, etc.

DIFFERENTIATION

Heritage Speakers Ask heritage speakers which other traditional drinks they know about. Have them share the recipes with the class.

Ampliación

4 **Desenlace** Al final de este episodio, Marcela ve a Ricardo tirado (*lying*) en la calle con los ojos cerrados. En parejas, imaginen lo que va a pasar y escriban un argumento para el siguiente episodio.

Interpretive Communication

Presentational Communication

5 **Opiniones** En grupos de tres, compartan sus opiniones acerca de cada afirmación. Den ejemplos.

Interpersonal Communication

1. En algunas ocasiones, está justificado hacer trampa.

2. La persona que tiene la idea de ir a algún lugar es la persona que paga.

3. Convencer a una persona para que salga a divertirse en vez de estudiar no es ser un(a) buen(a) amigo/a.

6 **Apuntes culturales** En parejas, lean los párrafos y contesten las preguntas.

Interpersonal Communication

Teatro Macedonio Alcalá

Centro histórico de Oaxaca
Manu y Lorenzo hacen ejercicio en el Centro histórico de Oaxaca. Declarado Patrimonio de la Humanidad por la UNESCO en 1987, el Centro conserva el aspecto de ciudad colonial y se caracteriza por tener monumentos bajos y sólidos, adaptados para esta zona sísmica. Dos de sus edificios destacados son el Convento de Santo Domingo de Guzmán y el Teatro Macedonio Alcalá.

Plaza de la Constitución
Manu y Lorenzo hacen una carrera a la plaza de Oaxaca. Las plazas son lugares de reunión tradicionales en la cultura hispanohablante. La plaza más importante de México, y una de las más grandes del mundo, es la Plaza de la Constitución. Esta plaza, también conocida como "El Zócalo" y ubicada en la Ciudad de México, está rodeada por la Catedral Metropolitana, el Palacio Nacional y otros edificios gubernamentales. Fue el centro de Tenochtitlán antes de la llegada de los conquistadores y se mantuvo como centro político y religioso siglos después.

Tejate
Manu le dice a su padre que le hace falta energía después de perder la carrera y lo invita a un tejate. Al final, es Lorenzo quien paga estas bebidas tradicionales de Oaxaca. El tejate, también conocido como "la bebida de los dioses", es una bebida prehispánica que todavía venden las tejateras en los mercados. El tejate se sirve frío y sus ingredientes principales son maíz, cacao y semillas (*seeds*) de mamey.

1. ¿Prefieres hacer ejercicio en un gimnasio o al aire libre? ¿Por qué?

2. ¿Hay plazas cerca de donde vives? ¿Cómo es tu plaza preferida? ¿Te sueles encontrar allí con amigos?

3. ¿Conoces algún lugar semejante a la Plaza de la Constitución o la plaza en Oaxaca, donde se encuentran los personajes de la fotonovela? Descríbelo.

4. Después de hacer ejercicio, ¿te gusta tomar algo? ¿Qué tomas?

> **PUEDO** hablar de diferentes espacios para recrearse o hacer ejercicio.

Teaching Tips

4 Have students share their written plots with the class. The class will vote for the best plot.

5 Have groups of students share their opinions with the rest of the class and then hold a class debate.

5 Add more statements for students to talk about. For example: **No es apropiado celebrar la victoria ante los que perdieron. Es injusto hacer una carrera con alguien de peor estado físico.**

Pre-AP*

AP Skill Category **5**

5 NATIONAL STANDARDS Connections: **Music** Have students research traditional music styles in México (such as: **bolero, ranchera, corrido, huapango**). Have them explain the characteristics of each style and, if possible, play samples of each.

Making Connections

Acquiring Information & Diverse Perspectives

6 Follow up with comprehension questions. For example: **¿Cómo son los monumentos del Centro histórico de Oaxaca? ¿Qué se encuentra en el centro de la Plaza de la Constitución? ¿Cuándo se celebra el día de la Independencia de México? ¿Cómo se sirve el tejate?**

6 Have students do research online about **plazas** in Oaxaca and other places in Latin America, and bring their findings to the class. Encourage them to bring photos.

Cultural Comparison
Ask students to compare any plazas or gathering areas in their communities with the plaza in Oaxaca or **Plaza de la Constitución** in Mexico City, or another plaza from a Spanish-speaking country.

LEARNING STYLES

For Auditory Learners Have students write a sentence about their favorite pastime (Ex: **Me gusta jugar al básquetbol todos los días. Me gusta escuchar música pop/rap/rock en mi auto.**). Ask students to put their sentences in a bag. Read the sentences aloud to the class and have students guess who wrote each one.

LEARNING STYLES

For Visual Learners After pairs complete **Actividad 6,** have them share their answers with the class. Encourage volunteers to come to the board to make charts and graphs for each answer (Ex: 1. a frequency chart of those students who prefer to exercise outdoors versus the ones who go to the gym instead; 2. a bar graph comparing the students' preferred drink, etc.

Section Goals

In **El mundo hispano**, students will:

- read about important happenings in Mexican cinema
- learn about Mexican actor **Gael García Bernal**
- be introduced to vocabulary from different Spanish-speaking countries
- watch a video about Mexican cinema

AP Skill Categories
[1] [2] [3] [4]

Student Resources
Online Video and Activities

Teacher Resources
Video Script & Translation

Global Awareness
Students will gain perspectives on the Spanish-speaking world to develop respect and openness to others and to interact appropriately and effectively with citizens of Spanish-speaking cultures.

Teaching Tips

- To facilitate, remind students to read the article three times, once for general comprehension, once slowly, looking up important unknown words, and once more for complete comprehension.
- If there are heritage speakers in the class, ask them if they are familiar with Mexican cinema and if they have any recommendations about films to see.

AP Skill Category [8]

---

2 EL MUNDO HISPANO **Objetivo comunicativo:** Hablar del estado actual del cine mexicano y de algunos artistas hispanohablantes reconocidos

En detalle

MÉXICO

El nuevo CINE MEXICANO

México vivió la época dorada de su cine en la década de 1940. Pasada esa etapa°, la industria cinematográfica mexicana perdió fuerza. Tardó casi medio siglo en volver a brillar, pero hace una década volvió al panorama internacional con gran vigor°. Este resurgir°, en parte, se debe al apoyo del gobierno mexicano y, sobre todo, al talento de una nueva generación de creadores que ha logrado triunfar en las pantallas de todo el mundo.

En 1992, *Como agua para chocolate* de Alfonso Arau batió° récords de taquilla. Esta película, que puso en imágenes el realismo mágico que tanto éxito tenía en la literatura, despertó el interés por el cine mexicano. Las películas empezaron a disfrutar de una mayor distribución y muchos directores y actores se convirtieron en estrellas internacionales.

El éxito también se vio reflejado en el dinero recaudado° y en las nominaciones y los premios° recibidos. Hoy día, los rostros° de Salma Hayek, Gael García Bernal y Diego Luna, entre otros, pueden verse no sólo en el cine, sino también en revistas y programas de televisión de todo el mundo. Muchos artistas alternan su trabajo entre Estados Unidos y México. En el año 2000, el enorme éxito de *Amores perros* impulsó la carrera de su director, Alejandro González Iñárritu, ganador de dos premios Óscar consecutivos en 2014 y 2015. Otros directores que trabajan en los dos países son Guillermo del Toro (*El laberinto del fauno, Pacific Rim, Crimson Peak, The Shape of Water, The Hobbit,* etc.) y Alfonso Cuarón (ganador del Óscar al mejor director por *Roma* en el 2019). Después del éxito alcanzado° con *Y tu mamá también,* Cuarón dirigió la tercera película de *Harry Potter.* En 2013, Alfonso Cuarón se convirtió en el primer director mexicano en ganar un premio Óscar con la aventura espacial *Gravity.* ∎

Salma Hayek

Alfonso Cuarón

Algunas películas premiadas

Como agua para chocolate Premio Ariel	La ley de Herodes Sundance – Premio al Cine Latinoamericano		Y tu mamá también Venecia – Mejor Guión		Roma Tres premios Óscar
1992	1996	2000	2001	2007	2019
	El callejón de los milagros Premio Goya	Amores perros Chicago – Hugo de Oro a la Mejor Película		El laberinto del fauno Tres premios Oscar	

etapa *era* **vigor** *energy* **resurgir** *revival* **batió** *broke* **recaudado** *collected* **premios** *awards* **rostros** *faces* **alcanzado** *reached*

PRE-AP* | Presentational Communication | Acquiring Information & Diverse Perspectives | Relating Cultural Products to Perspectives |

Formal Composition, Cultural Awareness Read **El nuevo cine mexicano** and then show a film clip from *Como agua para chocolate*. Talk to students in Spanish about **el realismo mágico**. Explain that we can experience magical realism in literature, art, and film. Then say: **Hemos hablado del realismo mágico en el arte. Basándose en lo que han aprendido, escriban un ensayo de unas doscientas palabras para comentar los elementos del realismo mágico en las escenas que hemos visto de *Como agua para chocolate*.**

- **Perfil** Have students create a time line of Gael García Bernal's career based on the article.
- **El mundo hispanohablante** Ask students: ¿A quién le gusta ver los premios Oscar? ¿A quién no le gusta? ¿Por qué? ¿Qué otros premios y festivales de cine conocen?
- Draw a Venn diagram on the board. Ask pairs to create their own Venn diagram and to compare and contrast Gael García Bernal and their favorite actor. Follow up by having pairs invent a conversation between Gael and their favorite actor.

Extra Practice
- If possible, show a short clip of one of the films mentioned in the articles. Ask students to research the film so they can write a film review, summarizing, analyzing, and recommending the film.
- Have students research Salma Hayek, Gael García Bernal, and Diego Luna on the Internet and report their findings to the class.

21st Century Skills

Information and Media Literacy: Entre culturas Students can go online to complete the **Entre culturas** activity for additional practice accessing and using culturally authentic sources.

ASÍ LO DECIMOS

Las diversiones

chido/a (Méx.)	
copado/a (Arg.)	
mola (Esp.)	*cool*
guay (Esp.)	
bacanal (Nic.)	
salir de parranda	
rumbear (Col. y Ven.)	*to go out and have fun*
farandulear (Col.)	
la rola (Nic. y Méx.)	
el tema	*song*
el temazo	*hit (song)*

EL MUNDO HISPANOHABLANTE

Los premios de cine

Cada año, distintos países hispanoamericanos premian las mejores películas nacionales y extranjeras.

En **México**, el premio **Ariel** es la máxima distinción otorgada° a los mejores trabajos cinematográficos mexicanos. La estatuilla° representa el triunfo del espíritu y el deseo de ascensión.

Penélope Cruz recibe el premio Goya

En **España**, el premio más prestigioso es el **Goya**. La Academia de Artes y Ciencias Cinematográficas de España entrega estos premios a producciones nacionales en un festival en Madrid. La estatuilla recibe ese nombre por el pintor Francisco de Goya.

En **Argentina**, el Festival de Cine Internacional de Mar del Plata premia películas nacionales e internacionales. El galardón° se llama **Astor** en homenaje al compositor de tango Astor Piazzolla, quien nació en la ciudad de Mar del Plata.

En **Cuba**, el Festival Internacional de La Habana entrega los premios **Coral**. Aunque predomina el cine latinoamericano, el festival también convoca a producciones de todas partes del mundo.

PERFIL

GAEL GARCÍA BERNAL

Gael García Bernal es una de las figuras más representativas del cine mexicano contemporáneo. Empieza a actuar en el teatro con tan sólo cinco años, de la mano de sus padres, también actores. Pasa pronto a trabajar en telenovelas°. Siendo adolescente, Gael entra en el mundo del cine. Su intuición y su talento lo llevan a renunciar a la fama fácil y, a los diecisiete años, se va a Londres para estudiar arte dramático. Tres años después, regresa a México lleno de confianza y no se asusta° a la hora de representar ningún papel, por controvertido o difícil que sea. A partir de ese momento, participa en algunas de las películas más emblemáticas del cine en español de los últimos años: *Amores perros*, *Y tu mamá también* y *Diarios de motocicleta*. Ha ganado importantes premios: en 2016, el Globo de Oro como mejor actor de serie de TV (comedia o musical) por su interpretación en *Mozart in the Jungle*; en 2001, el premio Ariel al mejor actor por su actuación en *Amores perros*. Ese mismo año, obtiene el Marcello Mastroianni del Festival Internacional de Cine de Venecia por *Y tu mamá también*. Actualmente, Gael trabaja también del otro lado de las cámaras como director y productor, y participa activamente en la promoción del cine mexicano.

> **"Es muy importante que el cine latino se mantenga muy específico, pero que al mismo tiempo sus temas sean universales."** (Alfonso Cuarón)

telenovelas *soap operas* no se asusta *doesn't get scared*
otorgada *given* estatuilla *statuette* galardón *award*

CRITICAL THINKING

Analysis and Synthesis In small groups, students choose a graphic organizer that allows them to analyze and synthesize one of the articles (Ex: outline, web, chart, etc.). Have groups complete the graphic organizer and present it to the class.

CRITICAL THINKING

Lifelong Learning

Synthesis and Evaluation Pairs make a list of five to ten standards to use in evaluating the article. Examples: **1. información correcta: La información del artículo es completamente correcta. 2. información suficiente: La información del artículo no es suficiente. Me interesa saber más sobre cada película; por ejemplo, quiero leer un resumen de *Roma*.** Have pairs share their answers with the class.

1 Ask students to write two more true/false statements and exchange them with a partner.

2 For an additional comprehension check, ask related questions. Ex: 1. **¿En qué país se da el premio Goya? ¿Y el Ariel?** 2. **¿Qué premio de cine se da en Madrid (España)? ¿Y en Argentina?**

3 To facilitate, before students begin **Actividad 3**, have the class brainstorm a list of what to remember when writing complete sentences; Ex: subject/verb agreement, noun/adjective agreement, proper use of articles and objects, etc.

4 Before students begin **Actividad 4**, as a class, skim the article for traits of international films. List them on the board. Then ask volunteers to share other traits that they know from their own film-watching experience.

• **For Inclusion** To facilitate the **Proyecto**, encourage students to download or draw images of an actor or actress and list important information about him/her in a collage-type presentation. Have students include at least five new vocabulary words in their biographies.

NATIONAL STANDARDS
Connections: Media Have students go to the website for the **Academia Mexicana de Artes y Ciencias Cinematográficas** to read biographies of other directors and actors in Mexican cinema. Have them make short presentations to the class about what they learn.

Making Connections

Acquiring Information & Diverse Perspectives

Presentational Communication

¿Qué aprendiste?

1 | Interpretive Communication

¿Cierto o falso? Indica si estas afirmaciones son **ciertas** o **falsas**. Corrige las falsas. *Some answers will vary.*

1. La época dorada del cine mexicano fue en los años cincuenta.
   Falso. La época dorada del cine mexicano fue en los años cuarenta.
2. El gobierno mexicano ha apoyado los nuevos proyectos de cine. **Cierto.**
3. El director de *Como agua para chocolate* es Diego Luna.
   Falso. El director de *Como agua para chocolate* es Alfonso Arau.
4. El éxito de *Como agua para chocolate* despertó el interés por el cine mexicano. **Cierto.**
5. Los artistas mexicanos van a Estados Unidos y no vuelven a trabajar en su país.
   Falso. Normalmente alternan su trabajo entre los dos países.
6. La película *Amores perros* es del año 2002.
   Falso. La película *Amores perros* es del año 2000.
7. Alejandro González Iñárritu no ha ganado ningún premio Óscar.
   Falso. Iñárritu ganó dos premios Óscar consecutivos en 2014 y 2015.
8. Guillermo del Toro actuó en *El laberinto del fauno*. **Falso.** Guillermo de Toro dirigió *El laberinto del fauno*.

2 | Interpretive Communication

Completar Completa las oraciones.

1. Los premios del Festival Internacional de La Habana se llaman ___Coral___.
2. Los premios Astor se entregan en ___Mar del Plata___.
3. El premio cinematográfico más prestigioso de España es el ___Goya___.
4. A los jóvenes venezolanos les gusta salir a ___rumbear___.
5. Cuando una canción tiene mucho éxito, se dice que es un ___temazo___.

3 | Interpretive Communication

Preguntas Contesta las preguntas con oraciones completas. *Some answers will vary.*

1. ¿A qué se dedican los padres de Gael García Bernal?
   Los padres de Gael García Bernal también son actores.
2. ¿A qué edad comenzó a trabajar como actor Gael García Bernal?
   Comenzó a trabajar como actor cuando tenía cinco años.
3. ¿Qué hizo en Londres Gael García Bernal?
   Estudió arte dramático.
4. ¿Gael García Bernal evita los papeles controvertidos?
   No, no teme actuar en papeles controvertidos o difíciles.
5. ¿Qué otras actividades relacionadas con el cine realiza Gael García Bernal además de actuar?
   También es director y productor, y trabaja para promover el cine mexicano.
6. Según Alfonso Cuarón, ¿cómo deben ser los temas del cine latino?
   Los temas deben ser específicos y al mismo tiempo universales.
7. ¿Crees que es positivo que directores y actores de habla hispana trabajen en Hollywood? ¿Por qué?
8. Cuando decides ver una película, ¿qué factores tienes en cuenta? ¿Por qué?

4

Opiniones En parejas, escriban en qué se diferencian y en qué se parecen el cine de Hollywood y el cine extranjero. Usen estas preguntas como guía.

• ¿Cuáles son las características de cada tipo de cine?

• ¿En qué tipo de cine se invierte más dinero?

• ¿Qué diferencias hay entre el perfil de los actores de Hollywoood y el perfil de los actores extranjeros? ¿En qué se parecen? | Cultural Comparisons

PROYECTO

María Félix

Artistas de la época de oro

Durante la época de oro del cine mexicano, actores como María Félix, Pedro Infante y Silvia Pinal, y directores como Emilio Fernández e Ismael Rodríguez —y también el español Luis Buñuel— llevaron el interés por el cine mexicano más allá de sus fronteras.

Busca información sobre uno de estos artistas y escribe una biografía de tres párrafos. Debes incluir:

• datos biográficos
• trabajos principales
• contribución al cine mexicano

Siguiendo el estilo usado en el perfil de Gael García Bernal, escribe tu texto usando el tiempo presente.

PUEDO participar una conversación sobre el cine de México y sobre algunos artistas del mundo hispano dedicados a este arte.

CRITICAL THINKING

Application and Analysis Have students who have seen one of the films mentioned in the article form a small group with students who have not seen the film. Groups write a five- to ten-sentence summary of the film. Students who have seen the film dictate; the other members of the group record and correct the summary.

CRITICAL THINKING

Synthesis and Evaluation Ask students to reread the paragraph about **premios**. Have the class decide awards categories and set standards for their own awards ceremony. Then have students nominate films for the categories, vote for the winners, and present the awards in the style of the Oscars.

El cine mexicano

Ya has leído sobre el cine mexicano, su época dorada y su resurgimiento en los últimos años. Ahora mira este episodio de **Flash cultura** para conocer cómo se promueve actualmente el cine en ese país.

VOCABULARIO ÚTIL

el auge *boom, peak*	**el guión** *script*
el ciclo *series*	**la muestra** *festival*
difundir *to spread*	**la sala** *movie theater*
fomentar *to promote*	**tener un papel** *to play a role*

1 **Preparación** Responde estas preguntas: ¿Te gusta ir al cine? ¿Qué clase de películas prefieres ver? ¿Eres aficionado/a a algún género en especial?

2 **Comprensión** Indica si estas afirmaciones son **ciertas** o **falsas**. Después, en parejas, corrijan las falsas. `Interpretive Communication`

1. A los mexicanos no les gustan las películas nacionales, sino solamente las norteamericanas. **Falso.** A los mexicanos les gustan las películas nacionales y también las norteamericanas.
2. La Cineteca es una cadena de cines con salas en todo el país. **Falso.** La Cineteca es un espacio específico para los amantes del Séptimo Arte.
3. Cuando van al cine, los mexicanos comen palomitas. **Cierto.**
4. En los ciclos, se presentan películas de un solo tema o un solo director. **Cierto.**
5. El Instituto Mexicano de Cinematografía tiene como objetivo hacer famosos a los actores mexicanos. **Falso.** Tiene como objetivo fomentar la producción de películas mexicanas, realizar coproducciones con otros países y apoyar la promoción del cine de México en todo el mundo.
6. En el año 1989, el cine mexicano no tenía salas ni público en México. **Cierto.**

3 **Expansión** En parejas, contesten estas preguntas. `Interpersonal Communication`

- ¿Te molesta tener que leer subtítulos en la pantalla cuando miras películas extranjeras?
- ¿Te sorprende que una película pueda ser un "hijo creativo", como dice la actriz Vanesa Bauche? Justifica tu respuesta.
- ¿Es importante para el cine de un país tener identidad propia? ¿Cómo se logra eso? Piensen en películas estadounidenses que cumplan con esas características y hagan una lista.

PUEDO mencionar lugares e instituciones dedicadas al cine, además de actores y actrices famosos mexicanos.

Corresponsal: Carlos López
País: México

En la Muestra Internacional de Cine que se lleva a cabo° en otoño, se presentan películas de todo el mundo.

La Cineteca cuenta con° el Centro de Documentación e Investigación, donde puedes encontrar 9 mil libros, 5 mil guiones inéditos° y 20 años de notas de prensa.

Babel (2006)
dir. Alejandro Gonzáles Iñárritu

Las películas de este país se han vuelto realmente importantes gracias al trabajo de actores y actrices como Salma Hayek, Gael García Bernal y Diego Luna, entre muchos otros.

se lleva a cabo *takes place* **cuenta con** *has* **guiones inéditos** *unpublished scripts*

Teaching Tips
- Before watching, have students work in pairs to discuss the **Preparación** questions. Tell students to talk about one of their favorite movies and explain to their partner why they like it.
- If students have difficulty with the **Comprensión** sentences, play back the relevant parts of the video, stopping to allow students time to reread and fix the sentences if necessary.

Expansion Have students research organizations that promote cinema in the U.S. and other countries. Have them prepare a short presentation for the class telling about one organization they researched.

21st Century Skills

Information and Media Literacy Students can go online to complete the **Entre culturas** activity associated with **Flash cultura** for additional practice accessing and using culturally authentic sources.

DIFFERENTIATION `Relating Cultural Practices to Perspectives`

Heritage Learners Ask heritage learners to talk about the role of cinema in the countries their families come from. Is there a national cinematic identity or are there defining characteristics to many of the country's films?

PRE-AP* `Presentational Communication` `Relating Cultural Products to Perspectives`

Presentational Writing Show students an appropriate Mexican film that exemplifies the theme of a national identity. Have them prepare persuasive essays about their perspectives on the film's significance.

Section Goals

In **Estructura**, students will learn:

- the difference between direct object pronouns and indirect object pronouns, how to position them, and prepositional pronouns
- to use **gustar** and similar verbs
- about reflexive verbs and how to use them

Student Resources
Cuaderno de actividades, pp. 31–34
Online Activities, *eCuaderno*

Teacher Resources
Workbook TEs; Grammar Slides; Audio Activities online; Audio Script; Assessment Program Quizzes

Teaching Tips

- Practice indirect and direct objects by playing the game **¿A quién se la dio?** Ask the class to sit in a circle. Choose a small object. Write on the board: **Se la/lo/las/los dio a ___.** Then ask Student A to leave the circle and cover his or her eyes. Give the object to Student B to hide on his or her lap. Student A returns to the circle and guesses **Se la dio a Maggie.** Play several rounds with different objects to practice **la/lo/las/los.**
- Point out that direct and indirect object pronouns differ only in the **Ud./él/ella** and **Uds./ellos/ellas** forms.

2.1 Object pronouns

- Pronouns are words that take the place of nouns. Direct object pronouns replace the noun that directly receives the action of the verb. Indirect object pronouns identify *to whom/what* or *for whom* an action is done.

¿Me quieres desafiar? ¿Cómo te atreves?

¡Le gané!

Indirect object pronouns		Direct object pronouns	
me	nos	me	nos
te	os	te	os
le	les	lo/la	los/las

Position of object pronouns

- Direct and indirect object pronouns (**los pronombres de complemento directo e indirecto**) precede the conjugated verb.

INDIRECT OBJECT	DIRECT OBJECT
Carla siempre **me** da entradas para el teatro. *Carla always gives me tickets to the theater.*	Ella **las** consigue gratis. *She gets them for free.*
No **le** compro más juegos de mesa. *I'm not buying him any more board games.*	Nunca **los** juega. *He never plays them.*

- When the verb is an infinitive construction, object pronouns may either be attached to the infinitive or placed before the conjugated verb.

INDIRECT OBJECT	DIRECT OBJECT
Vamos a dar**le** un regalo. **Le** vamos a dar un regalo.	Voy a hacer**lo** enseguida. **Lo** voy a hacer enseguida.
Tienes que hablar**nos** de la película. **Nos** tienes que hablar de la película.	Van a ver**la** mañana. **La** van a ver mañana.

- When the verb is a progressive form, object pronouns may either be attached to the present participle or placed before the conjugated verb.

INDIRECT OBJECT	DIRECT OBJECT
Pedro está cantándo**me** una canción. Pedro **me** está cantando una canción.	Está cantándo**la** muy mal. **La** está cantando muy mal.

¡ATENCIÓN!

Lo can be used to refer to a thing or idea that has no gender.
—¿Vas a aceptar el trabajo?
—Lo voy a pensar.

—*Are you going to accept the job?*
—*I'll think about it.*

¡ATENCIÓN!

It is standard usage in Spanish to repeat the indirect object.

Esta noche **le** voy a quitar la camisa **al guitarrista.**

Les regalé boletos **a mis amigos.**

DIFFERENTIATION

Heritage Speakers Pair heritage speakers with other students. Write several sentences on the board and have students work together to rewrite them with pronouns. For example: **Siempre comparto mis álbumes. Siempre los comparto.**

DIFFERENTIATION

For Inclusion Create a handout or write on the board and have pairs practice restating sentences using object pronouns. Ex: **Julio me da la mochila.** Before beginning, have students identify direct and indirect objects. Progress to answering questions using object pronouns.

Double object pronouns

- The indirect object pronoun precedes the direct object pronoun when they are used together in a sentence.

Me mandaron **los boletos** por correo. ▸ **Me los** mandaron por correo.

Te exijo **una respuesta** ahora mismo. ▸ **Te la** exijo ahora mismo.

- **Le** and **les** change to **se** when they are used with **lo, la, los,** or **las.**

Le da **los libros** a Ricardo. ▸ **Se los** da.

Le enseña **las invitaciones** a Elena. ▸ **Se las** enseña.

Prepositional pronouns

Prepositional pronouns			
mí *me; myself*	**él** *him; it*	**nosotros/as** *us; ourselves*	**ellos** *them*
ti *you; yourself*	**ella** *her; it*		**ellas** *them*
Ud. *you; yourself*	**sí** *himself;*	**vosotros/as** *you; yourselves*	**sí** *themselves*
sí *yourself (formal)*	*herself; itself*	**Uds.** *you; yourselves*	
		sí *yourselves (formal)*	

- Prepositional pronouns function as the objects of prepositions. Except for **mí, ti,** and **sí,** these pronouns are the same as the subject pronouns.

¿Qué piensas de **ella**? ¿Lo compraron para **mí** o para Javier?

Ellos sólo piensan en **sí mismos**. Lo compramos para **él**.

- The indirect object can be repeated with the construction **a** + *[prepositional pronoun]* to provide clarity or emphasis.

¿Te gusta aquel cantante? ¡**A mí** me fascina!

¿A quién se lo dieron? Se lo dieron **a ella**.

- The adjective **mismo(s)/a(s)** is usually added to clarify or emphasize the relationship between the subject and the object.

José se lo regaló a **él**. José se lo regaló a **sí mismo**.

José gave it to him (someone else). *José gave it to himself.*

- When **mí, ti,** and **sí** are used with **con,** they become **conmigo, contigo,** and **consigo.**

¿Quieres ir **conmigo** al parque de atracciones?

Do you want to go to the amusement park with me?

Laura siempre lleva su computadora portátil **consigo**.

Laura always brings her laptop with her.

- These prepositions are used with **tú** and **yo** instead of **mí** and **ti: entre, excepto, incluso, menos, salvo, según**.

Todos están de acuerdo **menos tú** y **yo**. **Entre tú** y **yo**, Juan me cae mal.

Everyone is in agreement except you and me. *Between you and me, don't get along well with Juan.*

- After students complete **Actividades 1** and **2**, have them read aloud and act out the conversations, using gestures to emphasize the pronouns.
- Challenge students to write similar conversations between friends or arguments between couples.

1 Model the activity by going around the room and commenting on different students. Example: **Siempre veo a Pedro en el café estudiantil. Siempre lo veo en el café estudiantil.**

2 Have students rewrite the conversation as a narrative.

3 Pair up students. Have them write a list of five suggestions they would give to future students about Spanish class. Then ask different students to read their suggestions aloud.

Extra Practice For additional practice with object pronouns, go to **vhlcentral.com**.

Práctica

1 **Dos buenas amigas** Dos mujeres, Rosa y Marina, están en un café hablando de unos conocidos. Selecciona las personas de la lista que corresponden a los pronombres subrayados (*underlined*).

a Antoñito	a nosotras
a Antoñito y a Maite	a ti
a Maite	a ustedes
a mí	

ROSA Siempre <u>lo</u> veo bailando en la discoteca Club 49.

MARINA ¿<u>Te</u> saluda?

ROSA Nunca. Yo creo que no <u>me</u> saluda porque tiene miedo de que se lo diga a su novia.

MARINA ¿Su novia? Hace siglos que no sé nada de ella. Un día de éstos <u>la</u> tengo que llamar.

ROSA ¿Quieres que <u>los</u> invitemos a ir con nosotras a la fiesta del viernes?

MARINA Sí. Es una buena idea. A ver qué <u>nos</u> dice Antoñito de su afición a las discotecas.

1. _____ a Antoñito
2. _____ a ti
3. _____ a mí
4. _____ a Maite
5. _____ a Antoñito y a Maite
6. _____ a nosotras

2 **Entre hermanos** Completa las oraciones con una de estas expresiones: **conmigo, contigo, consigo**.

FEDERICO Ya estamos otra vez, Sara. ¿Por qué siempre tengo que estar (1) _____ contigo _____ ? ¡Nunca lo pasamos bien juntos!

SARA ¿Y tú qué crees? ¿Que yo me divierto (2) _____ contigo _____ ?

FEDERICO ¡Pero tú siempre quieres salir (3) _____ conmigo _____ los fines de semana!

SARA Yo no quiero salir (4) _____ contigo _____ , ¡el problema es que papá no quiere que yo salga sola! Así que si no salgo (5) _____ contigo _____ , ¡no salgo nunca!

FEDERICO ¿Y si salieras con nuestra prima Olivia?

SARA ¿Olivia? A ella sólo le gusta estar (6) _____ consigo _____ misma.

3 **Una fiesta muy ruidosa** Martín y Luisa han organizado una fiesta muy ruidosa (*noisy*) en su casa y un vecino ha llamado a la policía. El policía les aconseja lo que deben hacer para evitar más problemas. Reescribe los consejos cambiando las palabras subrayadas por los pronombres de complemento directo e indirecto correctos.

MODELO ¡Bajen <u>la música</u> ahora mismo!
Bájenla ahora mismo.

1. Traten amablemente <u>a la policía</u>. Trátenla amablemente.
2. Tienen que pedirle <u>perdón a su vecino</u>. Tienen que pedírselo./Se lo tienen que pedir.
3. No pueden contratar <u>a un grupo musical</u> sin permiso. No pueden contratarlo sin permiso./No lo pueden contratar sin permiso.
4. Tienen que poner <u>la música</u> muy baja. Tienen que ponerla muy baja./La tienen que poner muy baja.
5. No deben servirles <u>bebidas alcohólicas a los menores de edad</u>. No deben servírselas./No se las deben servir.
6. No pueden organizar <u>fiestas</u> nunca más. No pueden organizarlas nunca más./No las pueden organizar nunca más.

DIFFERENTIATION

For Inclusion Have students make pictures of each speaker and each person mentioned in **Actividades 1** and **2**. Students should label their pictures with names. As you slowly read each sentence, have students hold up in the left hand the drawing of the person who is speaking, and hold in the right hand the drawing of the person about whom they are speaking.

DIFFERENTIATION

To Challenge Students Photocopy and cut up into strips each line of the conversations from **Actividades 1** and **2**. Give each student a conversation line. Allow time for students to read their line silently and, using their books, secretly identify the speaker. Then have each student read his or her line aloud with feeling, asking the class to identify the speaker.

Comunicación

4 **La fiesta** En parejas, túrnense para contestar las preguntas usando pronombres de complemento directo o indirecto según sea necesario.

> **MODELO** ¿Te gusta organizar fiestas en tu casa?
> Sí, me gusta organizarlas.

1. ¿Te gusta organizar fiestas? ¿Cuándo fue la última vez que organizaste una? ¿Por qué la organizaste?
2. ¿Invitaste a muchas personas? ¿A quiénes invitaste?
3. ¿Qué tipo de música escucharon? ¿Bailaron también?
4. ¿Qué les ofreciste de comer a los invitados en tu fiesta?
5. ¿Trajeron algo? ¿Qué trajeron? ¿Para quién?

Interpersonal Communication

5 **¿En qué piensas?** Piensa en algunos de los objetos típicos que ves en la clase o en tu casa (un cuadro, una maleta, un mapa, etc.). Tu compañero/a debe adivinar el objeto que tienes en mente haciéndote preguntas con pronombres.

> **MODELO** Tú piensas en: un libro
> —Estoy pensando en algo que uso para estudiar.
> —¿Lo usas mucho?
> —Sí, lo uso para aprender español.
> —¿Lo compraste?
> —Sí, lo compré en una librería.

Interpersonal Communication

6 **Una persona famosa** En parejas, escriban una entrevista con una persona famosa. Utilicen estas cinco preguntas y escriban cinco más. Incluyan pronombres en las respuestas. Después, representen la entrevista ante la clase.

> **MODELO** —¿Quién prepara la comida en tu casa?
> —Mi cocinero la prepara.

1. ¿Visitas frecuentemente a tus amigos/as?
2. ¿Ves mucho la televisión?
3. ¿Quién conduce tu auto?
4. ¿Preparas tus maletas cuando viajas?
5. ¿Evitas a los fotógrafos?

Interpersonal Communication

7 **Fama** María Estela Pérez es una actriz de cine que debe encontrarse con sus *fans* pero, como no sabe dónde dejó su agenda, no recuerda a qué hora es el encuentro. En grupos de cuatro, miren la ilustración e inventen una historia inspirándose en ella. Utilicen por lo menos cinco pronombres de complemento directo e indirecto.

Interpretive Communication

Presentational Communication

PUEDO describir quién hace una acción determinada y cuándo.

Las diversiones

Teaching Tips
• Elicit from students the
English meaning of **gustar,**
encantar, and **molestar,** and
ask them to explain how
they are used (with indirect
object pronouns).
• Briefly review indirect
object pronouns and remind
students that they describe
to whom or for whom an
action is performed.
See **Estructura 2.1,** page 70.
• Explain that subject
pronouns like **yo** are not
often used with verbs like
gustar. Point out that *Yo* **me**
gusta is never correct.
• To preview the material,
ask students questions
using **gustar, encantar,** and
molestar. Emphasize the
use of the indirect object
pronoun in the questions.

Extra Practice Ask students
to each bring in one object for
each of the five senses. Ex:
a cell phone, pictures, food,
a DVD, photos, books, etc.
Have pairs of students take
turns showing each other their
objects and commenting on
them using **Me gusta/encanta/**
molesta porque... Have
students change partners as
often as time allows.

2.2 *Gustar* and similar verbs

*Pues ven, si a ti
te encanta.*

*Luego mi papá se va
a andar quejando de
que le duele todo.*

• Though **gustar** is translated as *to like* in English, its literal meaning is *to please*. **Gustar** is
preceded by an indirect object pronoun indicating *the person who is pleased*. It is followed
by a noun indicating *the thing or person that pleases*.

INDIRECT OBJECT   SUBJECT
PRONOUN

| Me | ▶ | gusta | ▶ | la película. |

I like the movie. (literally: The movie pleases me.)

| ¿Te | ▶ | gustan | ▶ | los conciertos de rock? |

Do you like rock concerts? (literally: Do rock concerts please you?)

• Because *the thing or person that pleases* is the subject, **gustar** agrees in person and
number with it. Most commonly the subject is third person singular or plural.

SINGULAR SUBJECT	PLURAL SUBJECT
Nos gust**a** la música pop.	Me gust**an** las quesadillas.
We like pop music.	*I like quesadillas.*
Les gust**a** su casa nueva.	¿Te gust**an** las películas románticas?
They like their new house.	*Do you like romantic movies?*

• When **gustar** is followed by one or more verbs in the infinitive, the singular form of **gustar**
is always used.

No nos **gusta** llegar tarde.   Les **gusta** cantar y bailar.
We don't like to arrive late.   *They like to sing and dance.*

• **Gustar** is often used in the conditional (**me gustaría,** etc.) to soften a request.

Me **gustaría** un refresco con hielo,   ¿Te **gustaría** salir a cenar esta
   por favor.   noche conmigo?
I would like a soda with   *Would you like to go out to dinner*
   ice, please.   *with me tonight?*

DIFFERENTIATION

To Challenge Students Give pairs of students a children's book
in Spanish. Have them read it and write a critique of it for the class.
Their critiques should include a summary of the book, an analysis
of the writing and illustration style, and recommendation for
age and type of children who would enjoy it. Students should
use **gustar** and similar verbs at least five times in their critiques.

DIFFERENTIATION

For Inclusion Have students make three signs: **me gusta, no me
gusta**, and one other of their choosing; Ex: **me encanta,** etc. Hold
up magazine pictures of actors, actresses, movies, musicians,
etc. Students respond by holding up their signs. Encourage
students to read their signs as well.

Verbs like *gustar*

- Many verbs follow the same pattern as **gustar**.

aburrir *to bore*	**hacer falta** *to miss*
caer bien/mal *to get along well/badly with*	**importar** *to be important to; to matter*
disgustar *to upset*	**interesar** *to be interesting to; to interest*
doler *to hurt; to ache*	**molestar** *to bother; to annoy*
encantar *to like very much*	**preocupar** *to worry*
faltar *to lack; to need*	**quedar** *to be left over; to fit (clothing)*
fascinar *to fascinate; to like very much*	**sorprender** *to surprise*

¡**Me fascina** el álbum!
I love the album!

A Sandra **le disgusta** esa situación.
That situation upsets Sandra.

¿**Te molesta** si voy contigo?
Will it bother you if I come along?

Le duelen las rodillas.
Her knees hurt.

- The indirect object can be repeated using the construction **a** + [*prepositional pronoun*] or **a** + [*noun*]. This construction allows the speaker to emphasize or clarify who is pleased, bothered, etc.

A ella no le gusta bailar, pero **a él** sí.
She doesn't like to dance, but he does.

A Felipe le molesta ir de compras.
Shopping bothers Felipe.

- **Faltar** expresses what someone or something lacks and **quedar** what someone or something has left. **Quedar** is also used to talk about how clothing fits or looks on someone.

Le falta dinero.
He's short of money.

A la impresora no **le queda** papel.
The printer is out of paper.

Me faltan dos pesos.
I need two pesos.

Esa falda **te queda** bien.
That skirt fits you well.

¿Qué te hace falta en la vida?

PARQUE DE ATRACCIONES DE MADRID

---

1 **Completar** Completa la conversación con la forma correcta de los verbos entre paréntesis.

MIGUEL Mira, César, a mí (1) _me encanta_ (encantar) compartir el cuarto contigo, pero la verdad es que (2) _me preocupan_ (preocupar) algunas cosas.

CÉSAR De acuerdo. A mí también (3) _me disgustan_ (disgustar) algunas cosas de ti.

MIGUEL Bueno, para empezar no (4) _me gusta_ (gustar) que pongas la música tan alta cuando vienen tus amigos. Tus amigos (5) _me caen_ (caer) muy bien, pero a veces hacen mucho ruido y no me dejan estudiar.

CÉSAR Sí, claro, lo entiendo. Pues mira, Miguel, a mí (6) _me molesta_ (molestar) que traigas comida al cuarto y que luego dejes los platos sucios en el suelo.

MIGUEL Es verdad. Pues… vamos a intentar cambiar estas cosas. ¿Te parece?

CÉSAR ¡(7) _Me fascina_ (fascinar) la idea! Yo bajo el volumen de la música cuando vengan mis amigos y tú, no comas en el cuarto ni dejes los platos sucios en el suelo. ¿De acuerdo?

Interpersonal Communication

2 **Preguntar** En parejas, túrnense para hacerse preguntas sobre estas personas.

> **MODELO** **a tu padre / fascinar**
> —¿Qué crees que le fascina a tu padre?
> —Pues, no sé. Creo que le fascina dormir.

1. al presidente / preocupar
2. a tu hermano/a / encantar
3. a ti / faltar
4. a tus padres / gustar
5. a tu profesor(a) de español / disgustar
6. a ustedes / importar
7. a tus amigos / molestar
8. a tu compañero/a de clase / aburrir

Interpersonal Communication

3 **Conversar** En parejas, pregúntense si les gustaría hacer las actividades relacionadas con las fotos. Utilicen los verbos **aburrir, disgustar, encantar, fascinar, interesar** y **molestar**. Sigan el modelo.

> **MODELO** —¿Te molestaría ir al parque de atracciones?
> —No, me encantaría.

Comunicación

Interpretive Communication

4 **Extrañas aficiones** En grupos de cuatro, miren las ilustraciones e imaginen qué les gusta, interesa o molesta a estas personas.

1.

2.

3.

4.

Interpersonal Communication

5 **¿Qué te gusta?** En parejas, pregúntense si les gustan o no las personas y actividades de la lista. Utilicen verbos similares a **gustar** y contesten las preguntas.

MODELO
—¿Te gustan los discos de Christina Aguilera?
—No, a mí no me gusta su música.

Miley Cyrus	dormir los fines de semana
salir con tus amigos	hacer bromas
las películas de misterio	los discos de Christina Aguilera
practicar algún deporte	ir a parques de atracciones
Gael García Bernal	las películas extranjeras

Interpersonal Communication

Presentational Communication

6 **¿A quién le gusta?** Trabajen en grupos de cuatro.

A. Preparen una lista de cinco pasatiempos y cinco lugares de recreo. Luego circulen por la clase para ver a quiénes les gustan los lugares y las actividades de la lista.

B. Ahora escriban un párrafo breve para describir los gustos de sus compañeros. Utilicen **gustar** y otros verbos similares. Compartan su párrafo con la clase.

MODELO
A Luisa y a Simón les fascina el restaurante Acapulco, pero a Celia no le gusta.
A todos nos gusta ir al cine, menos a Carlos, porque…

PUEDO hablar de preferencias en cuanto a actividades de recreo y los lugares para hacerlas.

Las diversiones

Teaching Tips

4 Model the activity by doing the first illustration as a class. Example: **A mi abuela Clotilde le fascina salir a pasear en su motocicleta, pero a ella le molesta cuando…**

4 Expansion Have students write silly sentences about the characters using **doler, faltar, caer bien/mal, hacer falta, sorprender**. Examples: **Le duelen los pies porque lleva zapatos con tacones muy altos. Tiene un animal muy raro.** Classmates can then guess to whom they are referring.

5 Take a survey of students' answers and write the results on the board.

5 Partner Chat Available online.

6 For Inclusion facilitate **Actividad 6**, help students list two to three pastimes and two to three recreation spots, using **Contextos** on pages 58–59. Then encourage them to ask the question: **¿Te gusta ___?** of each classmate and write a tally mark next to each item on the list when a classmate answers affirmatively. Finally, show students how to make a graph to display how many people liked the activities and places on their list.

6 Part B: Have partners do a peer-edit of each other's paragraphs before sharing them with the class.

LEARNING STYLES

For Auditory Learners Post photos of celebrities on the board. Say a few sentences from the perspective of each celebrity. Examples: **Me gusta actuar en películas de Hollywood. Me fascina sacar fotos. Me aburre Jennifer Aniston. Me encanta Angelina Jolie. ¿Quién soy?** Student response: **Eres Brad Pitt.**

LEARNING STYLES

For Visual Learners For additional practice, have students repeat **Actividad 4** with pictures from magazines or newspapers. Encourage students to find, download, or draw their own pictures to use in the activity.

Student Resources
Cuaderno de actividades,
pp. 39–42
Online Activities, *eCuaderno*

Teacher Resources
Workbook TEs; Grammar
Slides; Digital Image Bank;
Audio Activities online;
Audio Script; Assessment
Program Quizzes

Teaching Tips
- Remind students that the English counterparts of most Spanish reflexive verbs do not require reflexive pronouns (*myself, yourself, etc.*). Ex: **Jaime se despertó.** *Jaime woke up.* Point out that English makes frequent use of possessive adjectives where a definite article would be used in Spanish. Ex: **Me pongo los zapatos.** *I'm putting on my shoes.*
- **El bingo** Photocopy a Bingo card for each student, with the daily routine verbs listed at the top. Students illustrate each verb in at least one box (some verbs more than once) to fill all the boxes. For the first few rounds, pantomime the action and call out the infinitive. In later rounds, call out conjugated forms of the verb or sample sentences.

2.3 Reflexive verbs

- In a reflexive construction, the subject of the verb both performs and receives the action. Reflexive verbs (**verbos reflexivos**) always use reflexive pronouns (**me, te, se, nos, os, se**).

Reflexive verb	**Non-reflexive verb**
Marcela **se lava** la cara.	Elena **lava** los platos.

Reflexive verbs	
lavarse to wash (oneself)	
yo	me lavo
tú	te lavas
Ud./él/ella	se lava
nosotros/as	nos lavamos
vosotros/as	os laváis
Uds./ellos/ellas	se lavan

- Many of the verbs used to describe daily routines and personal care are reflexive.

acostarse *to go to bed*	**dormirse** *to fall asleep*	**peinarse** *to comb (one's hair)*
afeitarse *to shave*	**ducharse** *to take a shower*	**ponerse** *to put on (clothing)*
bañarse *to take a bath*	**lavarse** *to wash (oneself)*	**secarse** *to dry off*
cepillarse *to brush (one's hair/teeth)*	**levantarse** *to get up*	**quitarse** *to take off (clothing)*
despertarse *to wake up*	**maquillarse** *to put on makeup*	**vestirse** *to get dressed*

¡ATENCIÓN!

A transitive verb is one that takes a direct object.

Mariela compró dos boletos.
Mariela bought two tickets.

Johnny contó un chiste.
Johnny told a joke.

- In Spanish, most transitive verbs can also be used as reflexive verbs to indicate that the subject performs the action to or for himself or herself.

Félix **divirtió** a los invitados con sus chistes.
Félix amused the guests with his jokes.

Félix **se divirtió** en la fiesta.
Félix had fun at the party.

Ana **acostó** a los gemelos antes de las nueve.
Ana put the twins to bed before nine.

Ana **se acostó** muy tarde.
Ana went to bed very late.

PRE-AP* Interpersonal Communication

Interpersonal Writing Students write an e-mail to a friend describing changes in their daily routine now that they are on vacation. Review with them the forms of reflexive verbs. Tell them they must ask at least two questions in the e-mail. They should begin it with a proper salutation, and end it with a closing such as: **Tu amigo/a, Hasta luego,** etc. Say: **Escribe un correo electrónico a tu mejor amigo/a en el que describes los cambios en tu rutina diaria durante las vacaciones. Usa diez verbos de la página 62.**

- Many verbs change meaning when they are used with a reflexive pronoun.

aburrir *to bore*	**aburrirse** *to get bored*
acordar *to agree*	**acordarse (de)** *to remember*
comer *to eat*	**comerse** *to eat up*
dormir *to sleep*	**dormirse** *to fall asleep*
ir *to go*	**irse (de)** *to go away (from)*
llevar *to carry*	**llevarse** *to carry away*
mudar *to change*	**mudarse** *to move (change residence)*
parecer *to seem*	**parecerse (a)** *to resemble; to look like*
poner *to put*	**ponerse** *to put on (clothing, make-up)*
quitar *to take away*	**quitarse** *to take off (clothing)*

- Some Spanish verbs and expressions are used in the reflexive even though their English equivalents may not be. Many of these are followed by the prepositions **a, de**, and **en**.

acercarse (a) *to approach*	**fijarse (en)** *to take notice (of)*
arrepentirse (de) *to regret*	**morirse (de)** *to die (of)*
atreverse (a) *to dare (to)*	**olvidarse (de)** *to forget (about)*
convertirse (en) *to become*	**preocuparse (por)** *to worry (about)*
darse cuenta (de) *to realize*	**quejarse (de)** *to complain (about)*
enterarse (de) *to find out (about)*	**sorprenderse (de)** *to be surprised (about)*

¡ATENCIÓN!

Hacerse and **volverse** can also mean *to become*.

Se ha hecho cantante. *He has become a singer.*

¿Te has vuelto loco/a? *Have you gone mad?*

- *To get* or *to become* is frequently expressed in Spanish by the reflexive verb **ponerse** + [*adjective*].

  Pilar **se pone** muy nerviosa cuando habla en público.
  Pilar gets very nervous when she speaks in public.

  Si no duermo bien, **me pongo insoportable**.
  If I don't sleep well, I become unbearable.

- In the plural, reflexive verbs can express reciprocal actions done *to one another*.

  Los dos equipos **se saludan** antes de comenzar el partido.
  The two teams greet each other at the start of the game.

  ¡Los entrenadores **se están peleando** otra vez!
  The coaches are fighting again!

- The reflexive pronoun precedes the direct object pronoun when they are used together in a sentence.

  ¿**Te** comiste todo el pastel?
  Did you eat the whole cake?

  Sí, **me lo** comí todo.
  Yes, I ate it all up.

Teaching Tips
- To facilitate, write several sentence pairs on the board to illustrate the differences in meaning. Examples: **Pareces cansado.** *You seem tired.* **Te pareces a tu madre.** *You look like your mother.*
- To challenge students, assign pairs of students a verb and its reflexive counterpart. Have them write sentences that show the verbs' different meanings. Then have them read and pantomime the sentences for the class.
- Explain the use of **se** with indirect object pronouns to express unplanned events. Ex: **Se me perdieron las llaves.**
- **¡Atención!** Remind students: When used with infinitives and present participles, reflexive pronouns follow the same rules of placement as object pronouns. See **2.1**, pages 70–71.

Extra Practice For additional practice with reflexive verbs, go to **vhlcentral.com**.

DIFFERENTIATION

Heritage Speakers Ask students to share about a typical teen's daily schedule in their families' home countries. **¿A qué hora se despierta? ¿A qué hora se levanta? ¿A qué hora desayuna? ¿Qué toma para desayunar? ¿A qué hora se duerme?**, etc. Ask heritage speakers to use the board or chart paper to draw a typical schedule as they share. Encourage other students to ask questions to their classmates.

DIFFERENTIATION

To Challenge Students Ask students to sit in a circle. Say one sentence that begins a story and uses a reflexive verb. The student to the right continues the story, using a different reflexive verb. Encourage students to be creative and even silly as the story grows. See how many times around the circle you can go.

1 **Los lunes por la mañana** Completa el párrafo sobre lo que hacen Carlos y su esposa Elena los lunes por la mañana. Utiliza la forma correcta de los verbos reflexivos correspondientes.

acostarse	irse	ponerse
afeitarse	lavarse	quitarse
cepillarse	levantarse	secarse
ducharse	maquillarse	vestirse

Los domingos por la noche, Carlos y Elena (1) <u>se acuestan</u> tarde y por la mañana tardan mucho en despertarse. Carlos es el que (2) <u>se levanta</u> primero, (3) <u>se quita</u> el pijama y (4) <u>se ducha</u> con agua fría. Después, Carlos (5) <u>se afeita</u> la barba. Cuando Carlos termina, Elena entra al baño. Mientras ella termina de ducharse, de (6) <u>secarse</u> el pelo y de (7) <u>maquillarse</u>, Carlos prepara el desayuno. Cuando Elena está lista, Carlos y ella desayunan, luego (8) <u>se cepillan</u> los dientes y (9) <u>se lavan</u> las manos. Después, los dos (10) <u>se visten</u> con ropa elegante y (11) <u>se van</u> al trabajo. Carlos (12) <u>se pone</u> la corbata en el carro; Elena maneja.

> Interpretive Communication

2 **Todos los sábados**

A. En parejas, describan la rutina que sigue Silvia todos los sábados, según los dibujos.
Sample answers

1. Se levanta/despierta a las nueve.

2. Se baña a las diez.

3. Se viste a las once menos cuarto.

4. Se maquilla a las doce menos diez.

B. ¿Qué hacen los sábados por la mañana los amigos y familiares de Silvia? Imaginen sus rutinas. Utilicen verbos reflexivos y sean creativos.

Comunicación

3 **¿Y tú?** En parejas, túrnense para hacerse las preguntas. Contesten con oraciones completas y expliquen sus respuestas.

1. ¿A qué hora te despiertas normalmente los sábados por la mañana? ¿Por qué?
2. ¿Te duermes en las clases?
3. ¿A qué hora te acuestas normalmente los fines de semana?
4. ¿A qué hora te duchas durante la semana?
5. ¿Te despiertas y te levantas enseguida? ¿Por qué?

6. ¿Qué te pones para salir los fines de semana? ¿Y tus amigos/as?
7. ¿Cuándo te vistes elegantemente?
8. ¿Te diviertes cuando vas a una fiesta? ¿Y cuando vas a una reunión familiar?
9. ¿Te fijas en la ropa que lleva la gente?
10. ¿Te preocupas por tu imagen?

11. ¿De qué se quejan tus amigos/as normalmente? ¿Y tus hermanos u otros miembros de la familia?
12. ¿Conoces a alguien que se preocupe constantemente por todo?
13. ¿Te arrepientes a menudo de las cosas que haces?
14. ¿Te peleas con tus amigos/as? ¿Y con tus padres?

4 **Síntesis** Imagina que estás en un café y ves a un(a) amigo/a tuyo/a. Este/a amigo/a te dijo ayer que no podía salir contigo hoy porque tenía que ir a estudiar a la biblioteca... ¡pero ahora está en el café con un grupo de amigos! ¿Qué haces? Trabajen en grupos de tres para representar la escena. Utilicen por lo menos cinco verbos de la lista y cinco pronombres de complemento directo e indirecto.

acercarse	darse cuenta	hacer falta	olvidarse
arrepentirse	disgustar	interesar	preocuparse
caer bien/mal	gustar	irse	sorprender

PUEDO describir mi rutina diaria y hablar sobre actividades de higiene personal.

Teaching Tips

3 Call on students to report their partner's responses.

3 **Expansion** Have students create a personality test as found in a magazine based on the questions in **Actividad 3**. Show sample personality tests so students know how to word questions and assign points. Then have students exchange their tests and take them.

3 **Virtual Chat** Available online.

4 As students form groups, help them establish roles for each member to have, such as writers, directors, actors, and editors. Encourage students to practice their scenes aloud to check for any errors. Then have students perform their scenes.

4 As a follow-up writing assignment, have students write an e-mail to send to their friend.

LEARNING STYLES

For Kinesthetic Learners As a class, brainstorm ideas for skits about daily routines. Say: **Es lunes y los padres están intentando sacar a sus hijos de la cama; Es sábado y uno de los hijos llega a casa muy tarde;** etc. Students form small groups to write and then practice a skit. Have a class sharing of each skit.

LEARNING STYLES

For Auditory Learners After completing and sharing their scenes from **Actividad 4,** students form pairs. With a volunteer, model how to sit back-to-back and have a phone conversation with a friend about seeing your friend at the café. Remind students that sitting back-to-back is allowing them to rely on their listening skills as they would have to in a real phone conversation.

Section Goals

In **En pantalla**, students will:
• watch the short film *El dorado de Ford*
• practice listening for and using vocabulary and grammar learned in this lesson

 Pre-AP*

AP Skill Categories
1 2 3 4

Student Resources
Online Video and Activities

Teacher Resources
Transcript & Translations

1 Ask students to create sentences with the vocabulary words not used in the exercise.

2 Continue the discussion by asking students additional questions. **¿Qué ecosistemas les gustaría conocer? ¿Por qué? ¿Cuáles son las ventajas y las desventajas de vivir en contacto con la naturaleza?**

Antes de ver el corto

EL DORADO DE FORD

país Argentina

director Juan Fernández Gebauer

duración 15 minutos

protagonistas hermana, Sebastián, Horacio, policía

Vocabulario

la aceituna *olive*	el pique *bite*
envolver *to wrap*	el precinto *security seal*
el familiar *relative*	la rodaja *slice*
el/la ganador/a *winner*	el señuelo *lure*
el gorro de lana *wool cap*	tejer *to knit*
hundir *to sink*	el testimonio de defunción *death certificate*
el pejerrey *kingfish*	la ventaja *advantage*

1 **Oraciones incompletas** Completa las oraciones con las palabras apropiadas del vocabulario.

1. El chef decoró el plato con ___rodajas___ de tomate.
2. A los diez minutos, el equipo contrario ya tenía una ___ventaja___ de dos goles.
3. Claudia fue la ___ganadora___ del concurso de poesía.
4. Cierra el cajón con un ___precinto___ de metal para mayor seguridad.
5. El ___gorro de lana___ que me regaló mi abuela es ideal para el invierno.
6. El pescador puso carne en el ___señuelo___ para pescar el ___pejerrey___ .
7. A la fiesta de fin de año vinieron muchos ___familiares___ lejanos.
8. El barco se ___hundió___ después de chocar con el iceberg.

Interpersonal Communication

2 **Preguntas** En parejas, contesten las preguntas.

1. ¿Por qué algunas personas eligen vivir cerca de un río o a orillas del mar?
2. ¿Qué animales acuáticos peligrosos conocen?
3. ¿Han pescado alguna vez? ¿Qué objetos son necesarios para pescar?
4. Observen los fotogramas. ¿Qué está sucediendo en cada uno?
5. El cortometraje se titula *El dorado de Ford*. ¿Con qué relacionan la palabra *Ford*? ¿Qué relación tendrá con la pesca?

CRITICAL THINKING

Knowledge and Comprehension Before watching the film, ask pairs to describe the people and their actions in the stills on pages 82 and 84. Then have students read their descriptions.
Comprehension and Application Before watching the film, ask students to share their knowledge of and experience with fishing. Record students' thoughts in three webs on the board.

CRITICAL THINKING

Synthesis and Evaluation KWL chart: Students fill in the chart with what they already Know about the film and questions about what they Want to know about the film, leaving space to record what they Learned from the film after viewing.

Teaching Tips

• Let students know that the *dorado* is a type of fish. Have them brainstorm what the short will be about based on the poster and the title.

Expansion Ask students to sketch an alternative poster for the film before and after viewing. Then discuss the posters, commenting on how they changed after viewing.

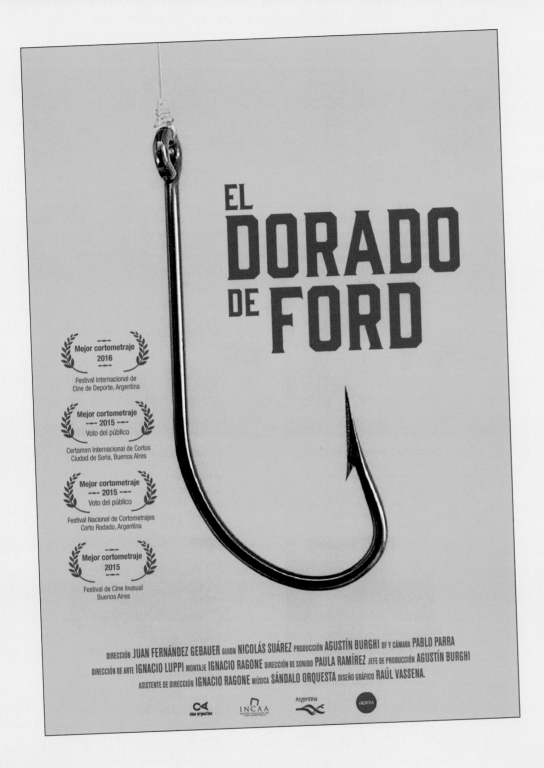

Las diversiones

Interpersonal Speaking Tell students to study the poster and to imagine the possible details of this film: the content, plot, where it is being shown, to whom, who wrote it, etc. Tell them to jot down their thoughts to use in an interpersonal speaking activity. Then have students write both parts of a conversation with a friend and practice role-playing the conversation with a partner. Say: **Escribe una conversación telefónica, en la cual llamas a un(a) amigo/a para invitarlo/a a ver la película *El dorado de Ford*. Incluye las respuestas de tu amigo/a. Después, ensaya tu conversación con un(a) compañero/a.**

Sebastián's father has passed away. In the fishing kit he left him, Sebastián finds the bases of a contest: whoever catches the Golden Dorado that Henry Ford caught and released in one of his trips to Argentina, will win a car of his choosing. In order to catch this legendary fish, Sebastián asks Horacio, a cunning local fisherman of the Paraná River, to help him. One afternoon, they almost catch a Golden Dorado, but Sebastián ends up in the hospital and Horacio loses the knitted cap his wife made for him 28 years ago. Horacio returns to the river and catches the fish by himself, but he dies immediately after. At the end, the police officers who find Horacio's death body eat the Golden Dorado and Sebastián goes home realizing he had lost not just a fish, but also a friend.

Teaching Tips

- **For Auditory Learners** Have volunteers take turns reading the script aloud.

- **For Kinesthetic Learners** Divide the class into six groups and assign one of the scenes to each group. Have students improvise a skit of the scene and present it to the class.

Preview Ask students: **¿Creen que la pesca es un deporte? ¿Es una forma de entretenimiento? ¿Por qué? ¿Qué tipos de pesca conocen? ¿Conocen a alguien que practique la pesca como un deporte?**

Language note Sebastián and Horacio **vosean** in this short film. Explain that voseo is the use of the second-person subject pronoun **vos** instead of **tú**. It is used extensively in many countries of Latin America, including Argentina, Colombia, Uruguay, Guatemala, El Salvador, and Costa Rica.

Escenas

ARGUMENTO El futbolista Efrén "El Corsario" Moreno ha muerto de un ataque al corazón. Su familia y amigos lo están velando°.

SEBASTIÁN ¿Hay pique, jefe? Hablo de peces, porque a las bolsitas° las pesco en el súper. Era un chiste.
HORACIO Para que pique hay que saber, ¿eh? ¿Te explico? Mirá, yo soy Horacio Cabalganti. En el año 73, en un día, pesqué 274 pejerreyes, papá.

HORACIO Vos no habías nacido y yo limpiaba dorados con los dientes.
SEBASTIÁN Qué bueno, porque… porque yo estoy buscando un dorado muy particular.
HORACIO El dorado de Ford.
SEBASTIÁN Sí.

SEBASTIÁN Necesito la ayuda de un profesional, un pejerrecord.
HORACIO Conmigo no contés que yo estoy con una racha°.
SEBASTIÁN Si me acompañás, te consigo unos lentes° con descuento.

HORACIO Cambiá, cambiale el señuelo.
SEBASTIÁN ¿Qué?
HORACIO Metele eso.
SEBASTIÁN Hace cuatro horas que estamos acá. Ni un dorado sacamos. ¿No serán vegetarianos?

SEBASTIÁN Tres mil pesos me costaron los lentes. Y vos me dejaste solo.
HORACIO ¡¿Qué te pasa?!
SEBASTIÁN ¡Traidor!
HORACIO ¡¿Yo soy traidor?! ¡Vos me tiraste al río el gorro que me tejió mi señora!

SEBASTIÁN ¿Y Horacio había pescado algo?
POLICÍA Un dorado. ¡Rico dorado, eh! Semejante bicho°. Trece, catorce kilos, mínimo.

bolsitas *little bags* **racha** *losing streak* **lentes** *glasses* **bicho** *(Arg.) animal*

CRITICAL THINKING

Knowledge and Comprehension Ask students to write a paragraph summary of the film according to the stills and make guesses as to what else will happen in the film. Have volunteers read their summaries to the class.

CRITICAL THINKING

Synthesis and Evaluation Ask pairs of students to write a scene to follow scene 6. Their scenes should show what they predict will happen to all the characters after scene 6.

Después de ver el corto

1 Comprensión Contesta las preguntas con oraciones completas. Some answers will vary.

1. ¿Qué hereda Sebastián de su padre?
   Sebastián hereda de su padre un kit de pesca.
2. ¿Qué encuentra Sebastián en lo que hereda de su padre?
   Sebastián encuentra el anuncio de un concurso de pesca.
3. ¿Por qué a Horacio le llamaban "El rey del pejerrey"?
   Porque en un día pescó 274 pejerreyes.
4. ¿Qué tipo de pez buscan Sebastián y Horacio?
   Sebastián y Horacio buscan un dorado.
5. ¿Por qué Sebastián termina (*ends up*) en el hospital?
   Porque un dorado le arranca un dedo.
6. ¿Qué le pasa a Horacio después de atrapar el pez?
   Horacio muere después de atrapar el dorado, al parecer de un ataque cardíaco.
7. ¿Qué ocurre con el pez que atrapa Horacio?
   Los policías que encuentran el cuerpo de Horacio se comen el dorado.
8. ¿Qué hace Sebastián después de salir del hospital?
   Sebastián lleva las cenizas de Horacio a un río.

2 Ampliación Contesta las preguntas.

1. ¿Cuál crees que es el trabajo de Sebastián?
2. ¿Cómo piensas que era la relación entre Sebastián y su padre?
3. ¿Cómo te imaginas a la esposa de Horacio?
4. ¿Crees que el pez que atrapa Horacio es el dorado de Ford? ¿Por qué?
5. ¿Qué tipo de riesgos correrías para ganar un concurso? Explica tu respuesta.
6. ¿Hacia dónde piensas que se va Sebastián al final del cortometraje?
7. ¿Crees que Sebastián va a comprar pronto un nuevo vehículo? ¿Por qué?

3 Historias de pesca En parejas, compartan historias de pesca personales, de sus familiares o de sus amigos. ¿Dónde ocurrieron, en el mar, en un lago, en un río, en la costa? ¿Cómo era el lugar? ¿Quiénes fueron los protagonistas? ¿Qué pescaron? ¿Les gusta salir de pesca? Al final, cuenten ante la clase lo que más les gustó de la historia de su compañero/a.

4 Concurso de pesca En parejas, escriban las bases de un concurso de pesca o de observación de aves. Propongan un nombre para el concurso, unas fechas de inicio y de cierre, y tres normas: ¿qué pez/ave tendría que atrapar/observar el ganador? ¿En qué lugar? ¿Cuál sería el premio? Pueden basarse en el anuncio que Sebastián lee al principio del cortometraje.

5 ¡Inventen! En grupos de tres, escriban una leyenda de un animal acuático como la del dorado de Ford. Piensen en un espacio natural y en una comunidad real. Pueden mezclar hechos o elementos reales con otros ficticios.

Interpretive Communication

Interpretive Communication

Interpersonal Communication

Presentational Communication

Presentational Communication

Presentational Communication

Making Connections

Las diversiones

ochenta y cinco **85**

CRITICAL THINKING

Application and Analysis To help students write their stories, encourage them to use mythical, literary, or movie characters, such as piranhas, sirens, krakens, sharks, the Loch Ness monster, etc.

CRITICAL THINKING

Synthesis and Evaluation Have pairs of students write a movie critique of the short. Hand out model movie critiques from Spanish magazines, if possible. Before students begin, discuss the structure and important points of a critique.

Teaching Tips
For Inclusion Encourage small groups of students to create a plot map of the film, which uses pictures and phrase or word labels to illustrate the important scenes.

1 If necessary, replay scenes from the film to help students answer the questions.

1 Have the groups write two additional comprehension questions for other groups to answer.

2 For expansion, have students research about Henry Ford's trips to Argentina.

2 To help students do this activity, preview the conditional tense (p. 295) to express what would occur under certain circumstances. Say, for example: **Primero, yo me tomaría una foto con él para demostrar que lo encontré…**

3 Once a few volunteers have narrated their stories, have the class ask follow-up questions.

Pre-AP*

AP Skill Category 7

4 and **5** Encourage small groups of students to prepare an audiovisual presentation of their completed tasks.

En pantalla **85**

Section Goals

In **Lecturas**, students will:

• read about writer **Mario Benedetti**, then read his story *Idilio*, paying attention to the effect of the use of verb tenses

• learn about bullfighting and discuss implications of the sport

   Pre-AP*

AP Skill Categories
1 **2** **3** **4**

Student Resources
Cuaderno de actividades,
p. 45
Online Activities, *eCuaderno*

Teacher Resources
Workbook TE

Teaching Tips

• **For Inclusion** Have students point to objects, people, and colors in the painting and name them in Spanish.

• **For Visual Learners** Encourage students to paint their own work in the same style of Carlos Enrique Pellegrini that also would be appropriate for this chapter and/or this reading.

• Ask students to share how the painting makes them feel. Record their answers in a web on the board.

Teaching Tip Have students work in pairs to imagine the scene in the painting taking place in the present. Use the following questions to guide their discussion: **¿Cómo representar un encuentro social en el siglo XXI? ¿Qué colores se pueden usar? ¿En qué lugar puede desarrollarse la escena? ¿Dónde se puede exhibir el cuadro después: en un salón, en una revista, en un blog, en una red social, o en otro lugar?** Have students write a brief description together and share their ideas with the class.

"No está la felicidad en vivir,

sino en saber vivir."

Diego de Saavedra Fajardo

Minué o Tertulia en Casa de Francisco Antonio de Escalada, 1831
Carlos Enrique Pellegrini, Argentina

Interpretar En parejas, respondan estas preguntas. Some answers will vary.

1. ¿Qué se observa en el cuadro?

2. ¿Dónde piensan que se encuentran los personajes y por qué están ahí?

3. ¿Cuál es el estado de ánimo de las personas en el cuadro? ¿Creen que están entretenidos o se aburren?

4. ¿Dónde está el centro de atención de la pintura?

5. Imaginen que hay sonidos acompañando la escena: ¿Cuáles serían? ¿Qué relación tienen con la actividad que se retrata en este cuadro?

PUEDO conversar sobre un cuadro del pintor argentino Carlos Enrique Pellegrini.

86 *ochenta y seis*

Lección 2

PRE-AP* | Interpersonal Communication

Interpersonal Writing Read the quotation on page 86, and teach a popular saying: **No te pueden quitar lo bailado.** In groups, have the students discuss what they think these sayings mean. Make a list of possible explanations on the board, after brainstorming with the entire class. Then instruct students to write a brief note to a classmate who is feeling down. Say: **Tu compañero/a está deprimido/a. Escríbele una carta para animarlo/a y menciona alguno de estos dichos.**

Antes de leer

Idilio

Sobre el autor

Mario Benedetti (1920-2009) nació en Tacuarembó, Uruguay. Su volumen de cuentos publicado en 1959, *Montevideanos*, lo consagró como escritor, y dos años más tarde alcanzó fama internacional con su segunda novela, *La tregua*, con un fuerte contenido sociopolítico. Tras diez años de exilio en Argentina, Perú, Cuba y España, regresó a Uruguay en 1983. El exilio que lo alejó de su patria y de su familia dejó una marca profunda tanto en su vida personal como en su obra literaria. Benedetti incursionó en todos los géneros: poesía, cuento, novela y ensayo. El amor, lo cotidiano, la ausencia, el retorno y el recuerdo son temas constantes en la obra de este prolífico escritor. En 1999, ganó el Premio Reina Sofía de Poesía Iberoamericana.

Vocabulario

colocar *to place*	por primera/última vez *for the first/last time*
hondo/a *deep*	
la imagen *image; picture*	redondo/a *round*
la pantalla *(television) screen*	señalar *to point at*
	el televisor *television set*

1 **Practicar** Completa las oraciones con palabras o frases del vocabulario.

1. Voy a ___colocar___ el televisor sobre la mesa.

2. Julio me ___señaló___ la calle que debo tomar, pero no quiso ir conmigo.

3. En lo más ___hondo___ de mi corazón, guardo el recuerdo de mi primera novela.

4. Ayer salí ___por primera vez___ en la televisión y me invitaron a participar en otro programa la semana que viene.

2 **Conexión personal** Responde estas preguntas: ¿Cómo te entretenías cuando eras niño/a? ¿A qué jugabas? ¿Mirabas mucha televisión? ¿Tus padres establecían límites y horarios? ¿Qué harás tú cuando tengas hijos?

3 **Análisis literario: las formas verbales**

Las formas verbales son un factor muy importante para tener en cuenta al analizar obras literarias. La elección de formas verbales es una decisión deliberada del autor y afecta al tono del texto. El uso de un registro formal o informal puede hacer el texto más o menos cercano al lector. La elección de tiempos verbales también puede tener efectos como involucrar o distanciar al lector, dar o quitar formalidad, hacer que la narración parezca más oral, etc. A medida que lees *Idilio*, presta atención a los tiempos verbales que usa Benedetti. ¿Qué tono dan a la historia estas elecciones deliberadas del autor?

CRITICAL THINKING

Relating Cultural Products to Perspectives | Making Connections

Comprehension and Synthesis Pairs of students translate into English de Saavedra's quote from page 86. Record all translations on the board. Ask students how the quote relates to the painting, chapter, and reading.
Analysis, Synthesis, and Evaluation In small groups, students describe the painting, guess the connection to the chapter as a whole and to the reading, and give their opinion; then share.

CRITICAL THINKING

Presentational Communication | Acquiring Information & Diverse Perspectives

Knowledge, Application, and Analysis Ask students to share what they know about Uruguay's history and why Benedetti might have been exiled from his country.
Comprehension and Synthesis Working in pairs, students create a biographical web about Benedetti and share it with the class.

- With books closed, tell students that you will display an image and you want them to shout out their impressions. Show the image on page 88 and record all the students' responses. Then discuss how the picture might relate to the reading.
- Discuss the tone of the picture. Share with students that colors have tones just like words. Blue and green are generally considered cool tones, whereas red and yellow are considered warm tones. Invite students to create another version of the image on page 88 with a different tone.

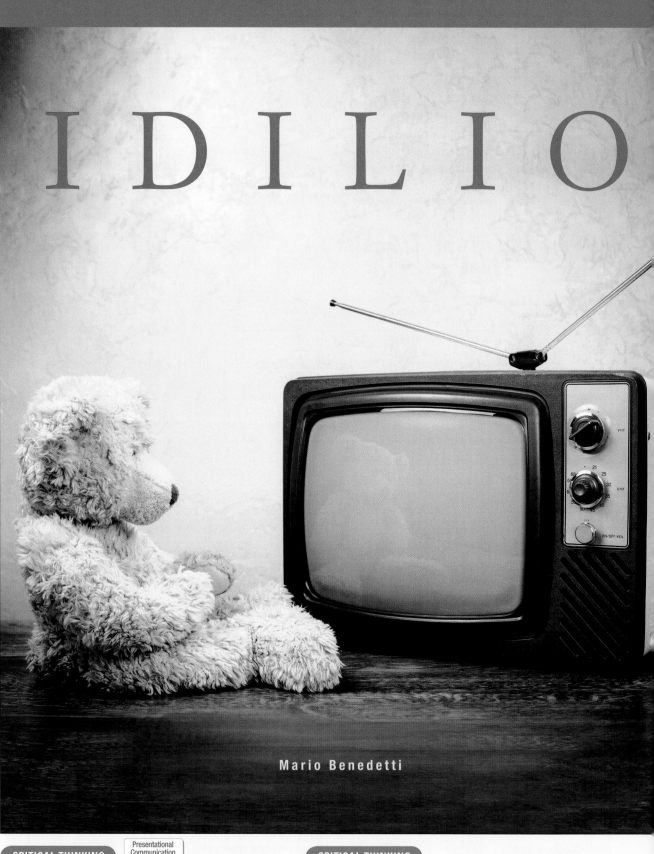

IDILIO

Mario Benedetti

CRITICAL THINKING

Presentational Communication

Analysis, Synthesis, and Evaluation Based on the information on page 87 and the picture on page 88, ask students to predict what the short story will be about.

Synthesis and Evaluation Working in pairs, students write a poem in response to the image on page 88. Display the finished poems around the room and allow time for students to walk around to read each one.

CRITICAL THINKING

Application and Synthesis The boy in the story is three years old when he watches TV for the first time. He watches several hours of TV. Ask students to survey the class about how old they were when they first watched TV and how many hours they now watch on an average weekday and on an average weekend. Have them tally the responses and present them in a chart or graph for the class.

L a noche en que colocan a Osvaldo (tres años recién cumplidos) por primera vez frente a un televisor (se exhibe un drama británico de hondas resonancias), queda

half-opened hipnotizado, la boca entreabierta°, los ojos redondos de estupor.

surrendered to the magic 5   La madre lo ve tan entregado al sortilegio° de las imágenes que

washes pots and pans se va tranquilamente a la cocina. Allí, mientras friega ollas y sartenes°, se olvida del niño. Horas más tarde se acuerda, pero piensa: "Se habrá dormido". Se seca las manos y va a buscarlo al living.

blank   La pantalla está vacía°, pero Osvaldo se mantiene en la misma

10 postura y con igual mirada extática.

orders   —Vamos. A dormir —conmina° la madre.

    —No —dice Osvaldo con determinación.

    —¿Ah, no? ¿Se puede saber por qué?

    —Estoy esperando.

15   —¿A quién?

    —A ella.

    Y señaló el televisor.

    —Ah. ¿Quién es ella?

    —Ella.

20   Y Osvaldo vuelve a señalar la pantalla. Luego sonríe,

innocent; naïve candoroso°, esperanzado, exultante.

    —Me dijo: "querido". ∎

- Remind students of the triple read method for reading comprehension: 1. read once to gain general comprehension; 2. read carefully a second time, listing and looking up important, unknown words; 3. read a third time for complete comprehension and enjoyment.
- Ask students to think about this question before reading the text: **¿Creen que es posible confundir la ficción con la realidad al ver la televisión?**
- Before reading the selection, have students find all the verbs and identify the most common verb tense (present tense). After reading the text, ask how the author's use of present tense affects the tone of the story.
- **For Kinesthetic Learners** Working in small groups, students dramatize the short story, performing their version for the class.

For Inclusion After viewing their classmates' dramatizations of the story, students create a poster that shows what the story is about and what it is saying about TV and children.

Synthesis of Skills After students read the story *Idilio*, ask them to think about a childhood experience they remember that concerned television viewing. Have them share their memories of these experiences in small groups. Finally, tell them to write about the experience and to compare their recollection with *Idilio*. Say: **Comparte una anécdota con tu grupo. Usa el imperfecto y el pretérito. Después escribe un párrafo sobre tu experiencia. ¿Se parece al cuento *Idilio*?**

Pre-AP*

AP Skill Category 7

Después de leer

Idilio
Mario Benedetti

1 **Comprensión** Contesta las preguntas con oraciones completas.

1. ¿Cómo se llama el protagonista de esta historia?
   El protagonista se llama Osvaldo.
2. ¿Cómo se queda el niño cuando está por primera vez delante del televisor? El niño se queda hipnotizado, con la boca entreabierta y los ojos redondos de estupor.
3. ¿Qué hace la madre mientras Osvaldo mira la televisión?
   La madre va tranquilamente a la cocina y friega (lava) ollas y sartenes.
4. Cuando la madre va a buscarlo horas más tarde, ¿cómo está la pantalla?
   Cuando la madre vuelve, la pantalla está vacía.
5. ¿Qué piensa Osvaldo que le dice la televisión?
   Osvaldo piensa que la televisión le dice "querido".

2 **Interpretar** Contesta las preguntas. Some answers will vary.

1. Según Osvaldo, ¿quién le dijo "querido"? ¿Qué explicación lógica le puedes dar a esta situación?

2. En el cuento, la madre se olvida del hijo por varias horas. ¿Crees que este hecho es importante en la historia? ¿Crees que el final sería distinto si se tratara sólo de unos minutos frente al televisor?

3. ¿Crees que la televisión puede ser adictiva para los niños? ¿Y para los adultos? ¿Qué consecuencias crees que tiene la adicción a la televisión?

3 **Imaginar** En grupos, imaginen que un grupo de padres solicita una audiencia con el/la director(a) de programación infantil de una cadena de televisión popular. Los padres quieren sugerir cambios. Miren la programación y, después, contesten las preguntas.

CANAL 7					
6:00	6:30	7:00	8:00	9:15	10:00
Trucos para la escuela Cómo causar una buena impresión con poco esfuerzo	**Naturaleza viva** Documentales	**Mi familia latina** Divertida comedia sobre un joven estadounidense que va a México como estudiante de intercambio	**Historias policiales** Ladrones, crímenes y accidentes	**Buenas y curiosas** Noticiero alternativo que presenta noticias buenas y divertidas de todo el mundo	**Dibujos animados clásicos** Conoce los dibujos animados que miraban tus padres

- ¿Qué programas quieren pedir que cambien? ¿Por qué?
- ¿Qué programas deben seguir en la programación?
- ¿Qué otros tipos de programas se pueden incluir? ¿Qué cambios harían en los horarios?

4 **Escribir** Piensa en alguna anécdota divertida de cuando eras niño/a. Cuenta la anécdota en un párrafo usando el tiempo presente.

MODELO Un día estoy con mi hermano en el patio de mi casa jugando a la pelota. De repente, …

PUEDO Identificar el uso de las formas verbales como una forma de acercar o distanciar al lector.

Teaching Tips

1 Expansion Ask additional comprehension questions. Ex: **¿Por qué dice Osvaldo que no quiere irse a dormir? ¿Qué expresión tiene Osvaldo cuando señala la pantalla?**

2 As an alternative, ask students to complete the questions in pairs. Then ask for a show of hands on the yes/no questions and discuss selected questions.

3 Before completing the activity, have students list several popular children's programs.

3 If students have trouble coming up with ideas for **Actividad 3**, suggest they think of a time they might have believed something they saw on TV.

4 Have students read their anecdotes aloud to the class and encourage classmates to ask detailed questions.

Pre-AP*

AP Skill Category 8

NATIONAL STANDARDS
Communities Have students look at Spanish-language TV listings for your community to identify programs for children and young people. Have them watch portions of various shows and write their own descriptions as in **Actividad 3**.

School & Global Communities

CRITICAL THINKING

Comprehension and Synthesis In groups, have students draw a plot map of the story, summarizing the important events, but also explaining the significance of the story.
Application and Evaluation Students discuss the following questions: **Hoy en día hay muchos programas que se llaman telerrealidad. ¿Por qué son tan populares? ¿Son realistas? En tu opinión, ¿cuál es la función principal de la televisión?**

CRITICAL THINKING

Analysis and Evaluation Debate! After completing **Actividad 2**, choose one topic for debate. Divide the class into two teams—**A favor** and **En contra**. Encourage each team to write three to five points and counterpoints. To determine counterpoints, students must consider what the other side is most likely to say. Allow each team two minutes to state their points, listen to the other team, and state counterpoints.

Antes de leer

Vocabulario

la corrida *bullfight*	**el ruedo** *arena*
lidiar *to fight (bulls)*	**torear** *to fight bulls*
el/la matador(a) *bullfighter*	**el toreo** *bullfighting*
(who kills the bull)	**el/la torero/a** *bullfighter*
la plaza de toros *bullring*	**el traje de luces** *bullfighter's outfit*
	(lit. costume of lights)

1   **El toreo**   Completa las oraciones con palabras y frases del vocabulario.

1. Ernest Hemingway era un aficionado al ___toreo___. Asistió a muchas ___corridas___ y las describió en detalle en sus obras.

2. El ___matador___ es la persona que mata al toro al final. Siempre lleva un ___traje de luces___ de colores brillantes.

3. Manolete fue un ___torero___ español muy famoso que fue herido por un toro y que murió al poco tiempo.

4. No se permite que el público baje al ___ruedo___ porque los toros pueden ser muy peligrosos.

2   **Conexión personal**   Responde estas preguntas: ¿Conoces alguna costumbre local o alguna tradición estadounidense que cause mucha controversia? ¿Hay deportes que resultan muy problemáticos o controvertidos para algunas personas? ¿Por qué? ¿Cuál es tu opinión al respecto?

Relating Cultural Products to Perspectives

Contexto cultural

En Fresnillo, México, en 1940 una mujer tomó una espada y se puso un traje de luces —una blusa y falda bordadas de adornos brillantes— para promover la causa de la igualdad en un terreno casi completamente dominado por los hombres: el toreo. **Juanita Cruz** había nacido en Madrid en 1917, cuando aún no se permitía a las mujeres torear a pie en el ruedo. En batalla constante contra obstáculos legales, Cruz consiguió lidiar muchas corridas de toros en su país. Pero cuando terminó la guerra civil, al ver que Franco imponía estrictamente las leyes de prohibición del toreo a las mujeres, Cruz dejó España y emigró a México, donde se convirtió en torera profesional. Fue todo un fenómeno, la primera gran matadora de la historia, y abrió camino para otras mujeres, como las españolas Cristina Sánchez y Mari Paz Vega. Hoy día la presencia de toreras añade otro nivel de controversia al debate constante y a veces apasionado del toreo. ¿Cuál es tu impresión? ¿Crees que la igualdad de sexos en el toreo es algo positivo o negativo? ¿Por qué?

Acquiring Information & Diverse Perspectives

- To facilitate, suggest that students read the passage once, finding all the cognates. Discuss as a class the meanings of the words and determine if they are true or false cognates.
- Alternative Reading Method: Divide the class into six groups. Assign each group a paragraph of the reading. Have the groups read their paragraph several times for complete comprehension. Then have them write a summary to present to the class.

Expansion Encourage students to research **trajes de luces: ¿Cuánto tiempo/dinero cuesta hacerlos? ¿Tienen importancia los diseños? ¿Los colores? Parecen muy pequeños; ¿cómo se los ponen? ¿Deben ser muy flacos/as los/ las toreros/as?**

Culture Note In countries where bullfighting is popular, bullfighters constitute an elite group. They enjoy celebrity status alongside movie stars, models, musicians, etc.

El toreo: ¿Cultura o tortura?

Hay pocas cosas tan emblemáticas en el mundo hispano, y a la vez tan polémicas, como el toreo. Los días de corrida, hasta cuarenta mil aficionados se sientan en la Plaza Monumental de México, la plaza de toros más grande del mundo. Sin embargo, la opinión pública
5 está profundamente dividida: algunos defienden con orgullo esta tradición que sobrevive desde tiempos antiguos y otros se levantan en protesta antes del final.

Lección 2

CRITICAL THINKING

Interpretive Communication

Lifelong Learning

CRITICAL THINKING

Comprehension and Synthesis Have pairs of students find the topic sentence of each paragraph, and then record the supporting details. Review responses as a class and demonstrate how to use a Main Idea Supporting Details organizer to record student responses.

Evaluation After completing the preceding activity, as a class, determine if the paragraph on page 92 is well written. Ask the students to determine criteria and then evaluate the paragraph according to the criteria.

Las raíces° del toreo son diversas. Los celtibéricos dejaron en España restos de templos circulares, precursores de las plazas actuales, donde sacrificaban animales. Los griegos y romanos practicaban la matanza° ritual de toros en ceremonias públicas sagradas. Sin embargo, fue en la España del siglo XVIII donde se desarrolló° la corrida que conocemos y se introdujeron la muleta, una capa muy fácil de manejar, y el estoque, la espada del matador.

El aficionado de hoy considera que el toreo es más un rito° que un espectáculo, ciertamente no un deporte. Es una lucha desigual, a muerte, entre una persona —armada con sólo la capa la mayor parte del tiempo— y el toro, bestia que pesa° hasta más de media tonelada. El torero se prepara para el duelo como para una ceremonia: se viste con el traje de luces tradicional y actúa dirigido por el ritmo de la música. Se enfrenta al animal con su arte y su inteligencia, y generalmente gana, aunque no siempre. El riesgo° de una cornada° grave forma parte de la realidad del torero, que en su baile peligroso muestra su talento y su belleza. Para el defensor de las corridas, no matar al toro al final es como

origins
slaughter
developed 15
rite
20
weighs
25
30
risk
goring
35

> **"El toreo es cabeza y plasticidad, porque a fuerza siempre gana el toro."**

jugar con él, una falta de respeto al animal, al público y a la tradición.

Quienes se oponen a las corridas dicen que es una lucha injusta y cruel. Hay gente que piensa que el toreo es una barbarie° similar a la de los juegos de los romanos, una costumbre primitiva que no tiene sentido en una sociedad moderna y civilizada. Protestan contra la crueldad de una muerte lenta y prolongada, dedicada al entretenimiento. En respuesta a las protestas, en algunos países ha aparecido una alternativa, la "corrida sin sangre°", donde no se permite hacer daño físico° al toro. Pero otros sostienen que esta corrida tortura igualmente a la bestia y, por tanto, han prohibido el toreo por completo. En julio de 2010, el Parlamento catalán abolió las corridas de toros en Cataluña, España, con 68 votos a favor de la prohibición y 55 en contra.

Por último, a algunas personas les indigna la idea machista de que sólo un hombre tiene la fuerza y el coraje para lidiar. Las toreras pioneras como Juanita Cruz tuvieron que coserse° su propio traje de luces, con falda en vez de pantalón, y cruzar océanos para poder ejercer su profesión. Incluso en tiempos recientes, algunos toreros célebres como el español Jesulín de Ubrique se han negado° a lidiar junto a una mujer.

La torera más famosa de nuestra época, Cristina Sánchez, sostiene que no es necesario ser hombre para lidiar con éxito: "El toreo es cabeza y plasticidad°, porque a fuerza siempre gana el toro." En su opinión, el derecho de torear es incuestionable, una parte de la cultura hispana. No obstante, su profesión provoca tanta división que a veces el duelo entre la bestia y la persona es empequeñecido° por la batalla entre las personas. ■

40
barbarity
45
50
bloodless bullfight
to hurt
55
60
to sew
65
have refused
70
agility
75
dwarfed
80

¿Dónde hay corridas?

Toreo legalizado: Colombia, Ecuador, España, Francia, México, Perú, Portugal, Venezuela

Corridas sin sangre: Bolivia, Nicaragua, Estados Unidos, Portugal

Toreo ilegalizado: Argentina, Chile, Costa Rica, Cuba, Nicaragua, Uruguay

¡Olé! ¡Olé!

El público también tiene su papel en las corridas: evalúa el talento del torero. La interjección "¡olé!" se oye frecuentemente para celebrar una acción particularmente brillante y expresar admiración. De origen árabe, contiene la palabra "alá" (Dios) y significa literalmente "¡por Dios!".

- After students complete the reading, help them take notes on the board under the three column headings: **El torero / El toro / La torera**. Ask volunteers to come to the board to list, under each column, the points that support the subject.
- Write on the board the following quote from the article: **El toreo es cabeza y plasticidad, porque a fuerza siempre gana el toro.** Ask students to write a paragraph explaining their interpretation of the quote as it relates to women's role in bullfighting.
- Point out that in countries where bullfighting is popular, bullfighters constitute an elite class. They enjoy celebrity status alongside movie stars, models, musicians, etc.

Expansion Ask students to research an aspect of bullfighting raised by this passage: **el porcentaje de toros que ganan, el porcentaje de toreras, el coste de una corrida, la crianza de los toros,** etc.

Presentational Writing Discuss bullfighting with students. Ask them what they already know about it. Is it a sport they usually associate with a certain gender? Then briefly discuss roles of men and women in traditional societies. Read the **Lectura** on page 93 and tell the class: **Eres Cristina. Escribe una carta formal al editor del periódico *La Nación* sobre tu derecho a ser torera. Recuerda que es una carta formal y que tienes que usar un saludo apropiado.**

El toreo: ¿cultura o tortura?

Interpretive Communication

1 **Comprensión** Responde a las preguntas con oraciones completas. Some answers will vary.

1. ¿En qué país se encuentra la plaza de toros más grande del mundo?
Se encuentra en México.
2. ¿Qué hacían los celtibéricos en sus templos circulares?
Sacrificaban animales.
3. ¿Qué es el toreo según un aficionado?
Es un rito, una lucha a muerte entre la bestia y el torero.
4. ¿Cómo se prepara el torero para la corrida?
Se pone el traje de luces y actúa dirigido por el ritmo de la música.
5. Para quienes se oponen al toreo, ¿cuáles son algunos de los problemas?
Es una lucha injusta y cruel. Se prolonga la muerte del toro para el entretenimiento de las personas.
6. ¿Qué es una "corrida sin sangre"?
Es una corrida en que no se hace daño físico al toro.
7. ¿Qué sucedió en Cataluña en julio de 2010?
El Parlamento catalán abolió las corridas de toros en Cataluña.
8. Según Cristina Sánchez, ¿sólo los hombres pueden lidiar bien?
No, no es necesario ser hombre para lidiar con éxito.

Relating Cultural Practices to Perspectives

2 **Opinión** Responde a las preguntas con oraciones completas.

1. ¿Te gustaría asistir a una corrida? ¿Por qué?

2. ¿Qué opinas del duelo entre toro y torero/a? ¿Hay algún aspecto especialmente problemático para ti?

3. ¿Qué piensas de las alternativas al toreo tradicional como la "corrida sin sangre"? ¿Es una solución adecuada para proteger a los animales?

4. En tu opinión, ¿es más cruel la vida de un toro destinado al toreo o la de una vaca destinada a una carnicería?

Interpersonal Communication
Relating Cultural Practices to Perspectives

3 **¿Qué piensan?** Trabajen en parejas para contestar las preguntas. Luego, compartan sus respuestas con la clase.

1. Un eslogan conocido en las protestas antitaurinas es: "Tortura no es arte ni cultura". ¿Qué significa esta frase?

2. ¿Hay acciones cuestionables que se justifiquen porque son parte de una costumbre o tradición? ¿Cuál es la postura de ustedes en el debate? ¿Por qué?

3. ¿Creen que el gobierno tiene derecho a reglamentar (*regulate*) o prohibir tradiciones o costumbres? Den ejemplos.

Presentational Communication
Relating Cultural Practices to Perspectives

4 **Postales** Imagina que viajas a México y unos amigos te invitan a una corrida de toros. Escribe una postal a tu familia para contarles tu experiencia. Usa estas preguntas como guía: ¿Aceptaste la invitación o no? ¿Por qué? Si fuiste a la corrida, ¿qué te pareció? ¿Te sentiste obligado/a a asistir por respeto a la cultura local?

MODELO Querida familia: Les escribo desde Guadalajara, una ciudad al noroeste de México. No saben dónde me llevaron mis amigos este fin de semana...

Relating Cultural Practices to Perspectives
Making Connections
Cultural Comparisons

5 **Animales** En parejas, hagan una lista de tradiciones, costumbres o deportes en los que las personas utilizan a los animales como entretenimiento. Después, compartan su lista con el resto de la clase y debatan sobre qué actividades son perjudiciales para los animales y cuáles no. Justifiquen sus respuestas.

PUEDO participar en una conversación sobre temas polémicos, como el toreo en los países de habla hispana.

Interpretive Communication

Atando cabos

¡A conversar!

1 **La música y el deporte** Trabajen en grupos de cuatro o cinco para preparar una presentación sobre un(a) cantante o deportista latino/a famoso/a.

Presentational Communication

Presentaciones

Tema: Pueden preparar una presentación sobre un(a) cantante o deportista famoso/a que les guste.

Investigación: Busquen información en Internet o en la biblioteca. Una vez reunida la información necesaria, elijan los puntos más importantes y seleccionen material audiovisual. Informen a su profesor(a) acerca de estos materiales para contar con los medios necesarios el día de la presentación.

Organización: Hagan un esquema (*outline*) que los ayude a planear la presentación.

Presentación: Traten de promover la participación a través de preguntas y alternen la charla con los materiales audiovisuales. Recuerden tener a mano los materiales de la investigación para responder preguntas adicionales de sus compañeros.

2 **Actividad física** En grupos, háganse este test de actividad física y conversen sobre los resultados para cada uno/a.

Interpersonal Communication

Pregunta	Tiempo		Puntuación
1. ¿Cuánto tiempo pasas acostado/a al día (durmiendo y haciendo siesta)?	_____ 6-8 horas		2
	_____ 8-12 horas		1
	_____ 12 horas o más		0
2. ¿Cuántas horas pasas sentado/a por día (en clases, haciendo tareas, en el restaurante, en el transporte, frente a la televisión, chateando…)?	_____ 6 horas o menos		2
	_____ 6-10 horas		1
	_____ 10 horas o más		0
3. ¿Cuánto caminas cada día (para ir al colegio, a la casa de tus amigos, a la tienda)?	_____ 15 minutos o más		2
	_____ 5-15 minutos		1
	_____ menos de 5 minutos		0
4. ¿Cuánto juegas al aire libre cada día (montar en bicicleta, jugar fútbol, correr, etc.)?	_____ 60 minutos o más		2
	_____ 30-60 minutos		1
	_____ menos de 30 minutos		0
5. ¿Cuántas horas dedicas a hacer deporte intenso (educación física en el colegio, deportes programados, entrenamiento)?	_____ 4 horas o más		2
	_____ 2-4 horas		1
	_____ 2 horas o menos		0
	Total		

Resultados:

entre 8 y 10 puntos = Felicidades. ¡Eres un(a) súper deportista!
entre 5-7 puntos = Vas en camino a ser un(a) súper deportista.
entre 3-6 puntos = Eres una persona activa.
entre 0-2 puntos = Anímate a volverte más activo.

CRITICAL THINKING

Analysis Ask each student about his/her favorite sport and write their responses on the board. Have them work in groups of three to classify the responses in categories and to examine the preferred sports and the least favorite. You may ask: **¿Cuál es tu deporte favorito? ¿Puede clasificarse en alguna categoría: de raqueta, al aire libre, de motor, etc.? Entre todos los deportes, ¿cuál es el preferido? ¿Y cuál es el que menos gusta?**

CRITICAL THINKING

Application Allow time for students to practice their presentations in front of a small group. Encourage the group members to make suggestions and comments after each practice.

Student Resources
Cuaderno de actividades, pp. 43–44; 46
Online Activities, *eCuaderno*

Teacher Resources
Workbook TEs; Textbook and Testing Audio online; Audio Scripts; Assessment Program Tests

Teaching Tips
- Tell students that soccer is the most popular sport in South America, while baseball is the most practiced in the Caribbean countries, and is also very common in the United States. Ask students to comment about more popular sports in the Spanish-speaking world and in the United States. **Suggestion:** encourage heritage speakers to talk about common sports in their parents' countries. Ask: **¿qué deportes practican/les gustan a sus padres? ¿Qué países hispanos son fuertes en ciclismo? ¿Y en boxeo? ¿Qué deportes son comunes en los Estados Unidos y no en Latinoamérica? ¿Por qué?**
- As a class, discuss the major components that should be covered in the presentation. Then give students the rubric sheet you will use to evaluate their presentation so that you and they are aware upfront what is expected of them.

Lifelong Learning

 21st Century Skills

¡A conversar! Collaboration
If you have access to students from a Spanish-speaking country, have your students ask them about their favorite singers and athletes from their country.

¡A escribir!
Review the use of verbs like **gustar** before assigning the activities on this page. Help students create a list of common phrases to begin and end informal letters and e-mails.

Pre-AP*

AP Skill Category 6

21st Century Skills

¡A escribir! Productivity and Accountability

As a class, decide if the rubric you developed for the previous chapter works for this chapter's assignment. If not, adjust it to meet what students need to accomplish. Lifelong Learning

Lesson 2 Integrated Performance Assessment
Context: You have been asked to write a short text for a web site aimed at helping exchange students from Spanish-speaking countries get acquainted with your city. You prepare your text and present it to the website's administrator.

You can find the IPA activity and scoring rubric in the Assessment Program and in the Resources section online.

Interpersonal Communication

3 **Gustos** Utiliza la información suministrada y los verbos parecidos a **gustar** para investigar los gustos de tus compañeros/as de clase. Toma nota de las respuestas de cada compañero/a que entrevistes y comparte la información con la clase.

MODELO **molestar / tener clase a las ocho de la mañana**
—A Juan y a Marcela no les molesta tener clase a las ocho de la mañana. En cambio, a Carlos le molesta porque...

1. encantar / fiestas de cumpleaños
2. fascinar / el mundo de Hollywood
3. disgustar / leer las noticias
4. molestar / conocer a personas nuevas
5. interesar / saber lo que mis amigos piensan de mí
6. aburrir / escuchar música todo el día

¡A escribir!

Interpersonal Communication

Correo electrónico Imagina que tus abuelos vienen a visitar a tu familia por un fin de semana. Llevas varios días planeando una fiesta donde les presentarás tus amigos a tus abuelos. Mándales un correo electrónico a tus amigos para recordarles los planes para la fiesta y lo que deben y no deben hacer para causar una buena impresión.

Plan de redacción

Un saludo informal: Comienza tu mensaje con un saludo informal, como: **Hola**, **Qué tal**, **Qué onda**, etc.

Contenido: Organiza tus ideas para no olvidarte de nada.

1. Escribe una breve introducción para recordarles a tus amigos qué cosas les gustan a tus abuelos y qué cosas les molestan. Puedes usar estas expresiones: **(no) les gusta**, **les fascina**, **les encanta**, **les aburre**, **(no) les interesa**, **(no) les molesta**.

2. Diles que tus abuelos son formales y elegantes, y explícales que tienen que arreglarse un poco para la ocasión. Usa expresiones como: **quitarse el arete**, **afeitarse**, **vestirse mejor**, **peinarse**, etc.

3. Recuérdales dónde van a encontrarse.

Despedida: Termina el mensaje con un saludo informal de despedida.

PUEDO preparar una exposición oral sobre un personaje famoso y presentarla.

PUEDO escribir un correo electrónico informal a una persona conocida.

School & Global Communities

TEACHING OPTIONS

Expansion Have students share their findings for Activity 3 with the class. Encourage them to turn their discussion into an article on the class' "personality" and publish it in one of the class members' blog or the school website. Ex.: **Somos un grupo muy activo. Nos gusta levantarnos temprano todos los días. Además, nos encanta…**

CRITICAL THINKING

Evaluation Encourage students to exchange e-mail drafts with each other, correcting errors and making comments about content.

Las diversiones

el ajedrez	chess
el billar	billiards
el boliche	bowling
las cartas/los naipes	(playing) cards
los dardos	darts
el juego de mesa	board game
el pasatiempo	pastime
la televisión	television
el tiempo libre/los ratos libres	free time
el videojuego	video game
aburrirse	to get bored
alquilar una película	to rent a movie
brindar	to make a toast
celebrar/festejar	to celebrate
dar un paseo	to take a stroll/walk
disfrutar (de)	to enjoy
divertirse (e:ie)	to have fun
entretener(se) (e:ie)	to amuse (oneself)
gustar	to like
reunirse (con)	to get together (with)
salir (a comer)	to go out (to eat)
aficionado/a (a)	enthusiastic about; a fan (of)
animado/a	lively
divertido/a	fun
entretenido/a	entertaining

Los lugares de recreo

el cine	movie theater
el circo	circus
la discoteca	night club
la feria	fair
el festival	festival
el parque de atracciones	amusement park
el zoológico	zoo

Los deportes

el/la árbitro/a	referee
el campeón/la campeona	champion
el campeonato	championship
el club deportivo	sports club
el/la deportista	athlete
el empate	tie (game)
el/la entrenador(a)	coach; trainer
el equipo	team
el/la espectador(a)	spectator
el torneo	tournament
anotar/marcar (un gol/un punto)	to score (a goal/ a point)
desafiar	to challenge
empatar	to tie (games)
ganar/perder (e:ie) un partido	to win/lose a game
vencer	to defeat

La música y el teatro

el álbum	album
el asiento	seat
el/la cantante	singer
el concierto	concert
el conjunto/grupo musical	musical group; band
el escenario	scenery; stage
el espectáculo	show
el estreno	premiere
la función	performance (theater; movie)
el/la músico/a	musician
la obra de teatro	play
la taquilla	box office
aplaudir	to applaud
conseguir (e:i) boletos/entradas	to get tickets
hacer cola	to wait in line
poner música	to play music

Más vocabulario

Expresiones útiles	Ver p. 63
Estructura	Ver pp. 70–71, 74–75 y 78–79

En pantalla

la aceituna	olive
el familiar	relative
el/la ganador/a	winner
el gorro de lana	wool cap
el pejerrey	kingfish
el pique	bite
el precinto	security seal
la rodaja	slice
el señuelo	lure
el testimonio de defunción	death certificate
la ventaja	advantage
envolver	to wrap
hundir	to sink
tejer	to knit

Literatura

la imagen	image; picture
la pantalla	(television) screen
el televisor	television set
colocar	to place
señalar	to point at
hondo/a	deep
redondo/a	round
por primera/ última vez	for the first/last time

Cultura

la corrida	bullfight
el/la matador(a)	bullfighter (who kills the bull)
la plaza de toros	bullring
el ruedo	arena
el toreo	bullfighting
el/la torero/a	bullfighter
el traje de luces	bullfighter's outfit (lit. costume of lights)
lidiar	to fight (bulls)
torear	to fight bulls

Las diversiones

Student Resources
Online activities

Teacher Resources
Textbook and Testing Audio online; Testing Audio Script; Assessment Program Tests

Teaching Tips

- Flashcards: Students will learn the vocabulary much better if they incorporate it into their long-term memory. One way to do this is to reinforce the meaning visually or kinesthetically. Encourage students to make flashcards with a picture on one side and the word on the other. For vocabulary that does not lend itself to pictures, have students write a cloze sentence on the other side of the card.
- Encourage students to pick 20 words that they think they will have to know or that apply to subjects that interest them. Have them write sentences using those words.
- Play a game of Win, Lose, or Draw. Divide the class into two teams. Have a member from each team come to the board. Secretly give them a vocabulary word that can be represented visually. Then the members draw a picture that represents the word. The first team to guess the word gets a point.

 21st Century Skills

Creativity and Innovation
Ask students to prepare a presentation about one or more of their favorite actors or directors.

21st Century Skills

Leadership and Responsibility Extension Project
Have students write three questions for the partner class related to the lesson topic. Based on the responses, work as a class to explain one aspect of their responses that surprised the class and why.

LEARNING STYLES

For Visual Learners Have students create a collage illustrating 20 words and expressions from the vocabulary list. Display the collages around the room. Then give each student a pad of sticky notes. Have each student choose a collage and try labeling the pictures.

LEARNING STYLES

For Auditory Learners Students form five groups. Assign each one a vocabulary category: **las diversiones, los lugares de recreo, los deportes, la música y el teatro,** and **el toreo.** Groups make signs for their category. Read the vocabulary list out of order, allowing time for groups to raise their card when they hear a word associated with their category. If two groups raise their cards, discuss if the word can be in both categories.

Lesson 3
Six-step Instructional Design

See pages T34-T35 for additional details on how to use the six-step instructional design in your classroom.

1 **Context.** Make it personal. Ask students to provide whatever Spanish words they may already know in the context: "Think about daily life activities. What Spanish words come to mind?"

2 **Vocabulary.** Put it into words. Connect the word study in Step 1 with what students see on these pages. Ask: **¿Qué se hace en un probador? ¿Qué cosas hacemos a diario?**

3 **Media.** Bridge experiences. While watching the **Fotonovela** episode, have students identify some of the characters' daily activities. Ask: **¿Qué aspectos de la vida diaria de los personajes de la Fotonovela puedes ver en este episodio? ¿Se parecen a las cosas que tú haces a diario?**

A primera vista Have students look at the photo; ask them these additional questions:
1. **¿Eres responsable de hacer alguna tarea específica en tu casa?**
2. **¿Vas con tus padres de compras al supermercado?**
3. **¿Quién hace los mandados en tu casa? ¿Por qué?**

Essential Questions Discuss the Essential Questions as a class. Point out to students that they will learn about the Spanish royal family and daily life in Spain in the **El mundo hispano** and **Flash cultura** sections.

Overarching Theme
Contemporary Life: Lifesyles

A primera vista
- ¿Qué hacen las personas de la foto?
- ¿En qué lugar se encuentran? ¿Qué van a hacer?
- ¿Tú participas en actividades similares en tu casa? ¿En cuál(es)?
- ¿Te gusta ayudar en casa? ¿Por qué?

Essential Questions
1. ¿Cómo influye la cultura en nuestra vida cotidiana?
2. ¿Qué dicen el vestuario y la gastronomía de la cultura de un país?
3. ¿La experiencia de ir de compras es diferente en cada cultura?

Teacher Resources

Presentation
- AP® Themes & Contexts
- Grammar slides: **Estructura** 3.1, 3.2, 3.3

Practice and Communicate
- *Cuaderno de actividades,* with audio & Answer Key
- Digital Image Bank (House and chores; Shopping)
- Textbook Audio

Forums on **vhlcentral.com** allow you and your students to record and share audio messages. Use Forums for presentations, oral assessments, discussions, directions, etc.

3 La vida diaria

Can Do Goals

By the end of this lesson I will be able to:

- Talk about house chores
- Describe a person's daily activities
- Describe experiences or situations in the past
- Narrate situations providing background and referring to specific moments in the past

Also, I will learn about:

Culture
- Members of the Spanish constitutional monarchy
- The duties of Letizia Ortiz, Queen of Spain
- Traditional food and places in Barcelona
- The life and works of Spanish artist Diego Velásquez

Skills
- Reading: Analyzing and interpreting narrative voice in poetry
- Conversation: Preparing a presentation about a historic character from the Spanish-speaking world
- Writing: Writing a detailed anecdote

Lesson 3 Integrated Performance Assessment

Context: Some friends of yours, from Spain and Chile, are planning to travel and visit you next week. You want to surprise and welcome them with a mix of local, Spanish, and Chilean dishes, but you don't know exactly what to buy and prepare, or where to find the ingredients.

Un mate y su bombilla

Producto: El mate es una bebida que se toma de forma cotidiana en Argentina, Uruguay, Paraguay y Brasil. **¿Cuál es la bebida más popular en tu país?**

---

4 **Culture.** Give new perspectives. Ask: **¿qué artistas españoles de otros siglos conocen? ¿Cómo son sus obras?**

5 **Structure.** Use grammar as a tool. Focus on presenting words in context and on personalized activities. Ask students about their recent and distant past. **¿Qué hiciste el sábado pasado? ¿A dónde ibas de vacaciones cuando eras niño/a?**

6 **Synthesis.** Pull it all together. For each skill area, focus on the personalized activities that are provided, e.g. **Conexión personal,** pp. 129, 133; **Una anécdota del pasado,** p. 138.

Can Do Goals Review the list of communicative goals with your students. Point out that this lesson will provide them with the tools necessary to achieve these goals. You may also share the IPA task, found on page 138, so that students can become familiar with the final communicative task they will be expected to complete.

Integrated Performance Assessment Before teaching this chapter, review the Integrated Performance Assessment (IPA) on page 138. Use the IPA to assess students' progress toward proficiency targets at the end of the chapter.

Producto Tell students that a **mate** drink may communicate the emotions of the **cebador**, that is, the person who serves it. A **mate** with too much water might indicate that the visitor is not welcomed. A foamy **mate** served with little water might show that the visitor is welcome and may come visit again.

Teacher Resources

Assessment
- Vocabulary Quizzes A-B / Grammar Quizzes 3.1 A-B, 3.2 A-B, 3.3 A-B
- Optional Testing Sections: **Fotonovela, Flash cultura**
- Oral Testing Suggestions
- **Prueba** A-B-C-D, with audio
- Tests and Exams Answer Key

Scripts and Translations
Textbook Audio Scripts / Grammar Tutorials / **Fotonovela** / **Flash cultura** / Assessment Program

Additional Tools for Planning and Teaching
Essential Questions / I Can Worksheets / IPAs and Rubrics / Lesson Plans / Pacing Guides

Section Goals

In **Contextos**, students will learn and practice:

- vocabulary related to household tasks, shopping, some expressions of frequency, and daily life
- listening to an audio description and a conversation that contain the new vocabulary

  Pre-AP*

AP Skill Categories
1 **2** **3** **4**

Student Resources
Cuaderno de actividades, pp. 49–51
Online Activities, *eCuaderno*

Teacher Resources
Workbook TEs; Digital Image Bank; Textbook and Audio Activities online; Audio Scripts; Assessment Program Quizzes

Previewing Strategy Ask students about their agendas and how they keep track of their personal lives. Ex: **¿Tienes muchas responsabilidades en la escuela? ¿Y en el trabajo? (si trabajas) ¿Cómo te organizas en tu vida personal?** Recycle vocabulary, such as rooms of the house and clothing.

Teaching Tips
- To help students practice adverbs from the **Expresiones** list, have them create a survey and poll classmates. Ex: **¿Con qué frecuencia van al cine? a) a menudo b) a veces c) casi nunca.**
- Point out that **bastante** can be used as an adjective or adverb, e.g. **Tenemos bastante trabajo.** vs. **Trabajamos bastante.**

La vida diaria

En casa

el balcón *balcony*

la escalera *staircase*
el hogar *home; fireplace*
la limpieza *cleaning*
los muebles *furniture*
los quehaceres *chores*

apagar *to turn off*
barrer *to sweep*
calentar (e:ie) *to warm up*
cocinar *to cook*
encender (e:ie) *to turn on*
freír (e:i) *to fry*
hervir (e:ie) *to boil*
lavar *to wash*
limpiar *to clean*
pasar la aspiradora *to vacuum*
poner/quitar la mesa *to set/clear the table*
quitar el polvo *to dust*
tocar el timbre *to ring the doorbell*

De compras

el centro comercial *mall*
el dinero en efectivo *cash*
la ganga *bargain*
el probador *dressing room*
el reembolso *refund*
el supermercado *supermarket*
la tarjeta de crédito/débito *credit/debit card*

devolver (o:ue) *to return (items)*
hacer mandados *to run errands*
ir de compras *to go shopping*
probarse (o:ue) *to try on*
seleccionar *to select; to pick out*

auténtico/a *real; genuine*
barato/a *cheap; inexpensive*
caro/a *expensive*

Camila **fue de compras** al **supermercado**, decidida a gastar lo menos posible. **Seleccionó** los productos más **baratos** y pagó con **dinero en efectivo**.

Expresiones

a menudo *frequently; often*
a propósito *on purpose*
a tiempo *on time*
a veces *sometimes*
apenas *hardly; scarcely*
así *like this; so*
bastante *quite; enough*
casi *almost*
casi nunca *rarely*
de repente *suddenly*
de vez en cuando *now and then; once in a while*
en aquel entonces *at that time*
en el acto *immediately; on the spot*
enseguida *right away*
por casualidad *by chance*

100 *cien*

Lección 3

DIFFERENTIATION

For Inclusion As students look at the vocabulary presentation in the textbook, point to images, model pronunciation, and ask them to repeat. Emphasize either/or questions (**¿Es un(a) _____ o un(a) _____?**) rather than true productive skill questions, such as **¿Qué es?** Ask questions like: **¿El chico barre el piso o pasa la aspiradora? ¿Es un hogar o una escalera?**, etc.

DIFFERENTIATION

Heritage Speakers Ask heritage speakers to talk about household chore responsibilities in their families' home countries, and how much the children are expected to help. Have classmates share their experiences regarding how housework is taken care of in the U.S. Have the class compare and contrast these ideas.

Emilia trabaja en un restaurante durante los veranos. Ha tenido que **acostumbrarse** al **horario** de una asistente de cocina. ¡La nueva **rutina** no es fácil! **Suele** levantarse cada día a las seis de la mañana para llegar al restaurante a las siete.

la agenda *datebook*
la costumbre *custom; habit*
el horario *schedule*
la rutina *routine*
la soledad *solitude; loneliness*

acostumbrarse (a) *to get used to*
arreglarse *to get ready*
averiguar *to find out*
probar (o:ue) (a) *to try*
soler (o:ue) *to be in the habit of*

atrasado/a *late*
cotidiano/a *everyday*
diario/a *daily*
inesperado/a *unexpected*

Práctica

1 **Escuchar** [Interpretive Communication]

A. Escucha lo que dice Julián y luego decide si las oraciones son **ciertas** o **falsas**. Corrige las falsas.

1. Julián está en un supermercado.
   Falso. Julián está en su casa.
2. Julián tiene que limpiar la casa.
   Cierto.
3. Él siempre sabe dónde está todo.
   Falso. Él nunca sabe dónde deja las cosas.
4. Él encuentra su tarjeta de crédito debajo de la escalera. Cierto.
5. Julián recibe una visita inesperada. Cierto.
6. Julián tiene mucho qué hacer. Cierto.

B. Escucha la conversación entre Julián y la visita inesperada y después contesta las preguntas con oraciones completas.

1. ¿Quién está tocando el timbre?
   María está tocando el timbre.
2. ¿Qué tiene que hacer ella?
   Tiene que ir al centro comercial.
3. ¿Qué quiere devolver?
   Quiere devolver unos pantalones.
4. ¿Eran caros los pantalones?
   No. Los pantalones eran una ganga.
5. ¿Qué hace Julián antes de ir al centro comercial con ella? Julián se arregla.
6. ¿Es seguro que María puede devolver los pantalones? ¿Por qué? No, porque a veces no dan reembolsos.

2 **No pertenece** Indica qué palabra no pertenece a cada grupo. [Language Comparisons]

1. limpiar–pasar la aspiradora–barrer–calentar
2. de repente–auténtico–casi nunca–enseguida
3. balcón–escalera–muebles–soler
4. hacer mandados–a tiempo–ir de compras–probarse
5. costumbre–rutina–cotidiano–apagar
6. quitar el polvo–barato–caro–ganga
7. quehaceres–hogar–soledad–limpieza
8. barrer–acostumbrarse–soler–cotidiano

ciento uno **101**

Teaching Tips
- To review the vocabulary on page 101, ask questions such as:
1. **¿Qué cosas escribes en tu agenda?**
2. **Háblame de tu horario de hoy por la mañana. ¿Cómo es el de la tarde?**
3. **¿Sueles participar en actividades extraescolares?**
4. **¿Qué necesitas averiguar hoy?**

3 To check grammar and vocabulary use, ask students to exchange their paragraphs for peer-editing.

Extra Practice Tell students to imagine that they have to cook dinner that night because their parents are working late. Ask them to write sentences saying what they do after school that day and how they adjust their schedule to have dinner ready by 7:00. Then have students share their sentences with the class.

Expansion Ask students to discuss their experiences of rearranging their after-school schedules to prepare the family's evening meal or baby-sit a younger sibling.

Práctica

3 **Julián y María** Completa el párrafo con las palabras o expresiones de la lista.

a diario	cotidiano	horario	soledad
a tiempo	en aquel entonces	por casualidad	soler

Julián y María se conocieron un día (1) __por casualidad__ en el supermercado. Julián estaba muy contento por haber conocido a María porque, (2) __en aquel entonces__, él era nuevo en el barrio y no conocía a nadie. A él no le gusta la (3) __soledad__. Desde aquel día, se ven casi (4) __a diario__. Durante la semana, ellos (5) __suelen__ quedar para tomar un café después del trabajo, pues los dos tienen (6) __horarios__ similares.

Interpretive Communication

Interpersonal Communication

4 **Una agenda muy ocupada** Sara tiene mucho que hacer antes de su cita con Carlos esta noche. Ha apuntado todo en su agenda, pero está muy atrasada.

A. En parejas, comparen el horario de Sara con la hora en que realmente hace cada actividad.

VIERNES, 15 DE OCTUBRE

1:00 *¡Hacer mandados!*	5:00 *Hacer la limpieza*
2:00 *Banco: depositar un cheque*	6:00 *Cocinar, poner la mesa*
3:00 *Centro comercial: comprar vestido*	7:00 *Arreglarme*
4:00 *Supermercado: pollo, arroz, verduras*	8:00 *Cita con Carlos* ♡

MODELO —¿A qué hora deposita un cheque?
—Sara quiere depositarlo a las dos, pero no logra hacerlo hasta las dos y media.

2:30

1. 4:00

2. 5:30

3. 5:45

4. 7:30

5. 7:45

6. 8:00

B. Ahora, improvisen una conversación entre Carlos y Sara. ¿Creen que los dos lo van a pasar bien? ¿Creen que van a tener otra cita?

102 *ciento dos*

Lección 3

Comunicación

5 Los quehaceres

A. En grupos de cuatro, túrnense para preguntar con qué frecuencia sus compañeros hacen los quehaceres de la lista. Combinen palabras de cada columna en sus respuestas y añadan sus propias ideas.

barrer	almuerzo	a menudo
cocinar	aspiradora	a veces
lavar	balcón	casi nunca
limpiar	cuarto	de vez en cuando
pasar	polvo	nunca
quitar	ropa	todos los días

MODELO —¿Con qué frecuencia barres el balcón?
—Lo barro de vez en cuando, especialmente si vienen invitados.

B. Ahora, compartan la información con la clase y decidan quién es la persona más ordenada y la más desordenada.

6 Agendas personales

A. Primero, escribe tu horario para esta semana. Incluye algunas costumbres de tu rutina diaria y también actividades inesperadas de esta semana.

lunes	
martes	
miércoles	
jueves	
viernes	
sábado	
domingo	

B. En parejas, pregúntense sobre sus horarios. Comparen sus rutinas diarias y los eventos de esta semana. ¿Tienen costumbres parecidas? ¿Tienen algunas actividades en común? ¿Cuáles?

C. Utiliza la información para escribir un párrafo breve sobre la vida cotidiana de tu compañero/a. ¿Le gusta la rutina? ¿Disfruta de lo inesperado? ¿Llena su agenda con actividades sociales o prefiere estar en casa? Comparte tu párrafo con la clase.

PUEDO narrar la frecuencia con que hago los quehaceres del hogar y otras actividades diarias.

Teaching Tips

5 Have students pretend to disagree with their classmates. Have them refute the statements, using opposite adverbs. Ex: **¡Qué va! Casi nunca barres el balcón.**

 21st Century Skills

5 Flexibility and Adaptability Remind students to include input from all team members, adapting their presentation so it represents the whole group.

5 Partner Chat Available online.

6 Part B: To help students compare the schedules, have pairs create two columns with the headings **Similitudes** and **Diferencias**.

6 Expansion Bring in a school calendar with social events. Using the schedules created in Part A, have the students discuss which events they could or could not attend. Point out that students should use **asistir a** for *to attend*.

6 Partner Chat Available online.

DIFFERENTIATION

For Inclusion Write these expressions on the board: **todos los días, a menudo, a veces, de vez en cuando, casi nunca,** and **nunca**. Ask students how often they do certain activities: **¿Con qué frecuencia limpias tu cuarto? ¿Con qué frecuencia cuidas niños? ¿Con qué frecuencia participas en actividades extraescolares?** Students give thumbs-up to expressions that apply and thumbs-down for any that do not.

DIFFERENTIATION

To Challenge Students For a **math connection**, have students take information from the "Inclusion" survey and draw a pie chart showing the percentage of the class that do a particular activity: **todos los días, a menudo, a veces, de vez en cuando, casi nunca,** or **nunca**.

Section Goals

In **Fotonovela**, students will:
• practice listening to authentic conversation
• learn functional phrases to talk about shopping, about things you did, and about likes and dislikes.

Pre-AP*

AP Skill Categories
1 2 3 4

Student Resources
Cuaderno de actividades, pp. 52–53
Online Video and Activities, *eCuaderno*

Teacher Resources
Workbook TE; Video Script & Translation

Video Synopsis

Ricardo plays a joke on **Marcela** and makes her think she has run him over. **Marcela** leaves angry, so the next day, **Ricardo** decides to buy her a present. **Lupita** tells **Marcela** that she does not feel well, but **Marcela** has to leave to pick up a passenger.

Pre-AP*

Interpretive Reading
Have students work in pairs to look at the pictures and scan the text in order to determine what they think the episode will be about.

Teaching Tips

• Before showing the **Fotonovela,** write four or five of the **Expresiones útiles** on a transparency or on the board and go over their meanings.
• Have students work in pairs to find words related to the vocabulary they just learned in the **Contextos** section.

Hasta ahora, en el video...

Marcela conoce a Ricardo y se enoja con él por arruinarle la fiesta de cumpleaños, pero Ricardo se enamora de ella. Días después, Marcela está manejando su Kombi y atropella accidentalmente a Ricardo. En este episodio verás cómo sigue la historia.

RICARDO Vaya, ¿Taxi Turístico de Oaxaca?
MARCELA ¡Qué susto! ¡No tengo tiempo para ese tipo de bromas!
RICARDO ¡No es broma! ¿A dónde vas?
MARCELA A estudiar.
RICARDO ¿Qué estudias?
MARCELA Historia.

Otro día...
VENDEDOR ¿Qué se lleva, amigo?
RICARDO Buscaba una artesanía bien bonita para mi novia.
VENDEDOR ¿Y a ella qué le gusta?
RICARDO Ni idea.
VENDEDOR Ya, anda en plan de enamorarla, ¿no?
RICARDO Creo que ya me entendió.

MARCELA ¿Te pasa algo, Lupita?
LUPITA No, ¿por qué?
MARCELA Hace un rato estabas bien, pero ahora estás como pálida.
LUPITA El calor, Marcelita, el calor.
MARCELA Deberías dejar los quehaceres e irte a tomar una siesta.
LUPITA Si apenas son las doce.

MARCELA Bueno, me voy. No me quiero retrasar.
LUPITA Pero, termina tu almuerzo y después te vas.
MARCELA Tengo que irme enseguida. ¡Adiós!
LUPITA *(para ella)* Planchar es lo que me pone pálida. Estoy harta de tanto quehacer. Lavar, barrer, quitar el polvo.

LEARNING STYLES [Interpretive Communication]

For Auditory Learners After watching the **Fotonovela,** write the names of the characters on the board and read quotes from the script aloud. Have students match each quote with the correct speaker.

LEARNING STYLES

For Kinesthetic Learners Tell students to close their books. Distribute large cards on which you have written ten events from the **Fotonovela.** Students should recall the order in which the events occur and line up in that order, holding their cards and facing the class. Each student steps forward to read his or her card. This activity also benefits auditory learners.

PLANES PARA ENAMORAR

Personajes

MARCELA **RICARDO** **VENDEDOR** **LUPITA**

VENDEDOR Mire, ¡qué alebrijes tan lindos! Auténticos de Oaxaca.

RICARDO ¿Qué precio tiene?

VENDEDOR 150 pesos, no más. Una ganga.

RICARDO Bueno. ¿Me lo envuelve mientras pido un taxi, por favor?

VENDEDOR Enseguida se lo pongo en una cajita de regalo.

RICARDO Gracias. Taxi Turístico de Oaxaca, aquí vamos.

RICARDO (*practicando lo que le va a decir a Marcela*) Marcela, te ofrezco disculpas porque arruiné tu cumple. Estaba volando el dron cuando de repente se quedó sin... No, no, eso no... Marcela, quería pedirte perdón con este humilde regalo. Me gustaría decirte que...

Expresiones útiles

Talking about the past

¡Estaba cruzando y me atropellaste!
I was crossing and you ran into me!

Pues, llegó usted al lugar correcto.
Well, you came to the right place.

¡Qué susto! ¡Pensé que estabas inconsciente!
You scared me! I thought you were unconscious!

¡Siempre fueron desordenados! Pero antes mi mami recogía todo y tú no te dabas cuenta.
They were always messy! But Mom always picked everything up and you didn't notice.

Talking about likes and dislikes

No se preocupe; le va a encantar.
Don't worry. She's going to love it.

¿Y a ella qué le gusta?
And what does she like?

Talking about shopping

¿Qué precio tiene?
How much is it?

¿Qué se lleva, amigo?
What will you take, my friend?

¿Si a ella no le gusta lo puedo devolver y me hace el reembolso?
If she doesn't like it, can I return it and get a refund?

¡Súper barato! 150 pesos no más. ¡Una ganga!
Super cheap! Only 150 pesos. A bargain!

Additional vocabulary

arruinar *to ruin*
la artesanía *handicraft*
la broma *joke*
la disculpa *apology*
humilde *humble*
pálido/a *pale*
retrasarse *to be delayed/late*

Teaching Tips
- Tell students that they are responsible for all **Expresiones útiles**. Model pronunciation and practice the expressions by engaging students in short conversations.
- Make flashcards to introduce the **Expresiones útiles** and Additional Vocabulary.
- Have students work in groups to write a synopsis of the episode. Assist them in their writing.

Extra Practice Have students play **la subasta** in class. Sample the activity by showing a marker, and using expressions from **Expresiones útiles**, such as: **¿Qué se lleva amigo? Este marcador cuesta 2 dólares. ¡Una ganga! ¿Alguien ofrece más? ¡Vendido!**

DIFFERENTIATION

For Inclusion Write a few key words—including some from the **Expresiones útiles** list—on the board. Then play the episode without sound and have students focus on the actions and gestures of the characters. Ask them to guess what is happening in each scene. Then replay the episode with sound and ask students to revise their guesses. This activity also benefits visual learners.

DIFFERENTIATION

Interpersonal Communication

To Challenge Students Have students write and act out a skit about two people buying a special gift for their mother/father using lesson vocabulary. They should emphasize the **Expresiones útiles**. Variation: Students may film their skit for the class.

Comprensión

Teaching Tips

Teaching Tips

❶ Expansion Have students work in pairs to identify the lines of the dialogue on the storyboard (pp. 104–105) that each item refers to. For example, for item 1: **Estaba cruzando y me atropellaste.**

Interpretive Communication

1 **Opciones** Completa cada oración con la opción correcta.

1. Marcela ___ a Ricardo con la Kombi.
   a. atropelló   b. llamó   c. enamoró

2. Ricardo le dice al vendedor que Marcela es su ___ .
   a. mamá   b. prima   c. novia

3. Según el vendedor, sus alebrijes son ___ .
   a. gratis   b. baratos   c. caros

4. Marcela le sugiere a Lupita ___ .
   a. tomar una siesta   b. hacer los quehaceres   c. contestar la llamada

5. Ricardo se quiere disculpar con Marcela por arruinar su ___ .
   a. Kombi   b. teléfono   c. cumpleaños

❷ Expansion Have students work in pairs on this activity, asking each other questions. For example: **Estudiante 1: ¿Por qué piensa Marcela que Ricardo está inconsciente?; Estudiante 2: Porque está tirado en la calle con los ojos cerrados.**

Interpretive Communication

2 **Completar** Completa cada oración de la izquierda con la información correcta de la columna de la derecha.

b 1. Marcela piensa que Ricardo está inconsciente porque

f 2. Marcela no acaba su almuerzo porque

d 3. Mientras el vendedor envuelve el regalo, Ricardo

c 4. Marcela estudia

e 5. Lupita dice que Marcela tiene razón porque

a 6. Al final del episodio, Marcela

a. acelera con la Kombi al ver que el pasajero es Ricardo.

b. está tirado en la calle con los ojos cerrados.

c. historia.

d. llama al servicio de taxis de Marcela.

e. no se siente bien.

f. tiene que ir a recoger a un pasajero.

Extra Practice Have pairs role-play a situation between an employer and an employee in which they must negotiate a work schedule. The company is understaffed and the employee is involved in many activities.

Interpersonal Communication

Interpersonal Communication

3 **Preguntas y respuestas** En parejas, háganse preguntas utilizando los personajes de la fotonovela y los siguientes elementos. Some answers will vary.

MARCELA   **LUPITA**   **RICARDO**   **VENDEDOR**

MODELO pedir un taxi
ESTUDIANTE 1 ¿Quién pidió un taxi?
ESTUDIANTE 2 Ricardo pidió un taxi.

atropellar a Ricardo	ir de compras
comprar algo de comer	recibir una llamada
hacer los quehaceres	vender una ganga

To Challenge Students Encourage students to use the preterite in all of the questions in Activity 3. Preview the preterite (**Estructura 3.1**). If students still need to review the present tense, in addition, you may let them use the present tense instead of the preterite.

Extra Practice Create the game **¿Quién tiene?... Yo tengo...** to practice the **Contextos** and **Fotonovela** verbs. Each student gets a card with two actions, one in English and another in Spanish, for example: *to sweep* and **pedir un taxi**. The student will say **Yo tengo que barrer. ¿Quién tiene que pedir un taxi?** Whoever has the card with *to order a taxi* and **quitar el polvo** will say: **Yo tengo que pedir un taxi. ¿Quién tiene que quitar el polvo?**, and so on.

Ampliación

4 **La vida diaria** En parejas, elijan un personaje de la fotonovela e imaginen cómo es su vida diaria. Escriban una descripción de un día de su vida en primera persona y compártanla con la clase sin decir el nombre del personaje. La clase deberá adivinar de qué personaje se trata.

Presentational Communication

> **MODELO**
>
> **ESTUDIANTE** Por las mañanas, paso la aspiradora y quito el polvo de la habitación del señor Lorenzo…
>
> **LA CLASE** Es Lupita.

5 **Ayuda para Ricardo** Al final del episodio, Ricardo está pensando en cómo disculparse con Marcela. En grupos de tres, piensen en lo más efectivo que Ricardo puede decir para que Marcela lo perdone y escríbanlo. Compartan su idea con la clase.

Interpersonal Communication

6 **Apuntes culturales** En parejas, lean los párrafos y contesten las preguntas.

Interpersonal Communication

Interpersonal Communication

Relating Cultural Practices to Perspectives

Relating Cultural Products to Perspectives

Alebrijes

Manu le compra un alebrije a Marcela. El alebrije es un tipo de artesanía procedente de México, fabricada con la técnica del papel maché. Los alebrijes son criaturas imaginarias con elementos de diferentes animales, pintados con colores vibrantes. Su creación y nombre se atribuyen a Pedro Linares (1906-1992), artesano especializado en piñatas y máscaras. Cuando el artesano estaba enfermo, soñó (*dreamed*) con estos seres (*beings*), los cuales gritaban (*shouted*) la palabra "alebrije". Así fue como Linares comenzó a crear alebrijes hacia el año 1936. Estas artesanías se hicieron populares después de que Frida Kahlo y Diego Rivera las descubrieron. Oaxaca es famoso por sus alebrijes tallados (*carved*) en madera (*wood*) de copal. Estas artesanías son la base de la economía de muchos pueblos oaxaqueños, donde las familias las crean y venden en mercados y plazas.

Gastronomía oaxaqueña

Manu compra unos chapulines en el mercado. Los chapulines son saltamontes (*grasshoppers*) comestibles (*edible*) típicos del estado de Oaxaca, con alto contenido en proteínas. Se consumen desde la época prehispánica y se suelen comer con ajo (*garlic*) y limón como plato principal, o en tacos y quesadillas. Oaxaca tiene una gran diversidad gastronómica. Entre sus platos tradicionales, se encuentran también siete variedades de mole, y el quesillo (un tipo de queso blanco y blando), entre otros. Oaxaca es también famoso por dulces regionales como las nieves (un tipo de helado similar al sorbete con muchos sabores para elegir) y el chocolate, y bebidas tradicionales como el café y el tejate (p. 62).

1. ¿Prefieres que te regalen algo comprado o algo hecho a mano? ¿Por qué? ¿Qué prefieres regalar tú?
2. ¿Regalarías un alebrije a un ser querido (*loved one*)? ¿A quién? ¿Por qué crees que le gustaría?
3. ¿Alguna vez probaste una comida o bebida exótica? ¿Cuál? ¿Te atreves a comer chapulines?
4. Cuando visitas un lugar nuevo, ¿prefieres comer comida local y desconocida o piensas que es mejor no arriesgarse (*to risk it*) y pedir comida que conoces? ¿Por qué?

PUEDO relatar las actividades que una persona hace a diario.

Teaching Tips

5 Model the activity by having students invent situations in which they might need to make excuses. Ex: **Prometí cuidar a los niños de la vecina hoy. ¿Quién puede hacerlo por mí?**

6 **Expansion** Extend the discussion with additional questions. Ex: **¿Es importante hacer un descanso al mediodía? ¿Qué opinas de la costumbre de la siesta en los países hispanohablantes?**

NATIONAL STANDARDS
Communities Have students search the Internet for **El Chapulín Colorado**, one of the characters created by the Mexican comedian Roberto Gómez Bolaños, a.k.a. **Chespirito**. Explain students that this character is one of the main heroes in the minds of Latin American comic fans. Ask them: **¿Por qué crees que Chespirito llamó Chapulín a este personaje? ¿Te gustan los cómics? ¿Conoces eventos relacionado con los cómics? ¿Cuáles? ¿A alguien que conozcas le gustan los comics? ¿Cuál es el/la superhéroe/superheroína que más te gusta?**

PRE-AP* | Interpersonal Communication

Interpersonal Speaking Have students practice informal commands and household task vocabulary by role-playing parent and child situations. Then have them record themselves as if they were a parent leaving a message on the child's cell phone, using at least eight of the verbs on page 100. Tell students to imagine that Aunt Bettina is coming for a visit, and she is very fussy. Students should use expressive voices, and be able to use negative as well as affirmative commands. Say: **Ahora vas a grabar un mensaje de voz. Has llamado a tu hijo/a para decirle que la Tía Bettina, una perfeccionista, llega hoy. Dale a tu hijo/a por lo menos ocho mandatos diferentes, usando el vocabulario de la página 100.**

Section Goals

In **El mundo hispano**, students will:

- read about families, especially **la familia real de España** and daily life in Spanish-speaking countries
- learn about going shopping in Barcelona

Pre-AP*

AP Skill Categories
[1] [2] [3] [4]

Student Resources
Online Video and Activities

Teacher Resources
Video Script & Translation

21st Century Skills

Global Awareness
Students will gain perspectives on the Spanish-speaking world to develop respect and openness to others and to interact appropriately and effectively with citizens of Spanish-speaking cultures.

Reading Strategies Have students look at the pictures, then skim for cognates; list cognates on the board. Next have students identify words that they think reveal the gist. They should guess the main points of the story, based on the pictures and the word list.

Teaching Tip Ask students to do the comprehension check in small groups; one student in each is the "teacher." All have a list of comprehension questions, and the "teacher" also has an answer sheet. "Teachers" ask questions. Students win a point for each correct answer.

Culture Note Juan Carlos became king of Spain in 1975, after the death of Francisco Franco, head of the Spanish government since **la Guerra Civil** ended in 1939.

En detalle

LA FAMILIA REAL

ESPAÑA

La familia real española durante un acto oficial

En 1469, Isabel de Castilla y Fernando de Aragón se casaron, unieron sus reinos y formaron lo que hoy conocemos como España. Más de 500 años después, en 2014, Felipe VI de Borbón se convirtió en el último rey de esta vieja nación. La proclamación del nuevo rey se produjo después de que su padre Juan Carlos I decidió abdicar°, dando fin a un largo reinado (1975-2014) de prosperidad, que empezó con la llamada "transición democrática". ¿En qué consistió esa transición? España vivió 40 años bajo la dictadura de Francisco Franco. Al final de su mandato, el dictador quiso que el entonces príncipe Juan Carlos fuera su sucesor; pero tras la muerte de Franco en 1975, el Rey decidió integrar a España en la comunidad de naciones democráticas de Europa. Gracias al carisma de Juan Carlos I, y a su protagonismo en el camino hacia la libertad, la Corona° tuvo un gran respaldo popular. Sin embargo, la monarquía quedó afectada con la larga crisis económica y política que comenzó en 2008. Además, Cristina de Borbón, una de las hijas del rey, y su marido tuvieron problemas con la justicia. Casi cuarenta años después de que Juan Carlos fue coronado rey, su hijo Felipe VI se enfrenta a una segunda transición: dar sentido a la monarquía en la era de Internet. Su esposa, doña Letizia, que fue periodista antes que reina, lo está ayudando a conseguirlo: aunque Felipe VI no tiene el carisma

¿Futura reina?

La **princesa Leonor** es la primogénita° del **rey Felipe VI**. Sin embargo, si los monarcas tienen un hijo varón, él sería el heredero de la Corona. Para que esto cambie, se tendría que cambiar la Constitución española de 1978: la mayoría de los españoles apoyaría ese cambio.

natural de su padre, es un comunicador mucho más eficaz. La sociedad española parece haber recibido bien esta renovación en la familia real, formada por Juan Carlos I, doña Sofía, los reyes Felipe y Letizia, y las hijas de éstos, la princesa Leonor y la infanta° Sofía. Según las encuestas, cuando Juan Carlos I anunció que abdicaría en favor de su hijo, la popularidad de la Corona aumentó y la monarquía empezó a recuperar su prestigio. La segunda transición ya está en marcha. ∎

abdicar *to abdicate* **reinado** *reign* **Corona** *Crown* **infanta** *princess* **primogénita** *first born*

PRE-AP*

| Presentational Communication | Making Connections | Acquiring Information & Diverse Perspectives |

Formal Oral Presentation: Synthesis of Sources Tell students about the Spanish Civil War. If possible, have them listen to a podcast from **RTVE** (www.rtve.es) about Francisco Franco, and give them the basic history of what happened after his death. In pairs, have them share what they know about monarchies. Next have students read page 108. In groups, have them research the life of Juan Carlos de Borbón and write a basic outline for their presentation. Say: **Basándote en la información que has escuchado, lo que hemos dicho en clase y la lectura de la página 108, presenta una charla de dos minutos sobre los cambios que inició Juan Carlos I en España y explica las razones de su popularidad.**

- After reading **Así lo decimos**, ask students to share their names for family members. Ask them to also share the ethnic heritage of the names they know. Encourage heritage speakers to add to the list in the book.
- Before reading this section, ask students to brainstorm a list of what products or services used to be sold door-to-door in the U.S. and what products and services are still sold door-to-door. Record student responses in two columns on the board under the headings **En el pasado** and **Hoy en día**. After reading, compare the customs in the States to those in other countries.

ASÍ LO DECIMOS

La familia

mima (Cu.)	mom
amá (Col.)	
apá (Col.)	dad
pipo (Cu.)	
tata (Arg. y Chi.)	grandpa
yayo (Esp.)	
carnal (Méx.)	brother; friend
carnala (Méx.)	sister
la carnalita (Méx.)	little sister
m'hijo/a (Amér. L.)	exp. to address a son or daughter
chavalo/a (Amér. C.)	boy/girl
chaval(a) (Esp.)	

EL MUNDO HISPANOHABLANTE

Las compras diarias

- En España, las grandes tiendas y también muchas tiendas pequeñas cierran los domingos. Así, los españoles realizan todas sus compras durante el resto de la semana. En algunos casos, las grandes tiendas, como El Corte Inglés, abren un domingo al mes.

- En la región salvadoreña de Colonia la Sultana, el señor del pan pasa todos los días a las siete de la mañana con una canasta en la cabeza repleta de pan fresco. Cuando las personas lo escuchan llegar, salen a la calle para comprarle pan. Los que se quedan dormidos, si quieren pan fresco, tienen que ir al pueblo de al lado.

- En Nicaragua y otros países de Latinoamérica hay muchos vendedores ambulantes, como los mieleros, que van vendiendo miel, queso y otros alimentos naturales por las casas.

PERFIL

LETIZIA ORTIZ

Letizia Ortiz nació en Oviedo el 15 de septiembre de 1972 en el seno de una familia trabajadora. Si alguien les hubiera dicho a sus padres que su hija iba a ser princesa, seguramente lo habrían tomado por loco. Esta inteligente y emprendedora° mujer estudió periodismo y ejerció su profesión en algunos de los mejores medios españoles: el periódico ABC, y los canales CNN plus y TVE. Cuando se formalizó el compromiso° con el entonces príncipe Felipe, Letizia tuvo que dejar de trabajar y empezó un entrenamiento particular para ser princesa, ya que al casarse se convertiría en Princesa de Asturias. Su relación con el ahora rey se distingue por no haber respondido a la formalidad que se espera en estos casos. Poco antes de la boda, un periodista le preguntó: "¿Y cómo se declara un príncipe?", a lo que Letizia contestó: "Como cualquier hombre que quiere a una mujer". Al convertirse en reina de España, pasó de apoyar las funciones del príncipe a impulsar campañas educativas y de salud para promover la lectura y la lucha contra el cáncer y enfermedades poco frecuentes, tanto en España como en el mundo. Ésta no es una tarea fácil: Letizia debe reflejar moderación y transparencia, ocuparse° de sus hijas y proyectar una imagen fresca y cercana para cautivar al pueblo español.

❝… a partir de ahora y de forma progresiva voy a integrarme y a dedicarme a esta nueva vida con las responsabilidades y obligaciones que conlleva.❞ (Letizia Ortiz)

emprendedora *enterprising* compromiso *engagement* ocuparse *to take care of*

NATIONAL STANDARDS
Connections: History Have students research the history of the Spanish royal family. Explain to them that the **Borbones** of Spain are from the Bourbon family that also ruled France and part of Italy. Ask students to create a family tree that shows the Bourbon/**Borbón** family and present it to the class.

Communities Students might want to go through issues of Spanish magazines such as *¡Hola!* that often include stories on Spanish and other European royalty. What do they notice about the tone and the amount of the coverage? Which figures are U.S. magazines more likely to focus on? What conclusions can students draw from their observations?

🌐 **21st Century Skills**

Information and Media Literacy: Entre culturas Students can go online to complete the **Entre culturas** activity for additional practice accessing and using culturally authentic sources.

CRITICAL THINKING — Presentational Communication

Application and Synthesis Ask pairs to think of other celebrities they know of who have come from poor or disadvantaged backgrounds. Allow time for research if necessary. Then ask students to write a biography paragraph of five to ten sentences and share it with the class.

CRITICAL THINKING — Cultural Comparisons

Evaluation Is there any group in the U.S. that could be called a kind of "American royalty?" Have students discuss and defend their opinions. (Students who answer "yes" may have a wide range of opinions, and it is possible they will name certain political families, people in the entertainment world, sports figures, etc.)

1 Interpretive Communication

Comprensión Indica si las oraciones son **ciertas** o **falsas**. Corrige las falsas. Some answers will vary.

1. El general Francisco Franco quería que Juan Carlos de Borbón fuera su sucesor. Cierto.
2. El general Franco trabajó mucho para establecer la democracia en España. **Falso.** El rey Juan Carlos I trabajó mucho para implantar la democracia.
3. El príncipe Felipe se convirtió en rey tras la muerte de su padre. **Falso.** El príncipe Felipe se convirtió en rey cuando su padre abdicó la corona.
4. La dictadura de Franco también se conoce como transición. **Falso.** La transición fue el cambio de la dictadura a la democracia.
5. El príncipe Felipe se casó con una presentadora de televisión. Cierto.
6. La infanta Cristina es soltera. **Falso.** La Infanta Cristina está casada.
7. La familia real no ha tenido problemas. **Falso.** Cristina de Borbón y su marido tuvieron problemas con la justicia.
8. A muchos españoles les gusta la Familia Real. Cierto.

2 Interpretive Communication

Oraciones incompletas Completa las oraciones.

1. Los padres de Letizia Ortiz son ___de clase___ trabajadora.
2. Letizia estudió ___periodismo___.
3. Cristina de Borbón es la ___hermana___ del rey Felipe VI.
4. Felipe VI es un comunicador más eficaz que ___su padre___.
5. En España, las grandes tiendas abren ___un domingo por mes___.

3 **Preguntas** Contesta las preguntas. Some answers may vary.

1. ¿Cuál es una forma cariñosa de referirse al padre en Cuba? Una forma cariñosa de referirse al padre en Cuba es *pipo*.
2. ¿Por qué crees que Letizia Ortiz tuvo que dejar de trabajar como periodista al convertirse en Princesa?
3. ¿Es seguro que la Infanta Leonor sea reina de España en el futuro? No, si tiene un hermano, habría que cambiar la Constitución.
4. ¿Crees que tienen sentido las monarquías en el siglo XXI? ¿Por qué?
5. Vuelve a leer la cita de Letizia Ortiz. ¿A qué responsabilidades y obligaciones crees que se refiere? Interpretive Communication | Acquiring Information & Diverse Perspectives

4 **Opiniones** En parejas, preparen dos listas. En una lista, anoten los elementos positivos de ser príncipe o princesa heredero/a y, en la otra, los elementos negativos que creen que puede tener. Guíense por estos planteamientos y otros.

- ¿Vale la pena ser rico y famoso si pierdes la vida privada?
- ¿Estarías dispuesto/a a guardar los modales las 24 horas del día?
- ¿Serías capaz de cumplir con todas las responsabilidades que conlleva este cargo?

Relating Cultural Products to Perspectives | Cultural Comparisons | Making Connections

PROYECTO

A domicilio

Existen muchos servicios a domicilio que facilitan la vida diaria. Además del ejemplo de los mieleros en Nicaragua, están los paseadores de perros, los supermercados con entrega a domicilio y las empresas que nos permiten recibir libros en casa o ropa por correo.

Imagina que vas a crear una empresa para ofrecer un servicio a domicilio.

Usa esta guía para preparar un folleto (*brochure*) sobre tu empresa. Describe:

- El servicio que vas a ofrecer y cómo se llama.
- Las principales características de tu servicio.
- Cómo va a facilitar la vida diaria de tus clientes.

PUEDO comentar sobre distintas formas de gobierno de la historia de España y describir a algunos de los miembros de la familia real española.

De compras por Barcelona

Hacer las compras tal vez te parezca una actividad aburrida y poco glamorosa, pero ¡te equivocas! En este episodio de **Flash cultura** podrás pasear por el antiguo mercado de Barcelona y descubrir una manera distinta de elegir los mejores productos en tiendas especializadas.

VOCABULARIO ÚTIL

amplio/a *broad, wide*
el buñuelo *fritter*
el carrito *shopping cart*
la charcutería *delicatessen*

la gamba *(Esp.) shrimp*
los mariscos *seafood*
las patas traseras *hind legs*
el puesto *market stand*

1 **Preparación** Responde estas preguntas: ¿Qué productos españoles típicos conoces? ¿Cuál te gustaría más probar?

2 **Comprensión** Indica si estas afirmaciones son **ciertas** o **falsas**. Después, en parejas, corrijan las falsas. | Interpretive Communication |

1. Las Ramblas de Barcelona son amplias avenidas. Cierto.

2. En La Boquería debes elegir un carrito a la entrada y pagar toda la compra al final. Falso. En La Boquería no hay carritos y en cada parada se debe pagar la compra.

3. Hay distintos tipos de jamón serrano según la curación y la región. Cierto.

4. Barcelona ofrece una gran variedad de marisco y pescado fresco porque es un puerto marítimo. Cierto.

5. En España, la mayoría de las tiendas cierra al mediodía durante media hora. Falso. Las tiendas cierran durante tres horas.

6. Las panaderías abren todos los días menos los domingos. Falso. Las panaderías están abiertas también los domingos.

3 **Expansión** En parejas, contesten estas preguntas. | Interpersonal Communication |

- ¿Prefieres hacer las compras en tiendas pequeñas y mercados tradicionales o en un supermercado normal? ¿Por qué?

- ¿Te levantas temprano para comprar el pan o algún otro producto los domingos? ¿Qué producto es tan esencial para la gente de tu país como el pan para los españoles?

- ¿Te parece bien que las tiendas cierren a la hora de la siesta? ¿Para qué usarías tú todo ese tiempo?

PUEDO mencionar lugares para ir de compras en Barcelona, España, y algunos platos típicos.

Corresponsal: Mari Carmen Ortiz
País: España

La Boquería es un paraíso para los sentidos: olores de comida, el bullicio° de la gente, colores vivos se abren a tu paso mientras haces tus compras.

Hay tiendas que nunca cierran a la hora de comer: las tiendas de moda y los grandes almacenes°. Pero aún éstas tienen que cerrar tres domingos al mes.

El jamón serrano es una comida típica española y es servido con frecuencia en los bares de tapas°.

bullicio *hubbub* **almacenes** *department stores*
tapas *Spanish appetizers*

- After watching **Flash cultura**, have students compare how they do their shopping with how their parents and grandparents do or did their shopping. Ask: **¿Cómo han cambiado los hábitos de compras? ¿Hay hábitos que aún comparten?**

- Have students use the new vocabulary and words they already know to make their own shopping lists.

 21st Century Skills

Information and Media Literacy
Go online to complete the **Entre culturas** activity associated with **Flash cultura** for additional practice accessing and using culturally authentic sources.

Cultural Comparison
After viewing the segment, have students formulate statements comparing and contrasting shopping in Barcelona, including the places to shop in their community. **Compara las compras en Barcelona con las compras en tu comunidad. Considera los productos, las prácticas (cómo, cuándo y dónde) y las perspectivas (actitudes y opiniones) al hacer las compras. ¿Qué hay en común? ¿Qué les parece diferente?**

PRE-AP* | Interpersonal Communication |

Interpersonal Writing Tell students to imagine they are in the following situation. Say: **Es el sábado por la tarde, y no tienes comida para la semana. Escribe un correo electrónico a un(a) amigo/a pidiéndole hacer las compras por ti.** Then have them exchange their e-mails with a partner and write responses.

TEACHING OPTIONS

Extra Practice Tell students to imagine that they are at one of the places featured in the video. Ask them to jot down what they would eat or buy. Then have them write a dialogue they would have with a friend or vendor while eating or shopping in Barcelona. Ask volunteers to role-play their dialogues with the class.

In **Estructura**, students will:

- review formation of the preterite, focusing on irregulars
- go over formation of the imperfect tense
- practice these tenses and their contrasting differences

Student Resources
Cuaderno de actividades, pp. 55–58
Online Video and Activities, *eCuaderno*

Teacher Resources
Workbook TEs; Grammar Slides; Digital Image Bank; Audio Activities online; Audio Script; Assessment Program Quizzes

Teaching Tips

- To preview the preterite, share an anecdote about something funny or embarrassing that happened in the past. Write the preterite verbs you use on the board as you tell the story.
- Remind students that **c** and **g** change to **qu** and **gu** to maintain the hard consonant sounds.
- Remind students that -**ar** and -**er** stem-changing verbs do not change the stem in the preterite.
- Note the need for written accents in order to avoid diphthongs. Ask students how these verbs would sound without the accent marks.
- Point out that -**uir** verbs require written accents only in the **yo** and **él/ella/Ud.** forms.
- Remind students what third-person forms are.

3 ESTRUCTURA

Objetivo comunicativo: Expresar acciones o estados en el pasado

3.1 The preterite

- Spanish has two simple tenses to indicate actions in the past: the preterite (**el pretérito**) and the imperfect (**el imperfecto**). The preterite is used to describe actions or states that began or were completed at a definite time in the past.

The preterite of regular -*ar*, -*er*, and -*ir* verbs

comprar	vender	abrir
compré	vendí	abrí
compraste	vendiste	abriste
compró	vendió	abrió
compramos	vendimos	abrimos
comprasteis	vendisteis	abristeis
compraron	vendieron	abrieron

¡ATENCIÓN!
In Spain, the present perfect (p. 282) is more commonly used to describe recent events.

- The preterite tense of regular verbs is formed by dropping the infinitive ending (-**ar**, -**er**, -**ir**) and adding the preterite endings. Note that the endings of regular -**er** and -**ir** verbs are identical in the preterite tense.

- The preterite of all regular and some irregular verbs requires a written accent on the preterite endings in the **yo, usted, él**, and **ella** forms.

Ayer **empecé** un nuevo trabajo. Mi mamá **preparó** una cena deliciosa.
Yesterday I started a new job. *My mom prepared a delicious dinner.*

- Verbs that end in -**car**, -**gar**, and -**zar** have a spelling change in the **yo** form of the preterite. All other forms are regular.

buscar	busc-	-qu-	yo busqué
llegar	lleg-	-gu-	yo llegué
empezar	empez-	-c-	yo empecé

- **Caer, creer, leer**, and **oír** change -**i**- to -**y**- in the third-person forms (**usted, él, ella** forms and **ustedes, ellos, ellas** forms) of the preterite. They also require a written accent on the -**i**- in all other forms.

caer	caí, caíste, cayó, caímos, caísteis, cayeron
creer	creí, creíste, creyó, creímos, creísteis, creyeron
leer	leí, leíste, leyó, leímos, leísteis, leyeron
oír	oí, oíste, oyó, oímos, oísteis, oyeron

- Verbs with infinitives ending in -**uir** change -**i**- to -**y**- in the third-person forms of the preterite.

| construir | construí, construiste, construyó, construimos, construisteis, construyeron |
| incluir | incluí, incluiste, incluyó, incluimos, incluisteis, incluyeron |

DIFFERENTIATION

To Challenge Students Using **Juego de dados**, review the preterite of **caer, creer, leer, oír, construir, incluir:** Players throw the die to determine the verb form to give: 1 = **yo**; 2 = **tú**; 3 = **él/ella/Ud.**; 4 = **nosotros/as**; 5 = **ellos/ellas/Uds**; 6 = caller's choice. They follow the verb list in order when giving verb forms, and receive points for correct answers. To practice **vosotros/as**, 5 = **vosotros/as** and 6 = **ellos/ellas/Uds**.

DIFFERENTIATION

For Inclusion Have students work in pairs or groups of three to practice the preterite of stem-changing -**ir** verbs and irregular verbs. Distribute small whiteboards and a dry-erase marker to each group. Say the Spanish verb and a subject; students write the verb form. The first group to hold up the correct answer wins a point.

- Stem-changing **-ir** verbs also have a stem change in the third-person forms of the preterite. Stem-changing **-ar** and **-er** verbs are regular.

Preterite of *-ir* stem-changing verbs			
pedir		**dormir**	
pedí	pedimos	dormí	dormimos
pediste	pedisteis	dormiste	dormisteis
pidió	pidieron	durmió	durmieron

- A number of **-er** and **-ir** verbs have irregular preterite stems. Note that none of these verbs takes a written accent on the preterite endings.

Creo que ya me entendió.

Termina tu almuerzo y después te vas. Mira, dejaste la mitad.

Preterite of irregular verbs		
Infinitive	**u-stem**	**preterite forms**
andar	anduv-	anduve, anduviste, anduvo, anduvimos, anduvisteis, anduvieron
estar	estuv-	estuve, estuviste, estuvo, estuvimos, estuvisteis, estuvieron
poder	pud-	pude, pudiste, pudo, pudimos, pudisteis, pudieron
poner	pus-	puse, pusiste, puso, pusimos, pusisteis, pusieron
saber	sup-	supe, supiste, supo, supimos, supisteis, supieron
tener	tuv-	tuve, tuviste, tuvo, tuvimos, tuvisteis, tuvieron
Infinitive	**i-stem**	**preterite forms**
hacer	hic-	hice, hiciste, hizo, hicimos, hicisteis, hicieron
querer	quis-	quise, quisiste, quiso, quisimos, quisisteis, quisieron
venir	vin-	vine, viniste, vino, vinimos, vinisteis, vinieron
Infinitive	**j-stem**	**preterite forms**
conducir	conduj-	conduje, condujiste, condujo, condujimos, condujisteis, condujeron
decir	dij-	dije, dijiste, dijo, dijimos, dijisteis, dijeron
traer	traj-	traje, trajiste, trajo, trajimos, trajisteis, trajeron

- Note that the stem of **decir (dij-)** not only ends in **j**, but the stem vowel **e** changes to **i**. In the **usted**, **él**, and **ella** form of **hacer (hizo)**, **c** changes to **z** to maintain the pronunciation. Most verbs that end in **-cir** have **j**-stems in the preterite.

¡ATENCIÓN!

Other *-ir* stem-changing verbs include:

conseguir	repetir
consentir	seguir
hervir	sentir
morir	servir
preferir	

¡ATENCIÓN!

Ser, ir, dar, and **ver** are also irregular in the preterite. The preterite forms of **ser** and **ir** are identical.

ser/ir
fui, fuiste, fue, fuimos, fuisteis, fueron

dar
di, diste, dio, dimos, disteis, dieron

ver
vi, viste, vio, vimos, visteis, vieron

The preterite of **hay** is **hubo**.

Hubo dos conciertos el viernes.
There were two concerts on Friday.

ciento trece **113**

Teaching Tips
- Have students conjugate **deshacer**, **oponer**, and **atraer**. Remind them that all verbs ending in **hacer**, **poner**, and **traer** are also irregular in the preterite.
- Ask a volunteer to conjugate **producir** and **traducir**.
- In order to practice verbs in the preterite, throw a ball to one student in the room and shout out a verb and subject. The student must conjugate the verb in the preterite and then throw the ball to a classmate, calling out a different verb and subject.

Extra Practice Go to **vhlcentral.com** for additional practice with the preterite.

LEARNING STYLES

For Kinesthetic Learners To practice verbs in the preterite, throw a soft, foam ball to a student and call out a verb and a subject. The student must conjugate the verb in the preterite, then throw the ball to a classmate, and name a different verb and subject.

LEARNING STYLES

For Kinesthetic Learners Play **Pasa la tiza**. Form teams of six. Give the first student in each team a piece of chalk. Write a verb on the board and say: **¡Vayan!** The first students run to the board and write the **yo** preterite form of the verb, run back to their team, pass the chalk to the next players who run to the board to conjugate the **tú** form. The chalk is passed until a team conjugates the complete verb correctly.

Estructura **113**

- For additional verb drills, divide the class into two groups. Give an infinitive to the class and have one student from each group go to the board and conjugate it in the preterite. Each team receives a point for a correct conjugation. Continue the activity by calling out other infinitives and having a different team member come up to the board each time. The group with the most points wins.

1 Have students exchange papers and correct each other's work. They should refer to the verb lists on the previous pages.

Formative Assessment
Use Activity 1 as a bell-ringer the next day, or an exit ticket after teaching/reviewing preterite to see how students grasped the lesson.

2 Have students orally conjugate the verbs from the activity.

3 **Expansion** Ask students to convert the exercise into a questionnaire. Partners take turns asking and answering each other's questions and taking notes on the answers.

Práctica

1 **Quehaceres** Escribe la forma correcta del pretérito de los verbos indicados.

1. El sábado pasado mi familia y yo __hicimos__ (hacer) la limpieza semanal.
2. Mi hermano Jorge __barrió__ (barrer) el suelo de la cocina.
3. Yo __pasé__ (pasar) la aspiradora por el salón.
4. Mis padres __quitaron__ (quitar) los sillones para limpiarlos y después los __volvieron__ (volver) a poner en su lugar.
5. Yo __lavé__ (lavar) toda la ropa sucia y la __puse__ (poner) en el armario.
6. Nosotros __terminamos__ (terminar) con todo en menos de una hora.
7. Luego, mi madre __abrió__ (abrir) el refrigerador.
8. Ella __vio__ (ver) que no había nada de comer.
9. Mi padre __dijo__ (decir) que iría al supermercado. Todos nosotros __decidimos__ (decidir) acompañarlo.
10. Yo __apagué__ (apagar) las luces y nos __fuimos__ (ir) al supermercado.

2 **¿Qué hicieron?** Combina elementos de cada columna para narrar lo que hicieron las personas.

> **MODELO** Una vez, mis amigos y yo tuvimos que cocinar para cincuenta invitados.

anoche	mi compañero/a	conversar	?
anteayer	de clase	dar	?
ayer	mi hermano/a	decir	?
dos veces	mis amigos/as	ir	?
la semana	el/la profesor(a)	leer	?
pasada	de español	pedir	?
una vez	yo	tener que	?

3 **La última vez** Con oraciones completas, indica cuándo fue la última vez que hiciste cada una de estas actividades. Da detalles en tus respuestas. Después comparte la información con la clase.

> **MODELO** ir al cine
> La última vez que fui al cine fue en 2018. La película que vi fue *Misión imposible: Repercusión...*

1. hacer mandados
2. decir una mentira
3. andar atrasado/a
4. olvidar algo importante
5. devolver un regalo
6. ir de compras
7. oír una buena/mala noticia
8. encontrar una ganga increíble
9. probarse ropa en una tienda
10. comprar algo muy caro

DIFFERENTIATION

For Inclusion Ask students to think of a funny thing that happened to them in the past. Ask them to make a comic-strip presentation of the story—one scene to represent each part of the event. Then, as they are able, students can label the scenes with phrases or verbs in the preterite. This activity would also be appropriate for visual learners.

DIFFERENTIATION

Heritage Speakers For **Actividad 2**, ask heritage speakers to brainstorm at least three more words or phrases that indicate the past, such as **hace ___ años que, el mes pasado, en el año ___**, etc. Ask students to share and explain these phrases to their classmates.

Comunicación

4 **La semana pasada** Recorre el salón de clase y averigua lo que hicieron tus compañeros durante la semana pasada. Anota el nombre del primero que conteste que sí a las preguntas.

Interpersonal Communication

MODELO **ir al cine**
—¿Fuiste al cine durante la semana pasada?
—Sí, fui al cine y vi la última película de Cuarón./No, no fui al cine.

Actividades	Nombre
1. asistir a un partido de fútbol	_____
2. cocinar para los amigos	_____
3. conseguir una buena nota en una prueba	_____
4. dar un consejo (*advice*) a un(a) amigo/a	_____
5. dormirse en clase o en el laboratorio	_____
6. enojarse con un(a) amigo/a	_____
7. estudiar toda la noche para un examen	_____
8. incluir un álbum de fotos en Facebook	_____
9. ir a la oficina del/de la director(a)	_____
10. ir al centro comercial	_____
11. pedir dinero prestado	_____
12. perder algo importante	_____
13. probarse un vestido/un traje elegante	_____

5 **Una fiesta** En parejas, túrnense para comentar la última fiesta que dieron o a la que asistieron.

Interpersonal Communication

- ocasión
- fecha y lugar
- organizador(a)
- invitados
- comida
- música
- actividades

6 **Anécdotas**

Presentational Communication

A. Escribe dos anécdotas divertidas o curiosas que te ocurrieron en el pasado.

MODELO Una vez fui a una entrevista muy importante con un zapato de cada color...

B. Compartan la información con la clase y decidan qué anécdota es la más divertida e interesante.

PUEDO hablar sobre actividades o eventos pasados.

Teaching Tips
4 To keep the activity moving, have students move on to a new classmate after receiving an affirmative response.

4 Have students report their own activities during the past week. They can start by saying **Pues yo...**

4 Ask students which errands they usually run every month using the verb **soler**. Ex: **¿Suelen ir de compras?** Then preview the imperfect tense with **soler** to express habitual actions in the past. Ex: **Solía ir de compras todos los meses**.

5 **Expansion** Ask students what they like to do when hosting a party.

5 **Virtual Chat** Available online.

6 **Expansion** Brainstorm a list of possible story ideas for **Actividad 6** and have one or two volunteers write them on the board.

LEARNING STYLES

For Auditory Learners When students complete **Actividad 4**, read each item aloud in question form; then as volunteers respond, begin conversations with the volunteers or students about whom they are talking. Ex: **¿Quién asistió a un partido de fútbol?** Student response: **Mike asistió a un partido de fútbol.** Ask Mike: **Mike, ¿jugaste en el partido o lo miraste?** Mike's response: **Jugué en el partido.**

LEARNING STYLES

For Visual Learners Before assigning **Actividades 5** and **6**, as a class write a sample script for **Actividad 5** on the board. Underline the parts students can change for their own conversations.

Student Resources
Cuaderno de actividades,
pp. 59–62
Online Video and Activities,
eCuaderno

Teacher Resources
Workbook TEs; Grammar
Slides; Digital Image Bank;
Audio Activities online;
Audio Script; Assessment
Program Quizzes

Teaching Tips
- Remind students that progressive forms are less common in Spanish than in English. Examples: **Camino al banco.** *I'm walking to the bank.* **Caminaba al banco.** *I was walking to the bank.*
- Challenge students to translate the captions in the **Fotonovela** clips under the first bulleted point.

3.2 The imperfect

- The imperfect tense in Spanish is used to narrate past events without focusing on their beginning, end, or completion.

¿No dijo que era su novia?

Hace un rato estabas bien, pero ahora estás como pálida.

- The imperfect tense of regular verbs is formed by dropping the infinitive ending (**-ar, -er, -ir**) and adding personal endings. **-Ar** verbs take the endings **-aba, -abas, -aba, -ábamos, -abais, -aban. -Er** and **-ir** verbs take **-ía, -ías, -ía, -íamos, -íais, -ían**.

The imperfect of regular -ar, -er, and -ir verbs		
caminar	**deber**	**abrir**
caminaba	debía	abría
caminabas	debías	abrías
caminaba	debía	abría
caminábamos	debíamos	abríamos
caminabais	debíais	abríais
caminaban	debían	abrían

- **Ir, ser,** and **ver** are the only verbs that are irregular in the imperfect.

The imperfect of irregular verbs		
ir	**ser**	**ver**
iba	era	veía
ibas	eras	veías
iba	era	veía
íbamos	éramos	veíamos
ibais	erais	veíais
iban	eran	veían

- The imperfect tense narrates what was going on at a certain time in the past. It often indicates what was happening in the background.

> Cuando yo **era** joven, **vivía** en una ciudad muy grande. Todas las semanas, mis padres y yo **íbamos** al centro comercial.
>
> *When I was young, I lived in a big city. Every week, my parents and I went to the mall.*

LEARNING STYLES

For Kinesthetic Learners Play **Pasa el papel,** similar to **Pasa la tiza,** but played with teams in rows or small circles. Each team has one piece of paper. You call out a verb. The first player on each team writes the **yo** form, then passes the paper to the second who writes the **tú** form, etc. Players continue passing until the verb is conjugated completely. The team to finish first with the most correct answers earns a point.

LEARNING STYLES

For Inclusion Read sentences in the imperfect. Ask students to raise their hands when they hear the imperfect verbs. At first read the sentences slowly, then gradually increase your speed. This activity would also benefit auditory learners.

- The imperfect of **hay** is **había**.

  Había tres cajeros en el supermercado.
  There were three cashiers in the supermarket.

  Sólo **había** un mesero en el café.
  There was only one waiter in the café.

- These words and expressions are often used with the imperfect because they express habitual or repeated actions: **de niño/a** (*as a child*), **todos los días** (*every day*), **mientras** (*while*), **siempre** (*always*).

  De niño, vivía en un barrio de Madrid.
  As a child, I lived in a Madrid neighborhood.

  Todos los días iba a la casa de mi abuela.
  Every day I went to my grandmother's house.

  Siempre escuchaba música **mientras corría** en el parque.
  I always listened to music while I ran in the park.

Siempre dormía muy mal.
Nunca podía relajarme.
Estaba desesperado; no sabía qué hacer.
Ahora, mis problemas están resueltos con mi nueva cama.

DORMALUX
LA CAMA DE TUS SUEÑOS

Extra Practice Ask pairs of students to write a list of five to ten first lines of familiar fairy tales. Then have them exchange the lists with another pair and write the title of the fairy tale next to the opening line.

Teaching Tip Ask heritage speakers to list other expressions that indicate the imperfect form. If students have trouble doing so, suggest they consider synonyms for the expressions already given.

Expansion Have students search the Internet for a biography of a famous person and find out what his or her life was like in the past. Have them report results to the class.

NATIONAL STANDARDS
Connections: Civics Have students use Spanish-language resources to learn about and compare the forms of government under Franco and under today's constitutional monarchy. Have them describe Franco's government in simple sentences using the imperfect and the government of Felipe VI using the present.

DIFFERENTIATION — Presentational Communication

To Challenge Students Ask students to study the advertisement and think of another product to sell. Have them create a visual with magazine clippings, downloaded images, or drawings. Ask them to then write a caption that uses the imperfect to sell the product. Encourage students to display their work around the room and allow time for the class to walk around and enjoy the ads.

DIFFERENTIATION — Interpretive Communication / Presentational Communication / Making Connections

For Inclusion Give groups of students each a different copy of familiar fairy tales in Spanish. Ask them to read the fairy tales aloud as a group once. Then have them read a second time slowly, identifying all the imperfect verbs. Finally, have them create comic strips based on the story, using imperfect verbs.

Teaching Tips

1 Point out that the imperfect is usually used to give someone's age in the past.

1 Ask students: **¿Cuando eran niños, vivían en otra ciudad? ¿Cómo era su vida diaria allá?**

1 **Expansion** Ask students to research **Granada** in the library or on the Internet and discover popular tourist destinations there. Then have them add three to five sentences in the imperfect about a site that they might have visited frequently in **Granada**.

2 Point out that since the expression **los lunes** implies repetition of an action, the imperfect must be used.

2 **Expansion** Have students share what their partner's responses were, practicing the third-person singular form of the imperfect.

2 **Partner Chat** Available online.

Extra Practice

- List a series of infinitives on the board. Have students orally conjugate the verbs in all forms and then create a sentence using the imperfect.
- Go to **vhlcentral.com** for additional practice with the imperfect.

Práctica

1 **Granada** Escribe la forma correcta del imperfecto de los verbos indicados.

Granada, en el sur de España

Cuando yo (1) ___tenía___ (tener) quince años, estuve en España por seis meses. (2) ___vivía___ (vivir) con una familia española en Granada, una ciudad en Andalucía. (3) ___Era___ (ser) estudiante en un programa de español para estudiantes de colegios extranjeros. Entre semana los otros estudiantes y yo (4) ___estudiábamos___ (estudiar) español por las mañanas. Por las tardes, (5) ___visitábamos___ (visitar) los lugares más interesantes de la ciudad para conocerla mejor. Los fines de semana, nosotros (6) ___íbamos___ (ir) de excursión con los profesores del programa. (Nosotros) (7) ___Visitábamos___ (visitar) ciudades y pueblos nuevos. Los paisajes (8) ___eran___ (ser) maravillosos. Quiero volver pronto.

Interpersonal Communication

2 **Antes** En parejas, túrnense para hacerse preguntas usando estas frases. Sigan el modelo.

MODELO **levantarse tarde los lunes**
—¿Te levantas tarde los lunes?
—Ahora sí, pero antes nunca me levantaba tarde los lunes./Ahora no, pero antes siempre me levantaba tarde los lunes.

1. hacer los quehaceres del hogar
2. usar una agenda
3. ir de compras al centro comercial
4. pagar con tarjeta de crédito
5. trabajar por las tardes
6. preocuparse por el futuro

Interpersonal Communication

Presentational Communication

3 **Una historieta** En grupos de tres, creen una pequeña historieta (*comic*) explicando cómo era la vida diaria de un héroe o heroína. Después, presenten sus historietas a la clase.

MODELO Superchica era una niña con un poder muy peculiar: podía volar...

TEACHING OPTIONS

Preterite Vs. Imperfect To preview the preterite vs. the imperfect, encourage students to use both tenses in their comics from **Actividad 3**.

DIFFERENTIATION

Heritage Speakers Encourage heritage speakers to bring in a picture of their families' countries of origin. In the imperfect, students describe what they or their family members used to do at the place in the photo. Encourage others to ask questions in the imperfect.

Comunicación

4 De niños

A. Busca en la clase compañeros/as que hacían estas cosas cuando eran niños/as. Escribe el nombre de la primera persona que conteste afirmativamente cada pregunta.

MODELO ir mucho al parque
—¿Ibas mucho al parque?
—Sí, iba mucho al parque.

¿Qué hacían?	Nombre
1. tener miedo de los monstruos	_____
2. llorar todo el tiempo	_____
3. siempre hacer su cama	_____
4. ser muy travieso/a (*mischievous*)	_____
5. romper los juguetes (*toys*)	_____
6. darles muchos regalos a sus padres	_____
7. comer muchos dulces	_____
8. creer en fantasmas	_____

B. Ahora, comparte con la clase los resultados de tu búsqueda.

5 **Antes y ahora** En parejas, comparen cómo ha cambiado la vida de Andrés en los últimos años. ¿Cómo era antes? ¿Cómo es ahora? Preparen una lista de seis diferencias.

antes ahora

6 **En aquel entonces**

A. Utiliza el imperfecto para escribir un párrafo sobre la vida diaria de un(a) pariente/a tuyo/a que creció (*grew up*) en otra época. ¿Cómo era su vida cotidiana? ¿Qué solía hacer para divertirse?

B. Ahora comparte tu párrafo con un(a) compañero/a. Pregúntense sobre los personajes y comparen la vida diaria de aquel entonces con la de hoy. ¿En qué aspectos era mejor la vida diaria hace veinte años? ¿Hace cincuenta años? ¿Hace dos siglos (*centuries*)? ¿En qué aspectos era peor?

PUEDO describir mi infancia oralmente y por escrito.

La vida diaria

Teaching Tips
4 Have students also state how old they were at the time. Ex: **Cuando tenía cinco años, iba mucho al parque**.

5 **Expansion** Ask volunteers bring "then and now" photos of themselves (or famous celebrities). Have them use the imperfect and the present tense to describe themselves (or the celebrities) in the past and present.

5 **Partner Chat** Available online.

6 Ask heritage speakers to include details about their families' countries of origin.

Pre-AP*

AP Skill Category **5**

Extra Practice Find news articles in Spanish on the Internet. Have students work in pairs to identify the verbs in the imperfect tense.

For Visual Learners Have students bring in or create visuals for their paragraphs from **Actividad 6** (Ex: poster with family tree, poster with drawings of past activities, photographs, images from the Internet, graphs that show data from the time period). Encourage them to share their paragraphs and present their visuals, explaining them in the imperfect.

For Auditory Learners Read aloud descriptions in the imperfect of people students know (famous or not). Have students listen to the whole description and then identify the person.

Student Resources
Cuaderno de actividades,
pp. 63–66
Online Activities, *eCuaderno*

Teacher Resources
Workbook TEs; Grammar
Slides; Audio Activities
online; Audio Script;
Assessment Program
Quizzes

Teaching Tips
• Ask volunteers to explain the captions of the video stills.
• Ask a volunteer to explain what **soler** means. Point out that **soler** is used in the imperfect because its meaning implies repetition. Ask personalized questions to practice the use of **soler** with infinitives.
• Point out that, when referring to a person's age in the past, the imperfect is almost always used. Ex: **Tenía treinta años cuando llegó a este país**.

Extra Practice Ask volunteers to add a sentence to each model. Example: **Compraste los muebles hace un mes. Fuiste a la tienda del centro.**

Expansion Give students copies of children's books in Spanish that narrate past events. In pairs, have them identify verbs in the preterite and imperfect, and match them to the uses described throughout this grammar point.

Objetivo comunicativo: Describir eventos del pasado, según la situación y desde diversos puntos de vista

3.3 The preterite vs. the imperfect

• Although the preterite and imperfect both express past actions or states, the two tenses have different uses and, therefore, are not interchangeable.

Estaba cruzando y me atropellaste.

Siempre fueron desordenados, pero antes mi mami recogía todo y tú no te dabas cuenta.

Uses of the preterite

• To express actions or states viewed by the speaker as completed

Compraste los muebles hace un mes.
You bought the furniture a month ago.

Mis amigas **fueron** al centro comercial ayer.
My friends went to the mall yesterday.

• To express the beginning or end of a past action

La telenovela **empezó** a las ocho.
The soap opera began at eight o'clock.

El café **se acabó** enseguida.
The coffee ran out right away.

• To narrate a series of past actions

Me levanté, me arreglé y **fui** a clase.
I got up, got ready, and went to class.

Se sentó, tomó el bolígrafo y **escribió**.
He sat down, grabbed the pen, and wrote.

Uses of the imperfect

• To describe an ongoing past action without reference to beginning or end

Se acostaba muy temprano.
He went to bed very early.

Juan **tenía** pesadillas constantemente.
Juan constantly had nightmares.

• To express habitual past actions

Me **gustaba** jugar al fútbol los domingos por la mañana.
I used to like to play soccer on Sunday mornings.

Solían comprar las verduras en el mercado.
They used to shop for vegetables in the market.

• To describe mental, physical, and emotional states or conditions

José Miguel sólo **tenía** quince años en aquel entonces.
José Miguel was only fifteen years old back then.

Estaba tan hambriento que quería comerme un pollo entero.
I was so hungry that I wanted to eat a whole chicken.

• To tell time

Eran las ocho y media de la mañana.
It was eight thirty a.m.

Era la una en punto.
It was exactly one o'clock.

LEARNING STYLES

For Visual Learners Draw a time line on the board. Read the models and make marks in one color to show completed actions in the past. Then shade the areas in between with a different color and point out that the imperfect describes ongoing action in the past.

LEARNING STYLES

For Auditory Learners Ask students to make two cards, one that reads **pretérito** and another that reads **imperfecto**. At first, slowly say sentences in either the preterite or the imperfect and encourage students to raise the appropriate sign. Gradually increase speed and difficulty by having two verbs in different tenses in one sentence.

Uses of the preterite and imperfect together

- When narrating in the past, the imperfect describes what *was happening*, while the preterite describes the action that *interrupts* the ongoing activity. The imperfect provides background information, while the preterite indicates specific events that advance the plot.

> **Había** una vez un lobo que **era** muy pacífico y bueno. Un día, el lobo **caminaba** por el bosque cuando, de repente, una niña muy malvada que **se llamaba** Caperucita Roja **apareció** de entre los árboles. El lobo, asustado, **comenzó** a correr, pero Caperucita **corría** tan rápido que, al final, **atrapó** al lobo y se lo **comió**. La abuela de Caperucita **no sabía** lo malvada que **era** su nieta. Nunca nadie **supo** qué le **pasó** al pobre lobito.

> *Once upon a time, there **was** a wolf that **was** very peaceful and kind. One day, the wolf **was walking** through the forest when, all of a sudden, a very wicked little girl, who **was called** Little Red Riding Hood, **appeared** amongst the trees. The wolf, frightened, **started** to run, but Little Red Riding Hood **was running** so fast that, in the end, she **caught** the wolf and **ate** him up. Little Red Riding Hood's grandmother **didn't know** how wicked her granddaughter **was**. No one ever **found out** what **happened** to the poor little wolf.*

Different meanings in the imperfect and preterite

Marcela, quería pedirte perdón con este humilde regalo.

- The verbs **querer, poder, saber**, and **conocer** have different meanings when they are used in the preterite. Notice also the meanings of **no querer** and **no poder** in the preterite.

INFINITIVE	IMPERFECT	PRETERITE
querer	**Quería acompañarte.** *I wanted to go with you.*	**Quise acompañarte.** *I tried to go with you (but failed).*
		No quise acompañarte. *I refused to go with you.*
poder	**Ana podía hacerlo.** *Ana could do it.*	**Ana pudo hacerlo.** *Ana succeeded in doing it.*
		Ana no pudo hacerlo. *Ana could not do it.*
saber	**Ernesto sabía la verdad.** *Ernesto knew the truth.*	**Por fin Ernesto supo la verdad.** *Ernesto finally discovered the truth.*
conocer	**Yo ya conocía a Andrés.** *I already knew Andrés.*	**Yo conocí a Andrés en la fiesta.** *I met Andrés at the party.*

Práctica

Teaching Tips

1 Model the activity by having a volunteer complete the first sentence.

1 For advanced learners, discuss why each sentence takes the preterite or imperfect. Discuss how changing the past tense from preterite to imperfect, and vice versa, changes the meaning of the sentence.

2 Expansion Have students ask their classmates questions based on the exercise. Ex: **¿Qué hacías cuando llamó el médico?**

3 Remind students how to write dates in Spanish.

Extra Practice Write **Iba a ___, pero al final ___** on the board. Have volunteers create sentences about what they were going to do and what really happened. Ex: **Iba a limpiar mi cuarto, pero al final decidí salir con mis amigos.**

---

1 **Una cena especial** Las primas Elena y Francisca tenían invitados para cenar y lo estaban preparando todo. Completa las oraciones con el imperfecto o el pretérito de estos verbos. Puedes usar los verbos más de una vez.

averiguar	haber	ofrecer	salir
decir	levantar	pasar	ser
estar	limpiar	preparar	terminar
freír	llamar	quitar	tocar

1. __Eran__ las ocho cuando Francisca y Elena se __levantaron__ para preparar todo.
2. Elena __pasaba__ la aspiradora cuando Felipe la __llamó__ para preguntar la hora de la cena. Le __dijo__ que __era__ a las diez y media.
3. Francisca __preparaba__ las tapas en la cocina. Todavía __era__ temprano.
4. Mientras Francisca __freía__ las papas en aceite, Elena __limpiaba__ la sala.
5. Elena __quitaba__ el polvo de los muebles cuando su madre __tocó__ a la puerta. ¡__Fue__ una visita sorpresa!
6. Su madre se __ofreció__ a ayudar. Elena __dijo__ que sí.
7. Cuando Francisca __terminó__ de hacer las tapas, __averiguó__ que no __había__ suficientes refrescos. Francisca __salió__ al supermercado.
8. Cuando por fin __terminaron__, ya __eran__ las nueve. Todo __estaba__ listo.

2 **Interrupciones** Combina palabras y frases de cada columna para contar lo que hicieron estas personas. Usa el pretérito y el imperfecto.

MODELO Ustedes miraban la tele cuando el médico llamó.

Marta y Miguel	comer	la alarma	llamar por teléfono
nosotros	conducir	los amigos	recibir el mensaje
Paco	dormir	Juan Carlos	salir
tú	escuchar música	el médico	sonar
ustedes	ir a...	la policía	tocar el timbre
yo	mirar la tele	usted	ver el accidente

3 **Las fechas importantes**

A. Escribe cuatro fechas importantes en tu vida y explica qué pasó.

MODELO

Fecha	¿Qué pasó?	¿Dónde y con quién estabas?	¿Qué tiempo hacía?
el 6 de agosto de 2019	Conocí a Rafael Nadal.	Estaba en el gimnasio con un amigo.	Llovía mucho.

B. Intercambia tu información con tres compañeros/as. Ellos/as te van a hacer preguntas sobre lo que te pasó.

PRE-AP* | Presentational Communication

Presentational Speaking Tell students to bring in a childhood photo. Have them share the photo with a small group, and have classmates ask several questions about what was going on in the picture. Tell students to use the imperfect to set the scene or to describe the background, and then to give five actions that took place sequentially at the event in the picture. (They may have to invent some things that are not there.) Finally, ask students to make a two-minute recording or speak for two minutes about the picture, without reading anything. Say: **Vas a narrar lo que pasaba en esta foto. Habla durante dos minutos sin leer tus apuntes. Usa el pretérito y el imperfecto.**

Comunicación

4 La mañana de Esperanza

A. En parejas, observen los dibujos. Escriban lo que le pasó a Esperanza después de abrir la puerta de su casa. ¿Cómo fue su mañana? Utilicen el pretérito y el imperfecto en la narración.

1.

2.

3.

4.

B. Con dos parejas más, túrnense para presentar las historias que han escrito. Después, combinen sus historias para hacer una nueva.

5 Síntesis
En grupos de cuatro, escriban un cuento sobre un día extraordinario en el que la rutina diaria se vio interrumpida por una serie de eventos inesperados. Túrnense para pasarse una hoja de papel en la que cada uno/a escribe una oración hasta que terminen el cuento. Después, presenten sus cuentos a la clase. Utilicen el pretérito, el imperfecto y el vocabulario de esta lección. Sean creativos/as.

> **MODELO**
> —El día empezó como cualquier otro día…
> —Me levanté, me arreglé y salí para la clase de las nueve…
> —Caminaba por la avenida central como siempre, cuando de repente, en medio de la calle, vi algo horroroso, algo que me hizo temblar de miedo…

PUEDO contar situaciones en el pasado y componer un escrito a partir de sucesos inesperados.

Teaching Tips

4 Remind students that the imperfect is used to tell time in the past.

4 Suggested answers:
1. **Abrió la puerta. Salió a la calle. Estaba nublado. Eran las diez y media de la mañana.**
2. **Mientras caminaba por la calle, empezó a llover. Eran casi las once menos cuarto.**
3. **Cuando llegó al supermercado, estaba lloviendo mucho. Eran las once.**
4. **Llegó a casa a las once y media. Empezó a preparar el almuerzo.**

4 **Partner Chat**
Available online.

Pre-AP*

AP Skill Category **8**

5 Before completing the activity, review transition words and their corresponding past tense(s) with the class.

NATIONAL STANDARDS
Communities Bring in a guest speaker. Invite a native Spanish speaker from your community (perhaps someone working in another area of the school, a police officer, a coach, or the owner of a known local business) to speak briefly to the class about his or her childhood and adolescence. Allow students to ask questions that use the imperfect. Help students see that knowing Spanish will allow them to learn about the lives of others.

DIFFERENTIATION

To Challenge Students Have students form pairs. Give each pair a different comic strip or series of photos with the captions removed. Have students use the preterite and imperfect to describe what happened in the pictures and write the dialogue and captions. Display their work around the room and allow time for the class to walk around and enjoy the work.

DIFFERENTIATION

For Inclusion Have students form four small groups. Assign each group one of the pictures from **Actividad 4**. Encourage students to write verbs and phrases in the preterite and imperfect to describe what is happening in their picture. Work closely with students to help them conjugate the verbs. Have students present their descriptions; the group assigned to picture 1 presents first, the group for picture 2 second, etc.

Section Goals

In **En pantalla**, students will:
• watch the short film *Di algo*
• practice listening for and
• using vocabulary and
• structures learned in
• this lesson

AP Skill Categories
1 **2** **3** **4**

Student Resources
Online Video and Activities

Teacher Resources
Transcript & Translations

Teaching Tips
• Teach the vocabulary under the heading **Di algo** as well as that in the **Vocabulario** box.

Extra Practice Ask pairs of students to write a story using all of the words from the vocabulary box. Then have them exchange their stories with another pair and read them for enjoyment.

Interpretive Audiovisual Communication Ask students what preconceptions they have about blind people. Then ask if any students have ever known anyone who is blind. If they have, ask them if their preconceptions about the blind changed through knowing that person. If not, ask them to predict how they might.

2 **Virtual Chat**
Available online.

Antes de ver el corto

DI ALGO

país España   **director** Luis Deltell
duración 15 minutos   **protagonistas** Irene, Pablo, bibliotecaria

Vocabulario

a lo mejor *maybe*	**la luz** *light*
alargar *o drag out*	**pesado/a** *annoying*
la cinta *tape*	**precioso/a** *lovely*
enterarse *to find out*	**respirar** *to breathe*
entretenerse *to be held up*	**turbio/a** *murky*

1 **Vocabulario** Completa las oraciones.

1. Cuando hay tormenta, parece que la noche se ___alarga___ infinitamente.
2. Mucha gente le teme a la oscuridad y no puede ___respirar___ tranquila hasta que enciende la ___luz___.
3. Finalmente hoy ___nos enteramos___ de que fue la bibliotecaria quien se llevó las ___cintas___ con las grabaciones de las entrevistas.
4. Cerca del bosque hay un lago que antes era ___precioso___, pero ahora el agua está muy ___turbia___ porque está contaminada.

2 **Las citas y tú**

A. Completa el test sobre el mundo de las citas.

Las citas y tú

1. Si acabas de conocer a una persona que te gusta:
☐ **a.** La invitas a salir.
☐ **b.** La sigues secretamente durante varios días para ver cómo se comporta.
☐ **c.** Te escondes en un rincón y la admiras desde lejos.

2. Un amigo te propone presentarte a alguien que conoce:
☐ **a.** Aceptas enseguida.
☐ **b.** Haces muchas preguntas sobre la persona antes de decidir.
☐ **c.** Dices que no: las citas con extraños te ponen nervioso/a.

3. Antes de una cita:
☐ **a.** Vas a comprar ropa nueva y te arreglas bien para causar una buena impresión.
☐ **b.** Le pides a un par de amigos/as que vayan al mismo restaurante, por si acaso.
☐ **c.** Te da un ataque de nervios y casi llamas para cancelar.

4. En la conversación:
☐ **a.** Muestras interés por la otra persona, le cuentas acerca de ti y actúas tal como eres.
☐ **b.** Haces más preguntas de las que tú contestas.
☐ **c.** Evitas contar mucho sobre ti. Prefieres guardar información para una segunda cita.

Interpersonal Communication

B. En parejas, comparen sus respuestas. ¿Tienen actitudes similares o son muy diferentes? ¿Por qué?

Presentational Communication

TEACHING OPTIONS

Small Groups Have students discuss real stories of disastrous dates or love stories that started in amazing or curious ways. Tell them to decide on the best story in each group and work together to write a brief description of the story, which they will then present to the class as a group. After all groups have presented, the class can vote for the best first meeting in a love story and the worst date ever.

TEACHING OPTIONS

Expansion Go over students' answers in **Actividad 2** as a class. Make a chart to tally and compare their answers. Discuss which answers are the most common for each item and which are the least common. Are most of the students **extrovertidos** or **introvertidos**?

- Tell students to look carefully at the poster for the cortometraje. Ask: **¿Es una obra importante? ¿Por qué?**
- Tell students that the acronym ONCE in the starburst stands for **Organización Nacional de Ciegos Españoles** (The Spanish National Organization of the Blind). Ask students to speculate on the plot of the film based on the movie poster, title, and the fact that this organization gave the film its first prize.

NATIONAL STANDARDS
Communities Have students do research to identify Spanish-language films that have taken recent prizes at international film festivals. Have students learn the resources available in your community (theaters, video rental services, cable, school events, etc.) for viewing such films.

Making Connections

Acquiring Information & Diverse Perspectives

School & Global Communities

1er Premio Tiflos de Cine Corto Audesc ONCE

Di algo

Una producción de ENIGMA FILMS/EL MEDANO PRODUCCIONES/LORELEI
Guión y Dirección LUIS DELTELL   Jefe de Producción RAFAEL LINARES
Dirección de Fotografía JAVIER BILBAO   Montaje JUANMA NOGALES
Dirección de Arte DAVID TEMPRANO Sonido MIGUEL ÁNGEL GALÁN
Actores VÍCTOR CLAVIJO/MARÍA BALLESTEROS/BLANCA NICOLÁS/ÁLVARO GARCÍA

EXPANSION   Making Connections   Acquiring Information & Diverse Perspectives   Cultural Comparisons   **CRITICAL THINKING**

Extra Practice Have students research **ONCE** and write a short paper about the organization's mission and major activities. Encourage students to find similar organizations in the U.S. and compare them to **ONCE**.

Comprehension and Analysis Ask pairs of students to describe the woman in the poster. Then ask them to predict the content of the short based on the title, the poster, and the previewing activities. Their responses should be at least five sentences long. Ask volunteers to read their paragraphs.

Escenas

ARGUMENTO Una joven ciega se enamora de la voz de un hombre que escucha en grabaciones. Cuando se acaban las cintas, ella busca otra manera de seguir escuchando su voz.

VOZ DE PABLO "Menos tu vientre, todo es confuso, fugaz, pasado, baldío, turbio…".

IRENE Quería información sobre el lector 657… ¿No me podrías conseguir su número de teléfono?
BIBLIOTECARIA No puedo, Irene; eso está prohibido.

GUARDIA ¡Espera! ¿Estás bien?
IRENE Sí, sí, muchas gracias; es que me he entretenido.

PABLO ¿Sí? ¿Quién es? ¿Sí?
IRENE Di algo.

PABLO Todo el día esperando que me llame una chica que no conozco y que no habla… bueno, sí, que solamente dice: "Di algo."

PABLO ¿Hay alguien que esté pidiendo mis cintas?
BIBLIOTECARIA No sé, vamos a ver… Creo que un señor mayor… ¡ah!, y una chica también.

TEACHING OPTIONS

| Interpretive Communication | Making Connections | Cultural Comparisons |

Large Groups Divide the class into three groups and have each group read one of the following poems: "**Menos tu vientre todo es confuso**" by Miguel Hernández, "**Te beberé el cabello**" by Antonio Gamoneda, and "**Compañera de hoy**" by Alfonso Costafreda. Ask them to highlight the main words and analyze the theme of the poems. Then, they may explain their poem to the rest of the class and find whether there is a connection between the three of them.

Después de ver el corto

1 **Comprensión** Indica si estas afirmaciones son **ciertas** o **falsas**. Luego, en parejas, corrijan las falsas.

Interpretive Communication

1. Irene no tiene el teléfono de Pablo, pero lo conoce en persona.
   Falso. Irene no conoce a Pablo en persona.
2. La bibliotecaria no le da el teléfono de Pablo porque dice que está prohibido.
   Cierto.
3. Por la noche, Irene roba de la biblioteca la información sobre Pablo.
   Cierto.
4. Irene le dice la verdad al guardia.
   Falso. Le miente.
5. Pablo cree que la mujer que lo llama por teléfono y no le habla se llama Silvia.
   Cierto.
6. Pablo encuentra a Irene por casualidad en la calle.
   Falso. Pablo va a buscar a Irene a la biblioteca y allí la encuentra.

2 **Interpretación** En parejas, contesten las preguntas.

Interpretive Communication
Interpersonal Communication

1. En la primera escena, Pablo rodea (*circle*) las palabras "confuso" y "turbio" en el poema que lee. ¿Por qué les parece que las destaca (*highlight*)?

2. Irene pide el número de teléfono de Pablo después de que la bibliotecaria le dice que no hay más cintas de él. ¿Cuál piensan que es su intención: conocer a Pablo o solamente escucharlo?

3. ¿Cómo es Pablo? Presten atención a las cosas que hay en su casa y a su forma de hablar y actuar.

4. ¿Por qué Irene sólo le dice: "Di algo" y no le explica quién es? Imaginen sus razones y enumérenlas.

5. ¿Por qué Pablo se va cuando Irene se da cuenta de que él está sentado frente a ella? ¿Está esperando que ella haga algo o quiere escaparse?

3 **Diálogo** En el ascensor, Pablo le dice a Irene: "Eres tú la que tiene que decir algo". Imaginen el diálogo que sigue a estas palabras y escríbanlo. Después, represéntenlo frente a la clase.

Interpretive Communication
Interpersonal Communication

4 **Imaginar** Elige una de las siguientes opciones y escribe una carta.

Presentational Communication

- Imagina que te cruzas un instante por la calle con alguien y te enamoras a primera vista, pero él/ella desaparece entre la gente y ahora quieres encontrarlo/a. Escribe una carta a un periódico describiéndolo/a; cuenta por qué lo/la buscas y pide ayuda a los lectores.

- Por un error al marcar un número de teléfono, conoces a alguien, empiezan a hablar y se enamoran. Después de un tiempo tienen una cita para conocerse personalmente, pero todo resulta un desastre: él/ella no se parece nada a la idea que te formaste por su voz. Cuenta en un correo electrónico cómo fue esa cita.

PUEDO hablar con un(a) compañero(a) sobre la historia de Irene y Pablo.

PUEDO representar una escena del cortometraje con un(a) compañero/a e inventar una extensión de la historia.

---

1 Expansion Have student pairs write three of their own true or false questions and exchange with other pairs.

1 Expansion Have students discuss the importance of names for our identities, and also for communication and relationships. You may refer them to the famous line from *Romeo and Juliet* that begins "What's in a name?" **¿El nombre de una persona es especial? ¿En qué situación prefieres dar un nombre falso? ¿Por qué?**

2 Expansion Have students reflect on how we express love (in our families, in friendships, in relationships): **¿Cómo decimos "Te quiero"?** They may make a list of gestures or words that communicate our feeling to others.

2 Virtual Chat Available online.

3 Expansion As a followup, ask students: **¿Por qué las historias de amor son tan populares? ¿*Di algo* es una historia de amor eficaz? ¿Por qué?** You can ask students to list the characteristics of a good romantic story, and try to find some of them in the short.

4 Encourage students to exchange their messages and respond.

Pre-AP*

AP Skill Category 6

PRE-AP*   Interpersonal Communication

Point of View and Interpersonal Speaking, Part A Show students the video. Discuss how it would feel to be Irene. How is her life different from the students' lives, and how is her relationship to people's voices different from theirs? Then say: **Tú eres Irene y hablas con tu mejor amiga por teléfono sobre lo que te ha pasado. Escribe lo que le dirías**.

Point of View and Interpersonal Speaking, Part B Now have students discuss in groups of three or four how they think Pablo feels. Why does he go looking for Irene? How does he feel about her? Show the video and then say: **Tú eres Pablo y hablas con tu mejor amigo por teléfono sobre lo que ha pasado. Escribe lo que le dirías**. Have students perform both conversations.

3 LECTURAS

Objetivo comunicativo: Describir un cuadro de Oscar Sir Avendaño y hacer inferencias sobre su composición

Section Goals

In **Lecturas**, students will:

- read about **Rosario Castellanos'**, then read *"Autorretrato"*

- learn about **Diego Velázquez** and his art

AP Skill Categories
1 **2** **3** **4**

Student Resources
Cuaderno de actividades, p. 69
Online Activities, *eCuaderno*

Teacher Resources
Workbook TE

Teaching Tips

- Ask students to form small groups to study and describe the picture. Encourage students to use a **Rueda de qu-**. Model on the board by drawing a wheel or web that has at its center circle the words: **La siesta**. Then each spoke has a question word: **Qué, Quién, Dónde, Cuándo, Por qué**, and **Cómo**. Model by filling in the first few spokes with your observations and ideas about the picture. Ex: **Qué: una persona durmiendo la siesta, un perro también, unas flores, un sofá**, etc.

- Ask students to identify the subjects in this painting, and to use the adjectives they know to describe its atmosphere. Ask: **¿Qué elementos identificas en esta composición? ¿Creen que el título es adecuado? ¿Por qué?**

- Ask pairs of students to translate the Machado quote. Then ask volunteers to write different versions of the translation on the board. Finally have a discussion about what the quote means.

"Tras el vivir y el soñar, está lo que más importa: el despertar."

Antonio Machado

La siesta, 2010
Óscar Sir Avendaño, Colombia

 Interpretar En parejas, contesten estas preguntas. Some answers will vary.

1. ¿Qué ven en este cuadro?

2. ¿Quién es el personaje que aparece en el sofá? ¿Dónde puede verse esta escena en la vida real, y en qué momento del día?

3. ¿Qué sensación les causan los colores usados en esta pintura?

4. ¿Cómo llegó ahí la persona del cuadro y qué pasa cuando se despierta de la siesta? Imaginen la escena y escríbanla.

PUEDO expresar lo que pienso sobre el cuadro *La siesta* y comentar sobre su composición.

PRE-AP* Presentational Communication Making Connections

Presentational Writing Talk to the students about Antonio Machado, and have them read several of his poems. Ask them to discuss what a metaphor is, and to look for the metaphors in some of Machado's poems: for example, in *"Caminante, no hay camino"*, in *Campos de Castilla, Proverbios y cantares, XXIX*. Ask them what it is to dream, and to wake up. Have them talk to a partner about a recent dream. Then have them read *"Autorretrato"*, pages 130–131. Have them discuss images in the poem. Give students this assignment: **Comenten la cita de Machado en relación con el poema que han leído de Castellanos. Deben escribir por lo menos 250 palabras.**

Objetivo comunicativo: Hablar sobre las diferencias entre la poesía conversacional y movimientos poéticos anteriores

LITERATURA

Antes de leer

Autorretrato

Sobre la autora

Rosario Castellanos nació en la ciudad de México en 1925 y murió en Tel Aviv, Israel, en 1974 mientras se desempeñaba como (*worked as*) embajadora de México en ese país. Estudió filosofía en México y realizó estudios de estética y estilística en España. Escribió poesía, narrativa y ensayos, y también colaboró con diarios y revistas especializadas de México y del extranjero. Tres de sus obras —su primera novela, *Balún Canán*; el libro de cuentos *Ciudad Real* y su segunda novela, *Oficio de tinieblas*— conforman la principal trilogía de temática indigenista mexicana del siglo XX. El otro tema central de su obra son las mujeres. Su obra poética se encuentra reunida en el libro titulado *Poesía no eres tú*, publicado en 1972. Sus poemas se caracterizan por su estilo sencillo, en el que se presenta lo cotidiano con humor e inteligencia.

Vocabulario

acariciar *to caress*	**el autorretrato** *self-portrait*	**llorar** *to cry*
acaso *perhaps*	**feliz** *happy*	**lucir** *to wear, to display*
arduo/a *hard*	**el llanto** *weeping; crying*	**el maquillaje** *make-up*

1 **Vocabulario** Completa las oraciones.

1. En este ___autorretrato___, María ___luce___ un vestido que era de su abuela.

2. No me gusta ponerme ___maquillaje___ en los ojos porque me hace ___llorar___.

3. La madre escuchó el ___llanto___ del bebé y enseguida se acercó a ___acariciar___ su cabecita.

4. Aunque el trabajo es ___arduo___, estoy ___feliz___ de tener mi propia empresa.

2 **Conexión personal** Imagina que tienes que hacer una presentación sobre ti mismo/a titulada "Autorretrato". ¿Eliges describirte con palabras relacionadas con tus estudios, con tu trabajo, con tu personalidad, con lo que te hace feliz, con lo que te hace llorar? ¿Por qué?

3 **Análisis literario: la poesía conversacional**

Los términos "poesía conversacional" o "poesía coloquial" se refieren a un tipo de poesía que surgió durante los últimos cincuenta años y se caracteriza por su claridad, por su tono coloquial e intimista, por buscar un acercamiento al lector a través de referencias a lo cotidiano, y por romper con el estilo abstracto y menos accesible de movimientos poéticos anteriores. Otra característica de este género es la desmitificación del poeta, quien deja de ser una figura subida a un pedestal y alejada de la realidad cotidiana de los lectores. No se trata en sí de un movimiento literario claramente definido, sino que distintos poetas recorrieron caminos diferentes hasta converger en este estilo coloquial e intimista. A medida que lees *Autorretrato,* presta atención a las características de la poesía conversacional en el poema.

La vida diaria

ciento veintinueve **129**

Teaching Tips
- Tell students that the title ***"Poesía no eres tú"*** makes reference to the famous line **Poesía eres tú** in the poem ***"¿Qué es poesía?"*** by Gustavo Adolfo Bécquer.
- **Variación léxica**
  acaso = quizá(s)
  arduo/a = difícil
  feliz = alegre; contento/a

Conexión personal Expansion Ask students: **Imagina que un(a) amigo/a hace una presentación sobre ti: ¿qué palabras incluirá?**

CRITICAL THINKING | Presentational Communication | Making Connections | Lifelong Learning | **PRE-AP*** | Interpretive Communication

Application and Synthesis Encourage students to write their own conversational poems in Spanish. Remind students that poems do not have to rhyme, but they do convey powerful images and emotions. Ask students to consider an experience or person that is important to them. Then have them brainstorm a list of images and emotions about that person or event. Finally, like Castellanos, they can convey their images in a conversational poem.

Interpretive Reading Give students examples of conversational poets and ask them to research their biographies. Some conversational poets are Mario Benedetti, Juan Gelman, Jaime Sabines, and Roberto Fernández Retamar.

Autorretrato

Rosario Castellanos

Autorretrato con
pelo cortado, 1940
Frida Kahlo, México

Yo soy una señora: tratamiento°

arduo de conseguir, en mi caso, y más útil

para alternar con los demás que un título

extendido a mi nombre en cualquier academia.

Teaching Tips
- Ask students to talk about the author's tone towards herself. Is she boastful, complacent, self-reproaching? Ask if they think she wishes she were different in any way.
- Read aloud the last two lines: **Lloro cuando se quema el arroz o cuando pierdo / el último recibo del impuesto predial.** Ask students why the narrator cries over such trivial things. What is it that is really causing her to cry? Point out that, despite the subdued tone, the narrator is unhappy about some things. Have students surmise what bothers the narrator from the language in the poem.

5 Así, pues, luzco mi trofeo y repito:
yo soy una señora. Gorda o flaca
según las posiciones de los astros°,
los ciclos glandulares
y otros fenómenos que no comprendo.

10 Rubia, si elijo una peluca rubia.
O morena, según la alternativa.
(En realidad, mi pelo encanece°, encanece.)

Soy más o menos fea. Eso depende mucho
de la mano que aplica el maquillaje.

15 Mi apariencia ha cambiado a lo largo del tiempo
—aunque no tanto como dice Weininger
que cambia la apariencia del genio—. Soy mediocre.
Lo cual, por una parte, me exime de° enemigos
y, por la otra, me da la devoción
20 de algún admirador y la amistad
de esos hombres que hablan por teléfono
y envían largas cartas de felicitación.
Que beben lentamente whisky sobre las rocas
y charlan de política y de literatura.

25 Amigas… hmmm… a veces, raras veces
y en muy pequeñas dosis.
En general, rehuyo° los espejos.
Me dirían lo de siempre: que me visto muy mal
y que hago el ridículo
30 cuando pretendo coquetear con alguien.

Soy madre de Gabriel: ya usted sabe, ese niño
que un día se erigirá en° juez inapelable
y que acaso, además, ejerza de verdugo°.
Mientras tanto lo amo.

Escribo. Este poema. Y otros. Y otros.   35
Hablo desde una cátedra°.
Colaboro en revistas de mi especialidad
y un día a la semana publico en un periódico.

Vivo enfrente del Bosque. Pero casi
nunca vuelvo los ojos para mirarlo. Y nunca   40
atravieso° la calle que me separa de él
y paseo y respiro y acaricio
la corteza rugosa° de los árboles.

Sé que es obligatorio escuchar música
pero la eludo° con frecuencia. Sé   45
que es bueno ver pintura
pero no voy jamás a las exposiciones
ni al estreno teatral ni al cine-club.

Prefiero estar aquí, como ahora, leyendo
y, si apago la luz, pensando un rato   50
en musarañas° y otros menesteres°.

Sufro más bien por hábito, por herencia, por no
diferenciarme más de mis congéneres°
que por causas concretas.

Sería feliz si yo supiera cómo.   55
Es decir, si me hubieran enseñado los gestos,
los parlamentos°, las decoraciones.

En cambio me enseñaron a llorar. Pero el llanto
es en mí un mecanismo descompuesto
y no lloro en la cámara mortuoria   60
ni en la ocasión sublime ni frente a la catástrofe.

Lloro cuando se quema el arroz o cuando pierdo
el último recibo del impuesto predial°.

---

tratamiento *title* **astros** *stars* **encanece** *is turning gray* **me exime de** *exempts me from* **rehuyo** *I shun; I avoid* **se erigirá en** *will become*
ejerza de verdugo *practice as an executioner* **cátedra** *university chair* **atravieso** *I cross* **corteza rugosa** *rough bark* **eludo** *I avoid*
pensando... musarañas *daydreaming* **menesteres** *occupations* **mis congéneres** *my kind* **parlamentos** *words* **impuesto predial** *property tax*

CRITICAL THINKING

Analysis Have students read lines 25 and 26: **Amigas… hmmm… a veces, raras veces / y en muy pequeñas dosis.** Ask students what about those lines makes the poem feel conversational. Have them point out other lines or expressions from the poem that lend a conversational tone and draw the reader in.

CRITICAL THINKING

Application and Analysis Ask students to consider how it would feel to be the narrator of the poem. Have them brainstorm lists of things they would like and things they wouldn't like in life and society. Have them note anything they might do differently to be happier.

Después de leer

Autorretrato
Rosario Castellanos

Interpretive Communication

1 **Comprensión** Indica si las oraciones son **ciertas** o **falsas.** Corrige las falsas.

1. La protagonista piensa que es una mujer bella.
   Falso. Piensa que es más o menos fea, según el maquillaje.
2. Según ella, una mujer mediocre no tiene enemigos pero tampoco amigos.
   Falso. Ser mediocre la exime de enemigos y le da la amistad de algunos hombres.
3. La mujer de *Autorretrato* afirma que no quiere tener muchas amigas.
   Cierto.
4. Ella ama a su hijo aunque él la juzga (*he judges her*).
   Falso. Ella ama a su hijo y teme que él la juzgue en el futuro.
5. La protagonista es poetisa, profesora y periodista.
   Cierto.
6. No va muy frecuentemente al cine, al teatro o a exposiciones.
   Cierto.
7. Ella odia la soledad y prefiere visitar exposiciones y estrenos.
   Falso. Dice que no va jamás a exposiciones y estrenos, y prefiere quedarse leyendo y pensando con la luz apagada.
8. Dice que no le enseñaron cómo ser feliz, pero sí le enseñaron a llorar.
   Cierto.

Interpretive Communication

2 **Interpretación** Contesta las preguntas con oraciones completas.

1. ¿Cuál es el trofeo del que se habla al comienzo del poema? ¿Qué importancia tiene en la vida de la mujer de *Autorretrato*?

2. ¿De qué piensa ella que depende su apariencia (ser gorda o flaca)? ¿Y el color de su cabello? ¿Está en su poder cambiar esas cosas?

3. ¿Por qué crees que ser mediocre le asegura la amistad de los hombres que describe? ¿Te parece que estos hombres serán también mediocres? Justifica tu respuesta.

4. ¿Te parece que esta mujer se comporta como lo indica la sociedad? ¿Piensas que aprecia su entorno y está conforme con su posición en la vida o todo lo contrario? Da ejemplos.

Interpretive Communication
Interpersonal Communication
Making Connections

3 **Análisis** En parejas, respondan a las preguntas.

1. ¿Creen que la voz narrativa es cercana a la voz de la propia autora? ¿Por qué?

2. Repasen las características de la poesía conversacional y busquen ejemplos de cada una en el poema.

3. ¿A qué tipo de lector(a) creen que está dirigido este poema? ¿Por qué?

4. ¿Se sienten identificados/as con el poema? ¿Por qué?

Interpretive Communication
Interpersonal Communication

4 **Ampliación** En parejas, analicen estos versos en el contexto del poema y expliquen qué quiere resaltar la poetisa en cada caso.

1. "(En realidad, mi pelo encanece, encanece.)"
2. "En general, rehuyo los espejos."
3. "Mientras tanto lo amo."
4. "Sería feliz si yo supiera cómo."

Presentational Communication
Relating Cultural Products to Perspectives

5 **Retrato** Escribe el retrato de la mujer del poema desde el punto de vista de la sociedad a la que pertenece; crea una voz poética ficticia: puede ser uno de esos hombres que ella describe, una de las mujeres que la critican por cómo se viste o su hijo Gabriel. Ten en cuenta lo que se espera de ella, su aspecto físico, etc., y redáctalo en forma de poesía coloquial.

> **PUEDO** hacer comentarios sobre las particularidades de la poesía conversacional.

Teaching Tips

3 Bring in examples of conversational poetry by other writers and have students answer question number 2 in reference to those poems.

5 As an advanced organizer, have students prepare an outline in a chart. Each column should include: Appearance / Things she does / Things she likes or dislikes. Students should take notes under each column, and use the outline to complete the activity. Remind them that the beginning and the end of the portrait should include what they consider the author's most important/ striking features.

PRE-AP*   Presentational Communication

Presentational Writing Have students write their own self-portrait. As an advanced organizer, tell students to prepare an outline in a chart. Each column should include a topic they want to reference in their self-portrait. Students should take notes under each column, and use the outline to complete the activity.

TEACHING OPTIONS

Extra Practice Have students work in pairs to write ten images from the poem on separate strips of paper. Then have pairs exchange papers and organize the images by their importance to the central theme of the poem.

Antes de leer

Vocabulario

el cansancio *exhaustion*	**pintar** *to paint*
el cuadro *painting*	**el/la pintor(a)** *painter*
fatigado/a *fatigued*	**previsto/a** *planned*
imprevisto/a *unexpected*	**retratar** *to portray*
la obra maestra *masterpiece*	**el retrato** *portrait*

1 **Pablo Picasso** Completa las oraciones con el vocabulario de la tabla.

Guernica, de Pablo Picasso

1. De todo el arte del Museo Reina Sofía, yo prefiero los ___cuadros/retratos___ de Pablo Picasso.

2. De muy joven, el ___pintor___ español creaba arte realista.

3. Al poco tiempo, este gran artista empezó a ___pintar___ obras de otros estilos e inventó el cubismo.

4. Su obra más famosa, el *Guernica*, quiere ___retratar___ el horror del bombardeo alemán al pueblo de Guernica, en el norte de España.

5. Según mucha gente, el *Guernica* es su creación más importante, la ___obra maestra___ de Picasso.

2 **Conexión personal** Responde las preguntas. ¿Qué haces para recordar los eventos y las personas que son importantes para ti? ¿Sacas fotos o mantienes un diario? ¿Cuentas historias? ¿Cuáles son algunos de los recuerdos que te gustaría atesorar (*treasure*)?

Niños comiendo uvas y un melón,
Bartolomé Esteban Murillo

Contexto cultural

Del siglo XVI al siglo XVII, España pasó de ser una enorme potencia política a ser un imperio en camino de extinción. Donde antes había victorias militares, riqueza (*wealth*) y expansión, ahora había crisis política y económica, y decadencia. Sin embargo, estos problemas contrastaban con la extraordinaria producción artística y literaria del Siglo de Oro. A pesar de su éxito, se consideraba a los pintores más artesanos que artistas y, por lo tanto, no eran de alta posición social. Muchos artistas trabajaban por encargo; la realeza y la nobleza eran sus mecenas (*patrons*). Con sus obras, contribuían a la educación cultural, y a menudo religiosa, de la sociedad.

Teaching Tips
- **Variación léxica**
  el cansancio = el agotamiento
  imprevisto/a = inesperado/a
- **Contexto cultural** Have students use the Internet or the library to research Spanish paintings from the 16th–17th centuries. Ask them to identify common themes.

Previewing Strategies
- Ask the class to discuss art as an imitation of life. **¿Qué importancia tenía la pintura antes del invento de la cámara de fotos? ¿Sigue teniendo la misma importancia? ¿Por qué?**
- Preview the reading about Diego Velázquez by writing this quote on the board: **Su imitación de la naturaleza, de lo inmediatamente observable, era lo que daba vida a su arte y a la vez creaba un arte de la vida diaria.** Bring in additional examples of his paintings and ask students to discuss them in relation to the quote.

TEACHING OPTIONS

Extra Practice Encourage pairs to make flashcards of the new vocabulary with the word on one side and a picture or cloze phrase on the other. Allow time for pairs to play a game of **Concentración** with the cards before beginning the reading.

CRITICAL THINKING

Comprehension, Application, and Evaluation Ask students to reread the phrase from **Contexto cultural**: **"A pesar de su éxito, se consideraba a los pintores más artesanos que artistas y, por lo tanto, no eran de alta posición social."** Then ask the class to discuss whether artists today are considered artisans and whether artists have high social status in our society.

Teaching Tips

- **For Visual Learners** Ask students to examine the painting carefully. Have volunteers name at least one detail they notice in the painting.
- **For Kinesthetic Learners** Have the class make a living model of the painting. Assign two or three "painters" to help position volunteers to represent the people in the painting. If possible, take a digital picture of the living model, print it out and compare it to the painting. Use a Venn diagram to compare and contrast the living model and the painting.
- Divide the class into groups of five. Assign each group one paragraph of the reading. First, groups read their paragraph three times for complete comprehension. Then they write a summary of the paragraph together. Finally, have groups read their summary, in order. Have volunteers from each group help you record the summaries on the board in outline form.

Vieja friendo huevos

El arte de la vida diaria

Diego Velázquez es importante no sólo por su mérito artístico, sino también por lo que nos cuentan sus cuadros. Conocido sobre todo como pintor de retratos, Velázquez se interesaba también por temas mitológicos y escenas cotidianas.

5 En todo su arte, examinaba y reproducía en minucioso detalle sólo aquello que veía. Su imitación de la naturaleza, de lo inmediatamente observable, era lo que daba vida a su arte y a la vez creaba un arte de la vida diaria.

134 *ciento treinta y cuatro*

Lección 3

NATIONAL STANDARDS

Acquiring Information & Diverse Perspectives

School & Global Communities

Communities Have students use the Internet, printed travel guides, or brochures to research the museums of Madrid, focusing especially on **El Prado, El Thyssen-Bornemisza,** and **El Reina Sofía**. Students might then use presentation software to create a virtual tour that highlights the collections of a given museum. What about their own communities? Are there museums or galleries in their city or state where they can see works by famous Spanish artists (Goya, Picasso, el Greco, Miró, Dalí, and Velázquez)?

Antes de mudarse a la Corte del Rey°, Velázquez pintó cuadros de temas cotidianos. Un ejemplo célebre es la *Vieja friendo huevos* (1618). El cuadro capta un momento sin aparente importancia: una mujer vieja cocina mientras un niño trae aceite y un melón. Varios objetos de la casa, reproducidos con precisión, llenan el lienzo°, dignos de nuestra atención, por ejemplo: la cuchara, un plato blanco en el que descansa un cuchillo, jarras°, una cesta de paja°. Junto con la comida que prepara —no hay carne ni variedad— la ropa típica de pobre sugiere que la mujer es humilde. Con el cuadro, Velázquez interrumpe un momento que podría ser de cualquier día. No es una naturaleza muerta°, sino un instante de la vida.

Incluso cuando pintaba temas mitológicos, Velázquez tomaba como modelo gente de la calle. Por eso, se pueden percibir escenas diarias en temas distanciados de la época. Un ejemplo es *El triunfo° de Baco* (entre 1628 y 1629). En este cuadro, el dios romano del vino se sienta en un campo abierto, no con otros dioses, sino con campesinos°. Sus caras fatigadas reflejan a la vez el cansancio de una vida de trabajo —la vida del plebeyo° español era entonces especialmente dura— y la alegría de poder descansar un rato.

king's court (línea 9)
canvas (línea 16)
jugs (línea 18)
wicker basket (línea 19)
still life (línea 24)
triumph (línea 30)
peasants (línea 33)
commoner (línea 35)

El triunfo de Baco

En los cuadros de la Corte, Velázquez nos da una imagen rica y compleja del mundo del palacio. En vez de retratar exclusivamente a la familia real y los nobles, incluye también toda la tropa de personajes que los servía y entretenía. En este grupo numeroso entraban enanos° y bufones°, a quienes Velázquez pinta con dignidad. En *Las Meninas* (ca. 1656), su cuadro más famoso y misterioso, la princesa Margarita está rodeada° por sus damas, enanos y un perro. A la izquierda, el mismo Velázquez pinta detrás de un lienzo inmenso. En el fondo° se ve una imagen de los reyes.

Sin embargo, el cuadro sugiere más preguntas que respuestas. ¿Dónde están exactamente el rey y la reina? ¿La imagen de ellos que vemos es un reflejo de espejo°? ¿Qué pinta el artista y por qué aparece en el cuadro? ¿Qué significa? Tampoco se sabe por qué se detiene aquí el grupo: puede ser por una razón prevista, como posar para un cuadro; o puede ser algo totalmente imprevisto, un momento efímero° de la vida de una princesa y su grupo. ¿Es un momento importante? *Las Meninas* invita al debate sobre un instante que no se pierde sólo porque un pintor lo capta y lo rescata° del olvido. Paradójicamente es su enfoque en lo momentáneo y en el detalle de la vida común lo que eleva a Velázquez por encima de otros grandes artistas. ∎

little people/jesters (línea 44)
surrounded (línea 47)
background (línea 50)
mirror (línea 54)
fleeting (línea 60)
rescues (línea 64)

Las Meninas

Biografía breve
1599 Diego Velázquez nace en Sevilla.
1609 Empieza sus estudios formales de arte.
1623 Nombrado pintor oficial del Rey Felipe IV en Madrid.
1660 Muere después de una breve enfermedad.

La vida diaria

El arte de la vida diaria

1 **Comprensión** Después de leer el texto, decide si las oraciones son **ciertas** o **falsas**. Corrige las falsas. Some answers will vary.

1. Velázquez es conocido sobre todo como pintor religioso.
   Falso. Velázquez es conocido sobre todo como pintor de retratos.
2. Velázquez era un pintor impresionista que transformaba su sujeto en la imaginación.
   Falso. Reproducía en minucioso detalle sólo aquello que veía.
3. Por lo general, Velázquez tomaba como modelo gente de la calle.
   Cierto.
4. En *El triunfo de Baco*, el dios romano del vino se sienta con campesinos españoles.
   Cierto.
5. Velázquez retrataba exclusivamente a la familia real y a los nobles.
   Falso. También retrataba a la tropa de personajes, como los bufones y los enanos, que los servían y entretenían.

2 **Interpretación** Contesta las preguntas con oraciones completas. Answers will vary.

1. ¿Se refleja de alguna manera la crisis económica del siglo XVII en los cuadros de Velázquez? Menciona detalles específicos en tu respuesta.
2. ¿Qué te enseña *Vieja friendo huevos* sobre la vida en España en el siglo XVII?
3. ¿Es *El triunfo de Baco* un cuadro realista? Explica tu respuesta.
4. ¿Te sorprende que Velázquez represente a los sirvientes de la Corte? ¿Por qué?
5. ¿En qué sentido es *Las Meninas* un cuadro misterioso?

3 **Análisis** En parejas, respondan a las preguntas.

1. A través de pequeños detalles, *El triunfo de Baco* revela mucho sobre la posición social de los hombres del cuadro. Estudien, por ejemplo, la ropa y el aspecto físico para describir y analizar su situación económica. ¿Cuál es su conclusión?
2. ¿Qué o quién es el sujeto central de *Las Meninas*? ¿El grupo de la princesa? ¿Los reyes? ¿El mismo Velázquez? ¿El arte? Comenten sus hipótesis sobre la obra maestra de Velázquez.

4 **Reflexión** En grupos de cuatro, comparen cómo se entretenía la realeza en el pasado con cómo se entretienen los líderes de las naciones modernas. Usen estas preguntas como guía.

- Antes, los reyes tenían bufones. ¿Qué piensan de la situación social de los bufones de la Corte? ¿Es ético utilizar a las personas para la diversión?
- ¿Qué familias presidenciales conocen? ¿Cómo viven? ¿Su vida cotidiana es diferente a la de los reyes de otras épocas?
- ¿Se puede ser parte del poder político y tener una vida cotidiana normal?

5 **Recuerdos** Imagina que *Vieja friendo huevos* capta, como una fotografía, un momento de tu propio pasado cuando ayudabas a tu abuela en la cocina. Inspirándote en el cuadro de Velázquez, inventa una historia. ¿Qué hacía tu abuela? ¿Cómo pasaba los días? Y tú, ¿por qué llegaste a la cocina aquel día? ¿Te mandó tu madre o tenías hambre? Utilizando los tiempos del pasado que conoces, describe esta escena de tu infancia.

PUEDO hablar sobre las situaciones de la vida cotidiana representadas en algunos cuadros de Diego Velásquez.

Teaching Tips

1 Expansion Ask pairs of students to create three more true/false statements about Velázquez based on the reading. Then have them exchange them with another pair to complete. Finally have pairs join together to review the answers to the six new statements.

2 Expansion Have students research different representations of *Las Meninas* painted by Picasso. Ask: **¿Por qué creen que Picasso pintó sus propias versiones de esa pintura? ¿Qué significado tenía para él?**

4 Have students debate modern-day reality shows in this context. Ask: **¿Creen que los programas de telerrealidad usan a las personas para divertir al público?**

5 For inclusion Review the differences between preterite and imperfect when narrating in the past.

PRE-AP*

Presentational Speaking In small groups, have students discuss their experiences with fine art. If possible, present a video about **El Prado** that discusses Velázquez, and explain **el realismo**. Discuss the painting *Las Meninas*. Ask students to imagine themselves as one of the characters in the painting.

Then have students present a formal oral presentation in which they discuss Diego Velázquez, his life, and his art. They should quote from at least three sources and provide a visual. Allow them to work in groups to ready themselves for this type of presentation for the AP exam.

Atando cabos

¡A conversar!

Student Resources
Cuaderno de actividades,
pp. 67-68, 70
Online Activities, *eCuaderno*

Teacher Resources
Workbook TEs; Textbook
and Testing Audio online;
Audio Scripts; Assessment
Program Tests

 1

Un día en la historia Trabajen en grupos pequeños para preparar una presentación sobre un día en la vida de un personaje histórico hispano.

> Presentational
> Communication

Presentaciones

Tema: Elijan un personaje histórico hispano. Algunos personajes que pueden investigar son: Sor Juana Inés de la Cruz, Simón Bolívar, José de San Martín, Emiliano Zapata, Catalina de Erauso, Álvar Núñez Cabeza de Vaca, Fray Bartolomé de las Casas. Pueden elegir también un personaje que no esté en la lista.

Investigación y preparación: Busquen información en Internet o en la biblioteca. Recuerden buscar o preparar materiales visuales. Una vez reunida la información necesaria sobre el personaje, imagínense un día en su vida cotidiana, desde que se levantaba hasta que se acostaba. Al imaginar los detalles, tengan en cuenta la época en la que vivió el personaje.

Organización: Hagan un esquema (*outline*) que los ayude a planear la presentación.

Presentación: Utilicen el pretérito y el imperfecto para las descripciones. Traten de promover la participación a través de preguntas y alternen la charla con materiales visuales.

Simón Bolívar

Teaching Tips
¡A conversar!
- Ask students to explain why they chose their **personaje**. Encourage students to also discuss the person's historical significance.
- To facilitate organization of their ideas, brainstorm important elements and key questions the group should answer.
- Assign a time limit for all presentations and explain that all group members must have an equal share in the presentation.

> 21st Century Skills

¡A conversar! Productivity and Accountability
As a class, draw up a list of expectations for the presentations. Add your own expectations to make it clear what you are hoping to see in the presentations and how you are going to grade them.

> Lifelong
> Learning

 2

Experiencias En parejas, hablen de dos experiencias pasadas.

> Interpersonal
> Communication

A. Conversen sobre una de las experiencias más graciosas que recuerden y, después, sobre una de las más incómodas. Pueden usar las preguntas como guía.
1. ¿Recuerdas alguna experiencia graciosa/incómoda en tu vida? ¿Cuál?
2. ¿Qué sucedió?
3. ¿Con quién(es) viviste esa experiencia?
4. ¿Dónde ocurrió esa situación?
5. ¿Cuándo sucedió la experiencia?
6. ¿Por qué es una experiencia graciosa/incómoda?

B. Seleccionen la experiencia más graciosa y la más incómoda del grupo y compártanla con la clase. Entre todos, decidan cuál es la más graciosa y cuál es la más incómoda.

3

Evolución En parejas, conversen sobre los cambios en sus vidas en tres momentos distintos: cuando eran bebés, cuando tenían ocho años y en la actualidad. Consideren los cambios en la alimentación, en la forma de vestir, en la educación, en el entretenimiento, etc.

> Interpersonal
> Communication

 Pre-AP*

AP Skill Category **7**

MODELO Cuando era un(a) bebé mis padres me daban la comida. A los ocho años yo comía solo, al igual que ahora.

CRITICAL THINKING

Application and Synthesis Ask students to create their own artwork (painting or magazine clipping collage) influenced by Velázquez. Display the finished artwork around the room. Allow time for students to walk around and admire the work. Then ask students to choose one picture and write three to five sentences about how it is similar to Velázquez's work.

CRITICAL THINKING

Analysis and Evaluation Before the beginning of each presentation, give each student a copy of the list of expectations you drew up as a class. As students listen to the presentations, encourage them to evaluate how their classmates fulfill the expectations. Also, ask students to take notes on questions they have about their classmates' subjects. Allow time for questions and answers after each presentation.

¡A escribir!
As a class, brainstorm three more themes for the students' anecdotes.

NATIONAL STANDARDS
Connections: Language Arts
Have students create simple outlines of their anecdotes before they write. Have them work in pairs to review one another's outlines and to make suggestions for improvment.

Lifelong
Learning

Pre-AP*

AP Skill Category 8

Lesson 3 Integrated Performance Assessment
Context: Some friends of yours, from Spain and Chile, are planning to travel and visit you next week. You want to surprise and welcome them with a mix of local, Spanish, and Chilean dishes, but you don't know exactly what to buy and prepare, and where to find the ingredients.

You can find the IPA activity and scoring rubric in the Assessment Program and in the Resources section online.

Atando cabos

Interpersonal
Communication

4 **Tareas del hogar** En grupos, comenten las tareas del hogar que se hacen en sus casas, quién las hace y cuántas veces se realizan por semana.

- barrer
- cocinar
- ir al supermercado
- lavar la ropa
- lavar los platos
- poner la mesa
- quitar el polvo
- sacar la basura

MODELO En mi casa, mi mamá pasa la aspiradora una vez por semana…

¡A escribir!

Presentational
Communication

Una anécdota del pasado Sigue el plan de redacción para contar una anécdota que te haya ocurrido en el pasado. Piensa en una historia divertida, dramática o interesante relacionada con uno de estos temas:

- un regalo especial que recibiste
- una situación en la que usaste una excusa falsa y las cosas no te salieron bien
- una situación en la que fuiste muy ingenuo/a

Plan de redacción

Título: Elige un título breve que sugiera el contenido de la historia pero que no dé demasiada información.

Contenido: Explica qué estaba pasando cuando ocurrió el acontecimiento, dónde estabas, con quién estabas, qué pasó, cómo pasó, etc. Usa expresiones como: **al principio, al final, después, entonces, luego, todo empezó/comenzó cuando,** etc. Recuerda que debes usar el pretérito para las acciones y el imperfecto para las descripciones.

Conclusión: Termina la historia explicando cuál fue el resultado del acontecimiento y cómo te sentiste.

PUEDO preparar y presentar una exposición oral sobre un personaje histórico famoso.

PUEDO escribir sobre una experiencia personal de manera detallada.

CRITICAL THINKING

Synthesis Household chores tend to be repeated actions. Have students work in groups to find unusual or innovative ways to do different house chores. Then, discuss as a group, and select the most creative ones.

CRITICAL THINKING

Evaluation As an expansion for activity 4 **Tareas del hogar**, ask students to make a complete list of tasks and house chores. Have them prioritize the tasks, explaining the reasons for the hierarchy students may apply.

VOCABULARIO

En casa

el balcón	balcony
la escalera	staircase
el hogar	home; fireplace
la limpieza	cleaning
los muebles	furniture
los quehaceres	chores
apagar	to turn off
barrer	to sweep
calentar (e:ie)	to warm up
cocinar	to cook
encender (e:ie)	to turn on
freír (e:i)	to fry
hervir (e:ie)	to boil
lavar	to wash
limpiar	to clean
pasar la aspiradora	to vacuum
poner/quitar la mesa	to set/clear the table
quitar el polvo	to dust
tocar el timbre	to ring the doorbell

De compras

el centro comercial	mall
el dinero en efectivo	cash
la ganga	bargain
el probador	dressing room
el reembolso	refund
el supermercado	supermarket
la tarjeta de crédito/débito	credit/debit card
devolver (o:ue)	to return (items)
hacer mandados	to run errands
ir de compras	to go shopping
probarse (o:ue)	to try on
seleccionar	to select; to pick out
auténtico/a	real; genuine
barato/a	inexpensive
caro/a	expensive

Expresiones

a menudo	frequently; often
a propósito	on purpose
a tiempo	on time
a veces	sometimes
apenas	hardly; scarcely
así	like this; so
bastante	quite; enough
casi	almost
casi nunca	rarely
de repente	suddenly
de vez en cuando	now and then; once in a while
en aquel entonces	at that time
en el acto	immediately; on the spot
enseguida	right away
por casualidad	by chance

La vida diaria

la agenda	datebook
la costumbre	custom; habit
el horario	schedule
la rutina	routine
la soledad	solitude; loneliness
acostumbrarse (a)	to get used to
arreglarse	to get ready
averiguar	to find out
probar (o:ue) (a)	to try
soler (o:ue)	to be in the habit of
atrasado/a	late
cotidiano/a	everyday
diario/a	daily
inesperado/a	unexpected

Más vocabulario

Expresiones útiles	Ver p. 105
Estructura	Ver pp. 112–113, 116–117 y 120–121.

En pantalla

la cinta	tape
la luz	light
alargar	to drag out
enterarse	to find out
entretenerse	to be held up
respirar	to breathe
pesado/a	annoying
precioso/a	lovely
turbio/a	murky
a lo mejor	maybe

Literatura

el autorretrato	self-portrait
el maquillaje	make-up
el llanto	weeping; crying
acariciar	to caress
llorar	to cry
lucir	to wear, to display
arduo/a	hard
feliz	happy
acaso	perhaps

Cultura

el cansancio	exhaustion
el cuadro	painting
la obra maestra	masterpiece
el/la pintor(a)	painter
el retrato	portrait
pintar	to paint
retratar	to portray
fatigado/a	fatigued
imprevisto/a	unexpected
previsto/a	planned

La vida diaria

ciento treinta y nueve **139**

Student Resources
Online activities

Teacher Resources
Textbook and Testing Audio online; Testing Audio Script; Assessment Program Tests

Teaching Tips
- Have students make flashcards or a vocabulary list with Spanish and English. (Helpful hint: Keep these flashcards or vocabulary lists for reviewing later in the year, especially for midyear and final exams.)
- Ask students to write a 20-question vocabulary quiz for their classmates. Encourage them to vary the style of questions. Then have students exchange their quiz with another student. Once students have completed their quizzes, they return them to the person who designed it for correction.

 21st Century Skills

Creativity and Innovation
Ask students to prepare a presentation about one or more of their favorite artists, writers, or historical figures from this chapter.

21st Century Skills

Leadership and Responsibility Extension Project
As a class, have students decide on three questions they want to ask the partner class related to the topic of the lesson they have just completed. Based on the responses they receive, work as a class to explain to the Spanish-speaking partners one aspect of their responses that surprised the class and why.

DIFFERENTIATION

For Inclusion Have students choose twenty words and expressions from the vocabulary list. Encourage students to choose words that they think they will use or need to know later. Then have them create a collage with magazine clippings, downloaded images, or their own drawings, illustrating the words and expressions.

DIFFERENTIATION

Heritage Speakers Ask heritage speakers to review the vocabulary list and identify words that they feel are most commonly used in their homes. Ask volunteers to share their lists with the class. Encourage other students to tally the words that are mentioned by more than one heritage speaker.

Lesson 4
Six-step
Instructional Design

See pages T34-T35 for additional details on how to use the six-step instructional design in your classroom.

1 **Context.** Make it personal. Ask students to provide whatever Spanish words they may already know in the context: "Think about health and well-being. What Spanish words come to mind?". Receive, write, and display their words to encourage and prepare.

Next, ask students questions about their own experiences and thoughts about health and well-being. **¿Cómo podemos mantenernos sanos? ¿Qué haces cuando te enfermas?**

2 **Vocabulary.** Put it into words. Connect the word study in Step 1 with what students see on these pages. **¿Qué palabras relacionas con la salud? ¿Y qué palabras relacionas con la enfermedad?**

3 **Media.** Bridge experiences. Before watching the **Fotonovela**, ask students what they think an episode titled **Una paciente difícil** might be about. Ask: **¿Cómo te sientes cuando tienes que ir al médico o a un hospital?**

A primera vista Have students look at the photo; ask them these additional questions:
1. **¿Con qué frecuencia vas al médico? ¿Y al odontólogo?**
2. **¿Crees que los servicios de salud deben ser universales y gratuitos? ¿Por qué?**

Essential Questions Discuss the essential questions as a class. Point out to students that they will learn about traditional medicine in Colombia in the **El mundo hispano** section, and about Ecuadorian pharmacies in the **Flash cultura** section.

Overarching Theme Global Challenges: Health Issues

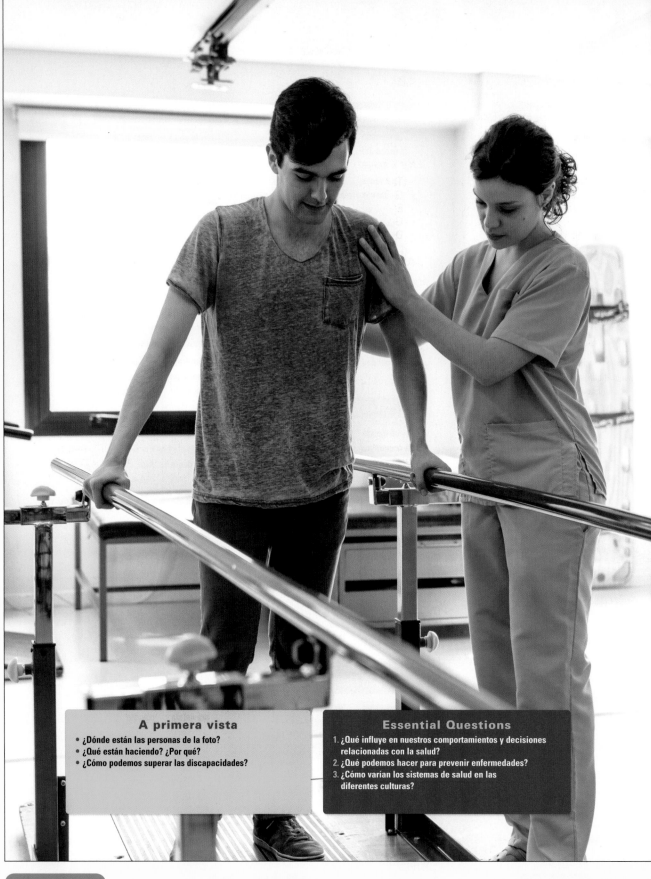

A primera vista
- ¿Dónde están las personas de la foto?
- ¿Qué están haciendo? ¿Por qué?
- ¿Cómo podemos superar las discapacidades?

Essential Questions
1. ¿Qué influye en nuestros comportamientos y decisiones relacionadas con la salud?
2. ¿Qué podemos hacer para prevenir enfermedades?
3. ¿Cómo varían los sistemas de salud en las diferentes culturas?

Teacher Resources

Presentation
- AP® Themes & Contexts
- Grammar slides: **Estructura** 4.1, 4.2, 4.3

Practice and Communicate
- *Cuaderno de actividades*, with audio & Answer Key
- Digital Image Bank (Fitness and nutrition; Food; Health)
- Textbook Audio

Forums on **vhlcentral.com** allow you and your students to record and share audio messages. Use Forums for presentations, oral assessments, discussions, directions, etc.

4 La salud y el bienestar

Can Do Goals

By the end of this lesson I will be able to:

- Talk about health, disease, and healthcare systems
- Give advice and recommendations
- Express emotions, doubt, and denial
- Give instructions and commands
- Describe a situation with specific details

Also, I will learn about:

Culture
- Traditional medicine in Colombia
- Bike paths in the city of Bogotá
- Pharmacies and alternative medicine in Ecuador
- The fight against a terrible disease in Colombia

Skills
- Reading: Recognizing similes in literary readings
- Conversation: Discussing healthy foods
- Writing: Writing an advice sheet to promote a healthier life

Lesson 4 Integrated Performance Assessment
Context: You have been asked to participate in a community health fair. Your topic is how to encourage young people to get and stay fit. You will prepare a poster or short slide presentation for the health fair.

Una tienda de plantas medicinales en Quito, Ecuador

Producto/Práctica: El uso de plantas medicinales es muy común en Latinoamérica.
¿Adónde vas a conseguir medicinas en tu comunidad?

4 Culture. Give new perspectives. Ask students: **¿Cómo podemos en comunidad enfrentar los desafíos que nos plantea el cuidado de la salud?**

5 Structure. Use grammar as a tool. Focus on presenting words in context and on personalized activities. Ask: **¿Qué nos recomiendan los médicos que hagamos para mantener una buena salud?**

6 Synthesis. Pull it all together. For each skill area, focus on the personalized activities that are provided, *e.g.* **Preparación**, p. 153; **Conexión personal**, pp. 173, 177; **Detecta mentiras**, p. 182.

Can Do Goals Review the list of communicative goals with your students. Point out that this lesson will provide them with the tools necessary to achieve these goals. You may also share the IPA task, found on page 182, so that students become familiar with the final communicative task they will be expected to complete.

Integrated Performance Assessment Before teaching this chapter, review the Integrated Performance Assessment (IPA) on page 182. Use the IPA to assess students' progress toward proficiency targets at the end of the chapter.

Producto/Práctica Have students look at the photo. Ask: **¿Vemos escenas similares en nuestra comunidad? ¿Es común el uso de plantas medicinales o remedios caseros en tu comunidad/familia? ¿Qué plantas con propiedades medicinales conoces?**

Teacher Resources

Assessment
- Vocabulary Quizzes A-B / Grammar Quizzes 4.1 A-B, 4.2 A-B, 4.3 A-B
- Optional Testing Sections: **Fotonovela, Flash cultura**
- Oral Testing Suggestions
- **Prueba** A-B-C-D, with audio
- Tests and Exams Answer Key

Scripts and Translations
Textbook Audio Scripts / Grammar Tutorials / **Fotonovela / Flash cultura /** Assessment Program

Additional Tools for Planning and Teaching
Essential Questions / I Can Worksheets / IPAs and Rubrics / Lesson Plans / Pacing Guides

In **Contextos**, students will learn and practice:
- vocabulary for describing illness, symptoms, health and wellness, and medicines and treatments
- listening to an audio conversation and a medical report using new vocabulary

 Pre-AP*

AP Skill Categories
1 2 3 4

Student Resources
Cuaderno de actividades, pp. 73–75
Online Activities, *eCuaderno*

Teacher Resources
Workbook TEs; Digital Image Bank; Textbook and Audio Activities online; Audio Scripts; Assessment Program Quizzes

Teaching Tips
- Ask students about their health and well-being. Ex: **¿Qué haces cuando te pones enfermo/a durante el año escolar?** Follow up by asking students about their eating habits and emotional state. Ex: **¿Llevas una alimentación sana?** Ask the class: **¿Qué hacen para relajarse?**
- Ask students to write a short paragraph about what they do to stay healthy and active. Encourage them to recycle vocabulary about sports and activities from **Lección 2.**

Presentational Communication

---

4 **CONTEXTOS**   Objetivo comunicativo: Hablar sobre estados de salud, síntomas y tratamientos

La salud y el bienestar

Los síntomas y las enfermedades

Inés pensaba que tenía sólo un **resfriado**, pero no paraba de **toser** y estaba **agotada**. El médico le confirmó que era una **gripe** y que debía **permanecer** en cama.

la depresión *depression*
la enfermedad *disease; illness*
la gripe *flu*
la herida *injury*
el malestar *discomfort*
la obesidad *obesity*
el resfriado *cold*
la respiración *breathing*
la tensión (alta/baja) *(high/low) blood pressure*
la tos *cough*
el virus *virus*
_____
contagiarse *to become infected*
desmayarse *to faint*
empeorar *to get worse*
enfermarse *to get sick*
estar resfriado/a *to have a cold*
lastimarse *to get hurt*
permanecer *to remain*
ponerse bien/mal *to get well/sick*
sufrir (de) *to suffer (from)*
tener buen/mal aspecto *to look healthy/sick*
tener fiebre *to have a fever*
toser *to cough*
_____
agotado/a *exhausted*
inflamado/a *inflamed*
mareado/a *dizzy*

La salud y el bienestar

la alimentación *diet (nutrition)*
la autoestima *self-esteem*
el bienestar *well-being*
el estado de ánimo *mood*
la salud *health*
_____
adelgazar *to lose weight*

descansar *to rest*
engordar *to gain weight*
estar a dieta *to be on a diet*
mejorar *to improve*
prevenir (e:ie) *to prevent*
relajarse *to relax*
trasnochar *to stay up all night*
_____
sano/a *healthy*

Los médicos y el hospital

la cirugía *surgery*
el/la cirujano/a *surgeon*
la consulta *doctor's appointment*

el consultorio *doctor's office*
la operación *operation*
los primeros auxilios *first aid*
la sala de emergencias *emergency room*

PRE-AP*   Interpersonal Communication

Interpersonal Speaking, Part A Review with students the vocabulary related to health and wellness. Also review the formation of familiar and formal commands. Working in pairs, students first write a conversation that would take place between a student and his or her mother. Each person should speak at least five times, and the mother should give at least

five informal commands. Say: **Te levantas esta mañana, le dices a tu madre que estás enfermo/a y que no puedes ir a la escuela. Describe por lo menos tres síntomas y hazle dos preguntas. Escribe lo que tu madre dice y cómo reacciona, usando el vocabulario de la salud. Tu madre te da un mínimo de cinco mandatos.**

Las medicinas y los tratamientos

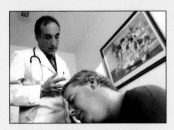

A Ignacio no le gusta tomar medicinas. Nunca toma **pastillas** ni **jarabes**. Sin embargo, le dolía tanto la cabeza que tuvo que tomarse un **analgésico**. El doctor le dijo que tenía la **tensión alta**.

el analgésico *painkiller*
la aspirina *aspirin*
el calmante *tranquilizer*
los efectos secundarios *side effects*
el jarabe (para la tos) *(cough) syrup*
la pastilla *pill*
la receta *prescription*
el tratamiento *treatment*
la vacuna *vaccine*
la venda *bandage*
el yeso *cast*

curarse *to heal; to be cured*
poner(se) una inyección *to give/get a shot*
recuperarse *to recover*
sanar *to heal*
tratar *to treat*
vacunar(se) *to vaccinate/ to get vaccinated*

curativo/a *healing*

La salud y el bienestar

Práctica

1 **Escuchar** [Interpretive Communication]

A. Escucha la conversación entre Sara y su hermano David. Después, completa las oraciones y decide quién dijo cada una. *Some answers will vary.*

1. No sé lo que me pasa, la verdad. Estoy siempre muy ____agotada____. ____Sara____

2. Creo que ___estás adelgazando___ demasiado. ¿Has ido al ____médico____? ____David____

3. No he ido porque no tenía ____fiebre____, sólo era un ligero ____malestar____. ____Sara____

4. Deja de ser una niña. Tienes que ___ponerte bien___. ____David____

5. Por eso te llamo. No se me va el dolor de estómago ni con ____pastillas____. ____Sara____

6. Ahora mismo llamo al doctor Perales para hacerle una ____consulta____. ____David____

B. A Sara le diagnosticaron apendicitis. Escucha lo que le dice la cirujana a la familia después de la operación y luego contesta las preguntas.

1. ¿Qué tiene que tomar Sara cada ocho horas?
   calmantes
2. ¿Cómo se puede sentir al principio?
   un poco mareada
3. ¿Va a tomar mucho tiempo su recuperación?
   no
4. ¿Puede comer de todo?
   No; los dos primeros días tiene que estar a dieta de líquidos.
5. ¿Qué es lo más importante que tiene que hacer ahora Sara?
   Lo importante ahora es que Sara descanse.

2 **A curarse** Indica qué tiene que hacer cada persona en cada situación.

<u>d</u> 1. Se lastimó con un cuchillo.

<u>e</u> 2. Tiene fiebre.

<u>c</u> 3. Su estado de ánimo es malo.

<u>f</u> 4. Quiere prevenir la gripe.

<u>b</u> 5. Le falta la respiración.

<u>a</u> 6. Está obeso/a.

a. hacer aeróbicos y practicar yoga

b. dejar de fumar

c. hablar con un(a) amigo/a

d. ponerse una venda

e. tomar aspirinas y descansar

f. ponerse una vacuna

ciento cuarenta y tres **143**

(A) Audio Script
DAVID ¿Hola?
SARA Hola, David. Habla Sara.
DAVID ¡Hola, Sara! ¿Cómo andas, hermanita?
SARA No muy bien… No sé lo que me pasa últimamente, la verdad. Estoy siempre muy agotada.
DAVID Sí, lo he notado. Y Sara, creo que estás adelgazando demasiado. ¿Has ido al médico?
SARA No he ido porque no tenía fiebre, sólo era un ligero malestar. Y ya sabes que no me gustan los médicos.
DAVID Por favor, Sara, deja de ser una niña. Tienes que ponerte bien.
SARA Por eso te llamo: quiero ir al médico. Es que estos últimos días me duele todo y el malestar ha empeorado. No se me va el dolor de estómago ni con pastillas.
DAVID Esta tarde vamos al médico. Ahora mismo llamo al doctor Perales para hacerle una consulta.
Teacher Resources online

(B) Audio Script
La operación ha ido muy bien. Tenía toda la zona inflamada, pero ya les digo: todo ha ido sin problemas. Ahora le hemos dado unos calmantes. Los tiene que tomar cada ocho horas. Seguramente, al principio esté un poco mareada, pero va a recuperarse rápidamente. En cuanto a la comida, pues los dos primeros días tiene que estar a dieta de líquidos como jugos y sopas, pero al tercer día ya puede empezar a comer normalmente. Lo importante ahora es que ella descanse y que todos se relajen. ¿Tienen alguna pregunta?
Teacher Resources online

Pre-AP*

AP Skill Category **5**

PRE-AP* [Interpersonal Communication]

Interpersonal Speaking, Part B Working with the same classmate as in **Part A** (page 142), students act out a conversation between the student and a doctor. This time, the student who played the role of parent should play the role of patient, and the other student should be the doctor. Remind students to use the **usted** form with doctor. Say: **Tu madre piensa que tal vez tengas que ir al médico. Escribe la conversación que tienes con él/ella. El/La médico/a te va a hacer tres preguntas y darte dos consejos.**

• Review reflexive verb
formation by conjugating
enfermarse as a class.

3 Expansion For additional
practice, have students pick
five more words from
Contextos and create their
own definitions.

4 For item 1, review
reflexives and object
pronouns if necessary.

4 Expansion Ask students
to create sentences using the
word left over in each item.

5 Call on volunteers to
perform this conversation for
the class.

5 Expansion Ask true/
false questions about the
conversation. Ex: **A Martín le
gusta hacer ejercicio. (Falso.)**

NATIONAL STANDARDS
Connections: Health A local
pharmacist may be able to
provide you with Spanish-
language package inserts
and warning labels for over-
the-counter or prescription
medications. Bring these in
and have students identify
words that they recognize.
Ask students to tell you what
each of the items would be
used for and what the risks
might be in using the items,
based on the inserts or labels.

Making
Connections

Expansion Bring in (or have
students research) medicine
containers from Spanish-
speaking cultures. In what
ways do these items of daily
life and health look the same?
Different? Why?

144 Teacher's Edition • Lesson Four

Práctica

3 **Acróstico** Completa el acróstico. Al terminarlo, se formará una palabra de **Contextos**.

1. V I R U S
2. T E N S I Ó N
3. Y E S O
4. T R A S N O C H A R
5. C I R U G Í A
6. D E S M A Y A R S E

(vertical: A T O S T I A)

1. Organismo muy pequeño que
   transmite enfermedades.
2. Si la tienes alta, puedes tener
   problemas del corazón.
3. Material blanco que se usa para
   inmovilizar fracturas.
4. No dormir en toda la noche.
5. Es sinónimo de *operación*.
6. Caerse y quedar inconsciente.

4 **Amelia está enferma** Completa las oraciones con la opción lógica.

1. Amelia está tosiendo continuamente. No se le cura (la gripe/la depresión).
2. Sus compañeros de trabajo no se enfermaron este año porque se (lastimaron/vacunaron).
3. Su madre siempre le había dicho que es preferible (mejorar/prevenir) las enfermedades que curarlas.
4. El médico le dio una receta para (un jarabe/un consultorio).
5. Su jefe le ha dicho que no vaya a trabajar. Ella tiene que volver a la oficina cuando esté (agotada/recuperada).

5 **Malos hábitos** Martín tiene hábitos que no son buenos para la salud. Completa la conversación entre Martín y su doctor con las palabras de la lista. Haz los cambios necesarios.

ánimo	dieta	mejorar	sano
deprimido	empeorar	pastillas	trasnochar
descansar	engordar	salud	vacuna

MARTÍN Doctor, a mí me gusta mucho comer pizza mientras veo la tele.

DOCTOR Por eso usted está (1) _engordando_ tanto. Debe hacer ejercicio y (2) _mejorar_ su alimentación.

MARTÍN También me gusta salir y acostarme tarde.

DOCTOR No es bueno (3) _trasnochar_ todo el tiempo. Es importante (4) _descansar_.

MARTÍN Pero ¡doctor! ¿Puedo comer helados y chocolates, por lo menos?

DOCTOR No, Martín. Usted debe tener una (5) _dieta_ balanceada. Debe comer más frutas y verduras.

MARTÍN ¡Todo lo que me gusta hacer es malo para la (6) _salud_! Si le hago caso a usted, voy a estar (7) _sano_ pero deprimido.

DOCTOR No es así. Si usted mejora su forma física, su estado de (8) _ánimo_ va a mejorar también. Recuerde: "Mente sana en cuerpo sano".

144 *ciento cuarenta y cuatro*   **Lección 4**

DIFFERENTIATION

To Challenge Students Have students work in pairs, and give
each pair one sheet of graph paper. Ask each pair to create its
own **acróstico** using six vocabulary words from **Contextos**. Use
Actividad 3 as a model. Then have pairs exchange papers with
their neighbors and solve each other's **acróstico**.

DIFFERENTIATION

Making
Connections

Cultural
Comparisons

Heritage Speakers Ask heritage speakers if there are different
attitudes about health in their families' home countries.
Encourage classmates to ask heritage speakers questions
using vocabulary from **Contextos**. Have the class compare
and contrast attitudes toward health, medical care, and folk
medicine in Spanish-speaking countries and in North America.

Comunicación

6 Vida sana

A. En parejas, háganse las preguntas de la encuesta.

	Siempre	A menudo	De vez en cuando	Nunca
1. ¿Trasnochas más de dos veces por semana?	☐	☐	☐	☐
2. ¿Practicas algún deporte?	☐	☐	☐	☐
3. ¿Consumes vitaminas y minerales diariamente?	☐	☐	☐	☐
4. ¿Comes mucha comida frita?	☐	☐	☐	☐
5. ¿Tienes dolores de cabeza?	☐	☐	☐	☐
6. ¿Te enfermas?	☐	☐	☐	☐
7. ¿Desayunas sin prisa?	☐	☐	☐	☐
8. ¿Pasas muchas horas del día sentado/a?	☐	☐	☐	☐
9. ¿Te pones de mal humor?	☐	☐	☐	☐
10. ¿Tienes problemas para dormir?	☐	☐	☐	☐

B. Imagina que eres médico/a. ¿Tiene tu compañero/a una vida sana? Utiliza la conversación entre el señor Méndez y su médico de la Actividad 5 como modelo.

7 Citas célebres

A. En grupos de cuatro, elijan las citas (*quotations*) que les parezcan más interesantes y expliquen.

La salud

"La salud no lo es todo pero sin ella, todo lo demás es nada."
A. Schopenhauer

"El ser humano pasa la primera mitad de su vida arruinando la salud y la otra mitad intentando recuperarla."
Joseph Leonard

"Come poco y cena más poco, que la salud de todo el cuerpo se decide en la oficina del estómago."
Miguel de Cervantes

La medicina

"Antes que al médico, llama a tu amigo."
Pitágoras

"Los médicos no están para curar, sino para recetar y cobrar; curarse o no es cuenta del enfermo."
Molière

"La esperanza es el mejor médico que yo conozco."
Alejandro Dumas, hijo.

La enfermedad

"El peor de todos los males es creer que los males no tienen remedio."
Francisco Cabarrus

"La investigación de las enfermedades ha avanzado tanto que cada vez es más difícil encontrar a alguien que esté completamente sano."
Aldous Huxley

"El arte de la medicina consiste en entretener al paciente mientras la Naturaleza cura la enfermedad."
Voltaire

B. Utilicen el vocabulario de **Contextos** para escribir una frase original sobre la salud. Compártanla con la clase. ¿Cuál es la frase más original?

PUEDO hablar sobre la salud, la enfermedad y los tratamientos.

Teaching Tips

• In order to help students begin using the lesson vocabulary, have pairs look at the photos and drawings in this lesson. Then, have them create sentences describing what they see, using vocabulary from **Contextos**.

6 Preview the activity by asking students about their study habits. Tell them to respond using the adverbs from the survey. Ex: **¿Estudias siempre en la biblioteca? ¿Estudias a menudo en tu cuarto?**

6 Have pairs identify which items are healthful and unhealthful. Call on volunteers to share their partner's responses.

6 **Virtual Chat** Available online.

7 For faster-paced classes, have students write an anecdote that ends in one of these quotes.

7 **Expansion** Have students research and identify the cultural origin and time period of each person quoted in activity 7. Making Connections

7 After students complete Part B, have the class judge the sentences in several categories, such as most original, most realistic, and funniest.

Extra Practice Have students work in small groups to create an animated video entitled **Una cita con el/la médico/a**. Tell groups to write **la narración** and **la descripción** for each **imagen**. They should make modeling clay figures and paint scenery on a paper background. Begin the project in class; perhaps an art or photography teacher will share filmmaking expertise.

Pre-AP*

AP Skill Category 6

Interpersonal Writing Starting with this chapter, give each student a small notebook. This will be a **diario** for their interpersonal writing. It should be a form of communication between student and teacher. Students should write in it once or twice per chapter. When reviewing student work, reflect on the content of student writing, *not* on the grammar, and write a response, with a question. Have students answer the question the next time, as well as write about the next topic. For this first entry, read and discuss the quotations on page 145. Students may discuss them in small groups. Then give them ten minutes to give a personal reflection about one of the quotations. Say: **Ahora escoge una de las citas y escribe tus pensamientos personales. Puedes explicar lo que significa en general, o en tu vida personal.**

Section Goals

In **Fotonovela**, students will:
• practice listening to authentic conversation
• learn functional phrases regarding will, influence and emotion, and giving orders and advice.

AP Skill Categories
1 2 3 4

Student Resources
Cuaderno de actividades, pp. 76–77
Online Video and Activities

Teacher Resources
Workbook TE; Video Script & Translation

Video Synopsis
Lupita is taken to the hospital. Meanwhile, **Marcela** goes to pick up a passenger, but when she realizes that the passenger is **Ricardo**, she gets upset. Minutes later, **Manu** calls **Marcela** to tell her that **Lupita** is in the hospital. The **Solís** family talk to the doctor and go to **Lupita**'s room.

Teaching Tips
• Preview the video by assigning video stills to different pairs of students. Have them invent a short conversation using vocabulary from **Contextos**.
• Have students scan the series of video stills. Call on volunteers to give their predictions of what might happen. After viewing the video, discuss what predictions were correct.

4 FOTONOVELA

Objetivo comunicativo: Hablar sobre los hábitos de salud y los servicios médicos

En el video...

Marcela sigue enojada con Ricardo, entonces él decide ir a comprarle un regalo. Mientras tanto, Lupita le dice a Marcela que no se siente bien. Después de hablar un rato con Lupita, Marcela debe ir a buscar a un pasajero. En este episodio verás cómo sigue la historia.

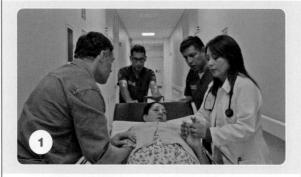

DOCTORA ¿Qué pasó?

PARAMÉDICO La encontraron desmayada.

DOCTORA ¿Presión?

PARAMÉDICO Ciento ochenta sobre cien.

DOCTORA Es urgente que la estabilicemos, ¡está altísima!

RICARDO ¡Marcela! ¡Detente! ¡Marcela! ¡Marcela!
Ricardo se cae.

MARCELA ¡¿Te has vuelto loco?!

RICARDO *(adolorido)* ¡Yo también me alegro de verte otra vez!

MARCELA Por lo visto, siempre te las arreglas para romper algo. *(Ricardo le da el regalo a Marcela.)*

RICARDO Por haberte arruinado el cumple.

Ricardo sube a la Kombi.

MARCELA ¿Qué haces?

RICARDO Vamos a mi excursión. ¿No?

MARCELA Vamos al hospital.

RICARDO ¿Al hospital? No es para tanto. No me duele. Está un poco inflamado, no más.

MARCELA ¡Agárrate! Voy a ir rápido.

DOCTORA Con permiso. Soy la doctora Hernández.

ROCÍO *(dramática)* ¿Cómo está Lupita, doctora?

DOCTORA Está estable.

MANU ¿Cuándo regresa a la casa?

DOCTORA Seguramente mañana, pero es importante que descanse. Es mejor que se quede esta noche en el hospital.

LEARNING STYLES

Interpretive Communication

For Auditory Learners Have students close their eyes. Play the video a second time and tell students to listen to the video again, paying close attention to vocabulary from **Contextos** and **Expresiones útiles**. Assess comprehension informally with a checklist of true/false statements. Ex: **Rocío y Lorenzo están tranquilos sobre la situación de Lupita. (Falso.) En la *Fotonovela*, Ricardo se cae en la calle. (Cierto.)**

LEARNING STYLES

For Kinesthetic Learners Have five students represent different characters from the video. The rest of the class circulates around the room and asks questions to guess what character each volunteer represents. Ex: **¿Le compraste un regalo a Marcela? ¿Te excusaste por arruinar un cumpleaños?** (Answer: **Ricardo**)

UNA PACIENTE DIFÍCIL

Personajes

DOCTORA   PARAMÉDICO   LORENZO   LUPITA   RICARDO   MARCELA   MANU   ROCÍO

3

Suena el teléfono de Marcela.

MANU *(al teléfono)* ¿Marcela? Encontramos a Lupita desmayada en la sala.

MARCELA ¡Espero que no sea una broma, Manu!

MANU Estamos en la sala de emergencias. Para colmo, mi papá está muy nervioso. Necesito que pises el acelerador y vengas al hospital. ¡Apúrate!

MARCELA ¡Salgo para allá!

6

MANU ¡Shhh! No hagan ruido por si acaso está durmiendo...
(Manu, Rocío y Lorenzo entran a la habitación.)
¿Dónde está?

ROCÍO Estará en el baño.
(Rocío entra al baño.)
Aquí no hay nadie.

MANU Y LORENZO ¡Doctora!

Expresiones útiles

Expressing will, influence, and emotion

Es mejor que se quede esta noche en el hospital.
It is better that she stay at the hospital overnight.

Es urgente que la estabilicemos.
It's urgent that we stabilize her.

¡Espero que no sea una broma, Manu!
I hope this is not a joke, Manu!

Necesito que estés tranquilo.
I need you to stay calm.

Necesito que pises el acelerador y vengas al hospital.
I need you to step on the gas and get to the hospital.

Giving orders or advice

¡Agárrate!
Hold on!

¡Detente!
Stop!

¡Espera!
Wait!

¡No seas ridícula!
Don't be ridiculous!

Relájese y espere acá, por favor.
Relax and wait here, please.

Shhh, no hagan ruido por si acaso está durmiendo.
Shhh, don't make any noise in case she's sleeping.

Additional vocabulary

arreglárselas (para) *to manage to*
detenerse *to stop*
¡No es para tanto! *It's not a big deal!*
¡Por Dios! *For God's sake!*
por lo visto *apparently*
la presión *(blood) pressure*

La salud y el bienestar

ciento cuarenta y siete **147**

2 Point out to students that all the items contain commands. You may want to briefly preview formal and familiar commands (**Estructura 4.2**). Then, have pairs of students determine which are the infinitives of each command. For example: Item 1: **relajarse** and **esperar**.

3 Point out to students that verbs in items 5 and 6 are conjugated in the present subjunctive. You may want to preview **Estructura 4.1**. Explain that the subjunctive also exists in English, and give some examples so the students become familiar with the concept.

Language Comparisons

4 After students are done with guessing the words, have them play a class game such as Charades or Pictionary with their words.

4 If students need assistance, give them these possible word options: **estable, inflamado, nervioso, la presión/tensión, la sala de emergencias.**

4 Expansion Have a class discussion in which students share their own opinions about health.

Comprensión

Interpretive Communication

1 **¿Cierto o falso?** Decide si estas oraciones son **ciertas** o **falsas**. Corrige las falsas.

Cierto	Falso		
☐	☑	1. Lupita está en el hospital con la presión muy baja.	Falso. Lupita tiene la presión muy alta.
☐	☑	2. Marcela se pone contenta cuando Ricardo le da el regalo.	Falso. Marcela se muestra indiferente.
☑	☐	3. Manu llama a Marcela para que vaya al hospital.	Cierto.
☑	☐	4. Rocío estudia medicina.	Cierto.
☐	☑	5. La doctora dice que Lupita debe quedarse en el hospital una semana más.	Falso. Lupita puede regresar a casa al día siguiente.
☑	☐	6. Al final del episodio, Lupita no está en su habitación.	Cierto.

Interpretive Communication

2 **¿Quién lo dijo?** Indica qué personaje dijo cada oración.

DOCTORA   LORENZO   LUPITA

MANU   MARCELA   RICARDO

1. Relájese y espere acá, por favor. _____Doctora_____

2. ¡Espera! ¡Marcela! ¡Detente! _____Ricardo_____

3. ¡Vamos al hospital! ¡Agárrate! _____Marcela_____

4. ¡No seas ridícula! La doctora dijo que sólo fue un desmayo. _____Manu_____

5. Shhh, no hagan ruido por si acaso está durmiendo. _____Manu_____

Interpretive Communication

3 **Preguntas** Contesta las preguntas con oraciones completas. Some answers will vary.

1. ¿Por qué está Lupita en el hospital?
   Porque la encontraron desmayada.

2. ¿Quién llevó a Lupita al hospital?
   Lorenzo, Rocío y Manu la llevaron al hospital.

3. ¿Quién es la mujer que imagina Lorenzo en la camilla?
   La mujer que imagina Lorenzo es Isabel, su difunta esposa.

4. ¿Por qué le dice Marcela a Ricardo que siempre se las arregla para romper algo?
   Porque arruinó su fiesta y ahora se lastimó el tobillo.

5. ¿Por qué le dice Manu a Rocío que no sea ridícula?
   Porque ella es estudiante de medicina y debería saber que no es necesario operar a Lupita.

6. ¿Cuál es la recomendación de la doctora para Lupita?
   La doctora recomienda que Lupita descanse.

Interpretive Communication

Interpersonal Communication

4 **Definiciones** Escribe las definiciones de tres palabras de la Fotonovela relacionadas con el tema de la lección. Después, en parejas, léeselas a tu compañero/a, quien tendrá que adivinar las palabras.

MODELO ESTUDIANTE 1 Significa "estar inconsciente".
ESTUDIANTE 2 Es la palabra *desmayado/a*.

Interpretive Communication

LEARNING STYLES

For Auditory Learners Have students work in pairs to create five statements about healthy living. Call on volunteers to read one of their statements aloud, and have the rest of the class raise their hands if they agree with the statement, and remain still if they do not agree. Ex: **Hay que dormir por lo menos diez horas por noche para estar sano.**

LEARNING STYLES

For Visual Learners Gather pictures of people eating different foods, performing activities, or showing different emotional states from health magazines or brochures. Show each picture and call on volunteers to make a statement or two describing what they see.

Ampliación

5 **Experiencias** Escribe un párrafo sobre tus hábitos médicos. Usa las siguientes preguntas como guía e incluye algunas de tus experiencias.

Presentational Communication

- ¿Qué tan grave te debes sentir para ir al médico? ¿Vas en cuanto tienes los primeros síntomas o esperas hasta que te sientes fatal?
- ¿Alguna vez consultaste tus síntomas en Internet? ¿Cómo fue la experiencia?
- ¿Sigues los consejos de tu doctor(a)? ¿Por qué?
- ¿Prefieres tomar medicamentos o preparar remedios caseros?

6 **¿Dónde está Lupita?** Al final del episodio, Lupita no está en la habitación en el hospital. En parejas, creen un diálogo en el que uno/a de ustedes sea Lupita. Lupita debe explicar los motivos por los que decidió irse del hospital. Después, representen su diálogo ante la clase.

Interpersonal Communication

> **MODELO** **ESTUDIANTE 1** ¿Qué pasó, Lupita? ¿Por qué te fuiste?
> **ESTUDIANTE 2** Por primera vez, voy a pensar en mí. Necesito un descanso y voy a…

7 **Apuntes culturales** En parejas, lean los párrafos y contesten las preguntas.

Interpersonal Communication

Relating Cultural Practices to Perspectives

Relating Cultural Products to Perspectives

El sistema sanitario en México

A Lupita la encontraron desmayada y la tuvieron que llevar al hospital. En México, como en la mayoría de los países hispanos, existe el sector sanitario público, además del privado. La sanidad pública ha significado un gran avance en el país. Hasta el año 2004, las personas que no podían pagar las cuotas de Seguridad Social no tenían acceso a la Sanidad, pero gracias a una reforma sanitaria posterior, todos los ciudadanos tienen cobertura médica. Sin embargo, el sistema sanitario todavía tiene mucho que mejorar, por ejemplo, la falta de médicos especialistas en el sector público o el acceso médico en las zonas rurales.

El concepto de muerte para los mexicanos

Cuando los médicos se llevan a Lupita en la camilla, Lorenzo tiene una visión de su difunta esposa, Isabel. La muerte es un proceso doloroso para todas las culturas, incluida la mexicana, pero en ésta, la muerte se percibe de forma cercana, como parte natural de la vida. Cada 1° y 2 de noviembre, los mexicanos celebran el Día de Muertos. Según esta tradición de raíces prehispánicas y cristianas, las almas de los difuntos regresan de ultratumba. Una de las imágenes más representativas de esta celebración es la Catrina, figura creada por José Guadalupe Posada y popularizada por Diego Rivera.

La Catrina

1. ¿Cómo crees que debe ser un sistema sanitario ideal?
2. ¿Tienes seguro médico? ¿Qué cubre tu seguro?
3. ¿Alguna vez estuviste ingresado/a (*admitted*) en un hospital? ¿Cómo fue la experiencia?
4. ¿Qué diferencias hay entre la forma de ver la muerte de los mexicanos y la tuya? ¿Y qué similitudes?

PUEDO hablar de hábitos de salud y de los servicios médicos en mi cultura y en otras.

La salud y el bienestar

ciento cuarenta y nueve **149**

Teaching Tips

5 Have students read their paragraphs out loud. Ask: **¿Quién es la persona que más se preocupa por su salud en la clase? ¿Quién es la persona más tranquila en cuanto a su salud?**

Pre-AP*

AP Skill Category **8**

6 Have the class vote for the couple with the most convincing arguments and the couple with the best acting.

7 Follow up with comprehension questions. For example: **¿Tienen todos los mexicanos acceso a la sanidad pública? ¿Qué aspectos del sistema sanitario en México deben mejorar? ¿Cuándo se celebra el Día de Muertos? ¿Quién es la Catrina?**

7 Ask heritage speakers about the health system in their parents' countries.

7 Expand on the origins of the **Catrina**; explain how it went from representing the hypocrisy of society to becoming the Day of the Dead icon.

Teaching Tip
Watch some scenes from the Oscar-winning movie *Coco* and have students discuss the way death is portrayed. Have them compare the concept of death in *Coco* with the concept of death in English-speaking literature or cinema (e.g., *Hamlet*).

Cultural Comparisons

PRE-AP* Lifelong Learning   Acquiring Information & Diverse Perspectives   Presentational Communication

Presentational Writing Discuss the issue of diet. Be careful, as this is a sensitive subject with this age group. Have students research this topic on the Internet. Each student should bring in one article from a Spanish-language newspaper and present it to his or her small group. The group will then choose one of the articles to present to the class. After discussing the articles, give students a formal essay assignment of 200 words to complete in class, without dictionaries. Correct the essays using the most updated AP rubrics. Say: **Basándote en el artículo que has escogido, escribe tus respuestas a esta pregunta. Menciona lo que has leído y da tus propias ideas. La pregunta es: ¿En qué consisten los problemas relacionados con la obesidad? Puedes hablar de la comida rápida o de otros temas sobre los que has leído.**

Section Goals

In **El mundo hispano**, students will:

- learn about Colombian herbal medicine, the **Ciclovía** community recreation, and health systems in various Spanish-speaking countries
- watch a video about pharmacies in Ecuador

 Pre-AP*

AP Skill Categories
1 2 3 4

Student Resources
Online Video and Activities

Teacher Resources
Video Script & Translation

 21st Century Skills

Global Awareness
Students will gain perspectives on the Spanish-speaking world to develop respect and openness to others and to interact appropriately and effectively with citizens of Spanish-speaking cultures.

Reading Strategy Preview the reading by asking students if there are any home remedies they grew up with. Ex: **¿Usas remedios caseros?**

Teaching Tip Point out that the diminutive is used in the passage (**frasco → frasquito, agua → agüita**). See **Estructura 7.3**.

NATIONAL STANDARDS
Communities If there is a Hispanic pharmacy or grocery near you, you might ask students to visit the store to see what natural or traditional remedies are available. Have them do research to learn what the remedies are said to be for. Stress to students that they should never try such remedies without the advice of their physician and the permission of their parents or guardians.

School & Global Communities

150 Teacher's Edition • Lesson Four

---

4 EL MUNDO HISPANO

Objetivo comunicativo: Hablar sobre medicinas alternativas

En detalle

COLOMBIA

DE ABUELOS Y CHAMANES

Sentada en su cocina en Bogotá, Marcela Mahecha destapa frasquitos° de hierbas y describe las "agüitas°" que le enseñó a preparar su abuela: agüita de toronjil° para calmar los nervios, agüita de paico° para los cólicos° y muchas más.

Muchos de estos remedios caseros° son más que simples "recetas de la abuela". Su uso proviene de los conocimientos milenarios que los curanderos° y chamanes° han ido pasando de generación en generación. Colombia, segundo país en el mundo en diversidad de especies vegetales, desarrolló una medicina tradicional muy rica, que aún hoy subsiste en todos los niveles de la sociedad. A pesar de la llegada de la medicina científica, muchas comunidades indígenas siguen practicando su medicina tradicional. Cuanto más aislada está la comunidad, mejor mantiene sus tradiciones.

En la cultura indígena americana, lo espiritual y lo corporal se funden° con la naturaleza. Los curanderos y chamanes son los responsables de mantener estos mundos en equilibrio. Para ello, combinan las propiedades medicinales de las plantas con ritos sagrados. En Colombia, al igual que en otros países, hay un renovado interés por conocer las propiedades medicinales de las plantas que se han usado durante siglos. Instituciones gubernamentales, universidades y organizaciones ecologistas intentan recuperar y conservar estos conocimientos. En el año 2017, el Instituto Nacional de Vigilancia de Medicamentos y Alimentos —Invima— aumentó a 144 el número de plantas medicinales aprobadas para usos curativos.

El deseo de las empresas farmacéuticas de apropiarse de las plantas y patentarlas ha hecho que el gobierno colombiano controle el derecho a sacarlas del país. Esto es importante porque algunas están en peligro de extinción y porque estas plantas forman parte indeleble° de la identidad indígena. ■

Algunas plantas curativas

 Chuchuguaza Árbol que crece en la región amazónica de Colombia, Ecuador y Perú. Se usa como diurético y también contra el reumatismo, la gota° y la anemia.

 Gualanday Árbol originario del Valle del Cauca y que crece en las regiones colombianas de Putumayo y Amazonas. La corteza°, la hoja y la flor se usan contra neuralgias, dolores de huesos, várices° y afecciones del hígado°.

 Sauco Árbol proveniente de cultivos en la sabana° de Bogotá. La hoja, la corteza, el fruto y la flor se usan para tratar afecciones bronquiales.

destapa frasquitos *uncovers little jars* **agüitas** *herbal teas* **toronjil** *lemon balm* **paico** *Mexican tea (plant)* **cólicos** *cramps* **caseros** *home* **curanderos** *folk healers* **chamanes** *shamans* **se funden** *merge* **indeleble** *indelible* **gota** *gout* **corteza** *bark* **várices** *varicose veins* **afecciones del hígado** *liver conditions* **sabana** *savannah*

150 *ciento cincuenta*

Lección 4

CRITICAL THINKING Interpretive Communication | Lifelong Learning

Comprehension and Synthesis To help students understand the reading, encourage them to divide the passage into sections. For each section, have students write down two or three main ideas. Tell students to refer to these ideas for class discussion.

CRITICAL THINKING

Knowledge Have students define these terms in their own words, based on the reading: **el curandero** (*folk healer*), **el chamán** (*shaman or priest-doctor*), **la chuchuguaza, el gualanday, el sauco, la agüita de toronjil** (*lemon balm tea*). Ex: **Un chamán es alguien que cura las enfermedades del pueblo utilizando métodos naturales.**

• Practice new vocabulary by
asking questions. Ex: **¿Qué
harías para curar el empacho?
¿Qué significa si un amigo
te dice que está depre?**
• For **El mundo hispanohablante**,
call on volunteers to tell
what they know about the
healthcare system in the U.S.
Have them compare it to the
information from the passage.
• Read the quote by Donato
Ayma aloud. Call on volunteers
to explain the meaning in
their own words.
• Have students describe the
healthcare system in the U.S.
or Canada. Then have them
debate the merits of public
versus private healthcare.

NATIONAL STANDARDS
Community Much health
information in Spanish is
available from the federal,
state, and local governments
in the U.S. Have students
obtain such information (either
from websites or by requesting
brochures) to share with the
class. You might ask them to
create their own brochures
or informational posters based
on the governmental models.

School & Global
Communities

21st Century Skills

**Information and Media
Literacy: Entre culturas**
Students can go online to
complete the **Entre culturas**
activity for additional practice
accessing and using culturally
authentic sources.

ASÍ LO DECIMOS

La salud y el bienestar

el/la buquí (R. Dom.) *glutton*

cachucharse (Chi.) *to hit oneself*

caer bien/mal *to agree with (food)*

curar el empacho (Arg.) *to cure indigestion*

estar constipado/a (Esp.) *to be congested*

estar constipado/a (Arg., Chi. y Uru.) *to have a cold /
to be constipated*

estar depre (Arg., Esp. y Pe.) *to feel down*

estar funado/a (Chi.) *to feel demotivated*

el/la matasanos (Esp.) *bad doctor; quack*

estar pachucho/a (Arg y Esp.) *to be under the weather*

¡Se me parte la cabeza! (Arg.) *I have a splitting headache!*

EL MUNDO HISPANOHABLANTE

La salud y el bienestar públicos

Los gobiernos hispanoamericanos suelen brindar servicios de salud pública gratuitos° a todos los ciudadanos. Algunos países, como Cuba, han desarrollado un **sistema de salud universalista** en el cual todos los servicios son gratuitos. Otros países, como Chile, tienen un modelo mixto, que combina el sector público con el privado.

En la **clasificación de calidad de vida** de 2019, hecha por la revista CEOWorld, España aparece en el lugar 16 entre 70 países. Esta clasificación considera no sólo aspectos económicos, sino también indicadores como la seguridad personal, la calidad de los servicios de salud, el clima, el índice de contaminación, entre otros.

El colombiano **Rodolfo Llinás** es quizá el científico hispanoamericano de más prestigio a nivel mundial. Llinás estudió para ser médico, pero decidió dedicarse a la investigación. Llinás trabajó con dos ganadores del premio Nobel y estableció la ley Llinás, según la cual cada tipo de neurona tiene una función específica y no puede ser sustituido por otro tipo.

PERFIL

LA CICLOVÍA DE BOGOTÁ

Todos los domingos y lunes festivos, se cierran algunas de las principales vías de la capital de Colombia para que un millón y medio de habitantes salgan a la Ciclovía: más de 126 kilómetros para montar en bicicleta, caminar, correr o patinar, que la convierten en la más extensa de América Latina. Es una forma de recreación para la comunidad, una manera distinta de recorrer la ciudad y una manera de promover un estilo de vida activo y saludable. La Ciclovía cuenta además con la Recreovía, espacios distribuidos en diferentes puntos del trayecto, en los cuales la gente tiene la oportunidad de hacer actividades físicas, como aeróbicos y clases de baile, dirigidas por instructores especializados. Estos servicios no tienen ningún costo y todos son bienvenidos. En el recorrido también se pueden encontrar puntos para la práctica de deportes extremos, zonas especiales para niños e incluso puestos de atención para mascotas. Algunos países como México, Chile y Venezuela también están implementando la Ciclovía como una opción de recreación para todos los habitantes de la ciudad.

> **❝ Los conocimientos de la medicina tradicional son conocimientos adquiridos de nuestros antepasados y mantienen vivas las más ricas culturas de América Latina. ❞**
> (Donato Ayma, político boliviano)

Entre culturas

¿Qué beneficios tienen los distintos tés de hierbas?

Investiga sobre este tema en **vhlcentral.com**.

gratuitos *free of charge* **asentamiento** *settlement*

PRE-AP* — Presentational Communication

Presentational Speaking Read the article on page 150. Have students heard of **curanderos**? Discuss alternative medicine, and have students research it on the Internet. Refer them to **Entre culturas.** They will present a "talk show" to the class on the subject of alternative medicine. In groups of three, one student will be the host, one will be the **curandero,** or medical practitioner, and one will be the patient. Give them time in class to prepare their presentation and then present it to the class. Tell students: **Cada grupo debe presentar durante diez minutos. El anfitrión/La anfitriona del programa debe presentar formalmente al/a la curandero/a y al/a la paciente y debe hacerle a cada uno/a por lo menos cuatro preguntas.**

Teaching Tips

1 Have students work in pairs to write two more true/false statements about the reading. Then have them ask classmates to answer **cierto** or **falso**.

Formative Assessment Use Activity 1 as a formative check for reading comprehension, making sure to check corrected answers for the false statements.

3 For variation, divide the class into two groups for a class debate. Have one group argue for patents on nature and genetic modification, and the other against. Give students ten minutes to prepare their arguments. Beforehand, brainstorm a list of pertinent vocabulary on the board for reference during the debate.

| Interpersonal Communication | Relating Cultural Practices to Perspectives |

| Making Connections |

3 Partner Chat
Available online.

- For **Proyecto,** help students organize the information by creating an outline. Encourage them to find a map of the area on the Internet and some statistics or facts about the local population.

NATIONAL STANDARDS
Connections: Science
A number of medications have been derived from plants found in Latin America. Have students do research to identify some of these discoveries. Have them create short presentations for the class on the plants, where they were located, and the uses they have been put to in medical care.

| Making Connections |

---

1 | Interpretive Communication |

Comprensión Indica si estas afirmaciones son **ciertas** o **falsas**. Corrige las falsas. Answers will vary.

1. Marcela aprendió a usar infusiones en un viaje a Colombia, la tierra de su abuela. Falso. Marcela vive en Colombia.
2. Colombia es uno de los países con mayor diversidad de especies vegetales. Cierto.
3. En las prácticas curativas tradicionales, se combinan las propiedades curativas de las plantas con el poder curativo de los animales. Falso. Se combinan las propiedades curativas de las plantas con ritos sagrados.
4. Los conocimientos sobre los poderes curativos de las plantas han pasado de padres a hijos a través de los siglos. Cierto.
5. En Colombia, el uso de plantas curativas es popular sólo entre las comunidades indígenas. Falso. Es común en todos los niveles de la sociedad colombiana.
6. A pesar de la llegada de la medicina científica, muchas comunidades mantuvieron sus prácticas medicinales tradicionales. Cierto.
7. Las comunidades que mejor conservaron las tradiciones fueron las que estaban más cerca de la costa. Falso. Las comunidades que mejor conservaron las tradiciones fueron las que estaban más aisladas.
8. En Colombia, las instituciones no se preocupan por recuperar las tradiciones curativas. Falso. En Colombia, instituciones gubernamentales, universidades y organizaciones ecologistas intentan recuperar las tradiciones curativas.

| Making Connections | Acquiring Information & Diverse Perspectives | Lifelong Learning |

---

2 | Interpretive Communication |

Oraciones incompletas Completa las oraciones con la información correcta.

1. En la Recreovía, los colombianos pueden hacer ___aeróbicos___ o tomar clases de baile.
   a. aeróbicos   b. manualidades   c. concursos
2. Países como México, Chile y ___Venezuela___ también están implementando la Ciclovía.
   a. Costa Rica   b. El Salvador   c. Venezuela
3. En Chile, el sistema de salud sigue el modelo ___mixto___.
   a. mixto   b. universalista   c. privado
4. Rodolfo Llinás descubrió que un tipo de ___neurona___ no puede ser sustituido por otro.
   a. cerebro   b. neurona   c. cáncer
5. En Chile, usan *estar funado* para decir que alguien tiene ___poca energía___.
   a. indigestión   b. gripe   c. poca energía

3 | Interpersonal Communication | | Making Connections |

Opiniones En parejas, hablen sobre estas preguntas. Después, compartan su opinión con la clase.

- ¿Se puede patentar la naturaleza?
- ¿Tienen derecho las empresas farmacéuticas a patentar plantas?
- ¿Tienen derecho a hacerlo si modifican la estructura genética de la planta?
- ¿Cuáles son las posibles consecuencias de patentar plantas y organismos vivos?

PROYECTO

Las plantas curativas

Como hemos visto, muchas comunidades latinoamericanas usan las plantas para curar diferentes enfermedades. Busca información en Internet o en la biblioteca sobre alguna de estas plantas.

Usa las preguntas como guía para tu investigación.

- ¿Para qué se usa la planta?
- ¿En qué comunidad(es) se usa?
- ¿Qué enfermedades específicas cura?
- ¿Cómo se usa, según la tradición?
- ¿Se comprobaron científicamente las propiedades de la planta?
- ¿Es común su uso en la medicina científica?

PUEDO hablar sobre medicina tradicional en Colombia y algunas plantas curativas.

TEACHING OPTIONS

Small Groups Have students work in small groups to think of a fun recreational place that they know. (Ex: Central Park, NY; the Portland Willamette River Walk in Oregon, South Padre Island, TX) Have them research it and give a brief oral presentation. If possible, have them explain how it is similar or different from the **Ciclovía** described in **Perfil** on page 151.

CRITICAL THINKING | Presentational Communication |

Evaluation Have students create a commercial for a new natural product and act it out for the class. Encourage students to include a testimonial from a satisfied customer about how he or she felt before taking the product and how he or she feels now. Remind students to use the imperfect tense for describing feelings in the past.

Las farmacias

Ya has leído sobre el interés renovado por conocer las propiedades medicinales de las plantas en Colombia. En este episodio de **Flash cultura** conocerás las distintas opciones de farmacias que existen actualmente en uno de sus países vecinos, Ecuador.

VOCABULARIO ÚTIL

la arruga	*wrinkle*	**el mostrador**	*counter*
la baba de caracol	*snail slime*	**la piel tersa**	*smooth skin*
la cicatriz	*scar*	**el ungüento**	*ointment*
el estante	*shelf*	**la vitrina**	*display window*

1 **Preparación** ¿Qué haces cuando sientes algún dolor? ¿Alguna vez tomaste medicamentos sin visitar antes al médico?

2 **Comprensión** Indica si estas afirmaciones son **ciertas** o **falsas**. Después, en parejas, corrijan las falsas. [Interpretive Communication]

1. En Ecuador pueden encontrarse farmacias similares a las que hay en Estados Unidos o en Europa. **Cierto.**

2. Las grandes farmacias no ofrecen remedios caseros como ungüentos y cremas. **Cierto.**

3. No es costumbre en Ecuador que el farmacéutico recete a los clientes. **Falso.** Es común que los clientes consulten a los farmacéuticos y éstos les aconsejen personalmente.

4. La crema de baba de caracol sirve para dolores e inflamación de la piel. **Falso.** La crema de baba de caracol sirve para borrar manchas y cicatrices, mantener la piel tersa y borrar las arrugas.

5. Para la medicina tradicional, algunas plantas son malas. **Falso.** Para la medicina tradicional, todas las plantas traen un beneficio.

3 **Expansión** En parejas, contesten estas preguntas.

- Imagina que viajas a Ecuador y te enfermas. ¿Buscarías el consejo de un farmacéutico en vez de ir al médico? Justifica tu respuesta.

- Entre unas píldoras recetadas por el médico y una limpia de energía, ¿cuál elegirías? ¿Te parece que alguna de esas opciones puede ser mala para la salud?

- ¿En qué se parecen las farmacias de Ecuador a las de tu ciudad? ¿En qué se diferencian? ¿Qué tipo de farmacia te parece mejor? ¿Por qué?

PUEDO hablar de las farmacias en Ecuador y compararlas con las de mi país o estado.

[Interpersonal Communication] [Relating Cultural Practices to Perspectives] [Relating Cultural Products to Perspectives] [Cultural Comparisons]

Corresponsal: Mónica Díaz
País: Ecuador

Los consejos personales que el farmacéutico ofrece al cliente es lo que distingue a las pequeñas farmacias de las grandes.

A veces, las personas en el mundo hispano utilizan medicina alternativa para curar sus dolencias°.

Para la medicina tradicional, la gripe es un bajón° de energía; a través de la limpia°, se aumenta la energía y se intenta eliminar el problema.

dolencias *ailments* **bajón** *weakening* **limpia** *cleansing*

Teaching Tips

- Have students form pairs and brainstorm a list of vocabulary words and expressions they might hear in a pharmacy. Tell students to use those lists to better understand the video.

- Ask students if they have ever used natural remedies to cure a sickness. If so, where did they learn about them?

 21st Century Skills

Information and Media Literacy Students can go online to complete the **Entre culturas** activity associated with **Flash cultura** for additional practice accessing and using culturally authentic sources.

Cultural Comparison After viewing the segment, have students formulate statements comparing and contrasting pharmacies in Ecuador and their community. **Compara las farmacias que has visto en Quito, Ecuador, con las farmacias de tu comunidad. Considera los productos que se ofrecen, las prácticas (consultar y recetar) y las perspectivas (actitudes y opiniones) entre los tipos de farmacias y sus funciones. ¿Qué hay en común? ¿Qué les parece diferente?**

LEARNING STYLES

For Kinesthetic Learners Have students form pairs and write a short skit set in a pharmacy. One student should play a sick person asking for advice and the other should play a pharmacist asking questions and prescribing medication to cure the illness. Have students act out their skits for the class.

CRITICAL THINKING [Cultural Comparisons]

Application Tell students to scan quickly the **En detalle** reading. Then have them compare and contrast the information presented in the article to the **Flash cultura** segment. Ask: **¿En qué se diferencian la medicina de Ecuador y la de Colombia? ¿Los dos países utilizan medicina alternativa o natural? ¿Qué aprendiste de la medicina tradicional y la medicina alternativa?**

4.1 The subjunctive in noun clauses

Forms of the present subjunctive

- The subjunctive (**el subjuntivo**) is used mainly in the subordinate (dependent) clause of multiple-clause sentences to express will, influence, emotion, doubt, or denial. The present subjunctive is formed by dropping the **-o** from the **yo** form of the present indicative and adding these endings.

The present subjunctive		
hablar	**comer**	**escribir**
hable	coma	escriba
hables	comas	escribas
hable	coma	escriba
hablemos	comamos	escribamos
habléis	comáis	escribáis
hablen	coman	escriban

- Verbs with irregular **yo** forms show that same irregularity in all forms of the present subjunctive.

conocer	conozca		seguir	siga
decir	diga		tener	tenga
hacer	haga		traer	traiga
oír	oiga		venir	venga
poner	ponga		ver	vea

- Verbs with stem changes in the present indicative show the same changes in the present subjunctive. Stem-changing **-ir** verbs also undergo a stem change in the **nosotros/as** and **vosotros/as** forms of the present subjunctive.

pensar (e:ie)	piense, pienses, piense, pensemos, penséis, piensen
jugar (u:ue)	juegue, juegues, juegue, juguemos, juguéis, jueguen
mostrar (o:ue)	muestre, muestres, muestre, mostremos, mostréis, muestren
entender (e:ie)	entienda, entiendas, entienda, entendamos, entendáis, entiendan
resolver (o:ue)	resuelva, resuelvas, resuelva, resolvamos, resolváis, resuelvan
pedir (e:i)	pida, pidas, pida, pidamos, pidáis, pidan
sentir (e:ie)	sienta, sientas, sienta, sintamos, sintáis, sientan
dormir (o:ue)	duerma, duermas, duerma, durmamos, durmáis, duerman

- The following five verbs are irregular in the present subjunctive.

dar	dé, des, dé, demos, deis, den
estar	esté, estés, esté, estemos, estéis, estén
ir	vaya, vayas, vaya, vayamos, vayáis, vayan
saber	sepa, sepas, sepa, sepamos, sepáis, sepan
ser	sea, seas, sea, seamos, seáis, sean

Verbs of will and influence

● A clause is a group of words that contains both a conjugated verb and a subject (expressed or implied). In a subordinate noun clause (**oración subordinada sustantiva**), a group of words function together as a noun.

Necesito que pises el acelerador y vengas al hospital.

● When the subject of the main (independent) clause of a sentence exerts influence or will on the subject of the subordinate clause, the verb in the subordinate clause must be in the subjunctive.

MAIN CLAUSE	CONNECTOR	SUBORDINATE CLAUSE
Yo quiero	que	tú vayas al médico.

Verbs and expressions of will and influence

aconsejar *to advise*	**gustar** *to like*	**preferir (e:ie)** *to prefer*
desear *to desire;*	**hacer** *to make*	**prohibir** *to prohibit*
to wish	**importar** *to be important*	**proponer** *to propose*
es importante	**insistir en** *to insist (on)*	**querer (e:ie)** *to want; to wish*
it's important	**mandar** *to order*	**recomendar (e:ie)**
es necesario	**necesitar** *to need*	*to recommend*
it's necessary	**oponerse a** *to oppose*	**rogar (o:ue)** *to beg*
es urgente *it's urgent*	**pedir (e:i)** *to ask for;*	**sugerir (e:ie)** *to suggest*
exigir *to demand*	*to request*	

¡ATENCIÓN!

Pedir is used with the subjunctive to ask someone to do something.

Preguntar is used to ask questions, and is not followed by the subjunctive.

No te pido que lo hagas ahora.
I'm not asking you to do it now.

No te pregunto si lo haces ahora.
I'm not asking you if you are doing it now.

Necesito que **consigas** estas pastillas en la farmacia.
I need you to get these pills at the pharmacy.

Insisto en que **vayas** a la sala de emergencias.
I insist that you go to the emergency room.

El médico siempre me **recomienda** que **haga** más ejercicio.
The doctor always recommends that I exercise more.

Se oponen a que **salgas** si estás enfermo.
They object to your going out if you're sick.

● The infinitive, not the subjunctive, is used with verbs and expressions of will and influence if there is no change of subject in the sentence. The **que** is unnecessary in this case.

Quiero **ir** a Bogotá en junio.
I want to go to Bogota in June.

Prefiero que **vayas** en agosto.
I prefer that you go in August.

Teaching Tips
● Explain that subordinate clauses are called *dependent* clauses because their verb forms *depend* on the main clause. A subordinate clause will be in the subjunctive only if the verb or expression in the main clause requires it.
● Emphasize the idea that impersonal expressions are followed by the infinitive unless a new subject is introduced in the dependent clause. In order to use the subjunctive, two different subjects are necessary: one in the main clause and the other in the dependent clause. Examples: **Es importante hacer ejercicio. Es importante que tú hagas ejercicio.**
● Call on volunteers to read the sample sentences aloud.
● Have students change the sample sentences into sentences that use an infinitive instead of a subordinate clause. Ex: **Necesito conseguir estas pastillas en la farmacia.** Ask how the meaning changes in each case.

Extra Practice Go to **vhlcentral.com** for extra practice with the subjunctive in noun clauses.

DIFFERENTIATION

To Challenge Students Have students change the sample sentences into sentences that use an infinitive instead of a subordinate clause. Ex: **Necesito conseguir estas pastillas en la farmacia**. Ask how the meaning changes in each case.

DIFFERENTIATION

Lifelong Learning

For Inclusion Explain that the subjunctive is an integral part of communicating in Spanish. Encourage students to create a subjunctive section in the back of their notebooks where they will jot down any important class notes, hints, or examples.

- Explain that, while the subjunctive is sometimes used with **quizá(s)** and **tal vez**, it is never used with **a lo mejor** (*maybe, perhaps*).
- Point out that the subjunctive exists in English, but rarely differs from the indicative. Ex: *I wish I were in Dixie. / If I had a million dollars... / If I were you... / I suggest that he write...*
- Tell students that the subjunctive can be used in sentences beginning with **que** when the main clause is implied. Ex: (Espero) **Que te vaya bien.** See **Estructura 4.2**.
- Explain that, whereas the word *that* is usually optional in English, **que** is required in Spanish.
- Play a subjunctive game with groups of three students. Give each group cards containing subjects, verb stems, and verb endings. Group members divide up the cards. You call: **comer, tú;** students hold up **que tú comas; pensar, yo;** students hold up **que yo piense.** The first group to hold up the correct answer wins the point.

Affective Dimension Tell students that the subjunctive can seem tricky at first. To allay possible anxiety, encourage students to practice, but also to be patient and give themselves time to grasp its nuances.

¡ATENCIÓN!

The subjunctive is also used with expressions of emotion that begin with **¡Qué...** (*What a...!/It's so...!*)

¡Qué pena que él no vaya!
What a shame he's not going!

• • • •

The expression **ojalá** (*I hope; I wish*) is always followed by the subjunctive. The use of **que** with **ojalá** is optional.

Ojalá (que) no llueva.
I hope it doesn't rain.

Ojalá (que) no te enfermes.
I hope you don't get sick.

¡ATENCIÓN!

The subjunctive is also used after **quizá(s)** and **tal vez** (*maybe; perhaps*) when they signal uncertainty, even if there is no change of subject in the sentence.

Quizás vengan a la fiesta.
Maybe they'll come to the party.

Verbs of emotion

- When the main clause expresses an emotion like hope, fear, joy, pity, or surprise, the verb in the subordinate clause must be in the subjunctive if its subject is different from that of the main clause.

Espero que **te recuperes** pronto.
I hope you recover quickly.

Qué pena que **necesites** una operación.
What a shame you need an operation.

Verbs and expressions of emotion

alegrarse (de) *to be happy (about)*	**es terrible** *it's terrible*	**molestar** *to bother*
es bueno *it's good*	**es una lástima** *it's a shame*	**sentir (e:ie)** *to be sorry; to regret*
es extraño *it's strange*	**es una pena** *it's a pity*	**sorprender** *to surprise*
es malo *it's bad*	**esperar** *to hope; to wish*	**temer** *to fear*
es mejor *it's better*	**gustar** *to like; to be pleasing*	**tener miedo a/de** *to be afraid (of)*
es ridículo *it's ridiculous*		

- The infinitive, not the subjunctive, is used with verbs and expressions of emotion if there is no change of subject in the sentence.

No me gusta **llegar** tarde.
I don't like to be late.

Es mejor que lo **hagas** ahora.
It's better that you do it now.

Verbs of doubt or denial

- When the main clause implies doubt, uncertainty, or denial, the verb in the subordinate clause must be in the subjunctive if its subject is different from that of the main clause.

No creo que él nos **quiera** engañar.

I don't believe that he wants to deceive us.

Dudan que el jarabe para la tos **sea** un buen remedio.

They doubt that the cough syrup will be a good remedy.

Verbs and expressions of doubt and denial

dudar *to doubt*	**negar (e:ie)** *to deny*
es imposible *it's impossible*	**no creer** *not to believe*
es improbable *it's improbable*	**no es evidente** *it's not evident*
es poco seguro *it's uncertain*	**no es seguro** *it's not certain*
(no) es posible *it's (not) possible*	**no es verdad/cierto** *it's not true*
(no) es probable *it's (not) probable*	**no estar seguro de** *not to be sure (of)*

- The infinitive, not the subjunctive, is used with verbs and expressions of doubt or denial if there is no change in the subject of the sentence.

Es imposible **viajar** hoy.
It's impossible to travel today.

Es improbable que él **viaje** hoy.
It's unlikely that he would travel today.

LEARNING STYLES

For Kinesthetic Learners Make a set of statements about health and well-being, using impersonal expressions and the subjunctive. Ask students to pretend they are doctors and to give a thumbs-up if they like what they hear and a thumbs-down if they do not. Example: **Es importante que comas cinco frutas y verduras al día.** (thumbs-up)

LEARNING STYLES

For Visual Learners Have groups of three write nine sentences using different verbs and expressions and the subjunctive. Ask volunteers to write some of their group's best sentences on the board. Work with the whole class to read the sentences and check for accuracy.

Práctica

1 **Opiniones contrarias** Escribe una oración que exprese lo opuesto en cada ocasión.

> **MODELO** **Dudo que la comida rápida sea buena para la salud.**
> —No dudo que la comida rápida es buena para la salud.

1. Están seguros de que Pedro puede poner una inyección. No están seguros de que Pedro pueda poner una inyección.
2. Es evidente que estás agotado. No es evidente que estés agotado.
3. No creo que las medicinas naturales sean curativas. Creo que las medicinas naturales son curativas.
4. Es verdad que la cirujana no quiere operarte. No es verdad que la cirujana no quiera operarte.
5. No es seguro que este médico conozca el mejor tratamiento. Es seguro que este médico conoce el mejor tratamiento.

2 **Siempre enferma** Últimamente, Ana María se enferma demasiado y sus amigas están preocupadas por ella. Completa la conversación con el infinitivo, el indicativo o el subjuntivo.

MARTA Es una pena que Ana María (1) __esté__ (estar / está / esté) enferma otra vez.

ADRIANA El problema es que no le gusta (2) __tomar__ (tomar / toma / tome) vitaminas. Además, ella casi nunca (3) __come__ (comer / come / coma) verduras.

MARTA Y no creo que Ana María (4) __haga__ (hacer / hace / haga) ejercicio. Yo siempre le (5) __pido__ (pedir /pido / pida) que (6) __venga__ (venir / viene / venga) conmigo al gimnasio, pero ella prefiere (7) __quedarse__ (quedarse / se queda / se quede) en casa.

ADRIANA Y cuando ella se enferma, no (8) __sigue__ (seguir / sigue / siga) los consejos del médico. Si él le recomienda que (9) __permanezca__ (permanecer / permanence / permanezca) en cama, ella dice que no es necesario (10) __descansar__ (descansar/ descansa / descanse). Si él le da una receta, ella ni (11) __compra__ (comprar / compra /compre) las medicinas. ¿Qué vamos a hacer, Marta?

MARTA Es necesario que (12) __hablemos__ (hablar / hablamos / hablemos) con ella. Si no, ¡temo que un día de estos ella nos (13) __llame__ (llamar / llama / llame) para llevarla a la sala de emergencias!

ADRIANA Bueno, creo que (14) __tienes__ (tener / tienes / tengas) razón. ¡Sólo espero que ella nos (15) __escuche__ (escuchar / escucha / escuche)!

3 **Consejos** Adriana y Marta le dan consejos a Ana María. Combina los elementos de cada columna para escribir cinco oraciones. Usa el presente del subjuntivo.

> **MODELO** —Te recomendamos que hagas más ejercicio.

aconsejar		comer frutas y verduras
es importante		descansar
es necesario	que	hacer más ejercicio
querer		ir al gimnasio
recomendar		seguir las recomendaciones del médico
sugerir		tomar las medicinas

La salud y el bienestar

Teaching Tips

❶ For extra practice, have students create five similar sentences using the subjunctive or indicative.

❷ For each item that requires the subjunctive, call on volunteers to explain why they used it. Encourage them to review **Estructura 4.1** if necessary.

Formative Assessment Use Activity 2 as a good bell-ringer the next day, or an exit ticket after teaching/reviewing present subjunctive to see how students grasped the lesson.

❸ As a variant, have one student write a main clause on the board. Then have another student complete the sentence with a subordinate clause in the subjunctive.

NATIONAL STANDARDS
Connections: Health/ Physical Education Have students use information they have learned in their health or physical education classes to prepare posters in Spanish of their top ten recommendations for healthy behaviors. Have them present these to the class, then post them around the room. Making Connections

---

DIFFERENTIATION Language Comparisons

For Inclusion Help students become comfortable with some meanings of the subjunctive by doing a matching activity. Write a list of noun clauses on the board (Ex: **Quiero que...**) along with a list of dependent clauses. Have students read aloud the subordinate clause that best completes the sentence. Then students work in pairs to figure out the English meanings of the sentences. Have pairs share the meanings with the class.

DIFFERENTIATION Cultural Comparisons

Heritage Speakers Have heritage speakers use the subjunctive to write five sentences about student attitudes toward health in their families' home countries. Have a class discussion to compare and contrast student attitudes about health in the U.S. and in Spanish-speaking countries. Encourage students to use the subjunctive during their discussion.

4 **Ojalá** Para muchos, el amor es una enfermedad. El cantante Silvio Rodríguez sugiere en esta canción una cura para el amor.

A. Utiliza el presente del subjuntivo de los verbos entre paréntesis para completar la estrofa (*verse*) de la canción.

Ojalá que las hojas no te (1) ___toquen___ (tocar) el cuerpo cuando (2) ___caigan___ (caer) para que no las puedas convertir en cristal.
Ojalá que la lluvia (3) ___deje___ (dejar) de ser milagro que baja por tu cuerpo.
Ojalá que la luna (4) ___pueda___ (poder) salir sin ti.
Ojalá que la tierra no te (5) ___bese___ (besar) los pasos.

B. Ahora, escribe tu propia estrofa.

1. Ojalá que los sueños _____.
2. Ojalá que la noche _____.
3. Ojalá que la herida _____.
4. Ojalá una persona _____.

5 **El hombre ideal** Roberto está enamorado de Lucía, pero ella no le presta atención. Mira el dibujo del hombre ideal de Lucía y escribe cinco recomendaciones para Roberto. Utiliza el presente del subjuntivo y las palabras de la lista.

MODELO Es necesario que Roberto se vista mejor.

aconsejar	insistir en
es importante	proponer
es malo	recomendar
es mejor	rogar
es necesario	sugerir

Roberto

Hombre ideal

Interpersonal Writing and Speaking Relationships between friends or couples can bring joy or sorrow. Have students describe a real or fictional problem in groups and then write a *Dear Abby* letter describing the problem. Read the letters, making suggestions for grammatical corrections. Then have students rewrite the letters and exchange them with classmates. Each person should respond to the letter he or she has received. Say: **Ahora eres Abby. Vas a contestar la carta, dando por lo menos tres consejos. Empieza con frases como "Es aconsejable que" y "Te sugiero que". Empieza y termina tu carta con saludos apropiados.**

Comunicación

6

El doctor Sánchez responde Los lectores de una revista de salud envían sus consultas al doctor Sánchez. Trabajen en parejas para decidir qué consejos corresponden a cada consulta. Luego redacten la respuesta para cada lector usando las expresiones de la lista.

Interpretive Communication

Interpersonal Communication

Los lectores preguntan. El Dr. Sánchez responde.

1. Estimado Dr. Sánchez:
   Tengo 55 años y quiero bajar 10 kilos. Mi médico insiste en que mejore mi alimentación. Probé varias dietas, pero no logro bajar de peso. ¿Qué puedo hacer? b
   Ana J.

2. Querido Dr. Sánchez:
   Tengo 38 años y sufro fuertes dolores de espalda (*back*). Trabajo en una oficina y estoy muchas horas sentada. Después de varios análisis, mi médico dijo que todo está bien en mis huesos (*bones*). Me recetó unas pastillas para los músculos, pero no quiero tomar medicinas. ¿Hay otra solución? c
   Isabel M.

3. Dr. Sánchez:
   Siempre me duele mucho el estómago. Soy muy nervioso y no puedo dormir. Mi médico me aconseja que trabaje menos. Pero eso es imposible.
   Andrés S. a

A. *No comer con prisa.*
   Pasear mucho.
   No tomar café.
   Practicar yoga.

B. *Caminar mucho.*
   Practicar natación.
   No comer las cuatro "p":
   papas, pastas, pan y postres.
   Tomar dos litros de agua
   por día.

C. *No permanecer sentada más*
   de dos horas seguidas.
   Hacer cincuenta minutos
   de ejercicio por día.
   Adoptar una buena postura
   al estar sentada.
   Elegir una buena cama.
   Usar una almohada dura.

es importante que	le aconsejo que
es improbable que	le propongo que
es necesario que	le recomiendo que
es poco seguro que	le sugiero que
es urgente que	no es seguro que

7

Interpersonal Communication

Estilos de vida En parejas, cada uno/a debe elegir una de estas personalidades. Después, dense consejos para cambiar su estilo de vida. Utilicen el subjuntivo.

1. Voy al gimnasio tres veces al día. Lo más importante en mi vida es mi cuerpo.

2. Me gusta salir por las noches. Trasnocho casi todos los días.

3. Siempre como comida rápida porque es más fácil y mucho más barata.

4. No hago nada de ejercicio. Estoy todo el día trabajando en una oficina.

PUEDO expresar mis intenciones, emociones y dudas, y rechazar peticiones o sugerencias.

Teaching Tips

6 Have students work in pairs to write their own list of questions to **el doctor Sánchez.** Have them exchange questions with another pair and write responses.

6 Ask volunteers to read their questions and answers to the class. Encourage students to concentrate on pronunciation. Then ask: **¿Qué debe hacer [*name of student*] en esta situación?**

 Pre-AP*

AP Skill Category **5**

7 Expansion Give students additional descriptions. Ex: **5. Odio ir al médico porque me pongo nervioso/a. Me siento mal y no sé qué hacer. 6. Tomo mucho café porque nunca puedo dormir por la noche.**

7 Partner Chat Available online.

LEARNING STYLES

For Kinesthetic Learners Have students stand. At random, call out implied commands using statements with verbs of will or influence and actions that can be mimed. Ex: **Quiero que te tomes la medicina. Insisto en que descanses.** When you make a statement, point to a student and have him or her mime the action. Use plural statements and point to more than one student. Keep a brisk pace.

LEARNING STYLES

For Auditory Learners Create sentences that use the subjunctive. Say the sentence and have students repeat it. Then call out a different subject for the subordinate clause. Have students say the sentence with a new subject, making all of the necessary changes. Ex: **Quiero que trabajen mucho. / tú / Quiero que trabajes mucho.**

4.2 Commands

Formal (*Ud.* and *Uds.*) commands

• Formal commands (**mandatos**) are used to give orders or advice to people you address as **usted** or **ustedes**. Their forms are identical to the present subjunctive forms for **usted** and **ustedes**.

Formal commands		
Infinitive	**Affirmative command**	**Negative command**
tomar	**tome** (usted)	**no tome** (usted)
	tomen (ustedes)	**no tomen** (ustedes)
volver	**vuelva** (usted)	**no vuelva** (usted)
	vuelvan (ustedes)	**no vuelvan** (ustedes)
salir	**salga** (usted)	**no salga** (usted)
	salgan (ustedes)	**no salgan** (ustedes)

Familiar (*tú*) commands

• Familar commands are used with people you address as **tú**. Affirmative **tú** commands have the same form as the **él, ella**, and **usted** form of the present indicative. Negative **tú** commands have the same form as the **tú** form of the present subjunctive.

¡Detente!

¡Agárrate!

Familiar commands		
Infinitive	**Affirmative command**	**Negative command**
viajar	viaja	no viajes
empezar	empieza	no empieces
pedir	pide	no pidas

• These verbs and their derivatives (**predecir**, **deshacer**, **entretener**, etc.) have irregular affirmative **tú** commands. Their negative forms are still the same as the **tú** form of the present subjunctive.

decir	di	salir	sal
hacer	haz	ser	sé
ir	ve	tener	ten
poner	pon	venir	ven

¡ATENCIÓN!

***Vosotros/as* commands**
In Latin America, **ustedes** commands serve as the plural of familiar (**tú**) commands. The familiar plural **vosotros/as** command is used in Spain. The affirmative command is formed by changing the **-r** of the infinitive to **-d**. The negative command is identical to the **vosotros/as** form of the present subjunctive.

bailar: bailad/no bailéis

For reflexive verbs, affirmative commands are formed by dropping the **-r** and adding the reflexive pronoun **-os**. In negative commands, the pronoun precedes the verb.

levantarse: levantaos/ no os levantéis

Irse is irregular: **idos/ no os vayáis**

Nosotros/as commands

- **Nosotros/as** commands are used to give orders or suggestions that include yourself as well as other people. In Spanish, **nosotros/as** commands correspond to the English *let's* + [*verb*]. Affirmative and negative **nosotros/as** commands are generally identical to the **nosotros/as** forms of the present subjunctive.

Nosotros/as commands		
Infinitive	Affirmative command	Negative command
bailar	bailemos	no bailemos
beber	bebamos	no bebamos
abrir	abramos	no abramos

- The **nosotros/as** commands for **ir** and **irse** are irregular: **vamos** and **vámonos**. The negative commands are regular: **no vayamos** and **no nos vayamos.**

Using pronouns with commands

- When object and reflexive pronouns are used with affirmative commands, they are always attached to the verb. When used with negative commands, the pronouns appear between **no** and the verb.

Levántense temprano.	**No se levanten** temprano.
Wake up early.	*Don't wake up early.*
Dime todo.	**No me digas** nada.
Tell me everything.	*Don't tell me anything.*

- When the pronouns **nos** or **se** are attached to an affirmative **nosotros/as** command, the final **s** of the command form is dropped.

Sentémonos aquí.	**No nos sentemos** aquí.
Let's sit here.	*Let's not sit here.*
Démoselo mañana.	**No se lo demos** mañana.
Let's give it to him/her tomorrow.	*Let's not give it to him/her tomorrow.*

Indirect (él, ella, ellos, ellas) commands

- The construction **que** + [*subjunctive*] can be used with a third-person form to express indirect commands that correspond to the English *let someone do something*. If the subject of the indirect command is expressed, it usually follows the verb.

Que pase el siguiente.	**Que lo haga** ella.
Let the next person pass.	*Let her do it.*

- As with other uses of the subjunctive, pronouns are never attached to the conjugated verb, regardless of whether the indirect command is affirmative or negative.

Que se lo den los otros.	**Que no se lo den**.
Que lo vuelvan a hacer.	**Que no lo vuelvan** a hacer.

> **¡ATENCIÓN!**
>
> When one or more pronouns are attached to an affirmative command, an accent mark may be necessary to maintain the original stress. This usually happens when the combined verb form has three or more syllables.
>
> **decir**
>
> **di, dile, dímelo**
>
> **diga, dígale, dígaselo**
>
> **digamos, digámosle, digámoselo**

Teaching Tips

- Indicate that **nosotros/as** commands can also be expressed with **vamos a** + *infinitive*. Ex: **¡Vamos a comer!** *Let's eat!*
- Have auditory learners read the examples of commands with pronouns. Reiterate the importance of the written accent mark for maintaining the original stress in affirmative commands with pronouns.
- Explain that the main clause is implicit in indirect commands. Ex: **[Es necesario] Que pase el siguiente**.

Culture Note Ask students how they might use **nosotros/as** commands when they are out with a group of Spanish speakers, depending on the country. Ex: **¡Visitemos el Zócalo! ¡Vamos al parque del Retiro! ¡Escuchemos a la Tuna en la calle! ¡Probemos las brochetas!**

LEARNING STYLES

For Kinesthetic Learners Brainstorm active vocabulary from past lessons. At random, call out **nosotros/as** commands. All students should perform the appropriate action. Keep a brisk pace. Ex: **Hagamos la tarea. Hablemos por teléfono. Estudiemos para el examen. Tomemos el medicamento.**

LEARNING STYLES

For Auditory Learners Create sentences with **vamos a** + *infinitive*. After reviewing two or three examples on the board with the class, say a sentence, have students repeat it, and then call on individual students to change it to a **nosotros/as** command form. Ex: **Vamos a entrar en la farmacia. → Entremos en la farmacia.** Continue in the same way with more sentences.

Teaching Tips

1 Have students continue the activity in pairs. Ask each student to write two more pieces of advice for his or her partner to change into commands.

2 Suggested answers for Part B:
1. **Prevén las caries.**
2. **Cepíllate los dientes después de cada comida.**
3. **No comas dulces.**
4. **Pon poco azúcar en el café o el té.**
5. **Come o bebe alimentos que tengan calcio.**
6. **Consulta al dentista periódicamente.**

3 Have volunteers present their own problems or bad habits, real or imaginary, since students in this age group are sometimes sensitive about this topic. Classmates should give appropriate advice using commands.

Extra Practice Give one student a **tú** command. Have him or her respond with the **usted** command of the same verb. For additional practice, have a third student give the **ustedes** command form.

1 **Mandatos** Cambia estas oraciones para que sean mandatos.

1. Te conviene descansar. Descansa.
2. Deben relajarse. Relájense.
3. Es hora de que usted tome su pastilla. Tome su pastilla.
4. ¿Podría usted describir sus síntomas? Describa sus síntomas.
5. ¿Y si mejoramos nuestra alimentación? Mejoremos nuestra alimentación.
6. ¿Podrías consultar con un especialista? Consulta con un especialista.
7. Ustedes necesitan comer bien. Coman bien.
8. Le pido que se vaya de mi consultorio. Váyase de mi consultorio.

2 **El cuidado de los dientes**

A. Escribe los consejos que dio un dentista durante una visita a una escuela. Usa el imperativo formal de la segunda persona del plural.

1. prevenir las caries (*cavities*) Prevengan las caries.
2. cepillarse los dientes después de cada comida Cepíllense los dientes después de cada comida.
3. no comer dulces No coman dulces.
4. poner poco azúcar en el café o el té Pongan poco azúcar en el café o el té.
5. comer o beber alimentos que tengan calcio Coman o beban alimentos que tengan calcio.
6. consultar al dentista periódicamente Consulten al dentista periódicamente.

B. Reescribe los consejos usando el imperativo informal.

3 **El doctor de Felipito** Felipito es un niño muy inquieto. A cada rato tiene pequeños accidentes. Su doctor decide explicarle cómo evitarlos y cómo cuidar su salud. Utiliza mandatos informales para escribir las indicaciones del médico. Answers will vary.

MODELO No toques perros en la calle.

1.   2.   3.

4.   5.   6.

DIFFERENTIATION

To Challenge Students Have students create three questions about healthful eating habits. Then, with a partner, ask and answer the questions with affirmative and negative commands. If a student responds with a negative command, he or she must follow it with an affirmative command. Ex: ¿**Debo comer helado después de la cena? (No, no lo comas. Come fruta de postre.)**

DIFFERENTIATION   Interpretive Communication

For Inclusion In order to help students become comfortable with command forms, have them reread the conversation from the **Fotonovela** with a partner. Have them identify command forms and categorize them as formal, informal, or **nosotros/as** commands.

Comunicación

Interpersonal Communication

4 **Que lo hagan ellos** Carlos está tan entretenido con su nuevo videojuego que no quiere hacer nada más. En parejas, preparen una conversación entre Carlos y su madre en la que ella le dé mandatos y Carlos sugiera que otras personas la ayuden. Utilicen mandatos indirectos en la conversación.

MODELO **MADRE** Limpia tu cuarto, Carlos.

CARLOS Que lo limpie mi hermano. ¡Estoy a punto de alcanzar el próximo nivel!

ayudarme en la cocina	mis amigos
cortar cebollas	mi hermana
pasear al perro	mi hermano
llamar a la abuela	mi padre
ir a la farmacia	tú/Ud.

Interpersonal Communication

5 **Hasta el siglo XXII**

A. ¿Qué consejos le darías a un(a) amigo/a para que viva hasta el siglo XXII? En grupos pequeños, escriban ocho recomendaciones utilizando mandatos informales afirmativos y negativos. Sean creativos.

MODELO No tomes mucho café. Toma sólo agua y jugos naturales.

B. Ahora reúnanse con otro grupo y lean las dos listas. ¿En qué se parecen y en qué se diferencian sus recomendaciones?

Presentational Communication

6 **Anuncios** En grupos, elijan tres de estos productos y escriban un anuncio (*commercial*) de televisión para promocionar cada uno de ellos. Utilicen los mandatos formales para convencer al público de que lo compre.

MODELO El nuevo perfume "Enamorar" de Rita Ferrero le va a encantar. Cómprelo en cualquier perfumería de su ciudad. Pruébelo y…

cámara digital "Flimp"	pasta de dientes "Sonrisa Sana"
chocolate sin calorías "Deliz"	perfume "Enamorar"
computadora portátil "Digitex"	raqueta de tenis "Rayo"
crema hidratante "Suavidad"	todo terreno "4 X 4"

PUEDO dar órdenes de manera formal o informal.

Interpretive Communication

LEARNING STYLES

For Auditory Learners Here are five sentences to use as dictation. Read each twice, pausing after the second time for students to write. **1. Ve al consultorio si te sientes resfriado. 2. Pónganse los abrigos antes de salir de casa. 3. No tomes estas pastillas. 4. Leamos las instrucciones del medicamento. 5. Llame al médico para pedir la receta.**

LEARNING STYLES

For Visual Learners Display large pictures around the room. Have students work in pairs to write a short description of each picture. Ex: **La cocina está sucia. No quedan ni platos ni cubiertos limpios. No hay comida en la nevera. Mis amigos y yo tenemos hambre.** Then have students write responses in the form of commands. **(Límpiela. Lávenlos. Compren comida. Hagan la cena.)**

Teaching Tips

4 Recycle household vocabulary by adding these chores to the list: **hacer la cama, poner la mesa, lavar las ventanas, pasar la aspiradora.**

4 **Partner Chat** Available online.

5 Have volunteers read their sentences aloud and write the commands on the board in two columns: **mandatos afirmativos** and **mandatos negativos.**

NATIONAL STANDARDS
5 **Connections: Health/ Physical Education** Encourage students to use information they have learned in their health or physical education classes as they work on **Actividad 5.**

Making Connections

21st Century Skills

Technology Literacy Ask students to prepare a digital presentation to show the top three whole-class recommendations for this activity.

6 Ask groups to read their commercial scripts aloud. Then have the class vote on whether or not they were convinced to buy the product. Call on volunteers from the class to say why they voted as they did.

6 Have pairs find ads in Spanish from magazines or the Internet that use the imperative or subjunctive forms. Have students present their ads to the class, commenting on the product advertised, the target audience, and the overall effectiveness of the ad.

Teaching Tips
- Explain that **para** is often used with adverbs to indicate *in the direction of*. Ex: **para arriba** means *upwards* and **para atrás** means *backwards*.
- Call on volunteers to read the sample sentences aloud. Encourage students to give an example of their own for each use of **para**.
- **Variación léxica** Point out that in some regions, including the Caribbean, the second syllable of **para** is often dropped from spoken Spanish. Ex: **p'arriba, p'abajo**.
- Give students additional expressions with **para**: **para que** (*so that*) **¿para qué?** (*what for?*).

Extra Practice Go to **vhlcentral.com** for extra practice with **por** and **para**.

4.3 *Por* and *para*

- **Por** and **para** are both translated as *for*, but they are not interchangeable.

*Por lo visto, siempre
te las arreglas para
romper algo.*

No es para tanto.

Uses of *para*

Destination *(toward; in the direction of)*	El cirujano sale de su casa **para** la clínica a las ocho. *The surgeon leaves his house at eight to go to the clinic.*
Deadline or a specific time in the future *(by; for)*	El resultado del análisis va a estar listo **para** mañana. *The test results will be ready by tomorrow.*
Goal (**para** + [*infinitive*]) *(in order to)*	El doctor usó un termómetro **para** ver si el niño tenía fiebre. *The doctor used a thermometer to see if the boy had a fever.*
Purpose (**para** + [*noun*]) *(for; used for)*	El investigador descubrió una cura **para** la enfermedad. *The researcher discovered a cure for the desease.*
Recipient *(for)*	La enfermera preparó la cama **para** doña Ángela. *The nurse prepared the bed for Doña Ángela.*
Comparison with others or opinion *(for; considering)*	**Para** su edad, goza de muy buena salud. *For her age, she enjoys very good health.*
	Para mí, lo que tienes es gripe y no un resfriado. *To me, what you have is the flu, not a cold.*
Employment *(for)*	Mi hijo trabaja **para** una empresa farmacéutica. *My son works for a pharmaceutical company.*

Expressions with *para*

no estar para bromas *to be in no mood for jokes*

no ser para tanto *to be not so important*

para colmo *to top it all off*

para que *so that*

para que (lo) sepas *just so you know*

para siempre *forever*

- Note that the expression **para que** is followed by the subjunctive.

Te compré zapatos de tenis **para que** hagas ejercicio.
I got you sneakers so that you will work out.

DIFFERENTIATION

For Inclusion Have students focus on the most important uses of **por** and **para**. Ex: **Para** for deadlines, purpose, and recipients; **por** for *through, on behalf of, means by which,* and agency. At first, all explanations and exercises should be based on those uses, particularly on the uses of **para**. The finer distinctions can be emphasized later.

DIFFERENTIATION

To Challenge Students Assign different pairs of students reading passages from **Lecciones 1–3**. Tell them to analyze the use of **para,** identifying the uses explained above.

Ya va por el quinto café.

No hagan ruido, por si acaso está durmiendo.

Uses of *por*

Motion or a general location *(along; through; around; by)*	Me quebré la pierna corriendo **por** el parque. *I broke my leg running through the park.*
Duration of an action *(for; during; in)*	Estuvo en cama **por** dos meses. *He was in bed for two months.*
Reason or motive for an action *(because of; on account of; on behalf of)*	Rezó **por** su hijo enfermo. *She prayed for her sick child.*
Object of a search *(for; in search of)*	El enfermero fue **por** un termómetro. *The nurse went for a thermometer.*
Means by which *(by; by way of; by means of)*	Consulté con el doctor **por** teléfono. *I consulted with the doctor by phone.*
Exchange or substitution *(for; in exchange for)*	Cambiamos ese tratamiento **por** uno nuevo. *We changed from that treatment to a new one.*
Unit of measure *(per; by)*	Tengo que tomar las pastillas cinco veces **por** día. *I have to take the pills five times per day.*
Agent (passive voice) *(by)*	La nueva política de salud pública fue anunciada **por** la prensa. *The new public health policy was announced by the press.*

¡ATENCIÓN!

In many cases it is grammatically correct to use either **por** or **para** in a sentence. However, the meaning of each sentence is different.

Trabajó por su tío.
He worked for (in place of) his uncle.

Trabajó para su tío.
He worked for his uncle('s company).

Expressions with *por*

por ahora *for the time being*	**por lo general** *in general*
por allí/aquí *around there/here*	**por lo menos** *at least*
por casualidad *by chance/accident*	**por lo tanto** *therefore*
por cierto *by the way*	**por lo visto** *apparently*
¡Por Dios! *For God's sake!*	**por más/mucho que** *no matter how much*
por ejemplo *for example*	**por otro lado/otra parte** *on the other hand*
por escrito *in writing*	**por primera vez** *for the first time*
por eso *therefore; for that reason*	**por si acaso** *just in case*
por fin *finally*	**por supuesto** *of course*

La salud y el bienestar

- Point out that **por** is always used with **gracias**. Ex: **Gracias por la cena.** Explain that this is because thanks and appreciation imply an exchange.
- Give students these additional expressions with **por**: **¡Por Dios!** (*For God's sake!*) and **por escrito** (*in writing*).
- Distribute two cards to each student. Have them use a marker to write **por** on one and **para** on the other. Read a series of sentences with **por** or **para** missing. For each blank, students hold up the correct card. So that students can self-correct, ask the class to state the answer, **por** or **para**, aloud after each sentence. Sample sentences could include:
  1. _____ hacer la tarea, uso un lápiz.
  2. Paso _____ la biblioteca cuando voy a la casa de mi amigo.
  3. Tenemos un regalo _____ ti.
- Ask students to translate phrases requiring **por**. Ex: *talk by phone, send information by e-mail, walk across the football field, walk along Oak Street, arrive in the afternoon, be worried about a friend, go thirty miles per hour.*
- Tell students that in time clauses the preposition **durante** can be used instead of **por**. Ex: **Estuvo en la cama durante dos meses.**

Práctica

1 **Otra manera** Lee la primera oración y completa la segunda versión con **por** o **para**.

1. Mateo pasó el verano en Colombia con su abuela.
   Mateo fue a Colombia __para__ visitar a su abuela.
2. Ella estaba enferma y quería la compañía de su nieto.
   Ella estaba enferma; __por__ eso, Mateo decidió ir.
3. La familia le envió muchos regalos a la abuela.
   La familia envió muchos regalos __para__ la abuela.
4. La abuela se alegró mucho de la visita de Mateo.
   La abuela se puso muy feliz __por__ la visita de Mateo.
5. Mateo pasó tres meses allá.
   Mateo estuvo en Colombia __por__ tres meses.

Cartagena, Colombia

2 **Carta de amor** Completa la carta con **por** y **para**.

De:	mateo25@tucorreo.com
A:	cata@tucorreo.com
Tema:	Noticias desde Cartagena

Mi amada Catalina:

(1) __Por__ fin encuentro un momento (2) __para__ escribirte. Es que mi abuela me tiene a su lado (3) __por__ horas y horas cada día, contándome historias de su niñez aquí en Cartagena. Poquito a poco va recuperándose, pero no sé de dónde saca tantas fuerzas (4) __para__ hablar. Pero estoy aquí sólo (5) __por/para__ ella, así que no me quejo de nada. En las tardes ella descansa y yo suelo caminar (6) __por__ la playa y, (7) __por__ supuesto, pienso en ti…

Hoy mi abuelita me pidió llamar (8) __por__ teléfono a la clínica, pues le duele mucho el estómago y cree que es (9) __por__ las otras medicinas que le recetó el cirujano. Mientras tío Javi la lleva a la clínica, yo iré al centro (10) __para__ hacer unas compras. Ya sé lo que voy a comprar (11) __para__ ti.
Ya pronto nos veremos…
Te amaré (12) __para/por__ siempre…

Mateo

3 **Oraciones** Utiliza palabras de cada columna para formar oraciones lógicas.

MODELO Mi hermana preparó una cena especial para la fiesta.

caminar		él
comprar		la fiesta
hacer	para	mi mamá
jugar	por	el parque
preparar		su hermana

Comunicación

Interpersonal Communication

4 **Soluciones** En parejas, comenten cuáles son las mejores maneras de lograr los objetivos de la lista. Sigan el modelo y utilicen **por** y **para**.

MODELO
—Para tener buena salud, lo mejor es comer cinco frutas o verduras por día porque tienen muchas vitaminas.

concentrarse al estudiar	relajarse
divertirse	ser famoso/a
hacer muchos amigos	ser organizado/a
mantenerse en forma	tener buena salud

Interpersonal Communication

5 **Conversación** En parejas, elijan una de las situaciones y escriban una conversación. Utilicen **por** y **para** y algunas de las expresiones de la lista.

A. Tu vecino, don José, ganó en un concurso unas vacaciones a Medellín, Colombia, pero él no puede ir. Está pensando en ti y en otro/a vecino/a. Convence a don José de que te dé a ti las vacaciones.

B. Todo el verano has trabajado en una librería local y no has tomado ni un día libre. Habla con tu jefe/a y dile que quieres tomarte unas vacaciones de dos semanas antes de regresar a las clases. Tu jefe/a dice que no necesitas tomar vacaciones y te da algunas razones. Explícale tus razones.

no es para tanto	por casualidad	por lo menos
para colmo	por eso	por lo tanto
para siempre	por fin	por supuesto

Interpretive Communication
Presentational Communication

6 **Síntesis** En grupos de cuatro, miren la foto e inventen una conversación que incluya a todos los miembros de la familia. Deben usar por lo menos tres verbos en el subjuntivo, tres mandatos y tres expresiones con **por** o **para**. Dramaticen la conversación para el resto de la clase.

MODELO
— Quiero que me digas qué debo hacer para adelgazar.
— ¡Bebe té verde por la mañana!

PUEDO describir una situación explicando razones y propósitos, y utilizando expresiones idiomáticas fijas.

Teaching Tips

4 Have students share their responses with the class. Tell them also to identify the uses of **por** and **para** in their sentences.

Formative Assessment
Monitor student suggestions, not only **por** vs **para**, but encourage use of subjunctive, offering substantive feedback and recommendations.

5 Call on pairs to act out their conversations for situations A and B in front of the class. Give students five minutes to run through their conversations and work through any pronunciation problems. Encourage the rest of the class to offer alternative ways to convince the **vecino** or **jefe/a**.

5 **Partner Chat**
Available online.

6 Have students create three columns on a sheet of paper: **subjuntivo**, **imperativo**, and **por/para**. While each group performs its scene, have the rest of the students take notes in the correct column—writing the verb form they hear or **por/para**. Then have volunteers write the sentences or phrases they heard on the board.

LEARNING STYLES

For Kinesthetic Learners Get students out of their seats. Hand each student a strip of paper on which you have written one of the uses of **por** or **para,** or a sentence that is an example of one of the uses. Have students circulate around the room until they find the person who has the match for their use or sentence. After everyone has found a partner, pairs should read their sentences and uses aloud.

LEARNING STYLES

For Visual Learners Have students make two flashcards. On one they write **por** and on the other, they write **para**. Call out one of the uses for either word. Students show the appropriate card. Then call on a volunteer to write a sentence illustrating that use on the board. The class determines whether the sentence is grammatically accurate.

In **En pantalla**, students will:
- watch the short film *Ayúdame a recordar*
- practice listening for vocabulary and structures learned in this lesson

Pre-AP*

AP Skill Categories
1 **2** **3** **4**

Student Resources
Online Video and Activities
Teacher Resources
Transcript & Translation

Teaching Tips

1 Have students write a few sentences using words from the vocabulary list. Ask them to share their sentences in small groups.

2 Use the questions in this activity to prompt a class discussion about the importance of love and family relationships and how they contribute to quality of life. Mention the importance of supporting elderly people who may feel alone or confused.

Interpersonal Communication | Relating Cultural Practices to Perspectives

Pre-AP*

AP Skill Category **7**

3 Ask students if the video still on this page reminds them of any movies they have seen. Encourage them to give a brief description of the movies in Spanish.

3 Once students have watched the film, ask them if they were correct in their predictions.

---

4 **EN PANTALLA**

Objetivo comunicativo: Analizar algunos aspectos de la salud y la enfermedad en diferentes etapas de la vida

Antes de ver el corto

AYÚDAME A RECORDAR

país España   **director** Fran Casanova
duración 17 minutos **protagonistas** Santi, Pelayo (el abuelo), Carmen, Conchi

Vocabulario

a punto de *about (to do something)*	**ponerse bueno** *get better*
el/la camarada *pal, colleague*	**superar (algo)** *to get over (something)*
el/la cascarrabias *grouch, curmudgeon*	**el tebeo** *comic book*
el estribor *starboard*	**la trinchera** *trench*

1 **Vocabulario** Completa las oraciones con palabras del vocabulario.

1. El padre de la protagonista siempre estaba de mal humor; era un ___cascarrabias___.
2. ¡Efraín, no llores más por María! ¡Ya su relación se acabó! ¡Lo tienes que ___superar___!
3. Cuando era chico me encantaba leer historias de aventuras y ___tebeos___.
4. Camilo, ¿me ayudas a poner la mesa? ¡Los invitados están ___a punto de___ llegar!
5. En la Primera Guerra Mundial, los soldados se refugiaban en ___trincheras___.
6. Julio y Andrés pertenecen al mismo partido político. Y siempre se apoyan cuando tienen problemas. Son muy buenos ___camaradas___.

Interpersonal Communication

2 **Salud y bienestar** Responde a las siguientes preguntas con un(a) compañero/a. Después, compartan sus respuestas con toda la clase.

1. Cuando estás enfermo/a, ¿qué cosas te hacen sentirte mejor?
2. ¿Hay alguna persona (o una mascota) que cuando estás enfermo/a te ayuda a sentirte mejor? ¿Quién?
3. ¿Crees que el amor de las personas cercanas puede ser una terapia? ¿Por qué?
4. ¿Crees que el arte y la literatura también pueden ser terapéuticos? Da un ejemplo.
5. ¿Qué haces para ayudar a una persona de tu familia cuando se enferma?

Interpretive Communication

Interpersonal Communication

3 **¿Qué será?** En parejas, observen el fotograma y especulen sobre la imagen utilizando las preguntas.

- ¿Quiénes son las dos personas?
- ¿Cuál es su relación?
- ¿Dónde están?
- ¿Qué están haciendo?
- ¿Cómo se sienten?
- ¿Qué van a hacer a continuación?

Relating Cultural Practices to Perspectives

CRITICAL THINKING

Knowledge and Comprehension Give students additional cultural context for the short film. Explain that in Spain, the number of elderly people is increasing while the birth rate is decreasing. As a class, discuss what social issues might arise due to this trend. If possible, make comparisons with the U.S.

CRITICAL THINKING

Comprehension Before showing the film, explain to students that they do not need to understand every word they hear. Tell them to rely on visual cues and to listen for cognates and words from **Vocabulario.**

RUBÉN
TOBÍAS

DANIEL
AVILÉS

AYÚDAME A RECORDAR

Una producción de TIEMPO DE RODAR
Con DANIEL AVILÉS   RUBÉN TOBÍAS   FLORA LÓPEZ   TANIA BALASTEGUI
Productor ejecutivo MANUEL ROJAS   Música ÓSCAR NAVARRO
Director de fotografía PILAR SÁNCHEZ Montaje SERGIO MUÑOZ
Guión FRAN CASANOVA y BELÉN HEYDT
Director FRAN CASANOVA

TIEMPO
DE RODAR
producciones

GOBIERNO DE ESPAÑA / MINISTERIO DE CULTURA

frëak
FREAK SHORT FILM AGENCY

Teaching Tips
• Tell students that the
  cortometraje features
  characters ranging in age
  from young to very old and
  that their ages are very
  important to the plot.
• Ask students to name other
  movies about relationships
  between younger and older
  people (possible answers:
  *Harry Potter, The Intern,
  The Karate Kid, Finding
  Forrester, The Hobbit,
  We Bought a Zoo*).
• Have students work in pairs
  to describe the scene in
  the poster, including as
  many details as possible.
  Ask them to think about the
  relationship between the
  image and the title. Ask: **¿Por
  qué creen que el corto se
  llama *Ayúdame a recordar*?**

La salud y el bienestar   *ciento sesenta y nueve* **169**

CRITICAL THINKING   Interpretive Communication

Comprehension and Analysis Discuss how young people
and elderly people in the U.S. perceive each other in daily life.
Have students think about and discuss how these perceptions
are depicted in movies they have seen.

DIFFERENTIATION   Cultural Comparisons

Heritage Speakers Have heritage speakers discuss whether
elderly people in their culture tend to live at home with family or
in assisted-living facilities like nursing homes. Have other students
discuss their own families' or culture's approach to caring for
the elderly.

Video Synopsis Santi's grandfather Pelayo suffers from Alzheimer's disease. Pelayo's daughter Carmen thinks it is best for him to be in a nursing home where she believes he will be in better hands. However, she changes her mind when she sees how important Pelayo's relationship with his grandson is.

 Pre-AP®

Interpretive Reading
Ask pairs of students to cover up the captions and look only at the photos. Have them invent their own captions based on the visual clues. After they have watched the short film, ask the same pairs to explain how their captions were accurate and how they were not.

Previewing Strategy Have students look at the video stills and describe how Pelayo's feelings change through the film based on his facial expressions. Ask volunteers to describe Pelayo's feelings in each image.

Teaching Tips
• Have students predict what will happen in the short film and especially what will happen to Pelayo. Ask them to write down their predictions and compare them with what really happens after viewing the film.
• Ask students if they have heard of Alzheimer's disease and its effects on those who suffer from it.

Escenas

ARGUMENTO Pelayo, el abuelo de Santi, está enfermo. Carmen, su hija, cree que lo mejor es llevarlo a una residencia para ancianos donde, según ella, pueden cuidarlo mejor. Pero algo pasa en la familia que hace que cambie de opinión.

SANTI ¡Hola, abuelo! Soy yo, Santi.

SANTI Yo estuve enfermo la semana pasada y mamá me dio el medicamento… ¡Y me curé!
CONCHI Tienes toda la razón. ¡La medicina le pondrá bien! ¡Di que sí!

CONCHI ¡Anda! Si este tebeo era de tu abuelo. ¡No sabes lo que le gustaban!

PELAYO ¡Camaradas! ¡No podemos perder esta batalla!

SANTI Tenemos que rescatarla.
PELAYO Tú encárgate de los de la derecha; yo, de los de la izquierda.
SANTI ¡Vamos!

CARMEN ¿Sabes cuánto hacía que no me llamabas así?
PELAYO ¿Sabes cuánto hace que no lo paso tan bien?

no nos alcanza *it is not enough* **el prestadito** *a loan*

Interpretive Communication

CRITICAL THINKING

Comprehension and Analysis Have small groups of students write a summary of the film's plot in their own words. Have groups share their summaries with the class.

CRITICAL THINKING

Application and Synthesis Ask pairs of students to predict the end of the film by writing a short script for "scene 7." Have them practice it aloud, then present their scenes to the class when they are ready. Take a class survey to determine which ending students think is the most likely.

Después de ver el corto

Interpretive Communication

1 **Comprensión** Contesta las preguntas con oraciones completas.

1. ¿Qué le pasa a Pelayo?
   Tiene una enfermedad que le hace perder la memoria. Al parecer es Alzheimer.
2. ¿A dónde lo quiere llevar su hija Carmen?
   Lo quiere llevar a una residencia para ancianos.
3. ¿Conchi está de acuerdo con la decisión de Carmen?
   No. Conchi quiere que Pelayo se quede en casa.
4. ¿Qué encuentra Santi en la casa de su abuelo?
   Encuentra unos tebeos viejos.
5. ¿Qué efecto tienen las historias sobre el ánimo del abuelo?
   Las historias le hacen recuperar la memoria temporalmente.
6. ¿Quiénes son los hombres vestidos de blanco que llegan a la casa?
   Son los enfermeros que vienen a por Pelayo.
7. ¿Por qué Santi despierta al abuelo y lo hace correr?
   Porque no quiere que se lo lleven para la residencia.
8. ¿Quién es el hombre que visita a Pelayo al final?
   Es Santi cuando ya es mayor.

Interpretive Communication

Interpersonal Communication

2 **Interpretación** En parejas, contesten las preguntas.

1. En un momento, Santi dice que él puede cuidar a su abuelo. ¿Por qué cree eso?
2. ¿Por qué Conchi no quiere que se lleven a Pelayo para una residencia?
3. ¿Por qué Carmen cambió de idea al final?
4. ¿Creen que la decisión de la familia fue la más adecuada? ¿Por qué?

Interpretive Communication

Interpersonal Communication

3 **El final** El siguiente fotograma corresponde a la imagen final del cortometraje. Con un(a) compañero/a, inventen una conversación diferente a la que se presenta en el video.

Interpretive Communication

Interpersonal Communication

4 **Frases** En grupos pequeños, analicen las siguientes frases y discutan qué relación tienen con el cortometraje.

> "La madurez del hombre es haber recobrado la seriedad con la que jugábamos cuando éramos niños."
> *Friedrich Nietzsche*

> "En el movimiento está la vida y en la actividad reside la felicidad."
> *Aristóteles*

> "Cuando me dicen que soy demasiado viejo para hacer una cosa, procuro hacerla enseguida."
> *Pablo Picasso*

PUEDO analizar algunos aspectos de la salud y la enfermedad en diferentes etapas de la vida.

La salud y el bienestar

Teaching Tips

2 After students have answered the questions in pairs, go over each one as a class, adding details to each answer if possible. Encourage students to defend their positions concerning question 4.

3 Ask students how they feel about the ending of this short film. Ask them if it was what they were expecting.

4 Have three volunteer groups present the results of their discussions to the class, focusing on a different quote each. Encourage students to connect the quotes to the short film and to provide specific examples.

Pre-AP*

AP Skill Category **5**

Expansion Write a series of sentences about what happens in the film on strips of paper. Then have volunteers draw sentences from a bag and put them in chronological order. For kinesthetic learners, have students stand up and arrange themselves so that they are standing with the sentences in chronological order.

CRITICAL THINKING | Making Connections

Analysis and Evaluation Ask discussion questions about the importance of mental health. Ex: **¿La salud mental es tan importante como la salud física? ¿Qué tipo de apoyo ofrece tu comunidad para personas con problemas emocionales? ¿Crees que ese apoyo es suficiente? ¿Crees que evadir un problema es una forma de solucionarlo?**

CRITICAL THINKING

Knowledge and Comprehension Assign students different characters from the film. Ask them to watch the film again, observing their character and jotting down descriptive words about them based on their body language and speech. If necessary, review descriptive adjectives with the class.

Section Goals

In **Lecturas,** students will:
- read about **Ángeles Mastretta,** then read her story *Mujeres de ojos grandes*
- learn about how Colombia's **Instituto Nacional de Salud** found the cure for a terrible disease.

AP Skill Categories
1 2 3 4

Student Resources
Cuaderno de actividades, p. 93
Online Activities

Teacher Resources
Workbook TE

Teaching Tips
- Call on a volunteer to read the Isabel Allende quote aloud. Remind students that she is a popular Chilean author. (See **Lección 1**) Then ask: **Según esta cita, ¿crees que Allende es optimista o pesimista? ¿Por qué?**
- Doctors and patients, diseases, anatomy classes, surgeons, and hospitals appear in paintings in every era. Ask students to look for works with medical subjects and to bring pictures to class. Ask: **¿Qué relación se ve entre doctores y pacientes? ¿Qué lugares se muestran en las obras? ¿Qué similitudes encuentran con la pintura de Goya?**

Culture Note Between 1819 and 1823, Francisco de Goya became ill and began to paint on the walls of his house in the outskirts of Madrid. In these works, which later became known as the Black Paintings, Goya used light only in the foregrounds—the backgrounds are very dark and the characters seem to come from nightmares.

"Cuando sientes que la mano de la muerte se posa sobre el hombro, la vida se ve iluminada de otra manera…"

Isabel Allende

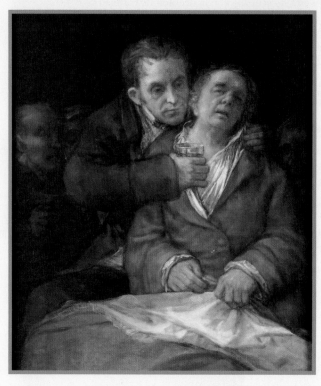

Autorretrato con el Dr. Arrieta, 1820
Francisco de Goya, España

Interpretar En parejas, contesten estas preguntas. Some answers will vary.

1. ¿Qué ven en este cuadro?
2. ¿Cómo es la atmósfera del cuadro y qué sensación les produce?
3. ¿En qué lugar creen que están los personajes del cuadro? Expliquen sus respuestas.
4. ¿Qué imaginan que contiene el vaso que ofrecen al personaje y para qué les parece que sirve?
5. ¿Por qué creen que se ven esas personas alrededor de los personajes centrales?

PUEDO expresar mi opinión sobre lo que se representa en la pintura *Autorretrato con el Dr. Arrieta*, de Goya.

CRITICAL THINKING Interpretive Communication | Making Connections

Analysis Have students list a variety of themes they see in the Francisco de Goya painting. Ex: life, death, compassion. Once students have read *Mujeres de ojos grandes*, have them connect the story's themes to the themes they listed about the painting. This activity will help students to reflect on the story and revise their interpretation of the plot and characters.

CRITICAL THINKING

Evaluation Have students take another look at the painting by Francisco de Goya. Ask: **¿Quién es el enfermo? ¿Quién es la persona que cuida de él? Y las personas de atrás, ¿qué crees que representan?**

Objetivo comunicativo: Identificar y describir los personajes del cuento "Mujeres de ojos grandes" de Ángeles Mastretta

Antes de leer

Mujeres de ojos grandes

Sobre la autora

Ángeles Mastretta nació en Puebla, México, en 1949. Estudió periodismo y colaboró en periódicos y revistas: "Escribía de todo: de política, de mujeres, de niños, de lo que veía, de lo que sentía, de literatura, de cultura, de guerra". Su primer libro fue de poemas: *La pájara pinta* (1978), pero fue *Arráncame la vida* (1985), su primera novela, la que le dio fama y reconocimiento. En 1997 fue la primera mujer en ganar el Premio Rómulo Gallegos con su novela *Mal de amores*. En su obra habla sobre la psicología de la mujer. *Mujeres de ojos grandes* está compuesto de relatos sobre mujeres que muestran "el poder que tienen en sus cosas y el poder que tienen para hacer con sus vidas lo que quieran, aunque no lo demuestren. Son mujeres poderosas que se saben poderosas pero no lo ostentan (*boast*)".

Vocabulario

el adelanto *advancement*	**el/la enfermero/a** *nurse*	**el ombligo** *navel*
la aguja *needle*	**el hallazgo** *discovery*	**la pena** *sorrow*
la cordura *sanity*	**la insensatez** *senselessness*	**el regocijo** *joy*
desafiante *challenging*	**latir** *to beat*	**la terapia intensiva** *intensive care*

1 **La historia de Julio** Completa el párrafo con las palabras apropiadas.

Julio prefería una vida (1) ___desafiante___, que no lo aburriera. Sin embargo, al perder todo por la caída de la bolsa (*stock market crash*), Julio —siempre una persona muy sensata— perdió la (2) ___cordura___. Después de unos meses, los síntomas desaparecieron, para gran (3) ___regocijo___ de la familia. Sin embargo, pensar en su trabajo lo llenaba de (4) ___pena___ y en su corazón latía el deseo de hacer algo nuevo. Tan agradecido estaba con los médicos que decidió estudiar para ser (5) ___enfermero___.

2 **Conexión personal** Cuando te sientes enfermo/a, ¿intentas curarte por tus propios medios? ¿Alguna vez estuviste en un hospital? ¿Confías en la medicina tradicional o has probado la medicina alternativa? ¿Crees que la ciencia puede resolverlo todo?

3 **Análisis literario: el símil o la comparación**

El símil, o la comparación, es un recurso literario que consiste en comparar una cosa con otra por su semejanza, parecido o relación. De esa manera, se logra mayor expresividad. Implica el uso del término comparativo explícito: **como**. Por ejemplo: "*ojos grandes* **como** *lunas*". Crea algunas comparaciones con estos pares de palabras o inventa tus propias comparaciones: muerte/noche, rostro/fantasma, mejillas/manzanas, hombre/ratón, lugar/cementerio.

Teaching Tips
- After students read about the author, ask them what other female authors discuss similar themes in their writing.
- **Variación léxica**
  el adelanto → la mejora, el avance
  el hallazgo → el descubrimiento

Conexión personal Ask students additional questions to spark discussion. Ex: **¿Hay alguien que quiera estudiar medicina en la universidad? ¿Qué cualidades se necesitan? ¿Cuáles son algunos programas de televisión que tienen lugar en un hospital? En tu opinión, ¿son realistas?**

NATIONAL STANDARDS
Connections: Literature
Have pairs choose artwork from the **Lecturas** pages found in each lesson of the book. Based on the image they choose, have them create a series of three similes. Review vocabulary from past lessons to get ideas. Have the class vote for their favorite one.

Making Connections

2 Ask these questions to spark discussion: **¿Quieres ser médico/a o enfermero/a? ¿Por qué? ¿Qué cualidades se necesitan? ¿Cuáles son algunos programas de televisión populares que tienen lugar en un hospital? ¿Son realistas?**

3 Have pairs choose artwork from the **Lecturas** pages found in each lesson of the book. Based on the image they choose, have them create a series of three similes. If necessary, review vocabulary from past lessons to get ideas. Have the class vote on the best one.

Interpretive Communication

CRITICAL THINKING

Comprehension Read Mastretta's quote about the female characters in her stories: **"... el poder que tienen en sus cosas y el poder que tienen para hacer con sus vidas lo que quieran, aunque no lo demuestren. Son mujeres poderosas que se saben poderosas pero no lo ostentan."** As a class, discuss why it is important that the women she describes do not boast about their power.

CRITICAL THINKING

Analysis Have students think about their favorite authors. Ask: **¿Quién es tu autor(a) preferido/a? ¿Por qué te gusta su estilo? ¿Cómo describe las cosas? ¿Utiliza mucho el símil y la comparación?**

Mujeres de ojos grandes

Último cuento; sin título

Ángeles Mastretta

PRE-AP* | Interpretive Communication | Presentational Communication

Comparative Literature and Presentational Writing Read and discuss with students the story ***Mujeres de ojos grandes***. In groups, have them discuss post-reading activities that are in the text. Give them a copy of the poem ***Yo no tengo soledad*** by Gabriela Mistral. Have them research the lives of Mistral and Mastretta. Assign the following formal essay to be done in class. Tell students: **Escriban 200 palabras sobre este tema: Analicen la importancia de un hijo en la vida de su madre. Comparen y contrasten el tratamiento de este tema en las dos obras que hemos leído. Intenten usar el vocabulario que hemos aprendido sobre las comparaciones y los términos literarios.**

Teaching Tip As students read the story, have them take notes about Jose's thoughts and feelings as her daughter's condition progresses. Then have them work in small groups to compare notes.

NATIONAL STANDARDS
Communities Many hospitals offer Spanish-language services and information to patients and their families. Have students research this and report to the class. What are some of the helping professions in which knowledge of Spanish would be valuable? School & Global Communities

Tía Jose Rivadeneira tuvo una hija con los ojos grandes como dos lunas, como un deseo. Apenas colocada en su abrazo, todavía húmeda y vacilante°, la niña
5 mostró los ojos y algo en las alas° de sus labios que parecía pregunta.

—¿Qué quieres saber? —le dijo tía Jose jugando a que entendía ese gesto.

Como todas las madres, tía Jose pensó que
10 no había en la historia del mundo una criatura tan hermosa como la suya. La deslumbraban° el color de su piel, el tamaño de sus pestañas° y la placidez con que dormía. Temblaba de orgullo imaginando lo que haría con la sangre
15 y las quimeras° que latían en su cuerpo.

Se dedicó a contemplarla con altivez° y regocijo durante más de tres semanas. Entonces la inexpugnable° vida hizo caer sobre la niña una enfermedad que en cinco horas convirtió su
20 extraordinaria viveza° en un sueño extenuado° y remoto° que parecía llevársela de regreso a la muerte.

Cuando todos sus talentos curativos no lograron mejoría° alguna, tía Jose, pálida° de
25 terror, la cargó hasta el hospital. Ahí se la quitaron de los brazos y una docena de médicos y enfermeras empezaron a moverse agitados y confundidos en torno a la niña. Tía Jose la vio irse tras una puerta que le prohibía la entrada y
30 se dejó caer al suelo incapaz de cargar consigo misma y con aquel dolor como un acantilado°.

Ahí la encontró su marido, que era un hombre sensato y prudente como los hombres acostumbran fingir° que son. La ayudó a
35 levantarse y la regañó° por su falta de cordura y esperanza. Su marido confiaba en la ciencia médica y hablaba de ella como otros hablan de Dios. Por eso lo turbaba° la insensatez en que se había colocado su mujer, incapaz de hacer
40 otra cosa que llorar y maldecir° al destino.

Aislaron a la niña en una sala de terapia intensiva. Un lugar blanco y limpio al que las madres sólo podían entrar media hora diaria. Entonces se llenaba de oraciones° y ruegos.

Todas las mujeres persignaban° el rostro de 45 sus hijos, les recorrían el cuerpo con estampas y agua bendita°, pedían a todo Dios que los dejara vivos. La tía Jose no conseguía sino llegar junto a la cuna° donde su hija apenas respiraba para pedirle: "no te mueras". Después lloraba y 50 lloraba sin secarse los ojos ni moverse hasta que las enfermeras le avisaban que debía salir.

Entonces volvía a sentarse en las bancas cercanas a la puerta, con la cabeza sobre las piernas, sin hambre y sin voz, rencorosa° y 55 arisca°, ferviente° y desesperada. ¿Qué podía hacer? ¿Por qué tenía que vivir su hija? ¿Qué sería bueno ofrecerle a su cuerpo pequeño lleno de agujas y sondas° para que le interesara quedarse en este mundo? ¿Qué podría decirle 60 para convencerla de que valía la pena hacer el esfuerzo en vez de morirse?

Una mañana, sin saber la causa, iluminada sólo por los fantasmas de su corazón, se le acercó a la niña y empezó a contarle las historias 65 de sus antepasadas°. Quiénes habían sido, qué mujeres tejieron° sus vidas con qué hombres antes de que la boca y el ombligo de su hija se anudaran° a ella. De qué estaban hechas, cuántos trabajos° habían pasado, qué penas 70 y jolgorios° traía ella como herencia. Quiénes sembraron con intrepidez° y fantasías la vida que le tocaba prolongar.

Durante muchos días recordó, imaginó, inventó. Cada minuto de cada hora disponible 75 habló sin tregua° en el oído de su hija. Por fin, al atardecer de un jueves, mientras contaba implacable alguna historia, su hija abrió los ojos y la miró ávida° y desafiante, como sería el resto de su larga existencia. 80

El marido de tía Jose dio las gracias a los médicos, los médicos dieron gracias a los adelantos de su ciencia, la tía abrazó a su niña y salió del hospital sin decir una palabra. Sólo ella sabía a quiénes agradecer la vida de su hija. Sólo ella supo 85 siempre que ninguna ciencia fue capaz de mover tanto, como la escondida en los ásperos° y sutiles° hallazgos de otras mujeres con los ojos grandes. ■

Glosses (left margin):
vacilating — vacilante°
wings — alas°
dazzled — deslumbraban°
eyelashes — pestañas°
fancy ideas — quimeras°
haughtiness — altivez°
impregnable — inexpugnable°
liveliness/ — viveza°
exhausted — extenuado°
remote; far off — remoto°
improvement/ — mejoría°
pale — pálida°
cliff — acantilado°
to feign — fingir°
scolded — regañó°
disturbed;
embarrassed — turbaba°
to damn;
to curse — maldecir°
prayers — oraciones°

Glosses (right margin):
45 crossed
holy
cradle; crib
55 spiteful
surly/
fervent
probes;
catheters
65 ancestors
wove
tied
70 hardships
revelry
bravery
75 relentlessly
avid; eager

CRITICAL THINKING   Interpretive Communication

Comprehension In order to guide students' understanding of the story, have them write one or two sentences about each of the following elements: narrator, characters, setting, and tone.

CRITICAL THINKING

Synthesis Have students read the text through line 53. Before reading the final part of the story, ask them to predict what will happen. Tell them to draw on details from the story in order to formulate their predictions.

Mujeres de ojos grandes
Ángeles Mastretta

1

Comprensión Contesta las siguientes preguntas con oraciones completas.

1. ¿Quiénes son los tres personajes principales de este relato?
Los personajes principales son la tía Jose, su marido y su hija.

2. ¿Tía Jose lleva inmediatamente a su hija al hospital?
No. Sólo cuando sus talentos curativos no logran mejoría, tía Jose la lleva al hospital.

3. ¿Qué piensa el marido de la ciencia de los médicos y del comportamiento de su esposa? El marido confía en la ciencia médica y lo turba la insensatez de su esposa, que está desesperada.

4. ¿Qué historias le cuenta tía Jose a su hija? ¿Son todas reales?
Tía Jose le cuenta historias de sus antepasadas. No todas son reales porque también imagina e inventa.

5. Para el padre de la niña, ¿qué o quién le salvó la vida? ¿Y para tía Jose?
Para el padre, los médicos y la ciencia salvaron a su hija. Para tía Jose, fueron las historias sobre las mujeres que ella contó.

2

Análisis Lee el relato nuevamente y contesta las preguntas.

1. Los ojos de la hija de tía Jose son "grandes como dos lunas, como un deseo". ¿Por qué se eligen estos dos términos para la comparación? ¿Puedes encontrar otras comparaciones en el cuento?

2. La expresión "las alas de sus labios" es un recurso ya analizado. ¿Cómo se llama?

3. En el hospital, la niña es llevada lejos de su madre, "tras una puerta que le prohibía la entrada". ¿A qué lugar se refiere?

4. Tía Jose comienza a contarle historias a su hija "iluminada por los fantasmas de su corazón". Reflexiona: ¿los fantasmas se asocian con la luz o con la oscuridad? ¿A quiénes se refiere la palabra "fantasmas" en el relato?

3

Interpretación En parejas, respondan las preguntas.

1. El personaje de la tía Jose pierde la voz ante la enfermedad de su hija. ¿Cómo recupera la voz? ¿Por qué?

2. La hija de tía Jose tiene ojos grandes, al igual que las mujeres de los relatos que le cuenta su madre. ¿Qué creen que simboliza esto?

3. El padre agradece a los médicos por haber salvado a la niña; los médicos agradecen a la ciencia. ¿Por qué tía Jose "salió del hospital sin decir una palabra"?

4. ¿Qué creen que salvó la vida de la niña? ¿Conocen algún caso de recuperación asombrosa en la vida real?

4

Debate Formen dos grupos: uno debe hacer una lista de los argumentos que usó el marido de tía Jose para tranquilizarla en el hospital; el otro grupo debe imaginar cuáles eran las razones de las mujeres que rezaban (*prayed*) para sanar a sus hijos. Después, organicen un debate para discutir las alternativas, defendiendo su argumento y señalando las debilidades del argumento contrario.

5

Historias Redacta una de las historias que la tía Jose le contó a su hija. Utiliza algunos de los usos de **por** y **para**. Incluye por lo menos dos símiles.

PUEDO nombrar los personajes del cuento y hacer comentarios sobre el desenlace de la historia.

CRITICAL THINKING

Application Ask students to give their interpretations of the end of the story. Then relate the story to students' own experiences. Have them discuss the importance of attitude in healing and cite examples from their own experiences to support their views.

CRITICAL THINKING

Evaluation Ask students to compare and contrast Jose and her husband. Tell them to make inferences about how her husband would have reacted to the child's recovery based on details from the story.

Teaching Tips

1 Have students create a timeline of the story's events based on their answers.

2 For item 4, ask students: **¿Qué poder tiene el uso de la luz y la oscuridad en este cuento?** Have them scan the story and find examples of references to light and dark.

3 Ask students to give their interpretation about **tía Jose**. Ask: **¿Por qué el/la narrador(a) la llama "tía"? En tu opinión, ¿cómo es la relación entre el/la narrador(a) y la historia que cuenta?**

Antes de leer

Vocabulario

la aldea *village*	los gusanos *worms*
la batalla *battle*	la mosca *fly*
la ceguera *blindness*	el oro *gold*
el chiripazo *coincidence*	la picadura *bite*
el ciclo vital *life cycle*	rascar(se) *to scratch (oneself)*
de hecho *in fact*	el tráfico de esclavos *slave trade*
el estibador de puerto *longshoreman*	

1 **Oraciones incompletas** Completa las oraciones con las palabras adecuadas.

1. Los insectos cambian de forma durante su __ciclo vital__.

2. ¡No te bebas ese jugo, tiene una __mosca__ dentro!

3. Él tiene una __picadura__ de mosquito en el brazo y no para de __rascarse__.

4. No estoy enfermo, ¡__de hecho__, me siento muy bien!

5. Gracias a la ciencia algunas personas con __ceguera__ recuperan la visión.

6. El __oro__ es un metal precioso y muy caro.

7. El __tráfico de esclavos__ es una de las mayores tragedias de la humanidad.

8. Una __aldea__ es una comunidad rural donde viven pocas personas.

2 **Conexión personal** Responde estas preguntas: ¿Puedes pensar en alguna enfermedad o dolencia que afecta a tu comunidad o a un grupo que conoces? ¿Ha recibido la comunidad alguna ayuda?

> Acquiring Information & Diverse Perspectives

Contexto cultural

Situada en una zona de tránsito entre Norteamérica y Suramérica, Colombia presenta un lugar ideal para la convergencia de múltiples culturas. La mayoría de los habitantes son mestizos, es decir, descendientes de europeos y amerindios. Hay también casi tres millones de negros, afrocolombianos, raizales o palenqueros —más del seis por ciento de la nación— y una población indígena que cuenta con casi dos millones de habitantes. De esta diversidad étnica han surgido (*have arisen*) costumbres variadas, una riquísima tradición musical y la pluralidad lingüística. La lengua oficial del país es el español, pero todavía se hablan más de sesenta lenguas indígenas.

Conexión personal Continue the discussion with related questions. Ex: **Aparte del tratamiento médico, ¿de qué manera se puede ayudar a una persona que está enferma?**

Contexto cultural Ask heritage speakers if they are familiar with any indigenous populations from their families' home countries. If so, discuss how this population enriches the national culture. Include the rest of the class by asking about any social issues they know about that have arisen as a result of the interaction of two cultures.

Culture Note To give students context, remind them that Latin American countries are former colonies and typically have a history of slavery from Africa.

> Acquiring Information & Diverse Perspectives   Lifelong Learning

CRITICAL THINKING

Synthesis As an optional assignment, have students choose a Latin American country and research the different indigenous and ethnic communities there. Encourage them to make a presentation, including a map and important facts (population, language, brief history).

> Making Connections

CRITICAL THINKING

Evaluation In groups, students discuss circumstances that have brought settlers to the Americas—both Latin America and the U.S.—throughout the years. Name some contributions the various groups, both indigenous and newcomers, have made. Have there been negative effects in the past? Have newcomers continued to arrive throughout the Americas since colonial times?

Teaching Tips

Teaching Tips

- In order to give students a context, explain the field of public health. Tell them many social scientists, researchers, and doctors work together to analyze any diseases or conditions that threaten the overall health of a community.
- Point out that the author of this article compares the impacts of the black fly in North America and South America. Ask students to comment on the effect of this comparison.
- Ask students where they might find this type of article (medical or social science journal).

Expansion Invite a colleague from the school's science department, or a member of the local scientific community, to speak with students about health issues in developed and developing countries. Have students follow up such a presentation, even if it is in English, with a discussion in Spanish and a written or spoken summary of what they experienced. Students can later specify how what they learned in the presentation connects with what they read in this article. | School & Global Communities |

Colombia gana la guerra a una vieja enfermedad

Quien haya hecho una excursión por un bosque del noroeste de Norteamérica a finales de primavera sabrá lo que es la mosca negra: un insecto que se reproduce en los ríos y cuya picadura causa una pequeña inflamación rojiza, y poco más. Aunque en Nortemérica la mosca negra
5 no es peligrosa, en Suramérica provoca la llamada "ceguera de los ríos", una cruel enfermedad con la que se lucha en más de treinta países. Colombia se ha convertido en el primero de ellos en ganar la batalla.

| Interpretive Communication |

CRITICAL THINKING

Comprehension Call on a volunteer to read the title. Discuss the idea of science as a means to fight poverty and disease. Ask students what other elements are important in achieving a higher standard of public health (volunteers, investment in research).

CRITICAL THINKING

Evaluation After a close reading of the first paragraph, have students predict how the terrible disease caused by **la mosca negra** has been eradicated.

¿Por qué cruel? La oncocercosis, o ceguera de los ríos, es básicamente una invasión de
10 gusanos que entran en el cuerpo humano a través de la picadura de la mosca negra. Estos gusanos se reproducen y generan miles de larvas que emigran a todas partes del cuerpo por debajo de la piel. Esto hace que la infección
15 sea tan desagradable. Según el doctor Donald Bundy, coordinador del Banco Mundial para el Control de la Oncocercosis, es común ver que en las aldeas afectadas las personas se rascan constantemente, razón por la cual terminan
20 con cortes terribles en la piel. Con el paso de los años, esas larvas viajeras pasan de la piel a los ojos y cubren la córnea causando ceguera.

La oncocercosis es una de las principales causas de ceguera a nivel mundial. Según la
25 Organización Mundial de la Salud (OMS),° en el 2017, afectó a casi 21 millones de personas en el mundo, de las cuales más de un millón quedaron completamente ciegas° . Casi todos los casos de oncocercosis
30 se dan° en África; de hecho, se cree que esta enfermedad llegó al Nuevo Mundo a principios del siglo XVIII con el tráfico de esclavos. Actualmente, la enfermedad es parte de la realidad de muchas comunidades
35 de países como Ecuador, Venezuela, México y Guatemala, y también de Colombia. Allí se descubrió en 1965 cuando un estibador de puerto llegó a la consulta del médico con una infección en los ojos. Casualmente°, el doctor
40 que lo vio había estudiado oftalmología tropical en Francia. Enseguida, diagnosticó su enfermedad: oncocercosis.

"Fue un chiripazo", dice la doctora Gloria Palma, del Centro Internacional de
45 Entrenamiento e Investigaciones Médicas (CIDEIM) de Colombia, quien asegura que estuvieron buscando la enfermedad en el sitio equivocado. Según Palma, el Instituto Nacional de Salud llevaba
50 años buscando la enfermedad por la zona norte del país y había planes para ir a buscarla en el Pacífico.

World Health Organization (WHO)

blind

occur

coincidentally

La aparición del primer caso permitió centrar la búsqueda en la región del río Chuaré, Cauca. Finalmente, el foco de 55 la ceguera de los ríos apareció en la comunidad de Nacioná, en el municipio° de López de Micay, una zona de difícil acceso. La economía de esta comunidad se ha basado, principalmente, en la 60 extracción de oro en el propio río donde vive y se reproduce la mosca negra.

Una vez localizado el foco de la enfermedad había que dar el siguiente paso°: eliminarla. La estrategia para conseguirlo 65 fue tratar a la población de la zona afectada con un medicamento llamado Ivermectina, donado por la empresa farmacéutica Merck. El tratamiento con este medicamento empezó en 1996 y continuó cada seis meses, 70 hasta que en 2007 se comprobó que la mosca negra ya no transmitía el parásito. Pero eso no era suficiente. Había que demostrar que, tres años después, no hubiera ningún caso nuevo, y que el ciclo vital del 75 parásito a través de la mosca negra y el hombre estaba definitivamente interrumpido. Y así fue: en 2013 la enfermedad se declaró oficialmente eliminada de Colombia. Misión cumplida. ■ 80

township

to take the next step

La oncocercosis en Colombia

Guajira, Atlántico, Magdalena, Mar Caribe, Bolívar, Sucre, Córdoba, Panamá, Venezuela, Océano Pacífico, López de Micay, río Chuaré, Cauca, Brasil

Zonas de búsqueda°
Foco de la enfermedad

búsqueda *search*

Teaching Tips
• Have students scan the activities in **Después de leer** before reading the passage.
• Tell students to summarize each paragraph as they read.

NATIONAL STANDARDS
Communities Have students research the various scientific and humanitarian agencies that function across borders in the Americas and report on them to the class. Which of these organizations would students some day like to participate in, based on their own interests? How would Spanish be useful in working with these organizations?

School & Global Communities

CRITICAL THINKING — Making Connections

Application As students read, have them consider their previous knowledge of other impoverished groups and the diseases affecting them. Possible answers include malnutrition, tuberculosis, and AIDS. What are the similarities and differences between those groups and the communities affected by the black fly? What measures can wealthier countries take to aid these areas?

CRITICAL THINKING

Synthesis Call on volunteers to write on the board the steps that led to a cure of the disease in Colombia. Then ask students if any of these facts are surprising to them. Ask them why they were surprised.

Colombia gana la guerra a una vieja enfermedad

Interpretive Communication | **1**

Comprensión Contesta las preguntas con oraciones completas. Some answers will vary.

1. ¿Qué es la oncocercosis? Es una invasión de gusanos que entran en el cuerpo humano a través de la picadura de la mosca negra.
2. ¿Qué otro nombre recibe la oncocercosis? La oncocercosis también se conoce como "ceguera de los ríos".
3. ¿Cuándo se cree que llegó la oncocercosis al Nuevo Mundo? Se cree que llegó a principios del siglo XVIII.
4. ¿De qué continente se cree que procede la oncocercosis? Se cree que la oncocercosis procede de África.
5. ¿Por qué se produce la oncocercosis cerca de los ríos? Porque la mosca negra se reproduce en los ríos.
6. ¿Cómo se eliminó la oncocercosis en Colombia? La oncocercosis se eliminó al dar Ivermectina a las personas de la zona afectada.

Interpretive Communication | **2**

Preguntas Responde las preguntas con oraciones completas. Some answers will vary.

1. ¿Por qué se le llama "ceguera de los ríos" a la oncocercosis? Porque la enfermedad causa ceguera y la transmite una mosca que vive en los ríos.
2. ¿Por qué muchos enfermos de oncocercosis tienen cortes en la piel? Tienen cortes en la piel porque se rascan mucho.
3. ¿Por qué produce ceguera esta enfermedad? Las larvas del parásito llegan a los ojos y cubren la córnea causando ceguera.
4. ¿Cómo se cree que llegó esta enfermedad al Nuevo Mundo? Se cree que llegó con el tráfico de esclavos africanos.
5. ¿Al comienzo, en qué lugar estaba buscando la enfermedad el Instituto Nacional de Salud de Colombia? Estaba buscando la enfermedad por la zona norte del país.
6. ¿En qué otros lugares las comunidades deben enfrentarse a esta enfermedad? En países como Ecuador, Venezuela, México y Guatemala.
7. ¿Por qué estaban expuestos a la picadura de la mosca los habitantes de Nacioná? Porque las moscas viven en los ríos donde la gente busca oro.
8. ¿Qué crees que hay que hacer para eliminar esta enfermedad en todo el mundo? Hay que tratar con fármacos a todas las personas afectadas.

Interpersonal Communication | **3**

Hipocondríaco Imagina que visitas Nacioná con un(a) amigo/a y que lo pica una mosca negra. Tu amigo/a se pone muy nervioso/a porque cree que se va a quedar ciego/a. Inventen una conversación sobre lo que sucede a continuación.

MODELO
—¡Me picó una mosca! ¡Voy a quedarme ciego!
—No te preocupes, aquí ya no hay oncocercosis.

Presentational Communication | **4**

Campaña En grupos, creen una campaña para combatir una enfermedad que conozcan. Elijan un país afectado y desarrollen un cartel informativo con la siguiente información. Utilicen la gramática de la lección. Después, presenten los carteles a la clase.

- definición de la enfermedad
- síntomas de la enfermedad
- cómo se transmite la enfermedad
- cómo se cura
- cómo se puede prevenir
- qué repercusión tiene la eliminación de esa enfermedad a nivel mundial

Interpersonal Communication | **5**

Relating Cultural Practices to Perspectives

Debate En grupos de cuatro, debatan sobre las implicaciones que puede tener la utilización de animales en las investigaciones para encontrar la cura de enfermedades. Compartan sus conclusiones con la clase.

PUEDO Identificar la forma como Colombia combate una terrible enfermedad.

Teaching Tips

1 Have students work in pairs to answer the questions.

3 Ask students to use vocabulary from **Contextos** and the information in the article to inform their conversation.

3 Partner Chat
Available online.

4 Have students research more information about the disease online. Have them include photos, graphs, and illustrations in their posters.

 **Pre-AP***

AP Skill Category **7**

CRITICAL THINKING | Interpersonal Communication

Synthesis Have students work in pairs. One student should role-play a representative of the **Instituto Nacional de Salud de Colombia**. The other should imagine he or she is a news reporter interviewing the representative to talk about the Nacioná people. Give pairs 15 minutes to prepare their interview and then perform it for the class. Encourage students to prepare index cards with notes to guide them along.

CRITICAL THINKING | Interpretive Communication

Comprehension If some students had trouble understanding the text the first time through, tell them to reread it on their own. Encourage them not to get flustered by words they do not know. Have them rely on cognates and familiar words to help them work through the passage.

Student Resources
Cuaderno de actividades, pp. 91–92, 94
Online Activities, *eCuaderno*

Teacher Resources
Workbook TEs; Textbook and Testing Audio online; Audio Scripts; Assessment Program Tests

Atando cabos

¡A conversar!

1
La nueva cafetería Trabajen en grupos de cuatro. Imaginen que son consultores/as contratados/as por una escuela o universidad para diseñar una nueva cafetería que cumpla con los objetivos del recuadro. Presenten su plan a la clase.

> Presentational Communication
>
> Lifelong Learning

Objetivos de la nueva cafetería

- brindar a los estudiantes un espacio para socializar y relajarse
- ofrecer una selección de alimentos que sea atractiva, pero que, al mismo tiempo, sea saludable y lo más natural posible
- informar a los estudiantes acerca de temas relacionados con la salud, la alimentación y el bienestar a través de afiches y otros elementos visuales

2
Médico y paciente En parejas, inventen una conversación entre un(a) paciente y su doctor(a).

> Interpersonal Communication

A. Conversen sobre los síntomas, los posibles diagnósticos y los tratamientos. Pueden usar las preguntas como guía.
1. ¿Cómo se siente?
2. ¿Es usted alérgico/a? ¿A qué es alérgico/a?
3. ¿Hace ejercicio o practica algún deporte?
4. ¿Ya se vacunó?
5. ¿Prefiere las inyecciones, los jarabes o las pastillas?

B. Presenten algunas de las conversaciones en la clase.

3
Situaciones extremas Formen grupos de tres. Discutan cómo las situaciones extremas de la lista pueden afectar la salud de las personas. Decidan qué es lo recomendable en cada caso y compártanlo con la clase.

> Interpersonal Communication
>
> Presentational Communication

Situación A	Situación B
Comer sólo una vez al día alimentos balanceados	Comer tres veces al día comida chatarra (*junk food*)
Dormir tres horas al día	Dormir catorce horas al día
Usar poca ropa en invierno	Ponerse mucha ropa en verano
Hacer cinco minutos de ejercicio cada dos días	Hacer cuatro horas diarias de ejercicio
Tomar un vaso de agua al día	Tomar tres litros de agua al día
Lavarse las manos sólo con agua	Lavarse las manos sólo con gel antibacterial (*hand sanitizer*)

Teaching Tips
¡A conversar!
- Encourage students to use examples from their own school.
- Have students research statistics or facts about student health.
- Review vocabulary about food as a class.
- Encourage students to make a list of healthy foods they would offer at the cafeteria.
- Have students discuss the possible challenges of creating a new cafeteria (budget, space, student appeal).

NATIONAL STANDARDS
¡A conversar! Connections: Health/Physical Education
Have students research healthful foods to recommend for the new cafeteria in the activity. For example, they might want to obtain the Spanish version of the food plate that gives recommended types of foods to eat daily.

 Pre-AP*

AP Skill Category **5**

CRITICAL THINKING

Knowledge and Evaluation Tell students to recall the last time they were sick and how their treatment worked out. In pairs, ask them to talk about their situations, and evaluate their experiences in terms of consideration of healthcare workers with the patient, effectiveness of treatment, recovery time, or other aspects.

CRITICAL THINKING

Analysis and Evaluation As an expansion for **Actividad 3**, have students come up with healthier actions for each situation, and ask them to come to an agreement on a possible rank for the most important ones with regard to personal health.

Atando cabos

4

Detecta mentiras En grupos de cuatro, reúnanse para hacerse preguntas sobre su salud. Un grupo escoge a un estudiante de otro grupo y le hace una pregunta. El estudiante entrevistado la responde con el mayor detalle posible, diciendo la verdad o diciendo mentiras. El grupo entrevistador analiza la respuesta y decide si fue una verdad o una mentira. Cuando acierten, cambian de turno y de estudiante entrevistado. Pueden usar estas preguntas como base:

- ¿Cuándo fue la última vez que fuiste al médico y por qué?
- ¿Qué haces todos los días para mantener una buena salud?
- ¿Por cuánto tiempo estuviste en el hospital el año pasado y por qué?
- ¿Te han hecho tratamientos alternativos a ti o a una persona conocida? ¿Cuáles?
- ¿Sabes cómo dar primeros auxilios a una persona lastimada?

¡A escribir!

Making Connections

Presentational Communication

Un decálogo Imagina que eres médico/a. Sigue el **Plan de redacción** para escribir un decálogo en el que les das diez consejos generales a tus pacientes para que lleven una vida sana.

Plan de redacción

Preparación: Prepara un esquema (*outline*) con los diez consejos más importantes.

Título: Elige un título para el decálogo.

Contenido: Escribe los diez consejos. Utiliza el subjuntivo o el imperativo en todos los consejos. Puedes incluir la siguiente información.

- qué alimentos se deben comer y cuáles se deben evitar
- cuántas comidas se deben consumir al día
- cuántas horas se debe dormir
- qué hábitos se deben evitar

Cuídese:

1. Haga ejercicio tres veces a la semana como mínimo.

2. Es importante que no consuma muchas grasas.

3. Es esencial que...

PUEDO crear una lista de actividades para una rutina de vida sana.

PUEDO aconsejar a alguien para que modifique hábitos poco saludables.

Teaching Tip

¡A escribir!

Have students create a list of **posibles riesgos** if the advice is not followed. Ex: **Haga ejercicio tres veces a la semana como mínimo. Posible riesgo si no hace ejercicio: Es posible que engorde o que sufra de tensión alta.**

Pre-AP*

AP Skill Category **8**

Lesson 4 Integrated Performance Assessment **Context:** You have been asked to participate in a community health fair. Your topic is how to encourage young people to get and stay fit. You will prepare a poster or short slide presentation for the health fair.

You can find the IPA activity and scoring rubric in the Assessment Program and in the Resources section online.

CRITICAL THINKING

Synthesis For additional practice with the lesson themes, have students work in small groups to create surveys for their classmates to complete. The surveys can deal with daily habits, health attitudes, cultural knowledge about public health, etc. Encourage students to be creative and use new vocabulary and grammar.

CRITICAL THINKING

Evaluation Students debate the topic of **El por qué de una vida sana**. One group defends the necessity for fast food, lack of sleep, etc., in order to meet all the demands on today's teenager. Ex: getting good grades, playing sports, working or helping at home, spending time with friends. The other group defends the advice given by the doctor in **¡A escribir!**

Los síntomas y las enfermedades

la depresión	depression
la enfermedad	disease; illness
la gripe	flu
la herida	injury
el malestar	discomfort
la obesidad	obesity
el resfriado	cold
la respiración	breathing
la tensión (alta/baja)	(high/low) blood pressure
la tos	cough
el virus	virus
contagiarse	to become infected
desmayarse	to faint
empeorar	to deteriorate; to get worse
enfermarse	to get sick
estar resfriado/a	to have a cold
lastimarse	to get hurt
permanecer	to remain; to last
ponerse bien/mal	to get well/sick
sufrir (de)	to suffer (from)
tener buen/mal aspecto	to look healthy/sick
tener fiebre	to have a fever
toser	to cough
agotado/a	exhausted
inflamado/a	inflamed
mareado/a	dizzy

La salud y el bienestar

la alimentación	diet (nutrition)
la autoestima	self-esteem
el bienestar	well-being
el estado de ánimo	mood
la salud	health
adelgazar	to lose weight
descansar	to rest
engordar	to gain weight
estar a dieta	to be on a diet

mejorar	to improve
prevenir (e:ie)	to prevent
relajarse	to relax
trasnochar	to stay up all night
sano/a	healthy

Los médicos y el hospital

la cirugía	surgery
el/la cirujano/a	surgeon
la consulta	doctor's appointment
el consultorio	doctor's office
la operación	operation
los primeros auxilios	first aid
la sala de emergencias	emergency room

Las medicinas y los tratamientos

el analgésico	painkiller
la aspirina	aspirin
el calmante	tranquilizer
los efectos secundarios	side effects
el jarabe (para la tos)	(cough) syrup
la pastilla	pill
la receta	prescription
el tratamiento	treatment
la vacuna	vaccine
la venda	bandage
el yeso	cast
curarse	to heal; to be cured
poner(se) una inyección	to give/get a shot
recuperarse	to recover
sanar	to heal
tratar	to treat
vacunar(se)	to vaccinate/to get vaccinated
curativo/a	healing

Más vocabulario

Expresiones útiles	Ver p. 147
Estructura	Ver pp. 154–156, 160–161 y 164–165

En pantalla

el/la camarada	pal, colleague
el/la cascarrabias	grouch, curmudgeon
el estribor	starboard
el tebeo	comic book
la trinchera	trench
ponerse bueno	get better
superar (algo)	to get over (something)
a punto de	about (to do something)

Literatura

el adelanto	advancement
la aguja	needle
la cordura	sanity
el/la enfermero/a	nurse
el hallazgo	finding; discovery
la insensatez	folly; senselessness
el ombligo	navel
la pena	sorrow
el regocijo	joy
la terapia intensiva	intensive care
latir	to beat
desafiante	challenging

Cultura

la aldea	village
la batalla	battle
la ceguera	blindness
el chiripazo	coincidence
el ciclo vital	life cycle
de hecho	in fact
el estibador de puerto	longshoreman
los gusanos	worms
la mosca	fly
el oro	gold
la picadura	bite
el tráfico de esclavos	slave trade
rascar(se)	to scratch (oneself)

La salud y el bienestar

Student Resources
Online Activities

Teacher Resources
Textbook and Testing Audio online; Testing Audio Script; Assessment Program Tests

Teaching Tips
- Play a *Jeopardy!*-style game. Divide the class into three teams and have one representative from each team stand up. Read a definition, and the first team representative to raise his or her hand must answer in the form of a question. Ex: **Es el papel que te da el médico para poder recibir el medicamento. → ¿Qué es la receta?** Each correct answer earns one point. The team with the most correct answers at the end wins.
- Make flashcards or a vocabulary list with Spanish and English. (Helpful hint: Keep these flashcards or vocabulary lists for reviewing later in the year, especially for midyear and final exams.)

21st Century Skills

Creativity and Innovation
Ask students to prepare a presentation about one or more natural remedies they are familiar with.

21st Century Skills

Leadership and Responsibility Extension Project
As a class, have students decide on three questions they want to ask the partner class related to the topic of the lesson they have just completed. Based on the responses they receive, work as a class to explain to the Spanish-speaking partners one aspect of their responses that surprised the class and why.

LEARNING STYLES

For Auditory Learners Divide the class into four groups. Assign each one a vocabulary category: **las enfermedades, la salud, los médicos,** and **la medicina**. Groups make signs for their category. Read the vocabulary list out of order, allowing time for groups to raise their card when they hear a word associated with their category. If two groups raise their cards, discuss if the word can be in both categories.

LEARNING STYLES

For Visual Learners Assign five words to each student. Have them find photos and drawings that represent those words. Call on each student to show their photos or drawings. Have classmates guess the words.

Lesson 5
Six-step Instructional Design

See pages T34-T35 for additional details on how to use the six-step instructional design in your classroom.

1 **Context.** Make it personal. Ask students to provide whatever Spanish words they may already know in the context: "Think about travel and vacation. What Spanish words come to mind?". Receive, write, and display their words to encourage and prepare.

Next, ask students questions about their own experiences and thoughts about travelling. **¿Cómo te preparas para tus viajes? ¿Qué lugares te gusta visitar? ¿Qué medio de transporte prefieres para tus viajes?**

2 **Vocabulary.** Put it into words. Connect the word study in Step 1 with what students see on these pages. **¿Tienes algún viaje planeado para este año? ¿Qué lugares te gustaría visitar? ¿Qué haces allí?**

3 **Media.** Bridge experiences. Before watching the **Fotonovela** episode, ask students about their experiences with short trips. Ask: **¿Qué lugares se pueden visitar cerca del área donde vives? ¿Cómo se puede llegar allí? ¿Cuánto se demora el viaje? ¿Qué hacen allí los turistas?**

A primera vista Have students look at the photo; ask them these additional questions: **1. ¿Ibas de vacaciones con tu familia cuando eras niño/a? ¿Adónde iban? 2. ¿Cuál fue tu viaje preferido? ¿Por qué?**

Essential Questions Discuss the essential questions as a class.

Overarching Theme: Contemporary Life: Travel and Leisure

A primera vista
- ¿Cómo se siente la chica de la foto? ¿Por qué?
- ¿Qué está mirando?
- ¿Prefieres viajar por tierra o por aire? ¿Por qué?

Essential Questions
1. ¿Cuál es la mejor manera de prepararse para un viaje?
2. ¿Qué efectos tienen los viajes sobre nuestra vida?
3. ¿Cómo influyen los viajes en la forma como percibimos otras culturas?

Teacher Resources

Presentation
- AP® Themes & Contexts
- Grammar slides: **Estructura** 5.1, 5.2, 5.3

Practice and Communicate
- *Cuaderno de actividades,* with audio & Answer Key
- Digital Image Bank (Travel)
- Textbook Audio

 Forums on **vhlcentral.com** allow you and your students to record and share audio messages. Use Forums for presentations, oral assessments, discussions, directions, etc.

5 Los viajes

Can Do Goals

By the end of this lesson I will be able to:

- Talk about trips, lodging, and excursions
- Compare characteristics, people, objects, and actions
- Express negative and indefinite sentences
- Describe objects or people that are needed or wanted

Also, I will learn about:

Culture
- Central America's **ruta del café**
- The Panama Canal
- Traveling to Costa Rica
- **La ruta maya**

Skills
- Reading: Recognizing characteristics of **realismo mágico**
- Conversation: Talking about trips and vacation
- Writing: Writing a guide for travelers making an excursion

Lesson 5 Integrated Performance Assessment

Context: A travel agency in your town specializes in tours to Central and South America. They want to launch a new bilingual app that offers practical information for the first-time traveler, and since many of their newest clients are students, the agency has requested help from your class.

Cocotaxi en La Habana, Cuba

Producto: Los cocotaxis son un medio de transporte popular de los turistas en Cuba.
¿Cómo te gusta transportarte cuando vas de vacaciones?

---

4 **Culture.** Give new perspectives. Ask students: **¿Qué ingredientes y alimentos de uso común provienen de países hispanoparlantes? ¿Qué sitios arqueológicos conoces?**

5 **Structure.** Use grammar as a tool. Focus on presenting words in context and on personalized activities. Ask: **¿Cuál es el lugar más hermoso que has visitado? ¿Siempre haces un viaje en el verano?**

6 **Synthesis.** Pull it all together. For each skill area, focus on the personalized activities that are provided, e.g. **Preparación**, p. 197; **Conexión personal**, pp. 214, 219.

Can Do Goals Review the list of communicative goals with your students. Point out that this lesson will provide them with the tools necessary to achieve these goals. You may also share the IPA task, found on page 224, so that students become familiar with the final communicative task they will be expected to complete.

Integrated Performance Assessment Before teaching this chapter, review the Integrated Performance Assessment (IPA) on page 224. Use the IPA to assess students' progress toward proficiency targets at the end of the chapter.

Producto **Bicitaxis** (seen in **Descubre 1**, lesson 5), **cocotaxis**, and **mototaxis** are all popular modes of transport in some Caribbean countries. Ask the class: **¿Te gustaría dar un paseo en un cocotaxi? ¿Por qué? ¿Cómo te gusta transportarte en tu ciudad?**

Los viajes

De viaje

Para sus vacaciones, Cecilia y Juan **hicieron un viaje** al Caribe. El último día decidieron descansar en la piscina antes de **hacer las maletas**. Se durmieron... ¡y **perdieron el vuelo**! De todos modos, no querían **regresar**.

la bienvenida *welcome*
la despedida *farewell*
el destino *destination*
el itinerario *itinerary*
la llegada *arrival*
el pasaje (de ida y vuelta) *(round-trip) ticket*
el pasaporte *passport*
la tarjeta de embarque *boarding pass*
la temporada alta/baja *high/low season*
el/la viajero/a *traveler*

hacer las maletas *to pack*
hacer transbordo *to transfer (planes/trains)*
hacer un viaje *to take a trip*
ir(se) de vacaciones *to go on vacation*
perder (e:ie) (el vuelo) *to miss (the flight)*
regresar *to return*

a bordo *on board*
retrasado/a *delayed*
vencido/a *expired*
vigente *valid*

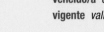

El alojamiento

el albergue *hostel*
el alojamiento *lodging*
la habitación individual/doble *single/double room*
la recepción *front desk*
el servicio de habitación *room service*

alojarse *to stay*
cancelar *to cancel*
estar lleno/a *to be full*
quedarse *to stay*
reservar *to reserve*

de (buena) categoría *first-rate*
incluido/a *included*
recomendable *advisable*

La seguridad y los accidentes

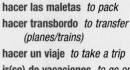

el accidente (automovilístico) *(car) accident*
el/la agente de aduanas *customs agent*
el aviso *notice; warning*
el cinturón de seguridad *seat belt*
el congestionamiento *traffic jam*
las medidas de seguridad *security measures*
la seguridad *safety; security*
el seguro *insurance*

aterrizar *to land*
despegar *to take off*
ponerse/quitarse el cinturón *to fasten/to unfasten the seatbelt*
reducir (la velocidad) *to reduce (speed)*

peligroso/a *dangerous*
prohibido/a *prohibited*

NO ESTACIONARSE

Primero, les quiero dar la bienvenida a todos y darles las gracias por visitar nuestro país. Ahora los vamos a llevar en autobús al campamento donde se van a alojar durante los próximos días. El campamento, como saben, está en la selva. A su llegada al destino, les servirán el almuerzo, y después van a hacer una pequeña excursión para que conozcan la zona. Es recomendable que lleven pantalones largos y camisa de manga larga para protegerse de los insectos y del cambio de temperatura. El itinerario de toda la semana se lo damos mañana. Sólo me queda desearles un feliz viaje y que disfruten de la aventura.
Teacher Resources online

Las excursiones

Después de **recorrer** el Canal de Panamá, el **crucero navegó** hasta **Puerto** Limón, donde los viajeros pudieron disfrutar de dos días de **ecoturismo** en Costa Rica.

la aventura *adventure*
el/la aventurero/a *adventurer*
la brújula *compass*
el buceo *scuba diving*
el campamento *campground*
el crucero *cruise (ship)*
el (eco)turismo *(eco)tourism*
la excursión *outing; tour*
la frontera *border*
el/la guía turístico/a *tour guide*
la isla *island*

las olas *waves*
el puerto *port*
las ruinas *ruins*
la selva *jungle*
el/la turista *tourist*

navegar *to sail*
recorrer *to tour*

lejano/a *distant*
turístico/a *tourist (adj.)*

Los viajes

Práctica

1 Escuchar — Interpretive Communication

A. Escucha lo que dice Julia, una guía turística, y después marca las oraciones que contienen la información correcta.

1. a. Los turistas llegaron hace una semana.
   b. La guía turística les da la bienvenida. ✓
2. a. Los turistas van a ir al campamento en autobús. ✓
   b. Los turistas van a ir al campamento en tren.
3. a. Los turistas se van a alojar en un campamento. ✓
   b. Los turistas van a ir a un albergue.
4. a. El destino es una isla.
   b. El destino es la selva. ✓
5. a. Les van a dar el itinerario mañana. ✓
   b. El itinerario se lo darán la semana que viene.

B. Dos aventureros se separaron del grupo y tuvieron problemas. Escucha la conversación telefónica entre Mariano y el agente de viajes, y después contesta las preguntas. Some answers will vary.

1. ¿Qué les ha pasado a Mariano y a su novia?
   un accidente automovilístico
2. ¿Adónde iban ellos cuando tuvieron el accidente?
   a visitar unas ruinas
3. ¿Tienen que pagar mucho por los médicos?
   No. El seguro estaba incluido en el precio del viaje.
4. ¿Qué ha decidido la pareja?
   cancelar el resto del viaje

2 Definiciones Escribe la palabra adecuada para cada definición.

1. documento necesario para ir a otro país
   __pasaporte__
2. las forma el movimiento del agua del mar
   __olas__
3. vacaciones en un barco __crucero__
4. instrumento que ayuda a saber dónde está el Polo Norte __brújula__
5. línea que separa dos países __frontera__
6. lugar del hotel donde te dan las llaves de la habitación __recepción__
7. documento necesario para poder subir a un avión __tarjeta de enbarque__
8. lo contrario de vencido __vigente__
9. lugar rodeado de agua __isla__

ciento ochenta y siete **187**

(B) Audio Script
MARIANO Verá, lo que ocurrió fue que mi novia y yo íbamos a visitar unas ruinas de la zona y entonces tuvimos un accidente de carro.
AGENTE ¿Un accidente? ¿Están bien? ¿Han ido al médico?
MARIANO Sí, estamos bien, no se preocupe. Habíamos alquilado un carro y tuvimos un choque contra un árbol. Yo estoy bien, pero mi novia se ha roto una pierna. Hemos decidido cancelar el resto del viaje. Por eso lo llamo.
AGENTE ¿Han ido a la policía?
MARIANO Por supuesto. Pero ya le digo, estamos bien.
AGENTE ¿Saben ustedes que el seguro está incluido en el precio del viaje?
MARIANO Sí, no hemos tenido ningún tipo de problema. Nuestra guía, Julia, nos ayudó con todo, y lo llamo simplemente porque hemos decidido regresar a casa lo antes posible y queremos ver cuándo sale el primer avión.
AGENTE Un momento, por favor, ahora voy a ver si podemos cambiar la fecha de regreso en su pasaje de ida y vuelta. Creo que los podemos ayudar.
Teacher Resources online

DIFFERENTIATION

Heritage Speakers Ask heritage speakers to talk about any trips they have taken to their families' home countries. Encourage classmates to ask questions using vocabulary from **Contextos**. If time permits, have heritage speakers bring in photos to share with the class. If classmates have traveled to any Spanish-speaking countries, have them share their experiences using travel vocabulary they may have heard there.

DIFFERENTIATION

For Inclusion In order to aid students' comprehension for **Actividad 1,** have students read the questions before listening to the conversation. This will help students focus their listening and catch words or phrases they otherwise might miss.

Teaching Tips

3 Help students put the vocabulary words in context. Have pairs write three additional fill-in-the-blank sentences and read them aloud. Call on volunteers to provide the correct answers.

4 **Expansion** Have students write a continuation of Mar and Pedro's conversation, using lesson vocabulary.

5 Ask students to close their books, and display Digital Image Bank #37, under **Contextos Actividad 5: De viaje.** Have them work with the same partner to restate other pairs' descriptions of each scene.

5 To facilitate, provide a word bank: **agente de aduanas, despedida, hacer las maletas, isla, pasaje de ida y vuelta, ponerse el cinturón.**

5 As a variant, have volunteers tell the class about one of their past vacations. Ask: **¿Qué preparativos hicieron para el viaje?**

5 **Partner Chat** Available online.

NATIONAL STANDARDS

Communities If there are travel agencies in your area that cater to Spanish speakers, you might ask them for brochures about their travel packages and the various destinations they recommend to their clients. Have students use this information as they work in groups to plan an imaginary trip for the class.

---

3 **Oraciones incompletas** Completa las oraciones con las palabras apropiadas de **Contextos.**

1. Si vas a estar solo/a en el hotel, tomas una habitación ___individual___.
2. Cuando hay muchos coches en la calle al mismo tiempo, se producen ___congestionamientos___
3. Los barcos, cuando llegan a tierra, se amarran (*dock*) en los ___puertos___.
4. Si vas a viajar a otro país, tienes que comprobar que tu pasaporte no esté ___vencido___
5. El deporte que se practica bajo el mar es el ___buceo___.

4 **Planes** Completa la conversación con las palabras adecuadas del recuadro. Haz los cambios que sean necesarios.

a bordo	navegar	reservar
lleno/a	recorrer	retrasado/a

MAR ¿Qué quieres hacer hoy? ¿Quieres ir al crucero que (1) ___recorre___ las islas de la zona?

PEDRO ¿No hay que llamar antes para (2) ___reservar___ las plazas (*seats*)?

MAR No creo que el barco esté (3) ___lleno___. Espera, llamo por teléfono…

MAR ¡Tenemos suerte! El barco está (4) ___retrasado___, ahora sale a las diez y media. Tenemos que estar (5) ___a bordo___ a las diez. ¡En marcha!

PEDRO Perfecto, me gusta la idea. Hoy es un buen día para (6) ___navegar___.

Interpretive Communication

Interpersonal Communication

5 **De viaje** En parejas, utilicen palabras y expresiones de **Contextos** para escribir oraciones completas sobre cada dibujo. Sigan el modelo.

MODELO Primero Eva hizo las maletas. Metió camisetas, un traje de baño y…

1.   2.   3.

4.   5.   6.

LEARNING STYLES

For Visual Learners Write several nouns from **Contextos** on index cards. On another set of cards, draw or paste pictures to match each term. Tape them face down on the board in random order. Divide the class into two teams and have students match words and pictures. When a match is made, that player's team collects those cards. When all pairs have been matched, the team with the most cards wins.

LEARNING STYLES

For Auditory Learners Use the following sentences for dictation. **1. Aunque salimos temprano para el aeropuerto, perdimos el vuelo por el congestionamiento. 2. Mi madre prefiere quedarse en un hotel de buena categoría. 3. El precio de los pasajes sube mucho durante la temporada alta. 4. Hay que mostrar el pasaporte en la frontera.** Assess informally via a whole-class correction of the dictation.

Comunicación

6 Problemas En parejas, preparen una de estas situaciones. Den detalles, excusas y razones, y traten de buscar una solución al problema. Luego, representen la situación para la clase.

1. **ESTUDIANTE 1** Eres un(a) huésped en un hotel que está muy sucio. No te gusta el servicio de habitación y además hace demasiado calor en tu cuarto.

   ESTUDIANTE 2 Tu tío te ha dejado a cargo de su hotel. Es temporada alta y, como el hotel está lleno, tienes mucho trabajo. No sabes qué hacer.

2. **ESTUDIANTE 1** Llegas al aeropuerto y te das cuenta de que dejaste el pasaporte en tu casa. Además, en la ciudad hay mucho congestionamiento.

   ESTUDIANTE 2 Eres taxista en el aeropuerto. Como has estado muy estresado/a, el médico te ha recomendado no apurarte por ningún motivo.

3. **ESTUDIANTE 1** Ibas manejando y has tenido un accidente. Te bajas del carro para hablar con el/la otro/a conductor(a). No tienes los papeles del seguro.

   ESTUDIANTE 2 Ibas manejando y has tenido un accidente. No llevabas el cinturón de seguridad y te has roto una pierna.

7 ¡Bienvenidos!

A. En grupos de cuatro, imaginen que trabajan en la Oficina de Turismo de su ciudad. Tienen que organizar una visita turística de tres días. Conversen sobre las preguntas de la lista y luego preparen un itinerario detallado para los turistas.

- ¿Quiénes son los/las turistas?
- ¿A qué aeropuerto o estación llegan?
- ¿En qué hotel se alojan?
- ¿Qué excursiones pueden hacer?
- ¿Qué lugares exóticos hay para visitar?
- ¿Adónde pueden ir con un(a) guía turístico/a?
- ¿Pueden navegar en algún mar, lago o río? ¿En cuál?
- ¿Qué museos, parques o edificios hay para visitar?
- ¿Qué deportes pueden practicar?

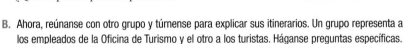

Tres días en Antigua Guatemala

B. Ahora, reúnanse con otro grupo y túrnense para explicar sus itinerarios. Un grupo representa a los empleados de la Oficina de Turismo y el otro a los turistas. Háganse preguntas específicas.

PUEDO *hablar sobre itinerarios de viajes y actividades turísticas.*

Los viajes

ciento ochenta y nueve **189**

Interpersonal Communication

Interpersonal Communication

Presentational Communication

School & Global Communities

Teaching Tips

6 Give students this additional situation.
Estudiante 1: Tu hermano mayor, que vive en otro estado, tuvo un accidente y tu madre quiere viajar hoy o mañana para ayudarlo. Tú buscas un pasaje para ella. Estudiante 2: Trabajas para una nueva línea aérea que tiene buenas ofertas de última hora.

6 Partner Chat
Available online.

 Pre-AP*

AP Skill Category 5

7 Have students answer logistical questions as well, such as: **¿Necesitas pasaporte y visa? ¿Cuánto dinero debes llevar para la visita?**

7 Expansion Have students write ads for places they have visited. You may want to have them look at tourist websites on the Internet for ideas.

Presentational Communication **School & Global Communities**

21st Century Skills

7 Flexibility and Adaptability Remind students to include input from all team members, adapting their presentation so it represents the whole group.

NATIONAL STANDARDS
Communities As part of **Actividad 7**, ask students to include contacts with the local Hispanic community as part of the trip. What organizations or sites of interest would students include?

School & Global Communities

DIFFERENTIATION

For Inclusion Give students an opportunity to see how many new words they have learned. Tell them to close their books. In five minutes have them write as many words from **Contextos** as they can remember. Then have students share their lists with a partner and correct any spelling mistakes.

DIFFERENTIATION

To Challenge Students Have students work in groups of three to write riddles about people, places, or objects from **Contextos**. For each riddle, the group must come up with at least three hints or descriptions. Have students from each group read hints to the rest of the class. Ex: **Tengo tu foto y tus datos personales. Me necesitas para viajar a otros países. Represento tu nacionalidad. (Soy tu pasaporte.)**

190 Teacher's Edition • Lesson Five

Section Goals

In **Fotonovela,** students will:
• practice listening to authentic conversations
• learn functional phrases for making comparisons, and affirmative, indefinite, and negative expressions

Pre-AP*

AP Skill Categories
1 2 3 4

Student Resources
Cuaderno de actividades,
pp. 100–101
Online Video and Activities

Teacher Resources
Workbook TE; Video Script
& Translation

Video Synopsis **Rocío** finds a note left by **Lupita** on her hospital bed. In the meantime, **Marcela** and **Ricardo** see **Lupita** leaving the hospital and talk to her. After the whole family finally convinces **Lupita** that she should stay at the hospital, **Marcela** and **Ricardo** leave for **Hierve el Agua**.

Previewing Strategies
• Have students read the script in class and take note of any travel-related words or expressions. Review numbers and telling time before showing the video.
• Before viewing the video episode, have pairs of students make a list of things they might do to prepare for a trip.
• Divide the class into small groups and assign one video still (or more) to each group. Ask students to cover the captions and write a brief description of the still. Have groups share their descriptions with the class.

Hasta ahora, en el video...

Ricardo compra un alebrije para Marcela, pero cuando se lo da, Marcela justo recibe una llamada telefónica importante. Marcela y Ricardo deben ir al hospital porque Lupita se desmayó. En este episodio verás cómo sigue la historia.

DOCTORA Jamás se me había desaparecido un paciente. ¡Nunca!

LORENZO ¿Cómo se fue así, sin avisar?

MANU ¿Qué esperabas, que dejara una nota bajo la almohada?

ROCÍO ¡Uy!, dejó una nota bajo la almohada. (*lee*) "Estoy agotada. La doctora me ordenó descansar, me voy de vacaciones a casa de mi hermana. Los quiero, Guadalupe."

Marcela ve a Lupita saliendo del hospital.

MARCELA ¡¿No es esa Lupita?!

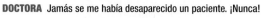

MARCELA ¿Vacaciones?

LUPITA Me iría a un buen hotel, con todo incluido y servicio de habitación. Pero voy a casa de mi hermana, en Cuajimoloyas.

MARCELA Uno no se escapa del hospital, Lupita.

LUPITA Bueno, está bien, como digas (*se fija en Ricardo*). ¿No es usted el del avión?

RICARDO Es un dron, señora. Y sí, soy yo. Voy de excursión a Hierve el Agua.

LORENZO ¡Lupita! Hemos pasado un mal rato. ¡Nos tenías preocupadísimos!

ROCÍO Para salir del hospital, se requiere que te den de alta.

LORENZO Vamos. Descansa unos días, haz tu maleta y después te vas adonde quieras.

ROCÍO (*en voz baja, a Marcela*) ¿No es ése el espía?

MARCELA Después te cuento. (*a Ricardo*) Bueno, a Hierve el Agua.

LEARNING STYLES

Interpretive Communication

For Visual Learners Ask students to read the scene setter, glance at the video stills, and predict what the episode will be about. Record their predictions. After students have watched the video, review the predictions and ask which ones were correct.

LEARNING STYLES

For Auditory Learners Photocopy the video script, and white-out words related to travel. Distribute the scripts to pairs or groups to complete as cloze paragraphs as they watch the video. This activity will support students' understanding of the episode.

¡NECESITO DESCANSAR!

Personajes

 DOCTORA
 LORENZO
 MANU
ROCÍO
RICARDO
MARCELA
LUPITA

MANU No pasa nada, sólo fue a casa de su hermana.

ROCÍO Dejó una nota, ¿no? Tampoco es para tanto. *(mira por la ventana)* ¡Lupita!

MANU ¡¿Qué?!

ROCÍO ¡Se está subiendo a la Kombi!

RICARDO ¿Falta mucho para llegar? Recorrer este camino es peor de lo que había imaginado. ¡Quiero ir a un lugar que tenga una hermosa vista para volar mi dron!

MARCELA Estamos de excursión. ¡Disfruta la aventura!

RICARDO ¿Disfruta la aventura? ¡Éste no sólo es el peor camino en Oaxaca, sino que tú no eres la mejor conductora!

MARCELA *(enojada)* Bájate.

Expresiones útiles

Using comparatives and superlatives

Así puedes ir tan lento como quieras.
That way you can go as slowly as you want.

¡Nos tenías preocupadísimos!
You had us very worried!

Recorrer este camino es peor de lo que había imaginado.
Going this way is worse than I imagined.

¡Voy lentísimo!
I am going really slow!

Using negative, affirmative, and indefinite expressions

Jamás se me había desaparecido un paciente. ¡Nunca!
I never had a patient disappear. Ever!

No sólo eres un pesado, sino que también eres un llorón.
You are not only a pest, but you're also a crybaby.

¿Sin avisarle a nadie?
Without telling anybody?

Tampoco es para tanto.
It's not a big deal.

¿Te pasa algo?
Are you OK?

Additional Vocabulary

abrocharse el cinturón *to fasten one's seat belt*
la almohada *pillow*
bajarse *to get down/out*
el camino de vuelta *way back*
dar el alta *to discharge (from the hospital)*
¡Claro que no! *Of course not!*
contratar *to hire*
¡No te metas! *Don't get involved!*
quejarse *to complain*
subirse *to get in*
tener derecho a *to have the right to*

Los viajes

Teaching Tips
- Model the pronunciation of the sentences in **Expresiones útiles** and have students repeat them after you.
- Preview **Estructura** by drawing attention to the comparative and superlative forms in **Expresiones útiles**.
- Before showing the video online write five of the **Expresiones útiles** and Additional Vocabulary items on the board and go over meanings.
- Point out that **abrocharse** and **ponerse el cinturón** (taught in **Contextos**) are both used to mean *fasten the seat belt*.
- Have students work in pairs to create a short conversation containing the negative, affirmative, and indefinite expressions shown in **Expresiones útiles**.
- Review commands (**Estructura 4.2**) by having students underline examples in the dialogue.

DIFFERENTIATION | Interpersonal Communication

For Inclusion Reinforce video content by having volunteers ad-lib the episode. Assure them it is not necessary to memorize the dialogue. They should convey the general meaning via the vocabulary and expressions they know, and they should be creative. Give them time to prepare, or have them do the activity for homework. Build in accountability for classmates with a comprehension check of the presentations.

DIFFERENTIATION | Relating Cultural Products to Perspectives | Cultural Comparisons

Heritage Speakers Ask heritage speakers if they know of any ecotourism or popular tourist sites in their families' home countries. Possible answers include: Mexico: Copper Canyon (**Barranca del Cobre**); Costa Rica: rain forests, Carara National Park. Ask classmates the same question about the U.S. Possible answers: national forests and parks, wildlife sanctuaries, fish ladders and hatcheries. Have students compare these sites.

Fotonovela **191**

Comprensión

Interpretive Communication

1 **Oraciones** Completa las oraciones con la información correcta.

1. Lupita se va del hospital para irse de __vacaciones__ a casa de su hermana.
2. Lupita deja una __nota__ debajo de la almohada.
3. Ricardo dice que contrató a Marcela como __guía__ turística.
4. Lupita dice que le gustaría irse a un __hotel__ con todo incluido.
5. Ricardo dice que el camino a Hierve el Agua es __peor__ de lo que había imaginado.
6. Marcela se enoja porque Ricardo le dice que no es buena __conductora__.

Interpretive Communication

2 **Diálogos** Identifica quién dice cada oración y, después, únela con otra oración de la columna opuesta para formar diálogos de la **Fotonovela.**

LORENZO **LUPITA** **MANU** **MARCELA** **ROCÍO** **RICARDO**

__Lorenzo__ 1. ¡Cómo se fue así, sin avisar! __d__

__Ricardo__ 2. Te contraté como guía turística. __c__

__Lupita__ 3. Voy a casa de mi hermana en Cuajimoloyas. __a__

__Lupita__ 4. ¿No es usted el del avión? __e__

__Rocío__ 5. ¿No es ése el espía? __b__

__Marcela__ a. ¡Uno no se escapa del hospital, Lupita!

b. Después te cuento.

__Marcela__ c. ¡Claro que no! Me contrataste para darme un regalo.

__Marcela__ d. ¿Qué esperabas? ¿Que dejara una nota bajo la almohada?

__Manu__ e. ¡Es un dron, señora!

__Ricardo__

Interpretive Communication

Interpersonal Communication

3 **Respuestas y preguntas**

A. Completa las oraciones con verbos en subjuntivo, según el episodio de la **Fotonovela.** Answers may vary.

1. Marcela odia que Lupita la __llame__ "niña".
2. La doctora le ordena a Lupita que __descanse__.
3. Lorenzo le dice a Lupita que __haga__ su maleta primero.
4. Ricardo le pide a Marcela que __vaya__ más despacio.
5. Marcela le dice a Ricardo que __disfrute__ de la aventura.
6. Marcela se enoja y le pide a Ricardo que se __baje__ de la kombi.

B. Ahora, en parejas, comparen sus respuestas y túrnense para hacerse preguntas sobre las oraciones. Sigan el modelo.

MODELO
ESTUDIANTE 1 ¿Qué odia Marcela?
ESTUDIANTE 2 Marcela odia que Lupita la llame "niña".

Interpersonal Communication

Ampliación

4 **¿Qué tipo de viajero/a eres?**

Interpersonal Communication

Lifelong Learning

A. Elige una opción de la primera o de la segunda columna para cada número, según el tipo de viajero/a que seas. Si, por ejemplo, elegiste más opciones de la izquierda, formarás parte del equipo Lupita; si escogiste más de la derecha, serás del equipo Marcela. Some answers will vary

Equipo Lupita		**Equipo Marcela**	
1. Hotel con todo incluido	☐	Campamento	☐
2. Visita a un museo	☐	Excursión a la montaña	☐
3. Viajar en avión	☐	Viajar en Kombi	☐
4. Guía turístico/a	☐	Mapa	☐
5. Piscina	☐	Río	☐

B. Reúnete con otra persona de tu equipo y preparen argumentos para defender el estilo de viajar escogido. Después, dividan la clase en los dos tipos de viajeros y hagan un debate sobre el mejor estilo de viajar.

5 **Apuntes culturales** En parejas, lean los párrafos y contesten las preguntas.

Interpretive Communication

Interpersonal Communication

Relating Cultural Practices to Perspectives

Las vacaciones en los países hispanohablantes

Lupita necesita descansar, ¿y qué mejor manera que con unas vacaciones? En los países hispanohablantes, las vacaciones se suelen tomar en verano, en invierno, en Semana Santa (*Holy Week*) y en Navidad. En Semana Santa, el Jueves y el Viernes Santo (*Maundy Thursday and Good Friday*) son días feriados. Durante las navidades, las vacaciones normalmente van desde el día de Nochebuena (24 de diciembre) hasta el día de los Reyes Magos (6 de enero). Las vacaciones de verano suelen durar un mes y las de invierno, una semana.

El ecoturismo en Oaxaca

Ricardo contrata a Marcela para ir de excursión a Hierve el Agua, Oaxaca. Gracias a su biodiversidad, el estado de Oaxaca es un lugar ideal para hacer ecoturismo. Los visitantes pueden disfrutar de actividades como acampar en la selva de los Chimalapas, hacer ciclismo (*cycling*) y observar aves en Teotitlán del Valle, o admirar las cascadas (*waterfalls*) petrificadas en Hierve el Agua. Los más aventureros pueden hacer rapel en Ixtlán de Juárez o hacer un recorrido en tirolesa (*zip line*) por Cuajimoloyas. La mayoría de lugares ofrece alojamiento en cabañas (*cottages*), guías turísticos y alquiler de bicicletas.

Cuajimoloyas, Oaxaca

1. ¿Durante qué fechas tienes vacaciones?
2. ¿Qué sueles hacer durante tus vacaciones? ¿Qué planes tienes para tus próximas vacaciones?
3. ¿Alguna vez hiciste ecoturismo? Describe la experiencia.
4. De las actividades de ecoturismo mencionadas, ¿cuál te gustaría hacer? ¿Por qué?

PUEDO hablar sobre distintos tipos de viajeros, vacaciones y destinos turísticos.

Teaching Tips
4 Encourage students to use the subjunctive, as well as comparatives and superlatives. You may want to preview **Estructura 5.1** and **5.3.** Ask questions like, **¿Es mejor hospedarse en un hotel que tenga todo incluido o irse de campamento?**

4 Tally the arguments from both teams on the board, and try to decide as a class which team wins the debate.

5 To encourage discussion, ask what students do in their own personal lives to help protect the environment.

 Pre-AP*

AP Skill Category 5

5 If students are not up-to-date on ecotourism in their community, share local news or information about active ecotourism organizations. Then ask students to give their opinions on these matters. You may need to create a word bank with new vocabulary about the environment. Tell students they will further explore the environment in **Lección 6**.

5 Follow up with comprehension questions. For example: **¿Cuándo se toman las vacaciones en los países hispanohablantes? ¿Qué día es el 24 de diciembre? ¿Qué se puede hacer en Teotitlán del Valle? ¿Dónde se puede hacer un recorrido en tirolesa?**

5 Expand on the **Reyes Magos** celebration or have students research it for homework and bring their findings to the class the next day.

PRE-AP*   Interpersonal Communication

Interpersonal Speaking, Part A Students pretend they have received a scholarship to go on an ecotourism trip to Costa Rica. They call a friend who has been there to ask questions and explain the details of the trip. The friend is not home, so they must leave a message. Give students fifteen minutes to prepare a two-minute message, which they will record. Say: **Ahora vas a grabar tu mensaje. Hay que hablar durante dos minutos.**

PRE-AP*

Interpersonal Speaking and Listening, Part B Students listen to the recorded messages from Part A. Have them play the role of the experienced student, answer the questions, and offer two suggestions. Say: **Escucha el mensaje de tu compañero/a. Graba una respuesta en la cual contestas las preguntas y das dos consejos.**

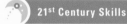
En detalle

CENTROAMÉRICA

LA RUTA DEL CAFÉ

Los turistas que llegan a Finca° Esperanza Verde, un "ecoalbergue" ubicado a 1.200 metros (4.000 pies) de altura en la selva tropical nicaragüense, descubren un paraíso natural con bosques, montañas exuberantes y aves tropicales. En este paraíso, los turistas pueden visitar un cafetal° y conocer los aspectos humanos y ecológicos que se conjugan° para que podamos disfrutar de algo tan simple como una taza de café.

El café, ese compañero de las mañanas, es el protagonista de la vida social, cultural y económica de Centroamérica. Para el visitante, esto salta a la vista apenas llega a estas tierras: el paisaje está cubierto de cafetales. Hoy día, dos terceras partes del café de todo el mundo son de origen americano.

Esta bebida tan popular llegó a América en el siglo XVIII. Pocos años después, su cultivo° se había extendido por México y Centroamérica. Los altibajos° en los precios del café han llevado a los productores centroamericanos a diversificar sus actividades: han iniciado el cultivo de café orgánico, han creado cooperativas de comercio justo° que buscan alcanzar° precios más equitativos° para productores y consumidores, y han promovido el ecoturismo.

El país pionero fue Costa Rica, que organizó la primera ruta del café, pero ya todos los países centroamericanos han creado sus rutas. Un día por una ruta del café suele constar de° una visita a las plantaciones de café, donde no sólo se conoce el proceso de cultivo y producción, sino que también se pueden tomar unas tazas de café. Después, se organizan almuerzos con platos típicos y, para terminar la jornada°, se visitan rutas históricas y pueblos cercanos donde los turistas pueden disfrutar del folclore local y comprar artesanías°. ■

La ruta del café en el siglo XVIII

Europa
Venecia 1615
Estambul 1555
Marsella 1644
Persia
Santo Domingo 1731
África
El Cairo 1510
Caribe
Martinica 1730
Etiopía

Finca *Farm* **cafetal** *coffee plantation* **se conjugan** *are combined* **cultivo** *cultivation* **altibajos** *ups and downs* **justo** *fair* **alcanzar** *to reach* **equitativos** *equitable* **constar de** *to consist of* **jornada** *day* **artesanías** *handicrafts*

ASÍ LO DECIMOS

Los viajes

el turismo sostenible el turismo sustentable	sustainable tourism
el billete (Esp.) el boleto (Amér. L.)	ticket
el boleto redondo (Méx.)	round-trip ticket
la autopista (Esp.)	turnpike; toll road
la autovía (Esp.)	highway
la carretera (Esp.)	road
la burra (Gua.) la guagua (Carib.)	bus

EL MUNDO HISPANOHABLANTE

De América al mundo

El tomate Su nombre se deriva de *tomatl*, una palabra del idioma náhuatl. Entró en Europa por la región de Galicia, en el noroeste de España, y se extendió luego a Francia e Italia. Los españoles y los portugueses lo difundieron° por Oriente Medio, África, Estados Unidos y Canadá.

El maíz Es uno de los cereales de mayor producción mundial junto con el trigo y el arroz. A pesar de controversias acerca de su origen exacto, los investigadores coinciden en que los indígenas de Centroamérica y México lo difundieron por el continente, los conquistadores lo introdujeron a Europa y los comerciantes lo llevaron a Asia y África.

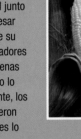

La papa o patata Estudios científicos ubican el origen de la papa en Perú. En la actualidad, la papa se consume por todo el mundo, pero Bielorrusia (Europa Oriental) es el mayor consumidor mundial con un promedio anual de 181 kilogramos (399 libras) por persona.

PERFIL

EL CANAL DE PANAMÁ

El Canal de Panamá, una de las obras arquitectónicas más extraordinarias del planeta, une° los océanos Atlántico y Pacífico a través del istmo° de Panamá. Es, a su vez, una ruta importantísima para la economía mundial, pues lo cruzan° más de 15.000 barcos por año, es decir, unos 288 barcos por semana. Esta obra monumental, construida por los Estados Unidos entre 1904 y 1914, consta de dos lagos artificiales, varios canales, tres estructuras de compuertas° y una represa°. El canal tiene en su recorrido varias esclusas°, cuya finalidad° es subir o bajar los barcos desde el nivel de uno de los océanos hasta el nivel del otro. Dependiendo del tránsito, la travesía° por este atajo° de 80 kilómetros (50 millas) puede demorar° hasta 10 horas. Panamá y Estados Unidos negociaron la entrega del canal a Panamá en 1977, que pasó a estar bajo control panameño el 31 de diciembre de 1999.

> **"** Viajar es imprescindible y la sed de viaje, un síntoma neto de inteligencia. **"** (Enrique Jardiel Poncela, escritor español)

Entre culturas

¿Qué otras opciones de turismo hay en Centroamérica? | Investiga sobre este tema en **vhlcentral.com**.

une *links* **istmo** *isthmus* **cruzan** *cross* **compuertas** *floodgates* **represa** *dam* **esclusas** *locks* **finalidad** *purpose* **travesía** *crossing (by boat)* **atajo** *shortcut* **demorar** *last* **difundieron** *spread*

Making Connections

CRITICAL THINKING | Interpretive Communication | Relating Cultural Practices to Perspectives

Analysis Read the quote by Enrique Jardiel Poncela aloud. Then ask students to explain what it might mean. Examples: **¿Qué quiere decir "la sed de viaje"? ¿Por qué dice que viajar es un síntoma de inteligencia? ¿Estás de acuerdo?**

CRITICAL THINKING | Making Connections | Acquiring Information & Diverse Perspectives

Comprehension Ask students to summarize in their own words what the importance of the Panama Canal has been for U.S.–Central American relations and for international trade and commerce.

Teaching Tips

• For **Así lo decimos**, ask heritage speakers which words they are accustomed to using.

• For **El mundo hispanohablante**, preview the subjunctive in adjective clauses by asking: **¿Conocen otros productos que sean de América? (el chocolate, los frijoles, el cacahuete, el plátano)**

• Tell students that there is a plan underway to build a new transoceanic canal in Nicaragua. If time allows, tell them to research the topic online.

• Have students read the quote and ask: **¿Qué quiere decir "la sed de viaje"? ¿Por qué dice que la sed de viaje es un síntoma de inteligencia? ¿Están de acuerdo?**

NATIONAL STANDARDS
Connections: History Ask students to research the history of the Panama Canal, paying special attention to the impact that it had not only on the U.S. but also on the countries of Latin America. What were the benefits? What were the negative consequences?

Connections: History The arrival of Europeans in the Americas unleashed a world-altering exchange that is sometimes referred to as "the Columbian Exchange." This exchange of goods, ideas, technology, and even disease had effects—both positive and negative—that continue today. Have students research the objects and ideas that crossed between cultures and the effects of that exchange.

21ˢᵗ Century Skills

Information and Media Literacy: Entre culturas Students can go online to complete the **Entre culturas** activity for additional practice accessing and using culturally authentic sources.

Teaching Tips

❶ Call on volunteers to write the corrected statements on the board. As a class, correct any spelling, syntactical, or grammatical errors.

❸ Give students time to write out their answers to these questions. Then ask volunteers to write them on the board.

❸ **Virtual Chat**
Available online.

❹ **Formative Assessment**
Monitor student communication and explanations, offering substantive feedback and recommendations.

Proyecto To help students get started with **Proyecto**, give them a list of searchable terms for their investigation and have them prepare a brochure of their **Proyecto** destination.

NATIONAL STANDARDS
Communities As an optional writing activity, have students describe a place that has changed because of tourism. **¿Cómo era antes? ¿Cómo es ahora?** Remind them to use the imperfect for describing in the past.

¿Qué aprendiste?

1 | **¿Cierto o falso?** Indica si estas afirmaciones son **ciertas** o **falsas**. Corrige las falsas. *Some answers will vary.*

Interpretive Communication

1. Finca Esperanza Verde se encuentra en una zona montañosa de Costa Rica. **Falso.** Se encuentra en una zona montañosa de Nicaragua.
2. Los turistas que van a Finca Esperanza Verde pueden visitar un cafetal que se encuentra allí mismo. **Cierto.**
3. La mitad del café mundial se produce en América. **Falso.** Dos terceras partes del café mundial son de origen americano.
4. El café es originario del continente americano. **Falso.** El café llegó al continente americano en el siglo XVIII.
5. El café llegó a América a través de México. **Falso.** El café entró en América por Martinica/Santo Domingo.
6. Los productores tuvieron que diversificar sus actividades debido a los precios bajos del café. **Cierto.**
7. La finalidad de las cooperativas de comercio justo es ayudar a que los productores reciban un pago justo y los consumidores paguen precios razonables. **Cierto.**
8. El primer país en crear una ruta del café fue Honduras. **Falso.** El primer país en crear una ruta del café fue Costa Rica.
9. Los turistas pueden visitar las plantaciones, pero no pueden presenciar el proceso de producción. **Falso.** Los turistas pueden conocer el proceso de cultivo y producción.
10. Los turistas que van a la ruta del café suelen visitar también las rutas históricas de la zona. **Cierto.**

Relating Cultural Practices to Perspectives

Interpersonal Communication

2 | **Oraciones incompletas** Completa las oraciones con la información correcta. *Some answers will vary.*

Interpretive Communication

1. El Canal de Panamá está en manos panameñas ___desde fines de 1999___.
2. El Canal de Panamá tiene ___dos lagos___ artificiales.
3. La finalidad de las esclusas es subir o bajar los barcos ___desde el nivel de uno de los océanos hasta el nivel del otro___
4. En el Caribe, *guagua* significa ___autobús___.
5. ___Los españoles y los portugueses___ difundieron el tomate por Oriente Medio.

3 | **Preguntas** En parejas, contesten las preguntas.

Interpersonal Communication

1. ¿Qué papel tiene el café en tu cultura? ¿Tiene la misma importancia que en la cultura centroamericana?
2. ¿Prefieres productos ecológicos y los productos que garantizan el comercio justo o compras productos comunes?
3. ¿Qué tipo de turismo sueles hacer? ¿Hiciste alguna vez ecoturismo?
4. ¿Qué alimentos provenientes de otros continentes forman parte de tu dieta?

4 | **Opiniones** En grupos de tres, hablen sobre estas preguntas: ¿Es bueno para los países recibir turismo? ¿Por qué? ¿Qué consecuencias tiene la llegada del turismo a ciertas zonas? ¿Qué beneficios tiene viajar?

PROYECTO | **Un viaje por la ruta del café**

Busca información sobre una excursión organizada por una ruta del café. Imagina que vas a la excursión y escribe una pequeña descripción de un día de visita, basándote en la información que has encontrado.

Incluye información sobre:
- los platos típicos que comiste
- los pueblos que visitaste
- lo que aprendiste sobre el café
- lo más interesante de tu visita
- lo que compraste para llevar a casa

PUEDO participar en una conversación sobre las rutas del café en Centroamérica y hablar sobre alimentos de origen latinoamericano.

CRITICAL THINKING | *Presentational Communication*

Application Tell students to demonstrate what they have learned by creating a brochure about **la ruta del café** based on the work they did in **Proyecto**. Try to create groups with a mix of Spanish language levels and have each student work on a different aspect of the brochure. Assign each student a role, such as: "idea person," note taker, artist, writer, and proofreader.

CRITICAL THINKING | *Interpersonal Communication* | *Relating Cultural Practices to Perspectives*

Synthesis Have students work in pairs to discuss the advantages and disadvantages of tourism. You might have them choose a popular tourist destination (brainstorm some examples!) to illustrate their points.

¡Viajar y gozar!

Ya has visto algunos de los maravillosos lugares que puedes visitar en Latinoamérica. En este episodio de **Flash cultura**, conocerás cómo debes preparar todo para que tu viaje por Costa Rica sea seguro y placentero.

VOCABULARIO ÚTIL

amable *kind*	**la moneda local** *local currency*
brindar *to provide*	**regatear** *to bargain*
el cajero automático *ATM*	**sacar dinero** *to withdraw money*
jubilado/a *retired*	**la tarifa (fija)** *(fixed) rate*

1 Preparación Responde estas preguntas: ¿Adónde te gusta ir de vacaciones? ¿Vas siempre al mismo lugar o prefieres explorar sitios nuevos? ¿Qué debe tener un país para que decidas visitarlo?

2 Comprensión Indica si estas afirmaciones son **ciertas** o **falsas**. Después, en parejas, corrijan las falsas.

> Interpretive Communication

1. Aunque en algunas ciudades los taxis tienen taxímetro, en otras debes preguntar el precio y regatear antes de subir.
   Cierto.
2. La moneda local de Costa Rica se llama "sanjosé".
   Falso. La moneda local se llama "colón".
3. En este país sólo se puede pagar con dinero en efectivo porque no existen las tarjetas de crédito.
   Falso. En casi todas partes se aceptan las tarjetas de crédito.
4. El corresponsal recomienda recorrer San José en bicicleta el primer día.
   Falso. Recomienda recorrer San José caminando el primer día.
5. El mayor flujo de turismo es de jóvenes que buscan aventuras y de personas jubiladas que quieren descansar.
   Cierto.
6. Lo que más interesa de Costa Rica son los volcanes, los parques nacionales y las playas.
   Cierto.

> Interpersonal Communication

3 Expansión En parejas, contesten estas preguntas.

> Relating Cultural Practices to Perspectives

- ¿Alguna vez regatearon algún precio? ¿Están dispuestos a hacerlo con un taxi en Costa Rica o prefieren aceptar el precio sin objeción?
- Cuando viajan, ¿compran una guía del lugar? ¿Saben leer mapas o se pierden fácilmente?
- ¿Les gustaría vivir en Costa Rica? ¿Por qué?

PUEDO hablar de medios de transporte público, formas de pago y sitios turísticos recomendados en Costa Rica.

Corresponsal: Alberto Cuadra
País: Costa Rica

Los viajes requieren preparación; desde conseguir información de los sitios que vas a visitar y de las costumbres locales, hasta cómo conseguir las visas, los boletos y el cambio° de dinero.

Si vas a estar varios días en una sola ciudad, pasa el primer día caminando, así te darás cuenta de las distancias.

Es un país de mucha paz°, tenemos buenas playas, buenas montañas… y la gente muy amable, por eso muchos vienen a Costa Rica… Y la policía… también somos simpáticos.

cambio *exchange* **paz** *peace*

Teaching Tips
- Have students role-play a situation in which a tourist is trying to bargain with a taxi driver. Encourage students to begin by brainstorming a list of vocabulary they might use in the situation.
- After watching the video, ask students to compare what they learned about Costa Rica to another country they have visited.

Comprensión As a follow-up to **Comprensión**, item 6, ask students **¿Si van a Costa Rica, prefieren visitar un volcán, un parque nacional o una playa? ¿Por qué?**

 21st Century Skills

Information and Media Literacy
Students can go online to complete the **Entre culturas** activity associated with **Flash cultura** for additional practice accessing and using culturally authentic sources.

Cultural Comparison
After viewing the segment, have students prepare a presentation comparing a trip to Costa Rica with a trip to the U.S. **Compara un viaje a Costa Rica con un viaje a los Estados Unidos. Considera los productos que se ofrecen, las prácticas y costumbres (actividades, contratar un taxi) y las perspectivas (actitudes y opiniones) de los turistas. ¿Qué hay en común? ¿Qué te parece diferente?**

PRE-AP* | Presentational Communication | Relating Cultural Practices to Perspectives

Presentational Speaking Have groups of students prepare posters giving advice on how to plan a 2-week trip to a Latin American country. The poster should include information on what research to do before the trip, how to get there, what to pack, how to deal with reservations, payments, etc., forms of transportation to use and to avoid once they are there, and where to stay. Then have students present their poster to the class and try to persuade other students to visit the country.

In **Estructura**, students will learn:
- comparatives and superlatives, including irregulars
- negative, affirmative, and indefinite expressions
- the subjunctive in adjective clauses

Student Resources
Cuaderno de actividades,
pp. 102–105
Online Activities, *eCuaderno*

Teacher Resources
Workbook TEs; Grammar
Slides; Digital Image Bank;
Audio Activities online;
Audio Script; Assessment
Program Quizzes

Teaching Tips
- Remind students that adjectives (like **tanto/a**) agree in gender and number with the nouns they modify.
- Point out that **que** and what follows it are optional if the items being compared are evident. Ex: **Los pasajes de avión son más caros (que los pasajes de tren)**.
- Practice the structures by asking volunteers questions about classroom objects. Ex: **¿Esa mochila es más grande que ésta? (No, es más pequeña.)**

5 **ESTRUCTURA** Objetivo comunicativo: **Comparar y contrastar personas, situaciones y cosas**

5.1 Comparatives and superlatives

Comparisons of inequality

- With adjectives, adverbs, nouns, and verbs, use these constructions to make comparisons of inequality (*more than/less than*).

$$\text{más/menos} + \begin{bmatrix} \textbf{\textit{adjective}} \\ \textbf{\textit{adverb}} \\ \textbf{\textit{noun}} \end{bmatrix} + \text{que} \qquad \begin{bmatrix} \textit{verb} \end{bmatrix} + \text{más/menos que}$$

ADJECTIVE

Este hotel es **más elegante que** aquél.
This hotel is more elegant than that one.

ADVERB

¡Llegaste **más tarde que** yo!
You arrived later than I did!

NOUN

Juan tiene **menos tiempo que** Elena.
Juan has less time than Elena does.

VERB

Mi hermano **viaja menos que** yo.
My brother travels less than I do.

- When the focus of a comparison is a noun and the second term of the comparison is a verb or a clause, use these constructions to make comparisons of inequality.

$$\text{más/menos} + \begin{bmatrix} \textit{noun} \end{bmatrix} + \begin{matrix} \text{del/de la que} \\ \text{de los/las que} \end{matrix} + \begin{bmatrix} \textit{verb or clause} \end{bmatrix}$$

Había **más** asientos
de los que necesitábamos.
*There were more seats than
we needed.*

La ciudad tiene **menos** ruinas
de las que esperábamos.
*The city has fewer ruins than
we expected.*

Comparisons of equality

- Use these constructions to make comparisons of equality (*as... as*).

$$\text{tan} + \begin{bmatrix} \textit{adjective} \\ \textit{adverb} \end{bmatrix} + \text{como} \qquad \text{tanto/a(s)} + \begin{bmatrix} \textit{singular noun} \\ \textit{plural noun} \end{bmatrix} + \text{como}$$

$$\begin{bmatrix} \textit{verb} \end{bmatrix} + \text{tanto como}$$

ADJECTIVE

El vuelo de regreso no parece
tan largo como el de ida.
*The return flight doesn't seem
as long as the flight over.*

ADVERB

Se puede ir de Madrid a Sevilla **tan
rápido** en tren **como** en avión.
*You can get from Madrid to Seville
as quickly by train as by plane.*

NOUN

Cuando viajo a la ciudad, tengo
tantas maletas como tú.
*When I travel to the city, I have
as many suitcases as you do.*

VERB

Guillermo **disfrutó tanto como**
yo en las vacaciones.
*Guillermo enjoyed our vacation
as much as I did.*

LEARNING STYLES | Interpretive Communication

For Visual Learners Provide photos from magazines or newspapers to present and practice the comparative form. Make sure that the photos represent obvious similarities and differences between the objects or scenes. If new vocabulary is needed, provide a word bank on the board.

LEARNING STYLES

For Auditory Learners Ask questions that make comparisons of inequality, using adjectives, adverbs, and nouns. Examples: **¿Qué es más divertido que un día en la playa? ¿Quién tiene más tiempo libre que yo?** Then ask questions that use verbs in the same construction. Ex: **¿Quién viaja más que yo?**

Superlatives

● Use this construction to form superlatives (**superlativos**). The noun is preceded by a definite article, and **de** is the equivalent of *in*, *on* or *of*. Use **que** instead of **de** when the second part of the superlative construction is a verb or a clause.

el/la/los/las + [noun] + más/menos + [adjective] + **de** + [noun]
        que + [verb or clause]

Ésta es **la playa más bonita de** todas.
This is the prettiest beach of them all.

Es **el hotel menos caro que** he visto.
It is the least expensive hotel I've seen.

● The noun may also be omitted from a superlative construction.

Me gustaría comer en **el** restaurante **más elegante** de la ciudad.
I would like to eat at the most elegant restaurant in the city.

Las Dos Palmas es **el más elegante de** la ciudad.
Las Dos Palmas is the most elegant one in the city.

Irregular comparatives and superlatives

Adjective	Comparative form	Superlative form
bueno/a good	**mejor** better	**el/la mejor** best
malo/a bad	**peor** worse	**el/la peor** worst
grande big	**mayor** bigger	**el/la mayor** biggest
pequeño/a small	**menor** smaller	**el/la menor** smallest
viejo/a old	**mayor** older	**el/la mayor** oldest
joven young	**menor** younger	**el/la menor** youngest

● When **grande** and **pequeño/a** refer to size and not age or quality, the regular comparative and superlative forms are used.

Ernesto es **mayor** que yo.
Ernesto is older than I am.

Ese edificio es **el más grande** de todos.
That building is the biggest one of all.

● When **mayor** and **menor** refer to age, they follow the noun they modify. When they refer to quality, they precede the noun.

María Fernanda es mi hermana **menor**.
María Fernanda is my younger sister.

Hubo un **menor** número de turistas.
There was a smaller number of tourists.

● The adverbs **bien** and **mal** also have irregular comparatives, **mejor** and **peor**.

Mi padre maneja muy **mal.**
¿Y el tuyo?
My father is a bad driver.
How about yours?

¡Mi padre maneja **peor** que los turistas!
My father drives worse than the tourists!

Tú puedes hacerlo **bien** por ti mismo.
You can do it well by yourself.

Ayúdame, que tú lo haces **mejor** que yo.
Help me; you do it better than I do.

Práctica

1 **Demasiados gastos** Elena comparte sus inquietudes sobre el dinero con su tía Juana. Completa la conversación con las palabras de la lista.

carísimos	más	menor	muchísimos
como	mejor	menos	que

ELENA Tengo (1) ___muchísimos___ gastos y necesito ganar (2) ___más___ dinero.

JUANA ¿Por qué no tratas de gastar (3) ___menos___ y estudiar un poco más? Tú sabes que la mayoría de los adolescentes no llevan una vida (4) ___como___ la tuya.

ELENA Bueno, el problema no está en mis gastos, sino en mi salario. Mi hermana (5) ___menor___ trabaja menos horas (6) ___que___ yo, pero gana más.

JUANA Puede ser, pero recuerda que es (7) ___mejor___ asistir a una universidad buena que poder comprar unos zapatos (8) ___carísimos___.

ELENA Puede ser.

2 **El peor viaje de su vida** Conecta las frases de la izquierda con las correspondientes de la derecha para formar oraciones lógicas.

_h_ 1. El sábado pasado Alberto y yo hicimos el peor

_f_ 2. Yo llegué al aeropuerto más temprano

_g_ 3. Pero él pasó por seguridad más rápido

_c_ 4. Luego anunciaron que el vuelo estaba retrasado más

_a_ 5. Por fin salimos, tan cansados

_d_ 6. De repente, hubo un olor

_b_ 7. Alberto gritaba tanto

_e_ 8. Al final pasamos las vacaciones en casa. Lo bueno es que tuvimos más visitas

a. como enojados.

b. como yo hasta que logramos aterrizar (to land).

c. de tres horas a causa de un problema mecánico.

d. malísimo. ¡El motor se había prendido fuego!

e. de las que esperábamos.

f. que Alberto y no lo podía encontrar.

g. que yo y por fin nos encontramos en la puerta de embarque.

h. viaje de nuestra vida.

3 **Oraciones** Mira la información del cuadro y escribe cinco oraciones con superlativos y cinco con comparativos. Sigue el modelo.

MODELO
Avengers: End Game es más popular que *Transformers: El último caballero.*
Avengers: End Game es la película más vista de los últimos años.

Harry Potter	libro	menor
Jessica Alba	actriz	famosa
Mark Zuckerberg	hombre de negocios	rico
El Amazonas	río	largo
Disneyland	lugar	feliz

Comunicación

4 Un viaje inolvidable

A. Habla con un(a) compañero/a sobre el viaje más inolvidable de tu vida. Puede ser un viaje buenísimo o un viaje malísimo, e incluso puede ser un viaje imaginario. Debes decir por lo menos siete u ocho oraciones usando comparativos y superlativos, y algunas de las palabras de la lista. Túrnense.

buenísimo/malísimo	más/menos que
como	mejor/peor que
de los mejores/peores	tan

B. Ahora, describe el viaje de tu compañero/a al resto de la clase. La clase trata de adivinar qué viajes son verdaderos y cuáles son ficticios.

Interpersonal Communication

5 Las vacaciones ideales

En grupos de cuatro, imaginen que son miembros de una familia que ganó un viaje de tres semanas a cualquier país del mundo. El único problema es que tienen que ponerse de acuerdo acerca de dónde ir.

A. Primero, cada uno/a debe decidir cuál es el país ideal para sus vacaciones y escribir una descripción breve con las razones para escogerlo. Utiliza comparativos y superlativos en tu descripción.

México

La República Dominicana

Costa Rica

Venezuela

B. Luego, túrnense para presentar sus opiniones y traten de convencer a los demás de que su país ideal es el mejor de todos. Deben usar comparativos y superlativos para comparar las atracciones de cada país. Compartan su decisión final con la clase.

MODELO Es obvio que Venezuela es el mejor país para nuestras vacaciones. Venezuela tiene la catarata más alta del mundo y unas playas tan bonitas como las de la República Dominicana. Además, ¡las arepas venezolanas son más ricas que las tortillas mexicanas! Venezuela tiene más atracciones de las que se pueden imaginar. Ya verán que no me equivoco.

PUEDO comparar viajes inolvidables y opinar sobre lugares ideales para ir de vacaciones.

PRE-AP*   Interpersonal Communication

Interpersonal Writing Have students write two pages about either the best or the worst trip they have ever taken. They should include comparatives and superlatives. Tell students: **Ahora van a escribir dos páginas sobre su mejor o** **su peor viaje, dando muchos detalles. Usen comparativos y superlativos en sus descripciones.** You may choose to have students read their compositions out loud or post them in the class. Have students vote for the best and worst trips described.

Teaching Tips

4 Before beginning, review lesson vocabulary and create a word bank on the board. This is a good way to reinforce new words and aid visual learners.

4 To facilitate discussion, have students work individually to prepare a list of questions for their partners about the trip. You might assign this as homework.

4 Ask students to close their books, and display Digital Image Bank #39 under **Estructura 5.1 Actividad 4: Un viaje inolvidable.** In pairs, have them use comparatives and superlatives to talk about how the characters in the illustration spent their vacation. Encourage them to be as creative as they can, and have pairs share their stories with the class.

4 Virtual Chat Available online.

5 Part A: This activity lends itself to the use of authentic materials. If time and resources permit, bring in travel brochures or magazines for students to consult.

5 Part B: Tell students that in addition to their word choice, the inflections in their voice and their body language can also be good tools used for convincing an audience. Encourage them to practice reading their opinions on their own before presenting them to their groups.

5 If necessary, have students do additional research on the Internet about tourism in their chosen country.

Acquiring Information & Diverse Perspectives

Teaching Tips

• Say several sentences aloud
that use negative or positive
words and have volunteers
change each sentence into
its opposite. Examples:
**1. Siempre estudio para
los exámenes. / No estudio
nunca para los exámenes.
2. No veo a nadie. / Veo a
alguien.**

• Write **alguien** and **nadie**
on the board and survey
students about their travels.
Examples: **¿Alguien ha
viajado a México? No, nadie
ha viajado a México.**

• Use magazine pictures
to compare and contrast
positive and negative words.
Ex: **La señora de la foto tiene
algo en la mano.
¿El señor tiene algo en la
mano también? No, el señor
no tiene nada en la mano.**

• Share with students a
word game with a double
negative: **—Señor, ¿usted no
nada nada?
—No, yo no traje traje.**

Extra Practice Go to
vhlcentral.com for more
practice with negative,
affirmative, and indefinite
expressions.

5.2 Negative, affirmative, and indefinite expressions

*Jamás se me había
desaparecido una
paciente. ¡Nunca!*

• The following chart shows negative, affirmative, and indefinite expressions.

algo *something; anything*	**nada** *nothing; not anything*
alguien *someone; somebody; anyone*	**nadie** *no one; nobody; not anyone*
alguno/a(s), algún *some; any*	**ninguno/a, ningún** *no; none; not any*
o... o *either... or*	**ni... ni** *neither... nor*
siempre *always*	**nunca, jamás** *never; not ever*
también *also; too*	**tampoco** *neither; not either*

• In Spanish, double negatives are perfectly acceptable.

¿Dejaste **algo** en la mesa?
Did you leave something on the table?

No, **no** dejé **nada**.
No, I didn't leave anything.

Siempre tuvimos ganas de viajar
a Costa Rica.
*We always wanted to travel
to Costa Rica.*

Hasta ahora, **no** tuvimos **ninguna**
oportunidad de ir.
*Until now, we had no chance
to go there.*

• Most negative statements use the pattern **no** + [*verb*] + [*negative word*]. When the negative
word precedes the verb, **no** is omitted.

No lo extraño **nunca**.
I never miss him.

Nunca lo extraño.
I never miss him.

Su opinión **no** le importa a **nadie**.
His opinion doesn't matter to anyone.

A **nadie** le importa su opinión.
Nobody cares about his opinion.

• Once one negative word appears in an English clause, no other negative word may be used.
In Spanish, however, once a negative word is used, all other elements must be expressed
in the negative if possible.

No le digas **nada** a **nadie**.
Don't say anything to anyone.

Tampoco hables **nunca** de esto.
Don't ever talk about this either.

No quiero **ni** pasta **ni** pizza.
I don't want pasta or pizza.

Tampoco quiero **nada** para tomar.
I don't want anything to drink either.

- Point out the use of **ni yo tampoco** after a negative statement. Ex: **Gustavo no pudo ir al cine, ni yo tampoco.**
- Review the use of **también** with **gustar** and similar verbs. Ex: **Me gusta viajar.** → **A mí también.**
- Reiterate that there is no limit to the number of negative words that can be strung together in a sentence in Spanish. Ex: **No hablo con nadie nunca de ningún problema, ni con mi familia ni con mis amigos.**

- The personal **a** is used before negative and indefinite words that refer to people when they are the direct object of the verb.

Nadie me comprende. ¿Por qué será?
No one understands me. Why is that?

Porque tú no comprendes **a nadie**.
Because you don't understand anyone.

Algunos pasajeros prefieren no desembarcar en los puertos.
Some passengers prefer not to disembark at the ports.

Pues, no conozco **a ninguno** que se quede en el crucero.
Well, I don't know of anyone who stays on the cruise ship.

- Before a masculine, singular noun, **alguno** and **ninguno** are shortened to **algún** and **ningún**.

¿Ha sufrido **algún** daño en el choque?
Have you suffered any harm in the accident?

Me había puesto el cinturón de seguridad, por lo que no sufrí **ningún** daño.
I had fastened my seatbelt, and so I suffered no injuries.

- **Tampoco** means *neither* or *not either*. It is the opposite of **también**.

Mi novia no soporta los congestionamientos en el centro, ni yo **tampoco**.
My girlfriend can't stand the traffic jams downtown, and neither can I.

Por eso toma el metro, y yo **también**.
That's why she takes the subway, and so do I.

También tiene
derecho, ¿no?

- The conjunction **o... o** (*either... or*) is used when there is a choice to be made between two options. **Ni... ni** (*neither... nor*) is used to negate both options.

Debo hablar **o** con el gerente **o** con la dueña.
I have to speak with either the manager or the owner.

El precio del pasaje **ni** ha subido **ni** ha bajado en los últimos días.
The price of the ticket has neither risen nor fallen in the past days.

- The conjunction **ni siquiera** (*not even*) is used to add emphasis.

Ni siquiera se despidieron antes de salir.
They didn't even say goodbye before they left.

La señora Guzmán no viaja nunca, **ni siquiera** para visitar a sus nietos.
Mrs. Guzmán never travels, not even to visit her grandchildren.

¡ATENCIÓN!

Cualquiera can be used to mean *any, anyone, whoever, whatever,* or *whichever*. When used before a singular noun (masculine or feminine) the **-a** is dropped.

Cualquiera haría lo mismo.
Anyone would do the same.

Llegarán en cualquier momento.
They will arrive at any moment.

¡ATENCIÓN!

In the conjunction **o... o**, the first **o** can be omitted.
Debo hablar (o) con el gerente o con la dueña.

In the conjunction **ni... ni**, the first **ni** can be omitted when it comes after the verb.
No me interesa (ni) la política ni la economía.

When the first **ni** goes before the verb, **no... ni** can be used instead of **ni... ni**.
El precio no/ni ha subido ni ha bajado.

LEARNING STYLES

For Kinesthetic Learners Write the names of four vacation spots on four large cards and post them in different corners of the room. Ask students to pick their vacation preference by going to one of the corners. Then have each group write five reasons for their choice, as well as one complaint about each of the other places, using positive and negative words.

LEARNING STYLES

For Visual Learners Write sentences like the following on the board and have students complete them with a positive or negative word: **Los vegetarianos no comen carne ___ (nunca). Las madres ___ (siempre) se preocupan por sus hijos. En las fiestas, ella no se divierte, ____ (ni) baila ___ (ni) habla con ____ (nadie).**

Teaching Tips

1 Before assigning this activity, go around the room and read each student a sentence using a positive or negative expression. Each student must contradict it, using the opposite expression. Ex: **Nadie de esta clase toma café. → Alguien toma café.**

2 Point out that students may need to change more than just one word. Encourage them to read each item aloud to themselves to ensure they have made all of the correct changes.

2 Remind students that plural forms might change to singular in the negative. Ex: **Algunos** and **todos** change to **ningún** and **nadie**.

3 In pairs, ask students to write brief exchanges for each of the responses shown. Call on volunteers to read their exchanges to the class. Encourage them to be creative.

1 **Comidas típicas** Marlene acaba de regresar de un viaje a Madrid y le fascinó la comida española. Completa su conversación con Frank usando las expresiones del recuadro.

alguna	ni... ni	o... o
nadie	ningún	tampoco
	nunca	

MARLENE Frank, ¿(1) ___alguna___ vez has probado las tapas españolas?

FRANK No, (2) ___nunca___ he probado la comida española.

MARLENE ¿De veras? ¿No has probado (3) ___ni___ la tortilla de patata (4) ___ni___ la paella?

FRANK No, no he comido (5) ___ningún___ plato español. (6) ___Tampoco___ conozco los ingredientes típicos de la cocina española.

MARLENE Entonces tenemos que salir a comer juntos. ¿Conoces el restaurante llamado Carmela?

FRANK No, no conozco (7) ___ningún___ restaurante con ese nombre.

MARLENE (8) ___Nadie___ lo conoce. Es nuevo pero es muy bueno. A mí me viene bien que vayamos (9) ___o___ el lunes (10) ___o___ el jueves que viene.

FRANK El jueves también me viene bien.

2 **El viajero** Imagina que estás hablando de lo que no te gusta hacer en los viajes. Cambia las oraciones de afirmativas a negativas usando las expresiones correspondientes. Sigue el modelo.

MODELO Yo siempre como la comida del país.
Nunca como la comida del país.

1. Cuando voy de viaje, siempre compro algunos regalos típicos.
Cuando voy de viaje, nunca compro ningún regalo típico.
2. A mí también me gusta visitar todos los lugares turísticos.
A mí tampoco me gusta visitar ningún lugar turístico.
3. Yo siempre hablo el idioma del país con todo el mundo.
Yo nunca hablo el idioma del país con nadie.
4. Normalmente, o alquilo un carro o alquilo una motocicleta.
Normalmente, ni alquilo un carro ni alquilo una motocicleta.
5. Siempre intento visitar a algún conocido de mi familia.
Nunca intento visitar a ningún conocido de mi familia.
6. Cuando visito un lugar nuevo, siempre hago algunos amigos.
Cuando visito un lugar nuevo, nunca hago amigos.

3 **Discusiones** En parejas, escriban las discusiones que provocarían estas respuestas.

¡Yo jamás haría eso!

¡Yo nunca iría!

Nadie lo sabe.

Yo tampoco.

Ni puedo ni quiero verla.

DIFFERENTIATION

For Auditory Learners Give small groups five minutes to create an oral description of **un(a) señor(a) muy, pero muy antipático/a.** Tell students to use as many positive and negative words as possible to describe what makes this person so unpleasant. Have them use one minute to discuss how they will approach their description. Later, every group member should share part of the description with the class.

DIFFERENTIATION

Heritage Speakers Ask heritage speakers to talk about any regular trips they take with their family to their family's home country. Have them use negative and positive expressions. Ex: **Siempre vamos a la casa de mi abuela para las Navidades.**

Comunicación

4 **Opiniones** En grupos de cuatro, hablen sobre estos enunciados. Cada miembro da su opinión y el resto responde diciendo si está de acuerdo o no. Usen expresiones negativas, afirmativas e indefinidas.

- Nadie tendría que necesitar pasaporte ni visa para entrar a un país extranjero.
- El turismo es siempre conveniente: los turistas favorecen la economía del país.
- Ningún vuelo tendría que retrasarse, incluso cuando hace mal tiempo.
- Está bien que las compañías aéreas cobren por todas las maletas que llevan los pasajeros.
- No hay ningún tipo de turismo mejor que el ecoturismo.
- Siempre es mejor irse de vacaciones a relajarse que a ver museos y monumentos.
- Los turistas siempre deben hablar la lengua del país que visitan.
- Nunca se puede decir: "jamás viviría en otro país", porque nunca se sabe.

5 **Escena**

A. En grupos de tres, escriban una conversación entre un(a) adolescente y sus padres usando expresiones negativas, afirmativas e indefinidas.

> **MODELO** **HIJA** ¿Por qué siempre desconfían de mí?
> No soy ninguna mentirosa y mis amigos
> tampoco lo son.
> No tienen ninguna razón para preocuparse.
> **MAMÁ** Sí, hija, muy bien, pero recuerda que...
> **HIJA** Por última vez, ¿puedo ir... ?
> **PAPÁ** ...

B. Ahora representen ante la clase la conversación que escribieron.

PUEDO inventar una conversación sobre un(a) adolescente y sus padres.

Teaching Tips
4 Have students share their opinions with the class and have a debate about these points.

Formative Assessment Monitor how students formulate statements for what would provoke these negative comments, being careful to offer feedback for syntactical errors.

4 **Virtual Chat** Available online.

5 As a follow-up activity, have students describe an argument they had with their own parents. What was the fight about? How was it resolved?

Extra Practice Hand out a copy of an article from a Spanish newspaper travel section. Have students use three different color pens and underline examples of negative expressions in one color, affirmative expressions in another color, and indefinite expressions in a third. Then, with a partner, have them compare what they have found.

Interpretive
Communication

LEARNING STYLES

For Kinesthetic Learners For homework, have students create a survey regarding their classmates' travel preferences. In their survey, students should create a series of statements to which their classmates may answer **siempre, a veces,** or **nunca.** Ex: **Me quedo en un hotel de buena categoría.** Have students circulate around the room and discuss the responses.

LEARNING STYLES

For Auditory Learners Create sentences using affirmative expressions. Say the sentence and have students repeat it. Then state the counterpart negative expression. Have students say the new sentence, making all necessary changes. Ex: **Alguien me robó el pasaporte. (nadie) Nadie me robó el pasaporte.**

5.3 The subjunctive in adjective clauses

¡ATENCIÓN!

An adjective clause
(**oración subordinada
adjetiva**) is one that
modifies or describes
the noun or direct object
in the main clause.

• When an adjective clause describes an antecedent that is known to exist, use the indicative. When the antecedent is uncertain or unknown, use the subjunctive.

MAIN CLAUSE	CONNECTOR	SUBORDINATE CLAUSE
Busco un trabajo	**que**	**pague bien.**

ANTECEDENT CERTAIN → INDICATIVE

Necesito el libro que **tiene**
información sobre las ruinas mayas.
*I need the book that has information
about Mayan ruins.*

Buscamos los documentos que
describen el itinerario del viaje.
*We're looking for the documents that
describe the itinerary for the trip.*

Las personas que **van** a Costa Rica
todos los años conocen bien la zona.
*People who go to Costa Rica
every year know the area well.*

ANTECEDENT UNCERTAIN → SUBJUNCTIVE

Necesito un libro que **tenga**
información sobre las ruinas mayas.
*I need a book that has information
about Mayan ruins.*

Buscamos documentos que **describan**
el itinerario del viaje.
*We're looking for (any) documents that
(may) describe the itinerary for the trip.*

Las personas que **vayan** a Costa Rica
podrán visitar el nuevo museo.
*People going to Costa Rica
will be able to visit the new museum.*

• When the antecedent of an adjective clause is a negative pronoun (**nadie, ninguno/a**), the subjunctive is used in the subordinate clause.

¡Quiero ir a un lugar
que tenga una hermosa
vista para volar
mi dron!

¡No conozco
a nadie que se
queje tanto
como tú!

ANTECEDENT CERTAIN → INDICATIVE

Elena tiene tres parientes que
viven en San Salvador.
*Elena has three relatives who
live in San Salvador.*

Para su viaje, hay dos países
que **requieren** una visa.
*For your trip, there are two
countries that require visas.*

Hay muchos viajeros que **quieren**
quedarse en el hotel.
*There are many travelers who
want to stay at the hotel.*

ANTECEDENT UNCERTAIN → SUBJUNCTIVE

Elena no tiene **ningún** pariente
que **viva** en La Palma.
*Elena doesn't have any relatives
who live in La Palma.*

Para su viaje, no hay **ningún** país
que **requiera** una visa.
*For your trip, there are no
countries that require a visa.*

No hay **nadie** que **quiera**
alojarse en el albergue.
*There is nobody who wants to
stay at the hostel.*

- Do not use the personal **a** with direct objects that represent hypothetical persons.

ANTECEDENT CERTAIN → INDICATIVE	ANTECEDENT UNCERTAIN → SUBJUNCTIVE
Conozco **a** un guía que **habla** inglés. *I know a guide who speaks English.*	Busco un guía que **hable** inglés. *I'm looking for a guide who speaks English.*

- Use the personal **a** before **nadie, ninguno/a,** and **alguien,** even when their existence is uncertain.

ANTECEDENT CERTAIN → INDICATIVE	ANTECEDENT UNCERTAIN → SUBJUNCTIVE
Yo conozco **a alguien** que **se queja** aún más... ¡la mía! *I know someone who complains even more... mine!*	No conozco **a nadie** que **se queje** tanto como mi abuela. *I don't know anyone who complains as much as my grandmother.*

- The subjunctive is commonly used in questions with adjective clauses when the speaker is trying to find out information about which he or she is uncertain. If the person who responds knows the information, the indicative is used.

ANTECEDENT CERTAIN → INDICATIVE	ANTECEDENT UNCERTAIN → SUBJUNCTIVE
Sí, el hotel Flamingo **está** justo en la playa. *Yes, the Flamingo Hotel is right on the beach.*	¿Me recomienda usted un hotel que **esté** cerca de la costa? *Can you recommend a hotel that is near the coast?*
Vea ésta y, si no, tengo tres más que **son** muy fáciles de usar. *Look at this one, and if not, I have three others that are very easy to use.*	¿Tiene otra brújula que **sea** más fácil de usar? *Do you have another compass that is easier to use?*

Hotel Tucán

En el hotel Tucán su satisfacción es lo más importante. Si hay alguna cosa que podamos hacer para mejorar nuestros servicios, no dude en informarnos.

- Remind students that the personal **a** is not used after certain verbs. Ex: **No hay nadie que…/Hay una mujer que…/Tengo un novio que…/No tengo ningún amigo que…**
- For oral practice, ask closed-ended questions; repeat the answer, using complete sentences and the subjunctive. Ex: ___, **¿conoces a alguien que sepa hablar japonés? (No.) ___ no conoce a nadie que sepa hablar japonés, pero ___ conoce a una joven japonesa que estudia inglés.**
- Check comprehension by giving students sentences with adjective clauses and asking them to provide the correct form of the verb. **Prefiero la playa donde ___ menos gente. (hay) Prefiero una playa donde ___ menos gente. (haya)**
- Ask a volunteer to read the ad for **Hotel Tucán** and explain why the verb **podamos** is in the subjunctive.

DIFFERENTIATION

For Inclusion Help students become accustomed to using the subjunctive in adjective clauses. Form small groups and have students imagine they need to hire a tour guide for a class trip. Ask them to create a classified ad in which they list five qualities they are seeking. Ex: **Buscamos un guía que tenga mucha experiencia.** Tip: You might brainstorm ideas with the class before groups begin working on their own.

DIFFERENTIATION   Presentational Communication

To Challenge Students Ask students to describe their ideal summer vacation. Their descriptions should include only sentences in the subjunctive. Tell students to use verbs such as **necesitar, querer, buscar, encontrar, conocer,** and **haber.**

Teaching Tips

1 Expansion Have students create additional items for each column. Then have them exchange papers with a classmate and complete the sentences.

2 As a homework project, have students research Nicaragua and prepare an itinerary for Carmen, complete with photographs and detailed descriptions of the areas she will visit. This is a good assignment for group work.

3 Explain that **lo ideal** means *the ideal thing*. Other common phrases using **lo** are **lo mejor** (*the best thing*), **lo peor** (*the worst thing*), and **lo importante** (*the important thing*). The neuter **lo** is covered in detail in **Estructura 9.3**.

1 **Oraciones** Combina las frases de las dos columnas para formar oraciones lógicas. Recuerda que a veces vas a necesitar el subjuntivo y a veces no.

<u>c</u> 1. Luis tiene un hermano que   a. sea alta e inteligente.

<u>d</u> 2. Tengo dos primos que   b. sean respetuosos y estudiosos.

<u>e/a</u> 3. No conozco a nadie que   c. canta cuando se ducha.

<u>e/a</u> 4. Jorge busca una novia que   d. hablan español.

<u>b</u> 5. Quiero tener hijos que   e. hable más de cinco lenguas.

Interpersonal Communication

2 **El agente de viajes** Carmen va a ir de vacaciones a Montelimar, en Nicaragua, y le escribe un correo electrónico a su agente de viajes explicándole cuáles son sus planes. Completa el correo electrónico con el subjuntivo o el indicativo.

De:	Carmen <carmen@micorreo.com>
Para:	Jorge <jorge@micorreo.com>
Asunto:	Viaje a Montelimar

Querido Jorge:

Estoy muy contenta porque el mes que viene voy a viajar a Montelimar para tomar unas vacaciones. He estado pensando en el viaje y quiero decirte qué me gustaría hacer. Quiero ir a un hotel que (1) __sea__ (ser) de cinco estrellas y que (2) __tenga__ (tener) vista al mar. Me gustaría hacer una excursión que (3) __dure__ (durar) varios días y que me (4) __permita__ (permitir) ver el famoso lago Nicaragua. ¿Qué te parece?

Mi hermano me dice que hay un guía turístico que (5) __conoce__ (conocer) algunos lugares exóticos y que me puede llevar a verlos. También dice que el guía es un hombre que (6) __tiene__ (tener) el pelo muy rubio y (7) __es__ (ser) muy alto. ¿Tú lo conoces? Creo que se llama Ernesto Montero.

Espero tu respuesta.
Carmen

Interpersonal Communication

3 **El ideal** En parejas, imaginen cómo es el/la compañero/a ideal en cada una de estas situaciones. Si ya conocen a una persona que tiene las características ideales, también pueden hablar de él/ella. Utilicen el subjuntivo o el indicativo de acuerdo a la situación.

MODELO Lo ideal es hablar con alguien que escuche con mucha atención.

- alguien con quien hablar
- alguien con quien estudiar
- alguien con quien ver películas de amor o de aventura
- alguien con quien comprar ropa
- alguien con quien hacer ejercicio
- alguien con quien viajar por el desierto de Atacama

LEARNING STYLES

For Auditory Learners Use these four sentences as dictation. Read each twice, pausing the second time for students to write. **1. ¿Conoces un albergue estudiantil donde haya servicio de habitaciones? 2. No, los albergues que conozco no tienen este tipo de servicio. 3. Busco un alojamiento que sea barato pero con comida incluida. 4. El Hotel Tucán es la mejor opción.** For an informal assessment, correct in class.

LEARNING STYLES

For Kinesthetic Learners Read a series of main clauses that take the subjunctive or the indicative mood. Ex. **Hay muchas personas que...; No existe ninguna persona que...** If the main clause takes the subjunctive, have students raise one hand. If the sentence takes the indicative, students should raise both hands. Call on volunteers to complete with a subordinate clause the main clause you provide.

Comunicación

Presentational Communication

4 Anuncios En parejas, imaginen que escriben anuncios para el diario *El País*. El jefe les ha dejado algunos mensajes indicándoles qué anuncios deben escribir. Escriban anuncios detallados sobre lo que se busca usando el indicativo o el subjuntivo. Después inventen dos anuncios originales para enseñárselos a la clase.

La familia Pérez busca a su perro Tomás, que se perdió en el parque. Aquí tienen una foto de él.

Miguel y Carlos Solís buscan un guía turístico para su viaje a los volcanes de Guatemala.

Interpretive Communication

School & Global Communities

Interpersonal Communication

5 Síntesis La tormenta tropical Néstor azota (*is hitting*) las costas de Florida. Tú y un(a) compañero/a deben cubrir esta noticia para un programa de televisión. Uno/a de ustedes es el/la corresponsal y la otra persona es el/la conductor(a) del programa. Escriban una conversación sobre este desastre y sus consecuencias. Usen comparativos, superlativos, el subjuntivo en oraciones subordinadas adjetivas y expresiones negativas, afirmativas e indefinidas.

MODELO

CONDUCTOR(A) Cuéntanos, Juan Francisco, ¿cómo es la tormenta?
CORRESPONSAL ¡Nunca he visto una tormenta tan destructiva! ¡No hay casas que puedan soportar vientos tan fuertes!
CONDUCTOR(A) ¡Pero no es posible que el viento sea más fuerte que durante la tormenta Ximena en 1996!
CORRESPONSAL Les aseguro que esta tormenta es la peor...

PUEDO publicar anuncios y hablar sobre noticias recientes.

---

4 Students can also do **Actividad 4** with their books closed. Display Digital Image Bank #41, under **Estructura 5.3, Actividad 5**, and have them work in pairs.

4 Culture Note Have students view the *El País* website. Explain that it is a prominent newspaper in Spain and the Spanish-speaking world.

4 Partner Chat Available online.

Pre-AP*

AP Skill Category 8

5 Have students work in pairs to prepare a mock interview with a resident of the Florida coast.

Pre-AP*

5 Interpersonal Speaking Have students work in pairs to prepare a mock interview with a resident of the Florida coast. Then have students perform their interviews for the class. Encourage them to bring in props and other visual aids (an umbrella, a rain jacket, a microphone).

NATIONAL STANDARDS
Communities Have students go through classified ads from Spanish-language newspapers. What do they notice about the ads? In what ways are they similar to or different from ads in English-language papers?

Language Comparisons

Cultural Comparisons

PRE-AP*

Interpersonal Communication

Interpersonal Writing, Part A Have students write a personal ad to find a date for prom. They should write at least eight sentences using the subjunctive in adjective clauses to describe the type of person they are seeking. Tell them: **Ahora vas a escribir un anuncio. Describe a la persona con quien quieres ir al baile del colegio. Por ejemplo, "Prefiero un chico que sepa bailar bien".**

PRE-AP*

Interpersonal Writing, Part B Read several ads to students, and have them correct any errors. Then have students exchange ads and answer them, pretending to be the ideal date. Say: **Ahora contesta el anuncio, explicando por qué eres la persona ideal. Por ejemplo, "Soy un chico que baila bien".**

Section Goals

In **En pantalla**, students will:
- watch the short film *La autoridad*
- practice listening for and using vocabulary and structures learned in this chapter

 Pre-AP*

AP Skill Categories
1 2 3 4

Student Resources
Online Video and Activities

Teacher Resources
Transcript & Translation

Teaching Tips

1 Tell students that the expression **¡menuda paliza!** (literally "what a beating!") is a colloquial expression in Spain and is used in the same way that the expression "what a hassle!" is used in North America.

2 Expansion Ask students to share their answers with the class. Facilitate a debate about items 4 and 5.

3 Ask students to write a possible interaction based on the video still. Have them compare their predictions with a classmate and practice each other's written conversations.

Antes de ver el corto

LA AUTORIDAD

país España   **director** Xavi Sala

duración 10 minutos   **protagonistas** padre, madre, niños, policías

Vocabulario

el carné de conducir *driver's license*	**¿Me permite?** *May I?*
denunciar *to report*	**la molestia** *annoyance*
descargar *to unload*	**ni se le ocurra** *don't you dare*
jurar *to swear*	**el permiso de circulación** *car registration*
¡menuda paliza! *what a hassle! (fig.)*	**sin novedad** *no news*

1 **Un largo viaje** Completa el diálogo entre Juan y Andrea con las palabras y expresiones del vocabulario.

JUAN Andrea, ¿me ayudas a (1) ___descargar___ el coche? Tengo muchas cosas porque acabo de hacer las compras para mi viaje en coche a Nuevo México.

ANDREA ¡Vaya! ¡A Nuevo México! (2) ___¡Menuda paliza!___ ¡Esos son casi dos mil kilómetros! Oye, ¿pero tú tienes todos tus documentos? ¿Tienes (3) ___carné de conducir___?

JUAN Claro, lo tengo desde hace dos años. Y acabo de renovar el (4) ___permiso de circulación___ de mi coche. El que no tiene carné es Javier.

ANDREA ¿Ah, no? Oye, ¡pues espero que (5) ___ni se le ocurra___ ponerse detrás del volante!

JUAN ¡No te preocupes! Él es muy responsable.

Interpersonal Communication

2 **Precauciones** En grupos pequeños, contesten estas preguntas. Luego, compartan sus respuestas con la clase.

1. ¿Qué precauciones se deben tener cuando se hace un viaje muy largo en coche?
2. ¿Qué documentos debe llevar el conductor en un viaje en coche?
3. ¿Cuáles son las funciones de las autoridades en las carreteras?
4. ¿Cuál debe ser la actitud de esas autoridades con respecto a los conductores?
5. ¿Y cuál debe ser la actitud de los conductores con respecto a las autoridades? ¿Deben obedecer todo lo que les pidan?

Interpretive Communication
Interpersonal Communication

3 **¿Qué está pasando?** En parejas, miren la escena del cortometraje e imaginen quién está dentro del vehículo y qué pasará a continuación.

CRITICAL THINKING

Relating Cultural Practices to Perspectives   *Making Connections*

Analysis and Evaluation Show students a map of Spain and neighboring Morocco. Tell them that every summer thousands of people travel by car across Spain to the port of Algeciras, where you can cross the Strait of Gibraltar to Morocco.

Explain that in Spain and other parts of Europe, immigration is very controversial. Ask students what they know about the

CRITICAL THINKING

recent influx of immigrants to Europe. Ex: **¿De dónde provienen, generalmente? ¿Dónde se instalan? Además de España, ¿a qué otros países de Europa se dirigen? ¿Por qué la inmigración genera controversia?** Ask students to list the sources of potential conflict between newcomers and established citizens.

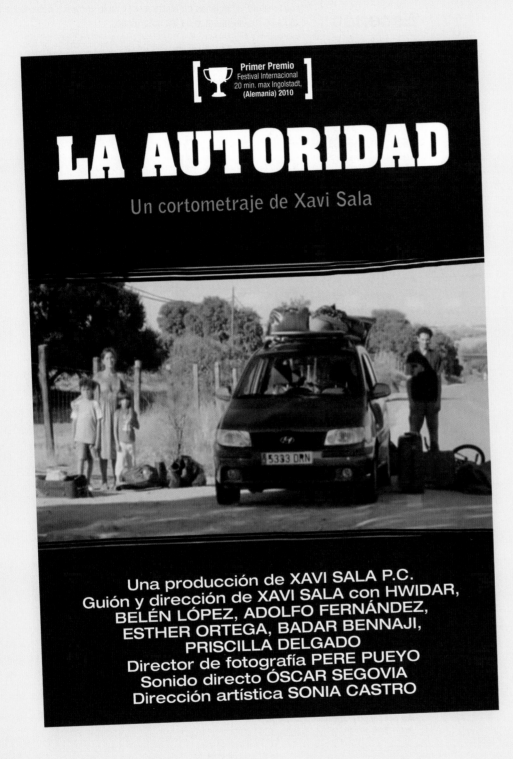

Primer Premio
Festival Internacional
20 min. max Ingolstadt,
(Alemania) 2010

LA AUTORIDAD

Un cortometraje de Xavi Sala

Una producción de XAVI SALA P.C.
Guión y dirección de XAVI SALA con HWIDAR,
BELÉN LÓPEZ, ADOLFO FERNÁNDEZ,
ESTHER ORTEGA, BADAR BENNAJI,
PRISCILLA DELGADO
Director de fotografía PERE PUEYO
Sonido directo ÓSCAR SEGOVIA
Dirección artística SONIA CASTRO

- Tell students that the **cortometraje** is about a road trip. Have students look at the film poster, and ask them what kind of trip they think it is. (**Es un viaje familiar en coche; al parecer es un viaje largo; parecen unas vacaciones.**)
- Ask students to name movies they have seen about road trips. Encourage them to share their opinions about the movies.
- Have pairs of students describe the scene in the poster including as many details as possible. Ask them to think about the relationship between the image and title. Ask: **¿Por qué creen que un corto sobre un viaje familiar se llama *La autoridad*?**
- Ask students to write down predictions about the film. Then, once they have watched the film, have them review their predictions to see if they were correct.

 Pre-AP*

Interpretive Audiovisual Communication
Have students analyze the characters on the poster. Ask: **¿Cómo se sienten ellos? ¿Están cansados? ¿Por qué? ¿Qué están mirando?**

CRITICAL THINKING   Making Connections   Lifelong Learning

Evaluation Before students watch the film, have them brainstorm what aspects of a film critics generally discuss in their reviews. Have them jot down three criteria they will use to evaluate this film, such as cinematography, plot/script, or character development.

CRITICAL THINKING   Presentational Communication

After the class has watched the film, have students share their personal opinions based on these criteria. As an expansion activity, ask them to write a review of the film in which they share their personal opinion about it and say whether or not they would recommend it to potential viewers. Have them exchange their reviews for peer editing.

212

Video Synopsis A family is stopped by Spanish police while driving home from a vacation in Morocco. The police officers force the father to unload the car in the heat of the day, and one of them makes racially charged comments. Later on, the family comes across the police cruiser again, and it's been in an accident.

Pre-AP®

Interpretive Reading
Ask pairs of students to cover up the captions and look only at the photos. Have them invent their own captions based on the visual clues. After they have watched the short film, ask the same pairs to explain how their captions were accurate and how they were not.

Teaching Tips
- Have students focus on video still 4. Ask: **¿Por qué el policía le pide al hombre que saque todo su equipaje? ¿Crees que lo hará?**
- Have students focus on video still 6. Ask: **¿Por qué la mujer dice "No hay derecho a que nos traten así"?**

Escenas

ARGUMENTO Una familia regresa a su casa en España después de un largo viaje de vacaciones en Marruecos, y en la carretera debe responder a algunos requerimientos de las autoridades.

NIÑOS *Mon pare no té nas, mon pare no té nas, ma mare és xata.*°

POLICÍA El permiso de circulación, por favor.
PADRE Sí.
POLICÍA Y el carné de conducir.
PADRE Sí. Ahí tiene.
POLICÍA ¿Sois españoles?

PADRE Venimos de Marruecos, de visitar a la familia.

POLICÍA Le agradecería que lo sacara todo. Pura rutina, ya sabe.
PADRE ¿Todo?
POLICÍA Mejor.

PADRE Le juro que no llevo nada.

MADRE No hay derecho a que nos traten así.
PADRE ¡Sara!
POLICÍA Entiendo que se sienta así, pero ¿qué quiere? ¿Que nos echen?

Mon pare... *Mi padre no tiene nariz, mi padre no tiene nariz, mi madre es chata.*

PRE-AP® | Interpersonal Communication

Interpersonal Speaking Ask students to work in pairs and describe to each other a family trip that they remember well. Encourage them to include as many details as possible and mention whether or not any unexpected incidents occurred during the trip.

CRITICAL THINKING | Interpretive Communication

Synthesis Ask pairs of students to write ten sentences on separate strips of paper summarizing the events in the film. Then, have them give the strips of paper to other pairs to put in chronological order.

Después de ver el corto

1 **Comprensión** Contesta las preguntas con oraciones completas.

1. ¿Quiénes son las personas que van en el coche?
   En el coche van un padre, una madre y sus dos hijos.
2. ¿Adónde van?
   Van a Alicante después de pasar las vacaciones en Marruecos.
3. ¿Por qué paran el coche en la carretera?
   La policía los obliga a parar.
4. ¿De dónde es la familia?
   La familia es de España.
5. ¿Cómo lo sabes?
   El policía lo ve en el carné de conducir.
6. Según el padre, ¿qué llevan encima del coche?
   Llevan objetos personales.
7. Después de que el policía revisa los documentos del conductor, ¿qué le pide que haga?
   Le pide que se baje y que descargue todo el coche.
8. ¿Qué le sugiere la mujer policía a la madre? ¿Por qué?
   Le sugiere que se baje del coche porque hace mucho calor.
9. ¿Qué busca la policía en el coche de la familia?
   La policía busca drogas en el coche de la familia.
10. ¿Qué pasa cuando la familia continúa su viaje hacia Alicante?
    Ven que los policías que los pararon han tenido un accidente.

Interpretive Communication

2 **Interpretación** Responde a las siguientes preguntas sobre el cortometraje. *Answers will vary.*

1. ¿Por qué crees que los policías hacen parar a la familia?
   Los policías paran a la familia porque creen que son inmigrantes marroquíes.
2. El policía se sorprende al comprobar que es una familia española. ¿Por qué?
   El policía se sorprende porque creía que el padre era marroquí.
3. ¿Crees que la familia se sentía segura durante el incidente con la policía? ¿Por qué?
   No. Todos los miembros de la familia se sienten incómodos y ofendidos debido a la actitud de los policías.
4. En un momento del cortometraje el policía dice: "¿Qué quiere?, ¿que nos echen?" ¿A qué se refiere?
   Se refiere a que, si no cumple con su deber, puede perder su trabajo.
5. Después del incidente con la policía, vemos a la familia comiendo en silencio. ¿Por qué crees que no hablan?
   Todavía están pensando en el desagradable incidente.

Interpretive Communication

3 **Reacciones** En el cortometraje la familia debe enfrentarse a los prejuicios y al maltrato de los dos policías. En grupos de tres, discutan sobre los siguientes temas. Luego, compartan sus ideas con la clase.

- ¿Cómo describirían las reacciones de la madre y del padre ante esta situación?
- ¿Son similares o diferentes sus reacciones?
- ¿Qué creen que sintió cada uno?
- ¿Y cómo crees que se sintieron los niños?
- ¿Cómo reaccionarías tú en una situación similar?

Interpersonal Communication

4 **Antes y después** Haz una tabla de dos columnas con los títulos **Antes** y **Después**. En las columnas correspondientes, describe los sentimientos de cada uno de los personajes antes y después de que los policías los detuvieran. Compara tu tabla con la de un(a) compañero/a.

Interpretive Communication

5 **¿Qué harías tú?** Al final del cortometraje, el padre se queda paralizado sin saber qué hacer. Escribe un párrafo en el que cuentes qué habrías hecho tú en su situación y por qué. Comparte tu párrafo con un grupo de compañeros/as y discutan sus opiniones.

Interpersonal Communication

Presentational Communication

Teaching Tips

1 Ask additional comprehension questions. Examples: **¿Qué dice la madre después de que la policía la examina? (Dice que los va a denunciar.) ¿Cómo excusa el padre la actitud de la madre? (Le dice al policía que la disculpe porque está un poco nerviosa.)**

Formative Assessment
Monitor listening/viewing comprehension through student responses and offer feedback or replay segments that were misunderstood.

2 Ask students to cite specific words or actions that may have offended the family. Ask: **¿Qué acciones o palabras de los policías les parecen ofensivas? ¿Creen que los policías tratan a la familia con cortesía?**

3 **Partner Chat**
Available online.

4 Remind students to use the imperfect tense to describe how the characters were feeling before the incident.

5 Encourage students to think about what will happen after the ending of the short film. Brainstorm ideas by asking questions such as: **¿Creen que la familia les ayudará a los policías?**

Los viajes

doscientos trece **213**

En pantalla **213**

CRITICAL THINKING

Analysis and Evaluation Encourage students to think about what will happen once the family finally gets home. Ask: **¿Creen que la madre va a denunciar a los policías? ¿Su esposo se lo va a impedir? ¿La familia irá a visitar a los policías al hospital?** As an expansion activity, encourage them to write a script for a sequel.

CRITICAL THINKING

Relating Cultural Practices to Perspectives | Making Connections | Acquiring Information & Diverse Perspectives | Cultural Comparisons

Application and Analysis Ask students to do online research on immigration in Spain. Encourage them to find information on the places of origin of most immigrants in Spain, their social situation, and the conflicts and debates that immigration brings up. Ask them to compare their findings with the situation in the U.S.

Objetivo comunicativo: Hablar sobre los personajes de un cuento que utiliza el realismo mágico

Section Goals

In **Lecturas**, students will:
- learn about **Gabriel García Márquez** and **el realismo mágico** and read his short story *La luz es como el agua*
- learn about **la ruta maya**

AP Skill Categories
1 2 3 4

Student Resources
Cuaderno de actividades, p. 116
Online Activities, *eCuaderno*

Teacher Resources
Workbook TE

Teaching Tips
Sobre el autor Ask: **¿Los viajes de un(a) artista influyen en sus obras? ¿Cómo?** Have students give examples.

Palabras relacionadas
Have students explain what the three remaining words have in common.

Conexión personal Ask questions like: **¿Viajabas mucho cuando eras niño/a? ¿Cómo crees que tu percepción de un lugar cambia con la edad?**

NATIONAL STANDARDS
Connections: Literature
For advanced classes, have students read and analyze additional examples of magical realism by García Márquez or other writers.

Making Connections

Antes de leer

La luz es como el agua

Sobre el autor

Nacido en 1928 en Aracataca, Colombia, **Gabriel García Márquez** fue criado por sus abuelos entre mitos y leyendas que serán la base de su futura obra narrativa. Abandonó sus estudios de derecho para dedicarse al periodismo. Como corresponsal en Italia, viajó por toda Europa. Vivió en diferentes lugares y escribió guiones *(scripts)* de cine, cuentos y novelas. En 1967 publicó su novela más famosa, *Cien años de soledad,* y en 1982 recibió el Premio Nobel de Literatura. Tras su muerte en 2014, se le recuerda como uno de los narradores contemporáneos más influyentes de la literatura en español, y quizá como el más querido. De su libro *Doce cuentos peregrinos* (al que pertenece el cuento "La luz es como el agua"), dijo que lo escribió porque quería hablar "sobre las cosas extrañas que les suceden a los latinoamericanos en Europa".

Vocabulario

ahogado/a *drowned*	**el faro** *lighthouse*	**la popa** *stern*
la bahía *bay*	**flotar** *to float*	**la proa** *bow*
el bote *boat*	**el muelle** *pier*	**el remo** *oar*
la cascada *cascade; waterfall*	**la pesca** *fishing*	**el tiburón** *shark*

1 **Palabras relacionadas** Indica qué palabra no pertenece al grupo.
1. bote–remo–mueble–navegar
2. brújula–balcón–puerto–proa
3. pesca–buceo–tiburones–tigre
4. popa–edificio–cascada–bahía

2 **Conexión personal** Responde estas preguntas: Cuando eras niño/a, ¿te gustaba soñar con viajes a lugares imposibles? ¿Sigues soñando o imaginando viajes a lugares fantásticos o imposibles? ¿Alguna vez viviste en un país extranjero? ¿Qué cosas extrañabas?

3 **Análisis literario: el realismo mágico**

El realismo mágico es una síntesis entre el realismo y la literatura fantástica. Muchos escritores latinoamericanos, como Gabriel García Márquez y Carlos Fuentes, incorporaron elementos fantásticos al mundo cotidiano de los personajes, que aceptan la magia y la fantasía como normales. En el realismo mágico, lo real se torna mágico, lo maravilloso es parte de lo cotidiano y no se cuestiona la lógica de lo fantástico. Uno de los precursores del género, Alejo Carpentier, explicó que "En América Latina, lo maravilloso se encuentra en vuelta de cada esquina, en el desorden, en lo pintoresco de nuestras ciudades, ... en nuestra naturaleza y... también en nuestra historia". Presta atención a la representación de la realidad en el cuento.

CRITICAL THINKING   Making Connections

Application and Analysis Ask students to think back to their childhood. Ask: **¿Qué importancia tiene la fantasía para los niños? ¿Tenían amigos imaginarios de niños/as? ¿Creaban mundos ficticios?** Tell them to jot down their answers. Once students have read *La luz es como el agua,* have them make personal connections with the story.

CRITICAL THINKING   Acquiring Information & Diverse Perspectives   Cultural Comparisons

Knowledge and Comprehension Have students research the respective climates and landscapes of Cartagena de Indias and Madrid on the Internet. Ask students to guess how this information might be important to the story. This preview activity will help guide students' reading and comprehension of the story.

Teaching Tips
- Tell students to look at the artwork. Ask: **¿Cómo son los personajes de este cuadro? ¿Qué crees que opina el artista sobre los viajes?**
- Ask students what the memories of trips they have taken mean to them. Ask: **¿Crees que un viaje puede cambiar la vida? ¿Conocer otro lugar te hace apreciar más tu casa?**

Altamar, 2000
Graciela Rodo Boulanger, Bolivia

La luz es como el agua

Gabriel García Márquez

En Navidad los niños volvieron a pedir un bote de remos.

—De acuerdo —dijo el papá, lo compraremos cuando volvamos a Cartagena.

5 Totó, de nueve años, y Joel, de siete, estaban más decididos de lo que sus padres creían.

—No —dijeron a coro°—. Nos hace falta ahora y aquí.

in unison

—Para empezar —dijo la madre—, aquí no 10 hay más aguas navegables que la que sale de la ducha°.

shower

Tanto ella como el esposo tenían razón. En la casa de Cartagena de Indias había un patio con un muelle sobre la bahía, y un refugio para dos yates grandes. En cambio aquí en Madrid 15 vivían apretados° en el piso quinto del número 47 del Paseo de la Castellana. Pero al final ni él ni ella pudieron negarse, porque les habían prometido un bote de remos con su sextante y su brújula si se ganaban el laurel del tercer año 20 de primaria, y se lo habían ganado. Así que el papá compró todo sin decirle nada a su esposa, que era la más reacia° a pagar deudas de juego. Era un precioso bote de aluminio con un hilo dorado en la línea de flotación. 25

—El bote está en el garaje —reveló el papá

cramped

reluctant

Los viajes   *doscientos quince* **215**

CRITICAL THINKING [Interpretive Communication]

Analysis Tell students to look at the painting. Ask them to imagine the relationship between the figures on the boat and the figures in the water. Are the children playing? Are some of them trying to rescue the others?

CRITICAL THINKING [Interpersonal Communication]

Synthesis Have students work in small groups to create personalities for the different figures represented in the painting. Then have them write a conversation to illustrate what is going on in the image. Have groups perform their conversations for the class.

- You may want to pair students having difficulty with the reading with more advanced students, who can ask basic comprehension questions while the other students reread sections of the story.
- Tell students to pay special attention to the descriptions of Cartagena de Indias and Madrid at the beginning of the story.
- Have students look for positive and negative expressions as they read. You may want to have them keep a running list, to reemphasize what they learned in **Estructura 5.2**.
- As students read, have them consider the voice of the narrator. Who is he or she, and how does he or she relate to the characters? Is it important that the narrator take the credit for the children's adventures?

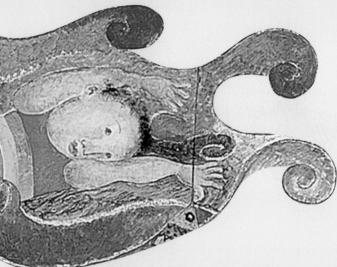

en el almuerzo—. El problema es que no hay cómo subirlo ni por el ascensor ni por la escalera, y en el garaje no hay más espacio disponible.

Sin embargo, la tarde del sábado siguiente los niños invitaron a sus condiscípulos° para subir el bote por las escaleras, y lograron llevarlo hasta el cuarto de servicio.

—Felicitaciones —les dijo el papá—, ¿ahora qué?

—Ahora nada —dijeron los niños—. Lo único que queríamos era tener el bote en el cuarto, y ya está.

La noche del miércoles, como todos los miércoles, los padres se fueron al cine. Los niños, dueños y señores de la casa, cerraron puertas y ventanas, y rompieron la bombilla° encendida de una lámpara de la sala. Un chorro° de luz dorada° y fresca como el agua empezó a salir de la bombilla rota, y lo dejaron correr hasta que el nivel llegó a cuatro palmos. Entonces cortaron la corriente°, sacaron el bote, y navegaron a placer° por entre las islas de la casa.

Esta aventura fabulosa fue el resultado de una ligereza° mía cuando participaba en un seminario sobre la poesía de los utensilios domésticos. Totó me preguntó cómo era que la luz se encendía con sólo apretar un botón, y

schoolmates

light bulb

spurt/golden

current

at their pleasure

lightness

yo no tuve el valor de pensarlo dos veces.

—La luz es como el agua —le contesté—: uno abre el grifo°, y sale.

faucet

De modo que siguieron navegando los miércoles en la noche, aprendiendo el manejo del sextante y la brújula, hasta que los padres regresaban del cine y los encontraban dormidos como ángeles de tierra firme. Meses después, ansiosos de ir más lejos, pidieron un equipo de pesca submarina. Con todo: máscaras, aletas, tanques y escopetas de aire comprimido.

—Está mal que tengan en el cuarto de servicio un bote de remos que no les sirve para nada —dijo el padre—. Pero está peor que quieran tener además equipos de buceo.

—¿Y si nos ganamos la gardenia de oro del primer semestre? —dijo Joel.

—No —dijo la madre, asustada—. Ya no más.

El padre le reprochó su intransigencia.

—Es que estos niños no se ganan ni un clavo° por cumplir con su deber —dijo ella—, pero por un capricho° son capaces de ganarse hasta la silla del maestro.

nail

whim

Los padres no dijeron al fin ni que sí ni que no. Pero Totó y Joel, que habían sido los últimos en los dos años anteriores, se ganaron en julio las dos gardenias de oro y el reconocimiento público del rector. Esa misma tarde, sin que hubieran vuelto a pedirlos, encontraron en el dormitorio los equipos de buzos en su empaque original. De modo que el miércoles siguiente, mientras los padres veían *El último tango en París*, llenaron el apartamento hasta la altura de dos brazas, bucearon como tiburones mansos° por debajo de los muebles y las camas, y rescataron del fondo° de la luz las cosas que durante años se habían perdido en la oscuridad.

En la premiación° final los hermanos fueron aclamados como ejemplo para la escuela, y les dieron diplomas de excelencia. Esta vez no

tame

bottom

awards ceremony

PRE-AP* | Interpretive Communication | Presentational Communication | School & Global Communities |

Presentational Writing Find an interview in podcast form with the author Gabriel García Márquez. The interview should last two to three minutes. Then have students read the story and one article in Spanish about the author. Have them take notes about the podcast and about all that they read.

Using the notes, students have 45 minutes in class to address this topic in 200 words: **Escriban 200 palabras o más sobre cómo vemos que la luz es como agua y la razón por la cual esto es realismo mágico. Incluyan información de las tres fuentes y no olviden citarlas.**

tuvieron que pedir nada, porque los padres les preguntaron qué querían. Ellos fueron
100 tan razonables, que sólo quisieron una fiesta en casa para agasajar° a los compañeros de curso. El papá, a solas con su mujer, estaba radiante.

—Es una prueba de madurez —dijo.

—Dios te oiga —dijo la madre.

105 El miércoles siguiente, mientras los padres veían *La Batalla de Argel*, la gente que pasó por la Castellana vio una cascada de luz que caía de un viejo edificio escondido entre los árboles. Salía por los balcones, se derramaba
110 a raudales° por la fachada°, y se encauzó° por la gran avenida en un torrente dorado que iluminó la ciudad hasta el Guadarrama. Llamados de urgencia, los bomberos forzaron la puerta del quinto piso, y encontraron la casa
115 rebosada° de luz hasta el techo. El sofá y los sillones forrados° en piel de leopardo flotaban en la sala a distintos niveles, entre las botellas del bar y el piano de cola y su mantón de Manila que aleteaba° a media agua como una
120 mantarraya de oro. Los utensilios domésticos, en la plenitud de su poesía, volaban con sus propias alas° por el cielo de la cocina. Los instrumentos de la banda de guerra, que los niños usaban para bailar, flotaban al garete°
125 entre los peces de colores liberados de la pecera de mamá, que eran los únicos que flotaban vivos y felices en la vasta ciénaga° iluminada. En el cuarto de baño flotaban los

to entertain (99)
poured out in (110)
abundance/
façade/
channeled
overflowed (115)
covered
fluttered
wings
adrift
marsh

cepillos de dientes de todos, los preservativos de papá, los pomos° de cremas y la dentadura 130 de repuesto de mamá, y el televisor de la alcoba° principal flotaba de costado°, todavía encendido en el último episodio de la película de media noche prohibida para niños. Al final del corredor, flotando entre dos 135 aguas, Totó estaba sentado en la popa del bote, aferrado° a los remos y con la máscara puesta, buscando el faro del puerto hasta donde le alcanzó el aire de los tanques, y Joel flotaba en la proa buscando todavía la altura 140 de la estrella polar con el sextante, y flotaban por toda la casa sus treinta y siete compañeros de clase, eternizados en el instante de hacer pipí° en la maceta° de geranios, de cantar el himno de la escuela con la letra cambiada por 145 versos de burla contra el rector, de beberse a escondidas un vaso de brandy de la botella de papá. Pues habían abierto tantas luces al mismo tiempo que la casa se había rebosado, y todo el cuarto año elemental de la escuela de 150 San Julián el Hospitalario se había ahogado en el piso quinto del número 47 del Paseo de la Castellana. En Madrid de España, una ciudad remota de veranos ardientes y vientos helados, sin mar ni río, y cuyos aborígenes° de tierra 155 firme nunca fueron maestros en la ciencia de navegar en la luz. ∎

jars (130)
bedroom/
sideways
clinging
to pee/
flowerpot
natives (155)

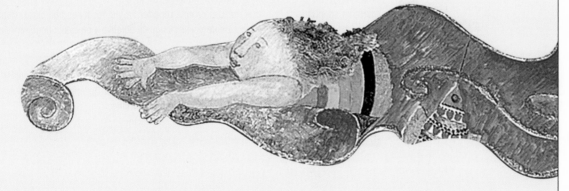

CRITICAL THINKING

Comprehension Once students have read the story, have them work with a classmate. Tell them to describe each of the different "trips" that **Totó** and **Joel** took sailing on the light. Have them explain in their own words how each trip differs from the next, and how the final "trip" may have changed the characters' lives.

CRITICAL THINKING | Interpretive Communication | Lifelong Learning

Application and Analysis Have students read the last line of the story to themselves. Then have them share their interpretations and opinions. Is it open ended? What does the narrator mean by the **"ciencia de navegar en la luz"**? Can a fantastical idea also be considered a science? Tell students to apply their knowledge of magical realism.

• Break the story into sections. Have students write the main ideas of one section at a time, including references to real and magical elements.

• To guide students' comprehension, have them scan the **Después de leer** activities before they begin reading the story. This will help them know what elements to look for as they read.

• Tell students to look for temporal markers to guide them through the story; e.g., **en Navidad, al fin, el miércoles siguiente**, etc.

• Have students create two columns in their notebook. In the right-hand column, have them take notes about the text (setting, characters, questions, etc.). In the left-hand column, have them make personal connections with the text (moments when they empathize with characters, anecdotes, illustrations). This is a great way for visual learners to approach a difficult text.

Teaching Tips

1 Call on volunteers to write the corrected statements on the board.

2 Before completing the activity, review and discuss the concept of magical realism. Reiterate that the mixture of real and magical elements is often used in Latin American literature to reflect the notion that exotic landscapes and forces of nature are present in everyday life.

2 Virtual Chat
Available online.

3 Ask additional questions, such as: **¿Qué importancia tiene el hecho de que los padres van al cine cuando los niños se quedan solos en casa? ¿Por qué creen que el autor nos da los títulos de las películas?** (Possible answers: **Los padres también entran en su propio mundo fantástico, a través del cine. Los títulos reflejan el realismo.**)

4 Expansion Have students write the official report issued by the fire department explaining what happened to the children.

La luz es como el agua
Gabriel García Márquez

Interpretive Communication

1 **Comprensión** Indica si las oraciones son **ciertas** o **falsas**. Corrige las falsas. Some answers will vary.

1. La acción transcurre en Cartagena.
Falso. La acción transcurre en Madrid.
2. Totó y Joel dicen que quieren el bote para pasear con sus compañeros en el río.
Falso. Los niños dicen que lo único que quieren es tener el bote en el cuarto.
3. Los padres van todos los miércoles por la noche al cine.
Cierto.
4. Los niños inundan la casa con agua de la ducha.
Falso. Inundan la casa con luz de la bombilla de una lámpara de la sala.
5. Cuando llegaron los bomberos todo flotaba por el aire.
Cierto.
6. El que le sugiere a Totó la idea de que la luz es como el agua es su papá.
Falso. El que le dice eso es el narrador.

Interpretive Communication
Interpersonal Communication

2 **Análisis** En parejas, relean la definición de realismo mágico y luego respondan a las preguntas.

1. Los niños navegan "entre las islas de la casa". ¿Qué son las islas del apartamento?

2. ¿Qué significa la frase "rescataron del fondo de la luz las cosas que durante años se habían perdido en la oscuridad"? En la realidad, ¿les parece que la luz tiene fondo? En este relato, ¿cuál es el fondo de la luz?

3. Repasa el significado de *comparación* (**Lección 4**). ¿Se usan comparaciones en este relato? Escríbanlas y expliquen cómo proporcionan mayor expresividad.

Interpretive Communication

3 **Interpretación** Responde a las preguntas con oraciones completas.

1. ¿Por qué te parece que, teniendo una gran casa en Cartagena, viven en Madrid en un pequeño apartamento? ¿Cuáles crees que podrían ser las causas?

2. El narrador señala que toda la aventura de los niños es consecuencia de una "ligereza" suya, porque "no tuvo el valor de pensarlo dos veces". ¿Por qué te parece que dice eso? ¿Qué opinas tú de su respuesta? ¿Crees que él es culpable de lo que ocurre después?

3. Los niños aprovechan que sus padres no están para inundar el apartamento y guardan el secreto; sólo se lo cuentan a sus compañeros. ¿Por qué hacen eso? ¿Puedes establecer algún paralelo entre ir al cine y navegar con la luz?

Interpretive Communication
Interpersonal Communication

4 **Entrevista** En grupos de cuatro, preparen una entrevista con el primer bombero que entró en el apartamento inundado. Uno/a de ustedes es el/la reportero/a y el resto son bomberos. Hablen sobre las causas y consecuencias del accidente y usen lenguaje objetivo y preciso. Luego representen la entrevista frente a la clase.

Presentational Communication

5 **Bitácoras de viaje** Utilizando el realismo mágico, describe un día de un viaje especial. Describe adónde fuiste, qué hiciste, con quién fuiste y por qué fue especial. Describe elementos maravillosos de tu viaje y presenta detalles mágicos como si fueran normales.

PUEDO hablar sobre los personajes del cuento "La luz es como el agua".

Lección 5

CRITICAL THINKING

Synthesis Have students consider how this story might be different if Totó and Joel's parents knew about their magical trips. Would these trips have been possible? What qualities do children possess that allow them to access the fantasy world more easily than adults? You might divide the class into small groups to discuss these topics, circulating around the room to ask additional questions or make suggestions.

CRITICAL THINKING

Evaluation Tell students to choose three quotes or descriptions from the story that are representative of magical realism. Students should be able to support how these passages combine fantasy and daily life based on their understanding of this literary tool. It may be helpful for students to think of other art that combines these elements.

Antes de leer

Vocabulario

el apogeo *peak*	**el mito** *myth*
el artefacto *artifact*	**la pared** *wall*
el campo *ball field*	**la piedra** *stone*
el/la dios(a) *god/goddess*	**la pirámide** *pyramid*
el juego de pelota *ball game*	**la ruta maya** *the Mayan Trail*
la leyenda *legend*	

1 **Tikal** Completa las oraciones con palabras del vocabulario.

1. Tikal, antiguamente una gran ciudad, es ahora una impresionante colección de ruinas que se encuentra en la __ruta maya__ de Guatemala.

2. Hay seis __pirámides__ en el centro de la ciudad. Son los edificios más grandes de Tikal.

3. En la misma zona hay varios __campos__ donde se jugaba al __juego de pelota__.

4. Durante sus excavaciones, los arqueólogos han encontrado __artefactos__ fascinantes y también esculturas y monumentos de __piedra__.

2 **Conexión personal** Responde estas preguntas: ¿Cuál es la ruta más interesante que has recorrido? ¿Fue un viaje organizado o lo planeaste con tu familia?

Contexto cultural

Campo de pelota en Chichén Itzá

En la cultura maya, el deporte era a veces cuestión de vida y muerte. El juego de pelota se jugó durante más de 3.000 años en un campo entre muros (*stone walls*) con una pelota dura y muy pesada: podía llegar a pesar hasta nueve libras, aproximadamente. Este juego se celebraba en la vida cotidiana, pero a veces se jugaba como parte de una ceremonia. Entonces era un juego muy violento que acababa a veces en un sacrificio ritual; posiblemente la decapitación (*beheading*) de algunos jugadores.

Cuenta la leyenda que los hermanos gemelos Ixbalanqué y Hunahpú eran tan aficionados al juego que enojaron a los dioses de la muerte, los señores de Xibalbá, con el ruido (*noise*) que hacían con las pelotas. Los señores de Xibalbá controlaban un mundo subterráneo, al que se llegaba por una cueva (*cave*). Todo individuo que entraba en Xibalbá pasaba por una serie de pruebas terribles como cruzar un río de escorpiones, entrar en una casa llena de cuchillos en movimiento y participar en un juego mortal de pelota.

Los gemelos usaron su habilidad atlética, su inteligencia y la magia para vencer a los dioses y transformarse en el sol y la luna. Por eso, entre los mayas el juego era una competencia entre fuerzas opuestas como el bien y el mal o la luz y la oscuridad.

Los viajes

doscientos diecinueve **219**

- Use a classroom map to point out the modern-day countries that were part of the former Mayan Empire (Mexico, Guatemala, Belize, El Salvador, and Honduras). Explain that Belize is a former English colony and not a Spanish-speaking country.
- Encourage students to keep a list of key words and phrases as they read. As questions arise, have them note the line numbers for later reference.
- After students read the first paragraph, ask them to identify the main idea of the article. (Possible answer: **La ruta maya de hoy en día incluye los restos de los campos de pelota, una representación de la cultura y el deporte de esta civilización antigua.**)
- Find out if any students have visited Mayan ruins. If so, have them share details about their trip and experience.

APOGEO MAYA

Chichén Itzá
967-987 d.C.

Uxmal
600-900 d.C.

Tikal
250-800 d.C.

Copán
300-900 d.C.

La ruta maya

Los mayas, investigadores de ciencias y matemáticas y destacados° *renowned* arquitectos de espacios monumentales, han dejado evidencia de un mundo ilustre e intelectual que todavía brilla hoy día. En su momento de mayor extensión, el territorio maya incluía partes
5 de lo que ahora es México, Guatemala, Belice, El Salvador y Honduras. Una imaginaria ruta maya une estos lugares dispersos, atravesando° siglos y países, y revela restos de una gran civilización. *crossing* La ruta pasa por selva y ciudad, por vegetación exuberante y por

CRITICAL THINKING — Interpretive Communication

Analysis Before reading, have students look at the map entitled **Apogeo maya**. Ask students to predict what the different points might represent. (Answer: the locations and dates of different Mayan cities.)

CRITICAL THINKING — Interpretive Communication

Synthesis Call on volunteers to complete a time line on the board, based on the reading and illustration. The time line should include the different ball courts and the dates when each type of ball court was at its height. Explain that **aC** is the abbreviation for **antes de Cristo** and that **dC** is the abbreviation for **después de Cristo**.

ruinas que resisten y también muestran el
10 paso del tiempo. El viajero puede elegir entre
múltiples lugares y numerosos caminos. Sin
embargo, hay un itinerario particular que
conecta la arquitectura, la cultura y el deporte
a través del tiempo y el espacio: la ruta de los
Due to 15 campos de pelota. Debido al° enorme valor
cultural del juego, se construyeron canchas
en casi todas las poblaciones importantes,
incluyendo las espléndidas construcciones
de Copán y Chichén Itzá. La ruta, que pasa
20 por algunos de los 700 campos de pelota,
unearths desentierra° maravillas arqueológicas.

En la densa selva en el oeste de Honduras,
springs forth cerca de la frontera con Guatemala, surge°
Copán, donde gobernaron varias dinastías
lies 25 de reyes. Entre las ruinas permanece° un
elegantísimo campo de pelota, una cancha
dressing rooms que tenía hasta vestuarios° para los jugadores.
Grandes paredes, adornadas de esculturas
parrots/surround de loros°, rodean° el campo más artístico de
sculpted 30 Mesoamérica. En Copán vivía una élite de
artesanos y nobles que esculpían° y escribían
en piedra. Por eso, se concentran en Copán
sculptures/steles la mayor cantidad de esculturas° y estelas°
stone tablets —monumentos de figuras y lápidas° con

Campo de pelota en Copán

El más impresionante de los campos
de pelota se encuentra en Chichén Itzá
en Yucatán, México. En su período de
esplendor, Chichén Itzá era el centro de
poder de Mesoamérica. Actualmente es uno 45
de los sitios arqueológicos más importantes
del mundo. La gran pirámide, conocida con
el nombre *El Castillo*, era un rascacielos° *skyscraper*
en su época. Con escaleras que suben a la
cumbre° por los cuatro lados, El Castillo 50 *peak*
sirvió de templo del dios Kukulcán. Hay
varias canchas de pelota en Chichén Itzá,
pero la más grandiosa y espectacular se llama
el Gran Juego de Pelota. A pesar de medir° *measuring*
166 por 68 metros (181 por 74 yardas), la 55
acústica es tan magnífica que sirve de modelo
para teatros: un susurro° se puede oír de un *whisper*
extremo al otro. Mientras competían, los
jugadores sentían la presión de las esculturas
que adornaban las paredes, las cuales 60
muestran a unos jugadores decapitando a
otros. El peligro era un recordatorio° de que *reminder*
el juego era también una ceremonia solemne
y el campo, un templo.

Mesoamérica

La región de Mesoamérica empieza en el centro de
México y llega hasta la frontera entre Nicaragua y
Costa Rica. Aquí vivían sociedades agrarias que se
destacaron por sus avances en la arquitectura, el arte y
la tecnología en los 3.000 años anteriores a la llegada
de Cristóbal Colón al continente americano. Entre
las culturas de Mesoamérica se incluyen la maya, la
azteca, la olmeca y la tolteca. Los mayas tomaron
la escritura y el calendario mesoamericanos y los
desarrollaron hasta su mayor grado de sofisticación.

35 jeroglíficos— de la ruta maya. En las famosas
stairways escalinatas° de la ciudad se pueden examinar
jeroglíficos que contienen todo un árbol
genealógico y que cuentan la historia de los
reyes de Copán. Estas inscripciones forman el
40 texto maya más largo que se preserva hoy día.

Esta ruta maya continúa por campos 65
como el de Uxmal en Yucatán, México,
donde se pueden apreciar grandes logros° *achievements*
arquitectónicos. En todos ellos, se oyen las
voces lejanas de la civilización maya, ecos que
nos hacen viajar por el tiempo y despiertan 70
la imaginación. ◾

1 Have students write two more true/false statements about the reading. Ask classmates to answer **cierto** or **falso**.

2 For item 1, spark discussion by asking: **¿Qué opinan del juego de pelota?**

3 Preview this activity by asking students if they have traveled to different baseball stadiums or to Hollywood mansions. Similarly, if you have traveled to these sites, talk about your own experiences. Then ask: **¿Están de acuerdo que estos lugares son símbolos de la cultura estadounidense? ¿Por qué?**

3 Brainstorm other possible routes students could follow. Ex: **los parques nacionales, los monumentos nacionales**

3 Ask heritage students to talk about famous routes in their families' home countries.

4 Have students vote for the most creative writing system.

Después de leer

La ruta maya

Interpretive Communication

1 **Comprensión** Decide si las oraciones son **ciertas** o **falsas**. Corrige las falsas.

1. En su momento de mayor extensión, el territorio maya empezaba en lo que hoy se llama México y terminaba en lo que hoy se llama Guatemala.
Falso. El territorio maya incluía partes de lo que ahora es México, Guatemala, Belice, El Salvador y Honduras.
2. Los mayas construyeron muy pocas canchas de pelota.
Falso. Construyeron canchas en casi todas las poblaciones importantes.
3. En Copán vivía una élite de artesanos y nobles que escribían en piedra.
Cierto.
4. Los jeroglíficos de Copán cuentan la leyenda de los gemelos Ixbalanqué y Hunahpú.
Falso. Los jeroglíficos de Copán contienen un árbol genealógico y cuentan la historia de los reyes de Copán.
5. Chichén Itzá fue el centro de poder de Mesoamérica.
Cierto.
6. El Castillo es la cancha de pelota más grande.
Falso. El Castillo es la gran pirámide y templo del dios Kukulcán. El Gran Juego de Pelota es la cancha más grandiosa y espectacular.

Interpretive Communication

Acquiring Information & Diverse Perspectives

2 **Preguntas** Contesta las preguntas con oraciones completas.

1. ¿Qué significado tenía el juego de pelota en la cultura maya?
2. ¿Cuáles eran algunos de los peligros del juego?
3. ¿Qué tienen de extraordinario las ruinas de Copán?
4. ¿Qué detalles indican que Chichén Itzá había sido una ciudad importantísima?
5. ¿Cuál es un ejemplo de la importancia de los dioses para los mayas?

Interpersonal Communication

Presentational Communication

3 **Itinerarios** En grupos, preparen el itinerario para un recorrido por una de estas rutas. Luego compartan el itinerario con el resto de la clase.

- la ruta de los campos de béisbol
- Norteamérica de punta a punta
- las mansiones de los famosos en Hollywood

Interpersonal Communication

Presentational Communication

4 **Jeroglíficos**

A. En parejas, inventen un mensaje jeroglífico. Pueden usar letras, números, dibujos, figuras geométricas, etc. Después, intercambien el mensaje con otra pareja para descifrarlo. Pueden dar pistas si es necesario.

MODELO
≈ & PP: ♫ 100 ⌂ 2
(Mar y Pepe: Recién casados)

B. Presenten los mensajes descifrados a la clase. ¿Qué pareja usó el sistema de escritura más original?

PUEDO hablar sobre el itinerario de visita de una ruta turística.

CRITICAL THINKING

Application Have heritage speakers talk about famous tourism itineraries in their families' home countries. As a variant, have students relate the **ruta maya** to the **ruta del café**. Ask students which of these routes would be more appealing to them as tourists and why.

DIFFERENTIATION

Heritage Speakers Ask heritage speakers to talk about famous routes in their families' home countries. Have the class ask follow-up questions. Then, as a class, compare the information to the itineraries they created in **Actividad 3**.

Atando cabos

Student Resources
Cuaderno de actividades, pp. 114–115, 117
Online Activities, *eCuaderno*

Teacher Resources
Workbook TEs; Textbook and Testing Audio online; Audio Scripts; Assessment Program Tests

¡A conversar!

1

Viajeros interesantes Trabajen en grupos de cuatro. Imaginen adónde viajaron y qué hicieron allí estas personas.

Interpersonal Communication

a b c d

A. Primero, hablen acerca del viaje de cada grupo de personas: ¿adónde fueron? ¿qué cosas empacaron? ¿qué hicieron? ¿por qué eligieron ese lugar? ¿cómo son ellos? ¿lo pasaron bien?

B. Luego, comparen los viajes usando comparativos y expresiones negativas y positivas. Escriban por lo menos tres oraciones.

C. Por último, compartan sus comparaciones con la clase y escuchen las comparaciones de sus compañeros/as. Entre todos, realicen algunas comparaciones sobre todas las parejas usando comparativos y superlativos.

2 **Excursión razonada** En parejas, cada estudiante selecciona el plan de excursión que más le guste.

Interpersonal Communication

Planes de excursión

- Acampar en el Parque Nacional Torres del Paine, en Chile (senderos, glaciar)
- Alojarse en un hotel de lujo en Cancún, México (piscinas, masajes)
- Bucear en Roatán, Honduras (nadar, ver tiburones)
- Caminar por el Valle Sagrado de los Incas, en Urubamba, Perú (salir de excursión, viajar en tren)
- Descansar en las playas del Parque Nacional Tortuguero, en Costa Rica (mar, actividades ecológicas)
- Subir a la cima del volcán Chimborazo, en Ecuador (escalar, conocer vicuñas)
- Viajar en crucero por el canal de Panamá (navegación, puertos)
- Visitar las ruinas de Tikal, Guatemala (arquitectura, bosques nativos)

A. Por turnos, cada uno(a) describe el lugar elegido y trata de convencer a su compañero(a) de que vaya al lugar elegido.

B. En clase, hagan una encuesta para saber cuál es el plan que más llamó la atención y por qué fue tan atractivo.

Teaching Tips
¡A conversar!
- Bring in travel magazines for possible destinations.
- Have students give one group recommendations about possible trips, using the subjunctive.
- Write columns **a**, **b**, **c**, and **d** on the board. As students describe the people, record the adjectives they use under the appropriate column.

21ˢᵗ Century Skills

¡A conversar! Collaboration
If you have access to students from a Spanish-speaking country, have your students ask them where they like to go and what they like to do on vacation.

School & Global Communities

CRITICAL THINKING

Application and Analysis As an extension for activity 2, have students work in pairs to play the role of trip evaluators. Tell them to talk about the excursions and categorize them in different types, such us: adventure trips, nature trips, sun and beach trips, or other categories.

CRITICAL THINKING

Analysis Tell students to work in pairs and talk about the things people need to get ready before going on vacation. Ask them: **¿Qué necesitas antes de realizar un viaje internacional?** Ex: **Antes de un viaje internacional es importante que las personas averigüen si se requiere una visa para entrar al país de destino.**

Teaching Tips
¡A escribir!
- Have students write a brief introduction about their expertise on their chosen location.
- Have students exchange their lists with a partner for peer editing.
- As a variant, have students think about pieces of advice for different travel groups: **un grupo de ancianos, un grupo de estudiantes universitarios, una familia con niños pequeños.**

Pre-AP*

AP Skill Category 6

21ˢᵗ Century Skills

¡A escribir! Productivity and Accountability
As a class, decide if the rubric you developed for the previous chapter works for this chapter's assignment. If not, adjust it to meet what students need to accomplish.

Lifelong Learning

Lesson 5 Integrated Performance Assessment
Context: A travel agency in your town specializes in tours to Central and South America. They want to launch a new bilingual app that offers practical information for the first-time traveler, and since many of their newest clients are students, the agency has requested help from your class.

You can find the IPA activity and scoring rubric in the Assessment Program and in the Resources section online.

Interpersonal Communication

3 **Viajeros insatisfechos** En parejas, escriban una lista de diez sugerencias para pasar unas excelentes vacaciones en cualquier parte del mundo. Después, discutan cada una, inventando excusas creativas para no ir allí.

MODELO **ESTUDIANTE 1** Te recomiendo que vayas a las cataratas de Iguazú en tus vacaciones.
ESTUDIANTE 2 No me parece una buena idea. No hay ningún hotel cinco estrellas cerca.

Interpersonal Communication

4 **Turismo atípico** En grupos de cuatro, reúnanse para mencionar diferentes sitios turísticos del mundo hispano. Después, sugiéranse actividades que podrían hacer en esos sitios. Sean creativos. Al final, compartan con la clase los sitios y las sugerencias más llamativas que hayan considerado en el grupo.

MODELO **Lugar turístico:** Iquique, dunas de arena del cerro Dragón (Chile)
Actividad atípica: Te sugiero que surfees en las dunas de arena.

¡A escribir!

Presentational Communication

Consejos de viaje Sigue el **Plan de redacción** para escribir unos consejos de viaje. Imagina que trabajas en una agencia de viajes y tienes que organizar una excursión para unos/as amigos/as tuyos/as que van a visitar una ciudad o un país que tú conoces bastante bien. Escríbeles un mensaje electrónico con una lista de los lugares y cosas que les recomiendas hacer. Ten en cuenta la personalidad de tus amigos/as y elige bien qué sitios crees que les van a gustar más. Hazles además una o dos preguntas para saber más sobre ellos y ayudarte a planear su viaje.

> ### Plan de redacción
>
> **Contenido:** Recuerda que tienes que tener en cuenta el clima del lugar, la ropa que deben llevar, el hotel donde pueden alojarse y los espectáculos culturales a los que pueden asistir. También es importante que les recomiendes algún restaurante o alguna comida típica del lugar. No olvides utilizar oraciones con subjuntivo en todas tus recomendaciones. Puedes usar estas expresiones:
> - Es importante que...
> - Les recomiendo que...
> - Busquen un hotel que…
> - Es probable que…
> - Es mejor que…
> - Visiten lugares que…
>
> **Conclusión:** Termina la lista de consejos deseándoles a tus amigos/as un buen viaje.

PUEDO dar detalles sobre diversos tipos de viajeros y sus actividades.

PUEDO redactar consejos para viajar.

PRE-AP*

Interpersonal Communication

Interpersonal Speaking Two different groups of friends recently returned from their respective vacations. One group went camping in Bolivia and had many adventures outdoors. The other had a very fancy vacation at a five-star hotel in Madrid. Have the students work in pairs to act out conversations in which they compare the two trips. Remind them to ask questions and react with much drama and expression. Say: **Trabajando en parejas, van a hablar sobre estas vacaciones tan diferentes. Cada persona debe dar por lo menos cinco detalles del viaje y hacer por lo menos cinco preguntas.**

Student Resources
Online Activities

Teacher Resources
Textbook and Testing Audio online; Testing Audio Script; Assessment Program Tests

De viaje

la bienvenida	welcome
la despedida	farewell
el destino	destination
el itinerario	itinerary
la llegada	arrival
el pasaje (de ida y vuelta)	(round-trip) ticket
el pasaporte	passport
la tarjeta de embarque	boarding pass
la temporada alta/baja	high/low season
el/la viajero/a	traveler
hacer las maletas	to pack
hacer transbordo	to transfer (planes/trains)
hacer un viaje	to take a trip
ir(se) de vacaciones	to go on vacation
perder (e:ie) (el vuelo)	to miss (the flight)
regresar	to return
a bordo	on board
retrasado/a	delayed
vencido/a	expired
vigente	valid

El alojamiento

el albergue	hostel
el alojamiento	lodging
la habitación individual/doble	single/double room
la recepción	front desk
el servicio de habitación	room service
alojarse	to stay
cancelar	to cancel
estar lleno/a	to be full
quedarse	to stay
reservar	to reserve
de (buena) categoría	first-rate
incluido/a	included
recomendable	advisable

La seguridad y los accidentes

el accidente (automovilístico)	(car) accident
el/la agente de aduanas	customs agent
el aviso	notice; warning
el cinturón de seguridad	seat belt
el congestionamiento	traffic jam
las medidas de seguridad	security measures
la seguridad	safety; security
el seguro	insurance
aterrizar	to land
despegar	to take off
ponerse/quitarse el cinturón	to fasten/to unfasten the seatbelt
reducir (la velocidad)	to reduce (speed)
peligroso/a	dangerous
prohibido/a	prohibited

Las excursiones

la aventura	adventure
el/la aventurero/a	adventurer
la brújula	compass
el buceo	scuba diving
el campamento	campground
el crucero	cruise (ship)
el (eco)turismo	(eco)tourism
la excursión	outing; tour
la frontera	border
el/la guía turístico/a	tour guide
la isla	island
las olas	waves
el puerto	port
las ruinas	ruins
la selva	jungle
el/la turista	tourist
navegar	to sail
recorrer	to tour
lejano/a	distant
turístico/a	tourist (adj.)

Más vocabulario

Expresiones útiles	Ver p. 191
Estructura	Ver pp. 198-199, 202-203 y 206-207

En pantalla

el carné de conducir	driver's license
la molestia	annoyance
el permiso de circulación	car registration
denunciar	to report
descargar	to unload
jurar	to swear
¡menuda paliza!	what a hassle! (fig.)
¿Me permite?	May I?
ni se le ocurra	don't you dare
sin novedad	no news

Literatura

la bahía	bay
el bote	boat
la cascada	cascade; waterfall
el faro	lighthouse
el muelle	pier
la pesca	fishing
la popa	stern
la proa	bow
el remo	oar
el tiburón	shark
flotar	to float
ahogado/a	drowned

Cultura

el apogeo	height; highest level
el artefacto	artifact
el campo	ball field
el/la dios(a)	god/goddess
el juego de pelota	ball game
la leyenda	legend
el mito	myth
la pared	wall
la piedra	stone
la pirámide	pyramid
la ruta maya	the Mayan Trail

Los viajes

Teaching Tips
• Have students work in pairs to quiz each other on the lesson vocabulary. You may consider making this part of the class routine by using the last ten minutes of class twice a week for this purpose.
• Play Hangman. Have a volunteer represent a lesson vocabulary word on the board by a row of dashes (according to the number of letters). Call on classmates to suggest different letters. Correct letters are written in the word blanks; otherwise, one element is drawn in a hangman diagram. The game is over when the word is guessed or the diagram is complete.
• Have students create a collage illustrating twenty words and expressions from the **De viaje** and **Las excursiones** categories.

21st Century Skills

Creativity and Innovation
Ask students to prepare a presentation about the ideal vacation using lesson grammar and vocabulary.

21st Century Skills

Leadership and Responsibility Extension Project
As a class, have students decide on three questions they want to ask the partner class related to the topic of the lesson they have just completed. Based on the responses they receive, work as a class to explain to the Spanish-speaking partners one aspect of their responses that surprised the class and why.

DIFFERENTIATION

For Inclusion Divide the class into different groups according to the vocabulary categories: **De viaje, El alojamiento, La seguridad y los accidentes,** and **Las excursiones**. Call out lesson vocabulary and have students from the corresponding group raise their hands. Then have one student from that group stand up and create a sentence using that word.

DIFFERENTIATION

To Challenge Students Students choose fifteen words from the above list and write a paragraph incorporating them, being sure to include one positive or negative expression from **Lección 5**, one comparative or superlative expression, and one use of the subjunctive with an uncertain antecedent.

Lesson 6
Six-step Instructional Design

See pages T34-T35 for additional details on how to use the six-step instructional design in your classroom.

1 **Context.** Make it personal. Ask students to provide whatever Spanish words they may already know in the context: "Think about nature and the environment. What Spanish words come to mind?".

Next, ask students questions about their own experiences and thoughts about nature. **¿Has visitado alguna vez una reserva natural? ¿Dónde? ¿Cómo te pareció? ¿Cómo la podemos proteger?**

2 **Vocabulary.** Put it into words. Connect the word study in Step 1 with what students see on these pages. **¿Cuáles fenómenos naturales te llaman más la atención? ¿Cuáles problemas medioambientales te preocupan más? ¿Por qué?**

3 **Media.** Bridge experiences. Have students describe the places shown in this **Fotonovela** episode. Ask: **¿Se parecen estos paisajes a los paisajes cerca del lugar donde tú vives?**

A primera vista Have students look at the photo; ask them these additional questions: **1. ¿Cómo es este lugar? 2. ¿Has estado alguna vez en un lugar similar? ¿Cómo fue tu experiencia allí? 3. ¿Qué podemos hacer para conservar la naturaleza?**

Essential Questions Discuss the essential questions as a class. Point out to students that they will learn about coral reefs in the Caribbean in the **El mundo hispano** section, and Puerto Rican rain forests in the **Flash cultura** section.

Overarching Theme: Global Challenges: Environmental Issues

A primera vista

- ¿Qué se ve en la foto?
- ¿Dónde crees que se encuentra este lugar? ¿Estará cerca de grandes ciudades?
- ¿Qué actividades se podrán hacer allí?

Essential Questions

1. ¿Qué hace que un sistema sea equilibrado? ¿Qué lo desequilibra?
2. ¿Cuál es la relación entre diversidad y equilibrio natural?
3. ¿Cómo interactúan los seres humanos con la naturaleza en diferentes culturas?

Teacher Resources

Presentation
- AP® Themes & Contexts
- Grammar slides: **Estructura** 6.1, 6.2, 6.3

Practice and Communicate
- *Cuaderno de actividades,* with audio & Answer Key
- Digital Image Bank (Animals, Nature and the environment)
- Textbook Audio

Forums on **vhlcentral.com** allow you and your students to record and share audio messages. Use Forums for presentations, oral assessments, discussions, directions, etc.

6 La naturaleza

Can Do Goals

By the end of this lesson I will be able to:

- Talk about the environment, natural resources, and natural phenomena
- Talk about actions and events that will happen in the future
- Express purpose, condition, or intent
- Ask and answer questions about environmental protection

Also, I will learn about:

Culture
- Coral reefs and underwater parks in the Caribbean
- **La Caleta** Underwater National Park in the Dominican Republic
- Puerto Rican rain forests
- The island of Vieques, Puerto Rico

Skills
- Reading: Flash fiction in Spanish
- Conversation: Talking about pets and wild animals
- Writing: Writing an article about a World Heritage site

Lesson 6 Integrated Performance Assessment

Context: Your school is sponsoring a chapter of a new environmental organization, and some of the members are asked to record a brief podcast to get the word out. You have volunteered to record a podcast in Spanish persuading listeners to get involved.

Rana de ojos rojos en el bosque tropical de Costa Rica

Producto: América Latina tiene algunos de los sitios más biodiversos del planeta.
¿Conoces otras reservas naturales? ¿Cuáles? ¿Cómo se protegen las reservas naturales en el estado donde tú vives?

---

4 Culture. Give new perspectives. Ask students: **¿Qué es la biodiversidad? ¿Cuáles son los lugares más biodiversos del planeta?**

5 Structure. Use grammar as a tool. Focus on presenting words in context and on personalized activities. Ask: **¿Qué podemos hacer para que no se agoten los recursos? ¿Qué pasará con los océanos en unas décadas?**

6 Synthesis. Pull it all together. For each skill area, focus on the personalized activities that are provided, e.g. **Preparación**, p. 239; **Conexión personal**, pp. 257, 261.

Can Do Goals Review the list of communicative goals with your students. Point out that this lesson will provide them with the tools necessary to achieve these goals. You may also share the IPA task, found on page 266, so that students become familiar with the final communicative task they will be expected to complete.

Integrated Performance Assessment Before teaching this chapter, review the Integrated Performance Assessment (IPA) on page 266. Use the IPA to assess students' progress toward proficiency targets at the end of the chapter.

Producto There are many amazing natural reserves in the Spanish-speaking world. Have students research them on the Internet. Encourage students to bring in pictures and to talk about their findings to the class. Ex: **Archipiélago de Cabrera (España), Parque Nacional de los Glaciares (Argentina), Parque Nacional Natural Gorgona (Colombia), Reserva de Calipuy (Perú), Hierve el agua (México), etc.**

Section Goals

In **Contextos,** students will learn and practice:

- vocabulary related to nature, animals, natural phenomena, and the environment
- listening to an audio newscast and a conversation containing new vocabulary

Student Resources
Cuaderno de actividades,
pp. 119–121
Online Activities, *eCuaderno*

Teacher Resources
Workbook TEs; Digital Image Bank; Textbook and Audio Activities online; Audio Scripts; Assessment Program Quizzes

Teaching Tips

- With books closed, hold up images of nature, animals, natural phenomena, and environmental concerns. Name the objects and concepts in each picture. Then point to the pictures and ask students questions about them.
- **Variación léxica**
  el bosque lluvioso → el bosque húmedo (tropical)
  conservar → preservar
  la serpiente → la culebra

NATIONAL STANDARDS

Communities Have students use these vocabulary items as Internet search terms. Ask them to print out some of the web pages to use in creating collage posters about ecology and efforts to protect the environment.

Interpretive Communication	School & Global Communities

---

6 CONTEXTOS

La naturaleza

La naturaleza

El Caribe presenta **costas** infinitas con palmeras **a orillas del mar,** aguas cristalinas y extensos **arrecifes** de coral con un **paisaje** submarino sin igual.

el árbol *tree*
el arrecife *reef*
el bosque (lluvioso) *(rain) forest*
el campo *countryside; field*
la cordillera *mountain range*

la costa *coast*
el desierto *desert*
el mar *sea*
la montaña *mountain*
el paisaje *landscape*
la tierra *land*

húmedo/a *damp*
seco/a *dry*

a orillas de *on the shore of*
al aire libre *outdoors*

Los animales

el ave (f.)/el pájaro *bird*
el cerdo *pig*
el conejo *rabbit*
el león *lion*
el mono *monkey*
la oveja *sheep*
el pez *fish*
la rana *frog*

la serpiente *snake*
el tigre *tiger*
la vaca *cow*

atrapar *to trap; to catch*
cazar *to hunt*
dar de comer *to feed*

extinguirse *to become extinct*
morder (o:ue) *to bite*

en peligro de extinción *endangered*
salvaje *wild*
venenoso/a *poisonous*

Los fenómenos naturales

el huracán *hurricane*
el incendio *fire*
la inundación *flood*
el relámpago *lightning*
la sequía *drought*
el terremoto *earthquake*
la tormenta (tropical) *(tropical) storm*
el trueno *thunder*

PRE-AP*	Interpersonal Communication

Interpersonal Writing, Part A Go over this vocabulary with the students. In pairs, have them discuss their experiences with nature and with camping. Have they ever experienced a disaster while camping or while on vacation? In Part A, students pretend that they have just returned from an adventure camping trip, where they have seen several animals and dealt with one **fenómeno natural**. Tell them: **Escribe un mensaje electrónico a un(a) amigo/a, describiéndole las aventuras que has tenido en tus vacaciones en el campamento del Caribe.**

El medio ambiente

El **reciclaje** de botellas es muy importante para **proteger** el **medio ambiente** y no **malgastar** plástico.

el calentamiento global *global warming*
la capa de ozono *ozone layer*
el combustible *fuel*
la contaminación *pollution*

la deforestación *deforestation*
el desarrollo *development*
la erosión *erosion*
la fuente de energía *energy source*
el medio ambiente *environment*
los recursos naturales *natural resources*

agotar *to use up*
conservar *to preserve*
contaminar *to pollute*
contribuir (a) *to contribute*
desaparecer *to disappear*
destruir *to destroy*
malgastar *to waste*
proteger *to protect*
reciclar *to recycle*

resolver (o:ue) *to solve*

dañino/a *harmful*
desechable *disposable*
renovable *renewable*
tóxico/a *toxic*

La naturaleza

Práctica

1 Escuchar   [Interpretive Communication]

 A. Escucha el informativo de la noche y, después, completa las oraciones con la opción correcta.

1. Hay __b__.
   a. una inundación   b. un incendio
2. Las causas de lo que ha ocurrido __b__.
   a. se conocen   b. se desconocen
3. En los últimos meses, ha habido __a__.
   a. mucha sequía   b. muchas tormentas
4. Las autoridades temen que __b__.
   a. los animales salvajes vayan a los pueblos
   b. el incendio se extienda
5. Los pueblos de los alrededores __a__.
   a. están en peligro   b. están contaminados

 B. Escucha la conversación entre Pilar y Juan. Después, contesta las preguntas con oraciones completas.

1. ¿Dónde hay un incendio?
   Hay un incendio en la Cordillera del Este.
2. Según lo que escuchó Pilar, ¿qué puede suceder?
   El incendio se puede extender a otras zonas.
3. ¿Qué animales tenían los abuelos de Juan?
   Los abuelos de Juan tenían ovejas.
4. ¿Dónde pasaba los veranos Pilar?
   Pilar pasaba los veranos en la costa.
5. ¿Qué hacía Pilar con los peces que veía?
   Pilar a veces les daba de comer a los peces.
6. ¿Qué ha pasado con los peces que había antes en la costa?   Los peces que había antes en la costa han desaparecido.

C. En parejas, hablen de los cambios que han visto ustedes en la naturaleza a lo largo de los años. Hagan una lista y compártanla con la clase.

2 Emparejar   Conecta las palabras de forma lógica.

MODELO   fenómeno natural: terremoto

__d__ 1. proteger   a. león
__e__ 2. tormenta   b. serpiente
__c__ 3. destrucción   c. incendio
__f__ 4. campo   d. conservar
__a/b__ 5. salvaje   e. trueno
__b__ 6. venenosa   f. aire libre

doscientos veintinueve **229**

(A) Audio Script
Buenas tardes y bienvenidos al informativo de las nueve de la noche.
Acaba de llegar una noticia de última hora: Se ha declarado un grave incendio en la Cordillera del Este. Todavía no se conocen las causas del fuego, pero se sospecha que puede haber sido un rayo de la tormenta de esta tarde que ha caído en un árbol seco. Las autoridades temen que la sequía de los últimos meses contribuya a extender el incendio a otros bosques de la zona.
El responsable del gobierno ha afirmado que se está haciendo todo lo posible para acabar con el incendio en pocas horas y así proteger los pueblos de los alrededores y los animales salvajes que viven en estas montañas.
En unos minutos, les volveremos a informar del tema, ahora pasamos a presentarles las noticias del día.
El precio de…
Teacher Resources online

(B) Audio Script
JUAN ¿Has oído el informativo? Hay un incendio en la Cordillera del Este. La gente ha tenido que dejar sus casas.
PILAR Sí, han dicho que es posible que se extienda a otras zonas. Es una pena, se está desforestando todo. No sé qué vamos a hacer en el futuro.
JUAN Todo es tan diferente ahora. ¿Sabes? Cuando yo era niño, íbamos a la casa de campo de mis abuelos.
(Continued on p. 230)

Teaching Tip For Part C, have pairs create two columns labeled **Antes** and **Después** to organize their ideas.

PRE-AP*   [Interpersonal Communication]

Interpersonal Writing, Part B Students exchange the e-mails about nature and camping (see page 228) with one another. Have them read the e-mail from their classmate and reply. In the reply, they should react to the description of the camping trip, and describe why they prefer their current vacation in a five-star hotel. Instruct students: **Ahora que has leído el mensaje de tu amigo/a, vas a fingir que estás de vacaciones en un hotel elegante. Reacciona y describe por qué prefieres las vacaciones de lujo.**

Pre-AP*

AP Skill Category 6

NATIONAL STANDARDS

Communities Have students do research to identify some of the major environmental organizations working to protect the biodiversity of the Caribbean. Ask them to write very brief paragraphs describing an organization they have learned about and to report to the class.

School & Global Communities

NATIONAL STANDARDS

Connections: Biology Have students explore information about biodiversity in the Caribbean. Some students may wish to create a digital presentation for the class.

Making Connections

Práctica

3 **Definiciones**

A. Escribe la palabra adecuada para cada definición.

1. fenómeno natural en el que se ilumina el cielo cuando hay una tormenta: __relámpago__
2. reptil de cuerpo largo y estrecho (*narrow*) que muchas veces es venenoso: __serpiente__
3. período largo sin lluvias: __sequía__
4. extensión de tierra donde no suele llover: __desierto__
5. fenómeno natural que se produce cuando se mueve la tierra bruscamente (*abruptly*): __terremoto__
6. animal feroz considerado el rey de la selva: __león__
7. contrario de "húmedo": __seco__
8. ruido producido en las nubes por una descarga eléctrica: __trueno__
9. serie de montañas: __cordillera__
10. fuego grande que puede destruir casas y campos: __incendio__

B. Ahora, escribe tres definiciones de otras palabras del vocabulario. Tu compañero/a tendrá que adivinar a qué palabra corresponde cada definición.

Interpretive Communication

4 **¿Qué es la biodiversidad?** Completa el artículo de la revista *Naturaleza* con la palabra o expresión correspondiente.

animales	costas	paisaje
arrecifes de coral	mar	proteger
bosques	medio ambiente	recursos naturales
conservar	montañas	tierra

La biodiversidad se refiere a la gran variedad de formas de vida — (1) __animales__, vegetales y humanas— que conviven en el (2) __medio ambiente__, no sólo en la tierra sino también en el (3) __mar__. Esta interdependencia significa que ninguna especie está aislada o puede vivir por sí sola. A pesar de que el Caribe comprende menos del once por ciento de la superficie total del planeta, su territorio contiene una vasta riqueza de vida silvestre (*wild*) que se encuentra a lo largo de sus (4) __bosques__ tropicales húmedos, (5) __montañas__ altas, extensas costas, y del increíble (6) __paisaje__ submarino de los (7) __arrecifes de coral__. Se estima que en la actualidad hay más de sesenta y cinco organizaciones ambientalistas que trabajan para (8) __conservar/proteger__ y (9) __conservar/proteger__ los valiosos (10) __recursos naturales / arrecifes de coral__ de las islas caribeñas.

230 *doscientos treinta*

Lección 6

Comunicación

5 **Preguntas** En parejas, túrnense para contestar las preguntas.

Interpersonal Communication

Relating Cultural Practices to Perspectives

1. ¿A dónde prefieres ir de vacaciones, al campo, a la costa o a la montaña? ¿Por qué?

2. ¿Tienes un animal preferido? ¿Cuál es? ¿Por qué te gusta? ¿Qué animales no te gustan? ¿Por qué?

3. ¿Qué opinas de la práctica de cazar animales? ¿Es cruel? ¿Es necesario controlar la población para el bien de la especie?

4. ¿Hay alguna diferencia entre cazar un animal para comerlo y comprar carne?

5. ¿Hay huracanes, sequías o algún otro fenómeno natural donde vives? ¿Qué efectos o consecuencias tienen para el medio ambiente?

6. En tu opinión, ¿cuál es el problema más grave que afecta al medio ambiente? ¿Qué podemos hacer para mejorar la situación?

6 **¿Qué es mejor?** En parejas, hablen sobre las ventajas y las desventajas de las alternativas de la lista. Consideren el punto de vista práctico y el punto de vista ambiental. Utilicen el vocabulario de **Contextos**.

Interpersonal Communication

Relating Cultural Practices to Perspectives

- usar servilletas de papel o de tela (*cloth*)
- tirar restos de comida a la basura o en el triturador del fregadero (*garbage disposal*)
- acampar en un parque nacional o alojarse en un hotel
- imprimir el papel de los dos lados o simplemente imprimir menos

7 **Asociaciones** En parejas, comparen sus personalidades con las cualidades de estos animales, elementos y fuerzas de la naturaleza. ¿Con cuáles te identificas? ¿Con cuáles crees que se identifica tu compañero/a? ¿Por qué? Comparen sus respuestas.

Interpersonal Communication

Making Connections

árbol	fuente de energía	mar	relámpago
bosque	huracán	montaña	serpiente
conejo	incendio	pájaro	terremoto
desierto	león	pez	trueno

MODELO

pájaro
Yo me identifico con los pájaros. Soy libre y soñador(a).

 PUEDO asociar características de animales y fuerzas de la naturaleza con cualidades humanas.

PUEDO conversar sobre problemas medioambientales.

PRE-AP*   Acquiring Information & Diverse Perspectives   Presentational Communication

Presentational Speaking Remind students that many natural disasters have occurred in the Caribbean, in Mexico, in Los Angeles and other areas of California, and in Florida. Have them do an online search in Spanish for news about hurricanes, earthquakes, and floods in these areas, specifically about disasters and relief efforts. Tell them to take notes on their reading. In groups of three or four, have them prepare a newscast. One student can be the interviewer, one can be a victim, and one can be a firefighter or police officer present at the rescue. Point out to students the importance of having firefighters and police officers who speak Spanish. Say: **En grupos, van a presentar un programa de noticias hispano en el cual dan detalles del rescate de unas víctimas durante un desastre natural.**

Teaching Tips

5 Review the subjunctive with **conocer** by asking questions about the environment. Ex: **¿Conoces a alguien que tenga un vehículo eléctrico o híbrido? ¿Conoces alguna organización cuya meta sea proteger el medio ambiente?**

5 **Virtual Chat** Available online.

6 Ask students about environmental practices at your school. Ex: **¿Qué medidas toma nuestra escuela para conservar papel o reducir la cantidad de basura? ¿Qué más se puede hacer? ¿Te interesa organizar un programa así?**

6 **Partner Chat** Available online.

Pre-AP*

AP Skill Category **5**

7 Review similes taught from **Literatura, Lección 4**. Remind students to use **como** when making comparisons.

NATIONAL STANDARDS
Communities Have students find personality tests in magazines or online. Have them identify vocabulary from this chapter that is used in the self-tests. Are there cultural differences in the questions asked or in the personality traits described?

Relating Cultural Practices to Perspectives   School & Global Communities

Teaching Tip Have small groups of students write riddles about animals. Give them an example: **¿Cuál es el último animal? (El delfín.)**

Pre-AP*

AP Skill Category **7**

Hasta ahora, en el video...

Lupita se escapa del hospital porque se quiere ir de vacaciones. Por suerte, Marcela y Ricardo encuentran a Lupita y entre toda la familia la convencen para volver al hospital. Luego, Marcela y Ricardo comienzan su viaje a Hierve el Agua. En este episodio verás cómo sigue la historia.

Ricardo llega caminando a Hierve el Agua.

MARCELA Mi trabajo no es sólo traerte, sino también explicarte sobre Hierve el Agua.

RICARDO *(a la defensiva)* ¿En serio?

MARCELA Hierve el Agua es uno de los paisajes naturales más bellos de Oaxaca y de México. Sus cascadas petrificadas…

Ricardo se está bajando de la Kombi.

MARCELA ¡Espera! *(Marcela saca el regalo)* ¿Pensabas que lo había olvidado?

Marcela comienza a llorar.

RICARDO No llores, Marcela. ¡Si no te gusta, en cuanto regresemos a la ciudad lo cambiamos!

Marcela pilota el dron.

RICARDO ¡Cuidado! ¡Vas hacia el agua!

MARCELA ¡Está completamente fuera de control!

El dron cae al agua.

MARCELA ¡Se quedó sin gasolina!

RICARDO No, más bien sin baterías.

Es otro día…

LORENZO Los cactus pueden adaptarse con facilidad a medio ambientes desérticos.

MANU ¡Los cactus son aburridos!

LORENZO ¡No te quejes! Disfruta del paisaje. La naturaleza es bella, Manu. ¡Relájate!

232 *doscientos treinta y dos*

Lección 6

Personajes

MARCELA

RICARDO

LORENZO

MANU

3

MARCELA No lo quiero cambiar. Este alebrije lo hizo mi mamá. Ella murió hace un año.

RICARDO Yo, yo, no... Yo no sabía que tu...

MARCELA ¡Me encanta! Gracias.

Marcela lo abraza.

RICARDO ¿Te gustaría aprender a volar mi dron?

6

Lorenzo y Manu están perdidos.

MANU ¿No que conocías el camino?

LORENZO Antes de que sigas, en caso de que pienses que estoy perdido, no lo estoy.

MANU *(saca su celular)* Dame un segundito. Estamos rodeados de montañas. El GPS no funciona. Y ahora, ¿qué vamos a hacer?

Expresiones útiles

Talking about the future

Lo cambiaremos sin problemas.
We will exchange it, no problem.

¡Lo haremos!
We will do it!

¿Qué vamos a hacer?
What are we going to do?

Te llevaré a un lugar cerca de aquí.
I will take you to a place close by.

Expressing purpose, condition, or intent

Antes de que sigas, en caso de que pienses que estoy perdido, no lo estoy.
Before you continue, in case you think I am lost, I am not.

No llores. Si no te gusta, en cuanto regresemos a la ciudad, lo cambiamos.
Don't cry. If you don't like it, as soon as we go back to the city, we will exchange it.

¿Te cuento un chiste para que te animes un poco?
Shall I tell you a joke to cheer you up a little?

Expressing movement and direction

¡Cuidado! ¡Vas hacia el agua!
Be careful! You are going towards the water!

Mejor volvamos a casa.
We had better go back home.

Additional vocabulary

la cascada *waterfall*
un detallito *a little something*
merecer *to deserve*
la prisa *rush*
el reino animal *animal kingdom*
rodeado/a de *surrounded by*

La naturaleza

Teaching Tips

• Review affirmative and negative commands (**Estructura 4.2**) by having students find examples in the script.

• Pause the **Fotonovela** after frames 1–5 and ask three or four comprehension questions. Ex: **¿Marcela quiere cambiar el alebrije? ¿Por qué? ¿Qué le pasó al dron? ¿Qué opina Manu de los cactus?** Proceed in the same way at the end of the episode.

• Tell students that all items in **Expresiones útiles** on page 233 are active vocabulary for which they are responsible. Review all the expressions and have the class repeat. Then have pairs write a summary of the episode using at least five of the **Expresiones útiles** or additional vocabulary.

• To preview the subjunctive in adverbial clauses (**Estructura 6.2**), have students work in pairs to underline the verbs in the subjunctive. Then, have them look at the second section of **Expresiones útiles**, and explain that in each case the subjunctive is preceded by a conjunction that expresses purpose, condition, or intent.

• Point out the two different ways to express the future: **Lo haremos** (future tense); and **¿Qué vamos a hacer?** (**ir a** + *infinitive*).

LEARNING STYLES

For Auditory Learners After students watch the **Fotonovela**, shut off or cover up the television screen and play the episode a second time, so that only the audio track plays. Then have students form small groups to summarize the episode.

LEARNING STYLES

For Kinesthetic Learners Divide the class into small groups. With their books closed, ask students to recall the **Fotonovela** episode. Then have them practice and present a skit of the episode to the class. Tell students that they will be evaluated on their accuracy with respect to the episode. Have the class vote for the teams that remembered the most details, vocabulary, or **Expresiones útiles**.

Comprensión

1 **Opciones** Completa cada oración con la opción correcta.

1. Marcela llora porque el alebrije ___b___.
   a. no le gusta
   b. lo hizo su mamá
   c. está roto

2. Ricardo le ofrece a Marcela ___c___.
   a. ir a la piscina
   b. darle otro regalo
   c. volar su dron

3. Marcela maneja el dron ___b___.
   a. llorando
   b. fatal
   c. muy bien

4. A Manu ___a___ los cactus.
   a. le aburren
   b. le fascinan
   c. le preocupan

5. Lorenzo le ofrece a Manu ir a ___b___.
   a. una piscina
   b. un restaurante
   c. un concurso de chistes

2 **Preguntas** Contesta las preguntas sobre el episodio con oraciones completas. Some answers will vary.

1. ¿Qué pensó Marcela del regalo de Ricardo?
   A Marcela le encantó el regalo.
2. ¿Qué pasó con el dron cuando lo manejaba Marcela? ¿Por qué?
   Se cayó a la piscina porque se quedó sin batería.
3. ¿Qué piensa Lorenzo de la naturaleza?
   A Lorenzo le encanta disfrutar de la naturaleza. Le fascinan los cactus.
4. ¿Por qué Lorenzo le cuenta a Manu un chiste?
   Para que se anime y para llevarlo a un restaurante si Manu lo escucha.
5. ¿Qué opina Manu del chiste?
   A Manu no le parece divertido el chiste.
6. ¿Qué ocurre cuando Manu y Lorenzo se dirigen hacia el restaurante?
   Manu y Lorenzo se pierden.

3 **¿Quién lo hará?**

A. Escribe qué personaje podría decir cada oración, de acuerdo con lo que aprendiste de ellos en este episodio.

MARCELA **MANU** **LORENZO** **RICARDO**

1. Dentro de dos años, tendré una compañía de servicios turísticos muy exitosa.
   Marcela
2. Algún día, sabré todo acerca de los cactus.
   Lorenzo
3. Cuando sea mayor, querré una casa en la ciudad, no en el campo.
   Manu
4. En el futuro, mi dron podrá volar sin batería.
   Ricardo
5. Buscaré en Internet sobre las cascadas petrificadas para impresionar a Marcela.
   Ricardo

 B. Ahora, en parejas, túrnense para hacerse preguntas sobre las oraciones. Sigan el modelo.

MODELO   **ESTUDIANTE 1** ¿Quién tendrá una compañía de servicios turísticos muy exitosa?

ESTUDIANTE 2 Marcela tendrá una compañía de servicios turísticos muy exitosa.

Ampliación

4 **¿Te gusta la naturaleza?** En grupos pequeños, conversen sobre las siguientes preguntas. *Some answers will vary.*

- ¿Te identificas más con Manu o con Lorenzo? ¿Por qué?
- ¿Cómo preferirías pasar un día en la naturaleza: con Marcela y Ricardo en Hierve el Agua, o con Lorenzo y Manu en el desierto? Explica tu respuesta.

Interpersonal Communication

5 **Y ahora, ¿qué vamos a hacer?** Al final del episodio, Lorenzo y Manu están perdidos. Imagina que tú estás con ellos y escribe una conversación entre los tres. Ofréceles consejos. *Some answers will vary.*

Interpersonal Communication

> **MODELO**
>
> **MANU** El GPS no funciona. Y ahora, ¿qué vamos a hacer?
> **"TÚ"** ¡Por suerte, yo tengo mucha agua! Caminemos un poco para que encontremos señal.

6 **Apuntes culturales** En parejas, lean los párrafos y contesten las preguntas.

Interpretive Communication

Interpersonal Communication

Relating Cultural Products to Perspectives

Hierve el Agua, Oaxaca

Marcela y Ricardo hacen una excursión a Hierve el Agua, Oaxaca. Como bien sabe Marcela, Hierve el Agua es un sistema de cascadas petrificadas de entre 12 y 30 metros de altura (40-100 pies) que se formaron de manera natural hace miles de años debido al alto contenido de minerales en el agua. El visitante puede disfrutar de las aguas termales de la piscina que se creó a partir de su manantial (*spring*) o bien contemplar las cascadas desde pozos (*pools*) naturales.

Las tlayudas

Lorenzo quiere llevar a Manu a un restaurante a comer tlayudas con mole. La tlayuda es una tortilla de maíz típica de Oaxaca. Declarada patrimonio cultural inmaterial por la UNESCO en 2010, se caracteriza por su gran tamaño, unos 38 centímetros de diámetro (*15 inches*), y consistencia dura. Normalmente se unta (*is spread*) con manteca de cerdo (*lard*) y se le pueden añadir frijoles, carne, quesillo o mole.

Desierto de Chihuahua

Los desiertos mexicanos

Lorenzo y Manu están perdidos en el desierto. Los principales desiertos mexicanos son el de Sonora y el de Chihuahua. El desierto de Sonora ocupa el noroeste de México y el suroeste de los Estados Unidos. Entre sus cactus habita gran variedad de especies, como coyotes, pumas o tarántulas. El desierto de Chihuahua abarca varios estados del sur de los Estados Unidos y gran parte del estado mexicano de Chihuahua. En este desierto, de inviernos fríos y veranos lluviosos, existen más de 350 especies de cactáceas. ¡Todo un paraíso para Lorenzo!

1. ¿Qué cascadas has visitado? ¿Cómo fue la experiencia? ¿Qué cascadas te gustaría visitar en el futuro?
2. ¿Cuál es tu comida mexicana preferida? ¿Qué ingredientes le pondrías a una tlayuda?
3. ¿Te gustaría pasar una semana en un desierto mexicano? ¿Por qué?

PUEDO conversar sobre eventos en el futuro y sobre diferentes áreas naturales.

La naturaleza

doscientos treinta y cinco **235**

Teaching Tips

4 After students are done with the activity, divide the class into two teams: the ones who identify themselves with Manu (**ciudad**), and the ones who identify themselves with Lorenzo (**campo**). Review comparatives and superlatives by asking questions like, **¿Qué es más divertido: el campo o la ciudad?; ¿Dónde hay menos gente?; ¿Dónde están los mejores restaurantes?,** etc.

5 Encourage students to use the subjunctive. You may want to review the subjunctive in noun clauses (**Estructura 4.1**) and in adjective clauses (**Estructura 5.3**), and to preview the subjunctive in adverbial clauses (**Estructura 6.2**).

5 Have volunteers read their conversations out loud, and share possible solutions for Lorenzo and Manu.

6 Follow up with comprehension questions. For example: **¿Cómo se forman las cascadas petrificadas? ¿Qué es una tlayuda? ¿Qué territorios ocupa el desierto de Sonora? ¿Cómo son los inviernos en el desierto de Chihuahua?**

NATIONAL STANDARDS
Connections: Geography
Prepare a list of deserts in Latin America. Have small groups of students pick one desert from the list and do research. Assign, as an out-of-class project for each group, a poster showing the main characteristics of the desert they selected (location, dimensions, flora, fauna, human population, etc.) along with some visuals (photos, maps, charts, etc.).

Presentational Communication

TEACHING OPTIONS Presentational Communication | Making Connections | Acquiring Information & Diverse Perspectives **LEARNING STYLES**

For Auditory Learners Ask students to make three signs that read: **Hierve el Agua, las tlayudas, los desiertos mexicanos.** Read sentences from the paragraphs of **Actividad 6** and have students hold up the sign that corresponds to the sentence.

Expansion Have students form groups of three. Assign each member of the group one of the three paragraphs in the **Apuntes culturales** activity, asking them to research and expand on the information. Allow some time for each team to discuss the three topics orally. Then, each group must choose one of the topics and prepare a short presentation for the class. Encourage teams to support their presentations with visuals.

En detalle

EL CARIBE

Los bosques DEL MAR

¿Te sumergiste alguna vez en el más absoluto de los silencios para contemplar los majestuosos arrecifes de coral? En el Caribe hay más de 26 mil kilómetros cuadrados (10 mil millas cuadradas) de arrecifes, también llamados *bosques tropicales del mar* por la inmensa biodiversidad que se encuentra en ellos. Sus extravagantes formas de intensos colores proporcionan el ecosistema ideal para las más de cuatro mil especies de peces y miles de especies de plantas que en ellos habitan.

Nuestras vidas también dependen de estas formaciones: los arrecifes del Caribe protegen de los huracanes las costas de Florida y de los países caribeños. Sus inmensas estructuras aplacan° la fuerza de las tormentas antes de que lleguen a las costas, cumpliendo la función de barreras° naturales. También protegen las playas de la erosión y son un refugio para muchas especies animales en peligro de extinción.

En Cuba se destacan° los arrecifes de María la Gorda, en el extremo occidental de la isla. En esta área altamente protegida, más de veinte especies de corales forman verdaderas cordilleras, grutas° y túneles subterráneos.

Lamentablemente, los arrecifes están en peligro por culpa de la mano del hombre. La construcción desmedida° en las costas y la contaminación de las aguas por los desechos° de las alcantarillas° provocan la sedimentación. Esto enturbia° el agua y mata el coral porque le quita la luz que necesita. La pesca descontrolada, el exceso de turismo y la recolección de coral por parte de los buceadores son otros de sus grandes enemigos. De hecho, algunos expertos dicen que el 70 por ciento del coral desaparecerá en unos 40 años. Así que, si eres uno de los afortunados que pueden visitarlos, cuídalos; no los toques y avisa si ves que alguien los está dañando. Su futuro depende de todos nosotros. ∎

Los **arrecifes de coral** son uno de los más antiguos hábitats de la Tierra; algunos de ellos tienen más de 10.000 años. Muchos los confunden con plantas o con rocas, pero los arrecifes de coral son, en realidad, estructuras formadas por pólipos° de coral, unos animales diminutos° que al morir dejan unos residuos de piedra caliza°. Los arrecifes son el refugio ideal para muchos tipos de animales, tales como esponjas, peces y tortugas.

aplacan *placate* **barreras** *barriers* **se destacan** *stand out* **grutas** *caves* **desmedida** *excessive* **desechos** *waste*
alcantarillas *sewers* **enturbia** *clouds* **pólipos** *polyps* **diminutos** *minute* **piedra caliza** *limestone*

CRITICAL THINKING

Knowledge and Comprehension Before reading, ask pairs to create an SQA chart: In the first column they record all they already know (**saber**) about **los bosques del mar**. In the second column, they record all that they want (**querer**) to know or their questions about **los bosques del mar**. Then after they read the articles, have them record all that they learned (**aprender**) in the third column.

CRITICAL THINKING

Interpretive Communication

Analysis and Evaluation If possible, show film clips of nature show presentations of **los bosques del mar**. Select either the Spanish dubbing or subtitles. Then ask students to use a Venn diagram to compare and contrast what they learned in the film clips with what they learned in the article.

ASÍ LO DECIMOS

Frases de animales

andar como perro sin pulga° (Méx.) *to be carefree*

comer como un chancho *to eat like a pig*

¡el mono está chiflando!° (Cu.) *how windy!*

estar como una cabra° (Esp.) *to be as mad as a hatter*

marca perro (Arg., Chi. y Uru.) *(of an object) by an unknown brand*

¡me pica el bagre!° (Arg.) *I'm getting hungry!*

¡qué búfalo/a! (Nic.) *fantastic!*

¡qué tortuga! (Col.) *(of a person) how slow!*

ser un(a) rata (Esp.) *to be stingy*

EL MUNDO HISPANOHABLANTE

Organizaciones ambientales

Protección de la biosfera El Parque Nacional Yasuní, declarado Reserva Mundial de la Biosfera por la UNESCO en 1989, está ubicado en la Amazonía ecuatoriana. En la actualidad, varias organizaciones ambientales intentan frenar el avance de empresas petroleras que operan en el 60 por ciento del territorio del parque.

Patagonia sin represas En 2011, este movimiento formado por varias asociaciones ecologistas chilenas frenó el plan para la construcción de cinco represas hidroeléctricas° en el sur de Chile. Este plan habría inundado 5.900 hectáreas de reservas naturales.

Protección de aves amenazadas Gracias al Fondo Peregrino de Panamá y a instituciones como el Smithsonian Institute, las aves arpías° están siendo rescatadas y protegidas. Se calcula que Panamá es el único país de América Latina que protege esta ave. El águila arpía es la segunda ave más grande del mundo, después del águila de Filipinas, y es el ave nacional de Panamá.

andar como... (lit.) to be like a dog without a flea **el mono...** (lit.) the monkey is whistling **estar como...** (lit.) to be like a goat **me pica...** (lit.) my catfish is itching me **represas...** hydroelectric dams **aves arpías** harpy eagles

PERFIL

PARQUE NACIONAL SUBMARINO LA CALETA

En 1984, por obra y gracia del Grupo de Investigadores Submarinos, el buque de rescate *Hickory* se hundió en el Parque Nacional Submarino La Caleta, a unos 17 kilómetros de Santo Domingo. No fue un accidente; el objetivo de los especialistas fue sumergir el buque intacto para que sirviera de arrecife artificial a las especies en peligro. Con el paso de los años, el barco se cubrió de esponjas y corales, y por él pasan miles de peces. El *Hickory*, que está a unos 20 metros de profundidad, es hoy día una de las mayores atracciones del Parque. Por cierto, el *Hickory* no es el único atractivo del Parque Nacional. Tiene otro barco-museo hundido para el buceo. En las aguas del parque, que alcanzan una profundidad de 180 metros (590 pies), se pueden contemplar tres terrazas de arrecifes. Los corales forman verdaderas alfombras de tonos rojos, amarillos y anaranjados que impresionan al buceador más exigente.

> ❝ El hombre no sólo es un problema para sí, sino también para la biosfera en que le ha tocado vivir. ❞
> (Ramón Margalef, ecólogo español)

Entre culturas

¿Qué peces habitan los arrecifes de coral del Caribe?

To research this topic go to **vhlcentral.com**.

colibríes *hummingbirds* **buitres** *vultures* **murciélagos** *bats* **sapos** *toads* **arañas** *spiders* **lagartijas** *lizards* **llanura** *plain* **ceiba** *ceiba tree* **roble** *oak tree* **almendro** *almond tree* **higüero** *calabash tree*

Making Connections

Teaching Tips
• If students have not yet made flashcards of the vocabulary from this lesson (pages 228–229), have them do so now. If the vocabulary word does not lend itself to a visual image, encourage students to write a cloze sentence. These types of flashcards will better aid students in learning the vocabulary because students will be using visual cues or the Spanish language rather than translation to learn the word.
• Have heritage speakers give other common expressions or idioms that use animals from their families' home countries. Ex: **tener pájaros en la cabeza** (Esp.) *(to be a scatterbrain)*
• **El mundo hispanohablante** Ask: **De estas tres actividades, ¿cuál te parece la más importante? ¿Por qué? ¿Qué ventajas e inconvenientes podrían tener las represas para la Patagonia?**
• **Perfil** Ask students if they can think of other environmental preservation projects that serve as tourist attractions. Ex: rain forests, Machu Picchu, ecotourism sites in various countries
• Read the quote aloud to the class and ask: **¿Crees que este ecólogo es optimista, pesimista o realista? ¿Por qué?**

NATIONAL STANDARDS
Connections: Biology
Have students identify a bird sanctuary in Latin America and report to the class on the various birds one finds there.

La naturaleza

PRE-AP* | Presentational Communication | Making Connections | School & Global Communities

Presentational Writing Have students write a formal job application letter to the Smithsonian Institute, in which they apply to work in Panama. Review with them the proper letter format. Discuss the issue on page 237, **Protección de aves amenazadas**. Have them make a list of ways to protect endangered birds in Spanish. Give them an article in Spanish about the work of the Smithsonian Institute in Panama. Say: **Escribe una carta de solicitud al Smithsonian Institute. Diles que eres estudiante de ciencias naturales, que estudias español y que quieres trabajar de voluntario/a este verano en Panamá en el programa de protección del águila arpía.**

Pre-AP*

AP Skill Category 6

Teaching Tips

1 Ask students to write three additional true/false statements. Then have them exchange papers with a partner, respond and/or correct their partner's statements, and then regroup with their partner to compare answers.

2 As a class, write additional **Opciones** statements, using the new animal expressions that heritage speakers taught the class.

3 **Expansion** Ask students to research in the library or on the Internet the **Fundación Fondo Peregrino**. Challenge them to find more information on **aves arpías**.

4 Challenge pairs to write a list of suggestions for changes students can make to protect the earth's oceans. Have pairs present their ideas to the class, and allow time for students to respond whether they would make the changes suggested and why.

Pre-AP*

AP Skill Category **5**

Proyecto Encourage students to avoid reading their presentations word-for-word. Suggest that they write key facts and phrases on index cards in order to guide them as they speak.

NATIONAL STANDARDS Connections: Geography/ Biology Students might search for sites on the Internet that offer satellite photography of the world. Can they find pictures that show the coral reefs around these Caribbean islands?

Making Connections

---

1 *Interpretive Communication*

¿Cierto o falso? Indica si estas afirmaciones son **ciertas** o **falsas**. Corrige las falsas.

1. Los arrecifes de coral son unas plantas de intensos colores. **Falso.** Los arrecifes no son plantas, son estructuras formadas por animales diminutos.
2. Los arrecifes de coral también son conocidos como los *bosques tropicales del mar*. Cierto.
3. Los huracanes se hacen más fuertes cuando pasan por los arrecifes. **Falso.** Los huracanes pierden fuerza porque los arrecifes cumplen la función de barreras naturales.
4. Estas estructuras son un ecosistema ideal para las especies en peligro de extinción. Cierto.
5. Las formaciones de coral necesitan luz. Cierto.
6. Está permitido que los turistas tomen un poco de coral para llevárselo. **Falso.** Uno de los grandes enemigos de los arrecifes es la recolección de coral por parte de los turistas.
7. María la Gorda se encuentra en el extremo occidental de Puerto Rico. **Falso.** Se encuentra en el extremo occidental de Cuba.
8. En María la Gorda, los arrecifes forman túneles y cordilleras. Cierto.
9. La construcción de casas cerca de las playas no afecta al desarrollo de los arrecifes. **Falso.** La construcción de casas y la contaminación por los desechos de las alcantarillas afectan a su desarrollo.
10. Los arrecifes de coral son uno de los hábitats más antiguos del planeta. Cierto.

---

2 *Interpretive Communication*

Opciones Elige la opción correcta.

1. El Grupo de Investigadores Submarinos hundió el *Hickory* para crear (un parque nacional/un arrecife artificial).
2. En el Parque Nacional Submarino La Caleta los turistas pueden ver (sólo fauna acuática./tanto fauna acuática como no acuática.)
3. ¿No quieres contribuir para el regalo de Juan? ¡Eres (una rata/un chancho)!
4. Si estás en Argentina y tienes hambre, dices que (te pica el bagre/estás como una cabra).

3 *Interpretive Communication*

Preguntas Contesta las preguntas. Some answers will vary.

1. ¿Qué quieren frenar las organizaciones ambientales en el Parque Nacional Yasuní? Quieren frenar el avance de las empresas petroleras.
2. ¿Qué animales protege el Fondo Peregrino de Panamá? El Fondo Peregrino de Panamá protege las aves arpías.
3. ¿Qué busca la organización Patagonia sin represas? Busca que se frene la construcción de represas hidroeléctricas en el sur de Chile.

4 *Interpersonal Communication* / *Relating Cultural Practices to Perspectives*

Opiniones En parejas, respondan las preguntas y compartan su opinión con la clase.

- ¿Les preocupa la contaminación del mar?
- ¿Cuáles de sus hábitos perjudican los mares?
- ¿Qué cambios pueden hacer en su estilo de vida para reducir la contaminación?

PROYECTO

Arrecifes del Caribe

Busquen información sobre los arrecifes de coral de Cuba, Puerto Rico y la República Dominicana. Elijan una zona de arrecifes y preparen una presentación para la clase. La presentación debe incluir:

- datos sobre la ubicación y la extensión
- datos sobre turismo
- datos sobre las especies de coral y otras especies de los arrecifes
- información sobre el estado de los arrecifes. ¿Están en peligro? ¿Alguna organización los protege?

¡No olviden incluir un mapa con la ubicación exacta para presentarlo en la clase!

PUEDO hablar sobre parques naturales y sobre animales en peligro de extinción.

CRITICAL THINKING

Comprehension and Synthesis Divide the class into five groups. Assign each group one of the pictures on pages 236–238, and ask them to write three statements about their picture. Then collect the statements. Slowly read the statements aloud and in random order, allowing time for students to flip through pages 236–238 in their books and point to the picture being described.

CRITICAL THINKING *Interpersonal Communication*

Application and Evaluation Have students write a letter to a friend about an endangered coral reef they visited. They should explain where they went, the environmental problems they witnessed, and how the problems could be solved. Encourage them to use the subjunctive.

Un bosque tropical

Ahora que ya has leído sobre la riqueza del mar del Caribe, mira este episodio de **Flash cultura** para conocer las maravillas del bosque tropical lluvioso de Puerto Rico, con su sorprendente variedad de árboles milenarios.

VOCABULARIO ÚTIL

la brújula *compass*	**estar en forma** *to be fit*
la caminata *hike*	**el/la nene/a** *kid*
la cascada *waterfall*	**la lupa** *magnifying glass*
el chapuzón *dip*	**subir** *to climb*
la cima *peak*	**la torre** *tower*

1 **Preparación** Responde estas preguntas: ¿Te gusta estar en contacto con la naturaleza? ¿De qué manera? ¿Has visitado alguno de los bosques nacionales de tu país? ¿Cuál(es)?

2 **Comprensión** Indica si estas afirmaciones son **ciertas** o **falsas**. Después, en parejas, corrijan las falsas. [Interpretive Communication]

1. El nombre *Yunque* proviene del español y significa "dios de la montaña". **Falso.** El nombre proviene de la palabra indígena *Yuque*, que significa "tierras blancas".
2. El Yunque es la reserva forestal más antigua del hemisferio occidental. **Cierto.**
3. El símbolo de Puerto Rico es el arroz con gandules. **Falso.** El símbolo de Puerto Rico es el coquí.
4. Para llegar a la cima es necesario estar en forma y llevar brújula, agua, mapa, etc. **Cierto.**
5. Una caminata hasta la cima puede llevar hasta dos días. **Falso.** Las caminatas hasta la cima pueden llevar hasta medio día.

3 **Expansión** En parejas, contesten estas preguntas. [Interpretive Communication] [Interpersonal Communication]

- Imagina que sólo puedes llevar tres de los objetos del equipo para llegar a la cima de El Yunque. ¿Cuáles llevarías? ¿Por qué?
- ¿Alguno de los atractivos de El Yunque te anima (*encourages you*) a visitar este bosque en tus próximas vacaciones? ¿Cuál? ¿Por qué?
- ¿Qué tipo de comida llevas cuando vas de excursión? ¿Qué otras cosas llevas en la mochila?

PUEDO conversar sobre el parque El Yunque de Puerto Rico y sobre diversas especies que pueden encontrarse en los bosques tropicales.

Corresponsal: Diego Palacios
País: Puerto Rico

En El Yunque hay más especies de árboles que en ningún otro de los bosques nacionales, muchos de los cuales son cientos de veces más grandes, como el Parque Yellowstone o el Yosemite.

Nadar en los ríos de El Yunque es uno de los pasatiempos favoritos de los puertorriqueños, así como es meterse debajo de las cascadas.

El Yunque es el único bosque tropical lluvioso. del Sistema Nacional de Bosques de los Estados Unidos.

Teaching Tips

- Prior to viewing the **Flash cultura,** have students write the **Vocabulario útil** and any other new or challenging words from this page in their notebook. As they view the video, have them check off the words they hear and make notes about the context around them. Then ask students questions about the video and encourage them to use their notes and the vocabulary words in their answers.
- Point out that a **cuerda,** the unit of measurement used in the episode, is very close to an acre. Currently it is used only in Puerto Rico. Other Spanish-speaking countries use square kilometers (**kilómetros cuadrados**) or hectares (**hectáreas**) to refer to the area of a national park.

 21st Century Skills

Information and Media Literacy
Students can go online to complete the **Entre culturas** activity associated with **Flash cultura** for additional practice accessing and using culturally authentic sources.

PRE-AP* [Presentational Communication]

Presentational Writing Have students work in pairs to prepare tourism brochures for Spanish-speaking visitors to a local national park or any national park they have visited. Encourage them to use vocabulary from **Flash cultura**.

DIFFERENTIATION

Heritage Speakers Ask heritage speakers to talk about national parks in their families' countries of origin. How many are there? How are they similar to and different from **El Yunque**? Are they a big tourist attraction?

Section Goals

In **Estructura**, students will learn:

- uses and formation of the future tense and differences in use compared to English
- to use the subjunctive in adverbial clauses, including conjunctions of time or concession
- to use the prepositions **a**, **hacia**, and **con**

Student Resources
Cuaderno de actividades, pp. 124–127
Online Activities, *eCuaderno*

Teacher Resources
Workbook TEs; Grammar Slides; Digital Image Bank; Audio Activities online; Audio Script; Assessment Program Quizzes

Teaching Tips

- Point out that some irregular verbs drop the **e** of the infinitive ending (**caber →** **cabr-**), while others replace the **e** or **i** of the infinitive ending with a **d** (**poner →** **pondr-**).
- Remind students that the impersonal form of **haber** does not take a plural conjugation. Ex: **Habrá un examen al final del semestre. Habrá cinco exámenes en total.**
- **Decir** and **hacer** have individual irregularities. Emphasize that in the future, while some verb stems are irregular, the verb endings never change.

Extra Practice Go to **vhlcentral.com** for more practice with the future tense.

6.1 The future

Te llevaré a un lugar cerca de aquí donde se comen las mejores tlayudas con mole.

En caso de que no te guste, lo cambiaremos sin problemas.

- The future tense (**el futuro**) uses the same endings for all **-ar**, **-er**, and **-ir** verbs. For regular verbs, the endings are added to the infinitive.

The future tense		
hablar	**deber**	**abrir**
hablaré	deberé	abriré
hablarás	deberás	abrirás
hablará	deberá	abrirá
hablaremos	deberemos	abriremos
hablaréis	deberéis	abriréis
hablarán	deberán	abrirán

¡ATENCIÓN!

Note that all of the future tense endings carry a written accent mark except the **nosotros** form.

- For irregular verbs, the same future endings are added to the irregular stem.

Infinitive	stem	future forms
caber	cabr-	cabré, cabrás, cabrá, cabremos, cabréis, cabrán
haber	habr-	habré, habrás, habrá, habremos, habréis, habrán
poder	podr-	podré, podrás, podrá, podremos, podréis, podrán
querer	querr-	querré, querrás, querrá, querremos, querréis, querrán
saber	sabr-	sabré, sabrás, sabrá, sabremos, sabréis, sabrán
poner	pondr-	pondré, pondrás, pondrá, pondremos, pondréis, pondrán
salir	saldr-	saldré, saldrás, saldrá, saldremos, saldréis, saldrán
tener	tendr-	tendré, tendrás, tendrá, tendremos, tendréis, tendrán
valer	valdr-	valdré, valdrás, valdrá, valdremos, valdréis, valdrán
venir	vendr-	vendré, vendrás, vendrá, vendremos, vendréis, vendrán
decir	dir-	diré, dirás, dirá, diremos, diréis, dirán
hacer	har-	haré, harás, hará, haremos, haréis, harán
satisfacer	satisfar-	satisfaré, satisfarás, satisfará, satisfaremos, satisfaréis, satisfarán

- Most verbs derived from irregular verbs follow the same pattern.

poner		pondré
proponer	▶	propondré

LEARNING STYLES

For Kinesthetic Learners Play **Pasa la tiza**. Form teams of six. Give the first student in each team a piece of chalk. Write a verb on the board and say: **¡Vayan!** The first students should run to the board, write the **yo** future form of the verb, run back to their team, and pass the chalk to the next players, who will run to the board and conjugate the **tú** form. The chalk is passed until a team completes the verb conjugation correctly, earning a point.

LEARNING STYLES

For Auditory Learners In pairs, students write a short horoscope. Tell them to make only positive or funny predictions about their partners. Have volunteers read their partners' horoscopes aloud twice. Ask students to raise their hands each time they hear a future verb form. On the second reading, as students raise their hands, record the verbs on the board. Post horoscopes in the room.

- In Spanish, as in English, the future tense is one of many ways to express actions or conditions that will happen in the future.

PRESENT INDICATIVE

conveys a sense of certainty that the action will occur

Llegan a la costa mañana.
They arrive at the coast tomorrow.

PRESENT SUBJUNCTIVE

refers to an action that has yet to occur; used after verbs of will and influence

Prefiero que **lleguen** a la costa mañana.
I prefer that they arrive at the coast tomorrow.

ir a + [*infinitive*]

expresses the near future; is commonly used in everyday speech

Van a llegar a la costa mañana.
They are going to arrive at the coast tomorrow.

FUTURE TENSE

expresses an action that will occur; often implies more certainty than **ir a** + [*infinitive*]

Llegarán a la costa mañana.
They will arrive at the coast tomorrow.

- The English word *will* can refer either to future time or to someone's willingness to do something. To express willingness, Spanish uses the verb **querer** + [*infinitive*], not the future tense.

¿Quieres contribuir a la protección del medio ambiente?
Will you contribute to the protection of the environment?

Quiero ayudar, pero no sé por dónde empezar.
I'm willing to help, but I don't know where to begin.

- In Spanish, the future tense may be used to express conjecture or probability, even about present events. English expresses this sense in various ways, such as *wonder, bet, must be, may, might,* and *probably*.

¿Qué hora **será**?
I wonder what time it is.

¿**Lloverá** mañana?
Do you think it will rain tomorrow?

Ya **serán** las dos de la mañana.
It must be two a.m. by now.

Probablemente **tendremos** un poco de sol y un poco de viento.
It'll probably be sunny and windy.

- When the present subjunctive follows a conjunction of time like **cuando, después (de) que, en cuanto, hasta que,** and **tan pronto como,** the future tense is often used in the main clause of the sentence.

Nos quedaremos lejos de la costa **hasta que pase** el huracán.
We'll stay far from the coast until the hurricane passes.

En cuanto termine de llover, **regresaremos** a casa.
As soon as it stops raining, we'll go back home.

Tan pronto como salga el sol, **iré** a la playa a tomar fotos.
As soon as the sun comes up, I'll go to the beach to take photos.

PRE-AP* | Interpersonal Communication

Interpersonal Writing Review with students the idea of *wondering* about something in the present by using the future tense. Then tell them to pretend that they have lost their most precious possession. Have them write an e-mail to a friend, describing their favorite possession, and hypothesizing about where it *could* be, by using the future tense. Tell students to write such sentences as: **¿Dónde estará mi anillo?** After writing, have them exchange e-mails and *guess* where the item could be, again using the future of probability. Ex: **Tu anillo estará en el baño.**

Práctica

1 **Catástrofe** Hay muchas historias que cuentan el fin del mundo. Aquí tienes una de ellas.

A. Primero, lee la historia y subraya las expresiones del futuro. Después cambia esas expresiones por verbos en futuro.

(1) Los videntes (*fortune tellers*) aseguran que van a llegar catástrofes. (2) El clima va a cambiar. (3) Va a haber huracanes y terremotos. (4) Vamos a vivir tormentas permanentes. (5) Una gran niebla va a caer sobre el mundo. (6) El suelo del bosque va a temblar. (7) El mundo que conocemos también va a acabarse. (8) En ese instante, la Tierra va a volver a sus orígenes.

1. _llegarán_
2. _cambiará_
3. _Habrá_
4. _Viviremos_
5. _caerá_
6. _temblará_
7. _se acabará_
8. _volverá_

B. Ahora, en parejas, escriban su propia historia del futuro del planeta. Pueden inspirarse en el párrafo anterior o pueden escribir una versión más optimista.

2 **Horóscopo chino** En el horóscopo chino, cada signo es un animal. Lee las predicciones del horóscopo chino para la serpiente. Conjuga los verbos en paréntesis usando el futuro.

Trabajo: Esta semana (1) _tendrás_ (tener) que trabajar duro. (2) _Saldrás_ (salir) poco y no (3) _podrás_ (poder) divertirte, pero (4) _valdrá_ (valer) la pena. Muy pronto (5) _conseguirás_ (conseguir) el puesto que esperas.

Dinero: (6) _Vendrán_ (venir) tormentas económicas. No malgastes tus ahorros.

Salud: (7) _Resolverás_ (resolver) tus problemas respiratorios, pero (8) _deberás_ (deber) cuidarte la garganta.

Amor: (9) _Recibirás_ (recibir) una noticia muy buena. Una persona especial te (10) _dirá_ (decir) que te ama. (11) _Vendrán_ (venir) días felices.

> Interpersonal Communication

3 **El futuro** En parejas, imaginen que uno/a de ustedes es un(a) investigador(a). La otra persona es un(a) estudiante que quiere saber qué sucederá en el futuro. El/La investigador(a) deberá contestar preguntas relacionadas con estos temas.

MODELO
ESTUDIANTE ¿Existirán las bibliotecas en el futuro?
INVESTIGADOR(A) Sí, pero habrá menos debido al desarrollo de la tecnología.

trabajo

estudios

naturaleza

política

> Interpretive Communication

LEARNING STYLES

For Visual Learners Show pictures of future events both cataclysmic (ice age, nuclear war, etc.) and not (personal flying machines, colonies on Mars, etc.). Ask volunteers to look at the photos and call out a future sentence that describes it. Then ask students to form small groups. Give each group one picture. Have the group write five future statements about the picture.

LEARNING STYLES

For Auditory Learners Divide the class into two teams. Indicate one team member at a time, alternating between teams. Call out an infinitive and a subject pronoun and have the team member give the correct future form. Award one point for each correct answer. The team with the most points wins.

Comunicación

4 **Viaje ecológico** Tu compañero/a y tú tienen que planear un viaje ecológico. Decidan a qué país irán, en qué fechas y qué harán allí. Usen ocho verbos en futuro.

Interpersonal Communication

ECOTURISMO

Puerto Rico
- acampar en la costa y disfrutar de las playas
- visitar el Viejo San Juan
- montar a caballo por la Cordillera Central
- ir en bicicleta por la costa
- viajar en barco por Isla Culebra

República Dominicana
- ir en kayak por los ríos tropicales
- bucear por los arrecifes
- ir de safari por La Descubierta y ver los cocodrilos del Lago Enriquillo
- disfrutar del paisaje de Barahona
- observar las aves en el Parque Nacional del Este

5 **¿Qué será de...?** En parejas, conversen sobre lo que sucederá en el futuro en relación con estos temas y lugares.

Interpersonal Communication

- las ballenas (*whales*) en 2200
- Venecia en 2065
- los libros tradicionales en 2105
- la televisión en 2056
- Internet en 2050

- las hamburguesas en 2080
- los Polos Norte y Sur en 2300
- el Amazonas en 2100
- Los Ángeles en 2245
- el petróleo en 2090

6 **¿Dónde estarán en 20 años?** La fama es, en muchas ocasiones, pasajera (*fleeting*). En grupos de tres, hagan una lista de cinco personas famosas y anticipen lo que será de ellas dentro de veinte años.

Interpersonal Communication

7 **Situaciones**

A. En parejas, seleccionen uno de estos temas e inventen una conversación usando el tiempo futuro.

Interpersonal Communication

1. Dos jóvenes han terminado sus estudios y hablan sobre lo que harán para convertirse en millonarios.
2. Dos ladrones acaban de robar todo el dinero de un banco internacional. Piensa en lo que harán para escapar de la policía.
3. Los/as hermanos/as Rondón han decidido convertir su granja (*farm*) en un centro de ecoturismo. Deben planear algunas atracciones para los turistas.

B. Ahora, interpreten su conversación ante la clase. La clase votará por la conversación más creativa.

PUEDO hablar sobre planes y hacer predicciones.

Teaching Tips

4 If time and resources permit, bring in tourist materials about different Spanish-speaking countries.

Interpretive Communication   Acquiring Information & Diverse Perspectives

5 Ask pairs to come up with their own predictions about things that will happen 25, 50, and 100 years from now.

5 Model the activity with this example: **¿Qué será de los periódicos de papel en 2020? En 2020 todos los periódicos serán digitales.**

5 **Virtual Chat** Available online.

6 Model the activity by talking about one celebrity first as a class.

6 As an alternative, ask students to make predictions about a classmate. Then ask each student to share their predictions and have the class guess who is being described. Be sure to encourage only positive predictions.

7 Have pairs perform their conversations for the class. For listening comprehension, ask students to jot down the future-tense verbs used.

7 **Partner Chat** Available online.

 Pre-AP*

AP Skill Category **5**

Presentational Communication   School & Global Communities

DIFFERENTIATION

Heritage Speakers Ask students to share about **el ecoturismo** in their families' home countries. **¿Sabes algo del ecoturismo en _____? ¿En qué lugares se ofrece el ecoturismo? ¿Te parece que el ecoturismo es bueno para el país? ¿Por qué?** Allow time for other students to ask questions about ecotourism in other countries.

DIFFERENTIATION

To Challenge Students Ask pairs of students to consider and then research the places in their hometown or city where tourists could experience ecotourism. Then encourage them to make a brochure advertising the local options to Hispanic tourists. Display the brochures around the room, and allow time for the class to walk around and read each one. Consider sending them to the local tourism bureau.

Teaching Tips

- To facilitate for students,
  explain that a clause is a part
  of a sentence. Independent
  clauses are parts of the
  sentence that can be a whole
  sentence on their own (they
  are a complete thought).
  Ex: **Las chicas se preparan.**
  The girls are getting ready.
  Dependent clauses are not
  complete thoughts. Ex: **antes
  de que empiece el baile**
- Also explain that conjunctions
  are connecting words such
  as: **y** (*and*), **pero** (*but*), and
  a menos que (*unless*).
- Point out that, although
  English often uses
  subordinate clauses when
  there is no change of
  subject, Spanish uses the
  infinitive instead. Ex: **Tomé
  la medicina para curarme.**
  (*I took the medicine so that I
  would get better.*)

Extra Practice Go to
vhlcentral.com for more
practice with the subjunctive
in adverbial clauses.

6.2 The subjunctive in adverbial clauses

- In Spanish, adverbial clauses are commonly introduced by conjunctions. Certain conjunctions require the subjunctive, while others can be followed by the subjunctive or the indicative, depending on the context in which they are used.

Si no te gusta, en cuanto regresemos a la ciudad, lo cambiamos.

¡Lo haremos! Tan pronto como sepa salir de aquí!

Conjunctions that require the subjunctive

- Certain conjunctions are always followed by the subjunctive because they introduce actions or states that are uncertain or have not yet happened. These conjunctions commonly express purpose, condition, or intent.

MAIN CLAUSE	CONNECTOR	SUBORDINATE CLAUSE
Se acabará el petróleo en pocos años	a menos que	busquemos energías alternativas.

¡ATENCIÓN!

An adverbial clause
(**cláusula adverbial**) is one
that modifies or describes
verbs, adjectives, or other
adverbs. It describes how,
why, when, or where an
action takes place.

Conjunctions that require the subjunctive	
a menos que *unless*	**en caso (de) que** *in case*
antes (de) que *before*	**para que** *so that*
con tal (de) que *provided that*	**sin que** *without; unless*

El gobierno se prepara **en caso de que haya** una gran sequía el verano que viene.
The government is getting ready in case there is a big drought in the coming summer.

A menos que haga mal tiempo, iremos a la montaña el próximo miércoles.
We will go to the mountains next Wednesday unless the weather is bad.

Debemos proteger a los animales salvajes **antes de que se extingan**.
We should protect wild animals before they become extinct.

¡ATENCIÓN!

Adverbial clauses can also
go before the main clause.
Note that a comma is used
in that case.

**No iré a la fiesta a menos
que me inviten.**

**A menos que me inviten,
no iré a la fiesta.**

- If there is no change of subject in the sentence, a subordinate clause is not necessary. Instead, the prepositions **antes de, con tal de, en caso de, para**, and **sin** can be used, followed by the infinitive. Note that the connector **que** is not necessary in this case.

Las organizaciones ecologistas trabajan **para proteger** los arrecifes de coral.
Environmental organizations work to protect coral reefs.

Tienes que pedir permiso **antes de darles de comer** a los monos del zoológico.
You have to ask permission before feeding the monkeys at the zoo.

DIFFERENTIATION

For Inclusion Write the examples from the grammar
presentation on the board. Then use pantomime or illustrations
to convey the meaning of each sentence. For example, write:
**Se acabará el petróleo en pocos años a menos que busquemos
energías alternativas.** Then sketch a gas tank with little gas, an
arrow and a stick figure looking at windmills and solar panels.
Ask volunteers to do the same for the other examples.

DIFFERENTIATION   Language Comparisons

To Challenge Students Give other examples in English using
adverbial clauses and ask volunteers to translate them into
Spanish. Record your English examples and the students'
Spanish translations. After the class understands the exercise,
challenge all students to participate by suggesting either English
or Spanish sentences.

Conjunctions followed by the subjunctive or the indicative

● If the action in the main clause has not yet occurred, then the subjunctive is used after conjunctions of time or concession.

Conjunctions of time or concession

a pesar de que	*despite*	**hasta que**	*until*
apenas	*as soon as*	**luego que**	*as soon as*
aunque	*although; even if*	**mientras que**	*while*
cuando	*when*	**ni/no bien**	*as soon as*
después (de) que	*after*	**siempre que**	*as long as*
en cuanto	*as soon as*	**tan pronto como**	*as soon as*

La excursión no saldrá **hasta que estemos** todos.
The tour will not leave until we all are here.

Dejaremos libre al pájaro **en cuanto** el veterinario nos **diga** que puede volar.
We will free the bird as soon as the vet tells us it can fly.

Aunque me **digan** que es inofensivo, no me acercaré al perro.
Even if they tell me he's harmless, I'm not going near the dog.

Cuando Pedro vaya a cazar, tendrá cuidado con las serpientes venenosas.
When Pedro goes hunting, he will be careful of the poisonous snakes.

Te mando un mensaje de texto **apenas lleguemos** al aeropuerto.
I'll text you as soon as we get to the airport.

● If the action in the main clause has already happened, or happens habitually, then the indicative is used in the adverbial clause.

Tan pronto como paró de llover, Matías **salió** a jugar al parque.

As soon as the rain stopped, Matías went out to play in the park.

Mi padre y yo **siempre** nos lo pasamos bien **cuando estamos** juntos.

My father and I always have fun when we are together.

● Clarify that, when possible, Spanish uses *preposition + infinitive* instead of *conjunction + subjunctive* when there is no change of subject. Ex: **Voy a acostarme después de ver las noticias.** (*I'm going to go to sleep after I watch the news.*) For many conjunctions of time, however, a corresponding preposition does not exist. In these cases, *conjunction + subjunctive* is used even when there is no change of subject. Ex: **Lo haré en cuanto tenga un momento.**

● To facilitate, list the conjunctions on the board. Then next to them and in a different color, list the prepositions that mean nearly the same thing (Ex: **después de que** and **después de**).

PRE-AP* | Interpersonal Communication

Interpersonal Speaking Review the adverbial conjunctions, making distinctions about when to use the subjunctive. In pairs, have students discuss vacation trips that people typically take. Ex: **En cuanto llega agosto, todos salen de vacaciones. Siempre que hace buen tiempo, van a la playa.** Then have them discuss vacations that have not yet occurred, in which they use the subjunctive with these same expressions: **En cuanto llegue mi amigo, voy a salir para Madrid.** After making sure that students understand the difference, instruct them to do a role-play involving an upcoming trip. Say: **Tu hermano Juan te llama desde la universidad. Te dice que va a estudiar en el extranjero el semestre que viene. Hazle cinco preguntas en las cuales usas el subjuntivo con conjunciones adverbiales. Juan las contesta.**

❶ ❷ **For Inclusion** Have volunteers tell which tense to use in each item before completing the sentences.

❶ ❷ Suggest students list the independent clause, its subject, the dependent clause, its subject, and the conjunction before completing each sentence. Model with the first item on the board.

❶ ❷ To challenge students, have them rewrite the sentences changing the indicative to the subjunctive and vice versa. Remind students to make all necessary subject and conjunction/ preposition changes. Ask students to indicate which items were impossible to change and why.

❸ Have volunteers perform the conversation as a skit. Encourage them to use hand gestures and facial and verbal expressions.

Expansion Give three volunteers each a different piece of colored chalk. On the board, write a sample sentence. Ex: **Se acabará el petróleo en pocos años a menos que busquemos energías alternativas**. Then ask the first volunteer to come to the board and underline the independent clause and circle its subject. Have the second volunteer come to the board to underline the dependent clause and circle its subject. Finally, have the third volunteer come to the board to circle the conjunction. Then pointing out the different subjects and the conjunction, explain why the subjunctive is used. Repeat with several more examples until all students have had a turn to volunteer.

Práctica

1 **Reunión** Completa las oraciones con el indicativo (presente o pretérito) o el subjuntivo de los verbos entre paréntesis.

1. Los ecologistas no apoyarán al alcalde (*mayor*) a menos que éste __cambie__ (cambiar) su política de medio ambiente.
2. El alcalde va a hablar con su asesor (*advisor*) antes de que __lleguen__ (llegar) los ecologistas.
3. Los ecologistas entraron en la oficina del alcalde tan pronto como __supieron__ (saber) que los esperaban.
4. El alcalde les asegura que siempre piensa en el medio ambiente cuando __da__ (dar) permisos para construir edificios nuevos.
5. Los ecologistas van a estar preocupados hasta que el alcalde __responda__ (responder) a todas sus preguntas.

2 **¿Infinitivo o subjuntivo?** Completa las oraciones con el verbo en infinitivo o en subjuntivo.

1. Compraré un carro híbrido con tal de que no __sea__ (ser) muy caro. Compraré un carro híbrido con tal de __conservar__ (conservar) los recursos naturales.
2. Los biólogos viajan para __estudiar__ (estudiar) la biodiversidad. Los biólogos viajan para que la biodiversidad se __conozca__ (conocer).
3. Él se preocupará por el calentamiento global después de que los científicos le __demuestren__ (demostrar) que es una realidad. Él se preocupará por el calentamiento global después de __ver__ (ver) con sus propios ojos lo que ocurre.
4. No podremos continuar sin __tener__ (tener) un mapa. No podremos continuar sin que alguien nos __dé__ (dar) un mapa.

3 **Declaraciones** Elige la conjunción adecuada para completar la conversación entre un periodista y la señora Corbo, encargada de relaciones públicas de un zoológico.

PERIODISTA Señora Corbo, ¿qué le parece el artículo que se ha publicado en el que se dice que el zoológico no trata bien a los animales?

SRA. CORBO Lo he leído, y (1) __aunque__ (aunque / cuando) yo no estoy de acuerdo con el artículo, hemos iniciado una investigación. (2) __Tan pronto como__ (Hasta que / Tan pronto como) terminemos la investigación, se lo comunicaremos a la prensa. Queremos hablar con todos los empleados (3) __para que__ (en cuanto / para que) no haya ninguna duda.

PERIODISTA ¿Es verdad que limpian las jaulas sólo cuando va a haber una inspección (4) __para que__ (para que / sin que) el zoológico no tenga problemas con las autoridades?

SRA. CORBO Le aseguro que todo se limpia diariamente hasta el último detalle. Y si no me cree, lo invito a que nos visite mañana mismo.

PERIODISTA ¿Cuándo cree que sabrán lo que ha ocurrido?

SRA. CORBO (5) __En cuanto__ (En cuanto / Aunque) termine la investigación.

LEARNING STYLES

For Auditory Learners Have each student make two signs—one that reads **Subjuntivo** and another that reads **Indicativo**. Say a sentence and have students raise the appropriate sign. After several examples, challenge volunteers to give examples for the class to identify.

LEARNING STYLES

For Kinesthetic Learners Divide the class into two teams: **Subjuntivo** and **Indicativo**. Write a conjunction on the board. Ex: **con tal de que, hasta que**, etc. Have a member of team **Subjuntivo** run to the board to create an original sentence using the subjunctive; have a team member from team **Indicativo** use the same construction with the indicative in the adverbial clause. Award one point for each correct answer.

Comunicación

4 **Instrucciones** Javier va a salir de viaje por el país y le ha dejado una lista de instrucciones a su compañero de casa. En parejas, túrnense para preparar las instrucciones usando oraciones adverbiales con subjuntivo y las conjunciones de la lista.

MODELO   No uses mi computadora a menos que sea una emergencia.

a menos que
a pesar de que
con tal de que
cuando
en caso de que
en cuanto
para que
siempre que
tan pronto como

Instrucciones
- *Darles de comer a los peces*
- *Comprar productos ecológicos*
- *No pasear el perro si hay tormenta*
- *Usar sólo papel reciclado*
- *No usar mucha agua excepto para regar (to water) las plantas*
- *Llamarme por cualquier problema*

5 **Situaciones** En parejas, túrnense para completar las oraciones.

1. Terminaré mis estudios a tiempo a menos que…
2. Me iré a vivir a otro país en caso de que…
3. Ahorraré (*I will save*) mucho dinero para que…
4. Elegiré una carrera en cuanto…

6 **Huracán** En grupos de cuatro, imaginen que son compañeros/as de casa y que un huracán se acerca a la zona donde viven. Escriban un plan para explicar qué harán en las diferentes situaciones. Usen el subjuntivo y las conjunciones adverbiales.

MODELO   el agua se corta
Llenaremos muchas botellas en caso de que el agua se corte.

- las bombillas de luz se queman
- las ventanas se rompen
- las líneas de teléfono se cortan
- el sótano se inunda (*flood*)
- los vecinos ya se han ido
- no hay suficiente alimento
- no hay conexión a Internet

PUEDO indicar instrucciones.

PUEDO escribir un plan de acción en caso de un fenómeno natural catastrófico.

La naturaleza

doscientos cuarenta y siete **247**

To Challenge Students and For Inclusion Form small, multi-leveled groups of students. Ask each group to produce a pamphlet for hurricane readiness, based on **Actividad 6**. First, students should determine their roles. One student in each group should facilitate or organize the group. One or two students should record the group's ideas. Another student or two should edit the pamphlet. Another should recopy or type the final version. Finally, students can illustrate the pamphlet. Display the pamphlets around the room. Allow time for the class to walk around and read each one.

Teaching Tips
4 Have students recycle vocabulary about the household (**Lección 3**) to create additional instructions. Ex: **lavar los platos, apagar el televisor.**

5 Call on students to share their partner's responses. Record their responses on the board to help visual learners benefit from the review.

6 Ask students to create two sentences using superlatives (**Estructura 5.1**) Ex: **Si las ventanas se rompen, lo más importante es quedarse dentro de la casa.**

6 To continue the activity or as an alternative, ask students to make their suggestions into a news broadcast that they practice and then perform for the class.

AP Skill Category **8**

NATIONAL STANDARDS
Communities Have students locate and bring in disaster preparedness information in Spanish. Sources for this might be found online, from local or state government agencies, and even from hotels and hospitals that need to instruct people in what to do in the event of an emergency. What verb forms are used for giving this sort of instruction?

Estructura **247**

6.3 Prepositions: *a, hacia,* and *con*

The preposition *a*

• The preposition **a** can mean *to, at, for, upon, within, of, from,* or *by,* depending on the context. Sometimes it has no direct translation in English.

> Terminó **a** las doce.
> *It ended at midnight.*

> Lucy estaba **a** mi derecha.
> *Lucy was to/on my right.*

> El mar Caribe está **a** doscientas
> cincuenta millas de aquí.
> *The Caribbean Sea is two hundred
> and fifty miles from here.*

> Le compré un pájaro exótico **a** Juan.
> *I bought an exotic bird from/for Juan.*

> **Al** llegar **a** casa, me sentí feliz.
> *Upon returning home, I felt happy.*

> Fui **a** casa de mis padres para
> ayudarlos después de la inundación.
> *I went to my parents' house to
> help them after the flood.*

• The preposition **a** introduces indirect objects.

> Le prometió **a** su hijo que irían a navegar.
> *He promised his son they would go sailing.*

> Hoy, en el zoo, le di de comer **a** un conejo.
> *Today, in the zoo, I fed a rabbit.*

• The preposition **a** can be used to give commands or make suggestions.

> ¡**A** comer!
> *Let's eat!*

> ¡**A** dormir!
> *Time for bed!*

• When a direct object noun is a person (or a pet), it is preceded by the personal **a,** which has no equivalent in English. The personal **a** is also used with the words **alguien, nadie, alguno,** and **ninguno.**

> ¿Viste **a** tus amigos en el parque?
> *Did you see your friends in the park?*

> No, no he visto **a** nadie.
> *No, I haven't seen anyone.*

• The personal **a** is not used when the person in question is not specific.

> La organización ambiental
> busca voluntarios.
> *The environmental organization
> is looking for volunteers.*

> Sí, necesitan voluntarios para limpiar
> la costa.
> *Yes, they need volunteers to clean
> the coast.*

The preposition *hacia*

• With movement, either literal or figurative, **hacia** means *toward* or *to.*

> La actitud de Manuel **hacia** mí
> fue negativa.
> *Manuel's attitude toward me
> was negative.*

> El biólogo se dirige **hacia** Puerto Rico
> para la entrevista.
> *The biologist is headed to Puerto Rico for
> the interview.*

• With time, **hacia** means *approximately, around, about,* or *toward.*

> El programa que queremos ver
> empieza **hacia** las 8.
> *The show that we want to watch
> will begin around 8:00.*

> La televisión se hizo popular **hacia**
> la segunda mitad del siglo XX.
> *Television became popular toward
> the second half of the twentieth century.*

¡ATENCIÓN!

Some verbs require **a**
before an infinitive, such
as **ir a, comenzar a,
volver a, enseñar a,
aprender a, ayudar a.**

Aprendí a manejar.
I learned to drive.

**Me ayudó a arreglar
el coche.**
He helped me fix the car.

¡ATENCIÓN!

There is no accent mark
on the **i** in the preposition
hacia. The stress falls on
the first **a.** The word **hacía**
is a form of the verb **hacer.**

LEARNING STYLES

For Auditory Learners Slowly read aloud a children's story
that includes prepositions, with at least one example of **a, hacia,**
and **con.** Ask students to raise one hand when they hear a
preposition. Ask them to raise both hands when they hear
a, hacia, or **con.**

LEARNING STYLES

For Visual Learners To facilitate, use a box to review the
definition of a preposition: Hold the box in front of the class.
List some prepositions on the board, including **a, hacia,**
and **con.** Say and pantomime: **Estoy detrás de la caja. Estoy
enfrente de la caja. Estoy caminando hacia la caja.** Use your
voice to emphasize the preposition.

The preposition *con*

Los cactus pueden adaptarse con facilidad a medio ambientes desérticos.

- The preposition **con** means *with*.

Me gustaría hablar **con** el director
del departamento.
*I would like to speak with the director
of the department.*

Es una organización ecológica **con**
muchos miembros.
*It's an environmental organization
with lots of members.*

- Many English adverbs can be expressed in Spanish with **con** + [*noun*].

Habló del tema **con** cuidado.
She spoke about the issue carefully.

Hablaba **con** cariño.
He spoke affectionately.

- The preposition **con** is also used rhetorically to emphasize the value or the quality of something or someone, contrary to a given fact or situation. In this case, **con** conveys surprise at an apparent conflict between two known facts. In English, the words *but*, *even though*, and *in spite of* are used.

Los turistas tiraron los envoltorios al suelo.
The tourists threw wrappers on the ground.

¡**Con** lo limpio que estaba todo!
But the place was so clean!

- If **con** is followed by **mí** or **ti**, it forms a contraction: **conmigo**, **contigo**.

| con + mí | conmigo |
| con + ti | contigo |

¿Quieres venir **conmigo** al campo?
*Do you want to come with me
to the countryside?*

Por supuesto que quiero
ir **contigo**.
Of course I want to go with you.

- **Consigo** is the contraction of **con** + **usted/ustedes** or con + **él/ella/ellos/ellas**. **Consigo** is equivalent to the English *with himself/herself/yourself* or *with themselves/yourselves*, and is commonly followed by **mismo**. It is only used when the subject of the sentence is the same person referred to after **con**.

Están satisfechos **consigo mismos**.
They are satisfied with themselves.

Fui al cine **con él**.
I went to the movies with him.

Cristina no está feliz **consigo misma**.
Cristina is not happy with herself.

Prefiero ir al parque **con usted**.
I prefer going to the park with you.

- After teaching the second bullet point, tell students that friendly letters often close with **Con cariño** or some variation. Ask students to write quick notes to each other closing with **Con cariño** or a similar expression.
- Point out that it is never correct to say **con mí** or **con ti**. Also remind students that although the personal pronoun **mí** carries an accent to distinguish it from the possessive adjective **mi**, **ti** never has an accent.
- **For Kinesthetic Learners** Ask volunteers to pantomime going somewhere with someone or something. The class guesses where they are going and with whom or what.

DIFFERENTIATION

For Inclusion Play the game **Vamos de picnic**. Choose a location in nature rather than a picnic (such as **las montañas** or **el campamento**). Have students sit in a circle. Write the phrase on the board: **Vamos a las montañas. Vamos con…** Begin the game by saying the phrases and adding one thing or person that you will take to the mountains. The student to your right repeats the phrases, then adds your object and one of his or her own.

DIFFERENTIATION

Play continues until all students have added something to the list. If students are having trouble remembering the items on the list, write them on the board.

Heritage Speakers Ask students to share about whether their family members use **consigo** or **consigo mismo** and with what frequency. Students may want to ask at home before sharing.

Teaching Tips

1 To facilitate, remind students of the **a + el = al** rule so they can eliminate some of the items in the exercise.

1 For Inclusion When reviewing the answers, invite volunteers to illustrate or pantomime some of the items.

2 Ask pairs to identify the reasons, according to the explanation in **Estructura 6.3**, for the times they chose to use **a** in the exercise.

2 For Kinesthetic and Visual Learners Ask three volunteers to pantomime the scene as you read it slowly.

3 Expansion Have students write a conversation between María, Emilio, and his little brother to make plans for their next visit to the countryside. Have students use examples of **con** contractions at least five times.

3 For Auditory Learners Ask volunteers to read the completed conversation aloud. Invite other volunteers to add to the conversation, using any of the three prepositions.

Formative Assessment Use any of the three activities on this page as formative checks for correct application of the prepositions reviewed; offer feedback and more explanation if needed.

---

1 **¿Cuál es?** Elige entre las preposiciones **a**, **hacia** y **con** para completar cada oración.

1. El león caminaba __hacia__ el árbol.
2. Dijeron que la tormenta empezaría __hacia/a__ las dos de la tarde.
3. Le prometí que iba __a__ ahorrar combustible.
4. Ellos van a tratar de ser responsables __con__ el medio ambiente.
5. Contribuyó a la campaña ecológica __con__ mucho dinero.
6. El depósito de combustible estaba __a__ mi izquierda.

2 **Amigos** Primero, completa los párrafos con las preposiciones **a** y **con**. Marca los casos que no necesitan una preposición con una **X**.

Emilio invitó (1) __a__ María (2) __a__ ir de excursión. Él quería ir al bosque (3) __con__ ella porque quería mostrarle un paisaje donde se podían ver (4) __X__ muchos pájaros. Él sabía que (5) __a__ ella le gustaba observar (6) __X__ las aves. María le dijo que sí (7) __a__ Emilio. Ella no conocía (8) __a__ nadie más (9) __con__ quien compartir su interés por la naturaleza. Hacía poco que había llegado (10) __a__ la ciudad y buscaba (11) __X__ amigos (12) __con__ sus mismos intereses.

3 **Conversación** Completa la conversación de Emilio y María con la opción correcta de la preposición **con**. Puedes usar las opciones de la lista más de una vez.

con	consigo	con nosotros
conmigo	contigo	con ustedes

EMILIO Gracias por haber venido (1) __conmigo__ a correr por el campo. Ha sido una tarde divertida.

MARÍA No, Emilio. Gracias a ti por haberme invitado a venir (2) __contigo__. No conocía este sitio y es maravilloso. ¡(3)__Con__ lo que me gusta el campo!

EMILIO Pues ya lo sabes, puedes venir (4) __conmigo__ cuando quieras. ¿Qué te parece si lo repetimos la próxima semana?

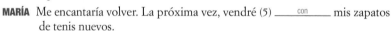

MARÍA Me encantaría volver. La próxima vez, vendré (5) __con__ mis zapatos de tenis nuevos.

EMILIO A veces, vengo (6) __con__ mi hermano pequeño. Tiene once años, seguro que te cae bien. Si quieres, la semana que viene puede venir (7) __con nosotros__. Él siempre se trae un cronómetro (*stopwatch*) (8) __consigo__. Él dice que va a ser un atleta famoso.

MARÍA Perfecto, la semana que viene venimos los tres. Estoy segura de que lo voy a pasar bien (9) __con ustedes__.

DIFFERENTIATION

To Challenge Students For additional practice, write **a, hacia,** and **con** on three index cards and shuffle them. Have volunteers pick a card and create a sentence using that preposition. As a variation, have students base their sentences on the previous student's answer. Appoint one student to record the sentences and read them back to the class to create an absurd story.

DIFFERENTIATION

For Inclusion Play an oral game of *Mad Libs*. On the board, write sentence frames such as **Voy 1. _____ 2. _____. Voy 3. _____ las 4. _____ de la tarde. Necesito ir 5. _____ 6. _____.** Under each respective blank, write: **1. una preposición 2. un lugar 3. una preposición 4. una hora 5. una preposición 6. una cosa.** Model filling in the blanks. Then read the story. Invite pairs to do the same, creating silly stories to share with the class.

Comunicación

Presentational Communication

4 **Safari** En parejas, escriban un artículo periodístico breve sobre lo que le sucedió a un grupo de turistas durante un safari. Usen por lo menos cuatro frases de la lista. Sean imaginativos. Después, compartan el informe periodístico con la clase.

a correr	a tomar una foto	hacia el carro
al guía	con la boca abierta	hacia el león
a nadie	con la cámara digital	hacia el tigre

Interpretive Communication
Interpersonal Communication

5 **Noticias** En grupos de cuatro o cinco, lean los titulares e inventen la noticia. Formen un círculo. El primero debe leer el titular al segundo, añadiendo (*adding*) algo. El estudiante repite la noticia al tercero y añade otra cosa, y así sucesivamente (*and so on*). Las partes que añadan a la noticia deben incluir las preposiciones **a**, **con** o **hacia**.

MODELO Acusaron a Petrosur de contaminar el río.

ESTUDIANTE 1: Acusaron a Petrosur de contaminar el río <u>con productos químicos</u>.

ESTUDIANTE 2: Acusaron a Petrosur de contaminar el río <u>con productos químicos</u>. <u>A diario se ven horribles manchas que flotan en el agua</u>.

ESTUDIANTE 3: Acusaron a Petrosur de contaminar el río <u>con productos químicos</u>. <u>A diario se ven horribles manchas que flotan en el agua hacia la bahía</u>.

1. Inventaron un combustible nuevo.
2. El presidente felicitó (*congratulated*) a los bomberos.
3. Inauguran hoy una nueva reserva.
4. Se acerca una tormenta.

Interpersonal Communication

6 **Síntesis**

A. En parejas háganse estas preguntas sobre la naturaleza. Deben usar el futuro, el subjuntivo y las preposiciones **a**, **hacia** y **con** en sus respuestas.

1. ¿Conoces a alguien que contribuya a cuidar el medio ambiente?
2. ¿Te gusta cazar? ¿Conoces a mucha gente que cace?
3. ¿Crees que reciclar es importante? ¿Por qué? ¿Qué sucederá si no reciclamos?
4. ¿Qué actitud tienes hacia el uso de productos desechables?
5. ¿Qué cambios de estilo de vida ayudan a proteger el medio ambiente?

B. Informen a la clase de lo que han aprendido de su compañero/a usando las preposiciones correspondientes. Sigan el modelo.

MODELO Juana, mi compañera, dice que no conoce a nadie que contribuya a cuidar el medio ambiente. Ella dice que si no reciclamos, tendremos problemas con la cantidad de basura...

PUEDO escribir un artículo sobre el safari de unos turistas.

PUEDO responder preguntas sobre el cuidado del medio ambiente, usando **a**, **hacia** y **con**.

Teaching Tips

4 To help students prepare their articles, encourage them to create a timeline of events before they begin writing.

Lifelong Learning

NATIONAL STANDARDS
Communities As a variation for **Actividad 5**, have students find authentic **titulares** (*headlines*) from Spanish-language news sites on the Internet.

School & Global Communities

Pre-AP*

AP Skill Category 8

6 Review the subjunctive with **conocer**, if necessary (**Estructura 4.1**).

6 **Virtual Chat** Available online.

Expansion To Challenge Students, have them find a paragraph or article and analyze the use of **a**, **hacia**, and **con**. Ask volunteers to present some examples to the class. Then discuss which one of the three was most commonly used.

LEARNING STYLES Interpretive Communication / Interpersonal Communication

For Auditory Learners Have students bring in news articles about an environmental problem or natural disaster. First students should read their own article. Then they should explain it to their partner without letting the partner read the article. Partners should rely on their listening skills to understand the gist of the article. Finally, partners should share their questions, thoughts, and opinions on the article.

LEARNING STYLES

For Kinesthetic Learners Display pictures of the environment. On slips of paper, write two environmental problems for each picture, one per slip. Ex: picture of endangered animal with these slips: **su agua está contaminada/la construcción quita tierra de su hogar**. Each student gets a slip and goes to the matching picture to talk with the second student, using the future, subjunctive, and prepositions.

Section Goals

In **En pantalla,** students will:
- watch the documentary *Playa del Carmen: Tiburón Toro*
- practice listening for and using vocabulary and grammar learned in this lesson

AP Skill Categories
1 2 3 4

Student Resources
Online Video and Activities

Teacher Resources
Transcript & Translation

Teaching Tips
- Point out to students that, in this lesson, they will watch a documentary instead of a short film.
- Point out that **preñada** is generally used to refer to animals. For women, the most common words are **embarazada** or **encinta.** Also, tell them that a synonym for **dar a luz** is **parir.**
- Ask students to choose six words from the vocabulary list and write a sentence with each. Have them share their sentences with a classmate.

2 After students have discussed the questions in pairs, ask those who have gone diving or snorkeling to share their experiences with the class.

2 Expansion Conduct a class discussion about question 5. As a class, make a list of suggestions for traveling in ways that help protect the environment.

2 Partner Chat
Available online.

3 Ask students to share their answers with the class.

Antes de ver el video

PLAYA DEL CARMEN: TIBURÓN TORO

país México **directora** Tania Escobar

duración 7 minutos **con** Luis Lombardo, Luis Leal, Jorge Loria

Vocabulario

el/la aliado/a *ally*	**enfrente (de)** *facing*
el asombro *astonishment*	**la hembra** *female (animal)*
el buceo *diving*	**el manglar** *mangrove swamp*
el buzo *diver*	**preñada** *pregnant*
dar a luz *to give birth*	**la veda** *closed season, ban (for fishing)*
darse la vuelta *to turn back*	

1 **Un anuncio** Completa el anuncio con las palabras o expresiones apropiadas.

¿Le gusta el océano? ¿Le interesa practicar el (1) ___buceo___ y sumergirse en el mar para admirar la fauna marina? Si es así, lo invitamos a participar en nuestro programa de navegación que lo dejará con los ojos abiertos de (2) ___asombro___. Después de navegar cerca a la costa y apreciar los (3) ___manglares___ y su diversa vegetación, los participantes podrán nadar en el mar y observar muchas especies marinas, algunas de las cuales vienen a poner sus huevos o a (4) ___dar a luz___ en esta temporada frente a nuestras costas. Si le interesa este programa y quiere más información, acérquese a nuestras oficinas que se encuentran afuera del hotel, (5) ___enfrente___ de la marina.

Interpersonal Communication

2 **El buceo** En parejas, contesten estas preguntas.

1. ¿Qué opinas del buceo? ¿Alguna vez lo has practicado? ¿O te gustaría practicarlo?
2. ¿Conoces algún lugar del mundo donde sea particularmente interesante bucear? ¿Y algún lugar en tu país?
3. ¿Qué sabes sobre los tiburones? ¿Crees que son animales peligrosos? ¿Por qué?
4. ¿Cómo crees que podemos ayudar a proteger a las especies marinas?
5. ¿Qué características debe tener el turismo responsable? ¿De qué manera el turismo puede reducir los efectos negativos sobre el medio ambiente

Interpretive Communication

3 **¿De qué tratará?** En parejas, describan la siguiente imagen. ¿Qué relación tendrá con el video que van a ver?

Interpersonal Communication

EXPANSION

Analysis Ask students to name some differences between short films and documentaries. Write the differences on the board. Ask them to describe the features of documentaries they watch on TV, especially ones about nature.

CRITICAL THINKING

School & Global Communities | Lifelong Learning

Application Have small groups of students design an activity for a tourist agency to promote **el turismo responsable**. Ask them to provide details on what makes the activity pro-environment.

Teaching Tips
- Ask students to make predictions about the documentary based on the poster.
- Point out to students that the video they are about to watch is part of a series of documentaries called **Voces del mar: Historias de los Mares Mexicanos.** Ask them to brainstorm possible topics this series covers.

Expansion Ask students to visit www.maresmexicanos.com and share their impressions of the site. If they have difficulty accessing the site, ask them to type maresmexicanos.com/?lang=en into their browser's search bar.

CRITICAL THINKING

Interpretive Communication

Analysis Ask pairs of students to describe the scene depicted in the poster and discuss how they would feel in a similar situation. Have them share their reactions with the class.

CRITICAL THINKING

Evaluation Ask students what they know about sharks. How are sharks portrayed in the news media? In film? Then, ask whether they think those representations are true-to-life or include misconceptions and exaggerations.

TEMA Un grupo de buzos profesionales cuentan sus experiencias enseñándoles a las personas a tener encuentros cercanos con los tiburones en Playa del Carmen.

Escenas

LOCUTORA Durante el invierno, la costa de Playa del Carmen recibe a un grupo de misteriosos visitantes.

LUIS LOMBARDO Quintana Roo es una zona de manglares, entonces es bien sabido que durante una temporada los tiburones se adentran° al manglar para tener allá sus crías°.

JORGE LORIA Lo que me habían enseñado era que los tiburones comían gente. Entonces, imagínate, cuando veo a este animal de frente a mí, digo: "Ya está, ¡éste es el fin!, ¡me va a comer!".

LUIS LEAL Compartir con otras personas ese gusto, ese cariño por los animales me llena mucho como instructor y como guía de buceo.

JORGE LORIA ¡Y ver los ojos esos, así de este tamaño de asombro de la gente!

JORGE LORIA Y les preguntamos: "¿Cómo te sientes?", y te empiezan a decir "*Rebién*°, yo no pensé que los tiburones eran así; ¡tenía tanto miedo!".

adentrarse *to go deep into* **la cría** *offspring* **rebién** *(colloquial) very well*

CRITICAL THINKING

Analysis After they have watched the documentary, ask students what they have learned. Did it change their minds about sharks? Ask: **¿Les gustaría participar en una actividad de buceo con los tiburones como la de Playa del Carmen? ¿Por qué?**

PRE-AP®   Interpersonal Communication

Interpersonal Writing Ask students to use the video storyboard as a guide to write an e-mail to a friend telling him/her about the experience of swimming with sharks in Quintana Roo. They should write at least one sentence per image. Ask them to send the e-mail to one of their classmates, who should respond to the message.

Después de ver el video

1 **Comprensión** Contesta las preguntas con oraciones completas.

Interpretive Communication

1. ¿En dónde está ubicada Playa del Carmen?
   Está ubicada en la costa Caribe de Quintana Roo, al este de México.
2. ¿Quiénes son los "misteriosos visitantes" que llegan a este lugar?
   Los misteriosos visitantes son los tiburones. En su mayoría son hembras preñadas.
3. ¿En qué época del año llegan esos misteriosos visitantes y para qué?
   Llegan en el invierno para dar a luz.
4. ¿Cómo es el agua donde se encuentran estos animales?
   Es agua clara y no es fría.
5. ¿Cómo se sienten las personas después de la experiencia de sentir a los tiburones cerca de ellas?
   Sienten asombro. Se sienten felices. Se sienten *rebién*.
6. ¿Qué ha pasado con los tiburones durante las últimas décadas?
   La población mundial de tiburones ha decrecido dramáticamente.
7. ¿De qué depende la conservación de los tiburones?
   Depende del conocimiento y la protección de las áreas marinas que garantizan su reproducción.
8. ¿Por qué la veda no está bien planeada?
   Porque se impone cuando ya no hay tiburones en la zona.
9. ¿Con qué objetivo se marca a las hembras de tiburón?
   Para observar los movimientos de los tiburones y ver cuáles son los sitios donde van a dar a luz.

2 **Interpretación** En parejas, respondan las siguientes preguntas.

Interpretive Communication

Interpersonal Communication

1. ¿Qué hizo que Jorge Loria cambiara la manera como veía a los tiburones?
   Un tiburón se acercó a él, pero no se lo comió; simplemente lo vio, se dio la vuelta y se fue.
2. ¿Qué efecto tiene en la gente la experiencia de buceo con los tiburones?
   Su cara de miedo se transforma en una cara de felicidad; se convierten en aliados para la protección de los tiburones.
3. ¿Cuál es la importancia de este buceo?
   Que le está cambiando la manera de pensar a la gente sobre los tiburones.
4. Según Jorge Loria, ¿cuál es la diferencia en la situación de los tiburones entre el presente y hace unos cuarenta años?
   Ahora se ven unos catorce tiburones, pero hace unos cuarenta años podía haber cincuenta o cien.
5. ¿Qué proponen los instructores de buceo con respecto al buceo y el turismo en la zona?
   Proponen reglamentar este buceo, tener medidas de seguridad para hacerlo correctamente y regular la actividad del turismo.

3 **Análisis** En grupos pequeños, discutan el significado de las siguientes expresiones tomadas del video.

Interpretive Communication

Interpersonal Communication

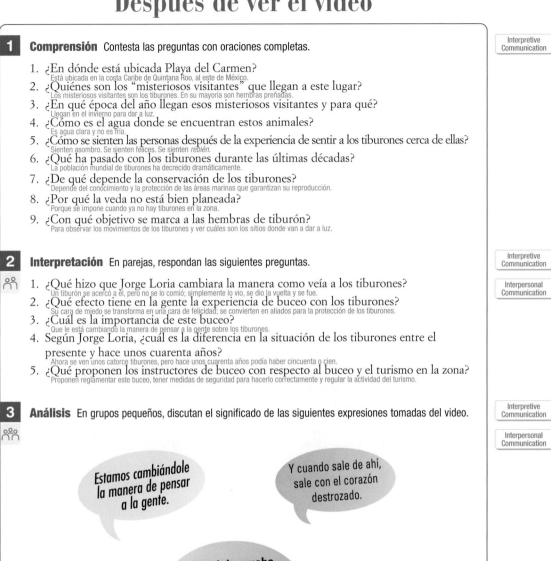

Estamos cambiándole la manera de pensar a la gente.

Y cuando sale de ahí, sale con el corazón destrozado.

Nos deja mucho más un tiburón vivo vendiéndolo para verlo que vendiéndolo en un plato.

La naturaleza

doscientos cincuenta y cinco **255**

Teaching Tips

1 If needed, replay scenes from the documentary to help students answer the questions.

2 After students have answered the questions in pairs, go over each question as a class. Encourage students to include as many details as possible.

3 Discuss each sentence as a class. Ask: **¿De qué manera estos buzos le están cambiando la manera de pensar a la gente? ¿Por qué uno de los buzos dice que las personas salen del mar "con el corazón destrozado"? ¿Creen que está bien utilizar a los tiburones para el consumo humano?**

Formative Assessment
Monitor listening/viewing comprehension through student responses and offer feedback or replay segments that were misunderstood.

PRE-AP*

Interpersonal Communication | Presentational Communication | Making Connections

Interpersonal Speaking and Presentational Writing Ask students to consider the AP theme of Global Challenges, in particular that of challenges to the environment. First, ask them, using the context of the documentary they have just watched: **¿Cuáles son los desafíos del medio ambiente que enfrentan los biólogos marinos de México? ¿Cuáles son los orígenes de estos desafíos?** Ask students to take detailed notes based on what they learned during the viewing and discussion of the documentary. Also have students draw on what they already know about the topic. Brainstorm as a class answers to the question: **¿Cuáles son algunas posibles soluciones?** Ask students to write a paragraph or two summarizing the problem, some of its origins, and their proposal for action to address the problem.

Pre-AP*

AP Skill Category 8

Section Goals

In **Lecturas**, students will:

• read about Guatemalan author **Augusto Monterroso** and read his short story *El eclipse*, paying attention to the style and structure

• learn about bomb testing and environmental conservation on the Puerto Rican island of Vieques

Pre-AP*

AP Skill Categories
1 **2** **3** **4**

Student Resources
Cuaderno de actividades, p. 138
Online Activities, *eCuaderno*

Teacher Resources
Workbook TE

Teaching Tip For Inclusion
Ask students to point to, name, and describe everything they see in the painting. Encourage them to share their opinions of the painting as well. Ask: **¿Te gusta el cuadro? ¿Por qué?** If time allows, have students reflect on Frida Kahlo's self portrait. In groups, encourage them to point out any details that may call their attention. Ask them to make connections with the natural theme presented in the painting and the quote below. Ask: **¿Qué mensaje intenta comunicar Frida Kahlo en este cuadro? ¿Creen que la pintora estaría de acuerdo con la cita sobre la tela de araña? ¿Por qué?**

Expansion Ask students who have seen the film *Frida* with Salma Hayek to summarize it for the class. Then discuss how this painting illustrates the information students mentioned about the film. If possible, show some of the film in the class to compare and contrast Salma Hayek's portrayal with this portrait.

"Quien rompe una tela de araña,

a ella y a sí mismo daña."

Anónimo

Autorretrato con mono, 1938
Frida Kahlo, México

👥 **Interpretar** En parejas, respondan estas preguntas. <small>Some answers will vary.</small>

1. ¿Qué se ve en este cuadro?
2. ¿Reconocen a la mujer? Si no, ¿quién puede ser según la imagen?
3. ¿Qué hace el mono en la escena? ¿Será amigable, peligroso, gracioso?
4. ¿Cómo es el escenario y dónde te parece que está ubicada la escena?
5. ¿Crees que la artista se siente cómoda en medio de la naturaleza? ¿Por qué?

PUEDO opinar sobre lo que representa la obra *Autorretrato con mono* de la artista mexicana Frida Kahlo.

CRITICAL THINKING | Interpretive Communication | Language Comparisons

Comprehension and Application Ask pairs to translate the quote. Record all responses. Then discuss which translation is best and why. Finally, ask students to respond to the quote. Ask: **¿Estás de acuerdo con esta oración? ¿Por qué? ¿Crees que todas tus acciones dejan una huella en el mundo? ¿Cómo? ¿Podemos revertir los efectos de nuestras acciones?**

CRITICAL THINKING | Interpretive Communication | Interpersonal Communication

Analysis and Evaluation Ask groups of students to discuss how the painting, quote, and story relate. Challenge them to use vocabulary from the chapter, future and present tenses, and prepositions in their discussions. After a few minutes, open up the discussion to the class.

Antes de leer

El eclipse

Sobre el autor

Augusto Monterroso (1921-2003) nació en Honduras, pero pasó su infancia y juventud en Guatemala. En 1944 se radicó (*settled*) en México tras dejar Guatemala por motivos políticos. A pesar de su origen y de haber vivido su vida adulta en México, siempre se consideró guatemalteco. Monterroso tuvo acceso desde pequeño al mundo intelectual de los adultos. Fue prácticamente autodidacta: abandonó la escuela a los once años y con sólo quince fundó una asociación de artistas y escritores. Considerado padre y maestro del microcuento latinoamericano, Monterroso recurre (*resorts to*) en su prosa al humor inteligente con el que presenta su visión de la realidad. Entre sus obras se destacan *La oveja negra y demás fábulas* (1969) y la novela *Lo demás es silencio* (1978). Recibió numerosos premios, entre los que destaca el Príncipe de Asturias en 2000.

Vocabulario

aislado/a *isolated*	**florecer** *to blossom*	**sacrificar**
digno/a *worthy*	**oscurecer** *to darken*	*to sacrifice*
disponerse a *to be about to*	**prever** *to foresee*	**salvar** *to save*
la esperanza *hope*	**la prisa** *hurry*	**valioso/a** *valuable*

1 **Exploradores** Completa esta introducción de un cuento con las palabras apropiadas.

Los exploradores salieron rumbo a la ciudad perdida sin (1) ___prever___ ninguno de los peligros de la selva. El viejo mapa indicaba que la ciudad escondía un (2) ___valioso___ tesoro. Cuando (3) ___se disponían___ a iniciar la marcha, se dieron cuenta de que iba a (4) ___oscurecer___ antes de que llegaran, por lo que decidieron avanzar con (5) ___prisa___. Tenían la (6) ___esperanza___ de llegar antes de la medianoche.

2 **Conexión personal** Responde estas preguntas: ¿Alguna vez viste un eclipse? ¿Cómo fue la experiencia? ¿Hay algún fenómeno natural al que le tengas miedo? ¿Cuál? ¿Por qué?

3 **Análisis literario: el microcuento**

El microcuento es un relato breve, pero no por eso se trata de un relato simple. En estos cuentos, el lector participa activamente porque debe compensar los recursos utilizados (economía lingüística, insinuación, elipsis) a través de la especulación o haciendo uso de sus conocimientos previos. Este género nació en Argentina en la década de 1950 con el escritor Jorge Luis Borges. A medida que lees *El eclipse,* haz una lista de los conocimientos previos y también de las especulaciones que sean necesarias para comprender el relato. Después, compara tu lista con la de tus compañeros/as. ¿Qué elementos de sus listas coinciden?

CRITICAL THINKING

Interpretive Communication

Lifelong Learning

CRITICAL THINKING

Knowledge and Comprehension Ask pairs to read the biography and make a web of Augusto Monterroso's life and work. Then, as a class, discuss his life and work, using as much chapter vocabulary as possible. Example: **Me parece que en algunas épocas de su juventud, Monterroso se sintió aislado por ser más inteligente que sus compañeros.**

Application and Synthesis Search the Internet for the text of **El dinosaurio,** Monterroso's famous seven-word **microcuento,** and write it on the board. Ask students to speculate about what happened before the beginning of the story. What prior knowledge do they need to resort to in order to make sense of the story?

EL ECLIPSE

Augusto Monterroso

friar

powerful/captured

Cuando fray° Bartolomé Arrazola se sintió perdido, aceptó que ya nada podría salvarlo. La selva poderosa° de Guatemala lo había apresado°, implacable y definitiva. Ante su ignorancia topográfica se

5 sentó con tranquilidad a esperar la muerte. Quiso morir allí, sin ninguna esperanza, aislado, con el pensamiento fijo en la España distante, particularmente en el convento de Los Abrojos, donde Carlos Quinto condescendiera una vez a

zeal

redemptive 10

bajar de su eminencia para decirle que confiaba en el celo° religioso de su labor redentora°.

surrounded

face

bed/fears

Al despertar se encontró rodeado° por un grupo de indígenas de rostro° impasible que se disponían a sacrificarlo ante un altar, un altar que a Bartolomé le pareció como el lecho° en que descansaría, al fin, de sus temores°, de su

15 destino, de sí mismo.

command (of a language)

Tres años en el país le habían conferido un mediano dominio° de las lenguas nativas. Intentó algo. Dijo algunas palabras que fueron comprendidas.

deepest recesses/to take
advantage of
to trick

Entonces floreció en él una idea que tuvo por digna de su

20 talento y de su cultura universal y de su arduo conocimiento de Aristóteles. Recordó que para ese día se esperaba un eclipse total de sol. Y dispuso, en lo más íntimo°, valerse de° aquel conocimiento para engañar° a sus opresores y salvar la vida.

—Si me matáis —les dijo— puedo hacer que el sol se

25 oscurezca en su altura.

counsel/disdain

Los indígenas lo miraron fijamente y Bartolomé sorprendió la incredulidad en sus ojos. Vio que se produjo un pequeño consejo°, y esperó confiado, no sin cierto desdén°.

was gushing 30

Dos horas después el corazón de fray Bartolomé Arrazola chorreaba° su sangre vehemente sobre la piedra de los sacrificios (brillante bajo la opaca luz de un sol eclipsado), mientras uno de los indígenas recitaba sin ninguna inflexión de voz, sin prisa, una por una, las infinitas fechas en que se producirían eclipses solares y lunares, que los astrónomos de

35 la comunidad maya habían previsto y anotado en sus códices sin la valiosa ayuda de Aristóteles. ∎

Teaching Tips
- To facilitate, give each student a copy of a story map. Read the first paragraph aloud slowly. Pause and ask volunteers to summarize what you have read. Then model filling in the story map to record the setting, character attributes, and problem. Then ask the class to suggest some solutions to **fray Bartolomé's** problem. Continue reading in this manner, pausing to summarize, take notes in the story map, and then predict what will happen.
- **To Challenge Students** As students read the story, have them take notes on how the author depicts the passing of time. Then ask students what effect the author's treatment of time has on the pace and flow of the story.

NATIONAL STANDARDS Connections: History/ Science Ask students to tell anything that they already know about the scientific knowledge the Maya possessed at the time of the European conquest. You might ask them to do further research about such topics as Mayan astronomy, medicine, and engineering.

> Making
> Connections

PRE-AP*

> Presentational
> Communication

> Relating Cultural
> Practices to
> Perspectives

> Making
> Connections

Presentational Writing Discuss with students the idea of **microcuento**. After reading the story, ask them to analyze the attitude of **fray Bartolomé** towards the **indígenas**. How did he try to trick them, and why was he not able to do so? Then give the students several pages from Rigoberta Menchú's autobiography. Have them read the pages and discuss them in small groups. Finally, have them compare the writings of Monterroso and Menchú in a formal essay of 200 words. Tell them: **Comparen y contrasten las ideas y las imágenes en *El eclipse* con la escritura de Menchú. Mencionen la actitud del español hacia la gente indígena.**

El eclipse
Augusto Monterroso

1

Comprensión Contesta las preguntas con oraciones completas.

1. ¿Dónde se encontraba fray Bartolomé?
   Él se encontraba en la selva de Guatemala.
2. ¿Conocía el protagonista la lengua de los indígenas?
   Sí, conocía varias lenguas nativas.
3. ¿Qué querían hacer los indígenas con fray Bartolomé?
   Ellos querían sacrificarlo.
4. ¿Qué les advirtió fray Bartolomé a los indígenas?
   Él les advirtió que si lo mataban iba a hacer que el sol se oscureciera.
5. ¿Qué quería fray Bartolomé que los indígenas creyeran?
   Él quería que los indígenas creyeran que tenía poderes sobrenaturales.
6. ¿Qué recitaba un indígena mientras el corazón del fraile sangraba?
   Un indígena recitaba las fechas en que se producirían eclipses solares y lunares.

2

Interpretación Contesta las siguientes preguntas.

1. ¿Por qué crees que fray Bartolomé pensaba en el convento de Los Abrojos antes de morir?
2. ¿Cuál había sido la misión de fray Bartolomé en Guatemala?
3. ¿Quién le había encomendado esa misión?
4. ¿Por qué no le sirvieron a fray Bartolomé sus conocimientos sobre Aristóteles?

3

Fenómenos naturales En grupos de tres, investiguen acerca de un fenómeno o desastre natural, o un acontecimiento que haya despertado grandes temores o supersticiones.

A. Investiguen qué predicciones se hicieron de estos eventos y cuáles fueron sus consecuencias reales. Si lo desean, pueden elegir un evento que no esté en la lista. Presenten la investigación ante la clase.

- el cometa Halley
- la llegada del año 2000
- la amenaza nuclear durante la guerra fría
- la erupción del volcán Vesubio en Pompeya

B. Escriban un microcuento sobre uno de los fenómenos o acontecimientos presentados. Lean el microcuento al resto de la clase. Sus compañeros/as deben adivinar de qué fenómeno o acontecimiento se trata.

4

Escribir Investiga acerca de la flora y la fauna de la selva guatemalteca. Luego, imagina que eres fray Bartolomé y tienes que escribirle una carta al Rey Carlos V contándole lo que observaste en la selva. Usa el vocabulario de la lección.

MODELO Estimado Rey Carlos V: Como Su Majestad sabe, le escribo desde la selva de Guatemala, adonde llegué hace ya tres años. En esta carta, quiero contarle...

PUEDO compartir predicciones sobre fenómenos naturales y escribir un microcuento

---

Teaching Tips

1 Ask students to write a one-paragraph summary of the story, based on their answers to the exercise.

> Interpretive Communication Presentational Communication

2 Ask questions for students to reflect on their reaction to the story: **¿Creíste que fray Bartolomé iba a sobrevivir? ¿En qué momento de la historia te diste cuenta de que iba a morir? ¿Te identificas con el protagonista? ¿Por qué?**

3 Suggest that students divide the research tasks among their group. Appoint one person to research the history of the phenomenon or disaster, another to find visual aids, and a third to find news stories or anecdotes.

21st Century Skills

3 Productivity and Accountability
As a class, decide if the rubric you developed for the previous chapter works for this chapter's assignment. If not, adjust it to meet what students need to accomplish.

3 For Part B, as students read their **microcuento** aloud, have the rest of the class jot down any questions they have.

4 Encourage students to use comparatives and superlatives in their letters.

4 Expansion Have students write a response letter from the point of view of King Charles V.

> Presentational Communication Relating Cultural Practices to Perspectives

---

CRITICAL THINKING

Comprehension and Synthesis Ask students to create a graphic novel version of the story. Show examples of graphic novels/short stories so that students know how to frame their versions. Students should then draw pictures and write captions and dialogue. Collect the graphic novels and redistribute them to other students, allowing time for students to read at least two versions.

CRITICAL THINKING

Evaluation Have students invent an alternate ending to the story and share it with the rest of the class. Challenge students to use the same style and structure as Monterroso. Then have students vote on the best ending.

Objetivo comunicativo: Hablar sobre la importancia ecológica de la isla de Vieques.

CULTURA

Antes de leer

Vocabulario

ambiental *environmental*	el monte *mountain*
el bombardeo *bombing*	la pureza *purity*
el ecosistema *ecosystem*	el refugio *refuge*
la especie *species*	el terreno *land*
el/la manifestante *protester*	el veneno *poison*

1 **El Yunque** Completa las oraciones con el vocabulario de la tabla.

1. Puerto Rico es una isla de ___terreno___ muy variado: hay montañas, playas y hasta un bosque tropical, el Bosque Nacional del Caribe, también llamado El Yunque.

2. El Yunque tiene una diversidad de vegetación impresionante, que incluye casi 250 ___especies___ de árboles.

3. También es un ___refugio___ natural para los animales, ya que en el bosque están protegidos de la caza (*hunting*).

4. El ___monte___ más alto de El Yunque es El Toro, con una altura de 1.077 metros (3.533 pies).

5. Hay grupos dedicados a la protección ___ambiental___ de El Yunque. Buscan preservar la ___pureza___ de este paraíso tropical.

2 **Conexión personal** Responde estas preguntas: ¿Qué significado tiene la naturaleza para ti? ¿Es una fuente de trabajo o de alimento (*food*)? ¿O es un lugar de diversión y belleza? ¿Qué haces para proteger la naturaleza? ¿Cómo crees que será el mundo natural dentro de cien años? ¿Y dentro de quinientos?

Contexto cultural

Situada en el agua transparente del Mar Caribe, la pequeña **isla de Vieques** es un refugio de lagunas, bahías y playas que forman un hábitat ideal para varias clases de tortugas marinas (*sea turtles*), el manatí y arrecifes de coral. La gente de Vieques comparte los pequeños montes y las aguas cristalinas (*crystal clear*) de la isla con una rica variedad de flora y fauna, entre ellas cinco especies de plantas y diez especies de animales en peligro de extinción. La isla de Vieques, de 33 kilómetros de largo por 7,2 de ancho (20,5 por 4,3 millas), es un municipio de Puerto Rico que tiene más de nueve mil habitantes. Puerto Rico es un Estado Libre Asociado de los Estados Unidos. Los habitantes de Puerto Rico, también llamados *boricuas*, son ciudadanos estadounidenses.

Previewing Strategies
- Ask students to discuss the link between tourism and nature conservation. **¿Crees que se puede aumentar el turismo de una zona y proteger las riquezas naturales del lugar al mismo tiempo? ¿Por qué? ¿El turismo puede dañar la naturaleza? ¿Cómo?**
- Ask students about the first time they experienced a particular aspect of nature. Ex: **¿Recuerdas la primera vez que viste el mar? ¿Cómo te sentiste?**

NATIONAL STANDARDS
Communities Have pairs of students research tourism in Vieques today on the Internet. Ask: **¿Cuáles son las playas, los hoteles y las actividades más populares en la isla? ¿Cómo ha cambiado el turismo en los últimos diez años?**

School & Global Communities

CRITICAL THINKING

Comprehension and Synthesis Ask students to create a **Cuento curioso** using the vocabulary from this page, and if necessary, from page 257. Have the class sit in a circle. Say one sentence that begins a story and uses a vocabulary word. The student to your right continues the story, using a different vocabulary word. Encourage students to be creative and even silly as the story grows. See how many times you can go around the circle.

CRITICAL THINKING

Application and Analysis Have groups of students research the flora and fauna of your area. Ask them to try to discover how humans impact the local flora and fauna. Then have a class discussion about this and about what animals and plants are in danger of extinction in your area.

La conservación de Vieques

Vieques — Vista aérea de la zona de maniobras militares

- Point out to students that the photo is an aerial view of a small island off the coast of Vieques where protesters set up camps on U.S. Navy maneuver areas during the protests against U.S. military operations in Vieques.
- To facilitate, ask students to identify all the cognates in the first paragraph. Have volunteers list them on the board. Discuss whether each is a true or false cognate. Record the English equivalent next to the word. Then have students reread the paragraph for greater comprehension.

  Language Comparisons

- **To Challenge Students** Have them research a local environmental concern and what protesters are saying and doing about it. Ask students to share their findings with the class.
- Ask students to share how they feel about the U.S. military using tropical islands for maneuvers (missile testing, war games, etc.)
- **For Inclusion and Visual Learners** Ask students to look at the picture on page 262 and describe it in detail. If necessary, teach new colors such as: **aguamarina** and **azul celeste**.

"**¡Vieques renace!**"° anuncia el gobierno de este municipio puertorriqueño, que busca estimular el turismo de una isla rica en naturaleza, pero golpeada° por devastadores huracanes y pobre en economía. Vieques dispone de° sitios arqueológicos importantes, playas espectaculares, un fuerte° histórico y una bahía
5 bioluminiscente, la Bahía Mosquito, que es una maravilla de la naturaleza. Sus arrecifes de coral contienen un ecosistema de enorme productividad y diversidad biológica. Forman un pequeño paraíso que alberga y protege una inmensa variedad de especies, de plantas y animales acuáticos.

Vieques is reborn!

boasts

fort

Interpretive Communication	Lifelong Learning

CRITICAL THINKING

Comprehension and Synthesis Divide the class into five groups. Assign each group one of the paragraphs of the reading (including the insert). Then have them reread their paragraph and outline the main ideas. On the board or chart paper, have students record their outlines in order. Then, as a class, add to and make changes to the outline to make it complete.

Presentational Communication	School & Global Communities

CRITICAL THINKING

Analysis and Evaluation Ask each student to download, photocopy, or draw pictures of at least three of the amazing species of flora or fauna from Vieques. Place mural paper on the floor and have students create a mural of Vieques with as much color and detail as possible. Then ask students to title their mural and display it in a prominent place in the school to raise school-wide awareness of this beautiful place.

Sin embargo, en vez de tener una
tradición de alto turismo, la isla ha padecido°
graves problemas. Vieques fue utilizada para
prácticas de bombardeo desde 1941. En esa
época muchas personas fueron desalojadas°
cuando la Armada° de los Estados Unidos
ocupó dos áreas en los
extremos de la isla. Las
prácticas continuaron
por varias décadas, pero
en abril de 1999 un
guardia de seguridad
murió cuando una
bomba cayó fuera
de la zona de tiro°.
La muerte de David
Sanes encolerizó° a
los viequenses° y dio
origen° a una campaña
de desobediencia civil.
El presidente Clinton prometió cesar el
entrenamiento° de bombardeo en Vieques,
pero éste continuó con bombas inertes a pesar
de que los viequenses habían exigido "¡Ni una
bomba más!". Los manifestantes entraban en

la zona de tiro y establecían campamentos;
otros se manifestaban° en Puerto Rico y en
los Estados Unidos, y pronto captaron° la
atención internacional. Robert Kennedy, Jr.,
Jesse Jackson, Rigoberta Menchú y el Dalai
Lama, entre otros, hicieron declaraciones a
favor de° Vieques y muchas
personas fueron a la cárcel°
después de ser arrestadas en
la zona de tiro.

La protesta se centró en
gran parte en los problemas
que las bombas habían
causado al medioambiente,
a la economía de Vieques y
a la salud de los viequenses.
Las décadas de prácticas de
bombardeo dejaron un nivel
muy alto de contaminación,
que incluye la presencia de
uranio reducido (un veneno muy peligroso).
Después de una persistente campaña de
protesta y lucha°, las prácticas de bombardeo
terminaron en 2003 y la Agencia de Protección
Ambiental (EPA) declaró en 2005 que la
limpieza ambiental de Vieques sería una de
las prioridades nacionales. Hoy por hoy esta
agencia ejecuta un programa para limpiar y
descontaminar completamente, antes del año
2028, las tierras y las áreas marinas afectadas.

En la actualidad, los extremos este y oeste
de la isla se convirtieron en uno de los refugios
de vida silvestre más grandes del Caribe.
Los viequenses esperan que la isla pueda
renacer de entre los escombros° dejados
por los huracanes Irma y María en 2017,
limpiar y descontaminar sus costas después
de más de sesenta años de ejercicios de
bombardeo y, al mismo tiempo, desarrollar su
economía. Vieques sigue siendo un símbolo
de resistencia y es un lugar cada vez más
popular para el turismo local y extranjero. ∎

Margin glosses (left):
10
suffered
evicted
Navy 15

live-fire range
25
angered
inhabitants of
Vieques
gave rise to
30
training

20

Margin glosses (center/right):
35
demonstrated
captured

40
supporting
jail

45

50

55

struggle

60

65

debris
70

75

> **La protesta se centró en gran parte en los problemas que las bombas habían causado al medioambiente, a la economía de Vieques y a la salud de los viequenses.**

¿Qué es la bioluminiscencia?

Es un efecto de fosforescencia verdeazul, causado
por unos microorganismos que, al agitarse, dan
un brillo extraordinario a las aguas durante la
noche. El pez o bañista que se mueve bajo el agua
emite una luz radiante. Para que se produzca este
fenómeno extraordinario, se requiere una serie
de condiciones muy especiales de temperatura,
ambiente y poca contaminación.

Interpersonal
Communication

Making
Connections

Presentational
Communication

Acquiring
Information &
Diverse Perspectives

Teaching Tips
• Ask students to note their
feelings as they read this
page. Ask: **En general, y en
esta situación, ¿qué opinas
de la Armada de los Estados
Unidos? ¿Cómo te sentirías
como residente de Vieques?
¿Por qué?**
• **For Auditory Learners** Read
the article aloud. Ask
students to raise their hands
when they hear a cognate.
Pause to identify the word
as a true or false cognate.
• **For Kinesthetic Learners**
Ask students to form small
groups. Have them reread
paragraph 2. Then have them
create a skit based on the
details surrounding David
Sanes' death. Have groups
role-play their skits for class.

NATIONAL STANDARDS
Connections: Biology
Have students research
to find out more about **la
bioluminiscencia**. What is the
process involved? (Possible
answer: *Single-celled algae
are mechanically excited by
movement of ships, people,
or even by movement of
porpoises or small fish.*)
Where are there other places
in the world where this
occurs? (*It is very common,
but only occurs in salt water.*)
What are the conditions that
contribute to bioluminescence
in Bioluminescent Bay?
*The deposition of nutrients
from surrounding trees,
the retention of sediment
by surrounding flora,
and the cleanliness and
cool temperature of the
water contribute to the
bioluminescence.*

Making
Connections

CRITICAL THINKING

Comprehension and Analysis Ask students to discuss whether
the article was written with bias. Have students research the
U.S. Navy's explanation of their operations in Vieques. Suggest
they search the U.S. Navy website and newspaper articles that
quote the U.S. Navy spokespeople. This activity will help them
see with perspective and prepare them for the debate.

CRITICAL THINKING

Synthesis and Evaluation Ask the class to debate the naval
operations in Vieques. Divide the class into two teams—
A favor and **En contra**. Encourage each team to write and
rehearse three to five points and counterpoints. To determine
counterpoints, students must consider what the other side is
most likely to say. Allow each team two minutes to state their
points, listen to the other team, and state counterpoints.

1 Ask pairs to write three additional items. Then have them exchange papers with another pair and complete their sentences. Finally, ask the two pairs to join together to correct the six items.

2 **Expansion** Ask questions such as: **¿Qué efectos tuvo la presencia de la Armada sobre la salud de los habitantes? ¿Conoces otros lugares donde los habitantes hayan sufrido problemas de salud a causa de la contaminación?** Give examples, such as Agent Orange in Vietnam; the company depicted in *A Civil Action* (1998) and *An Inconvenient Truth* (2006).

2 **Virtual Chat** Available online.

3 **For Math Connection** After pairs answer the questions, discuss answers. Record student responses on the board. Then challenge the class to determine the best kind of graph to represent the class's thoughts about Vieques (pie chart, bar graph) and have pairs make a graph of the collected data. When pairs are done, ask volunteers to present their graphs.

Making Connections | Lifelong Learning

3 **Virtual Chat** Available online.

Pre-AP*

4 **Interpersonal Speaking** To prepare, have groups make a two-column chart listing the important supporting arguments for the protestors and for the U.S. government.

5 As an optional writing expansion, have students include a paragraph in which they try to convince their friend to visit Vieques.

Después de leer

La conservación de Vieques

Interpretive Communication

1 **Comprensión** Elige la respuesta correcta.

1. Vieques es un municipio de (la República Dominicana/Puerto Rico).

2. Entre los atractivos de la isla se encuentra (un pico altísimo/una bahía bioluminiscente).

3. Los arrecifes de coral son importantes para la biodioversidad porque (albergan una inmensa variedad de especies/protegen la capa de ozono).

4. La protesta en contra de la presencia de la Armada se produjo después (de la muerte de un guardia de seguridad/de que hablara el Dalai Lama).

5. La Agencia de Protección Ambiental realiza en la actualidad un (programa de turismo ecológico/plan para descontaminar tierras y áreas marinas de Vieques).

6. Muchas personas fueron arrestadas (por robar uranio reducido/por ingresar en la zona de prácticas de bombardeo).

Interpretive Communication

2 **Interpretación** Responde a las preguntas.

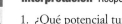

1. ¿Qué potencial turístico tiene Vieques? Da ejemplos. Vieques tiene mucho potencial turístico. Tiene sitios arqueológicos importantes, playas espectaculares, un fuerte histórico y una bahía bioluminiscente.

2. ¿Qué hacía la Armada en Vieques? La Armada realizaba prácticas de bombardeo.

3. ¿Cuál era el deseo de los manifestantes de Vieques? El deseo de los manifestantes era terminar con las prácticas de bombardeo.

4. ¿Por qué creen que la Armada de los Estados Unidos estaba autorizada a hacer prácticas de bombardeo en Vieques? Suggested answer: La Armada de los EE.UU. estaba autorizada porque Puerto Rico es parte de los Estados Unidos.

5. ¿Qué ocurre cuando una persona o un pez nada en la bahía bioluminiscente? La persona o el pez emite una luz radiante.

Interpersonal Communication

3 **Ampliación** En parejas, contesten las preguntas.

1. ¿Por qué es importante conservar una isla como Vieques?

2. ¿Qué efectos puede tener la declaración de la EPA? ¿Cómo puede mejorar la vida de los viequenses si se limpia la contaminación?

Interpersonal Communication
Relating Cultural Practices to Perspectives

4 **Reunión con el presidente** En grupos de cuatro, inventen una conversación sobre las prácticas de la Armada de Estados Unidos. Por una parte hablan dos manifestantes, y por otra el Presidente Clinton y un(a) representante de la Armada. Utilicen los tiempos verbales que conocen, incluyendo el futuro. Después, representen la conversación delante de la clase.

Interpersonal Communication
Making Connections

5 **El futuro de Vieques** Imagina que vives en Vieques. Escribe una carta a un(a) amigo/a contándole cómo crees que cambiarán las cosas en tu isla. Explícale cómo se resolverán los problemas de contaminación y cómo se va a promover el turismo.

PUEDO opinar sobre la importancia medioambiental de la isla de Vieques

264 *doscientos sesenta y cuatro*

Lección 6

CRITICAL THINKING | Interpretive Communication | Acquiring Information & Diverse Perspectives

Analysis and Evaluation Ask pairs to research the current status of contamination in Vieques. **¿Cómo se ha mejorado en estos años? ¿Se ha mejorado la salud de los habitantes en estos años?** After pairs research these questions, as a class discuss whether life in Vieques has improved or not since the U.S. Navy left.

CRITICAL THINKING | Presentational Communication | School & Global Communities

Application and Evaluation Based on the information students discover in their research on current contamination and health levels in Vieques, ask them to write a letter to their congressman or congresswoman, urging him or her to help the residents' cause (further). Provide sample Spanish letters to Congress for students to use as models. Consider sending the finished letters if appropriate.

Student Resources
Cuaderno de actividades, pp. 136–137, 139
Online Activities, *eCuaderno*

Teacher Resources
Workbook TEs; Textbook and Testing Audio online; Audio Scripts; Assessment Program Tests

Atando cabos

¡A conversar!

1 Mascotas exóticas

A. En parejas, preparen una conversación. Imaginen que uno/a de ustedes se va de vacaciones y le pide a un(a) amigo/a que le cuide la mascota (*pet*) exótica. Utilicen las formas del futuro y las preposiciones aprendidas en esta lección.

B. Hablen sobre las preguntas y luego compartan sus opiniones con el resto de la clase. Usen las frases y expresiones del recuadro para expresar sus opiniones.

- ¿Creen que está bien tener mascotas exóticas? ¿Por qué?
- ¿Creen que está bien exhibir animales en los zoológicos? ¿Por qué?

No estoy (muy) de acuerdo.	Para mí, ...
No es así.	En mi opinión, ...
No comparto esa opinión.	(Yo) creo que...
No coincido.	Estoy convencido/a de que...

2 Fotografías

Fotografías En parejas, busquen fotos de distintas reservas naturales de sus países de origen o de los países del mundo hispanohablante. Seleccionen una foto y descríbanla a su compañero/a. Pueden basarse en estas preguntas.

- ¿Cuál es la reserva natural que escogiste?
- ¿En qué país está localizada?
- ¿Qué ves en la foto?
- ¿Se ven animales y plantas en la foto de la reserva? ¿Cuáles?
- ¿Cuáles actividades piensas que se pueden hacer allí?
- ¿Te gustaría ir a ese lugar? ¿Qué precauciones crees que se deben tomar antes y durante el viaje a esa reserva?

La naturaleza

doscientos sesenta y cinco **265**

Teaching Tips
¡A conversar!
- For Part A, have students write a list of recommendations for how to care for their pet. Ex: **Es importante que saques a pasear al cocodrilo cada día. Dale de comer a las cinco de la tarde.**
- Ask students to list the qualities their friend should have in order to care for his or her pet properly. Ex: **Tiene que ser paciente y responsable.**
- For Part B, ask the expansion question: **¿Existen animales domésticos que requieran más atención que otros? Da ejemplos.** (Possible answers: **dálmata, hurón, conejo, etc**.).

TEACHING OPTIONS Presentational Communication

Analysis and Evaluation After completing Part B of **Actividad 1**, ask students to choose one topic and write a persuasive paragraph. Model the structure of presenting two or three points with supporting information and contesting counterpoints also with supporting information.

CRITICAL THINKING Making Connections Relating Cultural Practices to Perspectives

Evaluation As an expansion for **Actividad 2**, tell students that most of natural reserves in the world are managed by governments. Have students discuss whether the administration of those reserves would be in better hands in private organizations or not.

Atando cabos

Teaching Tip

3 In case students are having trouble thinking on other natural phenomena, help them by asking: **¿Qué pasa cuando explota un volcán? (erupción volcánica) ¿Cuál es el fenómeno que sucede cuando se crea un torbellino (*whirlwind*) en el campo? (tornado) ¿Cómo se llama el fenómeno colorido que se ve cuando llueve y hace sol? (arcoíris) ¿Qué pasa si la Luna cubre completamente el Sol? (eclipse),** etc.

Teaching Tips

¡A escribir!

- Before students begin writing, have them visit the **UNESCO** website and read the criteria for choosing World Heritage sites.
- In preparation for creating the poster, encourage students to map their ideas.

Lesson 6 Integrated Performance Assessment

Context: Your school is sponsoring a chapter of a new environmental organization, and some of the members are asked to record a brief podcast to get the word out. You have volunteered to record a podcast in Spanish persuading listeners to get involved.

You can find the IPA activity and scoring rubric in the Assessment Program and in the Resources section online.

| Interpersonal Communication |

3 **Fenómenos naturales** En parejas, cada estudiante escoge un fenómeno natural de la lista.

huracán	sequía
incendio	terremoto
inundación	tormenta
relámpago	trueno

A. Uno/a de los/as dos tratará de descubrir el fenómeno natural que pensó el/la otro/a, mencionando posibles causas. Si la respuesta se relaciona con el fenómeno, el/la otro/a dirá: "caliente". Si no se relaciona, dirá: "frío". Si lo descubre, dirá: "¡Adivinaste!". Cambien de turno varias veces.

MODELO
ESTUDIANTE 1 Es un fenómeno causado por lluvia.
ESTUDIANTE 2 Frío.
ESTUDIANTE 1 Es un fenómeno causado por el aumento de la temperatura.
ESTUDIANTE 2 Caliente.
ESTUDIANTE 1 Es un incendio.
ESTUDIANTE 2 ¡Adivinaste!

B. Hagan una lluvia de ideas sobre otros fenómenos naturales e indiquen sus posibles causas. Compartan sus ideas con la clase.

¡A escribir!

| Presentational Communication |

| Making Connections |

| Relating Cultural Practices to Perspectives |

Patrimonio mundial Investiga sobre uno de estos lugares de Cuba declarados Patrimonio de la Humanidad por la UNESCO. Luego, escribe un artículo de viajes.

> **Valle de Viñales**
> **Parque Nacional Alejandro de Humboldt**
> **Parque Nacional Desembarco del Granma**

A. Usa estas preguntas como guía: ¿Dónde está el lugar que eligieron? ¿Cuáles son sus características? ¿Por qué fue declarado patrimonio mundial? ¿Tiene sólo valor natural o es importante por su cultura e historia?

B. Empieza con una oración expresiva sobre el aspecto principal del lugar. Luego añade detalles en orden de importancia.

C. Cuando hayas terminado, intercambia tu artículo con el de tu compañero/a para corregirlo.

PUEDO expresar mi punto de vista sobre fenómenos naturales y sobre las mascotas.

PUEDO escribir un artículo de viajes.

266 *doscientos sesenta y seis*

Lección 6

TEACHING OPTIONS

Evaluation After completing **Actividad 3**, ask students to give their opinions on the severity of the natural phenomena they just talked about. Encourage them to create categories and to rank them in logical ways (dangerousness to human life, natural elements involved, etc.).

CRITICAL THINKING

| Presentational Communication | Acquiring Information & Diverse Perspectives | School & Global Communities |

Application and Synthesis As an alternative to the **¡A escribir!** activity, ask students to form groups of four. Assign two groups one of the Cuban parks and ask the other groups to choose a different location from the UNESCO website. Have them make an informative poster about their parks. When students complete their posters, display them in the room and allow time for members of the groups to take turns explaining their poster and viewing others' posters.

La naturaleza

el árbol	tree
el arrecife	reef
el bosque (lluvioso)	(rain) forest
el campo	countryside; field
la cordillera	mountain range
la costa	coast
el desierto	desert
el mar	sea
la montaña	mountain
el paisaje	landscape; scenery
la tierra	land; earth
húmedo/a	humid; damp
seco/a	dry
a orillas de	on the shore of
al aire libre	outdoors

Los animales

el ave (f.)/ el pájaro	bird
el cerdo	pig
el conejo	rabbit
el león	lion
el mono	monkey
la oveja	sheep
el pez	fish
la rana	frog
la serpiente	snake
el tigre	tiger
la vaca	cow
atrapar	to trap; to catch
cazar	to hunt
dar de comer	to feed
extinguirse	to become extinct
morder (o:ue)	to bite
en peligro de extinción	endangered
salvaje	wild
venenoso/a	poisonous

Los fenómenos naturales

el huracán	hurricane
el incendio	fire
la inundación	flood
el relámpago	lightning
la sequía	drought
el terremoto	earthquake
la tormenta (tropical)	(tropical) storm
el trueno	thunder

El medio ambiente

el calentamiento global	global warming
la capa de ozono	ozone layer
el combustible	fuel
la contaminación	pollution
la deforestación	deforestation
el desarrollo	development
la erosión	erosion
la fuente de energía	energy source
el medio ambiente	environment
los recursos naturales	natural resources
agotar	to use up
conservar	to preserve
contaminar	to pollute
contribuir (a)	to contribute
desaparecer	to disappear
destruir	to destroy
malgastar	to waste
proteger	to protect
reciclar	to recycle
resolver (o:ue)	to solve
dañino/a	harmful
desechable	disposable
renovable	renewable
tóxico/a	toxic

Más vocabulario

Expresiones útiles	Ver p. 233
Estructura	Ver pp. 240–241, 244–245 y 248–249

En pantalla

el/la aliado/a	ally
el asombro	astonishment
el buceo	diving
el buzo	diver
la hembra	female (animal)
el manglar	mangrove swamp
la veda	closed season, ban (for fishing)
dar a luz	to give birth
darse la vuelta	to turn back
preñada	pregnant
enfrente (de)	facing

Literatura

la esperanza	hope
la prisa	hurry
disponerse a	to be about to
florecer	to blossom
oscurecer	to darken
prever	to foresee
sacrificar	to sacrifice
salvar	to save
aislado/a	isolated
digno/a	worthy
valioso/a	valuable

Cultura

el bombardeo	bombing
el ecosistema	ecosystem
la especie	species
el/la manifestante	protester
el monte	mountain
la pureza	purity
el refugio	refuge
el terreno	land
el veneno	poison
ambiental	environmental

La naturaleza

Student Resources
Online Activities

Teacher Resources
Textbook and Testing Audio online; Testing Audio Script; Assessment Program Tests

Teaching Tips
- Ask students to find the flashcards they made at the beginning of the unit. Then ask them to add any new words they have learned throughout the unit.
- Once students have their flashcards made, encourage pairs to play the game **¡Guerra!** in which each partner holds his or her deck of flashcards. On the count of three, each partner flips one card over, picture side up. The first person to say both Spanish words wins both cards. If no one says the words correctly, both people take their cards back and put them at the bottom of their pile, noting the vocabulary words they missed for next time.
- Encourage students to pick 20 of the most useful words—words that they think they will have to know or that apply to subjects that interest them. Have them write sentences using those words.
- Play a game of Win, Lose, or Draw. Divide the class into two teams. Have a member from each team come to the board. Secretly give them a vocabulary word that can be represented visually. Then the members draw a picture that represents the word. The first team to guess the word gets a point.

21st Century Skills

Creativity and Innovation
Ask students to prepare a presentation about environmental conservation using lesson vocabulary and grammar.

DIFFERENTIATION

For Inclusion Give small groups of students each a pile of pictures from the **Contextos** opening activity. Encourage them to sort the pictures according to categories, and then label the categories and the pictures. Students can use the categories provided in the **Vocabulario** section or make up their own. Ask each group to share its pictures, categories, and labels with the class.

DIFFERENTIATION

To Challenge Students Ask discussion and summary questions about nature and the environment. Ex: **¿Qué importancia tiene la naturaleza en tu vida diaria? ¿Crees que a veces se exageran los problemas del medio ambiente? ¿O que no se les presta suficiente atención? ¿Por qué piensas así?**

See pages T34-T35 for additional details on how to use the six-step instructional design in your classroom.

1 **Context.** Make it personal. Ask students to provide whatever Spanish words they may already know in the context: "Think about science and technology. What Spanish words come to mind?". Next, ask students questions about their own experiences and thoughts about science and technology: **¿Te interesa la ciencia? ¿Qué aspectos de la tecnología te gustan más? ¿Te gustaría seguir una carrera en ciencia o tecnología? ¿Cuál?**

2 **Vocabulary.** Put it into words. Connect the word study in Step 1 with what students see on these pages. **¿Cuál de los inventos recientes te parece más interesante? ¿Qué científico/a admiras? ¿Por qué?**

3 **Media.** Bridge experiences. Ask students about the objects shown in this **Fotonovela** episode: **¿Usas GPS? ¿Para qué lo usas? ¿Qué haces cuando no funciona bien? ¿Te gusta reparar los aparatos eléctricos?**

A primera vista Have students look at the photo; ask them these additional questions: **1. ¿Qué tan positivos son los adelantos de la tecnología y la ciencia? ¿Por qué? 2. ¿Qué adelanto científico consideras más importante? ¿Por qué?**

Essential Questions Discuss the essential questions as a class. Point out to students that they will learn about science, inventions, and technology in Spanish-speaking countries in **El mundo hispano**, **Flash cultura** and **Lecturas.**

Overarching Theme Science and Technology: Discoveries and Inventions; Social Impact of Technology

A primera vista
- ¿Qué objeto utiliza la mujer? ¿Para qué sirve?
- ¿Dónde se encuentra ella? ¿Cuál crees que es su profesión?
- ¿Qué aporta la investigación científica a la humanidad?

Essential Questions
1. ¿Qué es la tecnología y en qué se diferencia de la ciencia?
2. ¿Qué efectos tienen los avances en ciencia y tecnología en nuestras vidas cotidianas?
3. ¿Cuál es la relación entre cultura y tecnología?

Teacher Resources

Presentation
- AP® Themes & Contexts
- Grammar slides: **Estructura** 7.1, 7.2, 7.3

Practice and Communicate
- *Cuaderno de actividades*, with audio & Answer Key
- Digital Image Bank (Science and Technology)
- Textbook Audio

Forums on **vhlcentral.com** allow you and your students to record and share audio messages.
Use Forums for presentations, oral assessments, discussions, directions, etc.

7 La tecnología y la ciencia

Can Do Goals

By the end of this lesson I will be able to:

- Talk about science, inventions, and technology
- Talk about actions and events that have recently happened
- Say what happened before another past action or condition
- Use diminutives and augmentatives

Also, I will learn about:

Culture
- Argentinian animated films
- The *Innovar* project
- Prominent Latin American scientists
- Argentinian inventions
- Argentinian writer Hernán Casciari's **blognovelas**

Skills
- Reading: Recognizing irony in short stories
- Conversation: Discussing the use of robots in every-day life
- Writing: Writing a blog entry

Lesson 7 Integrated Performance Assessment

Context: Your county is holding a bilingual science and technology fair. They are sponsoring a contest open to all students. You will present your written contest entry to the class.

Observatorio astronómico ALMA, Chile

Producto: El observatorio astronómico ALMA, con participación de la República de Chile, es el mayor proyecto astronómico del mundo.
¿Cuáles son las principales áreas de investigación en tu país?

---

4 **Culture.** Give new perspectives. Ask students: **¿Qué es la innovación? ¿Para qué sirven las innovaciones tecnológicas?**

5 **Structure.** Use grammar as a tool. Focus on presenting words in context and on personalized activities. Ask: **¿Has participado en una feria de ciencia? ¿Has visitado algún museo de ciencia y tecnología? ¿Cómo es? ¿Por qué algunos aparatos son cada vez más pequeñitos?**

6 **Synthesis.** Pull it all together. For each skill area, focus on the personalized activities that are provided, e.g. **Preparación**, p. 281; **Conexión personal**, pp. 297, 301.

Can Do Goals Review the list of communicative goals with your students. Point out that this lesson will provide them with the tools necessary to achieve these goals. You may also share the IPA task, found on page 306, so that students become familiar with the final communicative task they will be expected to complete.

Integrated Performance Assessment Before teaching this chapter, review the Integrated Performance Assessment (IPA) and its accompanying scoring rubric provided in the Assessment Program and online Resources. Use the IPA to assess students' progress toward proficiency targets at the end of the chapter.

Producto Point out that ALMA stands for Atacama Large Millimeter/submillimeter Array. Ask students if they know what **alma** means in Spanish (soul, spirit). It is in the Atacama dessert. This location was chosen for its high elevation and low humidity, factors which facilitate exploration. Encourage students to locate the Atacama Desert on a map and find out interesting facts about this natural wonder.

La tecnología y la ciencia

La tecnología

Gisela se pasa largas horas frente a su **computadora portátil navegando en la red**, leyendo **blogs** y **descargando** su música preferida.

la arroba *@ symbol*
el blog *blog*
el buscador *search engine*
la computadora portátil *laptop*
la contraseña *password*
el corrector ortográfico *spell checker*
la dirección de correo electrónico *e-mail address*
la informática *computer science*
el mensaje (de texto) *(text) message*
la página web *web page*
el programa (de computación) *software*
el reproductor de CD/DVD/MP3 *CD/DVD/MP3 player*
el (teléfono) celular *cell phone*

adjuntar (un archivo) *to attach (a file)*
borrar *to erase*
chatear *to chat*
descargar *to download*
guardar *to save*
navegar en la red *to surf the web*
tuitear *to tweet (in Twitter)*

digital *digital*
en línea *online*
inalámbrico/a *wireless*

La astronomía y el universo

el agujero negro *black hole*
el cohete *rocket*
el cometa *comet*
el espacio *space*
la estrella (fugaz) *(shooting) star*
el/la extraterrestre *alien*
la gravedad *gravity*
el ovni *UFO*

el planeta *planet*
el telescopio *telescope*
el transbordador espacial *space shuttle*

Los científicos

el/la astronauta *astronaut*
el/la astrónomo/a *astronomer*
el/la biólogo/a *biologist*
el/la científico/a *scientist*
el/la físico/a *physicist*
el/la ingeniero/a *engineer*
el/la matemático/a *mathematician*
el/la (bio)químico/a *(bio)chemist*

270 *doscientos setenta*

Lección 7

La ciencia y los inventos

Los científicos han realizado incontables **experimentos** con el **ADN** humano, los cuales han sido esenciales para los **avances revolucionarios** de las últimas décadas.

el ADN (ácido desoxirribonucleico) *DNA*
el avance *advance*
la célula *cell*
el desafío *challenge*
el descubrimiento *discovery*
el experimento *experiment*
el gen *gene*
el invento *invention*
la patente *patent*
la teoría *theory*

clonar *to clone*
comprobar (o:ue) *to prove*
crear *to create*
fabricar *to manufacture*
formular *to formulate*
inventar *to invent*

investigar *to investigate; to research*

avanzado/a *advanced*
(bio)químico/a *(bio)chemical*
especializado/a *specialized*
ético/a *ethical*
innovador(a) *innovative*
revolucionario/a *revolutionary*

La tecnología y la ciencia

Práctica

1 Escuchar | Interpretive Communication

A. Escucha lo que dice Mariana Serrano y luego decide si las oraciones son **ciertas** o **falsas**. Corrige las falsas.

1. Mariana Serrano es la presidenta de la Asociación de Ingenieros de Mar del Plata.
   Falso. Mariana Serrano es la presidenta de la Asociación Científica de Mar del Plata.
2. Mariana Serrano reflexiona sobre los desafíos del futuro. Cierto.
3. La comunidad científica ha hecho descubrimientos revolucionarios en el campo del ADN. Cierto.
4. No hay dinero para investigar nuevas medicinas.
   Falso. Hay bastante dinero para investigar nuevas medicinas.
5. Mariana Serrano cree que la ciencia y la ética deben ir unidas. Cierto.
6. Carlos Obregón es astrónomo. Falso. Carlos Obregón es biólogo.

B. Escucha la conversación entre Carlos Obregón y Mariana Serrano y contesta las preguntas.

1. ¿Qué le ha pasado a Carlos? A Carlos se le cayó la computadora portátil y perdió los documentos de la conferencia.
2. ¿De qué sabe mucho el amigo de Carlos? Sabe mucho de informática.
3. ¿Qué adjuntó el amigo de Carlos en el correo electrónico? Un archivo.
4. ¿Dónde escribe Mariana casi todos los días? Mariana escribe en un blog casi todos los días.
5. ¿Qué le tiene que dar Mariana a Carlos? Mariana le tiene que dar la dirección de la página web.
6. ¿Cómo se la va a dar Mariana? Mariana le va a dar la dirección en un mensaje de texto.

2 Definiciones Conecta cada descripción con la palabra correcta.

___e___ 1. Se utiliza en las direcciones de correo electrónico.

___f___ 2. Un objeto extraterrestre.

___d___ 3. Reproducir un ser vivo exactamente igual.

___b___ 4. Se utiliza para investigar en Internet.

___a___ 5. El vehículo que se utiliza para ir al espacio.

___c___ 6. Se utiliza para ver las estrellas.

a. cohete
b. buscador
c. telescopio
d. clonar
e. arroba
f. ovni

(A) Audio Script

PRESENTADOR Con todos ustedes Mariana Serrano, la presidenta de la Asociación Científica de Mar del Plata.
MARIANA Bienvenidos a la Quinta Conferencia de Genética de Mar del Plata. Antes de iniciar la conferencia quiero hacer unas reflexiones sobre los desafíos que todos los científicos tenemos por delante. La comunidad científica ha hecho algunos descubrimientos revolucionarios en el campo del ADN que cambian totalmente la visión que teníamos del gen humano. Estos últimos años también hemos hecho muchos avances en el estudio de algunas enfermedades genéticas y hemos conseguido bastante dinero para investigar nuevas medicinas. Se han publicado algunos artículos muy interesantes en revistas especializadas sobre todos estos temas. Todos estos éxitos nos deben alegrar y estimular para seguir trabajando, pero también nos deben recordar que tenemos una gran responsabilidad en nuestras manos, que el futuro de la ciencia nunca debe separarse de la ética.
Hoy empezamos la Quinta Conferencia de Genética con la presencia del famoso biólogo Carlos Obregón, que va a tratar este tema con más detalle…
Teacher Resources online

(B) Audio Script

MARIANA Me ha gustado mucho tu conferencia.
CARLOS ¿De verdad? Pues he tenido muchos problemas. ¿Sabes lo que me ha pasado? Ayer por la tarde, se me cayó al suelo la computadora portátil y así perdí todos los documentos para la conferencia.
(Script continues on page 272.)

Interpretive Communication | Presentational Communication | Making Connections | Acquiring Information & Diverse Perspectives | School & Global Communities

DIFFERENTIATION

To Challenge Students In small groups, have students log on to a science site, such as the Cold Spring Harbor Lab's Dolan DNA Learning Center, choose a DNA summer camp program that interests them, and write a short description of it in Spanish. Refer them to an online Spanish-English dictionary to look up new terms, as needed. Have them peer-edit one another's work, then present their findings to the class.

DIFFERENTIATION

Heritage Speakers Ask heritage speakers to review the vocabulary lists for terms that are different from those used in their families' countries of origin. For expansion, have pairs of students choose a scientist from one of their families' home countries and use print or online resources to find out what subject that scientist is currently researching. Have them share their findings with the class.

(B) Audio Script (continued)

MARIANA ¿Y qué hiciste?

CARLOS Menos mal que tengo un amigo que sabe mucho de informática y me ayudó. Él pudo recuperar el documento porque yo lo había guardado en la computadora de mi laboratorio. Le di mi contraseña y me adjuntó el archivo en un correo electrónico. He estado nerviosísimo.

MARIANA Pues no te preocupes, que has estado muy bien. No sé qué haríamos hoy día sin Internet. ¿Te imaginas? Yo ya no recuerdo cómo era mi vida antes. Yo incluso tengo un blog en el que escribo casi todos los días.

CARLOS ¿Sí? Me tienes que dar la dirección de la página web. Me encantaría leer lo que escribes.

MARIANA De acuerdo, mira, te mando la dirección en un mensaje de texto. ¿Hablamos después? Podemos quedar para tomar un café, ahora tengo que hablar con los demás invitados.

CARLOS Nos vemos después, entonces. ¡Chau!

Teacher Resources online

Teaching Tips

3 Have students create additional items, then exchange them with a classmate. After students answer the new items, have them confirm the answers with their classmate. Then have students do the same after completing **Actividad 4**.

4 For expansion, have students create similar sentences with the remaining words.

5 To facilitate, have pairs create the definitions.

Formative Assessment

Activities 3, 4 and 5 can be given for a quick vocabulary check to see what students remember from past and current learning and whether some expressions will require more explanation or reteaching.

Práctica

3 **No pertenece** Identifica la palabra que no pertenece al grupo.

1. ADN–célula–buscador–gen
2. astronauta–tuitear–cohete–espacio
3. descargar–adjuntar–guardar–clonar
4. descubrimiento–gravedad–avance–invento
5. bioquímico–avanzado–revolucionario–innovador
6. científico–biólogo–extraterrestre–ingeniero

4 **Para… se necesita…** ¿Qué se necesita para hacer lo siguiente? Añade el artículo correcto: **un** o **una**.

buscador	corrector ortográfico	matemático	teléfono celular
computadora portátil	desafío	patente	telescopio
contraseña	experimento	reproductor	teoría

1. Para encontrar una lista de sitios web se necesita ___un buscador___.
2. Para ver un DVD se necesita ___un reproductor___.
3. Para navegar en la red en la playa se necesita ___una computadora portátil___.
4. Para hacer una llamada en un autobús se necesita ___un teléfono celular___.
5. Para escribir sin errores en la computadora se necesita ___un corrector ortográfico___.
6. Para proteger la información de la computadora se necesita ___una contraseña___.
7. Para demostrar que uno es el inventor de un objeto se necesita ___una patente___.
8. Para observar la Luna y las estrellas desde la Tierra se necesita ___un telescopio___.

Interpersonal Communication

5 **Definiciones** Primero, elige cinco palabras de la lista y escribe una definición para cada una. Luego, en parejas, túrnense para leerse las definiciones y adivinar de qué palabra se trata.

MODELO
—Es un diario en Internet donde se pueden escribir los pensamientos y opiniones personales.
—Es un **blog**.

astronauta	digital	invento
astrónomo/a	en línea	navegar en la red
biólogo/a	experimento	patente
borrar	físico/a	teléfono celular
descargar	gen	teoría

For Auditory Learners Have small groups discuss problems they have had with computers. Have pairs write a short telephone conversation between two friends in which one experiences a technological disaster, and the other resolves it. Then, have each pair sit back-to-back and role-play their conversation for the class.

For Visual Learners Have students work in pairs and make flashcards of the vocabulary listed in **Actividad 4**. They should take turns showing each other the card and identifying it.

Comunicación

Interpersonal Communication

6 **Actualidad científica** Parece que no hay límites en los avances científicos. ¿Qué opinas tú sobre el tema? Marca las afirmaciones con las que estés de acuerdo y comparte tus opiniones con un(a) compañero/a.

☐ 1. La clonación de seres humanos es una herramienta importante para luchar contra las enfermedades genéticas.

☐ 2. La clonación de seres humanos disminuirá (*will diminish*) nuestro respeto por la vida humana.

☐ 3. Es injusto que el gobierno invierta en programas para viajar a la Luna cuando hay gente que muere de hambre en la Tierra.

☐ 4. El exceso de estimulación visual y sonora de los videojuegos afecta el desarrollo de los niños.

☐ 5. Las redes sociales, como Facebook, favorecen las relaciones personales.

☐ 6. La abundancia de información en la red es buena para la humanidad.

Interpersonal Communication

7 **Soluciones** En grupos de tres, den consejos a estas personas para solucionar sus situaciones. Utilicen la imaginación y tantas palabras del vocabulario como puedan.

- Un astrónomo ha detectado una tormenta espacial y piensa que puede ser peligroso mandar un cohete al espacio. No quiere que los astronautas estén en peligro. Sus jefes, sin embargo, no quieren cancelarlo porque, de lo contrario, saben que recibirán críticas en los periódicos.

- Celia ha escrito un mensaje de texto para su amiga, pero se lo ha enviado a su jefe por error. El mensaje decía: "Eva, ¡mi jefe está loco!" Celia necesita una solución antes de que sea demasiado tarde.

Presentational Communication

8 **Observaciones de la galaxia** En parejas, escriban una historia corta basada en el dibujo. Utilicen por lo menos ocho palabras de **Contextos**. ¡Dejen volar la imaginación!

¿Quién era el hombre?

¿Dónde estaba?

¿Qué quería hacer?

¿Qué hecho inesperado sucedió?

PUEDO hablar sobre el uso de la tecnología y sobre los avances científicos.

PRE-AP*

Interpersonal Communication | Presentational Communication | Making Connections | Acquiring Information & Diverse Perspectives

Presentational Speaking Discuss some controversial issues involving technology. Ex: cloning, stem cell research, genetic engineering. Ask students to list more. Have them search online for two articles about one of these topics. Have students find and listen to a podcast in Spanish related to their area of interest. Have students take notes and present a two-minute talk, defending their position. If possible, another student takes the opposite side, so that the class can have a debate. If this is not possible, have a panel discussion in which each student speaks for two minutes. Say: **Vas a hablar durante dos minutos, citando los dos artículos y el podcast. Tienes que decir si apoyas el tema escogido o no y por qué.**

Teaching Tips

6 In groups of five, have students choose a moderator and divide themselves into two teams to debate the topic of biotechnology. One team should argue in favor of biotechnology and what it can do for society, and the other should argue against it. The moderator may use the items in **Actividad 6** to guide the debates. Ask students to use impersonal expressions with the subjunctive in their arguments. Ex: **Es malo que, es mejor que, es importante que...** After a specific amount of time, have the moderator conclude the debate, summarizing the two positions.

Interpersonal Communication | Making Connections

6 **Partner Chat**
Available online.

21st Century Skills

6 **Technology Literacy**
Ask students to prepare a digital presentation to show the preferences of the whole class for several of the items in this activity

7 **Expansion** In pairs, have students role-play a conversation between the astronomer and his or her manager. For added drama, encourage them to make the manager cold-hearted and calculating.

8 Have pairs exchange their stories with another pair. Ask: **¿En qué se parecen y en qué se diferencian las dos historias? ¿Son creíbles o fantásticas?**

Extra Practice Have the pairs make a video of their story. The recording should contain the text, a reading of the text, and any visuals and music they would like to add.

 Pre-AP*

AP Skill Category **7**

Section Goals

In **Fotonovela**, students will:
- practice listening to authentic conversation
- learn functional phrases for expressing size and talking about what has happened

Pre-AP*

AP Skill Categories
`1` `2` `3` `4`

Student Resources
Cuaderno de actividades,
pp. 144–145
Online Video and Activities

Teacher Resources
Workbook TE; Video Script
& Translation

Video Synopsis Lorenzo
and **Manu** continue to be lost on the road. Meanwhile, **Marcela** talks to **Patricia** about her impressions of **Ricardo**. **Ricardo** is focused on improving his invention when the two girls go visit him.

Pre-AP*

Interpretive Reading
Have students scan the text for technology-related vocabulary. Then have them predict what is happening and what the characters are discussing in the episode.

Teaching Tip Before showing the episode, point out the **Expresiones útiles** related to dimensions and go over meanings. In pairs, have students take turns using each expression in a sentence. Ask students to share any sentences they thought were exaggerated or funny.

Hasta ahora, en el video...

Después del incidente con Lupita, Marcela y Ricardo van a Hierve el Agua. En el viaje, Marcela abre el regalo que le dio Ricardo. Lorenzo y Ricardo también hacen un viaje, pero se pierden en el camino. En este episodio verás cómo sigue la historia.

Lorenzo y Manu están en una carretera solitaria.

LORENZO ¿No funciona?

MANU No, no hay ni un poquito de señal.

LORENZO ¡Llegó el momento de usar tecnología avanzada!

MANU ¡Uy, qué innovador!

LORENZO ¡Al menos esta herramienta tecnológica no necesita señal!

LORENZO ¡Manu! Parece que será muy difícil salir de aquí.

MANU ¿En serio? ¡Oye! ¡Viene una camioneta!
Una chica maneja, acompañada de su abuelo.

LORENZO *(a la chica)* Hola. Buenas tardes. Si es tan amable, ¿podría decirnos cómo llegar a la ciudad?

CHICA ZAPOTECA Tiene que ir por donde hemos venido, hacia allá.

PATRICIA Jamás pensé que te fijarías en un futuro ingeniero.

MARCELA Es un poco nerd, pero tiene un corazón grandote.

PATRICIA Es medio científico loco, ¿no?

MARCELA Le encanta investigar, inventar, hacer experimentos y cosas así.

Ricardo y Chente tratan de arreglar el dron.

CHENTE Nunca te había visto tan interesado en una chica. Te gusta Marcela, ¿no?

RICARDO ¿Qué he dicho yo para que pienses eso?

CHENTE ¡Es que se te nota un montón!

RICARDO ¡Mira! Lo resolví.
El dron sólo hace un ruido extraño y no responde.

PRE-AP* | Interpersonal Communication

Interpersonal Speaking Tell students to choose the role of one of the **personajes** in the **Fotonovela** and call their parents to tell them what recently happened to them upon receiving a modern drone. Since their parents didn't answer the call, they must leave a voice-mail message. Tell them to use as much vocabulary from the chapter as possible, along with the present perfect or past perfect tense. Say: **Deja un mensaje para tus padres diciendo lo que ha pasado desde tu punto de vista.**

¿EL GPS SIEMPRE AYUDA?

Personajes

 MANU
 LORENZO
 CHICA ZAPOTECA
 ABUELO ZAPOTECA
 MARCELA
 PATRICIA
 RICARDO
 CHENTE

3

MARCELA ¿Has visto esto? El Astronauta de Palenque tenía un transbordador espacial.

PATRICIA ¡Parece un cohete! Es un misterio, como tu viaje a Hierve el Agua. ¡No me has contado cómo te fue con Ricardo!

MARCELA ¡Divertidísimo! Aunque terminé estrellando el dron en el agua.

6

CHENTE ¡Si seguimos, el dron va a explotar! Te estrellan el dron y te quedas como si nada. ¡Definitivamente estás enamorado!

RICARDO Pues sí, lo estoy. ¡Me encanta Marcela!
Aparecen Marcela y Patricia.

MARCELA ¿Qué tal?
El dron tiene una pequeña explosión. Todos se asustan.

Expresiones útiles

Expressing dimensions of things

Debe tener algo roto, alguna piececilla que no hemos descubierto.
There must be something broken, some tiny piece we haven't discovered.

Es un poco nerdo, pero tiene un corazón grandote.
He's a bit of a nerd, but he has a big heart.

Pobrecito. ¡Qué aburrido!
Poor guy. How boring!

Talking about what has happened

¡No me has contado cómo te fue con Ricardo!
You haven't told me how it went with Ricardo!

¿Qué he dicho yo para que pienses eso?
What have I said to make you think that?

Tiene que ir por donde hemos venido…
You have to go the way we came…

Talking about what had happened

¡Menos mal que lo habías resuelto!
It's a good thing that you had solved it!

Nunca te había visto tan interesado en una chica.
I have never seen you so interested in a girl.

¡Ya me había dado cuenta!
I had already noticed!

Additional vocabulary

arreglar *to fix*
la camioneta *pickup truck*
estrellar *to crash*
funcionar *to work*
la herramienta *tool*
un montón *a lot*
la señal *signal*

Teaching Tips
- Point out to students that it is a common mistake to use **trabajar** instead of **funcionar** when *to work* is used for objects. Give examples: **La computadora no funciona. / Mario trabaja en un banco.**
- To review some of the grammar from past lessons, have pairs of students find examples of different verb tenses in the captions.

NATIONAL STANDARDS
Connections: Science/ Technology Have interested students research and compile lists of additional scientific and technological terms that correspond to ones they are learning in their science classes. Ask them to compare the terms between the two languages and analyze the differences and similarities. How many of the terms are cognates with English? How many are different? What else do students notice?

Making Connections | Language Comparisons

Communities Have students locate Spanish-language advertisements for electronic devices on the Internet or in print. Encourage them to identify sources from different countries or regions. Have them create map posters that indicate which terms are used in which region or country.

School & Global Communities | Lifelong Learning

DIFFERENTIATION — Language Comparisons

Heritage Speakers Ask heritage learners to review the **Expresiones útiles** and share other words and expressions used in their families' countries of origin. Have the class decipher the literal meaning of each expression. Then have classmates offer equivalent English-language expressions they might use. You may wish to give extra credit to students who research the origin of the expression.

DIFFERENTIATION — Language Comparisons

For Inclusion Remind students how helpful cognates can be when they preview the **Fotonovela**. Point out a few, such as **tecnológica**, **astronauta**, **proyecto**, **experimento**. Have students work in pairs to list all the cognates they can find in the script within a set period of time, such as five minutes. Then, have them share and compare their lists.

Comprensión

Interpretive Communication

1 **¿Cierto o falso?** Indica si estas oraciones son **ciertas** o **falsas**. Corrige las falsas.

Cierto   Falso

☑   ☐   1. La chica zapoteca y su abuelo ayudan a Manu y a Lorenzo a encontrar el camino. Cierto.

☐   ☑   2. Marcela le cuenta a Patricia que su excursión con Ricardo fue aburridísima. Falso. Marcela le dice que fue divertidísima, aunque estrelló el dron en el agua.

☑   ☐   3. Ricardo no se molestó cuando Marcela le estrelló el dron. Cierto.

☑   ☐   4. Chente cree que Ricardo está enamorado de Marcela. Cierto.

☐   ☑   5. Ricardo odia las matemáticas. Falso. A Ricardo le gustan mucho las matemáticas.

☐   ☑   6. Ricardo consigue arreglar el dron. Falso. El dron tiene una pequeña explosión.

Interpretive Communication

2 **Completar** Completa las oraciones con la información correcta.

1. Según Lorenzo, un mapa es… una herramienta tecnológica que no necesita señal.
2. Lorenzo y Manu están perdidos hasta que ven… una camioneta.
3. Patricia piensa que el Astronauta de Palenque es un misterio como… el viaje de Marcela y Ricardo a Hierve el Agua.
4. Chente le dice a Manu que tienen que arreglar el dron para la… reunión.
5. A Patricia le parece aburrido que a Ricardo… le gustan mucho las matemáticas.
6. Al final del episodio, todos se asustan porque… el dron tiene una explosión.

Interpretive Communication

3 **¿Quién ha sido?**

A. Escribe quién o quiénes han hecho cada una de estas cosas. Answers may vary. Sample answers.

MARCELA   **MANU**   **LORENZO**   **RICARDO**   **CHENTE**   **PATRICIA**

1. Ha construido un dron. Ricardo
2. Ha estrellado un dron. Marcela
3. Ha ayudado a un amigo a arreglar un dron. Chente
4. Se han perdido en una carretera desértica. Lorenzo y Manu
5. Ha hablado en zapoteco. Lorenzo
6. Han visto al Astronauta de Palenque en una tableta. Marcela y Patricia
7. Ha comido chocolate. Patricia
8. Ha admitido que está enamorado. Ricardo

Interpersonal Communication

 B. Ahora, escribe tres cosas que has hecho en tu vida y una que todavía no has hecho. Tu compañero/a deberá adivinar cuál es la que no has hecho.

MODELO   **ESTUDIANTE 1** He tomado una clase de bioquímica, me he comprado un iPad, he visto un ovni y he volado un dron.

ESTUDIANTE 2 ¡No has visto un ovni! Yo he…

Teaching Tips

1 Have students work in pairs to compare each other's answers before going over the answers as a class.

2 Ask students to create two more items, and exchange them with a partner.

2 When you go over item 5, ask students their opinion about Patricia's impressions. Ask: **Según Patricia, es aburrido que a Ricardo le gusten las matemáticas. ¿Qué piensan sobre este comentario de Patricia? ¿Por qué?** Encourage students to use the subjunctive.

3 Before students start the activity, you may want to briefly preview the present perfect (**Estructura 7.1**).

3 When students are done with Part B of the activity, have them share their partners' statements with the class. The class will have to guess which statement is false. For example: **Daniel ha tomado una clase de bioquímica, se ha comprado un iPad**, etc.

3 As an out-of-class project, have groups of students create an invention. Have them write a description of their invention in Spanish, and ask them to create some sketches or build a prototype. Have students present their designs to the class.

Formative Assessment

Monitor student understanding, not only of the **Fotonovela** episode, but also assess recollection and use of the past perfect, since it will be reviewed in this lesson.

DIFFERENTIATION

For Inclusion For **Actividad 3**, have students work in pairs and take turns reading each statement and finding the answer in the script on pages 274–275. Then, have them view the episode again and take notes on the tone of voice used in each statement. Have them repeat the statements, imitating the intonation.

DIFFERENTIATION

To Challenge Students Have groups of four divide themselves into two pairs. Each team of two should review the script on pages 274–275, find four statements similar to those used in **Actividad 3**, and write in cards each one up to the half. Then, have the teams exchange cards and correctly complete each expression. The team that finishes—and has the greatest number of correct answers—wins.

Ampliación

4 Drones En grupos de tres, compartan su opinión acerca de cada uno de los enunciados sobre los drones. Den argumentos para respaldar sus opiniones.

Interpersonal Communication

1. Los drones deberían estar prohibidos porque invaden el derecho a la privacidad.
2. La policía debe usar drones para ayudar en la seguridad de los ciudadanos.
3. Los drones pueden llevar pedidos (*deliveries*). Ya no se necesitarán los carteros (*letter carriers*).
4. Los ejércitos no deberían usar drones para uso militar.

5 El futuro de la tecnología Lorenzo decide sacar su mapa cuando el GPS no tiene señal. ¿Crees que hay objetos que la tecnología nunca podrá reemplazar? ¿Cómo crees que será la tecnología dentro de diez años? ¿Y dentro de veinte o treinta? Escribe un párrafo en el que menciones qué se podrá hacer con ayuda de la tecnología y lo que no podrá hacerse. Some answers will vary.

Presentational Communication

6 Apuntes culturales En parejas, lean los párrafos y contesten las preguntas.

Making Connections

Interpersonal Communication

Celebración zapoteca

La cultura zapoteca

Lorenzo habla con el abuelo de la camioneta en zapoteco. Los zapotecas fueron una de las civilizaciones más importantes de la Mesoamérica precolombina. Se calcula que su cultura ya existía hace 3.500 años. Habitaban el sur de Oaxaca y otros estados vecinos. La ciudad de Monte Albán, Oaxaca, cuenta con evidencias de esta cultura, como estadios, tumbas y orfebrería. Los zapotecas eran politeístas, y desarrollaron su propio calendario y sistema de escritura. En 2010, existían cerca de 425 mil hablantes de zapoteco en México.

El Astronauta de Palenque

Marcela le enseña a Patricia una foto del Astronauta de Palenque. En 1949, el arqueólogo Alberto Ruz Lhuillier descubrió la tumba (*tomb*) del gobernante maya K'inich Janahb' Pakal (603-983 d. C.) en el Templo de las Inscripciones de Palenque, Chiapas, México. En la lápida (*tombstone*), aparecen jeroglíficos que narran la biografía de Pakal y la imagen de éste rodeada de símbolos sobre su muerte. Como las inscripciones eran similares a un transbordador espacial, el novelista Alexander Kazantsev popularizó la idea de que el gobernante maya era un astronauta que pilotaba una nave.

1. ¿Qué países están en la región de Mesoamérica? ¿Has visitado alguno? ¿Qué viste allí?
2. ¿Conoces otras civilizaciones como la zapoteca? ¿Cómo es su cultura? ¿Qué lengua hablan?
3. ¿Alguna vez has visitado una cripta? ¿Cómo era? Si no, ¿te gustaría? ¿Por qué?
4. ¿Conoces otras teorías sin fundamento científico que se hayan popularizado como la del Astronauta de Palenque? ¿En qué se basan?

PUEDO hablar sobre tecnología actual y del futuro.

Teaching Tips

4 Have groups of students share their opinion with the rest of the class and then hold a class debate.

4 Have students come up with other advantages/ disadvantages that drones have.

Pre-AP*

AP Skill Category 5

5 For review, encourage students to use the future tense.

5 Have volunteers read their predictions out loud.

6 Ask heritage speakers about other civilizations they know from their parents' countries.

6 Follow up with comprehension questions. For example: **¿Quiénes son los zapotecas? ¿Qué evidencias arqueológicas de los zapotecas existen? ¿Dónde se encuentran? ¿Quién era K'inich Janahb' Pakal? ¿De dónde surge la teoría de que iba en un transbordador espacial?**

NATIONAL STANDARDS
Communities Have students do research on K'inich Janahb' Pakal's tomb or any other "mysteries" in Spanish speaking countries (i.e.: **las líneas de Nazca; los moáis de Isla de Pascua; el Códice Borbónico;** etc.) and prepare a presentation for the class.

Presentational Communication   Making Connections

PRE-AP*   Interpersonal Communication

Interpersonal Writing Explain that, in many Spanish-speaking countries, students who may not have an Internet connection at home, access the web in public areas, such as parks, malls, libraries or Internet cafés. Tell students to imagine that they are studying abroad in Buenos Aires or Santiago de Chile. They want to send an e-mail to their Spanish teacher back home, telling him or her what a wonderful experience they are having. Instruct them: **Vas a mandarme un mensaje electrónico contándome todos los detalles de tu experiencia: cómo es la familia con la que vives, las asignaturas que estudias, etc. ¡Hazme preguntas sobre lo que pasa aquí!**

Pre-AP*

AP Skill Category 6

Section Goals

In **El mundo hispano**, students will:

• learn about Argentina's history of innovation in animated film
• learn technology terms from different countries
• watch a video about inventions from Argentina

Student Resources
Online Video and Activities

Teacher Resources
Video Script & Translation

 21ˢᵗ Century Skills

Global Awareness
Students will gain perspectives on the Spanish-speaking world to develop respect and openness to others and to interact appropriately and effectively with citizens of Spanish-speaking cultures.

Teaching Tip Preview the reading by asking students about animation. Ex: **¿Qué dibujos animados les gustaban cuando eran niños?**

NATIONAL STANDARDS
Connections: Art Have students learn more about Cristiani and other animation artists from the Spanish-speaking world, and prepare brief presentations for the class.

Making Connections

En detalle

ARGENTINA

ARGENTINA: TIERRA DE ANIMADORES

Indudablemente°, todos pensamos en Walt Disney como el gran creador y el pionero del cine de animación, pero no estuvo solo durante esos primeros años; artistas de muchos países experimentaron con nuevas técnicas cinematográficas. El argentino Quirino Cristiani fue uno de ellos y, aparte de ser el primero en crear un largometraje de animación, *El apóstol* (1917), inventó y patentó una cámara especial para este tipo de cine. Ésta tenía forma de torre° y se manejaba con los pies, hecho que le permitía usar las manos para crear el movimiento de los dibujos. Cristiani fue, también, el primero en poner sonido a una cinta animada de larga duración, *Peludópolis* (1931). Desafortunadamente, todas sus películas, excepto *El mono relojero*, fueron destruidas a causa de dos incendios° en los años 1957 y 1961.

Hijitus

El éxito argentino en el mundo de la animación no se acabó con esta catástrofe. El auge de la animación en Argentina se produjo en las décadas de 1960 y 1970, cuando el historietista Manuel García Ferré, un español naturalizado argentino, llevó a *Hijitus* a la televisión. Ésta fue la primera y la más exitosa serie televisiva animada de Latinoamérica. Hijitus es un niño de la calle que vive en la ciudad de Trulalá, asediada° por personajes malvados°, como la Bruja Cachavacha y el Profesor Neurus. Para luchar contra Neurus y su pandilla°, Hijitus se convierte en Súper Hijitus. García Ferré fue también el creador de otros éxitos televisivos y cinematográficos, como *Petete, Trapito, Calculín, Ico* y *Manuelita*.

Diferentes técnicas del cine de animación

Dibujos animados Cada fotograma de la película es un dibujo diferente. Se combinan los dibujos para crear la idea de movimiento.

Stop-motion Los escenarios y personajes están hechos en tres dimensiones, normalmente con plastilina. En el caso de la técnica *claymation* (subcategoría del *stop-motion*), se van moviendo los objetos y se toman fotos de los movimientos.

Animación por computadora Se generan imágenes en diferentes programas de computadora.

Entre la nueva generación de animadores, se destaca° Juan Pablo Zaramella, un joven creador de enorme proyección internacional. Zaramella realiza muchas de sus películas usando plastilina° y el método *stop-motion*. Su corto *Viaje a Marte* ha recibido más de cincuenta premios en todo el mundo. En el año 2017 estrenó su primera serie animada: *El Hombre más Chiquito del Mundo*. ∎

Indudablemente *Undoubtedly* **torre** *tower* **incendios** *fires* **asediada** *besieged* **malvados** *evil* **pandilla** *gang* **se destaca** *stands out* **plastilina** *modeling clay*

PRE-AP*

Presentational Communication

Acquiring Information & Diverse Perspectives

Presentational Writing and Synthesis of Skills Have students research two of the animators or pioneers mentioned on pages 278–279. As they read, they should take notes regarding the lives of these two individuals. Finally, they will prepare an essay of 200 words in which they compare and contrast the lives of these two people. Correct the essay according to the most recent AP rubrics. Tell them: **Ustedes van a escribir una composición de 200 palabras en la cual comparan y contrastan las vidas y los hechos de los dos animadores o pioneros que han escogido.**

 Pre-AP*

AP Skill Category 8

ASÍ LO DECIMOS

Animación y computación

las caricaturas (Col., Méx.)	
los dibujitos (Arg.)	*cartoons*
los muñequitos (Cu.)	
las películas CG	*CG movies*
el/la laptop (Amér. L.)	
la notebook (Arg.)	*laptop*
el portátil (Esp.)	
el computador (Col. y Chi.)	
el ordenador (Esp.)	*computer*
el mouse (Amér. L.)	
el ratón (Esp. y Pe.)	*mouse*

EL MUNDO HISPANOHABLANTE

Otros pioneros hispanos

Las investigaciones sobre **las neuronas** de la bióloga argentina Cecilia Bouzat, han contribuido a comprender mejor enfermedades como el Alzheimer. En 2014, Bouzat recibió el prestigioso premio L'Oreal-Unesco para la Mujer en la Ciencia.

Ellen Ochoa, una mujer nacida en California de ascendencia mexicana que de niña soñó con ser flautista, se ha convertido en **la primera astronauta hispana** en trabajar para la NASA. También ha obtenido tres patentes por inventos relacionados con **sistemas ópticos de análisis**.

Durante la década de 1950, el ingeniero chileno Raúl Ramírez inventó y patentó una pequeña máquina manual llamada **CINVA–RAM** que permitía a las familias pobres construir los muros° de sus casas. Hoy, esta máquina se utiliza en programas de "viviendas autosustentables", por los que las familias construyen° sus propias casas.

PERFIL

INNOVAR

El Ministerio de Ciencia, Tecnología e Innovación Productiva de Argentina organiza anualmente un concurso para emprendedores° e innovadores inventores argentinos. Con diez categorías y alrededor de treinta premios valorados en casi un millón y medio de pesos argentinos, cada año se presentan al certamen° miles de investigadores, diseñadores, técnicos y estudiantes universitarios disputándose estos prestigiosos trofeos. Desde que el proyecto *Innovar* comenzó en 2005, ha otorgado premios a cientos de fascinantes e ingeniosos inventos, desde una bicicleta accionada a mano hasta un robot que se puede desarmar° para aprender su mecanismo e interactuar con él (ver foto), pasando por textiles que repelen a los mosquitos, un deshidratador solar para verduras e incluso plantas que resisten la sequía.

> ❝ Los inventos han alcanzado ya su límite y no veo esperanzas de que se mejoren en el futuro. ❞
> (Julius Sextus Frontinus, ingeniero romano, siglo I)

Entre culturas

¿Qué inventos facilitan la vida cotidiana de las personas con discapacidades?

Investiga sobre este tema en **vhlcentral.com**.

muros *walls* **construyen** *build* **emprendedores** *enterprising* **certamen** *contest* **desarmar** *disassemble*

LEARNING STYLES

For Visual Learners Ask visual learners to draw a cartoon or storyboard about some portion of the last **Fotonovela** episode they viewed. Ask volunteers to share theirs with the class. Display everyone's creations in a corner of the classroom. For a **Technology Connection**, have students create their visuals on the computer.

LEARNING STYLES

For Kinesthetic Learners Make copies of a map of the world showing North and South America, the Caribbean, and Europe, and distribute the copies. Write the **Así lo decimos** terms on the board, with the countries in parentheses. As you say each term, have students find the country on the map and write a checkmark on it. Then, ask students to identify which country is best represented in the list (**España**).

Teaching Tips
- Ask a volunteer to read the quote aloud. Preview the present perfect by explaining that **han alcanzado** means *have reached*. Ask: **¿Te parece irónica la cita? ¿Por qué? ¿Es posible que los inventos alcancen un límite? ¿Por qué?**
- Ask students to describe pioneers in their lifetimes who have inspired them. Ask: **¿Qué importancia tiene su obra o sus inventos en tu vida diaria?**
- Ask: **¿Sabías que Argentina es tierra de inventos? ¿Conoces a alguno de los pioneros mencionados en *El mundo hispanohablante?*** Discuss the fact that other countries, such as Argentina, might be much more accomplished than most people outside that country realize.

Extra Practice Ask students to write a short description of what they wanted to grow up to be when they were very young, and what their dreams for the future are now.

> Presentational Communication

Information and Media Literacy Students can go online to complete the **Entre culturas** activity for additional practice accessing and using culturally authentic sources.

Cultural Comparison After reading *Innovar*, have students first research to see if there is a similar program to encourage entrepreneurship in the U.S., or another community. Then prompt students: **Compara el programa de *Innovar* con un programa de tu país u otro. Compara lo que ofrecen los dos concursos/programas, incluyendo los requisitos y los premios.**

> Making Connections

> Acquiring Information & Diverse Perspectives

> Cultural Comparisons

Teaching Tips

① Ask students to write two more true/false statements about the readings and exchange them with a partner.

Formative Assessment Use Activity 1 as a formative check for reading comprehension; offer feedback and clarify corrections to false statements as needed, reviewing the reading where necessary to show evidence.

③ Expansion Continue the discussion by asking: **¿Alguna vez has pensado en un posible invento? ¿Qué es?**

④ Have volunteers describe life before and after each invention using the preterite and the imperfect.

④ Partner Chat Available online.

Proyecto Have students complete a 5W chart (Who? What? When? Where? Why?) to help them organize the information they gather. Give students the option of creating a web page about the inventor and presenting the page to the class.

Pre-AP*

AP Skill Category 7

Extra Practice Discuss with students whether there have been any advances in the past 100 years that they would rather live without. Encourage them to support their statements with reasons and examples.

---

1 | **¿Cierto o falso?** Indica si las oraciones son **ciertas** o **falsas**. Corrige las falsas.

Interpretive Communication

1. Walt Disney fue el primer director que realizó un largometraje de animación. **Falso.** Quirino Cristiani fue el primer director que realizó uno.
2. La cámara que inventó Cristiani sólo le permitía trabajar con las manos. **Falso.** La cámara que inventó Cristiani le permitía trabajar con las manos y los pies.
3. La primera película de animación con sonido fue *El apóstol*. **Falso.** La primera película de animación con sonido fue *Peludópolis*.
4. Las películas del cineasta Quirino Cristiani fueron robadas. **Falso.** Las películas de Cristiani se quemaron en dos incendios.
5. El auge de la animación en Argentina se produjo en las décadas de 1960 y 1970. **Cierto.**
6. Hijitus es un personaje creado por Juan Pablo Zaramella. **Falso.** Hijitus fue creado por el historietista Manuel García Ferré.
7. *El Hombre más Chiquito del Mundo* es una película de Manuel García Ferré. **Cierto.**
8. El cortometraje de Zaramella, *Viaje a Marte*, ha ganado más de cincuenta premios en Argentina. **Falso.** Ha ganado más de cincuenta premios en todo el mundo.
9. En los dibujos animados, cada uno de los fotogramas de la película es un dibujo diferente. **Cierto.**
10. En el sistema de *stop-motion*, los escenarios y personajes se dibujan en programas de computadora. **Falso.** Los escenarios y personajes están hechos en tres dimensiones.

2 | **Oraciones** Subraya la opción correcta.

Interpretive Communication

1. *Innovar* es un concurso argentino para (escritores/<u>inventores</u>).
2. El chileno Raúl Ramírez inventó una máquina para levantar (pesas/<u>muros</u>).
3. El mexicano Guillermo González Camarena patentó (una cámara de cine/<u>el primer televisor a color</u>).
4. Argentina cuenta con (3.300 científicos/<u>1.200 científicos</u>) por cada millón de habitantes.

3 | **Preguntas** En parejas, contesten las preguntas.

Interpersonal Communication
Relating Cultural Products to Perspectives

1. ¿Crees que la *claymation* es más difícil que la animación por computadora? ¿Por qué?
2. ¿Por qué crees que en muchos países hispanos se usan términos de computación en inglés, como *mouse* o *laptop*? ¿Está bien usarlos o deben usarse términos en español?
3. ¿Por qué crees que el gobierno argentino creó *Innovar*? ¿Piensas que es una buena inversión?

4 | **Opiniones** En parejas, hagan una lista con los cinco inventos más importantes de los últimos cien años. ¿Por qué los han elegido? Compartan su opinión con la clase. ¿Hay algún invento que esté en todas las listas? ¿Cuál es el más importante? ¿Están de acuerdo?

Interpersonal Communication

PROYECTO **Inventores** | *Acquiring Information & Diverse Perspectives* | *Making Connections*

Busca información sobre un(a) inventor(a) argentino/a (o de otro país hispanohablante) y prepara una presentación para la clase sobre su vida y su invento más importante. Debes incluir:

• una breve biografía del/de la inventor(a)

• una descripción del invento

• el uso de su invento

• una foto o una ilustración del invento

• tu opinión acerca de la importancia del invento en la época en la que vivió el/la inventor(a) y en la actualidad

PUEDO mencionar algunos científicos y personas innovadoras argentinas y latinoamericanas.

DIFFERENTIATION

For Inclusion In pairs, have students reread pages 278–279 to find the information necessary to complete **Actividades 1** and **2**. Then, have them take turns changing the statements in **Actividad 2** into questions. Ex: **¿Qué patentó el mexicano Guillermo González Camarena?** Have students work in pairs to do the inventors project, completing the 5W chart together.

DIFFERENTIATION | *Presentational Communication* | *Making Connections* | *Acquiring Information & Diverse Perspectives*

To Challenge Students In groups of three, have students create a presentation on three different inventors from three different Spanish-speaking countries. They should highlight the similarities and differences among the inventors, inventions, and their impact on society. Tell them to be prepared to answer questions from classmates.

Inventos argentinos

Ya conoces los aportes (*contributions*) argentinos al mundo del cine y de la tecnología. En este episodio de **Flash cultura**, descubrirás la gran variedad de inventos argentinos que han marcado un antes y un después en la historia de la humanidad.

VOCABULARIO ÚTIL

la birome (*Arg.*) *ballpoint pen*	**la pluma** *fountain pen*
el frasco *bottle*	**la sangre** *blood*
la jeringa descartable *disposable syringe*	**el subterráneo** *subway*
la masa (cruda) *(raw) dough*	**la tinta** *ink*

1 **Preparación** Responde estas preguntas: ¿Qué creaciones argentinas conoces hasta ahora? ¿Cuál te parece más interesante? ¿Por qué?

2 **Comprensión** Indica si estas afirmaciones son **ciertas** o **falsas**. Después, en parejas, corrijan las falsas. [Interpretive Communication]

1. La primera línea de metro en Latinoamérica se construyó en Montevideo. **Falso.** La primera línea de metro en Latinoamérica se construyó en Buenos Aires.
2. El sistema de huellas dactilares fue creación de un policía de Buenos Aires. **Cierto.**
3. El helicóptero de Raúl Pescara, además de eficaz, es un helicóptero seguro y capaz de moverse en dos direcciones. **Falso.** El helicóptero de Raúl Pescara es capaz de moverse en todas las direcciones posibles.
4. El *by-pass* y la jeringa descartable son inventos argentinos. **Cierto.**
5. Una birome es un bolígrafo. **Cierto.**

3 **Expansión** En parejas, contesten estas preguntas.

- ¿Qué invento les parece más importante? ¿Por qué?
- Si estuvieran en Argentina, ¿qué harían primero: ir a una función de tango, visitar un museo de ciencia y tecnología o comerse una empanada?
- Si tuvieran que prescindir de (*do without*) un invento argentino, ¿de cuál sería? ¿Por qué creen que es el menos importante? [Interpersonal Communication] [Relating Cultural Products to Perspectives]

PUEDO hablar sobre algunos inventos argentinos usados en todo el mundo.

Corresponsal: Silvina Márquez
País: Argentina

El colectivo es un autobús de corta distancia inventado por dos porteños° en 1928.

La mejor manera de identificar personas mediante sus huellas dactilares° se la debemos a un policía de Buenos Aires.

El semáforo° especial permite, mediante sonidos, avisarles a los ciegos°—es decir, los no videntes—cuándo pueden cruzar la calle.

porteños *residents of Buenos Aires* **huellas dactilares** *fingerprints* **semáforo** *traffic light* **ciegos** *blind people*

La tecnología y la ciencia   *doscientos ochenta y uno* **281**

Teaching Tips
- To prepare students for better comprehension, have them read the title of the episode and think of questions to ask about it, using **qué, quién, dónde, cómo, cuándo, por qué**, etc. For example, students might ask **¿Qué inventos? ¿Quiénes los inventaron? ¿Por qué?** Have a volunteer write the questions on the board.
- Ask students to choose one of the inventions mentioned and research the methods that were used to solve the same problem before that invention. Have them describe what they learn to the class.

Expansión
Virtual Chat
Available online.

Pre-AP*
AP Skill Category **5**

21st Century Skills

Information and Media Literacy Students can go online to complete the **Entre culturas** activity associated with **Flash cultura** for additional practice accessing and using culturally authentic sources.

Cultural Comparison After reading the text and watching the episode, ask students to research similar inventions by scientists in their country: **Comparen los inventos argentinos y los inventos estadounidenses (o de otra comunidad). Deben incluir el nombre del inventor y cómo el invento ha afectado la vida del individuo o el bienestar de la comunidad en general.**

[Making Connections] [Cultural Comparisons]

PRE-AP* [Presentational Communication]

Presentational Speaking Have students work in pairs to create their own inventions. Have them pitch their inventions in front of the class, imagining the other students are potential investors. Encourage the class to ask questions throughout the presentation, such as **¿Quién va a comprar este invento?** When all presentations are done, have students vote on the following categories: most useful, most creative, most innovative, etc.

LEARNING STYLES

For Visual Learners Encourage visual learners to make detailed illustrations of their invention or of an invention from the **Flash cultura** episode. Have them label all parts of their drawing, then explain the different parts and how they work to the class.

Section Goals

In **Estructura,** students will learn:

- the use and formation of the present perfect tense
- the use and formation of the past perfect tense
- about using diminutives and augmentatives

Student Resources
Cuaderno de actividades, pp. 146–149
Online Activities, *eCuaderno*

Teacher Resources
Workbook TEs; Grammar Slides; Digital Image Bank; Audio Activities online; Audio Script; Assessment Program Quizzes

---

Teaching Tips

- Tell students that there are important differences between how English speakers and Spanish speakers use the present perfect. Point out the use of the phrase **hace** + [*period of time*] + **que** + [*present tense*] in Spanish and contrast it to English.
- Point out that the present perfect is more commonly used in Spain than in Latin America for describing recent events. In Latin America, the preterite is used instead to describe recent events.

Extra Practice Go to **vhlcentral.com** for extra practice with the present perfect.

7.1 The present perfect

¡No me has contado cómo te fue con Ricardo!

¡ATENCIÓN!

While English speakers often use the present perfect to express actions that continue into the present time, Spanish uses the phrase **hace** + [*period of time*] + **que** + [*present tense*].

Hace dos años que estudio español.

I have studied Spanish for two years.

- In Spanish, as in English, the present perfect tense (**el pretérito perfecto**) expresses what *has happened*. It generally refers to recently completed actions or to a past that still bears relevance in the present.

  Mi jefe **ha decidido** que a partir de esta semana hay que comunicarse por Internet y no gastar en llamadas internacionales.
  My boss has decided that as of this week we have to communicate through the Internet rather than spend money on international calls.

  Juan **ha terminado** la carrera de ingeniería, pero aún no **ha decidido** qué va a hacer a partir de ahora.
  Juan has graduated as an engineer, but he still hasn't decided what to do from now on.

- The present perfect is formed with the present tense of the verb **haber** and a past participle. Regular past participles are formed by adding **-ado** to the stem of **-ar** verbs, and **-ido** to the stem of **-er** and **-ir** verbs.

The present perfect		
comprar	**beber**	**recibir**
he comprado	he bebido	he recibido
has comprado	has bebido	has recibido
ha comprado	ha bebido	ha recibido
hemos comprado	hemos bebido	hemos recibido
habéis comprado	habéis bebido	habéis recibido
han comprado	han bebido	han recibido

- Note that past participles do not change form in the present perfect tense.

  Todavía no **hemos comprado** las computadoras nuevas.
  We still haven't bought the new computers.

  La bióloga aún no **ha terminado** su trabajo de investigación.
  The biologist hasn't finished her research work yet.

- To express that something *has just happened*, use **acabar de** + [*infinitive*]. **Acabar** is a regular **-ar** verb.

  Acabo de recibir un mensaje de texto.   **¡Acabamos de ver** un ovni!
  I've just received a text message.   *We just saw a UFO!*

LEARNING STYLES

For Auditory Learners Have students form groups of three. Give each group a list of at least 15 **-ar, -er,** and **-ir** verbs. Have them conjugate the present perfect of each: the first student says a pronoun, the next the present tense of **haber,** and the third the past participle, as in **Yo he comprado.** Then have the second student say the next pronoun.

LEARNING STYLES

For Kinesthetic Learners In groups, have students each create three cards on which they write the infinitive of a verb describing a common action, such as **comer.** Have them put all their cards into one pile, face down, then take turns drawing a card and acting out the verb. The others should guess, using **acabar de** + *infinitive.* Ex: **¡Acabas de comer!**

- When the stem of an **-er** or **-ir** verb ends in **a**, **e**, or **o**, the past participle requires a written accent (**ído**) to maintain the correct stress. No accent mark is needed for stems ending in **u**.

ca-er → caído	le-er → leído
o-ír → oído	constru-ir → construido

- Many verbs have irregular past participles.

abrir	abierto	morir	muerto
cubrir	cubierto	poner	puesto
decir	dicho	resolver	resuelto
descubrir	descubierto	romper	roto
escribir	escrito	ver	visto
hacer	hecho	volver	vuelto

> Perdón, es que **he escrito** cuatro mensajes por correo electrónico y todavía no me
> **han resuelto** el problema.
> *Excuse me, but I have written four e-mails and you still haven't solved my problem.*

> El ingeniero me asegura que ya **ha visto** sus mensajes y dice que muy pronto
> lo llamará.
> *The engineer assures me that he has seen your e-mails and says he will call you soon.*

- Note that, unlike in English, the verb **haber** may not be separated from the past participle by any other word (**no**, adverbs, pronouns, etc.).

> ¿Por qué **no has patentado todavía** tu invento?
> *Why haven't you patented your invention yet?*

> ¡**Todavía no lo he terminado** de perfeccionar!
> *I haven't yet finished perfecting it!*

Tiene que ir por
donde hemos venido,
hacia allá.

- Note that when a past participle is used as an adjective, it must agree in number and gender with the noun it modifies. Past participles are often used as adjectives with **estar** or other verbs to describe physical or emotional states.

> Las fórmulas matemáticas ya
> están **preparadas**.
> *The mathematical equations are
> already prepared.*

> Los laboratorios están **cerrados**
> hasta el lunes.
> *The laboratories are closed
> until Monday.*

Teaching Tips
- Remind students that, when learning a foreign language, certain words simply need to be memorized, then used repeatedly in sentences before they become second nature. Write the list of irregular past participles on the board and have students copy them. Then have them, in pairs, take turns quizzing each other, one student looking at the list and saying the infinitive, and the other not looking at the list and giving the past participle. Then have them give the past participle, while the other says the infinitive.
- Emphasize that the auxiliary verb **haber** cannot be separated from the past participle. Reiterate that, in English, adverbs are often inserted between the auxiliary verb and the past participle, as in *She has already arrived. He has always eaten late.* Contrast this with Spanish: **Ya ha llegado. / Ha llegado ya. Siempre ha comido tarde. / Ha comido tarde siempre.**

DIFFERENTIATION

Heritage Speakers Ask heritage speakers to help their classmates understand the rule about not separating the auxiliary verb from the past participle. Ask them each to give two examples of statements that include the present perfect and one or two pronouns—one affirmative and the other negative.

DIFFERENTIATION

For Inclusion In pairs, have students write at least six sentences about what they have done today, using six irregular past participles. Then, have them switch partners with another pair and turn their sentences into questions. Ex: **He visto a mi mejor amigo esta mañana. / ¿Has visto a tu mejor amigo?**

Práctica

Teaching Tips

1 Ask volunteers to identify the irregular past participles.

1 Ask volunteers to act out the conversation for the class. Encourage them to overact.

3 Have students work in groups of three. Encourage them to come up with the most outrageous claims for what they have done. Ex: **No he ido al Polo Sur, pero he viajado al Polo Norte.**

Formative Assessment

Activity 3 can be used as a good bell-ringer the next day, or an exit ticket after teaching/ reviewing the present perfect to see how students express what they have or have not yet done.

Pre-AP*

4 **Interpersonal Speaking**
Have students work in pairs and interview each other about what they have done today (**¿Qué has hecho hoy?**). Model the response by describing things you have done and write them on the board. Example: **He tomado tres tazas de café. He escrito unos mensajes electrónicos a mis amigos.** Have volunteers share interesting facts they learned about their classmates.

Interpersonal Communication	Presentational Communication

Extra Practice Do a rapid-response drill. Call out a verb and subject, and have students respond with a complete sentence using the present perfect.

1 **El asistente de laboratorio** La directora del laboratorio está enojada porque el asistente ha llegado tarde. Completa la conversación con las formas del pretérito perfecto.

DIRECTORA ¿Dónde (1) __has estado__ (estar) tú toda la mañana y qué (2) __has hecho__ (hacer) con mi computadora portátil?

ASISTENTE Ay, (yo) (3) __he tenido__ (tener) la peor mañana de mi vida... Resulta que ayer me llevé su computadora para seguir con el análisis del experimento y...

DIRECTORA Pero, ¿por qué no usaste la tuya?

ASISTENTE Porque usted todavía no (4) __ha descargado__ (descargar) todos los programas que necesito. Estaba haciendo unas compras en la tarde, y la dejé en alguna parte.

DIRECTORA Me estás mintiendo. En realidad la (5) __has roto__ (romper), ¿no?

ASISTENTE No, no la (6) __he roto__ (romper); la (7) __he perdido__ (perder). Por eso esta mañana (8) __he vuelto__ (volver) a todas las tiendas y les (9) __he preguntado__ (preguntar) a todos por ella. De momento, nadie la (10) __ha visto__ (ver).

2 **Oraciones** Combina los elementos para formar oraciones completas. Utiliza el pretérito perfecto y añade elementos cuando sea necesario.

> **MODELO** yo / siempre / querer / un iPad
> Yo siempre he querido un iPad.

1. nosotros / comprar / cámara digital más innovadora
Nosotros hemos comprado una cámara digital más innovadora.
2. tú / nunca / pensar / en ser matemático
Tú nunca has pensado en ser matemático.
3. los científicos / ya / descubrir / cura
Los científicos ya han descubierto la/una cura.
4. el profesor / escribir / fórmulas en la pizarra
El profesor ha escrito las/unas fórmulas en la pizarra.
5. mis padres / siempre / creer / en los ovnis
Mis padres siempre han creído en los ovnis.

3 **Experiencias** Indica si has hecho o experimentado lo siguiente.

> **MODELO** ir al Polo Sur
> No he ido al Polo Sur, pero he viajado a Latinoamérica.

1. viajar a la luna
2. ganar la lotería
3. ver a un extraterrestre
4. inventar algo
5. conocer al presidente del país
6. estar despierto/a por más de dos días
7. hacer algo revolucionario
8. soñar con ser astronauta

4 **Preguntas personales** Busca un(a) compañero/a de clase a quien no conozcas bien y hazle preguntas sobre su vida usando el pretérito perfecto.

> **MODELO** —¿Has tomado clases de informática?
> —Sí, he tomado muchas clases de informática. ¡Siempre me ha fascinado la tecnología!

conocer a una persona famosa	ganar algún premio
escribir poemas	visitar un país hispano
participar en una obra de teatro	vivir en el extranjero

DIFFERENTIATION

To Challenge Students Have students work in groups of four and play *Twenty Questions* in Spanish. Each student takes a turn thinking of a person, and the others must ask questions using the present perfect to guess who that person is.

DIFFERENTIATION

For Inclusion Have students work in pairs to complete **Actividad 2**. Ask them to point out any adverbs and identify where they are in the sentence (before or after the verb). Then, have them take turns turning the sentences into questions, which the other should answer.

Comunicación

5 **Tecnofobia** Utiliza el pretérito perfecto para completar las oraciones. Luego, en parejas, conviertan las oraciones de la encuesta en preguntas para descubrir si son tecnófilos/as o tecnófobos/as. Comparen los resultados. ¿Están de acuerdo?

¿Eres tecnófobo/a?

No parece haber punto intermedio: generalmente, la gente ama la tecnología o la odia. Completa las oraciones para saber si eres tecnófilo/a o tecnófobo/a.

1. Yo _he comprado_ (comprar) ___ aparatos electrónicos durante el último año.
   a. más de diez
   b. entre cinco y diez
   c. menos de cinco
   d. cero

2. Yo _he tratado_ (tratar) de aprender ___ sobre los avances tecnológicos de los últimos meses.
   a. todo lo posible
   b. lo suficiente
   c. un poco
   d. muy poco

3. Para comunicarme con mis amigos, siempre _he preferido_ (preferir) ___.
   a. Facebook o Twitter
   b. los mensajes de texto telefónicos
   c. las llamadas telefónicas
   d. las cartas escritas a mano

4. Los recursos que _he utilizado_ (utilizar) más este año para hacer investigaciones son ___.
   a. buscadores
   b. enciclopedias en línea
   c. las bases de datos de la biblioteca
   d. enciclopedias tradicionales

5. Para las noticias diarias, mi fuente favorita esta semana _ha sido_ (ser) ___.
   a. Internet
   b. la televisión
   c. la radio
   d. el periódico

6. Para conseguir música, yo _he dependido_ (depender) sobre todo de ___.
   a. escuchar música en Internet
   b. descargar archivos MP3
   c. comprar los CD en línea
   d. escuchar los CD de mis padres

7. El teléfono que _he usado_ (usar) más este año es ___.
   a. un celular nuevo con *wi-fi*
   b. el celular que compré hace tres años
   c. el teléfono de casa
   d. ninguno; prefiero hablar en persona

8. Siempre _he creído_ (creer) que los avances tecnológicos ___ la calidad de vida.
   a. son esenciales para
   b. mejoran
   c. pueden empeorar
   d. arruinan

Clave
- **a.** = 3 puntos
- **b.** = 2 puntos
- **c.** = 1 punto
- **d.** = 0 puntos

Resultados

19-24	¡Eres **tecnófilo/a**!
13-18	Te sientes cómodo en un mundo tecnológico.
7-12	No te has mantenido al día con los avances recientes.
0-6	¡Eres **tecnófobo/a**!

6 **Celebridades** En grupos de tres, cada miembro piensa en una persona famosa. Las otras dos personas deben adivinarla dando pistas y haciendo preguntas en pretérito perfecto.

MODELO
ESTUDIANTE 1 Este hombre ha creado una compañía influyente y poderosa.
ESTUDIANTE 2 ¿Es Donald Trump?
ESTUDIANTE 1 No. Él ha cambiado para siempre el mundo tecnológico.
ESTUDIANTE 3 ¿Es Bill Gates?

PUEDO conversar sobre actitudes recientes frente a la tecnología.

La tecnología y la ciencia

doscientos ochenta y cinco **285**

Teaching Tips

5 **Extra Practice** Ask students to speak or write about whether they think they are technologically savvy or not, and whether being so is important to their self-image.

5 Ask students to speak or write about why some people they know are afraid of technology.

5 **Expansion** Divide the class into two groups: **tecnófilos** and **tecnófobos**. Ask the first group to give recommendations to the **tecnófobos** to help them overcome their fears of technology. Have the other group give advice to the **tecnófilos** about how to depend less on technology. Remind students to use subjunctive or command forms.

5 **Partner Chat** Available online.

6 **For Visual Learners** Bring in magazines to help students choose a famous person.

6 **Partner Chat** Available online.

Formative Assessment Circulate and monitor these conversations to gauge students' present perfect statements and how well other students comprehend and guess the celebrity. Listen for correct irregular past participles and reteach where necessary.

For Visual Learners Ask visual learners to redesign the survey. Tell them they can totally change the layout and add any graphics they like—but all the information must appear on one page. Then, display their pages in a corner of the room.

For Kinesthetic Learners Have students do the survey in **Actividad 5** in groups of five. One student should read the questions, and the others should respond by raising their hands and repeating the answer choice. Have them tally the results and physically form one to four groups, according to how they scored.

Estructura **285**

Objetivo comunicativo: Hablar sobre acciones que
ocurrieron en el pasado, antes de otras acciones

7.2 The past perfect

• The past perfect tense (**el pretérito pluscuamperfecto**) is formed with the imperfect of **haber**
and a past participle. As with other perfect tenses, the past participle does not change form.

The past perfect		
viajar	**perder**	**incluir**
había viajado	había perdido	había incluido
habías viajado	habías perdido	habías incluido
había viajado	había perdido	había incluido
habíamos viajado	habíamos perdido	habíamos incluido
habíais viajado	habíais perdido	habíais incluido
habían viajado	habían perdido	habían incluido

• In Spanish, as in English, the past perfect expresses what someone *had done* or what
had occurred before another action or condition in the past.

> Decidí comprar una cámara digital
> nueva porque la vieja se me
> **había roto** varias veces.
> *I decided to buy a new digital camera
> because the old one had broken
> on me several times.*

> Cuando por fin les dieron la patente,
> otros ingenieros ya **habían inventado**
> una tecnología mejor.
> *When they were finally given the patent,
> other engineers had already invented
> a better technology.*

• **Antes, aún, nunca, todavía**, and **ya** are often used with the past perfect to indicate that
one action occurred before another. Note that adverbs, pronouns, and the word **no** may not
separate **haber** from the past participle.

> Nunca te había visto tan
> interesado en una chica.
> Te gusta Marcela, ¿no?

> Cuando se fue la luz, **aún
> no había guardado** el
> documento; ¡lo perdí!
> *When the light went out,
> I hadn't yet saved the
> document; I lost it!*

> María Eugenia y Gisela **nunca
> habían visto** una estrella fugaz
> tan luminosa.
> *María Eugenia and Gisela had
> never seen such a bright
> shooting star.*

> **Ya me había explicado** la teoría,
> pero no la entendí hasta
> que vi el experimento.
> *He had already explained the theory
> to me, but I didn't understand it
> until I saw the experiment.*

> Los ovnis **todavía no habían
> aterrizado**, pero los terrícolas
> ya estaban corriendo asustados.
> *The UFOs hadn't yet landed but
> the earthlings were already
> running scared.*

286 *doscientos ochenta y seis*

Lección 7

Práctica y comunicación

1 **Discurso** Jorge Báez, un médico dedicado a la genética, ha recibido un premio por su trabajo. Completa su discurso de agradecimiento con el pluscuamperfecto.

Muchas gracias por este premio. Recuerdo que antes de cumplir doce años ya
(1) __había decidido__ (decidir) ser médico. Desde pequeño, mi madre siempre me
(2) __había llevado__ (llevar) al hospital donde ella trabajaba y recuerdo que desde la
primera vez me (3) __habían fascinado__ (fascinar) esos médicos vestidos de blanco. Luego,
cuando cumplí veintiséis años, ya (4) __había pasado__ (pasar) tres años estudiando las
propiedades de los genes humanos, en especial desde que (5) __había visto__ (ver)
un programa en la televisión sobre la clonación. Cuando terminé mis estudios de
posgrado, ya se (6) __habían hecho__ (hacer) grandes adelantos científicos...

2 **Explicación** Reescribe las oraciones usando el pluscuamperfecto. Sigue el modelo.

> **MODELO** Me duché a las 7:00. Antes de ducharme hablé con mi hermano.
> Ya había hablado con mi hermano antes de ducharme.

1. Yo salí de casa a las 8:00. Antes de salir de casa miré mi correo electrónico.
   Ya había mirado mi correo electrónico antes de salir de casa.
2. Llegué a la oficina a las 8:30. Antes de llegar a la oficina tomé un café.
   Ya había tomado un café antes de llegar a la oficina.
3. Se apagó la computadora a las 10:00. Yo guardé los archivos a las 9:55.
   Ya había guardado los archivos cuando se apagó la computadora.
4. Fui a tomar un café. Antes, comprobé que todo estaba bien.
   Ya había comprobado que todo estaba bien cuando fui a tomar un café.

3 **Informe** En grupos de tres, imaginen que son policías y deben preparar un informe sobre un accidente. Inventen una historia de lo que ha ocurrido en la vida de los personajes dos horas antes, dos minutos antes y dos segundos antes del accidente. Usen el pluscuamperfecto.

> Interpretive Communication
>
> Presentational Communication

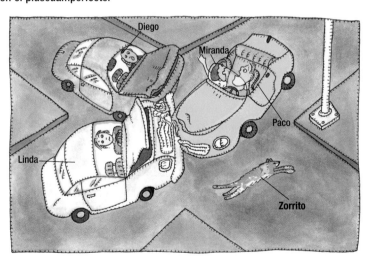

PUEDO comparar situaciones del pasado con otras anteriores a éstas.

---

1 For additional practice with the past perfect, have students imagine they have also just won an award. Have a volunteer begin by stating: **Gracias por este premio de ____. Recuerdo que antes de cumplir 12 años yo ya había...** Call on several volunteers to add to the speech, using the past perfect in their sentences.

Teaching Tips

3 To reinforce the difference between the present perfect and past perfect tenses, ask students to include at least two examples of each in their reports. Ex: **Hemos concluido las investigaciones del accidente... Linda ya había doblado cuando...**

3 **Expansion** After students complete the activity, call on volunteers to act out the scene. Involve the entire class by having everyone play a role: drivers, police officers, and witnesses. Remind students to use the past perfect in their questions and answers.

 Pre-AP*

AP Skill Category **7**

LEARNING STYLES

For Auditory Learners As an expansion of **Actividad 1**, have students work in groups of four. Students take turns playing the role of someone making an acceptance speech, and the others decide what award is being given, and for what. The speaker must use the past perfect, and try to use adverbs of time (**aún, ya, todavía, nunca**).

LEARNING STYLES

For Visual Learners Have students create a storyboard of the events leading up to the accident pictured in **Actividad 3**. Then, have them share their visuals with a small group. Ask the group to comment on similarities and differences between the stories.

7.3 Diminutives and augmentatives

- Diminutives and augmentatives (**diminutivos y aumentativos**) are frequently used
in conversational Spanish. They emphasize size or express shades of meaning like
affection, amazement, scorn, or ridicule. Diminutives and augmentatives are formed
by adding a suffix to the root of nouns, adjectives (which agree in gender and number),
and occasionally adverbs.

Diminutives

No, no hay ni un poquito de señal.

- Here are the most common diminutive suffixes.

Diminutive endings		
-ito/a	-cito/a	-ecito/a
-illo/a	-cillo/a	-ecillo/a

Jaimito, ¿me traes un **cafecito** con un **panecillo**?
Jimmy, would you bring me a little cup of coffee with a roll?

Ahorita, **abuelita**, se los preparo **rapidito**.
Right away, Granny, I'll have them ready in a jiffy.

- Most words form the diminutive by adding **-ito/a**. However, the suffix **-illo/a** is also
common in some regions. For words ending in vowels (except **-e**), the last vowel is
dropped before the suffix.

bajo → bajito *very short; very quietly*	**libro → libr**illo *booklet*
ahora → ahorita *right now; very soon*	**ventana → ventan**illa *little window*
Miguel → Miguelito *Mikey*	**campana → campan**illa *small bell*

- Most words that end in **-e**, **-n**, or **-r** use the forms **-cito/a** or **-cillo/a**. However,
one-syllable words often use **-ecito/a** or **-ecillo/a**.

hombre → hombrecillo *little man*	**pan → pan**ecillo *roll*
Carmen → Carmencita *little Carmen*	**flor → flor**ecita *little flower*
amor → amorcito *sweetheart*	**pez → pec**ecito *little fish*

- Note these spelling changes.

chico → chiquillo *little boy; very small*	**agua → ag**üita *little bit of water*
amigo → amiguito *buddy; playmate*	**luz → luc**ecita *little light*

- Some words take on new meanings when diminutive suffixes are added.

manzana → manzanilla	**bomba → bombilla**
apple camomile	*bomb lightbulb*

Teaching Tips
• Explain that diminutives
  are much more common
  in Spanish than in English.
  They are used, among other
  things, to express affection
  and to soften a request.
• Point out that Costa Ricans
  and Colombians use the
  diminutive **-ico/-ica**. In fact,
  Costa Ricans are known as
  ticos/as because of their
  fondness for this diminutive.

Augmentatives

Es un poco nerdo,
pero tiene un
corazón grandote.

- The most common augmentative suffixes are forms of **-ón/-ona, -ote/-ota**, and **-azo/-aza**.

Augmentative endings		
-ón	-ote	-azo
-ona	-ota	-aza

Hijo, ¿por qué tienes ese **chichonazo** en la cabeza?
Son, why do you have that huge bump on your head?

Jorge se gastó un **dinerazo** en una **pantallota** enorme, ¡sólo para ver partidos de fútbol!
Jorge spent a ton of money on an humongous TV screen, just to watch soccer games!

- Most words form the augmentative by simply adding the suffix to the word. For words ending in vowels, the final vowel is usually dropped.

soltero → **solterón** *confirmed bachelor*	**casa** → **casona** *big house; mansion*
grande → **grandote/a** *really big*	**palabra** → **palabrota** *swear word*
perro → **perrazo** *big, scary dog*	**manos** → **manazas** *big hands (clumsy)*

- There is a tendency to change a feminine word to a masculine one when the suffix **-ón** is used, unless it refers specifically to someone's gender.

la silla → **el sillón** *armchair*	**la mujer** → **la mujerona** *big woman*
la mancha → **el manchón** *large stain*	**mimosa** → **mimosona** *very affectionate*

- The letters **t** or **et** are occasionally added to the beginning of augmentative endings.

guapa → **guapetona**	**golpe** → **golpetazo**

- The masculine suffix **-azo** can also mean *blow* or *shot*.

flecha → **flechazo**	**rodilla** → **rodillazo**
arrow *arrow wound; love at first sight*	*knee* *a blow with the knee*

- Some words take on new meanings when augmentative suffixes are added.

cabeza → **cabezón**	**tela** → **telón**
head *stubborn*	*fabric* *theater curtain*
caja → **cajón**	**bala** → **balón**
box *drawer*	*bullet* *ball*

Tell students that some of
these suffixes, such as **-tón**,
-tona and **-tazo**, **-taza** often
add an element of subjectivity.
For example, **guapetona** does
not necessarily mean *very
pretty*, but pretty "in a
certain way."

1 **La carta** Completa la carta con la forma indicada de cada palabra. Haz los cambios que creas necesarios.

Querido (1) ___Pablito___ (Pablo, -ito):

Tu mamá me contó lo del (2) ___golpetazo___ (golpe, -tazo) que te dio Lucas en la escuela. Pues, cuando yo era (3) ___pequeñito___ (pequeño, -ito), como tú, jugaba siempre en la calle. Mi (4) ___abuelita___ (abuela, -ita) me decía que no fuera con los (5) ___amigotes___ (amigos, -ote) de mi hermano porque ellos eran mayores que yo y eran (6) ___hombrones___ (hombres, -ón). Yo entonces, era muy (7) ___cabezón___ (cabeza, -ón) y nunca hacía lo que ella decía. Una tarde, estaba jugando al fútbol, y uno de ellos me dio un (8) ___rodillazo___ (rodilla, -azo) que me rompió la (9) ___narizota___ (nariz, -ota). Nunca más jugué con ellos, y desde entonces, sólo salí con mis (10) ___amiguitos___ (amigos, -ito). Espero que me vengas a visitar (11) ___prontito___ (pronto, -ito). Un (12) ___besito___ (beso, -ito) de

Tu abuelo César

2 **Oraciones incompletas** Completa las oraciones con el aumentativo o diminutivo que corresponde a la definición entre paréntesis. Suggested answers.

1. ¿Por qué no les gusta a los profesores que los estudiantes digan ___palabrotas___ (palabras feas y desagradables)?
2. El ___perrito___ (perro pequeño) de mi novia es muy lindo y amistoso.
3. Mi hermana es una ___cabezota___ (cabeza grande); ¡es imposible hacerla cambiar de opinión!
4. Mis abuelos viven en una ___casona___ (casa grande) muy vieja.
5. La cantante Samantha siempre lleva una ___florecita___ (flor pequeña) en el cabello.
6. A mi ___hermanita___ (hermana menor) le fascinan los libros de ciencia ficción.

3 **¿Qué palabra es?** Reemplaza cada una de estas frases con el aumentativo o diminutivo que exprese la misma idea. Suggested answers.

1. muy grande ___grandote/a___
2. agujero pequeño ___agujerito/agujerillo___
3. cuarto grande y amplio ___cuartote___
4. sillas para niños ___sillitas___
5. libro grande y grueso ___librote___
6. estrella pequeña ___estrellita___
7. hombre alto y fuerte ___hombrón___
8. muy cerca ___cerquita___
9. abuelo querido ___abuelito___
10. hombres que piensan que siempre tienen la razón ___cabezones___

Comunicación

4 **En el parque** Todas las mañanas el señor Escobar sale a correr al parque. En parejas, miren los dos dibujos y túrnense para describir las diferencias entre lo que vio ayer y lo que ha visto hoy. Utilicen oraciones completas con diminutivos y/o aumentativos.

MODELO —Ayer el señor Escobar vio un perrito lindo en el parque, pero esta mañana un perrazo feroz lo ha perseguido.

abuelo	cerca	grande	pan
alto	delgado	lejos	pequeño
avión	galleta	libro	perro
bajo	gordo	nieto	taza

5 **Síntesis**

A. Es el año 2500. Junto con dos amigos/as, has decidido pasar un semestre en el espacio. Han creado un blog para contar lo que han visto y han hecho cada día. Escriban cinco entradas del blog. Deben incluir por lo menos tres verbos en el pretérito perfecto, tres en el pluscuamperfecto y tres diminutivos y/o aumentativos. Utilicen algunas frases y palabras de la lista y añadan sus propias ideas.

MODELO Lunes, 13 de marzo
Hemos pasado el día entero orbitando la Luna. De niños, siempre habíamos querido ser astronautas, y este viaje es un sueño hecho realidad. Desde aquí, la Tierra es sólo una pelotita, como el globo que habíamos estudiado de chiquitos...

Esta mañana hemos...	Antes del viaje, habíamos...	cerquita estrellita
Aún no hemos...	Cuando llegamos a la Luna,	chiquito grandote
Los astronautas nos han...	el profesor ya había...	cohetazo rapidito
	En el pasado,	
	los astrónomos habían...	

B. Ahora, presenten las cinco entradas de su blog ante la clase.

PUEDO mencionar diferencias de tamaño entre los elementos de dos imágenes.

Teaching Tips

4 Have students work in groups of three. Ask each student to add two to three new elements to the **ayer** and **hoy** drawings. Students should take turns showing their drawings to the group. The group identifies the new differences between the two images.

4 **Expansion** Ask students to describe what **el señor Escobar** will see tomorrow. Encourage them to be creative in their responses.

21st Century Skills

5 **Flexibility and Adaptability** Remind students to include input from all team members, adapting their presentation so it represents the whole group.

5 Before students begin writing, have them prepare a time line of events to use as a reference.

Pre-AP*

AP Skill Category **8**

DIFFERENTIATION

For Inclusion For **Actividad 5,** have students work in pairs to prepare a timeline of events. Tell them to refer to the time expressions in the exercise to assist them in generating statements and adding others, as needed. Remind them that they should have a concluding/summarizing statement. Then, have them present their time lines to another pair.

DIFFERENTIATION

To Challenge Students Have students work in the same groups from **Actividad 5**. Tell them they are now the students on Earth who couldn't spend the semester in space. Have them write about what has been happening on Earth, using the perfect tenses and diminutives and augmentatives.

Antes de ver el corto

HAPPY COOL

país Argentina
duración 14 minutos
director Gabriel Dodero

protagonistas Julio, Mabel (esposa), Pablito (hijo), suegro, Daniel (amigo)

Vocabulario

al alcance de la mano *within reach*	**descongelar(se)** *to defrost*	**el interrogante** *question; doubt*
al final de cuentas *after all*	**duro/a** *hard; difficult*	**la plata** *money (L. Am.)*
congelar(se) *to freeze*	**la guita** *cash; dough (slang)*	**el/la vago/a** *slacker*
derretir(se) (e:i) *to melt*	**hacer clic** *to click*	**vos** *tú (L. Am.)*

1 **Oraciones incompletas** Completa las oraciones con las palabras o las frases apropiadas.

1. Hoy día, gracias a Internet, todo parece estar __al alcance de la mano__. Sólo hay que escribir un par de palabras en un buscador, __hacer clic__ y listo.

2. Mi hermana es una __vaga__. Quiere ganar __plata/guita__ sin trabajar.

3. Los científicos no pueden prever con exactitud cuánto tiempo tardarán en __derretirse__ los glaciares.

4. Para preparar la cena esta noche, no quiero trabajar mucho. Simplemente voy a __descongelar__ la pasta que sobró (*was left over*) del otro día. __Al final de cuentas__, Juan Carlos llega a casa tan cansado del trabajo que no disfruta de la comida.

2 **Preguntas** En parejas, contesten las preguntas y expliquen sus respuestas.

1. ¿Creen que la vida en el futuro va a ser mejor?

2. ¿Qué avances tecnológicos creen que existirán para el año 2050? Mencionen tres.

3. ¿De qué manera pueden la ciencia y la tecnología ayudar a resolver problemas sociales? Den tres ejemplos.

4. Observen el afiche del cortometraje. ¿Qué está mirando la mujer? ¿Dónde está?

5. Observen los fotogramas. ¿Qué sucede en cada uno? ¿Creen que las imágenes son de la misma época?

6. Imaginen que se puede viajar en el tiempo. ¿Qué consecuencias puede tener esto?

Happy Cool

Mención Especial del Jurado, Festival Internacional de Cine de Cartagena, Colombia

Una producción del INSTITUTO NACIONAL DE CINE Y ARTES AUDIOVISUALES Guión y Dirección GABRIEL DODERO
Producción Ejecutiva ANDRÉS "Gato" MARTÍNEZ CANTÓ Dirección de Fotografía LEANDRO MARTÍNEZ
Dirección de Arte PATRICIA IBARRA Montaje LEANDRO PATRONELLI Dirección de Sonido FERNANDO VEGA
Actores CARLOS BERRAYMUNDO/CECILIA ROCHE/JORGE OCHOA/NORBERTO ARCUSÍN/GONZALO SAN MARTÍN/
NORBERTO FERNÁNDEZ/GISELLE CHEWELLE

La tecnología y la ciencia

doscientos noventa y tres **293**

Teaching Tips
• Have a volunteer read the credits. Ask what difference it might make if Andrés Martínez Cantó's nickname were **"Gatito"** or **"Gatón"** instead of **"Gato."**
• Ask students to comment on what they think the relationship might be between the woman in the photo on page 293 and whoever is inside the machine. Then, ask them to comment on what the woman might be like as a person and what she might do with her life. Encourage them to support their opinions with details and examples.

Language Comparisons   Cultural Comparisons   Relating Cultural Practices to Perspectives

CRITICAL THINKING

Knowledge and Analysis Ask students to comment on why a Latin American film might have an English title. Ask: **¿Es la frase "Happy Cool" un ejemplo de inglés formal? ¿Qué quiere decir?** Ask them to think of other movies made outside an English-speaking country that have English titles, and ask them to comment on the meaning of those titles.

CRITICAL THINKING

Analysis and Evaluation Ask students whether they think the movie is going to be a tragedy, comedy, drama, or documentary. Ask them to support their opinions with concrete details.

En pantalla **293**

Pre-AP*

Interpretive Audiovisual Communication
Ask students: **¿Conoces alguna película o libro que trate sobre el futuro? ¿Tiene un punto de vista optimista o pesimista? ¿Qué tipo de mensaje piensas que va a tener esta película? ¿Va a terminar con una visión positiva o negativa del futuro?**

Teaching Tips
- Ask students to look closely to the video stills and the dialogues and try to predict how the short film ends.
- **For Auditory Learners** Have volunteers take turns reading the script aloud.
- **For Kinesthetic Learners** Divide the class into six groups and assign one of the scenes to each group. Have students improvise a skit of the scene and present it to the class.
- **For Visual Learners** Ask students to pay close attention when viewing the film to the characters' facial expressions and to their own reactions to the characters' emotions. Then, ask them to share a few observations with the class.

21st Century Skills

Social and Cross-Cultural Skills
Have students work in groups to choose one or two aspects of the movie that they identify as different from what they would expect in their daily life. Ask students to write two to three sentences about the difference and how they would explain what is different to a visitor from that culture.

Escenas

ARGUMENTO En Buenos Aires, el desempleo ha obligado a la gente a buscar un futuro mejor en la tecnología.

JULIO Yo vengo de buscar trabajo y no consigo nada, y encima tengo que ver esto. El chico me pierde el respeto a mí, yo ya no sé qué decirle a tu papá, que nos está bancando° acá en su casa.

LOCUTOR No hay trabajo, pero hay una empresa que piensa en usted. *Happy Cool*, la tecnología que lo ayuda a esperar los buenos tiempos. [...] ¡Congélese! y viva el resto de su vida en el momento oportuno.

JULIO Mirá°, Mabel, yo quizá me tenga que congelar. Un tiempito nomás. Yo creo que esto en uno o dos años se soluciona.
MABEL Pero, Julio, ¿qué decís°? ¿Cómo podés° pensar en una cosa así?

DANIEL ¿Vos te acordás° cuando éramos pibes°, que pensábamos que en el 2000 la tecnología iba a ser tan poderosa que no iba a hacer falta laburar°?

MABEL Ay, Julio, ¡qué tecnología!
JULIO Sí, sí... se ve que es gente seria... hay mucha plata invertida acá.
MABEL Ah... no sé qué voy a hacer. No sé si traerte flores como si estuvieras en un cementerio o qué.

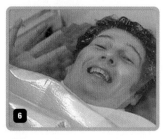

MABEL Volvé° pronto.
JULIO Ojalá que la situación económica mejore...
MABEL Ojalá...
JULIO Sí, así me descongelan cuanto antes.
MABEL Cuidate°... te voy a extrañar.

nos está bancando *he is putting us up* **Mirá** *Mira* **decís** *dices* **podés** *puedes* **acordás** *acuerdas*
pibes *kids* **laburar** *work* **Volvé** *Vuelve* **Cuidate** *Cuídate*

PRE-AP*

Interpretive Communication | Interpersonal Communication | Presentational Communication

Synthesis of Skills, Creative Writing Have students watch the **corto** and then summarize it in small groups. After viewing the film, brainstorm the titles of recent films that give either a positive or a negative view of the future. Discuss the **corto** and other films briefly and then have students write a short skit set in a future world with their group, using the vocabulary from the lesson. Tell them to use the present perfect and past perfect tense to talk about things that have happened, and other things that had occurred prior. Finally, have the groups present their skits to the rest of the class. Tell them: **Su *sketch* debe durar por lo menos tres minutos y deben memorizar lo que van a decir.**

Después de ver el corto

1 **Comprensión** Contesta las preguntas con oraciones completas.

Interpretive Communication

1. ¿De quién es la casa donde viven Julio y su familia? La casa es del suegro de Julio.
2. ¿Cuánto tiempo lleva desempleado Julio? Julio lleva dos años y medio desempleado.
3. ¿Qué promete la empresa *Happy Cool*? La empresa promete congelar a las personas hasta que la situación económica mejore.
4. ¿Qué opina Julio de la congelación al principio? Al principio, Julio no está de acuerdo con la congelación.
5. ¿Quién paga por la congelación de Julio? El suegro de Julio paga por su congelación.
6. ¿En qué año se descongela Julio? Julio se descongela en el año 2001.
7. ¿Qué pasó en su familia mientras él estaba congelado? Su esposa se casó con otro hombre.
8. ¿Cómo soluciona Mabel la situación al final? Mabel pone a Julio en el congelador de su casa.

2 **Interpretación** En parejas, contesten las preguntas y expliquen sus respuestas.

Interpretive Communication

Interpersonal Communication

1. ¿Para quiénes se destinan los servicios de *Happy Cool*? ¿Por qué?
2. ¿Por qué creen que Julio decide finalmente que sí quiere ser congelado?
3. ¿Es el regreso de Julio como él lo imaginaba? ¿Por qué?
4. ¿Por qué resulta irónico el comentario de Mabel: "Al final, lo casero es lo mejor"?

3 **Ampliación** En parejas, contesten las preguntas.

Interpretive Communication

Interpersonal Communication

Making Connections

1. ¿Por qué piensan que la gente cree en la publicidad de *Happy Cool*?
2. Imaginen que están desempleados desde hace tres años. ¿Qué harían?
3. ¿Confían en la publicidad de productos o servicios que parecen demasiado buenos o demasiado baratos? Den ejemplos.
4. ¿Creen que en el futuro la ciencia y la tecnología van a estar tan avanzadas que no va a ser necesario trabajar?

4 **El regreso** Imagina que la congelación ha sido un éxito y Julio despierta en un futuro mejor. Escribe un párrafo explicando qué es lo que ocurre.

Interpretive Communication

Presentational Communication

- ¿Cómo ha sido la vida de su esposa?
- ¿Cómo es su hijo y qué hace?
- ¿Cómo está su suegro? ¿Qué piensa ahora de su yerno?
- ¿Cómo es la situación económica?
- ¿Qué tipo de trabajo consigue Julio?
- ¿Son ahora todos más felices?
- ¿Fue una buena idea congelarse?

5 **Un anuncio** En grupos de cuatro, creen un anuncio televisivo para una empresa que ofrece una solución original a personas que no tienen trabajo. Puede ser un servicio serio o disparatado (*absurd*). Tengan en cuenta estos puntos. Luego, presenten su anuncio a la clase.

Presentational Communication

- ¿En qué consiste el servicio?
- ¿Es una solución temporal o definitiva?
- ¿A quién está dirigido?
- ¿Cuál es el eslogan?

PUEDO crear un anuncio sobre un adelanto tecnológico

La tecnología y la ciencia

---

1 Ask the class to volunteer a few more questions. Then, have pairs answer them.

2 **Virtual Chat** Available online.

3 Ask students to describe various "miracle cures" they have seen advertised.

4 Before completing the activity, ask students about their predictions for the film's conclusion. Ex: **¿Habías creído que el experimento iba a ser un éxito? ¿Habías pensado que todo iba a ser peor para Julio, o mejor? ¿Por qué?**

 Pre-AP*

AP Skill Category **8**

NATIONAL STANDARDS
Connections: History As a variation for **Actividad 5**, students select three famous people from the past or three important moments in history to visit.

Making Connections

CRITICAL THINKING

Knowledge and Analysis For **Actividad 3**, have students create a Venn diagram in which they compare each partner's set of answers to the questions. Ask them to then analyze and discuss the similarities and differences.

CRITICAL THINKING

Relating Cultural Practices to Perspectives

Acquiring Information & Diverse Perspectives

Comprehension and Analysis Have students work in pairs to research the economic situation in Argentina after the major political and economic crisis that took place between 1999 and 2001 and compare it with the economic situation depicted in the film. Encourage students to bring in reports from newspapers or online sources and share them with the class.

Section Goals

In **Lecturas**, students will:
- learn about Spanish writer **Arturo Pérez-Reverte** and read his article **"Ese bobo del móvil"**
- read about **Hernán Casciari's blogonovelas**

 Pre-AP*

AP Skill Categories
1 2 3 4

Student Resources
Cuaderno de actividades, p. 160
Online Activities, *eCuaderno*

Teacher Resources
Workbook TE

Teaching Tips

- **For Visual Learners** Ask students to comment on the painting by Joaquín Torres García. Ask: **¿Qué símbolos ves? ¿Por qué se llama *Composición Constructiva*?**
- Ask students to share how the painting makes them feel. Record their answers in a web on the board.

> Interpretive Communication

- Ask students to comment on different ways in which people react to ignorance in others.
- Explain that Joaquín Torres-García created the constructive universalism movement in the twentieth century. This art form blends the physical and spiritual worlds into a "universal language." Have students research the term and look at images to get a better sense of what constructive universalism is.
- Torres-García uses symbols to communicate specific meanings; a heart stands for the center of life, will, and intelligence, and a star represents a source of light. Ask pairs of students to make a list of the objects that appear in the painting with their meanings. Then, have the pairs share their lists with the class.

> "Ninguna ciencia, en cuanto a ciencia, engaña;
> el engaño está en quien no sabe."
>
> Miguel de Cervantes

Composición Constructiva, 1943
Joaquín Torres García, Uruguay

 Interpretar En parejas, conversen sobre estas preguntas. Some answers will vary.

1. ¿Qué puede verse en el cuadro?
2. ¿Cuántos colores usa el pintor y por qué les parece que los ha elegido?
3. ¿Cuál es el elemento principal de esta pintura? ¿Por qué?
4. ¿Creen que el cuadro busca contar alguna historia? ¿Por qué?
5. ¿Se imaginan un título diferente para el cuadro? ¿Cuál? Sean creativos.

PUEDO opinar sobre lo que se representa en la pintura *Composición Constructiva* de Joaquín Torres García.

CRITICAL THINKING

Making Connections | Acquiring Information & Diverse Perspectives

Knowledge and Comprehension Have pairs of students research and write a short report about the state of scientific knowledge during Cervantes' lifetime. Ask them to postulate what about science at that time might have been considered deceiving.

CRITICAL THINKING

Synthesis and Evaluation Tell students that there are numerous famous quotes from Cervantes. Have pairs of students research and compile a list of at least five quotes. Have them share the quotes with the class, explaining whether they agree or disagree with each, and why.

Antes de leer

Ese bobo del móvil

Sobre el autor

Arturo Pérez-Reverte nació en Cartagena, España, en 1951. Comenzó su carrera como corresponsal de guerra en prensa, radio y televisión, y durante veinte años vivió un gran número de conflictos internacionales. Comenzó a escribir ficción en 1986 y a partir de 1994 se dedicó de lleno (*fully*) a la literatura, especialmente a la novela de aventuras. Gran cantidad de sus novelas publicadas se han traducido a varios idiomas y algunas fueron llevadas al cine, como *La tabla de Flandes, El Club Dumas* (dirigida por Roman Polanski con el título de *La Novena Puerta*) y *Alatriste.* Entre sus obras narrativas más recientes se encuentran *Los perros duros no bailan* (2018) y *Sidi* (2019). Desde 1991 escribe una página de opinión en la revista *El Semanal,* que se ha convertido en una de las más leídas de España. Además, desde el año 2003 es miembro de la Real Academia Española.

Vocabulario

ahorrarse *to save oneself*	**el/la bobo/a** *silly, stupid person*	**el/la navegante** *navigator*
apagado/a *turned off*	**la motosierra** *power saw*	**sonar (o:ue)** *to ring*
el auricular *telephone receiver*	**el móvil** *cell phone (Esp.)*	**el vagón** *carriage; train car*

1 **Oraciones incompletas** Completa las oraciones utilizando las palabras del vocabulario.

1. En España al teléfono celular lo llaman ____móvil____.

2. Antes, los aventureros eran ____navegantes____ y viajaban de puerto a puerto.

3. Esperé durante horas una llamada, pero el teléfono nunca ____sonó____. Más tarde recordé que lo había dejado ____apagado____. ¡Qué ____bobo/boba____ que soy!

4. Al llegar a la estación, el tren ya partía y apenas pude subir al último ____vagón____.

2 **Conexión personal** Responde estas preguntas: ¿Te gusta estar siempre conectado con tus amigos? ¿Tienes teléfono celular? ¿Lo usas mucho? Cuando hablas con alguien, ¿buscas tener un poco de privacidad, o no te importa que la gente te escuche?

3 **Análisis literario: la ironía**

La ironía consiste en un uso figurativo del lenguaje en el que se expresa lo contrario de lo que se piensa. Para eso se utiliza una palabra o frase que tiene la intención de sugerir el significado opuesto al enunciado. Por ejemplo, se puede señalar la avaricia (*greed*) de alguien con el comentario: "¡Qué generosidad!" Inventa el comentario irónico que podrías hacer en estas circunstancias.

• Regresas a tu casa y te encuentras con mucho ruido y problemas.

• Te das cuenta de que la fila en la que estás avanza lentamente.

• Tenías planes de pasar el día al aire libre y de repente empieza a llover.

PRE-AP* | Interpretive Communication | Presentational Communication

Presentational Speaking Have students read *"Ese bobo del móvil"* and summarize it in small groups. Ask them to research more about the life of Arturo Pérez-Reverte and go online to find another column of his from *El Semanal*. Tell them to prepare an oral presentation comparing the two columns they have read. Have students present to their group and be prepared to answer questions from their classmates. Say: **Vas a hablar durante dos minutos. Puedes usar apuntes y debes citar tus fuentes.**

Ese bobo del móvil

Arturo Pérez-Reverte

Mira, Manolo, Paco, María Luisa o como te llames. Me vas a perdonar que te lo diga aquí, por escrito, de modo más o menos público; pero así me
5 ahorro decírtelo a la cara el próximo día que nos encontremos en el aeropuerto, o en el AVE°, o en el café. Así evito coger yo el teléfono y decirle a quien sea, a grito pelado°, aquí estoy, y te llamo para contarte que tengo
10 al lado a un imbécil que cuenta su vida y no me deja vivir. De esta manera soslayo° incidentes.

Spanish high-speed train

shouting at the top of one's voice

avoid

Y la próxima vez, cuando en mitad de tu impúdica° cháchara° te vuelvas casualmente hacia mí y veas que te estoy mirando, sabrás lo que tengo en la cabeza. Lo que pienso de 15 ti y de tu teléfono parlanchín°. Que también puede ocurrir que, aparte de mí, haya más gente alrededor que piense lo mismo; lo que pasa es que la mayor parte de esa gente no puede despacharse a gusto° cada semana en 20 una página como ésta, y yo tengo la suerte de que sí. Y les brindo el toro°.

immodest/ chit-chat; idle talk

chattering

to speak one's mind

make a dedicati (Lit: Dedicate the bull in a bullfight

Estoy hasta la glotis° de tropezarme
contigo y con tu teléfono. Te lo juro, chaval°.
25 O chavala. El otro día te vi por la calle,
y al principio creí que estabas majareta°,
imagínate, un fulano° que camina hablando
solo en voz muy alta y gesticulando furioso
con una mano arriba y abajo. Ése está para
30 los tigres, pensé. Hasta que vi el móvil que
llevaba pegado a la oreja, y al pasar por
tu lado me enteré, con pelos y señales, de
que las piezas de PVC° no han llegado
esta semana, como tú esperabas, y que el
35 gestor° de Ciudad Real es un indeseable. A
mí, francamente, el PVC y el gestor de Ciudad
Real me importan un carajo°; pero conseguiste
que, a mis propias preocupaciones, sumara las
tuyas. Vaya a cuenta de la solidaridad, me dije.
40 Ningún hombre es una isla. Y seguí camino.

A la media hora te encontré de nuevo en
un café. Lo mismo° no eras tú, pero te juro
que tenías la misma cara de bobo mientras
le gritabas al móvil. Yo había comprado un
45 libro maravilloso, un libro viejo que hablaba
de costas lejanas y antiguos navegantes, e
intentaba leer algunas páginas y sumergirme
en su encanto. Pero ahí estabas tú, en la mesa
contigua, para tenerme al corriente° de que
50 te hallabas en Madrid y en un café, cosa que
por otra parte yo sabía perfectamente porque
te estaba viendo, y de que no volverías a
Zaragoza hasta el martes por la noche. Por
qué por la noche y no por la mañana, me
55 dije, interrogando inútilmente a Alfonso el
cerillero°, que se encogía de hombros° como
diciendo: a mí que me registren°. Tal vez
tiene motivos poderosos o inconfesables,
deduje tras cavilar° un rato sobre el asunto:
60 una amante, un desfalco°, un escaño° en el
Parlamento. Al fin despejaste la incógnita
diciéndole a quien fuera que Ordóñez llegaba
de La Coruña a mediodía, y eso me tranquilizó

bastante. Estaba claro, tratándose de Ordóñez.
Entonces decidí cambiar de mesa. 65

Al día siguiente estabas en el aeropuerto.
Lo sé porque yo era el que se encontraba detrás
en la cola de embarque, cuando le decías a tu
hijo que la motosierra estaba estropeada°.
No sé para qué diablos quería tu hijo, a su 70
edad, usar la motosierra; pero durante un
rato obtuve de ti una detallada relación° del
uso de la motosierra y de su aceite lubricante.
Me volví un experto en la maldita motosierra,
en cipreses y arizónicas. El regreso lo hice en 75
tren a los dos días, y allí estabas tú, claro, un
par de asientos más lejos. Te reconocí por la
musiquilla del móvil, que es la de Bonanza.
Sonó quince veces y te juro que nunca he
odiado tanto a la familia Cartwright. Para 80
la ocasión te habías travestido de ejecutiva
madura, eficiente y agresiva; pero te reconocí
en el acto cuando informabas a todo el
vagón sobre pormenores° diversos de tu vida
profesional. Gritabas mucho, la verdad, tal vez 85
para imponerte a las otras voces y musiquillas
de tirurí tirurí que pugnaban° con la tuya
a lo largo y ancho del vagón. Yo intentaba
corregir las pruebas de una novela, y no podía
concentrarme. Aquí hablabas del partido de 90
fútbol del domingo, allá saludabas a la familia,
acullá° comentabas lo mal que le iba a Olivares
en Nueva York. Me sentí rodeado°, como
checheno° en Grozni. Horroroso. Tal vez por
eso, cuando me levanté, fui a la plataforma 95
del vagón, encendí el móvil que siempre llevo
apagado e hice una llamada, procurando°
hablar bajito° y con una mano cubriendo la
voz sobre el auricular, la azafata del vagón
me miró de un modo extraño, con sospecha. 100
Si habla así pensaría, tan disimulado° y
clandestino, algo tiene que ocultar (...). ■

Publicado en *El Semanal*, 5 de marzo de 2000

Side glossary (left column):
I've had it
dude
loony
so-and-so

plastic

manager
I couldn't
care less

Maybe

up-to-date

match-seller/
shrugged
search

to ponder
embezzlement/
seat

Side glossary (right column):
damaged

account

details

struggled

over there
surrounded
Chechnyan

trying
softly

hidden;
concealed

CRITICAL THINKING

Analysis and Evaluation Ask: **¿Crees que el autor habla de una sola persona?** Ask them to analyze the difference between an author citing various examples of actual people and using one, fictional person as the cell phone user.

CRITICAL THINKING

Knowledge, Comprehension, and Analysis Ask: **¿Qué porcentaje de lo que escribe el autor es una representación precisa de la vida real?** Ask them to identify images that seem accurate as well as ones that might be purely ironic. Ask them to summarize the author's opinion about the "social intelligence" of cell phone users.

Teaching Tips
• **For Inclusion** Have students work in pairs or groups of three. Ask them to read each paragraph and complete a 4W chart (who/what/where/when) that summarizes what happens in each paragraph. Then, have them exchange charts with another group and compare and contrast their findings.
• **For Heritage Speakers** Ask heritage speakers to read through the article and identify terms that are used in Spain but not in their families' countries of origin (unless, of course, it is Spain). Ask them to share equivalent terms they use.
• Ask heritage speakers to discuss cell phone use in their families' countries of origin. Ask: **¿Es muy común tener celular? Y los servicios celulares, ¿son similares a los de aquí?**

Ese bobo del móvil

Arturo Pérez-Reverte

Interpretive Communication **1**

Comprensión Responde a las preguntas con oraciones completas.

1. ¿Qué sentimientos le provocan al narrador los que hablan por teléfono?
   El dice que está hasta la glotis (harto) de esas personas y sus teléfonos.
2. ¿En qué lugares se encuentra con estas personas?
   Se encuentra con estas personas en todas partes: el aeropuerto, el AVE, el café, la calle.
3. ¿La gente que habla por teléfono celular está loca?
   No, él cree que hay un hombre que está loco porque habla solo por la calle, pero después se da cuenta de que está hablando por teléfono.
4. ¿Qué "musiquillas" escucha el narrador en el tren?
   Escucha las musiquillas de otros móviles.
5. Según el narrador, ¿qué tienen en común esas personas además del teléfono?
   Según el narrador, estas personas tienen la misma cara de bobo.

Interpretive Communication **2**

Análisis Vuelve a leer el relato y responde a las preguntas.

1. El narrador utiliza la segunda persona (tú) en este relato. ¿Se dirige sólo a personas que se llaman Manolo, Paco y María Luisa?

2. El autor comienza el artículo con: "Me vas a perdonar que te lo diga aquí". ¿Crees que el autor realmente se está disculpando?

3. Busca ejemplos de expresiones o palabras sobre la forma de hablar por teléfono de estas personas. ¿Cómo contribuyen estas expresiones al tono del relato? ¿Qué dicen acerca de la opinión del autor?

Interpretive Communication **3**

Interpretación Responde a las preguntas con oraciones completas.

1. ¿Por qué crees que al narrador le molestan tanto las personas que hablan por el móvil? ¿Te parece que su reacción es exagerada? ¿Por qué?

2. Las personas del relato, ¿hablan de cosas importantes por sus móviles? ¿Qué te parece que los motiva a utilizar el teléfono celular?

3. ¿También crees tú que todos los que hablan por su móvil tienen "la misma cara de bobo"? ¿Qué otras características encuentra el narrador en ellos?

4. ¿Te parece que el narrador se resiste a los avances tecnológicos? ¿Por qué?

5. El autor habla de "contaminación de ruido en un espacio público". ¿Crees que es legítimo protestar contra eso?

Interpersonal Communication **4**

Opiniones En parejas, lean estas afirmaciones y digan si están de acuerdo o no, y por qué. Después, compartan su opinión con la clase.

- El teléfono celular nos ayuda a mantenernos en contacto.
- Nuestra sociedad está obsesionada con el teléfono celular, que puede llegar a ser una adicción.

Presentational Communication **5**

Escribir Elige uno de los temas y redacta una carta de opinión para un periódico. Tu carta debe tener por lo menos diez oraciones. Elige un tono irónico marcadamente a favor o en contra y explica tus razones.

- Responde al artículo de Pérez-Reverte.
- Escribe sobre algún avance al servicio de la vida diaria.

PUEDO expresar acuerdo o desacuerdo sobre comentarios relacionados con los celulares.

Expansion Ask pairs of students to role-play different conversations the author heard as he listened to other people talking on the phone. Encourage them to overact.

2 Extra Practice Ask students additional questions: **Cuando el narrador habla por su teléfono móvil, provoca sospechas porque lo hace "de un modo extraño". ¿Cómo habla? ¿Por qué da la impresión de hacer algo clandestino?** Ask questions about the author's purpose. Ex: **¿Crees que el autor intenta convencer al lector de algo o simplemente protesta? Da ejemplos de la lectura.**

4 If appropriate, give students these additional statements.
- **Como no hay verdaderas relaciones profundas, las personas hablan por teléfono y se envían correos electrónicos todo el tiempo, pero no se comunican.**
- **Los avances tecnológicos crean una sociedad mejor y con más posibilidades para todos.**
- **Hoy en día, las personas buscan ser vistas y oídas públicamente cada vez que pueden.**

4 Partner Chat Available online.

21st Century Skills

5 Productivity and Accountability As a class, decide if the rubric you developed for the previous chapter works for this chapter's assignment. If not, adjust it to meet what students need to accomplish. As before, ask students to review their assignments against the rubric before submitting their work.

Lifelong Learning

CRITICAL THINKING

Evaluation As an expansion of **Actividad 4**, ask students to say whether they agree with these statements and to give reasons for their opinions: **1. Las personas que siempre hablan por teléfono no se comunican. 2. Hoy en día, las personas buscan ser vistas y oídas en público siempre que pueden.**

CRITICAL THINKING

Presentational Communication · Relating Cultural Practices to Perspectives · Making Connections

Application and Synthesis Ask students to write a short article about how another form of technology has affected the way people relate, particularly in public. Then ask them to read their articles aloud to the class and ask for feedback.

Antes de leer

Vocabulario

a la vanguardia *at the forefront*	**el enlace** *link*
actualizar *to update*	**el/la novelista** *novelist*
la bitácora *travel log; weblog*	**el sitio web** *website*
la blogonovela *blog novel*	**el/la usuario/a** *user*
la blogosfera *blogosphere*	**la web** *the web*

1 **Mi amigo periodista** Completa las oraciones. No puedes usar la misma palabra más de una vez.

1. Mi amigo periodista entiende mucho de tecnología y prefiere utilizar la __web/blogosfera__ para informarse y para publicar sus ideas.

2. Él no compra periódicos, sino que consulta varios __sitios web__ de noticias.

3. Después escribe sus comentarios sobre la política argentina en una __bitácora__ con __enlaces__ que conectan al lector a periódicos electrónicos.

4. Muchos __novelistas__ contemporáneos están interesados en participar en un nuevo fenómeno literario conocido como la __blogonovela__.

2 **Conexión personal** Responde estas preguntas: ¿Con qué frecuencia te conectas a Internet? ¿Es fundamental para ti o podrías vivir sin estar conectado/a? ¿Para qué navegas por Internet?

	siempre	a veces	casi nunca	nunca
banca electrónica				
comunicación				
diversión				
estudios				
noticias				
trabajo				

3 **Contexto cultural**

"¿Qué hacía la gente antes de la existencia de Internet?" Muchos nos hacemos esta pregunta en situaciones cotidianas, como al resolver un debate entre amigos con una búsqueda rápida en una base de datos (*database*), al pagar una factura por medio de la banca electrónica o al hablar con alguien a mil kilómetros de distancia con el mensajero instantáneo. Internet ha transformado la vida moderna, abriendo paso (*paving the way*) a múltiples posibilidades de comunicación, comercio, investigación y diversión. ¿Hay algo que siga igual después de la revolución informática? ¿Qué ha pasado, por ejemplo, con el arte? ¿Cómo ha sido afectado por las innovaciones tecnológicas?

Hernán Casciari:
arte en la blogosfera

Si el medio artístico° del siglo XX fue el cine, ¿cuál será el nuevo   artistic medium
medio del siglo XXI? El trabajo innovador del argentino Hernán
Casciari sugiere la posibilidad de la blogonovela. Casciari ha
desarrollado el nuevo género con creatividad, humor y una buena
5 dosis de ironía. Las blogonovelas imitan el formato del blog —un
diario electrónico, también llamado bitácora—, pero los "autores"
son o personajes de ficción o versiones apócrifas° de individuos   fictitious
reales. El uso de Internet permite que Casciari incorpore imágenes

para que la lectura sea también una experiencia visual. Explica el escritor:
10 "Vale más ilustrar un rostro con una fotografía o un dibujo, en lugar de hacer una descripción literaria". Sus sitios web incluyen enlaces para que
15 la lectura sea activa. También invitan a dejar comentarios para que lectura y escritura sean interactivas.

La blogonovela rompe con varios esquemas° tradicionales y se hace
20 difícil de clasificar°. Si Casciari prefiere a veces la fotografía a la descripción, ¿es la blogonovela literatura o arte visual? ¿Aspira a ser un arte serio o cultura popular? Si el autor es argentino pero vive en España, ¿la obra se
25 debe considerar española o argentina? Por otra parte, si aparece primero en Internet, ¿sería realmente un arte global?

alters various patterns (esquemas)
categorize (clasificar)

Los blogs de Hernán Casciari

Juan Dámaso, vidente
Klikowsky. El día a día de un argentino en Euskadi
Orsai
Espoiler

Además, las blogonovelas juegan con niveles de realidad y con las reglas° de la
30 ficción. El diario falso seduce al lector, que cree leer confesiones íntimas. Sin embargo, el autor de una blogonovela mantiene una relación inusual con su lector. La persona que abre una novela tradicional recibe información
35 según el orden° de las páginas de un libro. Pero el usuario informado de un sitio web crea su propio orden. ¿Cuál es el comienzo° y cuál es el final de un blog? En *Weblog de una mujer gorda*, Casciari incluye muchos enlaces,
40 que a veces introducen información antes de la bitácora. Pero ¿qué pasa si un individuo decide no abrir un enlace? El lector de una blogonovela es autor de su propio camino en zigzag, una lectura animada por ilustraciones
45 gráficas y fotos.

rules (reglas)
following the order (el orden)
beginning (comienzo)

Weblog de una mujer gorda es la blogonovela más célebre de Casciari. La autora ficticia es Mirta Bertotti, una mujer de poca educación pero con aptitud tecnológica y facilidad
50 con las palabras. Esta madre sufrida°, pero de actitud optimista, decide un día crear un blog sobre su familia desestructurada°. Mirta actualiza su bitácora frecuentemente, narrando las
55 particularidades de los Bertotti, los problemas de los hijos adolescentes y otros relatos° sobre los retos° de su vida. Mirta parece quejarse de su mala suerte, pero sus palabras revelan humor, cariño y fuerza
60 interior°, una resistencia a los problemas muy modernos que afectan su vida.

Casciari desafía nuestras expectativas, pero más que reírse del lector, le provoca risa y sorpresa. Sus experimentos de ficción
65 y realidad —como solicitar comentarios auténticos en blogs de ficción— nos divierten, pero además nos introducen a un nuevo y amplio° mundo creativo, posible ahora debido al encuentro entre el arte e Internet. ■
70

long-suffering (sufrida)
dysfunctional (desestructurada)
stories/ challenges (relatos/retos)
inner strength (fuerza interior)
wide (amplio)

Datos biográficos

Hernán Casciari nació en Buenos Aires en 1971. Además de estar a la vanguardia de las blogonovelas, Casciari es también periodista. En 2005 creó la blogonovela *El diario de Letizia Ortiz*, donde inventaba los pensamientos íntimos de la entonces futura reina de España. También en 2005, la exitosa blogonovela *Weblog de una mujer gorda* fue publicada en España como libro con el título *Más respeto, que soy tu madre*, que se adaptó al cine en 2010. Un año después, en 2011, publicó el libro *Charlas con mi hemisferio derecho*.

Teaching Tips
• As students read, have them take notes on the different characteristics of the **blogonovela**.
• Ask students to write down several expressions they enjoy as they read the article. Then, have them share those expressions with a partner.
• Ask students to look at and comment on the drawing of the man on page 303. Elicit that he is wearing sandals, and ask if that gives them any important information about who and where the man is, or not.
• Tell students that Hernán Casciari writes for the newwpapers **El País** (Spain) and **La Nación** (Argentina). In 2009, he published the book **El pibe que arruinaba las fotos**, based on some of his articles in *Orsai*. Since 2016, he presents and performs a role in his own stage play: *Una obra en construcción*.

CRITICAL THINKING

Analysis and Application Write this line from the article on the board: **El lector de una blogonovela es autor de su propio camino en zigzag.** Ask students to analyze the path(s) a reader's mind follows when reading a **blogonovela** as compared with a paper novel. Have them express their thoughts either in writing or with visuals as well.

CRITICAL THINKING

Interpersonal Communication

Evaluation Write this line from the article on the board: **Vale más ilustrar un rostro con una fotografía o un dibujo, en lugar de hacer una descripción literaria.** Have students indicate whether they agree or disagree with this statement by a show of hands. Divide them into two teams, appoint a moderator, and have them debate the issue.

Después de leer

Hernán Casciari: arte en la blogosfera

Interpretive Communication

1

Comprensión Responde a las preguntas con oraciones completas.

1. ¿De dónde es Hernán Casciari? Hernán Casciari nació en Argentina, pero vive en Barcelona, España.
2. ¿Qué es una blogonovela? Una blogonovela es una obra de un autor de ficción que imita el formato de un diario electrónico.
3. ¿Además de ser blogonovelista, que profesión tiene Casciari? Casciari es también periodista.
4. ¿Por qué el autor a veces prefiere usar una foto en vez de una descripción? Prefiere usar una foto porque cree que vale más ilustrar un rostro con una foto que hacer una descripción literaria.
5. ¿Qué incluyen los sitios web de Casciari para que la lectura sea activa e interactiva? Los sitios web incluyen enlaces e invitan a hacer comentarios.
6. ¿Cómo es la autora ficticia del *Weblog de una mujer gorda*? Mirta Bertotti es una mujer de poca educación, pero con aptitud tecnológica y talento con las palabras. Es una madre sufrida, pero de actitud optimista.

Interpretive Communication

2

Interpretación Contesta las preguntas utilizando oraciones completas.

1. ¿Cuáles son las diferencias entre un blog y una blogonovela? ¿Cuáles son las semejanzas?
2. ¿Cuáles son algunas de las novedades artísticas de la blogonovela?
3. ¿Cómo cambia la experiencia de un lector que lee una obra en Internet en vez de abrir un libro? ¿Qué prefieres tú? Explica tus razones.
4. ¿Estás de acuerdo con Casciari en que a veces es mejor "ilustrar un rostro con una fotografía o un dibujo"? ¿Por qué?

Interpretive Communication

Interpersonal Communication

Relating Cultural Practices to Perspectives

3

Comunicación En parejas, respondan a las preguntas y compartan sus respuestas con la clase.

1. Muchos de los problemas de la familia Bertotti son muy actuales, por ejemplo, las situaciones difíciles en las que se encuentran los adolescentes de hoy día. ¿Prefieren un arte que represente la realidad contemporánea? ¿O les gusta un arte que introduzca otras épocas o temas lejanos?
2. Cuando en 2005 salió *El diario de Letizia Ortiz*, algunos lectores pensaron que el blog era el diario auténtico de la entonces futura reina. ¿Qué piensan de esta situación? ¿Conoces otros ejemplos de este tipo de confusión entre la ficción y la realidad?
3. ¿De qué manera ha cambiado el arte con las innovaciones tecnológicas de las últimas décadas? ¿Pueden pensar en ejemplos del mundo de la música?
4. ¿Qué actividades hacen ustedes en Internet que sus padres de jóvenes hacían de otra manera? ¿Cómo reaccionan sus padres y abuelos ante los avances tecnológicos?
5. Cada vez hay más personas que tienen su propio blog. ¿Son autores de algún blog? ¿Qué opinan de este fenómeno? ¿Qué ventajas y desventajas tiene?

Presentational Communication

4

Escribir Elige un personaje público que aparezca frecuentemente en la prensa. Imagina los pensamientos íntimos de esta persona —las cosas que no pueden saber los periódicos o las revistas— y narra un día de su vida en forma de blogonovela. Escribe como mínimo diez oraciones.

PUEDO hacer comentarios sobre las características de la blogonovela.

Teaching Tips

2 **For Inclusion** Have students work in pairs and use Venn diagrams to organize the information they need in order to answer questions 1, 3, and 4.

2 For item 4, organize a debate in which one group defends the statement and the other group advocates literary description as the best way to depict an image.

2 **Expansion** Ask students: **Desde el punto de vista de un autor, ¿es lo mismo escribir una novela publicada por una editorial** (publisher) **que una blogonovela que se lee en Internet?**

3 **Expansion**
- Have small groups of students research and report on Orson Welles' 1938 radio broadcast, *The War of the Worlds*. Ask them to hypothesize what the public's reaction might be were such an invasion broadcast today.

Making Connections

- Ask students to imagine other new forms of expression that might emerge on the Internet in the next five years.

4 **Expansion** Have volunteers read their blogs aloud and have classmates guess which public figure is represented.

CRITICAL THINKING

Presentational Communication

Comprehension and Evaluation Ask students to write a short essay on the possible benefits to a writer of publishing on the Internet versus following a more traditional publishing route. Encourage them to describe the possible differences in artistic expression, audiences reached, and remuneration received.

CRITICAL THINKING

Interpretive Communication   Presentational Communication   School & Global Communities

Application Have small groups of students choose a TV show to watch. Have them then reconvene and write a blog that contains the character's thoughts and includes sample viewer commentaries and debate threads on several topics. Have them share their blog with the class.

Atando cabos

¡A conversar!

1 **Inventores de robots** En grupos pequeños, imaginen que son un grupo de científicos. Tienen que diseñar un robot que pueda realizar una tarea normalmente hecha por seres humanos. Preparen una presentación sobre su robot para compartir con la clase. Al finalizar, realicen una votación para elegir el mejor robot.

Presentational Communication

Making Connections

Lifelong Learning

Elegir el tema: Reúnanse y elijan la tarea que realizará su robot. Pueden elegir una tarea de la lista u otra que deseen.

- Pasear el perro
- Sacar la basura todos los días
- Preparar el desayuno

- Jugar juegos de mesa con un ser humano
- Entrenar a niños para jugar al béisbol
- Hacer las compras en el supermercado

Preparar: Decidan cómo va a ser el robot. Usen las preguntas como guía. También pueden preparar un afiche con un dibujo del robot.

- ¿Qué nombre le pondrían? ¿Por qué?
- ¿Cómo va a ser el robot?

- ¿Cómo va a realizar la tarea elegida? Describan un día en la vida del robot.
- ¿Quién se va a beneficiar con la creación del robot?

Organizar: Organicen la información en un esquema. Asignen distintas partes de la presentación a cada integrante del grupo.

Presentación: Durante la presentación, inviten al resto de la clase a participar haciendo preguntas acerca del robot. Sean convincentes. Expliquen por qué su robot es un avance importante. Recuerden que la clase elegirá el mejor robot.

2 **Hogar automatizado** En parejas, hagan una lista de tareas simples que se realizan dentro de la casa.

Interpersonal Communication

A Conversen sobre la manera de automatizar rutinas en la casa por medio de alguna tecnología conocida o inventada. Sean creativos/as.

MODELO
ESTUDIANTE 1 Cuando entra mucha luz del sol, tengo que cerrar las cortinas un poco.
ESTUDIANTE 2 Se pueden cambiar los vidrios por cristales inteligentes que se oscurecen cuando hay exceso de luz.

B Hablen de actividades en lugares externos de la casa, que también puedan automatizarse y cómo puede hacerse. Por ejemplo: en el jardín, en la entrada, en el garaje, en el techo, etc.

Student Resources
Cuaderno de actividades,
pp. 158–159, 161
Online Activities, *eCuaderno*

Teacher Resources
Workbook TEs; Textbook and Testing Audio online; Audio Scripts; Assessment Program Tests

Teaching Tips
¡A conversar!
- As students prepare, have them also consider where they would sell their robot, how they would market it, and what kind of people would be interested in it.
- To help students convince the audience about their robot, have them invent testimonials from satisfied customers explaining how the robot has changed their lives. Encourage students to use the present and past perfect. Ex: **Antes de comprar el robot, nunca había pensado en… Me ha ayudado mucho el robot porque…**
- Come up with categories for the best robot. Ex: **El mejor robot para la vida doméstica, El mejor robot para los niños.**

2 Have students review updated videos from the Internet about home automation, so that they can analyze the things that are done right now and consider others that are not.

21st Century Skills

¡A conversar! Collaboration
If you have access to students from a Spanish-speaking country, have your students ask them how robotic technology has affected everyday life in their country.

School & Global Communities

CRITICAL THINKING

Presentational Communication   *School & Global Communities*

Synthesis Have students take notes on the presentations made for the **Inventores de robots** activity. Ask them to write a blog entry that includes both factual material and commentary. Have them share their blog with the class or post it on a website that others can access.

CRITICAL THINKING

Analysis As an expansion for **Actividad 2**, have students give examples of the application of technology to our daily lives in different fields, such as health, economics, politics, culture, etc. Ask: **¿De qué manera la tecnología se ha utilizado en el arte? ¿Cómo puede evidenciarse hoy el uso de la tecnología en la salud de las personas? ¿La manera como la gente paga por bienes o servicios ha cambiado por la tecnología? ¿De qué modo?**

Atando cabos

Interpersonal Communication

3 **Máquina del tiempo** En parejas, imaginen que un(a) viajero/a del tiempo retorna del año 4025 y que un(a) periodista lo entrevista. Hagan preguntas sobre distintos aspectos de la vida de las personas, incluyendo:

- el arte
- la comunicación
- el dinero
- la energía
- el entretenimiento
- el medio ambiente
- el transporte privado y público

- la alimentación
- la disposición final de las basuras
- la industria
- la ropa
- la salud y la prevención de enfermedades
- la vivienda

MODELO   **ESTUDIANTE 1** Nos encontramos en vivo con Valentina, la viajera del tiempo. Cuéntenos, ¿cómo se transporta la gente en el año 4025?
ESTUDIANTE 2 Tenemos vehículos solares antigravedad y portales interdimensionales.

¡A escribir!

Presentational Communication

Robots futbolistas

Desde 1996, cada año se celebra la competencia internacional RoboCup, protagonizada por robots autónomos futbolistas. Este proyecto tiene como objetivo promover la investigación en el campo de la inteligencia artificial. Los organizadores de este mundial de fútbol de robots aspiran a desarrollar (*develop*) para el año 2050 "robots humanoides completamente autónomos que puedan ganarle al equipo de fútbol humano que sea campeón del mundo".

El blog del robot Imagina que eres un robot participante de la RoboCup o el robot que diseñó tu grupo en la actividad de **¡A conversar!** Escribe una entrada en tu blog sobre el primer día en que trabajas para los seres humanos. Usa el pretérito perfecto y el pluscuamperfecto.

MODELO   Hoy es el primer día que me toca acompañar a los niños a la escuela. Mi memoria y mis circuitos no han podido descansar de tantos nervios. Nunca había estado tan nervioso...

PUEDO presentar el diseño de un robot que hace tareas cotidianas humanas.

PUEDO escribir una entrada de un blog haciendo el rol de un robot en su primer día.

La tecnología

la arroba	@ symbol
el blog	blog
el buscador	search engine
la computadora portátil	laptop
la contraseña	password
el corrector ortográfico	spell checker
la dirección de correo electrónico	e-mail address
la informática	computer science
el mensaje (de texto)	(text) message
la página web	web page
el programa (de computación)	software
el reproductor de CD/DVD/MP3	CD/DVD/MP3 player
el (teléfono) celular	cell phone
adjuntar (un archivo)	to attach (a file)
borrar	to erase
chatear	to chat
descargar	to download
guardar	to save
navegar en la red	to surf the web
tuitear	to tweet (in Twitter)
digital	digital
en línea	online
inalámbrico/a	wireless

La astronomía y el universo

el agujero negro	black hole
el cohete	rocket
el cometa	comet
el espacio	space
la estrella (fugaz)	(shooting) star
el/la extraterrestre	alien
la gravedad	gravity
el ovni	UFO
el planeta	planet
el telescopio	telescope
el transbordador espacial	space shuttle

Los científicos

el/la astronauta	astronaut
el/la astrónomo/a	astronomer
el/la biólogo/a	biologist
el/la científico/a	scientist
el/la físico/a	physicist
el/la ingeniero/a	engineer
el/la matemático/a	mathematician
el/la (bio)químico/a	(bio)chemist

La ciencia y los inventos

el ADN (ácido desoxirribonucleico)	DNA
el avance	advance
la célula	cell
el desafío	challenge
el descubrimiento	discovery
el experimento	experiment
el gen	gene
el invento	invention
la patente	patent
la teoría	theory
clonar	to clone
comprobar (o:ue)	to prove
crear	to create
fabricar	to manufacture
formular	to formulate
inventar	to invent
investigar	to investigate; to research
avanzado/a	advanced
(bio)químico/a	(bio)chemical
especializado/a	specialized
ético/a	ethical
innovador(a)	innovative
revolucionario/a	revolutionary

Más vocabulario

Expresiones útiles	Ver p. 275
Estructura	Ver pp. 282–283, 286 y 288–289

En pantalla

la guita	cash; dough
el interrogante	question; doubt
la plata	money
el/la vago/a	slacker
vos	tú
congelar(se)	to freeze
derretir(se) (e:i)	to melt
descongelar(se)	to defrost
hacer clic	to click
duro/a	hard; difficult
al alcance de la mano	within reach
al final de cuentas	after all

Literatura

el auricular	telephone receiver
el/la bobo/a	silly, stupid person
la motosierra	power saw
el móvil	cell phone
el/la navegante	navigator
el vagón	carriage; train car
ahorrarse	to save oneself
sonar (o:ue)	to ring
apagado/a	turned off

Cultura

la bitácora	travel log; weblog
la blogonovela	blog novel
la blogosfera	blogosphere
el enlace	link
el/la novelista	novelist
el sitio web	website
el/la usuario/a	user
la web	the web
actualizar	to update
a la vanguardia	at the forefront

Student Resources
Online Activities

Teacher Resources
Textbook and Testing Audio online; Testing Audio Script; Assessment Program Tests

Teaching Tips

- Have students make bilingual flashcards, with Spanish on one side and English on the other. Encourage them to draw pictures or add other visuals. Then, have them practice the vocabulary with a partner.
- Have students, working in pairs, create an electronic dictionary of at least ten words. Then, have them submit their work to an "editor"—another pair of students. Ask volunteers to share any particularly good or funny definitions.

21st Century Skills

Creativity and Innovation
Ask students to prepare a presentation about technology and inventions using lesson vocabulary and grammar.

21st Century Skills

Leadership and Responsibility Extension Project
As a class, have students decide on three questions they want to ask the partner class related to the topic of the lesson they have just completed. Based on the responses they receive, work as a class to explain to the Spanish-speaking partners one aspect of their responses that surprised the class and why.

DIFFERENTIATION

To Challenge Students Explain what a *portmanteau* word is: **Este término se refiere a una palabra combinada en que se juntan el sonido y significado de otras dos o más palabras o morfemas.** *Blogonovela*, por ejemplo, es una palabra *portmanteau*. Have pairs of students create *portmanteaus* in Spanish, using vocabulary from the lesson.

DIFFERENTIATION

For Inclusion Have pairs of students play Hangman. The "illustrator" should give a broad hint about which category in the vocabulary list the word comes from. Ex: **Este término trata de Internet.**

Lesson 8
Six-step
Instructional Design

See pages T34-T35 for additional details on how to use the six-step instructional design in your classroom.

1 **Context.** Make it personal. Ask students to provide whatever Spanish words they may already know in the context: "Think about jobs, finances, and the economy. What Spanish words come to mind?".

Next, ask students questions about their own experiences and thoughts about jobs and the economy: **¿En qué área o industria te gustaría conseguir un trabajo? ¿Por qué? ¿Cuál es la mejor manera de cuidar e invertir nuestro dinero?**

2 **Vocabulary.** Put it into words. Connect the word study in Step 1 with what students see on these pages. **¿Cuál trabajo te interesa más? ¿Cuáles son los principales desafíos económicos que enfrentan los países?**

3 **Media.** Bridge experiences. Ask students about their experiences with job interviews: **¿Alguna vez has tenido una entrevista de trabajo? ¿Dónde fue y con quién? ¿Cómo te fue?**

A primera vista Have students look at the photo; ask them these additional questions: **1. ¿A qué se dedican tus familiares o personas cercanas? 2. ¿Conoces personas desempleadas? ¿Qué hacen para sobrevivir?**

Essential questions Discuss the essential questions as a class. Point out to students that they will learn about jobs, finances, and the economy in **El mundo hispano**, **Flash cultura** and **Lecturas.**

Overarching Themes:
Global Challenges:
Economic Issues
Contemporary Life: Professions

A primera vista
- ¿Quiénes son las personas de la foto?
- ¿Cuál es su profesión? ¿En qué país están?
- ¿Qué están haciendo? ¿De qué estarán hablando?

Essential Questions
1. ¿Cuáles son los principales factores que afectan el trabajo y la economía?
2. ¿Qué efecto tienen los recursos naturales de un país sobre su economía?
3. ¿Cuáles son las principales industrias de los países hispanohablantes?

Teacher Resources

Presentation
- AP® Themes & Contexts
- Grammar slides: **Estructura** 8.1, 8.2, 8.3

Practice and Communicate
- *Cuaderno de actividades*, with audio & Answer Key
- Digital Image Bank (Jobs)
- Textbook Audio

 FORUMS Forums on **vhlcentral.com** allow you and your students to record and share audio messages. Use Forums for presentations, oral assessments, discussions, directions, etc.

8 La economía y el trabajo

Can Do Goals

By the end of this lesson I will be able to:

- Talk about jobs, finances, and the economy
- Talk about things that would eventually happen
- Express emotions, doubt, and denial in the past
- Talk about hypothetical situations

Also, I will learn about:

Culture
- Soap operas in Spanish-speaking countries
- Fashion designer Carolina Herrera
- Alpacas in South America
- The **El sistema** music education program in Venezuela

Skills
- Reading: Identifying the characteristics of fables
- Conversation: Presenting a project to a business manager
- Writing: Writing a job application form

Lesson 8 Integrated Performance Assessment

Context: The local chamber of commerce is hosting a career night for students. You have been asked to select a product or service that is important to your state's economy and to talk about all the different jobs and career opportunities this product helps create.

Vendedor callejero en Santo Domingo, República Dominicana

Práctica: La economía informal representa el sustento para muchas personas de países hispanos.
¿Qué actividades de economía informal son comunes en la región donde vives?

Can Do Goals Review the list of communicative goals with your students. Point out that this lesson will provide them with the tools necessary to achieve these goals. You may also share the IPA task, found on page 350, so that students become familiar with the final communicative task they will be expected to complete.

Integrated Performance Assessment Before teaching this chapter, review the Integrated Performance Assessment (IPA) and its accompanying scoring rubric provided in the Assessment Program and the Resources section online. Use the IPA to assess students' progress toward proficiency targets at the end of the chapter.

Práctica People make a living in different and creative ways. Some occupations are more related to inherited traditions, while others demand years of academic immersion and institutional endorsement. Have students discuss jobs that demand institutional validation and others originated in community traditions.

La economía y el trabajo

El trabajo

el aumento de sueldo *pay raise*
la compañía *company*
la conferencia *conference*
el contrato *contract*
el currículum (vitae) *résumé*
el empleo *employment*
la entrevista de trabajo *job interview*

El puesto *position*
la reunión *meeting*
el sueldo mínimo *minimum wage*
___

administrar *to manage; to run*
ascender (e:ie) *to rise; to be promoted*
contratar *to hire*
despedir (e:i) *to fire*
exigir *to demand*
ganar bien/mal *to be well/poorly paid*
ganarse la vida *to earn a living*
jubilarse *to retire*
renunciar *to quit*
solicitar *to apply for*
___

(des)empleado/a *(un)employed*
exitoso/a *successful*
(in)capaz *(in)competent*

En la **entrevista de trabajo**, Eugenia presentó su **currículum vitae** e hizo preguntas sobre **la compañía**, las tareas del **puesto** y las condiciones de **empleo**.

Las finanzas

el ahorro *savings*
la bancarrota *bankruptcy*
el cajero automático *ATM*
la cuenta corriente *checking account*
la cuenta de ahorros *savings account*
la deuda *debt*
la hipoteca *mortgage*
el presupuesto *budget*
___

ahorrar *to save*
cobrar *to charge; to receive*
depositar *to deposit*
financiar *to finance*
gastar *to spend*
invertir (e:ie) *to invest*
pedir (e:i) prestado/a *to borrow*
prestar *to lend*
___

a corto/largo plazo *short/long-term*
fijo/a *permanent; fixed*
financiero/a *financial*

Empleado del mes

José

La economía

la bolsa (de valores) *stock market*
el comercio *trade*
el desempleo *unemployment*
la empresa multinacional *multinational company*
la huelga *strike*
el impuesto (de ventas) *(sales) tax*
la inversión (extranjera) *(foreign) investment*
el mercado *market*
la pobreza *poverty*
la riqueza *wealth*
el sindicato *labor union*
___

exportar *to export*
importar *to import*

Interpersonal Speaking Have students review the vocabulary related to the world of work. Provide them with some want ads from a recent Spanish-language newspaper. Tell them to choose a job, write out why they think they are qualified, and write questions they would ask a future employer. Then tell them to imagine they are calling the office number, and leave a voice-mail message with all pertinent data. They should speak for at least one minute and ask two questions. Say: **Vas a llamar a tu futuro/a empleador(a). Haz por lo menos dos preguntas sobre el trabajo y habla sobre tus cualidades. Recuerda usar *usted*.**

La gente en el trabajo

La señora Bonilla comenzó su carrera profesional como **vendedora**, luego pasó a ser **gerente** y ahora es una alta **ejecutiva**. Espera que le ofrezcan ser **socia** este año.

el/la asesor(a) *consultant; advisor*

el/la contador(a) *accountant*

el/la dueño/a *owner*

el/la ejecutivo/a *executive*

el/la empleado/a *employee*

el/la gerente *manager*

el hombre/la mujer de negocios *businessman/woman*

el/la socio/a *partner; member*

el/la vendedor(a) *salesperson*

La economía y el trabajo

Práctica

1 | **Escuchar** | Interpretive Communication |

A. Escucha el anuncio de *Creditinstant* y luego decide si las oraciones son **ciertas** o **falsas**. Corrige las falsas. *Some answers will vary.*

1. *Creditinstant* ofrece un puesto de trabajo con un buen sueldo. Falso. *Creditinstant es una empresa que presta dinero.*

2. *Creditinstant* ofrece tres mil dólares. Cierto.

3. Los clientes tienen que devolver el dinero a corto plazo. Falso. *Los clientes pueden devolver el dinero a corto o largo plazo.*

4. Los clientes pueden solicitar el dinero llamando por teléfono. Cierto.

5. *Creditinstant* deposita el dinero en la cuenta de ahorros en veinticuatro horas. Falso. *Creditinstant deposita el dinero en la cuenta corriente en cuarenta y ocho horas.*

6. Los clientes pueden gastar el dinero en lo que quieran. Cierto.

B. Escucha la conversación entre un cliente y un representante de *Creditinstant* y contesta las preguntas con oraciones completas. *Answers will vary slightly.*

1. ¿Qué necesita la clienta?
   Necesita que le presten dos mil dólares.
2. ¿En qué trabaja la clienta?
   Ella es dueña de una pequeña tienda de ropa.
3. ¿Qué puesto de trabajo tiene su esposo?
   Su esposo es ejecutivo de una empresa multinacional.
4. ¿Para qué necesita la clienta el dinero?
   La clienta necesita el dinero para financiar su viaje de vacaciones.

2 | **No pertenece** Indica qué palabra no pertenece a cada grupo.

1. empleo–sindicato–sueldo–cajero automático

2. currículum–deuda–entrevista–contrato

3. entrevista–bolsa de valores–inversión–mercado

4. depositar–socio–cajero automático–cuenta corriente

5. asesor–ejecutivo–gerente–importar

6. renunciar–exportar–despedir–jubilarse

7. comercio–capaz–exitoso–ascender

8. gastar–prestar–exigir–ahorrar

(A) Audio Script

¿Necesita dinero para comprar una computadora, para hacer un viaje o para comprar un regalo? En Creditinstant le prestamos tres mil dólares para que los gaste en lo que quiera. Puede financiar el dinero prestado a corto o largo plazo sin problemas. Sólo necesita solicitar el dinero llamando por teléfono al número 800-900-900. Le depositamos los tres mil dólares en su cuenta corriente en cuarenta y ocho horas. Creditinstant: el dinero al instante. Llámenos.
Teacher Resources online

(B) Audio Script

REPRESENTANTE Buenos días. Gracias por llamar a Creditinstant. ¿En qué le puedo ayudar?
CLIENTA Buenos días. Estoy interesada en sus servicios. Necesito que me presten dos mil dólares.
REPRESENTANTE Muy bien. Sólo va a tener que contestar algunas preguntas. ¿Tiene un puesto de trabajo?
CLIENTA Sí, soy dueña de una pequeña tienda de ropa.
REPRESENTANTE ¿Está casada? Y si está casada, ¿en qué trabaja su esposo?
CLIENTA Sí, estoy casada. Mi esposo es un ejecutivo en una empresa multinacional. No tenemos problemas de dinero, pero queremos irnos de vacaciones y he pensado que podíamos ponernos en contacto con ustedes para financiar el viaje.
REPRESENTANTE No creo que haya ningún problema. Ahora mismo le voy a pasar con un compañero para completar la solicitud con sus datos.
CLIENTA ¿Cuánto tiempo tardarían en depositar el dinero en nuestra cuenta del banco?
(Script continues on page 312.)

LEARNING STYLES

For Visual Learners Ask students to form pairs to read aloud the lists of words on pages 310 and 311. As they read, encourage students to identify cognates. Ask pairs to make a list of all the cognates they found. Then have a class discussion and compile a list on the board or on butcher paper.

LEARNING STYLES

For Auditory Learners Play the commercial and conversation twice, encouraging students to listen for new vocabulary words. When students hear a word from the **Contextos** vocabulary, they make a tally mark on a piece of paper. You should do the same. Then after listening to the conversation a second time, discuss how many vocabulary words the class identified.

(B) Audio Script (continued)

REPRESENTANTE Normalmente tarda dos días, pero en ocasiones podemos hacerlo con más rapidez, depende de las circunstancias personales de cada cliente.

CLIENTA Perfecto, porque tenemos que preparar el presupuesto para el viaje lo antes posible. Muchas gracias. *Teacher Resources online*

Teaching Tips

3 Expansion Write these additional items on the board: **un hombre/una mujer de negocios de 65 años, un(a) vendedor(a) de carros, el/la gerente de un banco multinacional,** and **un(a) ejecutivo/a de una empresa que va a la bancarrota.** Ask volunteers: **¿Qué buscan?**

3 Remind students to read the answer choices first and then read each item carefully. Also, after they complete the activity, they should make sure they have used each answer choice only once and then reread the items to check that the answers fit.

4 For each item, ask: **¿Quién diría esta frase?** Ex: **1. un abuelo de 64 años**

4 Ask students to provide a related word for five of the correct answers. Ex: **financieros → finanzas**

5 Ask pairs to share their definitions with the class.

Formative Assessment Activities 3 to 5 can be used as a quick check to gauge both comprehension and vocabulary application.

Práctica

3 ¿Qué buscan? Indica qué quiere cada una de estas personas.

_b_ 1. un(a) contador(a)

_f_ 2. el/la ministro/a de economía

_c_ 3. un(a) empleado/a que lleva mucho tiempo en la empresa

_a_ 4. una persona desempleada

_e_ 5. el/la dueño/a de una empresa

_d_ 6. un(a) gerente que entrevista a un(a) solicitante

[**quiere**]

a. conseguir un trabajo lo antes posible

b. que sus clientes paguen lo mínimo posible de impuestos

c. un aumento de sueldo

d. hacerle preguntas sobre el currículum vitae

e. que sus ejecutivos administren bien su dinero

f. que baje el desempleo y vengan inversiones del extranjero

4 Cosas que dice la gente Completa las oraciones con los términos de la lista.

administrar	depositar	incapaces	riqueza
ahorros	empleo	inversiones	sindicato
bolsa de valores	financieros	jubilar	vendedora

1. "Ya me quiero ___jubilar___. Estoy cansado y quiero disfrutar de mis nietos."

2. "Si no mejoramos nuestra forma de ___administrar___, esta empresa fracasará."

3. "¿Quiere usted reducir sus deudas, invertir en la ___bolsa de valores___ y ahorrar para la jubilación? Nuestros asesores ___financieros___ lo pueden ayudar."

4. "He gastado todos mis ___ahorros___. Necesito un ___empleo___."

5. "Se deben recibir más ___inversiones___ para salvar la compañía."

6. "El ___sindicato___ está en contra de los despidos de empleados."

[Interpersonal Communication]

5 Definiciones

A. En parejas, definan brevemente las palabras.

ascender	contrato	exigir	importar	riqueza
cobrar	despedir	huelga	mercado	socio

B. Improvisen una entrevista en la que uno/a de ustedes es el/la gerente y la otra persona solicita un puesto de trabajo. Usen al menos seis palabras de la lista. Después, representen su entrevista ante la clase.

MODELO ENTREVISTADOR ¿Por qué lo despidieron de su último empleo?
SOLICITANTE Bueno, todo empezó el día de la huelga de…

DIFFERENTIATION

To Challenge Students Have students form pairs. Ask them to prepare a conversation using at least ten words from **Contextos**. Ask volunteers to perform their conversations for the class.

DIFFERENTIATION

For Inclusion Ask students to choose six words from **Contextos**. The words should be the ones students relate to or think they will use the most. Then ask them to make flashcards with those words. (Or if they already made flashcards for the **Contextos** vocabulary, have them select six of the cards.) Encourage students to review their flashcards throughout the day until they know all six words.

Comunicación

Interpersonal Communication

6 **¿Qué opinas?** En parejas, contesten las preguntas y después compartan su opinión con la clase.

1. ¿Piensas que el dinero es lo más importante en la vida? Explica tu respuesta.

2. ¿Sigues la información de la bolsa de valores? ¿Crees que es buena idea invertir todos los ahorros en la bolsa de valores? ¿Por qué?

3. ¿Crees que la economía del país afecta tu vida personal? ¿De qué manera?

4. ¿Piensas que se podrá acabar con la pobreza?

5. ¿Qué sacrificarías para conseguir que no hubiera más pobreza en el mundo?

6. ¿Crees que la economía de tu país va a ser la más fuerte dentro de veinte años? Explica tu respuesta.

7. ¿Qué consecuencias piensas que tiene la globalización?

8. ¿Es positiva la globalización para los países ricos? ¿Y para los pobres?

Interpersonal Communication

7 **El consejero de trabajo** En parejas, imaginen que uno/a de ustedes está a punto de graduarse y no sabe qué trabajo hacer. La otra persona es un(a) asesor(a) de trabajo. Túrnense para hacerse preguntas y darse consejos sobre cuál sería el mejor trabajo para cada uno/a. Utilicen y amplíen las preguntas e ideas de la lista.

Preguntas	Debes trabajar en...
a. ¿Eres capaz de trabajar bajo presión?	• los negocios
b. ¿Te gusta administrar?	• las ciencias
c. ¿Qué te importa más: ganar mucho dinero o disfrutar del trabajo?	• la política
d. ¿Te gusta trabajar en equipo o prefieres trabajar solo/a?	• una empresa multinacional
e. ¿Qué clases te han gustado más?	• las finanzas
f. ¿Te gusta viajar?	• la tecnología
g. ¿Es importante que tu trabajo sea creativo?	• las artes
h. ¿Esperas que tu empleo ayude a mejorar la sociedad?	• una organización humanitaria
i. ¿Quieres ser dueño/a de tu propia compañía?	• la educación
j. ¿Qué tipos de conferencias te interesan más: de tecnología, de música, de educación?	• el turismo
k. ¿En qué tipo de trabajo has tenido más éxito?	• un restaurante
l. ¿...?	• la medicina
	• el comercio
	• ...

Interpretive Communication
School & Global Communities
Lifelong Learning

PUEDO participar en una conversación sobre las finanzas, la economía y el trabajo.

Interpersonal Communication

PRE-AP*

Interpersonal Writing Tell students to follow up their phone call about a job (see Pre-AP activity, page 310) with an e-mail. This time have them remind the employer of the message they left and ask two more questions. Ask them to use the vocabulary from **Actividad 5** on page 312 as much as possible. Again, remind them that they should use **usted**. Tell them: **El/La jefe/a no ha contestado tu llamada. Escríbele un mensaje electrónico en el cual le pides que te conteste lo antes posible.**

Teaching Tips

6 Encourage students to support their opinions with examples or personal anecdotes.

6 To help students' discussions for items 7 and 8, have them brainstorm a list of the advantages and disadvantages of globalization.

6 **Virtual Chat** Available online.

21ˢᵗ Century Skills

6 **Technology Literacy** Ask students to prepare a digital presentation to show the preferences of the whole class for several of the items in this activity. **Presentational Communication**

• **Heritage Speakers** Ask students to share what kinds of summer or after-school jobs teens do in their families' countries of origin. Encourage other students to ask questions.

7 If time and resources permit, have pairs look at classified ads from online newspapers in Spanish to find the ideal job in their chosen fields.

7 **Virtual Chat** Available online.

NATIONAL STANDARDS Communities Have pairs of students look at classified ads from online newspapers in Spanish to find an ideal job. They should describe their qualifications, ask any questions they have about the job, and express their hope to be given an interview.

Pre-AP*

AP Skill Category **6**

Section Goals

In **Fotonovela**, students will:
- practice listening to authentic conversation
- learn expressions of will, influence and emotion in the past, as well as phrases to talk about what someone would or would not do.

Pre-AP*

AP Skill Categories
1 **2** **3** **4**

Student Resources
Cuaderno de actividades,
pp. 166–167
Online Video and Activities

Teacher Resources
Workbook TE; Video Script
& Translation

Video Synopsis

Ricardo meets two executives to convince them to invest money in his project. At the same time, **Rocío** goes to an interview and meets a very hard-to-please manager. Later, **Rocío, Marcela,** and **Manu** get together at an ice cream parlor, and **Marcela** receives an unexpected phone call.

Teaching Tips
- Before showing the **Fotonovela**, write four or five of the **Expresiones útiles** and Additional Vocabulary on the board and review their meanings. Then have students work in pairs to look at the pictures and scan the text to find the new vocabulary.
- Have students cover the captions and write a one-sentence description of each video still. Have volunteers share their sentences with the class. After watching the episode, ask students if their interpretations of the video stills match what really happened in each scene.

---

8 FOTONOVELA

Objetivo comunicativo: Hablar sobre las entrevistas de trabajo

Hasta ahora, en el video...

Lupita se escapa del hospital porque se quiere ir de vacaciones. Por suerte, Marcela y Ricardo encuentran a Lupita y entre toda la familia la convencen para volver al hospital. Luego, Marcela y Ricardo comienzan su viaje a Hierve el Agua. En este episodio verás cómo sigue la historia.

RICARDO Tengo total confianza en que mi compañía de diseño y construcción de drones será exitosa.

EJECUTIVO 2 Por lo tanto, creo que valdría la pena considerar esta oportunidad de inversión.

EJECUTIVO 1 De acuerdo, pero antes de hacerle una propuesta de inversión deberíamos ver el dron volando.

EJECUTIVO 2 Debe ser un experto piloteándolo, ¿no?

RICARDO Bueno, la experta es mi socia.

EJECUTIVO 1 ¡Entonces su socia tendría que venir a hacernos una presentación! Yo esperaba que pudiéramos ver el dron en acción hoy mismo. *El ejecutivo 1 toma el control remoto y estrella el dron en la cocina.*

EJECUTIVO 2 *(sarcástico)* ¡Brindemos por nuestro éxito!

RICARDO ¡Salud!

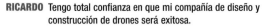

Rocío iba a salir, pero se gira.

ROCÍO Una pregunta... *(ve a la gerente echando el currículum a la basura.)* ¡Lo tiró a la basura!

GERENTE ¿Qué?

ROCÍO Mi currículum, lo tiró a la basura.

GERENTE ¡Ay! ¡Fue sin querer!
Mientras Rocío sale, tira ropa de los mostradores al piso.

ROCÍO ¡También fue sin querer!

ROCÍO ¡Si la gerente no fuera una idiota, seguramente habría conseguido el trabajo!

MARCELA Pide una nieve para que te calmes.

ROCÍO Yo sólo quería tener un trabajo que me permitiera ganarme la vida igual que tú.

MANU Si te pones así, vas a llorar.

ROCÍO *(llorando)* No voy a llorar.
Ricardo llama al celular de Marcela.

314 *trescientos catorce*

Lección 8

LEARNING STYLES | Interpretive Communication | Interpersonal Communication

For Kinesthetic Learners Ask students to form groups of two or three and prepare one of the video stills from pages 314–315 as a skit. As each group performs its skit, the rest of the class guesses which still they had selected.

LEARNING STYLES

For Auditory Learners Pause the video after frames 1–3 and orally review the **Fotonovela** with three or four comprehension questions. Ex: **¿Qué hace Ricardo sentado en la mesa? ¿Dónde se encuentran los personajes en la segunda foto? ¿Qué buscará Rocío?** Proceed in the same way until the end of the episode.

LA SOCIA PERFECTA

Personajes

RICARDO

EJECUTIVO 1

EJECUTIVO 2

ROCÍO

GERENTE

MARCELA

3

En una tienda de ropa…

GERENTE Esperaba que tuviera más experiencia vendiendo ropa.

ROCÍO Aunque no tengo experiencia, soy una persona trabajadora. Además, soy muy rápida aprendiendo.

GERENTE Gracias por haber solicitado trabajo en nuestra empresa. Le avisaremos.

6

RICARDO Hola, Marcela. Te llamo porque... quisiera hacerte una propuesta.

ROCÍO (*en voz baja*) ¡Ah, sabía que se te iba a declarar!

RICARDO Quisiera pedirte que seas...

MARCELA ¿Quisieras pedirme que sea qué?

RICARDO (*muy nervioso*) Quisiera pedirte que seas...

Expresiones útiles

Talking about what someone would or wouldn't do

Creo que valdría la pena considerar esta oportunidad de inversión.
I think it would be worthwhile to consider this investment opportunity.

¿Podría explicarme por qué piensa que sería capaz de hacer el trabajo?
Could you explain to me why you think you would be able to do the job?

Expressing will, influence, and emotion in the past

Esperaba que tuviera más experiencia vendiendo ropa.
I was hoping that you had more experience selling clothing.

Yo sólo quería tener un trabajo que me permitiera ganarme la vida igual que tú.
I only wanted to have a job that allowed me to make a living like you do.

Expressing condition

¡Si la gerente no fuera una idiota, seguramente habría conseguido el trabajo!
If the manager wasn't an idiot, most likely I would have gotten the job!

Si te pones así, vas a llorar.
If you get like that, you're going to cry.

Si ustedes pueden, nos gustaría hacerla en Monte Albán.
If you can, we would like to have it in Monte Albán.

Additional vocabulary

la basura *trash*
la confianza *confidence*
el/la empresario/a *entrepeneur*
No hace falta. *There is no need.*
la propuesta *proposal*
sin querer *unintentionally*
tirar *to throw*

La economía y el trabajo

Teaching Tips

- **Expresiones útiles** Call students' attention to the expressions and vocabulary on page 315. As a class, read through the list and discuss which words and phrases are most useful to students and why. Then encourage students to suggest in which **Contextos** categories they might place the additional vocabulary.
- After showing the **Fotonovela**, divide the class into seven groups. Assign each group a different character from the **Fotonovela**. Ask the groups to describe their character's personality and what he or she does in this episode. Then ask them to describe what their character does. Have each group introduce and describe its character for the class.
- Tell students that the expression used by one of the executives, "**Caliente se bebe el caldo.**" is a saying from Oaxaca that means: Don't leave for tomorrow what you can do today.

DIFFERENTIATION

Heritage Speakers Ask students to evaluate whether the behavior and situations in the **Fotonovela** are realistic according to their parents' home culture. Ask heritage speakers to support their opinions with evidence from the video and their parents' culture.

DIFFERENTIATION

For Inclusion After showing the **Fotonovela**, encourage students to point to each still and say a phrase or sentence about the characters or scene. Affirm and then expand what each student says. Ex: —**Uno de los ejecutivos está loco. —Sí, se puso a manejar el dron sin ser experto. ¿Qué le dice a Ricardo? —Le dice que la socia debería hacerles una presentación.**, etc.

Teaching Tips
- Before assigning the **Comprensión** activities, ask pairs to write five to ten sentences that summarize the **Fotonovela**. Have volunteers read their summaries for the class.
- Have students work in pairs to create a dialogue between an interviewer and an interviewee, in which something does not go as planned, like the interview between **Rocío** and the store manager. Then have them act out their interviews in front of the class. Encourage them to use vocabulary from **Contextos**.

1 To review the last lesson, have pairs of students change the sentences to the present perfect tense. For example: **Ricardo les ha hablado a los ejecutivos sobre su compañía de drones.**

2 You may want to preview the past subjunctive (**Estructura 8.2**).

2 Challenge students by having them write two more sentences explaining something they did or didn't expect that happened in the episode. For example: **Yo no esperaba que a los ejecutivos les interesara el dron.**

3 If necessary, review double object pronouns (**Estructura 2.1**) and introduce the conditional (**Estructura 8.1**).

3 Have students write something they would tell their younger self. For example: **Yo le diría a mi "yo" de diez años que no perdiera ninguna clase de español.**

Comprensión

Interpretive Communication

1 **Identificar** Escribe en el espacio quién realizó cada acción.

EJECUTIVO 1   GERENTE   MARCELA   RICARDO   ROCÍO

___Rocío___ 1. Le dice a la gerente que aprende con facilidad.

___Ricardo___ 2. Habla a los ejecutivos sobre la compañía de drones.

___Gerente___ 3. Tira el currículum a la basura.

___Ricardo___ 4. Propone a Marcela que sea su socia.

___Ejecutivo 1___ 5. Hace volar el dron en el restaurante.

Interpretive Communication

2 **Unir** Une los elementos de las columnas para formar oraciones sobre lo que los personajes esperaban que ocurriera en el episodio o lo que no esperaban.

_c_ 1. Ricardo no esperaba que…

_e_ 2. La gerente esperaba que…

_a_ 3. Rocío no esperaba…

_b_ 4. La gerente no esperaba que…

_d_ 5. Marcela no esperaba que…

a. que la gerente tirara su currículum a la basura.

b. Rocío tirara toda la ropa al suelo (*floor*).

c. el ejecutivo estrellara el dron.

d. Ricardo le propusiera ser su socia.

e. Rocío tuviera más experiencia como vendedora.

Interpretive Communication

Interpersonal Communication

3 **¿A quién le dirías…?** En parejas, túrnense para preguntarse a cuál de los personajes les dirían ustedes lo que aparece en cada frase de la lista.

MODELO
ESTUDIANTE 1 ¿A quién le dirías… que contrate a Rocío?
ESTUDIANTE 2 Se lo diría a la gerente.

Ejecutivo 1	Gerente	Manu	Ricardo
Ejecutivo 2	Lorenzo	Marcela	Rocío

- que no vuele el dron en el restaurante
- que acepte ser la socia
- que invierta en la compañía de drones
- que no se preocupe por lo ocurrido en la entrevista
- que Rocío es una persona trabajadora y rápida en aprender
- que no se ponga tan nervioso ni sea tan tímido

LEARNING STYLES

For Kinesthetic Learners After students complete **Actividad 3**, use TPR (Total Physical Response) with the items. Examples:
Say: **Vuela el dron por el restaurante.** Students and you: mime a dron flying around.
Say: **No se ponga nervioso.** Students and you: shiver and stutter
Say: **Aceptó ser la socia.** Students and you: shake hands, etc.

LEARNING STYLES

For Auditory Learners For additional practice identifying past and present verb forms, have students make signs that read: **Pasado** and **Presente**. Then slowly read a list of verbs in either the present or the past. Students listen and raise the appropriate sign. As students become accustomed to the game, use present continuous, irregular, and imperfect verb forms.

Ampliación

4 **Situaciones** En parejas, conversen sobre las preguntas. Después compartan sus respuestas con la clase.

Interpersonal Communication

1. ¿Han estado en una situación incómoda, como la de Ricardo con los ejecutivos, en la que no podían expresar su opinión? ¿Qué ocurrió?

2. Rocío tira toda la ropa al suelo. ¿Cómo les parece este comportamiento? ¿Por qué? ¿Qué harían en una situación similar?

3. En ocasiones, quienes entrevistan a los candidatos a un trabajo les dicen que los llamarán. ¿Creen que cuando dicen "te llamaremos" lo dicen sinceramente? ¿Por qué?

4. Marcela intenta calmar a Rocío con una nieve. En situaciones difíciles, ¿han ofrecido o les han ofrecido algo de comer o de tomar? ¿Qué piensan de esa costumbre?

5 **El final** Al final del episodio, Ricardo le propone a Marcela que sea su socia. ¿Qué crees que contestará ella? Escribe un diálogo en el que Marcela hace preguntas sobre su rol en ese trabajo y Ricardo le explica con detalle. *Some answers will vary.*

Interpersonal Communication

6 **Apuntes culturales** En parejas, lean los párrafos y contesten las preguntas.

Interpersonal Communication

Making Connections

El currículum en los países hispanohablantes

En el episodio vemos a la gerente tirar el currículum de Rocío a la basura. En los países hispanohablantes, los solicitantes, además de incluir su información profesional, incluyen en el currículum (también conocido como hoja de vida, *curriculum vitae* o CV) otros datos personales como la fecha de nacimiento, el estado civil (soltero/a, casado/a, etc.), sus aficiones, si tienen carro, e incluso una foto en color.

Emprendimiento y competitividad en México

Ricardo asiste a un almuerzo de trabajo con dos ejecutivos con el fin de que inviertan en su futura compañía de diseño y construcción de drones. La Universidad Nacional Autónoma de México (UNAM), en un trabajo conjunto entre las facultades de Contaduría y Administración, y de Economía, ofrece a los jóvenes cursos de capacitación para emprendedores. El objetivo de la UNAM es promover la formación de pequeñas empresas por medio de conferencias, cursos, talleres (*workshops*) y asesorías.

Biblioteca Central UNAM

1. ¿Tienes un currículum? ¿Cada cuánto tiempo lo actualizas? ¿Qué tipo de información incluyes en él?

2. ¿Qué consejos le darías a una persona que va a ir a una entrevista?

3. Si tuvieras un invento propio, ¿qué harías para promoverlo? ¿Por dónde empezarías?

4. Si necesitaras dinero para arrancar (*to start up*) tu negocio, ¿venderías un porcentaje a inversionistas? Argumenta tu respuesta.

PUEDO compartir mi opinión sobre las entrevistas de trabajo.

Teaching Tips

4 Have pairs of students share their opinions with the rest of the class and have a class conversation. You may want to bring up situations in which there is a power struggle or a power imbalance.

4 **Virtual Chat**
Available online.

5 Encourage students to use the vocabulary they just learned in **Contextos.**

6 Follow up with comprehension questions. For example: **¿Qué datos se suelen incluir en los currículum de los países hispanohablantes? ¿Qué promueve la UNAM? ¿Cómo lo consigue?**

 Pre-AP*

AP Skill Category **5**

NATIONAL STANDARDS
Connections: Career Education Students may not have direct knowledge of how résumés are constructed and what information they contain. Share with them typical examples from the U.S. and the Spanish-speaking world and discuss differences and similarities among the various cultures.

Making Connections

Cultural Comparisons

Cultural Comparison
After reading *El currículum en los países hispanohablantes*, have students research résumés in their culture or community. Then prompt students: **Compara la información incluida en la hoja de vida de Rocío y lo que se explica en el párrafo con lo que se incluye normalmente en un currículum de tu comunidad. ¿Qué se incluye? ¿Qué no se incluye?**

DIFFERENTIATION

Heritage Speakers After completing **Actividad 6**, ask heritage speakers to describe other universities with business programs or other institutions devoted to promote entrepreneurship from the Spanish-speaking world. List all their responses on the board. Then ask students to complement the list with other institutions from around the world.

DIFFERENTIATION

To Challenge Students Have students find a job posting on a Spanish-language website and prepare a one-page résumé. Encourage students to look at sample résumés in Spanish on the Internet.

Interpretive Communication

Acquiring Information & Diverse Perspectives

School & Global Communities

Lifelong Learning

VENEZUELA

En detalle

LAS TELENOVELAS

La candidata

La novela en papel puede ser muchas cosas: en la pantalla, sólo puede ser telenovela. ¿Qué ingredientes conforman la telenovela? Una historia de amor en capítulos transmitidos de lunes a viernes; una pareja principal cuyo amor se enfrenta a múltiples obstáculos, uno o dos villanos y un montón de conflictos, intrigas, mentiras y misterios. Y, si de telenovelas se trata, hay que hablar de Latinoamérica.

Desde la década de 1950, el género desembarcó en los hogares y creció sin parar. En la década de 1960, cada país fue desarrollando su propio estilo y el mercado de exportación se extendió a Europa del Este, Medio Oriente y Asia. Históricamente, los mayores productores han sido Venezuela, México, Brasil y Argentina.

Como las telenovelas son un trabajo en equipo, su producción implica la creación de numerosos puestos de trabajo para actores, escritores, productores, directores, escenógrafos, maquilladores, etc. A eso se agrega la etapa de posproducción y finalmente la de exportación. En Venezuela, llegó un momento en que el mercado de exportación de telenovelas era mayor que el de la exportación nacional del mercado automotor, textil o de papel.

A pesar de su popularidad, estas producciones también tienen sus críticos. "Las telenovelas contribuyen a crear estereotipos", dice la socióloga mexicana Carmen Aquilani. "Las villanas suelen ser mujeres inteligentes, ricas y seguras de sí mismas, mientras que la mujer buena suele ser sumisa y pobre", dice. "Además, presentan unos cánones de belleza que no representan a la sociedad", asegura. Según ella, los personajes principales casi siempre son de origen europeo y las sirvientas son de origen africano. Pero no todo el mundo está de acuerdo con estas críticas. "Las telenovelas no son más que entretenimiento y a la gente le encantan", dice una aficionada a estos programas de televisión. ∎

Telenovelas al aire por país productor emitidas en 2017 en Latinoamérica y España

- México (Televisa) 20%
- Argentina (Netflix, El Trece, Telefe y TVP Argentina)...............................16%
- España (Antena 3, La 1, La Sexta, Movistar+, Netflix y Telecinco)...............13%
- México (TV Azteca e Imagen Televisión)..11%
- Otros productores.............................9%
- Brasil (TV Globo y Rede Record)...........8%
- Colombia (RCN y Caracol)....................7%
- Ecuador (Ecuavisa, TC Televisión, Gama TV, Teleamazonas)......................7%
- Venezuela (TVes, Televen y Venevisión)...5%
- Estados Unidos (Telemundo) 4%

Fuente: *sitios web de los productores de las telenovelas y de algunos premios de televisión, como: TV y Novelas, Iris, Tato, entre otros.*

El expresidente de Venezuela Hugo Chávez, fallecido en 2013, censuró muchas telenovelas por su contenido crítico con su gobierno. Además, Chávez financió series con ideología socialista donde los personajes representan, no a la élite blanca, sino a la mayoría mestiza del país.

Presentational Speaking Have students work in groups of three to prepare a formal presentation about the 2007 closure of RCTV by President Hugo Chávez and the subsequent impact on jobs. Tell them to be sure to address the claim of the president that it is important to make socialist soap operas following the Cuban model and against the capitalist set of values that in his opinion this genre often portrays. To help generate ideas, start by asking students these questions: **¿Qué clase de valores se ven en una telenovela? ¿Cuánta influencia pueden tener en el público?**

Section Goals

In **El mundo hispano,** students will:

- read about soap operas in Latin America
- read about fashion designer **Carolina Herrera**
- learn country-specific vocabulary related to money
- watch a video about alpacas and their importance to Andean people and cultures

Student Resources
Online Video and Activities

Teacher Resources
Video Script & Translation

21ˢᵗ Century Skills

Global Awareness
Students will gain perspectives on the Spanish-speaking world to develop respect and openness to others and to interact appropriately and effectively with citizens of Spanish-speaking cultures.

Previewing Strategy
Ask students to discuss soap operas they know: **¿Alguien que conoces mira alguna telenovela? ¿De que trata la telenovela? ¿Qué clase de valores se ven en una telenovela? ¿Cuánta influencia pueden tener en el público? Den ejemplos.**

Teaching Tips
- Remind students to read the article three times, once for general comprehension, once slowly, looking up important unknown words, and once more for complete comprehension.
- **For Inclusion** Read the article aloud, pausing after each paragraph to record all the cognates and summarize the content as a class.

- **For Inclusion** Ask students to look at the pictures and the chart on pages 318–319. Slowly say simple sentences about one of the pictures or the chart. Ask students to point to the item about which you are speaking.
- **Así lo decimos** Ask heritage speakers for other names for and expressions with money.
- **Perfil** Ask students to evaluate the life's work and achievement of Carolina Herrera. Ask: **¿Es importante lo que ella ha logrado? ¿Por qué? ¿Qué es lo que más te sorprende de su historia?**
- **El mundo hispanohablante** Ask students to speculate on why **telenovelas** are so popular in Latin America and indeed around the world. **¿Cuáles temas son comunes en las telenovelas? ¿Son temas universales?**

NATIONAL STANDARDS
Connections: Economics Have students research data on soap operas in the U.S. Ask them to create a graph showing the popularity of soap operas in the U.S. compared to their popularity in Latin American countries.

NATIONAL STANDARDS
Communities Ask students to do additional research on the **Día del trabajador** as observed in other countries and in the U.S. What similarities and differences do they see? Have them report back to the class.

21st Century Skills

Information and Media Literacy Students can go online to complete the **Entre culturas** activity for additional practice accessing and using culturally authentic sources.

ASÍ LO DECIMOS

El dinero

los chavos (P. R.)	
la lana (Méx.)	*money*
las pelas/la pasta (Esp.)	
la peseta (P. R.)	*quarter (U.S. coin)*
comer cable (Ven.)	
estar pelado/a (Col., Esp.)	*to be broke; to have no money*
no tener guano (Cu.)	
estar forrado/a en billete (Col. y Méx.)	*to be loaded*
tener una pila de dinero	
ser gasolero/a (Arg.)	*to be stingy*
el/la mileurista (Esp.)	*a young, educated person who only makes a thousand euros a month*

EL MUNDO HISPANOHABLANTE

Telenovelas en Latinoamérica

En México, el Grupo Televisa produce entre doce y quince telenovelas anuales. Uno de sus grandes éxitos fue *Corazón salvaje*, que Televisa filmó en cuatro ocasiones. La última versión (2009) sufrió un recorte de presupuesto del 40% por la crisis económica. En los últimos años, la productora mexicana ha actualizado sus temas y sus personajes; en *La doble vida de Estela Carrillo* (2017), una mujer cruza la frontera para salvar su vida.

Colombia brilla en el universo de las telenovelas gracias al escritor Fernando Gaitán, fallecido en 2019, creador de *Yo soy Betty, la fea* (1999), que figura en el Libro Guinness por ser la novela más versionada° de la historia. Según datos de la Organización Mundial del Comercio, en 2016 las exportaciones del sector audiovisual colombiano llegaron a los 53 millones de dólares.

Telefe en Argentina hacía telenovelas controvertidas, como *Montecristo* (2006). Ahora, volvió al melodrama con telenovelas como *Amar después de amar* (2017), una trágica historia entre dos familias.

más versionada *with the most remakes*

PERFIL

CAROLINA HERRERA

Carolina Herrera siempre creyó en su buen gusto°. En 1979, cuando ya había nacido su primera nieta, esta aristócrata venezolana decidió probar suerte en el negocio de la moda. Creó su primera colección en 1981, y en 1987 entró en la rama° de los trajes de novia. En 2005 creó la línea CH Carolina Herrera, ampliando° su negocio a perfumes, bolsos°, ropa de hombre y zapatos: un imperio económico que genera unas ventas anuales de más de 200 millones de dólares. Su estilo sencillo y elegante conquistó a primeras damas estadounidenses, desde Jacqueline Onassis hasta Michelle Obama.

Aunque la gran dama de la moda venezolana sigue estando al frente del negocio, su hija, Carolina Herrera Jr., va asumiendo más y más control de la compañía familiar. Ella, sin embargo, quiere reafirmar su identidad y asegura que, a diferencia de su madre, no se considera modista°. "Sólo soy una persona creativa que sabe lo que le gusta", asegura.

> ❝ Mira si será malo el trabajo, que deben pagarte para que lo hagas. ❞
> (Facundo Cabral, cantautor argentino)

Entre culturas

En muchos países, el día del trabajador es el primero de mayo. ¿Cuál es el origen de esta celebración? : Investiga más sobre el tema en **vhlcentral.com**.

buen gusto *good taste* **rama** *branch* **ampliando** *expanding* **bolsos** *handbags* **modista** *fashion designer* **empresarios** *business owners* **dejar huella** *to leave their mark* **mundo de la moda** *world of fashion* **reconocida** *well-known*

CRITICAL THINKING

Comprehension and Synthesis After students have completed the readings in **El mundo hispano**, ask them to form four small groups. Assign each group one of the articles to summarize for the class. Summaries should simplify and explain the information in the passage, not just repeat it.

CRITICAL THINKING

Synthesis and Evaluation Ask pairs of students to choose another Hispanic country and research the economic importance of its TV and film industry. Ask: **¿Cuánto dinero gana esta industria en el país? ¿Exportan películas o programas de televisión?** Have students create visual representations of their findings, such as charts and graphs, and display them around the room.

¿Qué aprendiste?

1 **Comprensión** Indica si estas afirmaciones son **ciertas** o **falsas**. Corrige las falsas. Some answers will vary.

1. Las telenovelas sólo se transmiten los fines de semana. **Falso.** Las telenovelas se transmiten de lunes a viernes.

2. Además de una historia de amor, la telenovela debe incluir conflictos, intrigas y mentiras. **Cierto.**

3. En la década de 1960, en Europa del Este y Asia se producían muchas telenovelas. **Falso.** Europa del Este y Asia compraban telenovelas producidas en Latinoamérica.

4. El género de la telenovela comenzó en la década de 1920. **Falso.** Las telenovelas llegaron a la televisión en la década de 1950.

5. Perú es el país más importante en la producción de telenovelas. **Falso.** Venezuela, México, Brasil y Argentina ocupan los primeros puestos.

6. Gracias a la producción y exportación de telenovelas, se generan muchos puestos de trabajo. **Cierto.**

7. En Venezuela, la industria de las telenovelas llegó a superar en ganancias a otras industrias nacionales. **Cierto.**

8. Algunas personas creen que las telenovelas presentan estereotipos. **Cierto.**

9. Los personajes principales de las telenovelas suelen ser de origen africano. **Falso.** Los personajes principales suelen ser de origen europeo.

10. Hugo Chávez no influyó en el contenido de las telenovelas de Venezuela. **Falso.** Chávez censuró muchas telenovelas en Venezuela.

2 **Oraciones incompletas** Completa las oraciones con la información correcta. Some answers will vary.

1. La versión de 2009 de *Corazón salvaje* sufrió un ___recorte de presupuesto del 40%___.

2. *Yo soy Betty, la fea* aparece en el Libro Guinness como la telenovela ___más versionada de la historia___.

3. Las telenovelas de Telefe tratan temas ___controvertidos___.

4. La diseñadora latinoamericana más reconocida en el mundo es ___Carolina Herrera___.

5. Carolina Herrera Jr. se considera una persona ___creativa que sabe lo que le gusta___.

3 **Opiniones** En parejas, contesten las preguntas.

1. ¿Qué opinas de las telenovelas producidas en tu país? ¿Qué características comparten con las latinoamericanas?

2. ¿Mirarías una telenovela para practicar español? ¿Por qué?

3. ¿Crees que las productoras de telenovelas deberían hacer un esfuerzo por representar mejor a las mujeres y a las minorías raciales? ¿Por qué?

4. ¿Qué otro/a gran empresario/a de Hispanoamérica conoces? ¿Qué sabes de esa persona?

PROYECTO

Producción en Latinoamérica

Muchos productos latinoamericanos se cuentan entre los mejores del mundo. Investiga la industria de un producto típico latinoamericano y prepara una presentación para la clase. Puedes investigar productos como bebidas, miel, madera, café, flores, productos de cuero, ajo, peras y manzanas, soja, lana, carne, etc.

Relating Cultural Practices to Perspectives | Acquiring Information & Diverse Perspectives

- ¿Cómo es su producción?
- ¿Qué alcance tiene su exportación?
- ¿Cuál es su impacto en la economía local?
- ¿Se consigue el producto en tu ciudad?

PUEDO intercambiar opiniones sobre las telenovelas y sus características.

Teaching Tips

1 Ask students to write two more true/false statements and exchange them with a partner.

1 **For Inclusion** Model how to go back into the readings and find the information referenced in item 1. Then encourage the students to do the same for items 2–10.

Formative Assessment Use Activity 1 as a formative check for reading comprehension; offer feedback and clarify corrections to false statements as needed, reviewing the reading where necessary to show evidence.

3 **Virtual Chat** Available online.

3 **Expansion** Call on volunteers to summarize their discussion for each item.

Proyecto To help students come up with high-quality Latin American products, encourage them to visit different kinds of stores, such as grocery and clothing stores, and find out where different products were made.

NATIONAL STANDARDS
Connections: Science Have students research specific agricultural products from Latin America. Ask them to report on the conditions where the products are grown, and explain why they are so successful.

 Pre-AP*

AP Skill Category **7**

CRITICAL THINKING   Presentational Communication

Application and Analysis Have students work in small groups. Groups write a five- to ten-sentence summary of a dramatic TV show or **telenovela** that they like to watch. Then have them read their summary the class and have groups guess which show the summary describes.

PRE-AP*   Presentational Communication

Synthesis and Evaluation Have students create a commercial for a product that they researched for **Proyecto**. Have them act it out for the class or record it and play it. Encourage students to include a testimonial from a satisfied customer about why he or she likes the product.

Las alpacas

¿Sabías que en la zona andina existen animales que hace cientos de años eran considerados dignos de la realeza? En este episodio de **Flash cultura**, podrás conocerlos y enterarte de cómo y por qué contribuyen a la economía regional.

VOCABULARIO ÚTIL

cariñoso/a *friendly*	**la mascota** *pet*
esquilar *to shear*	**tejer** *to weave*
la hebra de hilo *thread*	**la temporada** *season*
la manta *blanket*	**teñir** *to dye*

1 **Preparación** Responde estas preguntas: ¿Has comprado en alguna tienda de comercio justo? ¿Te gustan los productos artesanales? ¿Por qué?

2 **Comprensión** Indica si estas afirmaciones son **ciertas** o **falsas**. Después, en parejas, corrijan las falsas.

Interpretive Communication

1. La alpaca es un animal tan dócil y cariñoso que puede adoptarse como mascota. **Cierto.**

2. Fueron los conquistadores españoles quienes la domesticaron en la antigüedad. **Falso.** Quienes la domesticaron fueron los antiguos incas.

3. Las cuatro especies de los camélidos sudamericanos son domésticas. **Falso.** Las llamas y las alpacas son domésticas, pero los guanacos y las vicuñas son salvajes.

4. Las alpacas son esquiladas cada vez que llueve. **Falso.** Las alpacas son esquiladas después de la temporada de calor, justo antes de la temporada de lluvias.

5. La fibra de la alpaca que se esquila se transforma a continuación en un hilo y después se tiñe de colores con elementos vegetales. **Cierto.**

6. La tradición indica que las mujeres deben aprender a tejer con sus madres para ser admitidas plenamente en la comunidad. **Cierto.**

Interpersonal Communication

3 **Expansión** En parejas, contesten estas preguntas.

Relating Cultural Products to Perspectives

- ¿Alguna vez han tenido una mascota? ¿Qué características debe tener un animal para que lo dejen entrar en sus casas? ¿Tendrían una alpaca como mascota?

- En sus comunidades o familias, ¿existe alguna tradición que pase de madres a hijas o de padres a hijos?

PUEDO hablar sobre la importancia social y económica de los animales en mi cultura y en otras.

Corresponsal: Omar Fuentes
País: Perú

La alpaca parece un pequeño camello sin joroba° y con las orejas más grandes.

La producción de telas y productos de fibra de alpaca le da empleo a miles de personas en esta región.

Esta preciosa fibra cuenta con la gama° de colores naturales más grande del mundo.

joroba *hump* **gama** *range*

Teaching Tips

- Before watching the **Flash cultura** episode, have students guess what they will learn about animals, native cultures, climates, traditions, etc. After viewing, have them reflect on their predictions. Inform students that making predictions in this way forces them to access prior knowledge and facilitates acquisition of new information.

- Have students research other animals in the Andean area. Challenge them to create informational brochures or multimedia presentations to show the class.

Comprensión
Virtual Chat
Available online.

21ˢᵗ Century Skills

Information and Media Literacy
Students can go online to complete the **Entre culturas** activity associated with **Flash cultura** for additional practice accessing and using culturally authentic sources.

Cultural Comparison
After watching this episode, ask students these questions about their own community or country: **¿Hay algún animal que se pudiera considere digno de la realeza? ¿Hay algún animal que se considere la base de la economía local? ¿Hay una industria o un arte que se transmita de generación a generación?**

Making Connections   Cultural Comparisons

DIFFERENTIATION

Language Comparisons

Heritage Speakers Tell students that everyday Spanish uses many words from the ancient languages of indigenous peoples of the Americas. Ask heritage speakers to talk about any knowledge their families might have of these languages. Encourage them to share any words they know. Tell students that **alpaca** comes from Aymara, while **llama, vicuña**, and **guanaco** come from Quechua. Have students look for examples

LEARNING STYLES

of words from these languages or others. Give them the hint that many food words come from Quechua, Guarani, and Nahuatl.

For Visual Learners Have students create presentations, on posters or with presentation software, demonstrating the process of making alpaca thread. Allow them to choose either a specific step in the process or to show the process from start to finish. Ask students to present their research to the class.

Section Goals

In **Estructura**, students will learn:

- how to form and use the conditional
- the two ways of forming the past subjunctive and how to use it
- how to use **si** clauses with simple tenses for expressing hypotheses in the present, and for habitual conditions and actions in the past

Student Resources

Cuaderno de actividades, pp. 168–171
Online Activities, *eCuaderno*

Teacher Resources

Workbook TEs; Grammar Slides; Digital Image Bank; Audio Activities online; Audio Script; Assessment Program Quizzes

Teaching Tips

- To help students remember the written accent, compare the pronunciation of **María** and **farmacia**.
- Before teaching the conditional of irregular forms, ask students to list all the irregular future stems they can remember in three minutes. Then have them count up and shout out how many they remembered. Finally, as a class, list the irregular stems on the board.
- Point out that the conditional is formed with the same stem as the future tense.

Extra Practice Go to **vhlcentral.com** for extra practice with the conditional.

8.1 The conditional

- To express the idea of what *would* happen, use the conditional tense.

¡Entonces su socia tendría que venir a hacernos una presentación!

- The conditional tense (**el condicional**) uses the same endings for all **-ar, -er,** and **-ir** verbs. For regular verbs, the endings are added to the infinitive.

¡ATENCIÓN!

Note that all of the conditional endings carry a written accent mark.

The conditional		
dar	**ser**	**vivir**
daría	sería	viviría
darías	serías	vivirías
daría	sería	viviría
daríamos	seríamos	viviríamos
daríais	seríais	viviríais
darían	serían	vivirían

- Verbs with irregular future stems have the same irregular stem in the conditional.

Infinitive	stem	conditional
caber	cabr-	cabría, cabrías, cabría, cabríamos, cabríais, cabrían
haber	habr-	habría, habrías, habría, habríamos, habríais, habrían
poder	podr-	podría, podrías, podría, podríamos, podríais, podrían
querer	querr-	querría, querrías, querría, querríamos, querríais, querrían
saber	sabr-	sabría, sabrías, sabría, sabríamos, sabríais, sabrían
poner	pondr-	pondría, pondrías, pondría, pondríamos, pondríais, pondrían
salir	saldr-	saldría, saldrías, saldría, saldríamos, saldríais, saldrían
tener	tendr-	tendría, tendrías, tendría, tendríamos, tendríais, tendrían
valer	valdr-	valdría, valdrías, valdría, valdríamos, valdríais, valdrían
venir	vendr-	vendría, vendrías, vendría, vendríamos, vendríais, vendrían
decir	dir-	diría, dirías, diría, diríamos, diríais, dirían
hacer	har-	haría, harías, haría, haríamos, haríais, harían
satisfacer	satisfar-	satisfaría, satisfarías, satisfaría, satisfaríamos, satisfaríais, satisfarían

---

LEARNING STYLES

For Visual Learners As you teach the conditional, draw the chart from page 322 on the board. Write the verbs and their stems in one color. Then using another color, write the conditional endings for **dar**. Invite volunteers to come to the board, choose a different piece of chalk, and write the endings for **ser** and **vivir**.

LEARNING STYLES

For Kinesthetic Learners Play **Pasa la tiza**. Form teams of six. Give the first student in each team a piece of chalk. Write a verb on the board and say: **¡Vayan!** The first students run to the board and write the **yo** conditional form of the verb, run back to their team, and pass the chalk. The next players run to the board to conjugate the **tú** form. Play continues until a team completes the conjugation correctly, earning a point.

Teaching Tip
• Point out that like *will*, the auxiliary *would* does not have a single-word Spanish equivalent.
  yo iría → *I would go*
  ella hablaría → *she would speak*

Uses of the conditional

• The conditional is used to express what *would* occur under certain circumstances.

> En Venezuela, ¿qué lugar **visitarías** primero?
> *In Venezuela, which place would you visit first?*
>
> **Iría** primero a Caracas y después a Isla Margarita.
> *First, I would go to Caracas and then to Isla Margarita.*

¿No sería ahora el momento justo para ir de vacaciones a la Isla Margarita?

• The conditional is also used to make polite requests.

> Me **gustaría** cobrar este cheque.
> *I would like to cash this check.*
>
> ¿**Podría** firmar aquí, en el reverso?
> *Would you please sign here, on the back?*

• In subordinate clauses, the conditional is often used to express what *would happen* after another action took place. To express what *will happen* after another action takes place, the future tense is used instead.

CONDITIONAL	FUTURE
Creía que hoy **haría** mucho viento.	**Creo** que mañana **hará** mucho viento.
I thought it would be very windy today.	*I think it will be very windy tomorrow.*

• In Spanish, the conditional may be used to express conjecture or probability about a past condition or event. English expresses this sense with expressions such as *wondered, must have been,* and *was probably.*

> ¿Qué hora **era** cuando regresó?
> *What time did he return?*
>
> **Serían** las ocho.
> *It must have been eight o'clock.*
>
> ¿Cuánta gente **había** en la fiesta?
> *How many people were at the party?*
>
> **Habría** como diez personas.
> *There must have been about ten people.*

• The conditional is also used to report statements made in the future tense.

> Iremos a la fiesta.
> *We'll go to the party.*
>
> ▶
>
> Dijeron que **irían** a la fiesta.
> *They said they'd go to the party.*

Teaching Tips

1 Have students change the conversation into a narrative.

1 Ask students who have been on a job interview to critique the conversation as realistic or not and tell why.

1 Ask students to discuss how Alberto feels at each point in the interview. Then ask them to use the conditional to express how they would feel in his place.

2 Model these additional polite expressions: **¿Serías tan amable de…? / ¿Me harías el favor de…? / ¿Te importaría…?**

Pre-AP*

2 Interpersonal Speaking Have pairs create a conversation based on one of the pairs of **mandatos formales** and **mandatos informales**.

Interpersonal Communication

3 List possible completions for each sentence so that students can concentrate on forming the verbs.

For additional practice, line students up in teams of six and write an infinitive on the board. When you call out **¡Empieza!**, the first team member writes the **yo** form of the verb in the conditional, then passes the chalk to the next team member, who writes the **tú** form, and so on. The team that finishes first and has all the forms correct wins the round.

---

1 **La entrevista** Alberto sueña con trabajar para una agencia medioambiental y estaría dispuesto a hacer cualquier cosa para que la directora lo contrate. Utiliza el condicional de los verbos entre paréntesis para completar la conversación.

ALBERTO Si yo pudiera formar parte de esta organización, (1) ___estaría___ (estar) dispuesto (*ready*) a ayudar en todo lo posible.

ELENA Sí, lo sé, pero tú no (2) ___podrías___ (poder) hacer mucho. No tienes la preparación necesaria. Tú (3) ___necesitarías___ (necesitar) estudios de biología.

ALBERTO Bueno, yo (4) ___ayudaría___ (ayudar) con las cosas menos difíciles. Por ejemplo, (5) ___haría___ (hacer) el café para las reuniones.

ELENA Estoy segura de que todos (6) ___agradecerían___ (agradecer) tu colaboración. Les preguntaré para ver si necesitan ayuda.

ALBERTO Eres muy amable, Elena. (7) ___Daría___ (dar) cualquier cosa por trabajar con ustedes. Y (8) ___consideraría___ (considerar) la posibilidad de volver a la universidad para estudiar biología. (9) ___Tendría___ (tener) que trabajar duro, pero lo (10) ___haría___ (hacer) porque no (11) ___sabría___ (saber) qué hacer sin un trabajo significativo. Sé que el esfuerzo (12) ___valdría___ (valer) la pena.

2 **El primer día** La agencia contrató a Alberto y hoy fue su primer día como asistente administrativo. Utiliza el condicional para cambiar estos mandatos informales por los mandatos formales que la directora le dio a Alberto. Sigue el modelo.

Mandatos informales	Mandatos formales
Hazme un café.	¿Me harías un café, por favor?
Saca estas fotocopias.	1. ¿Sacarías estas fotocopias, por favor?
Pon los mensajes en mi escritorio.	2. ¿Pondrías los mensajes en mi escritorio, por favor?
Manda este fax.	3. ¿Mandarías este fax, por favor?
Diles a los voluntarios que vengan también.	4. ¿Les dirías a los voluntarios que vengan también, por favor?
Sal a almorzar con nosotros.	5. ¿Saldrías a almorzar con nosotros, por favor?

3 **Lo que hizo Juan** Utilizamos el condicional para expresar el futuro en el contexto de una acción pasada. Explica lo que quiso hacer Juan usando las claves dadas. Agrega también por qué no lo pudo hacer.

MODELO pensar / llegar

Juan pensó que llegaría temprano a la oficina, pero el metro tardó media hora.

1. pensar / comer Juan pensó que comería…
2. decir / poner Juan dijo que pondría…
3. imaginar / tener Juan imaginó que tendría…
4. escribir / venir Juan escribió que vendría…
5. contarles / querer Juan les contó que querría…
6. suponer / hacer Juan supuso que haría…
7. explicar / salir Juan explicó que saldría…
8. creer / terminar Juan creyó que terminaría…
9. decidir / viajar Juan decidió que viajaría…
10. opinar / ser Juan opinó que sería…

LEARNING STYLES

Interpretive Communication   Presentational Communication

LEARNING STYLES

For Visual Learners After students have completed **Actividad 1**, ask them to turn it into a comic strip. Show examples of Spanish comic strips for students to use as a model. Then ask pairs to plan the frames, sketch drawings, and write dialogue and captions. Display the comic strips around the room for the class to read.

For Kinesthetic Learners Ask students to think of their dream job and share it with a partner, then role-play an interview for that job. Encourage them to use their bodies, faces, and voices to convey meaning. Ask volunteers to perform their role-plays for the class.

Comunicación

Interpersonal
Communication

4 **¿Qué pasaría?** En parejas, completen estas oraciones utilizando verbos en el condicional. Luego compartan sus oraciones con la clase.

> **MODELO** **Si yo trabajara para una empresa multinacional, …**
>
> —Si yo trabajara para una empresa multinacional, viajaría por el mundo entero. Aprendería cinco idiomas y…

1. Si siguiera aumentando el desempleo en el país, …
2. Si yo ganara mucho dinero, …
3. Si mi novio/a decidiera trabajar en otro país, …
4. Si todos mis profesores estuvieran en huelga, …
5. Si mi jefe/a me despidiera, …
6. Si no tuviera que ganarme la vida, …

Interpersonal
Communication

5 **¿Qué harías?** Explícale a un(a) compañero/a lo que harías en cada una de estas situaciones. Usa el condicional.

Interpersonal
Communication

6 **El trabajo de tus sueños** Imagina que puedes escoger cualquier profesión del mundo. Explícale a un(a) compañero/a cuál sería tu trabajo ideal, por qué te gustaría esa profesión y qué harías en tu empleo. Háganse preguntas y utilicen por lo menos cuatro verbos en el condicional.

> **MODELO** Mi trabajo ideal sería jugar al baloncesto en la NBA. Me gustaría porque me encanta este deporte, pero también porque ganaría millones y podría…

PUEDO hablar sobre lo que haría en situaciones hipotéticas.

DIFFERENTIATION

To Challenge Students After teaching the past subjunctive forms, have students write five hypothetical situations, such as **Si fueras un animal, ¿qué animal serías?** After students write five questions, have them circulate in the classroom and ask each other (and you) what they would do in each case. Tell them to listen to the response, write it down, and then share the answers with the class, in the third person. Tell students: **Vas a contar lo que harían tus compañeros/as en situaciones hipotéticas, usando esta construcción gramatical: Si Miguel tuviera un millón de euros, compraría un castillo en España.**

Teaching Tips

4 Ask students to change the sentences to the present/future. Item 1: **Si hay una recesión económica en el país, habrá menos trabajo y más desempleo.**

5 **Partner Chat** Available online.

5 Continue the activity by having volunteers invent situations to which other students can respond with the conditional. Ex: **Te encuentras con el presidente. / Te das cuenta de que no queda nada en tu cuenta de ahorros.**

Formative Assessment Monitor student descriptions of what they would do in the situations depicted in the drawings, offer feedback, and provide reteaching where necessary, such as with irregular forms.

6 **Partner Chat** Available online.

Pre-AP*

AP Skill Category **5**

Expansion Have students invent dilemmas; then have volunteers give advice using the conditional. Teach students the phrases: **Yo que tú** and **Yo en tu lugar** (*If I were you*). Ex: **Tengo dos citas la misma noche.** → **Yo que tú, cancelaría una de las citas.**

Teaching Tips
• Have students identify which
verbs in the chart have
stem changes and which
have irregular conjugations.
Ask volunteers to add more
verbs of each type to the list.
• Point out that both
conjugations for the
nosotros/as form have a
written accent. Ex: **fuéramos,
fuésemos.**
• The alternate endings are
presented for recognition only;
their forms are not included
in the Assessment Program.

Extra Practice Go to
vhlcentral.com for more practice
with the past subjunctive.

8.2 The past subjunctive

Forms of the past subjunctive

• The past subjunctive (**el imperfecto del subjuntivo**) of all verbs is formed by dropping
the **-ron** ending from the **ustedes/ellos/ellas** form of the preterite and adding the past
subjunctive endings.

The past subjunctive		
caminar	**perder**	**vivir**
caminara	perdiera	viviera
caminaras	perdieras	vivieras
caminara	perdiera	viviera
camináramos	perdiéramos	viviéramos
caminarais	perdierais	vivierais
caminaran	perdieran	vivieran

¡ATENCIÓN!

The **nosotros/as**
form of the past
subjunctive always
has a written accent.

Estela dudaba que su madre la **ayudara** a financiar un carro nuevo.
Estela doubted that her mother would help her finance a new car.

A los dueños les sorprendió que **vendieran** más en enero que en diciembre.
The owners were surprised that they sold more in January than in December.

Ya hablé con el recepcionista y me recomendó que le **escribiera** al gerente.
I already spoke to the receptionist and he recommended that I write to the manager.

• Verbs that have stem changes, spelling changes, or irregularities in the **ustedes/ellos/
ellas** form of the preterite also have them in all forms of the past subjunctive.

infinitive	preterite form	past subjunctive forms
pedir	pidieron	pidiera, pidieras, pidiera, pidiéramos, pidierais, pidieran
sentir	sintieron	sintiera, sintieras, sintiera, sintiéramos, sintierais, sintieran
dormir	durmieron	durmiera, durmieras, durmiera, durmiéramos, durmierais, durmieran
influir	influyeron	influyera, influyeras, influyera, influyéramos, influyerais, influyeran
saber	supieron	supiera, supieras, supiera, supiéramos, supierais, supieran
ir/ser	fueron	fuera, fueras, fuera, fuéramos, fuerais, fueran

• In Spain and some other parts of the Spanish-speaking world, the past subjunctive is
commonly used with another set of endings (**-se, -ses, -se, -semos, -seis, -sen**). You will
also see these forms in literary selections.

La señora Medina exigió que
le **mandásemos** el contrato
para el viernes.
*Ms. Medina demanded that we
send her the contract by Friday.*

La señora Medina exigió que le
mandáramos el contrato para
el viernes.
*Ms. Medina demanded that we
send her the contract by Friday.*

DIFFERENTIATION Making Connections / Acquiring Information & Diverse Perspectives

Heritage Speakers Ask students to research or ask at home
for different examples of sayings, song lyrics, or quotes from
literature that use the past subjunctive. Have them bring in
examples to share with the class. Examples: **Bésame mucho,
como si fuera esta noche la última vez** (song by Consuelo
Velázquez); **Qué importa que mi amor no pudiera guardarla**
(verse from **Poema 20** by Pablo Neruda, p. 47).

DIFFERENTIATION Language Comparisons

For Inclusion Ask students to fold a blank piece of paper to
make six squares. Then ask them to choose six of the sample
sentences from pages 326–327 that they can illustrate with
a sketch. Allow time for students to illustrate the examples
and label them with the English and Spanish sentences. Have
students share the completed illustrations with the class.

Uses of the past subjunctive

- The past subjunctive is required in the same situations as the present subjunctive, except that the point of reference is always in the past. When the verb in the main clause is in the past, the verb in the subordinate clause is in the past subjunctive.

Esperaba que tuviera más experiencia vendiendo ropa.

PRESENT SUBJUNCTIVE

El jefe sugiere que **vayas** a la reunión.
The boss recommends that you go to the meeting.

Espero que ustedes no **tengan** problemas con el nuevo sistema.
I hope you won't have any problems with the new system.

Buscamos a alguien que **conozca** bien el mercado.
We are looking for someone who knows the market well.

Les mando mi currículum en caso de que **haya** un puesto disponible.
I'm sending them my résumé in case there is a position available.

PAST SUBJUNCTIVE

El jefe sugirió que **fueras** a la reunión.
The boss recommended that you go to the meeting.

Esperaba que no **tuvieran** problemas con el nuevo sistema.
I was hoping you wouldn't have any problems with the new system.

Buscábamos a alguien que **conociera** bien el mercado.
We were looking for someone who knew the market well.

Les mandé mi currículum en caso de que **hubiera** un puesto disponible.
I sent them my résumé, in case there were a position available.

- Use the past subjunctive after the expression **como si** (*as if*).

Alfredo gasta dinero **como si fuera** millonario.
Alfredo spends money as if he were a millionaire.

El presidente habló de la economía **como si** no **hubiera** una recesión.
The president talked about the economy as if there were no recession.

Ella rechazó mi opinión **como si** no **importara**.
She rejected my opinion as if it didn't matter.

- The past subjunctive is also commonly used with **querer** to make polite requests or to soften statements.

Quisiera que me llames hoy.
I would like you to call me today.

Quisiera hablar con usted.
I would like to speak with you.

Teaching Tips
- To review uses of the subjunctive, ask students to identify the noun clauses, adjective clauses, and adverbial clauses in the sample sentences.
- On the board or on chart paper, make a three-column chart. In the first column, write the following parts of speech: noun, adjective, adverb, clause, independent clause, and dependent clause. Invite volunteers to the board to define each part of speech in the second column. Then invite more volunteers to the board to give an example of each part of speech. Once the chart is completed, use it to review the uses of the past subjunctive.
- Point out that the subjunctive mood does exist in English, both in the past and present tenses. However, since there is only one verb in English with more than one form in the past tense, the only time it creates a noticeable difference is with the verb *to be.*
I wish my boss were nicer.
If I were you, I would ask for a raise.

LEARNING STYLES

For Kinesthetic Learners Play **¡Pasa la hoja!** Form teams of six. Give the first student in each team a piece of paper and a pen. Write an infinitive on the board and say: **¡Ya!** The first students write the **yo** past subjunctive form of the verb and pass the paper to the next players, who conjugate the **tú** form. The paper is passed until a team finishes conjugating the verb correctly, earning a point.

LEARNING STYLES

For Auditory Learners Try to read each example aloud in both Spanish and English so that auditory learners can use their strong listening skills to comprehend.
For Visual Learners For any examples you write on the board, try to use different colors and symbols (circles, underlines, stars, etc.) to emphasize the different parts of speech or different verb endings.

Teaching Tips

1 To facilitate, before students complete the activity, ask volunteers to tell the class which verb forms they should use for each item.

2 As a variant, have students think of some famous couples and make up sentences about what each spouse asked the other to do.

Formative Assessment
Circulate and monitor Activity 2 to gauge students' use of past subjunctive and correct sentence structure in forming statements describing what someone or some people asked others to do.

3 Have students repeat the activity, describing a difficult person they have lived with and the things they asked each other to do. Ex: **Le dije a mi hermano que no tocara el saxofón a las tres de la mañana.**

Expansion
• For additional practice, write the following drill on the board and have students change each verb to the past subjunctive according to each subject. **1. estar: él/nosotros/tú 2. emplear: yo/ella/Ud. 3. insistir: ellos/ Uds./él 4. poder: ellas/ yo/nosotros 5. obtener: nosotros/tú/ella**

• **For Kinesthetic Learners** Change the above activity to a game in which groups of three send one member to the board to write the verb in the first form, a second member to write the second form, and the third member to the board to write the third form. Award a point to the first group that finishes correctly.

Interpretive Communication

1 **El peor día** Completa el mensaje que Jessica le mandó a su hermano después de su primer día como pasante (*intern*) de verano. Utiliza el imperfecto del subjuntivo.

De:	jessica8@email.com
Para:	luismiguel@email.com
Asunto:	¡El peor día de mi vida!

Luis Miguel:

Sé que te pedí el otro día que no me (1)__dieras__ (dar) más consejos sobre qué hacer este verano, pero ¡ahora sí necesito tus consejos! Hoy fue el peor día de mi vida, ¡te lo juro! Me aconsejaste que no (2)_solicitara_ (solicitar) un puesto en esta empresa, pero a mí no me importaba que ellos me (3)_pagaran_ (pagar) el sueldo mínimo. No creía que (4)_existiera_ (existir) ninguna oportunidad mejor que ésta. ¡Pero hoy el jefe me trató como si yo (5)__fuera__ (ser) su esclava! Primero exigió que yo (6)_preparara_ (preparar) el café para toda la oficina. Después me dijo que (7)__saliera__ (salir) a comprar más tinta (*ink*) para la impresora. Luego, como si eso (8)__fuera__ (ser) poco, insistió en que yo (9)_ordenara_ (ordenar) su escritorio. ¡Como si toda mi experiencia del verano pasado no (10)_valiera_ (valer) ni un centavo! Hablando de dinero... cuando le pedí que (11)_depositara_ (depositar) el sueldo en mi cuenta corriente, él me dijo, "¿Qué sueldo? Nuestros pasantes trabajan gratis". ¡Renuncié y punto!

Interpersonal Communication

2 **¿Qué le pidieron?** María Laura Santillán es directora de una escuela privada. En parejas, usen la tabla y preparen una conversación en la que ella le cuenta a un amigo todo lo que le pidieron que hiciera el primer día de clase.

MODELO
— ¿Qué te pidió tu secretaria?
— Mi secretaria me pidió que le diera menos trabajo.

Personajes	Verbo	Actividad
los profesores		construir un gimnasio nuevo
los estudiantes	me pidió que	hacer menos ruido
el club que protege el medio ambiente	me pidieron que	plantar más árboles
los vecinos de la escuela		dar más días de vacaciones
el entrenador del equipo de fútbol		comprar más computadoras

Interpersonal Communication

3 **Dueño** El dueño del apartamento donde vivían tú y tu familia era muy estricto. Con un(a) compañero/a, túrnense para comentar las reglas que tenían que seguir, usando el imperfecto del subjuntivo.

MODELO El dueño nos dijo/pidió/ordenó que no cocináramos coliflor.

1. no usar la calefacción en marzo
2. limpiar los pisos dos veces al día
3. no tener visitas en el apartamento después de las 7 de la noche
4. hacer la cama todos los días
5. sacar la basura todos los días
6. no encender las luces antes de las 8 de la noche

Interpersonal Communication

DIFFERENTIATION

To Challenge Students Have students write Luis Miguel's response to Jessica using the past and present subjunctive, as well as the conditional. Then ask them to exchange their e-mails with a partner to correct. Finally, allow time for partners to regroup to explain their suggested corrections.

DIFFERENTIATION

For Inclusion Ask students to complete **Actividades 2** and **3** in the present subjunctive first. Have volunteers write each sentence on the board. Then with the first item, model how to change both verbs to the past. Ask volunteers to come to the board to change all the other verbs to the past as well. As a class, reread the sentences to make sure they were formed and changed correctly.

Comunicación

4 **De niño** En parejas, háganse estas preguntas y contesten usando el imperfecto del subjuntivo. Luego, háganse cinco preguntas más sobre su niñez.

Interpersonal Communication

MODELO —¿Esperabas que tus padres te compraran videojuegos?
—Sí, y también esperaba que me dieran más independencia./
No, pero esperaba que me llevaran al cine todos los sábados.

La imaginación ✳	Las relaciones ♡	La escuela 🚩
¿Esperabas que tus padres te compraran videojuegos?	¿Querías que tu primer amor durara toda la vida?	¿Soñabas con que el/la maestro/a cancelara la clase todos los días?
¿Dudabas que los superhéroes existieran?	¿Querías que tus padres hicieran todo lo que pedías?	¿Esperabas que tus amigos de la infancia fueran a la universidad contigo?
¿Esperabas que Santa Claus te trajera los regalos que le pedías?	¿Querías que tus familiares pasaran menos o más tiempo contigo?	¿Deseabas que las vacaciones de verano se alargaran (*were longer*)?
¿Qué más esperabas?	¿Qué más querías?	¿Qué más deseabas?

5 **¡No aguanto a mi hermana menor!** Tu hermana y tú no logran ponerse de acuerdo sobre algunos problemas. Por eso, hablaron con sus padres para pedirles ayuda. Ellos escucharon todas las quejas, les dieron consejos y les pidieron que hablaran otra vez la semana siguiente.

Interpersonal Communication

A. Primero, escribe cinco oraciones para describir lo que le pediste a tu hermana. Usa el imperfecto del subjuntivo.

B. Ahora, en grupos de cuatro, preparen una conversación entre los padres y los/las hermanos/as. Cada persona debe usar el imperfecto del subjuntivo. Luego representen la conversación para la clase. ¿Habrá solución?

MODELO

MADRE Bueno, les pedimos que trataran de resolver los problemas. ¿Cómo les fue?

ESTUDIANTE 1 Le dije a Isabel que no se pusiera mi ropa sin pedir permiso. ¡Pero el día siguiente salió para la escuela con mi camiseta favorita!

ESTUDIANTE 2 Y yo le pedí a Celia que no escuchara música cuando estoy durmiendo. ¡Pero sigue poniendo la radio a todo volumen!

PADRE ¿Es verdad Isabel?

PUEDO conversar sobre hábitos durante diversos momentos de la vida.

Teaching Tips

4 Expansion Have small groups describe things they believed when they were children. Each group should then select one story to present to the class. Encourage volunteers to ask clarifying questions.

4 Partner Chat Available online.

Pre-AP*

AP Skill Category **5**

5 Have students recycle household vocabulary (**Lección 3**).

5 For Part B, encourage volunteers to give solutions for this conflict, using the present subjunctive.

21st Century Skills

5 Productivity and Accountability
As a class, decide if the rubric you developed for the previous chapter works for this chapter's assignment. If not, adjust it to meet what students need to accomplish.

Lifelong Learning

Expansion Have students form small groups. Provide each group with a children's book in Spanish. Ask the group to read the story and identify all the uses of the conditional and subjunctive. Have groups summarize their story for the class and share examples of the conditional and subjunctive.

PRE-AP* | Interpersonal Communication

Interpersonal Speaking, Listening, and Writing To give students practice with the past subjunctive, ask them to discuss a problem they had in middle school and the advice they received. If they choose not to talk about themselves, they can make up a situation or talk about a friend. They are to use the past subjunctive in several sentences. Ex: **Mi padre me aconsejó que estudiara más. Me dijo que...** After they have discussed the situation in their small groups, have them write about it and tell whether they listened to the advice. Say: **Ahora vas a explicar la situación y decir lo que hiciste.**

Teaching Tips
• Have a volunteer read the
ad aloud. Then ask students
to brainstorm alternate tag
lines using **si** clauses.

• **For Inclusion** Review
the concepts of clause,
subordinate, and main. Write
an English sentence on the
board: *If you have time,
come with us.* Ask students
to identify the subject of
the sentence (*you*). Ask if
there are any other subjects
(no). Circle the subject.
Then ask students to identify
the two clauses (*If you have
time* and *come with us*).
Next ask students to decide
which is the main clause,
i.e., the clause that is a
sentence all by itself (*come
with us*). Label both clauses.
Repeat the process with a
Spanish example.

NATIONAL STANDARDS
Communities Have students
search online or in magazines
for ads from training schools
or programs such as the one
shown here. What sorts of
careers would these schools
or programs prepare one for?

School & Global
Communities

Lifelong
Learning

Extra Practice Go to
vhlcentral.com for extra
practice with **si** clauses
with simple tenses.

8.3 *Si* clauses with simple tenses

• **Si** (*if*) clauses express a condition or event upon which another condition or event depends.
Sentences with **si** clauses are often hypothetical statements. They contain a subordinate
clause (**si** clause) and a main clause (result clause).

*Si te pones así,
vas a llorar.*

• The **si** clause may be the first or second clause in a sentence. Note that a comma is used
only when the **si** clause comes first.

Si tienes tiempo, ven con nosotros. Iré con ustedes **si** no trabajo.
If you have time, come with us. *I'll go with you if I don't work.*

Hypothetical statements about possible events

• In hypothetical statements about conditions or events that are possible or likely to occur, the **si**
clause uses the present indicative. The main clause may use the present indicative, the future
indicative, **ir a** + [*infinitive*], or a command.

Si clause: PRESENT INDICATIVE		Main clause
Si salgo temprano del trabajo, *If I finish work early,*	PRESENT TENSE	**voy** al cine con Andrés. *I'm going to the movies with Andrés.*
Si usted no mejora su currículum, *If you don't improve your résumé,*	FUTURE TENSE	nunca **conseguirá** empleo. *you'll never get a job.*
Si la jefa me pregunta, *If the boss asks me,*	IR A + [*INFINITIVE*]	no le **voy a mentir**. *I'm not going to lie to her.*
Si hay algún problema, *If there is a problem,*	COMMAND	**llámenos** de inmediato. *call us right away.*

¡ATENCIÓN!

Si (*if*) does not carry a
written accent. However,
sí (*yes*) does carry a
written accent.

—**Si puedes, ven.**
—*If you can, come.*

—**Sí, puedo.**
—*Yes, I can.*

LEARNING STYLES

For Visual Learners Encourage pairs of students to illustrate
the ad on page 330. Students may use magazine clippings,
downloaded images, or their own drawings. Display the ads
around the front of the room and have the class discuss the
positive attributes of each one.

LEARNING STYLES

For Auditory Learners Ask students to form pairs. The first
person reads the first clause of each sample. The second
person completes the sentence by reading the second clause.
Once students have read aloud all the examples, challenge
them to compose and read aloud their own **si** clauses. Have
volunteers share their sentences with the class.

Hypothetical statements about improbable situations

- In hypothetical statements about current conditions or events that are improbable or contrary-to-fact, the **si** clause uses the past subjunctive. The main clause uses the conditional.

Si clause: PAST SUBJUNCTIVE	Main clause: CONDITIONAL
¡**Si** ustedes no **fueran** tan incapaces, *If you weren't all so incapable,*	ya lo **tendrían** listo! *you'd already have this ready!*
Si sacaras un préstamo a largo plazo, *If you took out a long-term loan,*	**pagarías** menos al mes. *you'd pay less each month.*
Si no **estuviera** tan cansada, *If I weren't so tired,*	**saldría** a cenar contigo. *I'd go out to dinner with you.*

¡Si la gerente no fuera una idiota, seguramente habría conseguido el trabajo!

Habitual conditions and actions in the past

- In statements that express habitual past actions that are not contrary-to-fact, both the **si** clause and the main clause use the imperfect.

Si clause: IMPERFECT	Main clause: IMPERFECT
Si Milena **tenía** tiempo libre, *If Milena had free time,*	siempre **iba** a la playa. *she would always go to the beach.*
Si mi papá **salía** de viaje de negocios, *If my dad went on a business trip,*	siempre me **traía** un regalito. *he always brought me back a little present.*

Si a Rocío no le iba bien en las entrevistas, Manu y Marcela siempre le compraban una nieve.

Si Ricardo se entrevistaba con inversionistas, él los dejaba manejar el dron.

Interpersonal Speaking To teach the difference between **si** clauses that are habitual in the past and the ones that take the subjunctive, have students describe things that would always occur on their birthdays. Tell them to imagine: *If I invited my friends to the party, they would always come.* Then have them share with their group things that always used to happen on a given occasion. Walk around the room to listen to them and monitor their use of verb tenses. Tell them: **Cuéntale a tu grupo lo que siempre pasaba cuando había una fiesta a la que iba toda tu familia.**

Práctica

❶ For additional practice, have volunteers read the complete sentences again, inverting the two clauses. Item 1: **Tendremos que ir sin Teresa si ella no viene pronto.**

❶ Encourage auditory learners to read each item aloud before trying to complete it.

❷ In pairs, have students write a similar conversation about what they would do if they only had to go to school two days a week.

❷ **For Kinesthetic Learners** Ask pairs to rewrite the conversation as a phone conversation, including verbal pauses and exchanges. Then encourage volunteers to perform them back-to-back holding real or imaginary phone receivers.

❸ **For Inclusion** Have students identify the appropriate verb tense for each item before completing the activity.

Formative Assessment Monitor student communication, formulation of si clauses or result clauses, as they vary. Offer feedback and provide more explanation where necessary, clarifying hypothetical vs possible events, and pointing out the tenses used.

1 **Situaciones** Completa las oraciones con el tiempo verbal adecuado.

A. Situaciones probables o posibles

1. Si Teresa no viene pronto, nosotros ___tendremos/ vamos a tener___ (tener) que ir sin ella.
2. Si tú no ___trabajas___ (trabajar) hoy, vamos al cine.

B. Situaciones hipotéticas sobre eventos improbables

3. Si Carla tuviera más experiencia, yo la ___contrataría___ (contratar).
4. Si Gabriel ___ganara___ (ganar) más, podría ir de viaje.

C. Situaciones habituales sobre el pasado

5. Si llegaba tarde en mi trabajo anterior, la gerente me ___gritaba___ (gritar).
6. Si nosotros no ___hacíamos___ (hacer) la tarea, el profesor Cortijo nos daba una prueba sorpresa.

2 **Si trabajara menos** Carolina y Leticia trabajan cuarenta horas por semana y se imaginan qué harían si trabajaran menos horas. Completa la conversación con el condicional o el imperfecto del subjuntivo.

CAROLINA Estoy todo el día en la oficina, pero si (1) ___trabajara___ (trabajar) menos, tendría más tiempo para divertirme. Si sólo viniera a la oficina algunas horas por semana, (2) ___practicaría___ (practicar) el alpinismo más a menudo.

LETICIA ¿Alpinismo? ¡Qué aburrido! Si yo tuviera más tiempo libre, (3) ___haría___ (hacer) todas las noches lo mismo: (4) ___iría___ (ir) al cine, luego (5) ___saldría___ (salir) a cenar y, para terminar la noche, (6) ___haría___ (hacer) una fiesta para celebrar que ya no tengo que ir a trabajar por la mañana. Si nosotras (7) ___tuviéramos___ (tener) la suerte de no tener que trabajar nunca más, nos pasaríamos todo el día sin hacer absolutamente nada.

CAROLINA ¿Te imaginas? Si la vida fuera así, nosotras (8) ___seríamos___ (ser) mucho más felices, ¿no crees?

3 **Situaciones** Completa las oraciones.

1. Si salimos esta noche, …
2. Si me llama el jefe, …
3. Saldré contigo después del trabajo si …
4. Si mis padres no me prestan dinero, …
5. Si tuviera el coche este sábado, …
6. Tendría más dinero si …
7. Si íbamos de vacaciones, …
8. Si peleaba con mis hermanos, …
9. Te prestaría el libro si …
10. Si mis amigos no tienen otros planes, …

DIFFERENTIATION

Heritage Speakers Ask students to share what teens do in their free time in their families' home countries. Encourage speakers to share, using the conditional and/or the subjunctive.

DIFFERENTIATION

To Challenge Students Ask pairs to create a 20-question quiz of the **si** clauses, including all types and uses. Encourage students to be creative, writing multiple choice, short answer, fill-ins, and so on. Then ask them to exchange their quizzes with a partner, complete it, and regroup to correct it. Be available to settle any disputes over answers.

Comunicación

4 **Si yo fuera...** En parejas, háganse preguntas sobre quiénes serían y cómo serían sus vidas si fueran estas personas.

> **MODELO** **un(a) cantante famoso/a**
> —¿Si fueras una cantante famosa, quién serías?
> —Si fuera una cantante famosa, sería Christina Aguilera. Pasaría el tiempo haciendo videos, dando conciertos...

1. un(a) cantante famoso/a
2. un personaje histórico
3. el personaje de un libro
4. un(a) actor/actriz famoso/a
5. un(a) empresario/a
6. un(a) deportista exitoso/a

5 **¿Qué harías?** En parejas, miren los dibujos y túrnense para preguntarse qué harían si les ocurriera lo que muestra cada dibujo. Sigan el modelo y sean creativos/as.

> **MODELO** —¿Qué harías si alguien te invitara a bailar tango?
> —Si alguien me invitara a bailar tango, seguramente yo me pondría muy nervioso/a y saldría corriendo.

1. Tu suegro viene de visita sin avisar.

2. Estás en una playa donde hay tiburones.

3. Tu carro se avería en el desierto.

4. Te quedas atrapado/a en un ascensor.

6 **Síntesis** En grupos de cuatro, conversen sobre lo que harían en estas situaciones. Luego cada persona debe inventar una situación más y preguntarles a sus compañeros/as qué harían. Utilicen oraciones con **si**, el condicional y el imperfecto del subjuntivo.

1. ver a alguien intentando robar un carro
2. quedar atrapado/a en una tormenta de nieve
3. tener ocho hijos
4. despertarse tarde la mañana del examen final

PUEDO hablar sobre lo que haría en ciertas situaciones.

Section Goals

In **En pantalla**, students will:
- watch the short film **Clown**
- practice listening for and using vocabulary and grammatical structures learned in this lesson

AP Skill Categories
1 **2** **3** **4**

Student Resources
Online Video and Activities

Teacher Resources
Transcript & Translation

Video Synopsis A young man starts his first day on the job as a debt collector. His job requires that he dress up like a clown and humiliate people into paying their debts.

Teaching Tips
- **Variación léxica:**
  cumplir → realizar
  tozudo/a → cabezota;
  cabezón/cabezona
  el/la moroso/a → el/la
  deudor(a)

1 For additional practice, have students form sentences with the remaining words and read their sentences aloud.

2 **Virtual Chat**
Available online.

2 Continue the discussion by asking additional questions. Ex. **¿Qué se necesita para que un trabajo sea divertido? ¿Prefieres trabajar solo/a o en equipo? ¿Te gustaría tener un trabajo que te permitiera viajar mucho?**

3 After watching the film, ask students if their initial impressions were correct.

Antes de ver el corto

CLOWN

país España **director** Stephen Lynch

duración 11 minutos **protagonistas** el payaso, Luisa, el jefe

---

Vocabulario

la amenaza *threat*	**factura** *bill*
avergonzar *to embarrass*	**humillar** *to humiliate*
el/la cobrador(a) *debt collector*	**el/la moroso/a** *debtor*
cumplir *to carry out*	**el/la payaso/a** *clown*
deber *to owe*	**el sueldo fijo** *base salary*
dejar en paz *to leave alone*	**tozudo/a** *stubborn*

---

1 **Oraciones incompletas** Completa las oraciones con las palabras apropiadas.

1. Alguien que no paga sus deudas es un __moroso__.
2. Además del __sueldo fijo__, la empresa me paga comisiones.
3. Una persona __tozuda__ nunca quiere cambiar de opinión.
4. Un __payaso__ trabaja en el circo.
5. Cuando alguien no paga, algunas empresas contratan a un __cobrador__.

Interpersonal Communication

2 **Preguntas** En parejas, contesten las preguntas.

1. ¿Has tenido alguna vez un trabajo que no te gustaba? ¿Cuál?
2. Imagina que necesitas trabajar con urgencia. ¿Dónde buscarías trabajo? ¿Por qué?
3. ¿Eres capaz de hacer cosas que no te gustan por dinero? Explica tu respuesta.
4. ¿Qué empleo crees que nunca harías? ¿Por qué?
5. Cuando eras niño/a, ¿qué trabajo soñabas con tener de grande?

Interpersonal Communication

3 **¿Qué sucederá?** En parejas, miren el fotograma e imaginen lo que va a ocurrir en la historia. Preparen una lista de adjetivos que podrían usarse para describir la personalidad del payaso. Compartan sus ideas con la clase.

CRITICAL THINKING

Knowledge and Synthesis Ask students to remember all their experiences with clowns. Then have them brainstorm a list of their impressions of clowns. Encourage them to include how clowns make them feel. Finally, have students share their impressions with the class while you record the responses in a web on the board.

CRITICAL THINKING Interpretive Communication

Analysis and Synthesis Students make a three-column **A-D-D** chart with the headings, **Antes**, **Durante**, and **Después**. In the **Antes** column, students record predictions of the content of the film based on its title and the vocabulary. While watching, they take notes in the **Durante** column on what they hear and see. After viewing, they write in the **Después** column comparisons and contrasts between their **Antes** and **Durante** notes.

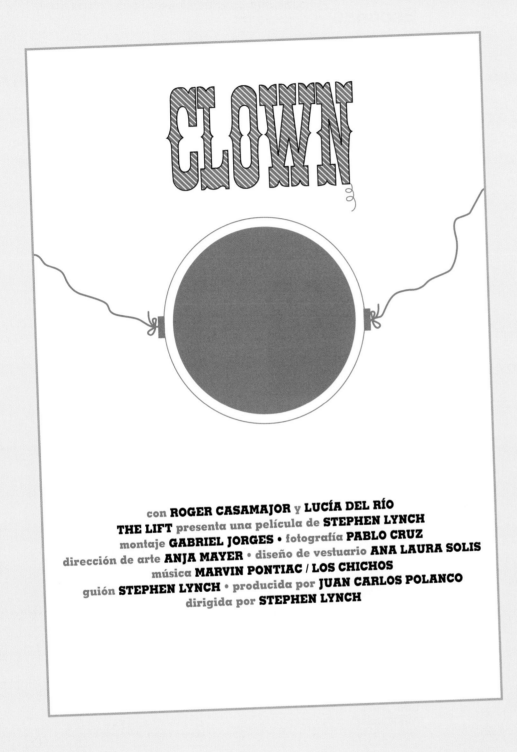

con **ROGER CASAMAJOR** y **LUCÍA DEL RÍO**
THE LIFT presenta una película de **STEPHEN LYNCH**
montaje **GABRIEL JORGES** • fotografía **PABLO CRUZ**
dirección de arte **ANJA MAYER** • diseño de vestuario **ANA LAURA SOLIS**
música **MARVIN PONTIAC / LOS CHICHOS**
guión **STEPHEN LYNCH** • producida por **JUAN CARLOS POLANCO**
dirigida por **STEPHEN LYNCH**

- Ask students for the Spanish word for *clown* (**payaso**). Then ask the class to consider and discuss why the film is titled in English.
- **For Visual Learners** Ask students to describe all the details of the poster, using complete sentences, strong verbs, and colorful adjectives.
- **For Inclusion** Challenge students to write an English translation of the credits on the bottom of the poster. Have volunteers read aloud their translations, practicing Spanish pronunciations of the names. If students make a translation or pronunciation error, let them finish, praise them, then go back and give them the correct word or pronunciation, having them repeat it until they have done it correctly.

Language Comparisons

CRITICAL THINKING   Presentational Communication   Lifelong Learning

Application and Synthesis Ask pairs of students to create alternate posters for the film, based on their predictions and impressions thus far. Display the posters at the front of the room and ask the class to vote on different categories for: **El mejor dibujo**, **El mejor contenido**, **El más gracioso**, **El más profundo**, etc. Pin home-made ribbons on the winners and display all posters around the room during the film.

CRITICAL THINKING   Presentational Communication

Application and Evaluation Ask students to form three groups. Assign each group three of the members of cast and crew (as listed at the bottom of the poster). Have each group research the biographies and other works of their cast or crew members, write a short report, and present it to the class.

Interpretive Audiovisual Communication

Have students look at the video stills. Ask: **¿Crees que causarle vergüenza a alguien es suficiente para conseguir lo que quieras?**

Teaching Tips

- Ask students to study people's facial expressions in the stills. Then ask: **¿Cómo se siente? ¿Por qué?** Then, to relate these feelings to students' own lives, ask: **¿Has tenido alguna experiencia vergonzosa? ¿Qué pasó? ¿Cómo te sentiste?**
- **For Auditory Learners** Have volunteers read aloud the script under each video still before viewing the film. Pause periodically to encourage auditory learners to summarize what they hear.
- **For Visual Learners** Ask pairs to choose one of the stills, study it, and list all the details they see. Then ask volunteers to read a list for each still.
- **For Kinesthetic Learners** Ask pairs to choose a still and practice miming it. Then have pairs take turns miming their stills, while the rest of the class tries to state the lines from memory. This strategy works for high school students who often memorize the lines from their favorite movies.
- **To Challenge Students** Ask pairs to translate the Video Synopsis on page 334 into Spanish.

21st Century Skills

Social and Cross-Cultural Skills

Have students work in groups to choose one or two aspects of the movie that they identify as different from what they would expect in their daily life. Ask students to write two to three sentences about the difference and how they would explain what is different to a visitor from that culture.

Escenas

ARGUMENTO Un hombre comienza su primer día como cobrador vestido de payaso.

PAYASO ¿Luisa River? ¿Luisa River?
LUISA Sí.
PAYASO Debe usted 771 euros a Telefónica. Vengo a cobrar.
LUISA ¿Y tú quién eres?
PAYASO Soy de los cobradores del circo.

LUISA No tengo teléfono. Ni trabajo. Así que les dices a tus clientes que o me encuentran trabajo o que me dejen en paz.
PAYASO Mire, Luisa, se lo voy a explicar para que lo entienda. Mi trabajo consiste en humillarla y seguirla hasta que nos pague.

LUISA Llega tarde tu amenaza. Debo tres meses de alquiler, y ya he vendido el coche, y la tele y todo, y tengo dos hijos y su padre no pasa un duro°. Así que tu factura me la suda° en este momento. Lo siento, payaso, me encantaría pagarte, pero esto es lo que hay°.

PAYASO ¿Estás orgullosa? ¿No te avergüenza? ¿No tienes vergüenza, Luisa? Yo llevo la nariz roja, ¿pero quién hace aquí el payaso?
LUISA ¿Quieres una respuesta? Pues sí, estoy orgullosa de no tener que ganarme la vida humillando a la gente.

PAYASO ¿Tú crees que yo me quería dedicar a esto? Pues no. Pero si tengo que hacerlo para mantener a mi mujer y a mi bebé, pues lo haré. Es patético, pero lo haré.
LUISA ¿Tienes un bebé?
PAYASO Una niña, de siete meses.

JEFE ¿Y cómo ha ido?
PAYASO Bueno, pues… bien.
JEFE ¿Pero cobraste o no?
PAYASO No, cobrar, cobrar no, pero…
JEFE ¿Fuiste tozudo?
PAYASO ¡Muy tozudo!

duro *five-peseta coin* **me la suda** *I don't give a damn* **esto es lo que hay** *take it or leave it*

CRITICAL THINKING

Analysis and Synthesis Ask students to continue their **Antes-Durante-Después** chart, recording their impressions and predictions of how the film will end in the **Antes** column.

CRITICAL THINKING

Application and Evaluation Have students form small groups. Ask each group to predict what will happen in scene 7. Then have them illustrate a still for the scene using sketches, downloads, or magazine pictures. The still should be enlarged so that the class can see it clearly. Then have groups write dialogue beneath their still. Finally, ask each group to show their still to the class and read their conclusion.

Después de ver el corto

1 **Comprensión** Contesta las preguntas con oraciones completas.

Interpretive Communication

1. ¿En qué consiste el trabajo del payaso? Tiene que cobrar deudas.
2. ¿Por qué sigue a Luisa? Luisa debe dinero a la compañía de teléfono.
3. ¿Qué razones le da Luisa al payaso para no pagar? Luisa le dice al payaso que tiene dos hijos y que no tiene trabajo.
4. ¿Adónde van después de bajar del autobús? Van a una cafetería.
5. ¿Tiene familia el payaso? El payaso está casado y tiene una niña de siete meses.
6. ¿Qué razones le da el payaso a su jefe para explicar que Luisa no puede pagar? Le dice que tiene dos hijos y que uno de ellos necesita un transplante.

2 **Ampliación** Contesta las preguntas con oraciones completas.

Interpretive Communication

1. ¿Por qué está nervioso el payaso al principio?
2. ¿Piensas que le gusta su trabajo? ¿Por qué?
3. Explica qué ocurre al final del corto.
4. ¿Crees que Luisa actuó bien? ¿Por qué? Explica tu respuesta.
5. Imagina que no tienes dinero y te ofrecen este puesto de trabajo. ¿Lo tomarías? Explica tu respuesta.

3 **Opiniones** En parejas, lean la cita. ¿Están de acuerdo con lo que se expresa en ella? Compartan su opinión con la clase.

Interpretive Communication
Interpersonal Communication

> **❝Pues sí, estoy orgullosa de no tener que ganarme la vida humillando a la gente como haces tú. No tengo nada, muy bien, pero tengo mi dignidad.❞**

4 **Entrevistas de trabajo** En parejas, imaginen la entrevista de trabajo entre el hombre y el jefe de la empresa de cobradores.

Interpersonal Communication

A. Contesten estas preguntas.

- ¿Qué preguntas le hizo el jefe antes de ofrecerle el trabajo?
- ¿Qué contestó el hombre?
- ¿Cómo reaccionó cuando le dijeron que tenía que vestirse de payaso?

B. Ensayen la entrevista de trabajo entre el hombre y el jefe. Luego, representen la entrevista frente a la clase.

PUEDO responder preguntas personales simulando una entrevista de trabajo.

Teaching Tips

1 After students have finished, have them work in pairs to write a brief summary of the film.

2 For item 1, have students imagine and write what Luisa and the clown are thinking when they first meet.

2 Ask additional discussion questions. Ex: **En un contexto diferente, ¿crees que Luisa y el payaso podrían ser amigos? ¿Por qué?**

4 For Part A, ask additional discussion questions. Ex: **¿Qué experiencia laboral tenía el hombre antes de solicitar este puesto? ¿Qué opina su familia de su nuevo trabajo?**

CRITICAL THINKING

Analysis and Synthesis Ask students to complete their **Antes-Durante-Después** charts, recording their impressions of and reactions to the film in the **Después** column. Have volunteers share their charts with the class.

CRITICAL THINKING

Evaluation Display the scene 7 stills that groups created from the Application and Evaluation activity on page 336. Ask students to discuss which group's prediction was closest to the ending and why. If there is a dispute, have volunteers present their points, then have a class vote between the disputed posters.

Section Goals

In **Lecturas**, students will:
- read the fable *La abeja haragana* by Uruguayan author **Horacio Quiroga**
- learn about Venezuelan conductor **Gustavo Dudamel**

Pre-AP*

AP Skill Categories
1 **2** **3** **4**

Student Resources
Cuaderno de actividades, p. 182
Online Activities, *eCuaderno*

Teacher Resources
Workbook TE

Teaching Tips
- **For Visual Learners** Ask students to study the picture for three minutes. Then ask them to close their books and brainstorm a list of everything they remember seeing. Have volunteers share their answers with the class. List all responses in a web on chart paper.
- **To Challenge Students** Ask students to come to the board and translate the Picasso quote. Allow time and space for all students to record their translations. Then read them aloud and have the class discuss which translation they prefer and why.
- **Analysis and Synthesis** Ask pairs to write a paragraph that relates the painting with the quote. The beginning of the paragraph should describe the painting and summarize or restate the quote. The middle and end of the paragraph should explain the connection. Have pairs exchange their paragraphs and allow time for them to read at least two other paragraphs.

Pre-AP*

AP Skill Category **8**

"Si te llega la inspiración que te encuentre trabajando."

Pablo Picasso

Mercado de flores, 1949
Diego Rivera, México

Interpretar En parejas, conversen sobre estas preguntas. Answers will vary.
1. ¿Qué puede verse en el cuadro?
2. ¿Quiénes son las personas y qué relación tendrán entre ellas?
3. ¿Dónde sucede esta escena? Describan lo que está ocurriendo.
4. ¿Para qué o para quién piensan que son las flores que aparecen en el cuadro? ¿Qué imaginan que harán las personas con ellas después?

PUEDO opinar sobre lo que se representa en la obra *Mercado de flores* de Diego Rivera.

338 *trescientos treinta y ocho* **Lección 8**

CRITICAL THINKING | Interpretive Communication | Making Connections

Analysis and Synthesis If possible, show other Rivera paintings using an overhead projector or PowerPoint presentation. Ask pairs to choose one of these alternate paintings and make a Venn diagram to compare and contrast the two paintings. Ask volunteers to share their diagrams with the class by recreating them on the board.

CRITICAL THINKING | Presentational Communication

Evaluation Based on the painting on page 338 and others you may have shown, ask students to evaluate Rivera as a painter. To challenge students, ask them to write a minimum of one paragraph, describing Rivera's style, subjects, and their opinions of his work. You may wish to give students some sentence starters such as **Me gusta su estilo porque...** for students to complete.

Antes de leer

La abeja haragana

Sobre el autor

Horacio Quiroga nació en Salto, Uruguay, el 31 de diciembre de 1878. En su juventud, practicó ciclismo, fotografía, mecánica y carpintería. Fue un trabajador compulsivo y pionero de la escritura profesional. En 1898 se mudó a Argentina. Vivió en San Ignacio, Misiones, donde cultivaba orquídeas y vivía en estrecho (*close*) contacto con la naturaleza en la selva. Su interés por la literatura comenzó por la poesía y su primer libro fue *Los arrecifes de coral* (1901), al que siguieron, entre otros, *Cuentos de amor, de locura y de muerte* (1917), antología de relatos de estilo modernista, y la obra para niños *Cuentos de la selva* (1918), colección de relatos protagonizados por animales.

Vocabulario

la advertencia *warning*	el descanso *rest*	la miel *honey*
el aprendizaje *learning*	la experiencia *experience*	el polen *pollen*
la colmena *beehive*	la fatiga *fatigue*	trabajador(a) *hard-working*
el deber *duty*	haragán/haragana *lazy*	volar (o:ue) *to fly*

1 **El valor del trabajo** Un abuelo le da consejos a su nieto sobre el valor del trabajo. Completa el párrafo con las palabras correctas.

La persona (1) ___haragana___ no llega a ningún lado en este mundo: se necesita mucho esfuerzo para lograr algo en la vida, sin hacerle caso a la (2) ___fatiga___ que uno pueda sentir. El (3) ___descanso___ llegará después. Esta (4) ___advertencia___ proviene de mi propia (5) ___experiencia___. Es un largo (6) ___aprendizaje___ que se hace durante toda la vida, pero, al final, la persona (7) ___trabajadora___ puede estar satisfecha de haber cumplido con su (8) ___deber___.

2 **Conexión personal** Responde estas preguntas: ¿Crees que las cosas que se hacen con esfuerzo tienen más valor? ¿O es mejor cuando se obtienen por buena suerte o ingenio? ¿Qué te parece más justo? ¿Qué opinas de la expresión maquiavélica de que "el fin justifica los medios"?

3 **Análisis literario: la fábula**

La fábula es un breve relato que suele incluir una moraleja (*moral*) extraída de los eventos. La conducta de las personas se compara con el comportamiento típico de ciertos animales, que son los protagonistas de las fábulas y encarnan (*embody*) vicios y virtudes humanas. Por ejemplo: la hormiga (*ant*) representa la laboriosidad (*hard work*) y la previsión (*foresight*). ¿Qué virtudes representan estos animales?

la serpiente — el perro — el gato — el caballo

Previewing Strategy Have students look at the Rivera painting on page 338, and ask: **¿Qué actitud parece tener el pintor hacia el trabajo en este cuadro? ¿De qué forma lo representa?**

Teaching Tips
- **To Challenge Students** Call on a volunteer to read the Picasso quote on page 338. Ask: **¿Qué efecto piensas que tiene el uso del subjuntivo en esta cita?**
- Have volunteers talk about two personal experiences: a time they worked hard to achieve something and a time they achieved something by luck. Ask: **¿Qué aprendiste de cada experiencia?**

Reading Strategy Ask about who reads fables: **¿Las fábulas son para niños, adultos o ambos?** Explica tu respuesta.

NATIONAL STANDARDS Connections: Literature Ask students to recount fables that they know from their literature classes or even from childhood. What are the characteristics of a fable? Bring in Spanish-language children's books of illustrated fables, particularly ones with ties to ancient cultures. What similarities do students see? What differences?

Making Connections

CRITICAL THINKING Presentational Communication | Lifelong Learning

CRITICAL THINKING

Comprehension and Application Ask students to form small groups. Have groups write a fable using the vocabulary on page 339. Once students have a final draft of the fable, they should write or copy it into a homemade book and illustrate the pages. Display the fables around the room for the class to enjoy.

Analysis and Synthesis Based on Quiroga's biography, the vocabulary, and the activities, ask pairs of students to predict what the fable will be about. Provide each pair with two copies of a story map. Have pairs fill out the first map to predict the characters, setting, plot, problem, solution, etc. Have them fill out the second as they read the fable.

Horacio Quiroga

La abeja haragana

Había una vez en una colmena una abeja que no quería trabajar, es decir, recorría los árboles uno por uno para tomar el jugo de las flores; pero en 5 vez de conservarlo para convertirlo en miel, se lo tomaba del todo.

Era, pues, una abeja haragana. Todas las mañanas, apenas el sol calentaba el aire, la abejita se asomaba° a la puerta de la colmena, 10 veía que hacía buen tiempo, se peinaba con las patas, como hacen las moscas, y echaba entonces a volar, muy contenta del lindo día. Zumbaba° muerta de gusto de flor en flor, entraba en la colmena, volvía a salir, y así se 15 lo pasaba todo el día mientras las otras abejas se mataban trabajando para llenar la colmena de miel, porque la miel es el alimento de las abejas recién nacidas°.

stuck her head out
She buzzed
newborn

Como las abejas son muy serias, comenzaron a disgustarse con el proceder° 20 de la hermana haragana. En la puerta de las colmenas hay siempre unas cuantas abejas que están de guardia° para cuidar que no entren bichos° en la colmena. Estas abejas suelen ser muy viejas, con gran experiencia de la vida y 25 tienen el lomo° pelado° porque han perdido todos los pelos de rozar° contra la puerta de la colmena.

behavior
on duty
bugs
back / hairless
brushing

Un día, pues, detuvieron a la abeja haragana cuando iba a entrar, diciéndole: 30

—Compañera: es necesario que trabajes, porque todas las abejas debemos trabajar.

La abejita contestó:

—Yo ando todo el día volando, y me canso mucho. 35

—No es cuestión de que te canses mucho

—respondieron—, sino de que trabajes un poco. Es la primera advertencia que te hacemos.

Y diciendo así la dejaron pasar.

40 Pero la abeja haragana no se corregía. De modo que a la tarde siguiente las abejas que estaban de guardia le dijeron:

—Hay que trabajar, hermana.

Y ella respondió en seguida:

45 —¡Uno de estos días lo voy a hacer!

—No es cuestión de que lo hagas uno de estos días —le respondieron— sino mañana mismo.

Y la dejaron pasar.

50 Al anochecer siguiente se repitió la misma cosa. Antes de que le dijeran nada, la abejita exclamó:

—¡Sí, sí hermanas! ¡Ya me acuerdo de lo que he prometido!

55 —No es cuestión de que te acuerdes de lo prometido —le respondieron—, sino de que trabajes. Hoy es 19 de abril. Pues bien: trata de que mañana, 20, hayas traído una gota° *drop* siquiera de miel. Y ahora, pasa.

60 Y diciendo esto, se apartaron para dejarla entrar.

Pero el 20 de abril pasó en vano como todos los demás. Con la diferencia de que al caer el sol el tiempo se descompuso y 65 comenzó a soplar° un viento frío. *to blow*

La abejita haragana voló apresurada° *in a hurry* hacia su colmena, pensando en lo calentito que estaría allá dentro. Pero cuando quiso entrar, las abejas que estaban de guardia se 70 lo impidieron.

—¡No se entra! —le dijeron fríamente.

—¡Yo quiero entrar! —clamó° la abejita—. *cried out* Ésta es mi colmena.

—Ésta es la colmena de unas pobres abejas 75 trabajadoras —le contestaron las otras—. No hay entrada para las haraganas.

—¡Mañana sin falta voy a trabajar! —insistió la abejita.

—No hay mañana para las que no 80 trabajan —respondieron las abejas. Y esto diciendo la empujaron° afuera. *pushed*

La abejita, sin saber qué hacer, voló un rato aún; pero ya la noche caía y se veía apenas. Quiso cogerse° de una hoja°, y cayó al *to hold on to/ leaf* suelo. Tenía el cuerpo entumecido° por el aire 85 *numb* frío, y no podía volar más.

Arrastrándose° entonces por el suelo, *Crawling* trepando° y bajando de los palitos° y *climbing/ little sticks/* piedritas°, que le parecían montañas, llegó *little stones* a la puerta de la colmena, a tiempo que 90 comenzaban a caer frías gotas de lluvia.

—¡Perdón! —gimió° la abeja—. ¡Déjenme *groaned* entrar!

—Ya es tarde —le respondieron.

—¡Por favor, hermanas! ¡Tengo sueño! 95

—Es más tarde aún.

—¡Compañeras, por piedad! ¡Tengo frío!

—Imposible.

—¡Por última vez! ¡Me voy a morir!

Entonces le dijeron: 100

—No, no morirás. Aprenderás en una sola noche lo que es el descanso ganado con el trabajo. Vete.

Y la echaron.

Entonces, temblando de frío, con las alas 105 mojadas° y tropezando°, la abeja se arrastró, *wet/stumbling* se arrastró hasta que de pronto rodó° por un *rolled* agujero°; cayó rodando, mejor dicho, al fondo *hole* de una caverna°. *cave*

Creyó que no iba a concluir nunca 110 de bajar. Al fin llegó al fondo, y se halló° *found herself* bruscamente ante una víbora°, una culebra° *viper/snake* verde de lomo color ladrillo°, que la miraba *brick* enroscada° y presta a lanzarse sobre° ella. *curled up/ pounce on*

En verdad, aquella caverna era el hueco° 115 *hollow* de un árbol que habían trasplantado hacía tiempo, y que la culebra había elegido de guarida°. *lair*

Las culebras comen abejas, que les gustan mucho. Por esto la abejita, al encontrarse ante 120 su enemiga°, murmuró cerrando los ojos: *enemy*

—¡Adiós mi vida! Ésta es la última hora que yo veo la luz.

Pero con gran sorpresa suya, la culebra no solamente no la devoró sino que le dijo: 125

—¿Qué tal, abejita? No has de ser° muy *You must not be*

La economía y el trabajo

trescientos cuarenta y uno **341**

Teaching Tips

• **To Challenge Students** Ask students to choose 20 of the glossed words in the fable. They should try to commit these new words to memory in a way that best suits their learning style. Ask students to consider making flashcards, writing sentences, illustrating the words, etc.

• **For Inclusion** Continue reading the fable aloud with exaggerated facial expressions and pantomime, but pause at important sections and have students repeat both your words and expressions or movements.

CRITICAL THINKING

Analysis and Synthesis Encourage students to complete their story maps as they read this page. To help students fill in the new points for **personajes**, ask: **¿Te parecen justas las guardias? ¿Por qué? ¿Cómo es la abeja haragana? ¿Por qué?** For **problema**, ask: **¿Qué pasó el 20 de abril? ¿Por qué? ¿Qué piensas que va a pasar con la abeja?**

CRITICAL THINKING

Analysis and Evaluation Ask pairs of students to begin to focus on the deeper meaning of the story. Ask: **¿A qué o quién representa la abeja haragana? ¿Por qué? ¿Piensas que la colmena representa algo? ¿Qué?**

• **For Visual Learners** If you
are reading the fable aloud,
be sure students know
what part you are reading.
Periodically walk around the
room and point to the line
you are reading to refocus
students, as needed.
• **For Inclusion** Ask pairs to
summarize the story thus far.
They can draw pictures and
label them with words and
phrases. They can make a
comic strip, time line, etc.
Have students share at least
one of each kind of summary.
• **To Challenge Students** Ask
students to make a two-
column chart. In the first
column, they list the
attributes of a fable. Then
in the second column, they
write an example from
La abeja haragana. Ask
volunteers to share their
charts by recording them
on the board.

trabajadora para estar aquí a estas horas.

I'm to blame —Es cierto —murmuró la abejita—. No
added 130 trabajo, y yo tengo la culpa°.

mockingly —Siendo así —agregó° la culebra,
burlona°—, voy a quitar del mundo a un mal
bicho como tú. Te voy a comer, abeja.

—¡No es justo eso, no es justo! No es
justo que usted me coma porque es más fuerte
135 que yo. Los hombres saben lo que es justicia.

—¡Ah, ah! —exclamó la culebra,
coiling up/ enroscándose° ligero°—. ¿Tú conoces bien a
swiftly los hombres? ¿Tú crees que los hombres, que
les quitan la miel a ustedes, son más justos,
140 grandísima tonta?

—No, no es por eso que nos quitan la miel
—respondió la abeja.

—¿Y por qué, entonces?

—Porque son más inteligentes.

145 Así dijo la abejita. Pero la culebra se echó
a reír, exclamando:

—¡Bueno! Con justicia o sin ella, te voy a
get ready comer; aprónte°.

Y se echó atrás, para lanzarse sobre la
150 abeja. Pero ésta exclamó:

—Usted hace eso porque es menos
inteligente que yo.

—Pues bien —dijo la culebra—, vamos
a verlo. Vamos a hacer dos pruebas. La que
155 haga la prueba más rara, ésa gana. Si gano yo,
te como.

—¿Y si gano yo? —preguntó la abejita.

—Si ganas tú —repuso su enemiga—,
tienes el derecho de pasar la noche aquí, hasta
Does that 160 que sea de día. ¿Te conviene°?
work for you?
—Aceptado —contestó la abeja.

La culebra se echó a reír de nuevo, porque
se le había ocurrido una cosa que jamás podría
hacer una abeja. Y he aquí lo que hizo:

165 Salió un instante afuera, tan velozmente
que la abeja no tuvo tiempo de nada. Y
seed pod volvió trayendo una cápsula de semillas° de
eucalipto, de un eucalipto que estaba al lado
de la colmena y que le daba sombra.

170 Los muchachos hacen bailar como
spinning tops trompos° esas cápsulas, y les llaman trompitos
de eucalipto.

—Esto es lo que voy a hacer —dijo la
culebra—. ¡Fíjate bien, atención!

Y arrollando° vivamente la cola alrededor 175 *coiling up*
del trompito como un piolín° la desenvolvió *string*
a toda velocidad, con tanta rapidez que el
trompito quedó bailando y zumbando como
un loco.

La culebra reía, y con mucha razón, 180
porque jamás una abeja ha hecho ni podrá
hacer bailar a un trompito. Pero cuando el
trompito, que se había quedado dormido
zumbando, como les pasa a los trompos de
naranjo, cayó por fin al suelo, la abeja dijo: 185

—Esa prueba es muy linda, y yo nunca
podré hacer eso.

—Entonces, te como —exclamó la culebra.

—¡Un momento! Yo no puedo hacer eso;
pero hago una cosa que nadie hace. 190

—¿Qué es eso?

—Desaparecer.

—¿Cómo? —exclamó la culebra, dando
un salto de sorpresa—. ¿Desaparecer sin
salir de aquí? 195

—Sin salir de aquí.

—Pues bien, ¡hazlo! Y si no lo haces, te
como en seguida —dijo la culebra.

El caso es que mientras el trompito
bailaba, la abeja había tenido tiempo de 200
examinar la caverna y había visto una plantita
que crecía allí. Era un arbustillo°, casi un *shrub*
yuyito°, con grandes hojas del tamaño de una *weed*
moneda de dos centavos.

La abeja se arrimó° a la plantita, teniendo 205 *came closer to*
cuidado de no tocarla, y dijo así:

—Ahora me toca a mí, señora Culebra.
Me va a hacer el favor de darse vuelta, y contar
hasta tres. Cuando diga "tres" búsqueme por
todas partes, ¡ya no estaré más! 210

Y así pasó, en efecto. La culebra dijo
rápidamente: "uno..., dos..., tres", y se volvió
y abrió la boca cuan grande era, de sorpresa:
allí no había nadie. Miró arriba, abajo, a
todos lados, recorrió los rincones°, la plantita, 215 *corners; nooks*
tanteó° todo con la lengua. Inútil: la abeja *she felt out*
había desaparecido.

La culebra comprendió entonces que si su

CRITICAL THINKING

Analysis and Synthesis Encourage students to work on their
story maps. To help students fill in the new points for **personajes**,
ask: **¿Cómo es la culebra? ¿Por qué se ríe mucho? ¿Te gusta
la culebra? ¿Por qué?** For **lugar**, ask : **¿Dónde se cayó la abeja?
¿Cómo es el lugar?**, etc.
Analysis and Evaluation Ask pairs of students to predict how
the fable will end.

CRITICAL THINKING

To Challenge Students Have students complete the story in
the same style as Quiroga.
For Inclusion Have students dictate their ending to you or
another student, using facial expressions and pantomime
when they do not have words to describe their predictions.

prueba del trompito era muy buena, la prueba
220 de la abeja era simplemente extraordinaria.
¿Qué se había hecho? ¿Dónde estaba?

Una voz que apenas se oía —la voz de la
abejita— salió del medio de la cueva.

—¿No me vas a hacer nada? —dijo la
225 voz—. ¿Puedo contar con tu juramento?

—Sí —respondió la culebra—. Te lo juro.
¿Dónde estás?

—Aquí —respondió la abejita, apareciendo
súbitamente° de entre una hoja cerrada de
230 la plantita.

¿Qué había pasado?
Una cosa muy sencilla:
la plantita en cuestión
era una sensitiva°, muy
235 común también en Buenos
Aires, y que tiene la
particularidad de que sus
hojas se cierran al menor
contacto. Solamente que
240 esta aventura pasaba
en Misiones°, donde la
vegetación es muy rica, y por lo tanto muy
grandes las hojas de las sensitivas. De
aquí que al contacto de la abeja, las
245 hojas se cerraron, ocultando° completamente
al insecto.

La inteligencia de la culebra no había
alcanzado nunca a darse cuenta de este
fenómeno; pero la abeja lo había observado, y
250 se aprovechaba de él para salvar su vida.

La culebra no dijo nada, pero quedó muy
irritada con su derrota°, tanto que la abeja
pasó toda la noche recordando a su enemiga
la promesa que había hecho de respetarla.

255 Fue una noche larga, interminable, que las
dos pasaron arrimadas contra° la pared más
alta de la caverna, porque la tormenta se había
desencadenado°, y el agua entraba como un
río adentro.

260 Hacía mucho frío, además, y adentro
reinaba la oscuridad más completa. De
cuando en cuando la culebra sentía impulsos
de lanzarse sobre la abeja, y ésta creía
entonces llegado el término de su vida.

Nunca jamás creyó la abejita que 265
una noche podría ser tan fría, tan larga,
tan horrible. Recordaba su vida anterior,
durmiendo noche tras noche en la colmena,
bien calentita, y lloraba entonces en silencio.

Cuando llegó el día, y salió el sol, porque 270
el tiempo se había compuesto, la abejita voló
y lloró otra vez en silencio ante la puerta
de la colmena hecha por el esfuerzo° de la
familia. Las abejas de guardia la dejaron pasar
sin decirle nada, porque comprendieron 275
que la que volvía no era la paseandera°

haragana, sino una abeja que había hecho
en sólo una noche un duro aprendizaje de la
vida.

Así fue, en efecto. En adelante, ninguna 280
como ella recogió tanto polen ni fabricó tanta
miel. Y cuando el otoño llegó, y llegó también
el término de sus días, tuvo aún tiempo de dar
una última lección antes de morir a las jóvenes
abejas que la rodeaban°: 285

—No es nuestra inteligencia, sino nuestro
trabajo quien nos hace tan fuertes. Yo usé una
sola vez mi inteligencia, y fue para salvar mi
vida. No habría necesitado de ese esfuerzo, si
hubiera trabajado como todas. Me he cansado 290
tanto volando de aquí para allá, como
trabajando. Lo que me faltaba era la noción
del deber, que adquirí aquella noche.

Trabajen, compañeras, pensando que
el fin a que tienden° nuestros esfuerzos 295
—la felicidad de todos— es muy superior a la
fatiga de cada uno. A esto los hombres llaman
ideal, y tienen razón. No hay otra filosofía en
la vida de un hombre y de una abeja. ■

suddenly

mimosa pudica or sensitive plant

province in Argentina

hiding

defeat

pushed up against

had broken out

effort

wanderer

surrounded her

work towards

- **Heritage Speakers** Ask heritage speakers to share another fable from their parents' countries of origin.
- Using one of the fables heritage speakers shared or another fable with which students are familiar, have pairs of students make a Venn diagram, comparing and contrasting the attributes with *La abeja haragana*. Have volunteers share their Venn diagrams with the class by recreating them on the board or chart paper.
- Reread the last paragraph and ask students to consider whether they agree or not and why. Ask: ¿**Estás de acuerdo con que la gente debe trabajar muy duro todos los días? ¿Por qué? ¿Hay otra opción entre trabajar duro y no trabajar en absoluto?**

PRE-AP*

Interpretive Communication | Presentational Communication | Making Connections | Cultural Comparisons

Presentational Writing, Synthesis of Skills, Part B After students have read *La abeja haragana*, discuss it with the whole class; students should take notes on the discussion. Then ask them to write a formal essay of 200 words in which they discuss the fable and compare it with the painting's message and one other fable with which they are familiar. Tell them to use the notes they took during the class discussion and quote from the story. Use the current AP rubrics to grade the essay. Tell them: **Escriban una composición comparando las actitudes hacia el trabajo en el cuadro *Mercado de flores*, en el cuento *La abeja haragana* y en otra fábula que hayan leído.**

Teaching Tips

1 Expansion Have students write a paragraph describing the events of the fable using the sentences in the activity.

2 Ask additional questions. Ex: **¿Cómo crees que se sintió la abeja cuando no le permitieron entrar en la colmena? ¿Y cuando volvió a la colmena?**

3 Point out that the snake addresses the bee in the **tú** form, while the bee answers back in the **usted** form. Ask: **¿Por qué crees que sucede esto?**

3 Expansion Ask: **Si escribieras otra fábula con la misma moraleja pero con otros protagonistas, ¿qué animales elegirías? ¿Cómo cambiaría la historia?** Explica tu respuesta.

3 Virtual Chat Available online.

4 Before students begin writing, encourage them to map out their fables. Have students include the characters, the setting, the basic plot, and the moral in their outlines.

4 For Inclusion Encourage students to create comic strip fables with a picture for every frame, and conversations or captions.

Pre-AP*

AP Skill Category 8

• Ask students to reread their prediction pieces from page 342, and discuss which were most accurate and why.

La abeja haragana
Horacio Quiroga

Interpretive Communication

1 **Comprensión** Enumera los acontecimientos en el orden en que aparecen en el cuento.

_8_ a. La abeja haragana gana la prueba.

_1_ b. Las guardianas dejan que la abeja haragana entre en la colmena, pero le advierten que será la última vez.

_5_ c. Una culebra le anuncia que la va a devorar.

_10_ d. Las guardianas dejan pasar a la abeja que ya no es haragana.

_2_ e. La abeja promete cambiar, pero no lo cumple.

_7_ f. La culebra hace su prueba con éxito.

_9_ g. La abeja regresa a la colmena después de pasar la noche fuera.

_3_ h. Las guardianas le prohíben entrar en la colmena.

_6_ i. La culebra le propone hacer dos pruebas.

_4_ j. La abeja cae por un hueco dentro de una caverna.

Interpretive Communication

2 **Análisis** Lee el relato nuevamente y responde las preguntas.

1. ¿Qué características podrías señalar de la abeja haragana? ¿En qué se diferenciaba de las otras abejas?

2. ¿Qué te parece que puede representar la víbora?

3. En el relato, ¿qué es lo que salva a la abeja de la víbora?

4. ¿Cuál es la moraleja de la fábula?

Interpretive Communication

Interpersonal Communication

3 **Interpretación** En parejas, respondan las preguntas.

1. En el relato se contraponen claramente dos lugares: la colmena y el exterior. ¿Puedes encontrar una palabra que caracterice a cada uno?

2. Las guardianas advierten a la abeja varias veces antes de impedirle la entrada. ¿Te parece bien lo que hacen? ¿Crees que tienen razón?

3. ¿Por qué es tan importante que todas colaboren con la tarea de recoger el polen? ¿Para qué sirve la miel que hacen las abejas? ¿Qué sentido tiene eso para la comunidad?

4. ¿Qué crees que hizo recapacitar a la abeja haragana?

5. ¿Estás de acuerdo con la moraleja de la fábula?

Presentational Communication

4 **Tu propia fábula** Elige una de las comparaciones de la lista y escribe una fábula breve sobre el animal y la cualidad o vicio. Si lo prefieres, puedes elegir otro animal y otra cualidad o vicio. No olvides concluir el relato con una moraleja.

• inocente como un cordero (*lamb*)
• fuerte como un león
• astuto (*sly*) como un zorro (*fox*)
• terco (*stubborn*) como una mula

PUEDO comentar algunas características de las fábulas.

CRITICAL THINKING

Analysis and Synthesis Encourage students to complete their story maps now that they have read the whole story. To help them fill in the last points for **trama**, ask: **¿De qué habla la historia? ¿Qué le pasa a la protagonista? ¿Por qué?** For **solución**, ask: **¿Qué tuvo que hacer para salvar su vida? ¿Qué enseñanza le quedó a la abeja después de todo lo que le pasó?**

CRITICAL THINKING — Interpretive Communication

Evaluation Ask students to review their first prediction story maps (from the activity on page 339) with these final ones (from the activity at left). Pairs should determine how close they were to predicting the elements of the fable. Ask pairs to share how close they were and why, using evidence from the fable and their story maps.

Objetivo comunicativo: Hablar del programa gubernamental de música
"El Sistema" de Venezuela y de sus figuras más representativas

CULTURA

Antes de leer

Vocabulario

apoyar *to support*	**cumplir** *to fulfill*
los bajos recursos *low-income*	**la instrucción** *education*
la belleza *beauty*	**luchar** *to fight*
la clave *key*	**la red** *network*
conseguir *to obtain*	**tocar** *to play*

1 **Oraciones incompletas** Completa las oraciones con las palabras adecuadas.

1. Las personas de ____bajos recursos____ tienen dificultades económicas.
2. Es necesario ____apoyar____ a los niños que quieren aprender música.
3. La ____instrucción____ musical es muy importante para desarrollar la inteligencia.
4. Los idealistas creen que se puede ____conseguir____ lo imposible.
5. La ____clave____ para cumplir los sueños es la perseverancia.
6. Se sabe que ____tocar____ un instrumento musical mejora la memoria.

2 **Conexión personal** En parejas, contesten las siguientes preguntas.

1. ¿A qué jugabas cuando eras niño/a?
2. ¿Qué querías ser de mayor cuando eras pequeño/a?
3. ¿Crees que cuando eras niño/a tuviste todas las oportunidades que necesitabas?¿Por qué?
4. ¿Alguna vez hiciste algo especial para ayudar a los demás? ¿Qué hiciste?
5. ¿Hay alguna persona que haya influido en tu educación? ¿Quién fue? ¿Qué aprendiste de esa persona?
6. ¿Qué sueño te gustaría alcanzar en los próximos diez años?

> Interpersonal Communication

Contexto cultural

José Antonio Abreu

"¿Por qué concentrar en una clase [social] el privilegio de tocar a Mozart o a Beethoven?" pregunta el filántropo venezolano **José Antonio Abreu**. Su experiencia como músico y como economista, y su energía vital han sido claves para el desarrollo de "El Sistema", un programa de instrucción musical especialmente pensado para niños de bajos recursos. Desde 1975 ha habido una docena de gobiernos en Venezuela y todos ellos han apoyado este proyecto. Hay cientos de orquestas infantiles y juveniles, además de coros y escuelas de música en todo el país, que admiten más de 400.000 niños de entre 2 y 18 años. En un país polarizado por la política y las diferencias socioeconómicas, todo el mundo apoya "El Sistema".

Previewing Strategy Ask volunteers to share what they know about music programs or orchestras in their school, community, or region. Then ask volunteers to describe the programs and how they benefit the community.

Teaching Tip
- Have students make an SQA three-column chart. The headings should be: **Saber, Querer,** and **Aprender**. In the first column, students record all they already know (**saber**) about Gustavo Dudamel. In the second column, they record all that they want (**querer**) to know or their questions about Gustavo Dudamel. Then after they read, they will record all that they learned (**aprender**) in the third column. When students have completed their charts, have them share what they learned with the class.
- **Oraciones incompletas** Have pairs of students write their own clues. Ask them to work with another pair and guess each others' clues.
- **Conexión personal** Have groups of students discuss what it means nowadays to be a hero. Ask them to brainstorm which sports, cultural, or political figures they find inspiring and why. Then ask: **¿Creen que es posible cambiar el mundo?**

> Interpretive Communication

> Acquiring Information & Diverse Perspectives

CRITICAL THINKING

Knowledge and Comprehension Ask students to use the vocabulary in sentences that convey the meaning. Then ask them to rewrite the statements as cloze sentences and exchange papers with a partner. Finally, after students complete the sentences, have pairs regroup to correct them.

CRITICAL THINKING

Application and Synthesis Ask students to discuss the paragraph on José Antonio Abreu. Ask them to brainstorm reasons why "**El Sistema**" has received such strong support from politicians and society in general in Venezuela.

Lecturas **345**

Gustavo Dudamel:
la estrella de "El Sistema"

Al director de la Orquesta Filarmónica de Los Ángeles, Gustavo Dudamel, se le iluminan los ojos cuando recuerda el momento en que la música dejó de ser sólo un juego. "De pronto se convierte en algo mucho más profundo", dice este venezolano alegre y carismático. La
5 experiencia que marcó su vida y su carrera fue su paso por "El Sistema", un programa de instrucción musical para niños desfavorecidos°   *disadvantaged* fundado en Venezuela en 1975, y que se extiende por todo el mundo. Su fundador, José Antonio Abreu, considera a Dudamel "un ejemplo insuperable para la juventud musical de América Latina y del mundo".
10 Él es la estrella de "El Sistema".

De niño, Gustavo Dudamel quería tocar el trombón en una banda de salsa, como su padre. "Tenía los brazos muy cortos para el trombón", dice. "Así que empecé a tocar el violín". Lo aprendió a tocar en una de las escuelas de "El Sistema", donde se convirtió en un auténtico virtuoso de este instrumento. Pero todavía no había descubierto su verdadera vocación musical. Su oportunidad no tardaría en llegar. Cuando sólo tenía 12 años, el retraso° del director de un ensayo en la orquesta juvenil de Barquisimeto le dio la oportunidad de dejar su violín y tomar la batuta° para hacer reír a sus compañeros con imitaciones de directores conocidos; lo hizo tan bien que meses después se convirtió en el director asistente de la orquesta. A los 16 años dirigía la Orquesta Sinfónica Simón Bolívar y la Orquesta Nacional de la Juventud de Venezuela, y a los 23 ganó el concurso Gustav Mahler para directores menores de 35 años. "Siempre supe que Gustavo era un talento superlativo", afirma José Antonio Abreu, su mentor.

Por su estilo exuberante y su energía en el escenario se le comparó con Leonard Bernstein. Su fama y su talento lo llevaron, con tan sólo 26 años, a ser nombrado Director de la Orquesta Filarmónica de Los Ángeles. Hoy viaja por todo el mundo y se ha convertido en el director joven más famoso del escenario internacional, pero afirma que no puede imaginar su vida sin "El Sistema". ¿La razón? Hay mucho más que música en lo que hace. Para Dudamel, en sintonía con° la idea de Abreu y el lema° de "El Sistema", "Tocar, cantar y luchar", una orquesta es una metáfora de una sociedad ideal en la que todos sus miembros ocupan un lugar único.

delay — 21
baton — 24
in tune with — 45
motto — 46

"El talento musical no sirve° sin disciplina, y los músicos deben sentir pasión por lo que hacen", dice Dudamel.

Los niños comienzan desde muy pequeños su instrucción en "El Sistema", y allí aprenden todo junto con la música, buscando la armonía común. La gran mayoría de esos niños proviene° de zonas de bajos recursos. El programa no sólo consigue mantenerlos alejados° de la calle, también genera en ellos sentido de autoestima y trabajo en equipo°. Se estima° que cada niño que participa en el programa influye en la vida de tres adultos. Considerando que más de dos millones de niños han pasado por las orquestas de "El Sistema", la red formada por la música resulta verdaderamente "milagrosa", como muchos la califican. Esa es la clave que Dudamel encontró para poder cumplir los sueños. "No hay nada más importante que tener acceso a la belleza", afirma con una gran sonrisa. Porque la inspiración es contagiosa. ∎

has little value — 50
comes from — 55
far from — 59
teamwork — 60
It's estimated — 61

Muchos de los graduados de "El Sistema" se han convertido en músicos de fama internacional; otros son hoy abogados, maestros, ingenieros. Para todos ha sido fundamental compartir algo tan poderoso como la música, en la red iniciada por Abreu.

El éxito ha hecho de "El Sistema" un modelo imitado en más de 35 países, desde Canadá y Reino Unido, hasta India, El Salvador y muchos otros. Apoyados por el trabajo de voluntarios y con aportes de organizaciones nacionales, donantes privados, fundaciones y programas de becas, estos proyectos continúan la idea original de Abreu: "El Sistema" es, siempre y en primer lugar, una organización social, y la música, su medio para unir, incluir y educar.

- **For Visual Learners** As students read, have them create a web of adjectives that are used in the article to describe Gustavo Dudamel.
- **For Auditory Learners** Allow time and space for these students to read the article aloud to themselves.
- Gustavo Dudamel says **"No hay nada más importante que tener acceso a la belleza"**. Ask students if they agree with this statement. Ask: **¿Crees que las personas deben tener oportunidad de acceder a la belleza desde temprana edad? ¿Cómo se pueden crear tales oportunidades?**

Interpretive Communication	Presentational Communication

CRITICAL THINKING

Comprehension and Analysis Ask pairs to choose one sentence from the article that strikes them. Then ask them to write a paragraph explaining its significance to the article and to the student. Ask volunteers to share their paragraph with the class.

Acquiring Information & Diverse Perspectives

CRITICAL THINKING

Evaluation Ask students to evaluate Gustavo Dudamel's achievements. Ask: **¿Es importante lo que él ha logrado? ¿Por qué? ¿Qué palabras de admiración le dirías?**

Pre-AP*

AP Skill Category 8

Después de leer

Gustavo Dudamel: la estrella de "El Sistema"

Interpretive Communication

1 **Comprensión** Contesta las preguntas con oraciones completas. Some answers will vary.

1. ¿Por qué Gustavo Dudamel quería tocar el trombón? Quería tocar el trombón porque quería ser como su padre, quien tocaba este instrumento en una banda de salsa.
2. ¿Cuál fue el primer instrumento que tocó Gustavo Dudamel? El primer instrumento que tocó fue el violín.
3. ¿De qué trabaja actualmente Dudamel? Dudamel es director de la Orquesta Filarmónica de Los Ángeles.
4. Según Dudamel, ¿qué debe tener un músico además de talento? Debe tener disciplina y pasión.
5. Además de la instrucción musical, ¿qué otras cosas aprenden los niños en "El Sistema"? Los niños aprenden a tener sentido de la autoestima y a trabajar en equipo.
6. ¿Qué es lo más importante para Dudamel? Lo más importante para Dudamel es el acceso a la belleza.

Interpretive Communication · Interpersonal Communication

2 **Interpretación** En parejas, contesten las preguntas con oraciones completas.

1. ¿De qué manera ayuda "El Sistema" a los niños que participan en él?
2. ¿En qué sentido piensas que Dudamel puede ser un "talento superlativo"?
3. ¿Qué clase de beneficios genera "El Sistema"?
4. ¿Por qué piensas que se ha calificado a "El Sistema" como "milagroso"?
5. ¿Con qué compara la orquesta Dudamel? ¿Te parece apropiada la comparación? ¿Por qué?
6. ¿Qué significa para ti el lema "tocar, cantar y luchar"?

Interpersonal Communication · Presentational Communication · School & Global Communities · Lifelong Learning

3 **Proyecto social** En grupos, creen un proyecto social. Desarrollen una propuesta para que una empresa privada les ayude a financiarlo teniendo en cuenta los puntos sugeridos. Después, presenten las propuestas a la clase.

- breve definición del problema
- personas u organizaciones a las que van a ayudar
- propuesta de actividad; cómo van a ayudar
- empresa o institución a la que dirigen la propuesta y razones de la elección
- elementos necesarios para llevarla a cabo
- un lema que identifique el objetivo y el espíritu de la propuesta

Interpersonal Communication · Relating Cultural Products to Perspectives

4 **Debate** Para Gustavo Dudamel, el aprendizaje de la música ayuda a crear valores. En grupos, comenten si están de acuerdo con esta idea y si creen que el arte contribuye a crear mejores ciudadanos.

5 **Ampliación** El modelo de instrucción creado por José Antonio Abreu utiliza la enseñanza y la práctica de la música como instrumentos de transformación social y de desarrollo humano. En grupos, comenten cuáles creen qué serían las transformaciones que puede producir la música en las sociedades.

Making Connections · Acquiring Information & Diverse Perspectives

6 **Un poco de música** Busca información en Internet sobre Gustavo Dudamel. Después, escucha alguna de las obras musicales que dirige y prepara una presentación para la clase.

> **PUEDO** opinar sobre el programa gubernamental "El Sistema" de Venezuela.

Teaching Tips

2 Expansion Have students discuss their own childhood experiences with music or other artistic activities.

3 Have students browse the web researching actual initiatives similar to the one they chose. Have them include a short paragraph with data about the results obtained, photos, graphs, and illustrations to support their proposals.

21st Century Skills

3 Collaboration
If you have access to students from a Spanish-speaking country, have your students ask them about musicians in their country.

School & Global Communities

4 Start a discussion about teamwork. Ask: **¿En qué se parece una orquesta a un equipo de baloncesto o béisbol?**

Making Connections

PRE-AP*

Interpretive Communication · Interpersonal Communication

Interpersonal Speaking and Reading After reading the article about Gustavo Dudamel, have students work in pairs. Have them prepare an interview between a TV personality and Dudamel, in which the program host asks him a series of questions about his life.

Tell students to write out the questions and answers together, and then enact them for the class. Say: **En parejas, van a escribir una entrevista para Gustavo con por lo menos diez preguntas y respuestas.**

Atando cabos

¡A conversar!

1 Proyecto publicitario

A. Formen grupos de cuatro. Imaginen que deben presentar un proyecto publicitario al directorio de una empresa. Elijan uno de estos proyectos.

- camisas que nunca se arrugan
- un programa para aprender a hablar español mientras duermes
- un servicio para encontrar compañeros de estudio por Internet
- una peluquería (*hair salon*) para personas y animales

B. Para preparar el proyecto, respondan a estas preguntas.

1. ¿Qué quieren vender con su publicidad?
2. ¿Cómo son las personas que comprarían el producto o servicio? ¿Qué edad tienen? ¿De qué sexo son? ¿Qué cosas les gustan?
3. ¿Qué tipo(s) de publicidad harían (afiches, en radio, en televisión, en Internet)?
4. ¿Qué necesitarían para hacer la publicidad?
5. ¿Cuál será el eslogan del producto o servicio?

C. Preparen la presentación de su proyecto para el resto de la clase. Decidan quién presentará cada punto. Practiquen la presentación varias veces. Pueden usar elementos visuales como ayuda (afiches, etc.). Para ordenar su presentación, pueden utilizar estas expresiones:

- Este proyecto es para...
- En primer/segundo lugar...
- Sabemos que el público...
- Además / También / Igualmente...
- Por eso hemos decidido...
- Finalmente / Por último...

D. Presenten el proyecto. Expongan las razones de lo que han decidido hacer. Sus compañeros pueden hacerles preguntas sobre el proyecto.

E. Cuando cada grupo haya terminado su presentación, voten para elegir la mejor idea publicitaria.

2 Teléfono roto Reúnanse en grupos de cinco personas. Un(a) estudiante inventa una historia corta sucedida en un banco o en una empresa y se la cuenta al oído a otra persona. Ésta se la cuenta al oído a otra, y así sucesivamente. El/la último/a deberá relatar la historia tal como la escuchó. Si la historia final no coincide con la inicial, deberán detectar el punto donde se rompió la comunicación.

 MODELO Una joven entró a un banco, retiró todos sus ahorros, invirtió en la bolsa y al siguiente día compró el banco.

Presentational Communication

Making Connections

School & Global Communities

Lifelong Learning

Student Resources
Cuaderno de actividades, pp. 180–181, 183
Online Activities, *eCuaderno*

Teacher Resources
Workbook TEs; Textbook and Testing Audio online; Audio Scripts; Assessment Program Tests

Teaching Tips
¡A conversar!
- Encourage students to invent their own product line.
- Ask students to think of a famous person to be their spokesperson. Have them create a tag line or testimonial from that person about the product.
- Encourage students to assign each group member a different task. Ex: creating a magazine ad, developing market research, etc.

2 Have the student who initiates the chain tell you the message he/she is about to pass in advance and make any corrections in pronunciation and syntax so that the original message is free of errors.

CRITICAL THINKING

Application and Analysis For the **¡A conversar!** presentation, ask the class to develop rubrics for evaluating their projects. Consider categories such as: **participación del grupo, contenido, el lenguaje apropiado,** etc. Once the rubrics are completed, be sure each student has a copy to refer to as he or she is working on the presentation.

CRITICAL THINKING

Synthesis and Evaluation Before students finish their presentation, ask them to find another group. Using the rubrics, the groups evaluate each other's presentations and make suggestions for improvement. Groups share and explain their responses; finally, students decide how to improve their drafts and finish their projects.

Atando cabos

Interpersonal Communication

3 **Diálogos** En parejas, seleccionen un rol y una situación de la lista. Después, simulen un diálogo según la situación seleccionada.

Roles	Situaciones
Dos empleados/as	despedir a un(a) trabajador
Un(a) asesor(a) y un(a) gerente	hablar de la jubilación
Un(a) cliente y un(a) empleado/a de un banco	pedir un aumento de sueldo
Un(a) contador(a) y un(a) dueño/a	pedir un préstamo
Un(a) ejecutivo/a y un(a) socio(a)	reportar una bancarrota
Un(a) trabajador/a y el/la dueño/a de la empresa	sugerir inversiones

Interpersonal Communication

4 **Inversiones** En parejas, pregunten a los/as demás compañeros/as de clase cuál sería la mejor inversión de sus vidas y por qué lo creen así. Anoten las respuestas y clasifíquenlas por áreas: entretenimiento, salud, economía, comodidad, etc. Al final, en la clase, compartan las respuestas sobre las inversiones más convincentes y las razones de mayor peso.

¡A escribir!

Presentational Communication

Lifelong Learning

Pasantía de verano Imagina que quieres solicitar un puesto para una pasantía (*internship*) de verano en una de las empresas de la actividad anterior (Inversiones). Escribe un mensaje electrónico de tres párrafos para solicitar un puesto como pasante de verano. Usa cláusulas con **si** en tu correo.

> • Primer párrafo: explica por qué estás escribiendo.
> • Segundo párrafo: da detalles sobre tus estudios y experiencia laboral.
> • Tercer párrafo: explica por qué crees que eres el/la mejor candidato/a para el puesto.

PUEDO presentar en público un proyecto publicitario.

PUEDO simular situaciones frecuentes en el mundo de las finanzas y el trabajo.

VOCABULARIO

El trabajo

el aumento de sueldo	pay raise
la compañía	company
la conferencia	conference
el contrato	contract
el currículum (vitae)	résumé
el empleo	employment
la entrevista de trabajo	job interview
el puesto	position
la reunión	meeting
el sueldo mínimo	minimum wage
administrar	to manage; to run
ascender (e:ie)	to rise; to be promoted
contratar	to hire
despedir (e:i)	to fire
exigir	to demand
ganar bien/mal	to be well/poorly paid
ganarse la vida	to earn a living
jubilarse	to retire
renunciar	to quit
solicitar	to apply for
(des)empleado/a	(un)employed
exitoso/a	successful
(in)capaz	(in)competent

Las finanzas

el ahorro	savings
la bancarrota	bankruptcy
el cajero automático	ATM
la cuenta corriente	checking account
la cuenta de ahorros	savings account
la deuda	debt
la hipoteca	mortgage
el presupuesto	budget
ahorrar	to save
cobrar	to charge; to receive
depositar	to deposit
financiar	to finance
gastar	to spend

invertir (e:ie)	to invest
pedir (e:i) prestado/a	to borrow
prestar	to lend
a corto/largo plazo	short/long-term
fijo/a	permanent; fixed
financiero/a	financial

La economía

la bolsa (de valores)	stock market
el comercio	trade
el desempleo	unemployment
la empresa multinacional	multinational company
la huelga	strike
el impuesto (de ventas)	(sales) tax
la inversión (extranjera)	(foreign) investment
el mercado	market
la pobreza	poverty
la riqueza	wealth
el sindicato	labor union
exportar	to export
importar	to import

La gente en el trabajo

el/la asesor(a)	consultant; advisor
el/la contador(a)	accountant
el/la dueño/a	owner
el/la ejecutivo/a	executive
el/la empleado/a	employee
el/la gerente	manager
el hombre/la mujer de negocios	businessman/woman
el/la socio/a	partner; member
el/la vendedor(a)	salesperson

Más vocabulario

Expresiones útiles	Ver p. 315
Estructura	Ver pp. 322–323, 326–327 y 330–331

En pantalla

la amenaza	threat
el/la cobrador(a)	debt collector
la factura	bill
el/la moroso/a	debtor
el/la payaso/a	clown
el sueldo fijo	base salary
avergonzar	to embarrass
cumplir	to carry out
deber	to owe
dejar en paz	to leave alone
humillar	to humiliate
tozudo/a	stubborn

Literatura

la advertencia	warning
el aprendizaje	learning
la colmena	beehive
el deber	duty
el descanso	rest
la experiencia	experience
la fatiga	fatigue
la miel	honey
el polen	pollen
volar (o:ue)	to fly
haragán/haragana	lazy
trabajador(a)	hard-working

Cultura

los bajos recursos	low-income
la belleza	beauty
la clave	key
la instrucción	education
la red	network
apoyar	to support
conseguir	to obtain
cumplir	to fulfill
luchar	to fight
tocar	to play

La economía y el trabajo

Student Resources
Online Activities

Teacher Resources
Textbook and Testing Audio online; Testing Audio Script; Assessment Program Tests

Teaching Tips

- Play a game of **Categorías**. Have students form pairs and close their books. Name a category of the vocabulary section. Allow students two minutes to jot down every vocabulary word they can think of in that category. Then tally the points by this method: One pair reads their list slowly. If another pair has the same word they raise their hands. Both pairs cross the shared words off their lists. When the first pair finishes reading their list, another pair begins reading any words not yet crossed out. After all pairs have read their remaining words, they tally the number and compare.

- Ask students to write a 20-question vocabulary quiz for their classmates. Encourage them to vary the style of questions, such as multiple choice, fill-in, sentence writing, and picture identification. Then have students exchange their quiz with another student. Once students have completed their quizzes, they return the quiz for correction to the person who designed it.

- **To Challenge Students** Play a game of **Alrededor del mundo**. The first student stands next to the second student. You say a word and they define it. The first to do so correctly moves on to the third student. The loser remains in his or her seat. Challenge students to use the word in a sentence rather than just define it.

LEARNING STYLES

For Kinesthetic Learners Play a game of Win, Lose, or Draw. Divide the class into two teams. Have a member from each team come to the board. Secretly give them a vocabulary word that can be represented visually. Then the members draw a picture that represents the word. The first team to guess the word gets a point.

For Auditory Learners Play *Bingo*. Photocopy a bingo card for

LEARNING STYLES

each student. Students illustrate or define a vocabulary word in each box to fill all the boxes. For the first few rounds, act out the words if possible. In later rounds call out conjugated forms of the verbs or sample sentences. If students have the word on their bingo card, they cover it with a playing piece (beans, coins, or pieces of colored paper). Play to win horizontally, vertically, diagonally, or "cover all."

Lesson 9
Six-step
Instructional Design

See pages T34-T35 for additional details on how to use the six-step instructional design in your classroom.

1 **Context.** Make it personal. Ask students to provide whatever Spanish words they may already know in the context: "Think about the media. What Spanish words come to mind?". Receive, write, and display their words to encourage and prepare. Next, ask students questions about their own experiences and thoughts about the media: **¿Qué medios de comunicación utilizas para mantenerte informado/a? ¿Cuál es tu locutor / reportero / celebridad favorito/a?**

2 **Vocabulary.** Put it into words. Connect the word study in Step 1 with what students see on these pages. **¿Qué información buscas en los medios de comunicación? ¿Te gustan los chismes de las celebridades?**

3 **Media.** Bridge experiences. Ask students about popular culture in their communities **¿Cuál es el programa musical más popular en tu país? ¿Te gustaría participar en él?**

A primera vista Have students look at the photo; ask them these additional questions:
1. **¿Escuchas la radio? ¿Por qué?**
2. **Además de la radio, ¿qué otros medios de comunicación utilizas?**

Essential Questions Discuss the essential questions as a class. Point out to students that they will learn about the media and popular culture in Spanish-speaking countries in **El mundo hispano**, **Flash cultura** and **Lecturas**.

Overarching Theme
Contemporary Life: Advertising and Marketing

A primera vista
- ¿Dónde están las personas de la foto?
- ¿Qué crees que están haciendo?
- ¿Qué papel cumplen los medios de comunicación en tu vida?

Essential Questions
1. ¿Qué se necesita para que la comunicación sea efectiva?
2. ¿Cómo influyen los medios en la opinión pública?
3. ¿Cuál es la relación entre los medios de comunicación y la cultura?

Teacher Resources

Presentation
- AP® Themes & Contexts
- Grammar slides: **Estructura** 9.1, 9.2, 9.3

Practice and Communicate
- *Cuaderno de actividades* with audio & Answer Key
- Digital Image Bank (Communications)
- Textbook Audio

Forums on **vhlcentral.com** allow you and your students to record and share audio messages. Use Forums for presentations, oral assessments, discussions, directions, etc.

9 Los medios de comunicación

Can Do Goals

By the end of this lesson I will be able to:

- Talk about the media and popular culture
- Talk about past actions still relevant in the present
- Participate in an interview to a celebrity
- Give opinions on current events

Also, I will learn about:

Culture
- The tradition of **mate** in Uruguay, Paraguay and Argentina
- Local drinks, festivals, and dances in Central and South America
- Popular culture in Argentina
- The **guaraní** language in Paraguay

Skills
- Reading: Identifying the characteristics of a fictional character
- Conversation: Talking about the mass media, specially television
- Writing: Writing a letter to a newspaper

Lesson 9 Integrated Performance Assessment

Context: A Spanish-language television station is conducting an opinion poll about whether viewers think that the media influence life or that life shapes what the media present. You decide to call in and voice your opinion.

Versión digital de *El País*, de España

Producto: *El País* de España es uno de los diarios en lengua española más leídos en el mundo.
¿Cuál es el diario más leído en tu país?

---

4 **Culture.** Give new perspectives. Ask students: **¿Cómo se relacionan la gastronomía, las celebraciones y la lengua con nuestra identidad?**

5 **Structure.** Use grammar as a tool. Focus on presenting words in context and on personalized activities. Ask: **¿Crees que los medios de comunicación han cumplido su papel adecuadamente? ¿Qué es lo que más te gusta de los medios digitales?**

6 **Synthesis.** Pull it all together. For each skill area, focus on the personalized activities that are provided, e.g. **Preparación,** p. 365; **Conexión personal,** pp. 379, 383.

Can Do Goals Review the list of communicative goals with your students. Point out that this lesson will provide them with the tools necessary to achieve these goals. You may also share the IPA task, found on page 388, so that students become familiar with the final communicative task they will be expected to complete.

Integrated Performance Assessment Before teaching this chapter, review the Integrated Performance Assessment (IPA) and its accompanying scoring rubric provided in the Assessment Program. Use the IPA to assess students' progress toward proficiency targets at the end of the chapter.

Producto Have students take a look at the digital edition of Spain's *El País.* Ask: **¿Cuál es la noticia del día en *El País* de España? ¿Cómo te parece este diario? ¿Por qué crees que es tan popular en el mundo hispano? ¿Se parece a los periódicos de tu comunidad?**

School & Global Communities

Teacher Resources

Assessment
- Optional Testing Sections: **Fotonovela, Flash cultura**
- Oral Testing Suggestions
- **Prueba** A-B-C-D, with audio
- Tests and Exams Answer Key
- Vocabulary Quizzes A-B / Grammar Quizzes 9.1 A-B, 9.2 A-B, 9.3 A-B

Scripts and Translations
Textbook Audio Script / Grammar Tutorials / **Fotonovela** / **Flash cultura** / **En pantalla** / Assessment Program

Additional Tools for Planning and Teaching
Essential Questions / I Can Worksheets / IPAs and Rubrics / Lesson Plans / Pacing Guides

Los medios de comunicación

La televisión, la radio y el cine

La **locutora** les anunció a los **oyentes** de la **radioemisora** que iba a presentar una canción de la **banda sonora** del nuevo éxito de Almodóvar.

la banda sonora *soundtrack*
la cadena *network*
el canal *channel*
el/la corresponsal *correspondent*
el/la crítico/a de cine *film critic*
el documental *documentary*
los efectos especiales *special effects*
el episodio (final) *(final) episode*
el/la locutor(a) de radio *radio announcer*
el/la oyente *listener*
la (radio)emisora *radio station*
el reportaje *news report*
el/la reportero/a *reporter*
los subtítulos *subtitles*
la telenovela *soap opera*
el/la televidente *television viewer*
la temporada *season*
el video musical *music video*
_____
grabar *to record*
rodar (o:ue) *to film*
transmitir *to broadcast*
_____
doblado/a *dubbed*
en directo/vivo *live*

La cultura popular

la celebridad *celebrity*
el chisme *gossip*
la estrella (pop) *(pop) star [m/f]*
la fama *fame*
la moda pasajera *fad*
la tendencia/la moda *trend*
_____
hacerse famoso/a *to become famous*
tener buena/mala fama
        to have a good/bad reputation
_____
actual *current*
de moda *popular; in fashion*
influyente *influential*
pasado/a de moda *unfashionable; outdated*

Los medios de comunicación

el acontecimiento *event*
la actualidad *current events*
el anuncio *advertisement; commercial*
la censura *censorship*
la libertad de prensa *freedom of the press*
los medios de comunicación *media*
la parcialidad *bias*
la publicidad *advertising*
el público *public; audience*
_____
enterarse (de) *to become informed (about)*
estar al tanto/al día *to be informed; to be up-to-date*
_____
actualizado/a *updated*
controvertido/a *controversial*
de último momento *up-to-the-minute*
destacado/a *prominent*
(im)parcial *(un)biased*

Interpersonal Writing and Listening Have students listen to a Spanish-language radio station on the Internet. Tell them to search for the website for **Radio Televisión Española**. On this site, they can read about and select the type of program they wish to preview. Have them listen to a half-hour program, taking notes on the content and using vocabulary from page 354. Then have them send an e-mail to a friend, describing the program and recommending whether or not to listen to it. Tell students: **Con los apuntes que has tomado durante el programa, escríbele un mensaje electrónico a un(a) amigo/a usando el vocabulario de la página 354, recomendándole que lo escuche o que no lo escuche.**

La prensa

María lee el **periódico** todas las mañanas. Prefiere leer primero los **titulares** de la **portada** y las **tiras cómicas**. Después lee las **noticias internacionales**.

el/la lector(a) *reader*

las noticias locales/nacionales/internacionales
local/domestic/international news

el periódico/el diario *newspaper*

el/la periodista *journalist*

la portada *front page; cover*

la prensa *press*

la prensa sensacionalista *tabloid(s)*

el/la redactor(a) *editor*

la revista (electrónica) *(online) magazine*

la sección de sociedad *lifestyle section*

la sección deportiva *sports page/section*

la tira cómica *comic strip*

el titular *headline*

imprimir *to print*

publicar *to publish*

suscribirse (a) *to subscribe (to)*

Los medios de comunicación

Práctica

1 **Escuchar** [Interpretive Communication]

A. La famosa periodista Laura Arcos está esperando la llegada de famosos al Teatro Nacional, donde se van a entregar unos premios. Escucha lo que dice Laura y después elige la opción correcta.

1. a. Es un programa de radio.
   (b.) Es un programa de televisión.

2. a. Se van a entregar premios al mejor teatro hispano.
   (b.) Se van a entregar premios al mejor cine hispano.

3. a. El programa se grabó la noche anterior.
   (b.) El programa se transmite en directo.

4. **(a.)** Augusto Ríos es un reportero de la sección de sociedad.
   b. Augusto Ríos es un famoso crítico de cine.

5. a. Augusto Ríos no sabe mucho de moda.
   (b.) Augusto Ríos está al tanto de la última moda.

B. Laura Arcos entrevista a la actriz Ángela Vera. Escucha su conversación y después contesta las preguntas.
Answers will vary. Possible answers.

1. ¿Es importante para la actriz Ángela Vera seguir las tendencias de la moda?
   No, para la actriz Ángela Vera no es importante seguir la moda.

2. ¿Ha tenido buenas críticas su última película?
   Sí, todos los críticos piensan que es una película excelente.

3. ¿Es el director de la película una celebridad?
   No, el director de la película no es famoso.

4. ¿A qué género pertenecía la primera película de Juan Izaguirre y de qué se trataba?
   Era un documental; se trataba de la prensa sensacionalista.

2 **Analogías** Completa cada analogía.

actual	destacado	imprimir
chisme	emisora	lector

1. radio : oyente :: revista : ___lector___
2. televisión : cadena :: radio : ___emisora___
3. parcialidad : parcial :: actualidad : ___actual___
4. periódico : noticia :: prensa sensacionalista : ___chisme___
5. cine : rodar :: prensa : ___imprimir___
6. influyente : importante :: prominente : ___destacado___

(A) Audio Script
Buenas tardes a todos los televidentes. Aquí estamos, como todos los años, en las puertas del Teatro Nacional donde se van a entregar los premios más importantes del cine hispano. Aquí, desde el Canal 4, les vamos a transmitir en directo la entrada de todas las estrellas al teatro. Como pueden ver, hay una gran cantidad de público esperando la llegada de sus actores y actrices favoritos. Para ayudarme a comentarles este acontecimiento, va a estar con nosotros el famoso periodista Augusto Ríos, quien todas las semanas, en la sección de sociedad, nos informa acerca de lo actual y lo influyente en el mundo de las celebridades. Él nos va a dar su opinión sobre el estilo de las estrellas y nos va a explicar cuáles son las tendencias de moda.
Teacher Resources online

(B) Audio Script
LAURA ARCOS Hola, buenas tardes. ¿Puedes hablar con nosotros un momento?
ÁNGELA VERA Sí, claro.
LAURA ARCOS Te veo muy elegante. ¿Has comprado el vestido especialmente para esta ceremonia?
ÁNGELA VERA Oh, no, no. Para mí no es importante seguir la moda. Sólo me pongo lo que me gusta.
LAURA ARCOS Pues estás muy guapa. Te quiero preguntar sobre tu último trabajo. Todos los críticos opinan que *Star* es una película excelente. ¿No te dio miedo trabajar en la película de un director que no era famoso?
Continued on p. 356

Teaching Tips
1 As students listen to the news report and interview, have them jot down notes and key words.

2 You may want to have students describe the relationship between each word set. Ex: **El/La oyente es la persona que escucha la radio; El/La lector(a) es la persona que lee la revista.**

(B) Audio Script, continued

ÁNGELA VERA No, no. Verás, yo ya conocía la primera película de Juan Izaguirre. Era un documental sobre la prensa sensacionalista. Trataba de la controvertida relación de los famosos y ese tipo de prensa. Y fui yo la que llamó a Juan para presentarle un guión que tenía en mi mesa escritorio hacía mucho tiempo.

LAURA ARCOS Entonces, ¿fuiste tú la que le presentó el proyecto?

ÁNGELA VERA No exactamente. Entre los dos cambiamos mucho el guión. Trabajamos en equipo. Los dos estamos muy contentos con el resultado. Perdón, ahora me tengo que ir.

LAURA ARCOS Muchas gracias por hablar con el Canal 4. Mucha suerte en la ceremonia.

ÁNGELA VERA Gracias a ustedes.

Teacher Resources online

Teaching Tips

3 For additional practice, have students work in pairs to create definitions for five more words. Then have them exchange papers with another pair and complete the activity.

4 As an optional writing assignment, have students write a short paragraph for the lifestyle section of the newspaper summarizing the celebrity interview.

Práctica

3 Definiciones Indica qué palabras corresponden a cada definición.

<u>a</u> 1. Dice si una película es buena o no.
<u>e</u> 2. Escucha la radio.
<u>d</u> 3. Habla en la radio.
<u>c</u> 4. Se suscribe a sus revistas y periódicos favoritos.
<u>b</u> 5. Aparece en videos musicales y en conciertos.
<u>f</u> 6. Revisa artículos y mejora la calidad de la revista.

a. crítico de cine
b. estrella pop
c. lector
d. locutor
e. oyente
f. redactor

4 El acontecimiento del año Completa el texto con las palabras correctas de la lista.

acontecimiento	destacado	mala fama	sensacionalista
anuncios	enterarme	periodista	tira cómica
cadena	estrella	público	transmitieron

No quise perderme el (1) ___acontecimiento___ del año y al final me lo perdí. La (2) ___estrella___ de cine asistió al estreno de su última película y una (3) ___periodista___ famosa la entrevistó. Fotógrafos de buena y (4) ___mala fama___ sacaban fotos para venderlas a las revistas de prensa (5) ___sensacionalista___. Algunos reporteros entrevistaban a un (6) ___destacado___ crítico de cine. El (7) ___público___ se entretenía viendo escenas de la película en una pantalla gigante. Varios canales de televisión (8) ___transmitieron___ el acontecimiento en directo. Al final, no sé qué pasó. Cambié de canal durante los (9) ___anuncios___ y me quedé dormido. Mañana voy a leer la sección de sociedad para (10) ___enterarme___ de todos los detalles.

5 Los medios de comunicación Di si estás de acuerdo o no con cada afirmación. Después, comparte tus opiniones con la clase.

	Sí	No
1. Hoy día es más fácil enterarse de lo que pasa en el mundo.	☐	☐
2. Gracias a los medios de comunicación, la gente tiene menos prejuicios que antes.	☐	☐
3. La libertad de prensa es un mito.	☐	☐
4. La publicidad quiere entretener al público.	☐	☐
5. El único objetivo de la prensa sensacionalista es informar.	☐	☐
6. Gracias a Internet, es fácil encontrar información imparcial.	☐	☐
7. La imagen tiene mucho poder en el mundo de la comunicación.	☐	☐
8. Hoy día los reporteros son vendedores de opiniones.	☐	☐
9. Tenemos demasiada información. Es imposible asimilarla.	☐	☐
10. El mundo ha mejorado gracias a los medios de comunicación.	☐	☐

DIFFERENTIATION

Interpretive Communication

Relating Cultural Practices to Perspectives

DIFFERENTIATION

Heritage Speakers Ask students to talk about the press in their families' countries of origin. If possible, ask them to bring in some samples (a newspaper, magazine, radio or television clip) to share with the class. Encourage other students to ask at least one question or make a comment about each presentation.

For Inclusion Ask students to turn to pages 354–355. On the board, write the words: **radio, cine, periódico, televisión,** and **revista.** For each media form, have students call out related words from **Contextos.** Examples: **radio: emisora, locutor, oyente, estrella pop.** After one pass through the list, challenge students to repeat the activity with their books closed.

Comunicación

6 **Preguntas** En parejas, háganse las preguntas y comparen sus intereses y opiniones.

1. Si pudieras, ¿trabajarías en una telenovela?

2. Si fueras corresponsal político/a, ¿crees que serías imparcial?

3. ¿Crees que la censura de la prensa es necesaria en algunas ocasiones? ¿Por qué?

4. ¿Qué periodista piensas que es el/la más controvertido/a? ¿Por qué?

5. ¿Te interesa leer noticias de actualidad? ¿Por qué?

6. ¿Qué secciones del periódico te interesan más? ¿Cuáles son tus programas favoritos de radio y televisión?

7. ¿Cuáles son las características de un buen locutor? ¿Es mejor si entretiene al público o si habla lo mínimo posible?

8. ¿Te interesan más las noticias locales, nacionales o internacionales? ¿Por qué?

9. Cuando ves una película, ¿qué te importa más: la trama (*plot*), la actuación, los efectos especiales o la banda sonora?

10. Si pudieras suscribirte gratis a cinco revistas, ¿cuáles escogerías? ¿Por qué?

7 **Escritores**

Presentational Communication

Making Connections

A. En parejas, escriban por lo menos tres oraciones que podrían aparecer en cada uno de estos medios.

- la portada de un periódico

- el episodio final de una comedia

- un documental

- un controvertido *talk show* de radio

- un artículo de una revista sensacionalista

- una tira cómica

B. Ahora, lean sus oraciones a otra pareja y traten de adivinar el medio en el que aparece cada oración.

8 **Nueva revista** En grupos de tres, imaginen que trabajan en una agencia de publicidad y los han contratado para anunciar una revista que va a salir al mercado. Hagan el anuncio y después compártanlo con la clase. Usen las preguntas como guía.

Presentational Communication

Lifelong Learning

- ¿Cuál es el nombre?

- ¿Qué tiene de especial?

- ¿Qué secciones va a tener?

- ¿A qué tipo de lectores se dirige?

- ¿Cómo son los periodistas y reporteros que van a trabajar en ella?

- ¿Cada cuánto tiempo sale un nuevo número?

- ¿Cuánto cuesta?

PUEDO hablar sobre las características de una revista nueva.

Interpersonal Writing Give students the opportunity to peruse a variety of Spanish-language magazines. Then ask them to write their reactions to the magazines. Have them write for ten minutes, describing the magazines, as well as some of their favorite magazines in English. They can include the answers to some of the questions in **Actividad 8**. Instruct the class to include a recommendation for a magazine they like. Say: **Recomienda una revista que te gusta. Describe el tipo de artículos que contiene y explica por qué te parece buena.**

Teaching Tips

6 For item 3, divide the class into two groups and organize a debate about censorship and freedom of the press.

Pre-AP*

AP Skill Category **5**

6 **Virtual Chat** Available online.

7 Part A: For expansion, add these items to the list: **un anuncio de servicio público, un noticiero de 24 horas, el primer episodio de una telenovela, la sección de sociedad de un periódico.**

8 Have students also describe the primary market for their magazine. Ask: **¿Quién leería esta revista? ¿Qué tipo de anuncios encontrarías en la revista?**

Pre-AP*

AP Skill Category **7**

Expansion For an optional writing activity, ask students to write an original news item (weather report, movie review, sports article). Have the class vote on the most original, funniest, most realistic, etc.

NATIONAL STANDARDS

Communities Have students compile lists of locally available Spanish-language media outlets. These can include broadcast, cable, or satellite television channels, radio stations, newspapers, magazines, or even websites of local interest. Each listing should include a short description of the outlet. Consolidate the lists into a media guide pamphlet that could be distributed to the community. School & Global Communities

Section Goals

In **Fotonovela**, students will:
- practice listening to authentic dialogue
- learn functional phrases used to refer to general ideas or concepts

Pre-AP*

AP Skill Categories
① ② ③ ④

Student Resources
Cuaderno de actividades,
pp. 188–189
Online Video and Activities

Teacher Resources
Workbook TE; Video Script
& Translation

Video Synopsis

Chente's mariachi band is about to compete in a music contest, but the singer does not show up. **Chente**, **Patricia**, and **Manu** convince **Marcela** to step in. In the meantime, **Ricardo** is waiting for **Marcela** so they can demonstrate their drone for the investors.

Pre-AP*

Interpretive Reading

Assign each of the six video stills to a student. Then, without reading the script, the first student should predict what might be happening in the first video still. The next student continues based on the previous student's answers, until all video stills have been described.

Teaching Tip Before showing the **Fotonovela**, write four or five of the **Expresiones útiles** on the board. Say each word or phrase and have volunteers repeat it. Then have students work in pairs to look at the pictures and scan the script for these expressions.

9 FOTONOVELA

Objetivo comunicativo: Hablar sobre música popular y programas de telerrealidad

Hasta ahora, en el video…

Ricardo se reúne con dos ejecutivos en un restaurante para pedirles que inviertan dinero en su dron y organizar una demostración. Mientras tanto, Rocío busca trabajo en una tienda de ropa y se entrevista con una gerente muy especial. En este episodio verás cómo sigue la historia.

Hoy Chente tiene competencia de mariachi.

MANU Ya me imagino el titular en el periódico y en la tele: "¡Mariachi Chente, ganador del Canta Oaxaca!"

MARCELA ¡Van a hacerse famosos!

CHENTE ¡Chicas! ¡Tenemos un problema!

PATRICIA ¿Qué pasa?

CHENTE ¡Nos hemos quedado sin cantante!

PATRICIA Tú cantas, ¿no?

MARCELA ¿Están locos? ¡Nunca he cantado en público!

CHENTE ¿No te das cuenta de lo importante que es esto para nosotros?

PATRICIA El dron lo pueden volar otro día.

MARCELA Dudo que funcione. Pero si ustedes insisten, lo haré.

Marcela, Manu y Patricia entran corriendo al teatro. Un ujier los detiene.

UJIER ¡¿Cómo es posible que los hayan dejado pasar sin identificación?!

MARCELA Necesitamos que nos presten un traje de mariachi.

UJIER Tienen que ir a vestuario. Es por allá.

PATRICIA ¡No puedo creer lo bien que te queda!

MARCELA ¡Espero que hayan tomado la decisión correcta!

CHENTE ¿Cuál de estas canciones prefieres?

MARCELA ¡La que quieras!

PATRICIA ¡Pues pónganse de acuerdo, que les toca después de los punks!

358 *trescientos cincuenta y ocho*

Lección 9

¿DÓNDE ESTÁ EL CANTANTE?

Personajes

MANU   MARCELA   CHENTE   PATRICIA   RICARDO   UJIER   AMIGO DE CHENTE

Ricardo espera a Marcela en su casa, pensando lo que les va a decir a los inversionistas.

RICARDO Señores inversionistas: les presento a Marcela Solís, quien, además de tener fama como piloto de drones, es una destacada estudiante de historia y es mi socia.

Mientras Ricardo espera en su casa, Marcela canta con los mariachis.

MARCELA "Ay, ay, ay, ay, canta y no llores..." "De la sierra morena, cielito lindo, vienen bajando…"

Comienza a llover.

RICARDO Al menos la presentación se cancelará por lluvia. ¡Qué suerte!

Expresiones útiles

Talking about past actions still relevant now

¡Cómo es posible que los hayan dejado pasar sin identificación!
How is it possible that they let you in without identification!

¡No puedo creer que se haya olvidado de la presentación!
I cannot believe that she has forgotten about the presentation!

Connecting clauses

¡Fernando no puede venir! Nos hemos quedado sin cantante.
Fernando cannot come! We have been left without a singer!

Los ganadores grabarán un video musical que será transmitido en todo México.
The winners will record a music video that will be broadcast all over Mexico.

Les presento a Marcela Solís, quien es una destacada estudiante de Historia...
I introduce Marcela Solís, who is an outstanding History student…

Referring to general ideas or concepts

¿No te das cuenta de lo importante que es esto para nosotros?
Don't you realize how important this is for us?

Quiero que le digas al Chente que le deseo lo mejor.
I want you to tell Chente that I wish him the best.

Additional vocabulary

el canto *singing*
la competencia *competition*
el/la concursante *contestant*
ensayar *to rehearse*
lucir *to shine, to show to advantage*
el traje de mariachi *Mariachi suit*
el ujier *doorman*
el vestuario *dressing room*

Los medios de comunicación

Teaching Tips

1 Have pairs of students check each other's answers.

Interpretive Communication

1 **Es falso** Cada una de estas oraciones es falsa. Con la información disponible, escribe una que sea cierta según la Fotonovela. Some answers will vary. Sample answers.

> **MODELO** El mariachi de Chente es el único en el teatro.
> **ESTUDIANTE** Es falso. Hay otros mariachis y solistas en el teatro.

1. Fernando llega después de escribirle a Chente un mensaje de texto.
   Es falso. Fernando no puede ir.

2. El programa de la competencia es grabado antes de transmitirlo.
   Es falso. El programa de la competencia es en vivo.

3. Marcela tiene mucha experiencia cantando en público.
   Es falso. Marcela nunca ha cantado en público.

4. Marcela quiere cantar en la competencia para convertirse en una celebridad.
   Es falso. Marcela no quiere ser una celebridad.

---

2 Have each student think up one more question and have their partner answer it. Then, ask volunteers to share some of their questions and answers with the class.

Interpretive Communication

2 **Preguntas** Contesta las preguntas con oraciones completas. Some answers will vary.

1. ¿Quién es Fernando?
   Fernando es el cantante del mariachi.
2. ¿Por qué Marcela no quiere cantar?
   Porque tiene que hacer la demostración del dron y nunca ha cantado en público.
3. ¿Cómo convencen a Marcela para que cante?
   Chente le dice que es muy importante para ellos, y Patricia le dice que la demostración puede esperar.
4. ¿Para qué está Ricardo ensayando?
   Para presentar el dron a los inversionistas.
5. ¿Por qué Marcela no contesta la llamada de Ricardo?
   Porque su celular está en la Kombi.

---

3 Have students underline the relative pronoun in each sentence as a way to preview relative pronouns (**Estructura 9.2**). Available online

3 For expansion, have students write three additional descriptions of other characters from previous episodes. Then ask them to exchange papers with a partner and match each one with a character. Encourage them to use relative pronouns.

3 **Partner Chat** Available online.

Interpretive Communication

3 **¿A quién se refiere?** Indica a qué personaje de la Fotonovela se refiere cada una de las oraciones.

CHENTE   **MARCELA**   **PATRICIA**   **RICARDO**

1. Es la persona de la banda de mariachi que le pide a Marcela que cante. Chente

2. Es la persona a quien espera Ricardo. Marcela

3. Es la persona cuyo novio tiene una banda de mariachi. Patricia

4. Es la persona con la que Marcela tenía que hacer una presentación. Ricardo

---

4 You may want to preview the neuter article, **lo** (**Estructura 9.3**).

Interpersonal Communication

4 **Lo más...** Túrnense para preguntarse qué opinión tienen sobre estos aspectos del episodio.

> **MODELO** lo más emocionante
> **ESTUDIANTE 1** ¿Qué fue lo más emocionante del episodio?
> **ESTUDIANTE 2** Lo más emocionante fue cuando Marcela comenzó a cantar.

- lo más sorprendente
- lo más triste
- lo más divertido
- lo más injusto

TEACHING OPTIONS

Expansion Have students write sentences about celebrities. The class then guesses which celebrity each student is describing. For example: **Es el director de cine mexicano que ha ganado más premios Óscar.** Encourage the use of relative pronouns.

LEARNING STYLES

For Auditory Learners For **Actividad 4**, ask volunteers to share their comments about the episode. Then repeat their comments and ask the class to raise their hands if they agree or disagree with each comment. Ask volunteers to explain why they agree or disagree.

Ampliación

5 **Gustos musicales** Selecciona las casillas adecuadas según si estás de acuerdo o en desacuerdo con cada enunciado. Después, en grupos pequeños, reúnanse y comparen sus respuestas. ¿En qué coinciden? *Answers will vary.*

De acuerdo En desacuerdo

☐ ☐ 1. La música de los punks es mejor que la de los mariachis.

☐ ☐ 2. La actuación de Marcela estuvo fenomenal.

☐ ☐ 3. La música tradicional es mejor que la música moderna.

☐ ☐ 4. Prefiero escuchar reguetón que música clásica.

Interpersonal Communication

Making Connections

6 **El dilema** Marcela al final decide ayudar a Chente. ¿Crees que Marcela hizo lo correcto? ¿Qué harías tú si estuvieras en la misma situación? Escribe un párrafo al respecto. *Answers will vary.*

Presentational Communication

7 **Apuntes culturales** En parejas, lean los párrafos y contesten las preguntas.

Making Connections

Acquiring Information & Diverse Perspectives

Relating Cultural Practices to Perspectives

Teatro Macedonio Alcalá

Macedonio Alcalá

El mariachi de Chente va a competir en el Teatro Macedonio Alcalá, llamado así en honor al músico oaxaqueño Macedonio Alcalá Prieto (1831-1869), quien compuso un exitoso vals titulado "Dios nunca muere", considerado de manera no oficial como el himno de Oaxaca.

Los mariachis

Chente toca en una banda musical de mariachis. El mariachi es un género tradicional de México, reconocido mundialmente. La variedad tradicional nace en el siglo XVI, conserva el atuendo (*attire*) campesino (*rural*) y usa instrumentos de cuerda (*string*). La variedad moderna le añade la trompeta y surge en la década de 1930. Algunos de los intérpretes más famosos son Jorge Negrete, Antonio Aguilar y Pedro Infante.

La Voz... México

Chente y su mariachi participan en la competencia *Canta Oaxaca*. También podrían presentarse a *La Voz... México*, un concurso televisivo de talentos basado en *The Voice*, originado en Holanda. México fue el primer país hispano en adaptar este formato de programa.

1. ¿Qué consideras más importante: dedicarte a lo que de verdad te gusta, aunque no ganes mucho dinero, o elegir una profesión bien remunerada (*paid*), aunque no sea tu pasión? Explica tu respuesta.

2. ¿Te gusta la música de los mariachis? ¿Has escuchado alguna vez a una banda mariachi en vivo? ¿Qué te pareció?

3. ¿Cuál es tu tipo de música preferida? ¿Y la que menos te gusta? ¿Por qué no te gusta?

PUEDO hablar sobre mis preferencias musicales y opinar sobre los programas de telerrealidad.

Teaching Tips

5 Have each group of students create two more statements about music for the class to agree or disagree with.

5 Hold a class debate on whether there are music genres that have more quality than others.

6 Have students use the structures they learned in lesson 8: the conditional, the past subjunctive, and **si** clauses. For example: **Si yo estuviera en la misma situación, le diría a Chente que...**

6 Have students share their opinions with the class.

7 Follow up with comprehension questions. For example: **¿De dónde procede el nombre del Teatro Macedonio Alcalá? ¿Qué género musical llevó al éxito a Macedonio Alcalá? ¿Cuándo surgió el mariachi tradicional? ¿En qué se diferencian el mariachi tradicional del moderno? ¿Dónde se originó el programa *La Voz*?**

7 Ask heritage speakers if they know any other traditional music genres from their parents' countries. Ask them to bring in some music to share with the class.

DIFFERENTIATION

Heritage Speakers For **Actividad 7**, have students talk about traditional songs their family, their friends or themselves know, similar to **"Cielito lindo"**. Also, you may want to bring **"Cielito lindo"** lyrics, and have students complete a fill-in-the-blank assignment.

DIFFERENTIATION

To Challenge Students As an expansion for **Actividad 7**, encourage students to create a class singing contest. Students should select a song they like in Spanish and present it to the class. Others students will play the role of juries.

Section Goals

In **El mundo hispano**, students will:

- learn about **mate** and other drinks found in the Spanish-speaking world, and **el Carnaval de Montevideo**
- watch a video about coffee culture, tango dancing, and ranch life in Argentina

Student Resources
Online Video and Activities

Teacher Resources
Video Script & Translation

21st Century Skills

Global Awareness
Students will gain perspectives on the Spanish-speaking world.

Teaching Tips

- Preview the reading by asking students about the role of food and drinks in bringing people and cultures together. Examples: **¿De qué manera las comidas y las bebidas unen a la gente? ¿Hay comidas o bebidas que tengan este efecto de unión más que otras? Da ejemplos.**
- Ask students whether they have tried **mate** before. If possible, bring in **mate** (available in many grocery stores) and prepare it for students to taste. Simply brew it like tea and serve it in separate cups. Tell students that, in Argentina, **mate** brewed as tea is called **mate cocida.** Ask students to describe the taste using vivid adjectives and comparisons.
- **For Inclusion** Read each paragraph aloud and ask the class to summarize it before moving on to the next one. Record the summaries on the board, and encourage students to record them in their notes.

En detalle

EL MATE

URUGUAY Y PARAGUAY

Si visitas Montevideo, vas a presenciar° una escena cotidiana° muy llamativa°: gente bebiendo de un extraño recipiente° con un tubito de metal. Dentro del curioso recipiente (el mate), generalmente hecho de calabaza° seca, está la famosa **yerba mate.** Aunque Argentina es el principal productor de yerba mate del mundo, Uruguay es el mayor consumidor per cápita. Millones de personas consumen esta infusión, que se ha convertido en el distintivo° cultural de Uruguay, Paraguay y Argentina. También se consume en el sur de Brasil y en Chile.

Una leyenda cuenta que el dios Tupá bajó del cielo y les enseñó a los guaraníes° cómo preparar y tomar la yerba mate. En tiempos de la Conquista, los jesuitas cultivaban yerba mate, pero preparaban la bebida como té. Creían que la forma tradicional (usando una calabaza y un tubito, la bombilla) era obra del demonio. Sin embargo, los intentos de prohibición no tuvieron éxito y la bebida se expandió rápidamente entre los gauchos° y los esclavos° africanos.

Tal vez el mate se haya convertido en un ritual debido a su efecto energético. La yerba contiene **mateína**, una sustancia similar a la cafeína, pero que no tiene los mismos efectos negativos sobre los patrones° de sueño. Además de ser antioxidante, aporta vitaminas y minerales importantes, como potasio, fósforo y magnesio.

Sin embargo, el mate se toma más por tradición que por sus propiedades. La bebida se ha arraigado° tanto en la rutina diaria de Uruguay y Paraguay que ya forma parte de la identidad popular. Según el renombrado antropólogo Daniel Vidart, el mate "empareja° las clases sociales", y en su preparación y consumo "hay una concepción del mundo y de la vida". ∎

El mate en Norteamérica
Poco a poco, el mate está adquiriendo popularidad en Norteamérica. Generalmente no lo toman de la manera tradicional, sino que lo preparan como té. Sin embargo, se puede comprar yerba mate en muchos supermercados, así como botellas de yerba mate para tomarla como té helado. ¡En algunos cafés también puedes pedir un *mate latte*!

Cómo preparar o "cebar" mate

- Calentar agua (¡No tan caliente como para el té!)
- Llenar ¾ del mate con yerba
- Verter° agua caliente
- Colocar la bombilla
- ¡Comenzar la mateada!

La "mateada"

- Todos toman del mismo mate.
- La persona que ceba el mate —el cebador— va pasando el mate lleno a cada persona y toma mate al último.

presenciar witness **cotidiana** *everyday* **llamativa** *striking* **recipiente** *container* **calabaza** *gourd* **distintivo** *symbol* **guaraníes** *Guaraní (indigenous group)* **gauchos** *inhabitants of the flatlands of Uruguay and Argentina* **esclavos** *slaves* **patrones** *patterns* **arraigado** *rooted deeply* **empareja** *evens up* **Verter** *To pour*

362 *trescientos sesenta y dos*   **Lección 9**

Presentational Speaking After reading the article about **mate**, discuss several aspects of culture (**carnaval**, dances, etc.) and how they represent a people. Divide the class into pairs. Have each pair choose a different Spanish-speaking country, and research one cultural topic from that country. Tell students to use at least three sources, one of which should be a podcast. After taking notes, each pair should present its findings to the class in a short presentation. Remind students to keep a list of the sources they consulted.

ASÍ LO DECIMOS

El mate y otras bebidas

| jugo (Amér. L.) | juice |
| zumo (Esp.) | |

| refresco (Esp. y Méx.) | soda |
| fresco (Hon.) | |

infusión	*herbal tea*
mate (Bol.)	*any kind of tea*
tereré (Par. y Arg.)	*cold* **mate**
ser un(a) matero/a	*(of a person) to drink a lot of* **mate**
ser un mate amargo (Arg. y Uru.)	*to have no sense of humor / to be moody*

EL MUNDO HISPANOHABLANTE

Bebidas y bailes

Otras bebidas típicas

Introducida en 1910, **Inca Kola** es la gaseosa° más popular del Perú. Es de color amarillo brillante y se hace con **hierba luisa**. Eslóganes  como "El sabor del Perú" la convirtieron en un símbolo nacional capaz de imponerse ante la Coca-Cola.

La **horchata** es una bebida típica salvadoreña y de otros países de Centroamérica, elaborada a base de arroz y agua. Se puede saborear con azúcar, canela°, vainilla o lima.

Otros bailes típicos

Hoy la **cumbia** se escucha por toda Latinoamérica. Su origen proviene de ritmos bailados por esclavos africanos llevados a Colombia. Este ritmo contagioso se baila en discotecas, bailes y fiestas.

Comúnmente, se asocia la **salsa** con el Caribe y Centroamérica, pero este género nació en barrios hispanos neoyorquinos como resultado de una mezcla de influencias puertorriqueñas, cubanas, africanas, españolas y estadounidenses.

gaseosa *soda* **canela** *cinnamon*

PERFIL

LAS MURGAS Y EL CANDOMBE

La fusión de tradiciones españolas, africanas y americanas se convierte en protagonista del Carnaval de Montevideo por medio de las **murgas**. La murga uruguaya, un género músico-teatral de finales del siglo XIX, es el principal atractivo del carnaval. Sus representaciones, en las que participan normalmente unas quince personas, suelen centrarse en dos temas: el propio carnaval y la crítica social. Hoy, es una de las expresiones con mayor poder de identidad uruguaya, pues combina un fuerte mensaje político con la influencia de las músicas populares más antiguas, como el **candombe**. Éste es un estilo musical, nacido en Uruguay, que proviene de los ritmos africanos traídos por los esclavos en la época colonial. Los grupos que tocan candombe se llaman **comparsas** y, durante el carnaval, toman las calles de Montevideo en el conocido **desfile de llamadas**, una celebración de la herencia mestiza y mulata de Uruguay. El Carnaval de Montevideo se inicia en enero y termina a principios de marzo.

❝Un pueblo sin tradición es un pueblo sin porvenir.❞
(Alberto Lleras Camargo, político colombiano)

Entre culturas

¿Cómo se festeja el carnaval en otros países hispanos?

Investiga sobre este tema en **vhlcentral.com**.

Teaching Tips
- **Así lo decimos** Ask discussion questions to activate the vocabulary. Examples: **Si vivieras en Argentina, ¿serías matero/a? ¿Cuál es tu refresco preferido?**
- **Perfil** Have students give examples of various musical genres that incorporate sounds from other cultures (jazz, ska, blues).
- **El mundo hispanohablante** Point out that **horchata** (**orxata**) also exists in Valencia (Spain), where it is made from tiger nuts (**chufas**), water, and sugar.
- Have a volunteer read aloud the quote from Alberto Lleras Camargo. Explain that **porvenir** means *future*. Then ask: **¿Es posible que los pueblos pierdan sus tradiciones? ¿Quién es el responsable de mantener la cultura de un pueblo?**

NATIONAL STANDARDS
Communities Ask students to reflect upon the traditions of their own culture. What are the drinks or foods that symbolize in some way the culture? What are the values that lie behind the symbols? (e.g., apple pie = family, tradition, rural past). Can students identify dances or musical genres that symbolize the U.S.?

Cultural Comparisons

School & Global Communities

CRITICAL THINKING Language Comparisons

Analysis Ask pairs to list all the cognates from pages 362–363. Then discuss which cognates are true cognates and which are false. Finally, have students copy the cognates into their notes and put an asterisk next to the ones they think are most useful. Encourage students to explain their reasoning for each asterisk.

CRITICAL THINKING

Application and Evaluation Ask small groups of students to discuss and then choose national drinks and dances for the U.S. Each group should write a paragraph describing these cultural aspects and explain their reasons for choosing them as the national drink and dance. After the groups share their choices, have the class vote on the drink and dance they think is most typical of the U.S.

Teaching Tips

❶ As a variant, read the statements aloud. Have students raise one hand if the statement is true and both hands if it is false. Call on volunteers to correct the false statements.

Formative Assessment Use Activity 1 as a formative check for reading comprehension; offer feedback and clarify corrections to false statements as needed, reviewing the reading where necessary to show evidence.

❷ In pairs, have students create additional cloze sentences. Then ask them to exchange their papers with another pair and correct each other's sentences.

❸ If you have brought in **mate** for the students to try, modify item 3 to read: **¿Qué te pareció el mate? ¿Por qué? ¿Has probado algo así antes? ¿Lo volverías a tomar? ¿Por qué?**

❹ Encourage students to expand the activity to include music, pastimes, and other important cultural expressions.

❹ For follow-up, have volunteers write their lists on the board. Encourage students to explain why each of the traditions is important.

Proyecto
• Brainstorm a list of adjectives that might be used to describe music, Ex: **el ritmo lento/rápido, la melodía triste/alegre.** Encourage students to bring in a sample of the music they have chosen to present.
• Encourage students to use Internet search engines with the Spanish-language option selected so that they can search on Spanish-language websites.

¿Qué aprendiste?

1 **Comprensión** Indica si estas afirmaciones sobre el mate son **ciertas** o **falsas**. Corrige las falsas.

Interpretive Communication

1. Es muy frecuente ver gente bebiendo mate en Uruguay. Cierto.

2. El recipiente para el mate suele ser de metal. Falso. Suele ser una calabaza seca.

3. La bombilla es el tubo que se utiliza para beber el mate. Cierto.

4. El mate se bebe principalmente en Argentina, Uruguay y Paraguay. Cierto.

5. Los primeros en consumir la yerba mate como infusión fueron los indígenas guaraníes. Cierto.

6. La bebida se hizo popular muy rápidamente entre la población no indígena. Cierto.

7. Los jesuitas intentaron prohibir todo tipo de infusiones hechas con yerba mate. Falso. Intentaron prohibir la forma tradicional.

8. La mateína altera los patrones del sueño más que la cafeína. Falso. La mateina no altera los patrones del sueño como la cafeína.

9. Cuando un grupo de personas toma mate, cada persona toma de un recipiente distinto. Falso. Todos toman del mismo recipiente.

10. El mate tiene minerales, pero no vitaminas. Falso. El mate tiene minerales y vitaminas.

11. La persona que sirve el mate se llama "cebador". Cierto.

2 **Oraciones incompletas** Completa las oraciones.

Interpretive Communication

1. La murga uruguaya es _____.
   a. un grupo de teatro clásico   b. un ritmo africano   c. un género músico-teatral

2. Uno de los ritmos del tango es el _____.
   a. candombe   b. carnaval   c. jazz

3. La horchata se prepara con _____.
   a. trigo   b. café   c. arroz

4. En España, le dicen *zumo* al _____.
   a. té frío   b. tereré   c. jugo

3 **Preguntas** Contesta las preguntas.

Interpretive Communication

Relating Cultural Practices to Perspectives

1. ¿Hay radioemisoras o discotecas en tu comunidad donde pongan salsa? ¿Qué bailes son populares en tu ciudad?

2. En tu opinión, ¿cuál es el mensaje del eslogan "El sabor del Perú", usado para promocionar Inca Kola?

3. ¿Alguna vez tomaste mate? ¿Lo harías? ¿Lo volverías a tomar?

4 **Opiniones** El candombe y la murga forman parte de la identidad cultural de Uruguay. En parejas, hagan una lista de cinco tradiciones norteamericanas que sean parte imprescindible de su cultura popular. Después, compartan su lista con la clase.

Interpersonal Communication

Cultural Comparisons

PROYECTO

Raíces africanas

Presentational Communication

Acquiring Information & Diverse Perspectives

El candombe uruguayo tiene sus raíces en los ritmos que tocaban los esclavos africanos. Muchos otros ritmos populares de Latinoamérica también provienen de África o tienen una fuerte influencia africana. La lista incluye la cumbia, el merengue, la salsa, el mambo y hasta el tango. Elige e investiga uno de estos ritmos y prepara un afiche informativo para presentar en clase.

Tu investigación debe incluir:
• el nombre del ritmo, su origen e historia
• dónde es popular y cuáles son sus características
• qué importancia/papel tiene el ritmo que elegiste en la cultura popular local
• otros datos importantes

PUEDO hablar sobre expresiones culturales tradicionales en mi cultura y en otras.

CRITICAL THINKING

Synthesis and Application As part of the **Proyecto**, ask students to create an activity or write discussion questions to include the class in experiencing the music. Possible activities include a **letras desaparecidas** activity or a short-answer quiz. Encourage students to be creative and to make sure that the activity engages the whole class.

CRITICAL THINKING

Lifelong Learning

Evaluation As a final step in the **Proyecto**, ask students to include an evaluation section with their **afiche**. As a class, draw up a rubric by which students may judge the music. Students should give their opinion of the music, but also have strong reasons to support their opinion.

Lo mejor de Argentina

Ya conoces el mate, una verdadera pasión en Argentina. Este episodio de **Flash cultura** te llevará a descubrir otros aspectos que también son esenciales en este país para relacionarse, comunicarse y disfrutar.

VOCABULARIO ÚTIL

a las apuradas *in a hurry*	**intercambiar** *to exchange*
ajetreado/a *busy*	**la parrilla** *grill*
chupar *to suck*	**reconocido/a** *renowned*
la caña *straw*	**la tertulia** *gathering*

1 **Preparación** Responde estas preguntas: ¿Te gusta bailar? ¿Alguna vez tomaste clases para aprender algún ritmo latinoamericano? ¿Te gustaría bailar tango?

2 **Comprensión** Indica si estas afirmaciones son **ciertas** o **falsas**. Después, en parejas, corrijan las falsas.

> Interpretive Communication

1. El Café Tortoni se encuentra en el centro de Buenos Aires. Cierto.

2. Las tertulias del Tortoni se hacían por las mañanas para conversar e intercambiar ideas. **Falso.** Las tertulias se hacían por la noche.

3. Carlos Gardel fue un reconocido escritor argentino. **Falso.** Carlos Gardel fue un famoso cantante de tango.

4. El instrumento más importante del tango es el bandoneón. Cierto.

5. Actualmente, sólo los ancianos bailan en las milongas. **Falso.** Mucha gente de diferentes edades baila en las milongas.

6. El mate es una bebida para compartir. Cierto.

3 **Expansión** En parejas, contesten estas preguntas.

> Interpersonal Communication

• Si fueran al Tortoni, ¿pedirían un café, un submarino o un agua tónica, como hacía Borges?

• ¿Se animarían a aprender a bailar tango en la Plaza Dorrego delante de todos? ¿Les gustaría probar el mate?

• Si viajaran a la Argentina y tuvieran poco tiempo, ¿cuál de estas actividades preferirían hacer: visitar los cafés porteños, comprar antigüedades en San Telmo, ir a una milonga o comer un asado en una estancia? ¿Por qué?

PUEDO Identificar expresiones populares de la cultura argentina.

> Relating Cultural Practices to Perspectives

Corresponsal: Silvina Márquez
País: Argentina

La capital argentina tiene una de las culturas de café más famosas del mundo.

En la Plaza Dorrego… todos los domingos hay un mercado al aire libre° donde venden antigüedades… también se puede disfrutar… del tango.

En una estancia°… podemos… disfrutar un asado°… y… andar a caballo°.

mercado al aire libre *open-air market*
estancia *ranch* asado *barbecue*
andar a caballo *ride horses*

> Cultural Comparisons

Section Goals

In **Estructura**, students will:
- learn how to use the present perfect subjunctive
- learn how to use the relative pronouns **que** and **cual** with definite articles, the relative pronouns **quien** and **quienes**, and the relative adjective **cuyo**
- learn how to use the neuter article **lo** with adjectives and relative pronouns

Student Resources

Cuaderno de actividades, pp. 190–193
Online Activities, *eCuaderno*

Teacher Resources

Workbook TEs; Grammar Slides; Digital Image Bank; Audio Activities online; Audio Script; Assessment Program Quizzes

Teaching Tips

- Point out that all perfect tenses are formed with the verb **haber** and a past participle.
- Review uses of the subjunctive and verbs that convey will, emotion, doubt, or uncertainty. Ex: **querer, alegrarse, dudar.**
- Review irregular past participles. Ex: **dicho, escrito, hecho, muerto, puesto, roto, visto,** and **vuelto.**
- Point out that, in a multiple-clause sentence, the present perfect subjunctive is used primarily when the action of the main clause is in the present tense, but the action in the subordinate clause is in the past.

Extra Practice Go to **vhlcentral.com** for extra practice with the present perfect subjunctive.

9.1 The present perfect subjunctive

Me sorprende que no haya llegado.

¡Espero que hayan tomado la decisión correcta!

- The present perfect subjunctive (**el pretérito perfecto de subjuntivo**) is formed with the present subjunctive of **haber** and a past participle.

The present perfect subjunctive		
cerrar	**perder**	**asistir**
haya cerrado	haya perdido	haya asistido
hayas cerrado	hayas perdido	hayas asistido
haya cerrado	haya perdido	haya asistido
hayamos cerrado	hayamos perdido	hayamos asistido
hayáis cerrado	hayáis perdido	hayáis asistido
hayan cerrado	hayan perdido	hayan asistido

- The present perfect subjunctive is used to refer to recently completed actions or past actions that still bear relevance in the present. It is used mainly in the subordinate clause of a sentence whose main clause expresses will, emotion, doubt, or uncertainty.

PRESENT PERFECT INDICATIVE	PRESENT PERFECT SUBJUNCTIVE
Luis me dijo que **ha dejado** de ver ese programa.	Me alegro de que Luis **haya dejado** de ver ese programa.
Luis told me that he has stopped watching that show.	*I'm glad that Luis has stopped watching that show.*

- Note the difference in meaning between the three subjunctive tenses you have learned so far.

PRESENT SUBJUNCTIVE	PRESENT PERFECT SUBJUNCTIVE	PAST SUBJUNCTIVE
Las cadenas nacionales **buscan** corresponsales que **hablen** varios idiomas.	**Prefieren** contratar a los que **hayan trabajado** en el extranjero.	Antes, **insistían** en que los solicitantes **tuvieran** cinco años de experiencia.
The national networks are looking for correspondents who speak several languages.	*They prefer to hire those who have worked abroad.*	*In the past, they insisted that applicants have five years' experience.*

Speaking and Writing To practice the present perfect subjunctive, have students work in pairs. Tell each student to write five sentences in the present perfect indicative, following this model: **Creo que mi madre no ha desayunado hoy.** Then ask them to share their sentences with one another, contradicting each other. Tell students: **Vas a decirle a tu compañero/a: "No creo que tu madre no haya desayunado hoy."**

Práctica y comunicación

1 **¿Indicativo o subjuntivo?** Elige entre el pretérito perfecto del indicativo y el pretérito perfecto del subjuntivo para completar las oraciones.

1. Necesito contratar un corresponsal que (ha / haya) estado en el Paraguay. _haya_
2. Quiero conocer al actor que (ha / haya) trabajado en *Los juegos del hambre*. _ha_
3. Hasta que no (has / hayas) conocido a las personas que leen la prensa sensacionalista, no sabrás por qué la leen. _hayas_
4. Estoy seguro de que todos los actores (han / hayan) estudiado el guión. _han_
5. Cuando ustedes (han / hayan) leído esta noticia, estarán de acuerdo conmigo. _hayan_

2 **Opuestas** Escribe la oración que expresa lo opuesto en cada ocasión. En algunos casos debes usar el pretérito perfecto del subjuntivo y en otros el pretérito perfecto indicativo.

> **MODELO** No creo que ese actor haya aprendido a actuar bien.
> Creo que ese actor ha aprendido a actuar bien.

1. El corresponsal cree que los periodistas han hablado con el crítico.
   El corresponsal no cree que los periodistas hayan hablado con el crítico.
2. No creo que el director les haya dado pocas órdenes a sus actores.
   Creo que el director les ha dado pocas órdenes a sus actores.
3. Estoy seguro de que la mayoría del público ha leído la noticia.
   No estoy seguro de que la mayoría del público haya leído la noticia.
4. No es seguro que la prensa sensacionalista haya publicado esa noticia.
   Es seguro que la prensa sensacionalista ha publicado esa noticia.

3 **Competencia** Julieta y Marcela han estado juntas en una audición y Julieta ha conseguido el papel de la protagonista. En parejas, combinen los elementos de la lista y añadan detalles para escribir cinco quejas (*complaints*) de Marcela. Utilicen el pretérito perfecto del subjuntivo. Luego, dramaticen una conversación entre las dos actrices.

Dudo que	darme explicaciones
Me molesta que	conseguir el papel
Me sorprende que	tener suficiente experiencia
No creo que	trabajar con ese director
No es justo que	darme otra oportunidad
Quiero que	escoger la mejor actriz

Interpersonal Communication

4 **¡Despedido!** Hoy el dueño de la emisora ha despedido a Eduardo Storni, el famoso y controvertido locutor del programa *Storni, ¡sin censura!* En parejas, escriban su conversación. Utilicen por lo menos cinco oraciones con el pretérito perfecto del indicativo y del subjuntivo. Luego represéntenla para la clase.

> **MODELO** **DUEÑO** Es una lástima que usted no haya escuchado nuestras advertencias. Usted ha violado casi todas las reglas de la cadena.
> **STORNI** Pero mi público siempre me ha apoyado. Mis oyentes estarán furiosos de que usted no haya respetado la libertad de prensa.

PUEDO expresar duda o quejarme por eventos recientes.

Teaching Tips

1 For follow-up, have students explain why they chose the indicative or subjunctive for each item.

2 For additional practice, ask students to create two new items and have a partner provide the opposite sentence.

Formative Assessment
Activity 2 can be used as a good bell-ringer the next day, or an exit ticket after teaching/reviewing the present perfect subjunctive. Monitor and reteach as necessary.

3 Encourage volunteers to perform the conversations for the class.

3 **For Inclusion** Ask students to guess what student is playing each role.

3 **Partner Chat**
Available online.

4 As a variant, have students choose a famous news anchor or talk show host and create a conversation.

• **To Challenge Students** Have individuals invent three true statements and three false statements about things they have done this year and share them in random order with a partner. Partners should respond with the present perfect indicative if they believe the statement is true and the present perfect subjunctive if they think it is false. Examples: **Creo que has hecho un curso de informática. No creo que hayas aprendido tres idiomas.**

LEARNING STYLES

For Kinesthetic Learners Ask volunteers to act out **Actividad 2** by standing on opposite sides of the classroom and taking turns: one partner reads the item and the other contradicts it. Encourage students to use facial and vocal exaggeration when negating their partner's statement.

LEARNING STYLES

For Visual Learners As a variant for **Actividad 4**, ask students to create a comic strip presentation of the conversation rather than read it. Provide examples of comic strips in Spanish. Remind students to include speech bubbles, captions, and at least five examples of the present perfect or present perfect subjunctive.

Student Resources
Cuaderno de actividades,
pp. 194–197
Online Activities, *eCuaderno*

Teacher Resources
Workbook TEs; Grammar
Slides; Digital Image Bank;
Audio Activities online;
Audio Script; Assessment
Program Quizzes

Teaching Tips
• Before presenting relative
pronouns in Spanish, briefly
review the difference
between *who* (subject
pronoun) and *whom* (object
pronoun).
• **For Visual Learners** Write
the sample sentences in
one color on the board. Give
volunteers each a different
color marker or chalk and
ask them to circle the
relative pronouns.

Objetivo comunicativo: Hablar sobre gustos musicales y tendencias en los medios

9.2 Relative pronouns

Señores inversionistas: les presento a Marcela Solís, quien, además de tener fama como piloto de drones, es...

¿Cuál de estas canciones prefieres?

The relative pronoun *que*

• **Que** (*that, which, who*) is the most frequently used relative pronoun (**pronombre relativo**). It can refer to people or things, subjects or objects, and can be used in restrictive clauses (no commas) or nonrestrictive clauses (with commas). Note that although some relative pronouns may be omitted in English, they must always be used in Spanish.

El reportaje **que** vi ayer me hizo cambiar de opinión.
The report (that) I saw last night made me change my opinion.

Las primeras diez personas **que** respondan correctamente ganarán una suscripción gratuita.
The first ten people who respond correctly will win a free subscription.

El desastre fue causado por la lluvia, **que** ha durado más de dos semanas.
The disaster was caused by the rain, which has lasted over two weeks.

El/La que

• After prepositions, **que** follows the definite article: **el que, la que, los que**, or **las que**. The article must agree in gender and number with the antecedent (the noun or pronoun it refers to). When referring to *things* (but not *people*), the article may be omitted after short prepositions, such as **en, de**, and **con**.

Los periódicos **para los que** escribo son independientes.
The newspapers I write for are independent. (Lit.: for which I write)

El edificio **en** (**el**) **que** viven es viejo.
The building they live in is old.

La fotógrafa **con la que** trabajo ganó varios premios.
The photographer with whom I work won several awards.

• **El que, la que, los que**, and **las que** are also used for clarification in nonrestrictive clauses (with commas) when it might be unclear to *what* or *whom* the clause refers.

Hablé con los empleados de la compañía, **los que** están contaminando el río.
I spoke with the employees of the company, the ones who are polluting the river.

Hablé con los empleados de la compañía, **la que** está contaminando el río.
I spoke with the employees of the company, (the one) which is polluting the river.

¡ATENCIÓN!

Relative pronouns are used to connect short sentences or clauses in order to create longer, smoother sentences. Unlike the interrogative words **qué, quién(es)**, and **cuál(es)**, relative pronouns never have accent marks.

¡ATENCIÓN!

In everyday Spanish, **en que** and **en... cual** are often replaced by **donde**.

La casa **donde** vivo es muy grande.

La universidad **donde** estudio es muy prestigiosa.

368 *trescientos sesenta y ocho*

Lección 9

DIFFERENTIATION

To Challenge Students Ask students to write additional examples on the board to be used for the visual activity listed above (left). Encourage each student to write at least three more examples of sentences with relative pronouns.

DIFFERENTIATION

For Kinesthetic Learners Write the examples on slips of paper. Then separate the slips at the end of the first clause. Ex: **El reportaje que vi ayer / me hizo cambiar de opinión.** Give each student a slip of paper. When you say **¡Vayan!**, students should get up and walk around the room, reading their clause aloud, trying to find the other half of their sentence. Then have one of the two students read the complete sentence.

Teaching Tip For Auditory Learners Ask volunteers to read each example aloud, saying the relative pronouns with exaggerated emphasis.

Extra Practice Go to **vhlcentral.com** for more practice with relative pronouns.

El/La cual

- **El cual, la cual, los cuales**, and **las cuales** are generally interchangeable with **el que, la que, los que**, and **las que** after prepositions. They are often used in more formal speech or writing. Note that when **el cual** and its forms are used, the definite article is never omitted.

  El edificio **en el cual** se encuentra la emisora de radio es viejo.
  The building in which the radio station is located is old.

  La revista **para la cual** trabajo es muy influyente.
  The magazine for which I work is very influential.

Quien/Quienes

- **Quien** (*singular*) and **quienes** (*plural*) only refer to people. **Quien(es)** can generally be replaced by forms of **el que** and **el cual**, although the reverse is not always true.

  Los investigadores, **quienes (los que/los cuales)** estudian los medios de comunicación, son del Ecuador.
  The researchers, who are studying mass media, are from Ecuador.

  El investigador **de quien (del que/del cual)** hablaron era mi profesor.
  The researcher about whom they spoke was my professor.

- Although **que** and **quien(es)** may both refer to people, their use depends on the structure of the sentence.

- In restrictive clauses (no commas) that refer to people, **que** is used if no preposition or a personal **a** is present. If a preposition or the personal **a** is present, **quien** (or **el que/el cual**) is used instead. Below, **que** is equivalent to *who*, while **quien** expresses *whom*.

  La gente **que** mira televisión está harta de las cadenas sensacionalistas.
  The people who watch TV are tired of sensationalist networks.

  Esperamos la respuesta de los políticos **a quienes (a los que/a los cuales)** queremos entrevistar.
  We're waiting for a response from the politicians (whom) we want to interview.

- In nonrestrictive clauses (with commas) that refer to people, **quien** (or **el que/el cual**) is used. However, in spoken Spanish, **que** can also be used.

  Juan y María, **quienes** trabajan conmigo, escriben la sección deportiva.
  Juan and María, who work with me, write the sports section.

The relative adjective *cuyo*

- The relative adjective **cuyo (cuya, cuyos, cuyas)** means *whose* and agrees in number and gender with the noun it precedes. Remember that **de quién(es)**, not **cuyo**, is used in questions to express *whose*.

  El equipo periodístico, **cuyo** proyecto aprobaron, viajará en febrero.
  The team of reporters, whose project they approved, will travel in February.

  La fotógrafa Daniela Pérez, **cuyas** fotos anteriores ganaron muchos premios, los acompañará.
  Photographer Daniela Pérez, whose earlier photos won many awards, will go with them.

¡ATENCIÓN!

When used with **a** or **de**, the contractions **al que/cual** and **del que/cual** are formed.

LEARNING STYLES

For Auditory Learners After teaching relative pronouns, ask students to close their books. Slowly read aloud sample sentences. Ask students to raise their hands when they hear a relative pronoun.

LEARNING STYLES

For Kinesthetic Learners Ask pairs to write five sample sentences of their own on slips of paper. Ask them to separate the slips at the end of the first clause, cutting the slip in half in a pattern. Then ask them to mix up their ten slips of paper and exchange them with another pair. Each pair should work to reassemble the sentences.

Teaching Tips

1 **For Inclusion** Have students circle the word to which the relative pronoun refers in each item. Ex: 1. **El señor Castillo**.

2 **Expansion** Have partners follow up the activity by asking each other questions about the paragraph. Encourage them to use relative pronouns in their questions and responses.

Formative Assessment Activity 2 can be used as a good bell-ringer the next day, or an exit ticket after teaching/ reviewing relative pronouns. Offer feedback about the correct pronouns, but also the role of relative pronouns in higher academic language and compound sentences.

3 Have students read their definitions aloud; the class should guess what item is being described.

• Bring in pictures from magazines or find pictures on the Internet and ask questions that use relative pronouns or elicit them in student answers. Example: **¿Quién está leyendo el periódico? (La rubia que está sentada en el banco está leyendo el periódico.)**

• **For Visual Learners** When reviewing the activities, record the answers on the board or on an overhead so that students can see the completed sentences.

1 **Oraciones incompletas** Selecciona la palabra o expresión adecuada para completar las oraciones.

1. El señor Castillo, ___a___ revista se dedica a la moda, está de viaje en París.
   a. cuya   b. cuyo   c. cuyos

2. Los músicos ___b___ conociste ayer han grabado la banda sonora de la película.
   a. a quien   b. a quienes   c. quien

3. El corto ___a___ te hablé no está doblado.
   a. del que   b. de quien   c. el cual

4. El reportaje de anoche, ___a___ se transmitió en el canal 7, me pareció muy sensacionalista.
   a. el cual   b. la cual   c. los que

5. Los artículos ___c___ se publican en esa revista son puro chisme.
   a. los cuales   b. los que   c. que

2 **El tereré** Completa este artículo sobre el tereré con los pronombres relativos de la lista. Algunos pronombres pueden repetirse.

EL TERERÉ

| que |
| en el que |
| con quien |
| cuyo |
| en la que |

Existe un país (1) _en el que_ el mate tuvo (2) _que_ adaptarse a su clima: el Paraguay. En este país, (3) _cuyo_ clima subtropical presenta calurosos veranos, el tradicional mate caliente debió convertirse en una bebida fría y refrescante (4) _que_ ayudara a atenuar el clima. Así, el tereré, (5) _cuyo_ nombre proviene del guaraní, es la bebida más popular de los paraguayos.

Para prepararlo, se coloca yerba en el recipiente llamado mate. En lugar de agua caliente en un termo o pava, se usa una jarra (6) _en la que_ se coloca agua y/o jugo de limón con mucho hielo. La bebida se bebe con una bombilla (*straw*), (7) _que_ generalmente es de metal. En el Paraguay, se dice (8) _que_ el tereré es como un amigo (9) _con quien_ se comparten alegrías y tristezas, momentos cotidianos y toda una vida.

3 **Definiciones** Escribe una definición para cada término. Usa pronombres relativos. Answers may vary. Suggested answers given.

MODELO el redactor
Es la persona cuyo trabajo es preparar artículos para publicación.

1. la prensa sensacionalista _Son periódicos, programas de noticias, etc. en los cuales se exageran las noticias._

2. los subtítulos _Son palabras sin las cuales/que no entendemos las películas extranjeras._

3. la portada _Es la página del periódico en la cual/que aparecen las noticias más importantes._

4. el titular _Es la frase con la cual/que comienza un artículo._

5. los televidentes _Son las personas para quienes se transmite un programa de televisión._

6. la fama _Es el hecho de que una persona sea reconocida por mucha gente._

DIFFERENTIATION

Heritage Speakers After completing **Actividad 2**, ask heritage speakers to share what they know about typical beverages in their countries of origin. What do people usually drink when the weather is cold? And when it is hot? How are these beverages prepared? Which one do they prefer personally?

DIFFERENTIATION

For Inclusion Once the class has completed **Actividad 3**, list the terms in one column and the definitions in another column, in random order. Then invite students to come to the board to draw a line between each term and its definition.

Comunicación

4 **Tendencias** Piensa sobre las tendencias actuales y completa el recuadro con tus preferencias. En parejas, compartan esta información. Informen a sus compañeros/as lo que han aprendido sobre la otra persona usando pronombres relativos. Sigan el modelo.

MODELO Ana Sofía mira todo el tiempo videos musicales en su iPod. Es una persona a quien le encanta llevar su iPod a todos lados.

	Sí	No	Depende
1. Me aburren los videos musicales en la tele. Prefiero verlos en un iPod.	☐	☐	☐
2. Siempre escucho música alternativa y pienso que el *hip-hop* no es arte.	☐	☐	☐
3. Yo sólo compro ropa cara a la que se le ve el logotipo estampado (*printed*) en grande.	☐	☐	☐
4. ¿Documentales? ¿Qué es eso? Sólo miro los éxitos de taquilla de Hollywood.	☐	☐	☐
5. ¡Puaj! Los programas de telerrealidad (*reality shows*) son horribles y deberían prohibirse.	☐	☐	☐
6. Me puedo pasar horas leyendo revistas de moda y de chismes sobre famosos.	☐	☐	☐
7. ¡Qué chévere (*How cool*)! ¡Un restaurante con platos innovadores! Los restaurantes de comidas tradicionales ya pasaron de moda.	☐	☐	☐
8. ¡Nada de salsa! No me gusta la música latina. Prefiero escuchar las 40 principales (*top 40*) de la radio.	☐	☐	☐

5 **¿Quién es quién?** La clase se divide en dos equipos. Un integrante del equipo A piensa en un(a) compañero/a y da tres pistas. El equipo B tiene que adivinar de quién se trata. Si adivina con la primera pista, obtiene 3 puntos; con la segunda, obtiene 2 puntos; y con la tercera, obtiene 1 punto.

MODELO Estoy pensando en alguien con quien almorzamos.
Estoy pensando en alguien cuyos ojos son marrones.
Estoy pensando en alguien que lleva pantalones azules.

6 **Fama** En parejas, preparen una entrevista entre un reportero y una estrella. Utilicen por lo menos seis pronombres relativos.

MODELO **REPORTERO** Díganos, ¿dónde encontró este vestido tan divino?
ESTRELLA Gracias, me lo regaló un amigo muy talentoso, cuya tienda siempre tiene lo mejor de la moda.
REPORTERO Y me he enterado de que está usted con un nuevo amor, quien trabajó con usted en su última telenovela…

PUEDO participar en una entrevista a una persona famosa.

Los medios de comunicación

trescientos setenta y uno **371**

Teaching Tips

4 **Expansion** Have students explain those items for which they answered **Depende**.

4 **Heritage Speakers** Ask heritage speakers to share what they think teens in their families' countries of origin would most likely answer and why.

4 **Partner Chat** Available online.

5 Encourage students to use a different relative pronoun for each clue.

5 For more advanced classes, have students write three additional sentences using present perfect subjunctive.

6 **For Inclusion** Divide the class into pairs. Create a simple conversation with blanks for the relative pronouns and give each pair a copy. Then ask students to complete the conversation. Have pairs share the completed conversations with the class.

6 As a variant, encourage students to choose a real reporter and a real star for the interview.

LEARNING STYLES

For Visual Learners As the class reviews **Actividad 4**, have students give a show of hands for each item. Students should count and record the number of respondents for each item. Then ask students to make a bar graph, representing the class's responses to the questions. This activity also can be used as a **Math Connection**.

LEARNING STYLES

For Auditory Learners After students finish **Actividad 6**, ask volunteers to act out or read their conversations aloud for the class. Have the students raise their hands each time they hear a relative pronoun.

Pre-AP*

AP Skill Category **5**

Student Resources
Cuaderno de actividades,
pp. 198–201
Online Activities, *eCuaderno*

Teacher Resources
Workbook TEs; Grammar
Slides; Digital Image Bank;
Audio Activities online;
Audio Script; Assessment
Program Quizzes

Teaching Tips
- Preview the neuter **lo** by asking discussion questions, Ex: **En la clase de español, ¿qué es lo más fácil para ti?**
- Remind students that **mejor** and **peor** are comparative forms of **bueno** and **malo** (**Estructura 5.1**). They do not require **más**.
- **For Visual Learners** Write the sample sentences on the board in one color. Give volunteers a different color marker or chalk and ask them to underline the neuter **lo** expression.
- **For Auditory Learners** Read the examples aloud, emphasizing the neuter **lo** expressions. To assess student comprehension and incorporate a kinesthetic element, have students raise their hands when they hear the neuter **lo**.

Extra Practice Go to **vhlcentral.com** for more practice with the neuter **lo**.

9.3 The neuter *lo*

- The definite articles **el, la, los**, and **las** modify masculine or feminine nouns. The neuter article **lo** is used to refer to concepts that have no gender.

¿No te das cuenta de lo importante que es esto para nosotros?

- In Spanish, the construction **lo** + [*masculine singular adjective*] is used to express general characteristics and abstract ideas. The English equivalent of this construction is *the* + [*adjective*] + *thing*.

> Cuando leo las noticias, **lo difícil** es diferenciar entre el hecho y la opinión.
> *When I read the news, the difficult thing is to differentiate between fact and opinion.*

> **Lo bueno** de ser famosa es que me da la oportunidad de cambiar el mundo.
> *The good thing about being famous is that it gives me the chance to change the world.*

- To express the idea of *the most* or *the least*, **más** and **menos** can be added after **lo**. **Lo mejor** and **lo peor** mean *the best/worst* (*thing*).

> Para ser un buen reportero, **lo más importante** es ser imparcial.
> *To be a good reporter, the most important thing is to be unbiased.*

> ¡Aún no te he contado **lo peor** del artículo!
> *I still haven't told you about the worst part of the article!*

- The construction **lo** + [*adjective or adverb*] + **que** is used to express the English *how* + [*adjective*]. In these cases, the adjective agrees in number and gender with the noun it modifies.

lo + [*adjective*] + **que**	**lo** + [*adverb*] + **que**
¿No te das cuenta de **lo bella que** eres, María Fernanda?	Recuerda **lo bien que** te fue el año pasado en su clase.
María Fernanda, don't you realize how beautiful you are?	*Remember how well you did last year in his class.*

- **Lo que** is equivalent to the English *what, that*, or *which*. It is used to refer to an idea, or to a previously mentioned situation or concept.

> ¿Qué fue **lo que** más te gustó de tu viaje a Uruguay?
> *What was the thing that you enjoyed most about your trip to Uruguay?*

> **Lo que** más me gustó fue el Carnaval de Montevideo.
> *The thing I liked best was the Carnival of Montevideo.*

¡ATENCIÓN!

The phrase **lo** + [*adjective or adverb*] + **que** may be replaced by **qué** + [*adjective or adverb*].

No sabes **qué difícil** es hablar con él.
You don't know how difficult it is to talk to him.

Fíjense **qué pronto** se entera la prensa.
Just think about how soon the press will find out.

DIFFERENTIATION

For Inclusion On a transparency, provide sentence starters that include the neuter **lo**. Ex: **1. Cuando veo la tele, lo chistoso es... 2. Para ser un(a) buen(a) profesor(a), lo más importante es... 3. Cuando fui a México, lo más interesante era...** Students should complete each sentence logically, either orally or in written form.

DIFFERENTIATION

Language Comparisons

To Challenge Students Ask students to retranslate into English the examples that seem less colloquial. Example: *When I read the news, the difficult thing is to differentiate between fact and opinion.* Change to: *When I read the news, it's hard to tell the difference between fact and opinion.*

Práctica y comunicación

1 **Chisme** La gran estrella pop, Estela Moreno, responde a las críticas que han aparecido en medios periodísticos sobre su súbita (*sudden*) boda con Ricardo Rubio. Completa las oraciones con **lo, lo que** o **qué**.

"Es completamente falso (1) ____lo que____ ha salido en la prensa sensacionalista. Siempre habíamos querido una ceremonia pequeña y privada para mantener (2) ____lo____ romántico de la ocasión. El lugar, la fecha, los pocos invitados... pues todo (3) ____lo____ tuvimos planeado hace meses. ¡Ay, (4) ____qué/lo____ difícil fue guardar el secreto para que el público no se diera cuenta de (5) ____lo que____ estábamos planeando! (6) ____Lo que____ más me molesta es que la prensa nos acuse de un romance súbito. (7) ____Lo____ nuestro es un amor que comenzó hace dos años y que durará para toda la vida. ¡Ya (8) ____lo____ verán con el tiempo!"

2 **Reacciones** Combina las frases para formar oraciones con **lo** + [adjetivo/adverbio] + **que**.

> **MODELO** parecer mentira / qué poco Juan se preocupa por el chisme
> Parece mentira lo poco que Juan se preocupa por el chisme.

1. asombrarme / qué lejos está el centro comercial Me asombra lo lejos que está el centro comercial.
2. sorprenderme / qué obediente es tu gato Me sorprende lo obediente que es tu gato.
3. no poder creer / qué influyente es la publicidad No puedo creer lo influyente que es la publicidad.
4. ser una sorpresa / qué bien se vive en este pueblo Es una sorpresa lo bien que se vive en este pueblo.

3 **Ser o no ser** En grupos de cuatro, conversen sobre las ventajas y desventajas de cada una de estas profesiones. Luego escriban oraciones completas para describir **lo bueno, lo malo, lo mejor** o **lo peor** de cada profesión. Compartan sus ideas con la clase.

> Interpersonal Communication

actor/actriz	crítico/a de cine	redactor(a)
cantante	locutor(a) de radio	reportero/a

4 **Síntesis** En parejas, escriban una carta al periódico escolar dando su opinión sobre un tema de actualidad. Usen por lo menos tres verbos en el pretérito perfecto de subjuntivo, tres oraciones con **lo** o **lo que** y tres oraciones con pronombres relativos. Usen algunas frases de la lista o inventen otras. Lean su carta a la clase y debatan el tema. Envíen la carta al director del periódico.

> Presentational Communication
>
> School & Global Communities

me molesta que...	lo importante...	que
me alegra que...	lo que más/menos...	el/la cual
no puedo creer que...	lo que pienso sobre...	quien(es)

PUEDO expresar opiniones sobre un tema de actualidad.

> School & Global Communities

Estructura **373**

Section Goals

In **En pantalla**, students will:
- watch the short film *Sintonía*
- practice listening for and using vocabulary and structures learned in this lesson

AP Skill Categories
1 2 3 4

Student Resources
Online Video and Activities

Teacher Resources
Transcript & Translation

Teaching Tips

❶ Tell students that the expression **dar la gana** is used with an indirect object pronoun. Ex: **No me da la gana.**

❶ Have pairs create definitions for the remaining vocabulary words and exchange them with another pair to solve.

❷ Continue the discussion by asking additional questions. Example for item 2: **¿Qué riesgos corres al contar tus problemas por la radio o la televisión? ¿Crees que los locutores de radio y los presentadores de televisión pueden dar buenos consejos?**

- Have students use **darse cuenta** to write a brief anecdote about a time they suddenly realized something. Remind students to follow the phrase with **de**. Example: **Un día estaba cenando con un amigo cuando me di cuenta de que alguien me había robado el bolso…**

❷ **Virtual Chat**
Available online.

Antes de ver el corto

SINTONÍA

país España   **director** Jose Mari Goenaga

duración 9 minutos   **protagonistas** el hombre, la mujer, el locutor

Vocabulario

aclarar *to clarify*	**el maletero** *trunk*
dar la gana *to feel like*	**la nuca** *back of the neck*
darse cuenta (de) *to realize*	**parar el carro** *to hold one's horses*
darse por aludido/a *to assume that one is being referred to*	**pillar(se)** *to catch*
embalarse *to get carried away*	**la sintonía** *synchronization; tuning; connection*
fijarse en *to notice*	

1 **Definiciones** Escribe la palabra adecuada para cada definición.

1. la parte del carro en la que guardas las compras: ___maletero___
2. la parte de atrás de la cabeza: ___nuca___
3. el hecho de explicar algo para evitar confusiones: ___aclarar___
4. comprender o entender algo: ___darse cuenta___
5. dejarse llevar por un impulso: ___embalarse___

Interpersonal Communication

2 **Preguntas** Contesta las preguntas.

1. ¿Prefieres escuchar programas de radio o sólo música cuando vas en autobús o en carro?
2. Si tuvieras un problema que no supieras solucionar, ¿llamarías a un programa de radio o de televisión? ¿Por qué?
3. Imagina que te sientes atraído/a por alguien que ves en la calle. ¿Le pedirías una cita?
4. Si escuchas a dos personas que parecen hablar de ti sin decir tu nombre, ¿te das por aludido/a enseguida o tardas en darte cuenta?

Interpretive Communication

Interpersonal Communication

3 **¿Qué sucederá?** En parejas, miren los fotogramas e imaginen lo que va a ocurrir en la historia. ¿Cuál es la relación entre el locutor y las personas que esperan para pagar el peaje (*toll*)? Compartan sus ideas con la clase. Incluyan tres o cuatro datos o especulaciones sobre cada fotograma.

Knowledge and Comprehension Begin a **Cuento curioso**. Ask students to sit in a circle. Say one sentence that begins a story and uses a word from the vocabulary box. The student to your right continues the story, using a different vocabulary word. Encourage students to be creative and even silly as the story grows. Continue until all students have had a turn adding to the story or until all the vocabulary words have been used.

Application and Synthesis Ask students to form small groups and create a scene about driving through a tollbooth. Encourage groups to make the scene interesting by presenting a problem or creating intriguing characters.

UN CORTOMETRAJE DE MORIARTI PROD.

JOSEAN BENGOETXEA

SINTONIA

LW   MW   SW   FM   PL

97

104

190

TANIA DE LA CRUZ

260

moriarti produkzioak PRESENTA A JOSEAN BENGOETXEA TANIA DE LA CRUZ UNAI GARCÍA
FOTOGRAFÍA RITA NORIEGA MÚSICA PASCAL GAIGNE SONIDO IÑAKI DÍEZ MEZCLAS AURELIO MARTÍNEZ MONTAJE RAÚL
LÓPEZ DIRECCIÓN ARTÍSTICA MENÓ VESTUARIO LEIRE ORELLA MAQUILLAJE MARI RODRÍGUEZ
PRODUCCIÓN AITOR ARREGI GUIÓN Y DIRECCIÓN JOSE MARI GOENAGA

DOLBY
IN SELECTED THEATRES

moriarti
prod

Los medios de comunicación

trescientos setenta y cinco **375**

- **For Visual Learners** Ask pairs to describe everything they see in the poster, using adjectives and verbs.
- **For Auditory Learners** If possible, play a clip of a radio advice show in Spanish. Ask students to tell what the caller's complaint and the radio host's suggestion are.
- **For Kinesthetic Learners** Ask students to form small groups to write a skit of a radio advice show. Have them present it to the class and ask students to identify the caller's problem and the radio host's solution.
- **Heritage Speakers** Ask students to talk about whether people listen to radio advice shows in their families' countries of origin. Also ask: **¿De qué otras maneras recibe consejos la gente?**
- **For Inclusion** Give each student some sticky tabs and ask them to label the poster with as many nouns, verbs, and adjectives as they can.

NATIONAL STANDARDS
Connections: Drama/ Theater Arts Direct students' attention to the credits at the bottom of the poster. Help them translate any professions they do not recognize. Students who are interested in stage and film may want to research additional vocabulary associated with these arts.

Making
Connections

Explain to students that the actor's last name is pronounced **Bengoechea**. This name (as well as other information in the poster and in the film's opening titles and credits) is in Basque. Both Spanish and Basque are spoken in the Basque Country (Northeast of Spain).

CRITICAL THINKING

Knowledge and Comprehension Ask students to study the words on the poster. Have a class discussion about the literal and figurative meanings of the word **sintonía**. Then ask students to read the small print at the bottom of the poster and explain in Spanish what each person's title means.

CRITICAL THINKING

Interpretive
Communication

Analysis and Synthesis Based on the activities and vocabulary from page 374 and the poster on page 375, ask students to predict the plot of the film in a story map form. Have students share their ideas and then, on the board, draw a story map of what the class votes to be the most likely plot.

Pre-AP*

Interpretive Audiovisual Communication
Ask students about their driving habits. **Cuando conduces, ¿prestas atención a la gente que está en otros carros o que pasa andando? ¿Hablas por teléfono mientras conduces?**

Teaching Tips
- **For Visual Learners** Ask volunteers to describe what each character is feeling in each still. Encourage them to focus on facial expressions and body language for clues.
- **For Auditory Learners** Ask students to choose one of the six scenes on this page. Play the audio track of the film with the television screen shut off or covered up. Ask students to raise their hands when they hear their selected scene.
- Tell students that, since 2005, it is strictly forbidden to talk on a hand-held phone while driving in Spain. Doing so may lead to a fine of up to 200 euros.

21ˢᵗ Century Skills

Social and Cross-Cultural Skills
Have students work in groups to choose one or two aspects of the movie that they identify as different from what they would expect in their daily life. Ask students to write two to three sentences about the difference and how they would explain what is different to a visitor from that culture.

Escenas

ARGUMENTO Un joven, atrapado en un atasco en la carretera, se siente atraído por la chica que maneja el carro de al lado.

LOCUTOR Última oportunidad para llamar... No os cortéis° y decide a quien queráis lo que os dé la gana y no lo dejéis para otro momento. El número, el número es el 943365482... Tenemos una nueva llamada. Hola, ¿con quién hablamos?

HOMBRE Manuel Ezeiza. Manolo, Manolo de Donosti.
LOCUTOR Muy bien, Manolo de Donosti. ¿Y a quién quieres enviar tu mensaje?
HOMBRE La verdad es que no lo sé, pero sé que nos está oyendo.

LOCUTOR Bueno, igual el mensaje puede darnos alguna pista°.
HOMBRE Sí, bueno, llamaba porque me he fijado que te has dejado parte del vestido fuera del coche. Y, bueno, yo no te conozco pero... te he visto cantando y querría, quedar contigo... o tomar algo...

LOCUTOR Bueno, para el carro... Esto es un poco surrealista. Le estás pidiendo una cita a una cantante que va en un coche con el abrigo fuera. ¿Y cómo sabe que te diriges a ella?
HOMBRE Todavía no lo sabe. Está sonriendo, como si esto no fuera con ella.

LOCUTOR Pues dale una pista para que se aclare. ¿Cómo es ella? ¿Qué hace?
HOMBRE Pues lleva algo rojo... ahora se toca la nuca con su mano y ahora el pelo... que es muy oscuro. Y ahora parece que empieza a darse cuenta. Sí, sí, definitivamente se ha dado cuenta.

LOCUTOR A ver, ¿quién le dice a ella que tú no eres, no sé, un psicópata?
HOMBRE ¿Y quién me dice a mí que no es ella la psicópata? Se trata de asumir riesgos. Yo tampoco te conozco. Pensaba que estaría bien quedar contigo.

No os cortéis *Don't be shy* **pista** *clue*

376 *trescientos setenta y seis*

Lección 9

Interpretive Communication

CRITICAL THINKING

Knowledge and Comprehension Ask volunteers to summarize each scene according to the picture and script of the corresponding still. Encourage the class to make comments or add anything the volunteers miss.

CRITICAL THINKING

Synthesis and Evaluation Ask students to draw a still and write a script for scene 7. Display the stills around the room and ask the class to vote on the likeliest scene to end **el corto**.

Después de ver el corto

1 Comprensión
Contesta las preguntas con oraciones completas.

1. ¿Dónde está el hombre?
   El hombre está en su carro.
2. ¿A quién llama por teléfono?
   El hombre llama por teléfono a un programa de radio.
3. ¿Qué tipo de programa de radio es?
   Es un programa que recibe llamadas de personas que quieren enviarle un mensaje a alguien.
4. ¿Por qué llama el hombre al programa de radio?
   Quiere decirle a la chica que se ha pillado el vestido en la puerta del carro/Quiere invitarla a salir.
5. ¿Cómo sabe que la mujer está oyendo ese programa de radio?
   Sabe que está oyendo ese programa de radio porque la ha visto cantando la canción de la radio.
6. ¿Por qué le dice el locutor al hombre que la mujer a lo mejor no quiere salir con él?
   Le dice que tiene que convencer a la chica porque ella puede pensar que es un psicópata.

2 Ampliación
Contesta las preguntas con oraciones completas.

1. ¿El hombre le habla siempre al locutor o le habla también a la mujer directamente? Explica tu respuesta.

2. ¿Qué harías tú si vieras que alguien en el carro de al lado se ha pillado la ropa en la puerta?

3. En un momento la mujer apaga la radio, pero después la vuelve a encender. ¿Qué crees que está pensando en ese momento?

4. ¿Por qué crees que para la mujer en la gasolinera?

3 Imagina

A. En parejas, preparen la conversación entre el hombre y la mujer en la gasolinera. Cada uno debe tener por lo menos tres intervenciones en la conversación. Luego, representen la conversación frente a la clase.

B. Imaginen qué ocurre después. ¿Siguen en contacto? ¿Tienen una cita? ¿Qué ocurre en sus vidas? Compartan su final con la clase.

4 Relaciones mediáticas
En parejas, inventen una historia de amor sobre dos personas que se conocen a través de uno de los medios de la lista. Incluyan detalles sobre cómo se conoció la pareja, por qué fue a través de ese medio específico y cuál fue el desenlace (*outcome*) de la historia. Después, cuenten su historia a la clase.

una revista	un programa de radio
un programa de televisión	Internet

PUEDO conversar sobre las relaciones establecidas por los medios de comunicación.

CRITICAL THINKING

Comprehension and Synthesis Divide the class into small groups. Ask some groups to write a conversation in which the woman from the film tells her best friend what happened. The other groups should write a similar conversation from the man's viewpoint. Have volunteers role-play their conversations for the class.

CRITICAL THINKING

Analysis and Evaluation Hold a class discussion about dating. Ask students: **¿Conocen a parejas que se hayan conocido por Internet o por un anuncio en el periódico? ¿Les parece raro conocer a alguien por estos medios? ¿Tendrían vergüenza de contarle a un(a) amigo/a que conocieron a su novio/a a través de estos medios?**

Teaching Tips

1 To test students' comprehension further, write a series of sentences about the plot on separate strips of paper. Place the paper strips in a large bag. Then have volunteers draw sentences and put them in chronological order.

2 Ask additional discussion questions. Examples: **¿Qué harías si estuvieras en el lugar de esta mujer? ¿Irías a la gasolinera? ¿Qué sucedería si este hombre y esta mujer se conocieran en otra situación?**

2 Virtual Chat
Available online.

3 To help students with their conversations, replay the last scene of the film without sound and have them pay extra attention to the body language of the characters.

21st Century Skills

3 Productivity and Accountability
As a class, decide if the rubric you developed for the previous chapter works for this chapter's assignment. If not, adjust it to meet what students need to accomplish.

---

4 **Expansion** Have students work in pairs to create an ad for a new dating service offered through a magazine, television show, radio show, or online. Encourage students to be creative with the service's title and slogan.

Pre-AP*

AP Skill Category 7

Section Goals

In **Lecturas,** students will:

• read **Isabel Allende's** *"Dos palabras"*

• read about the indigenous language **guaraní** and its predominance in Paraguay

Pre-AP*

AP Skill Categories
1 2 3 4

Student Resources
Cuaderno de actividades, p. 204
Online Activities, *eCuaderno*

Teacher Resources
Workbook TE

Teaching Tips

• **For Visual Learners** Ask students to create their own Dalí-like painting that connects to this one and/or the Campo Vidal quote.

• **For Inclusion** Ask students to identify all the cognates in the quote.

• **To Challenge Students** Ask students if they agree with the quote. Tell students: **Si estás de acuerdo, ¿por qué? Si no, ¿qué piensas de la televisión? ¿Cuál es el papel de la televisión en nuestra sociedad?**

• **To Challenge Students** Find other quotes about the role of television in our society and assign one to each pair. Ask pairs to express them in Spanish and then share them with the class.

NATIONAL STANDARDS

Communities Have students discuss some of the dangers that television is accused of. What are some of its benefits? Do they agree with the quote from Campo Vidal?

> "Modestamente, la televisión no es culpable de nada. Es un espejo en el que nos miramos todos, y al mirarnos nos reflejamos."
>
> Manuel Campo Vidal

Automóviles vestidos, 1941
Salvador Dalí, España

 Interpretar En parejas, contesten estas preguntas. Some answers will vary.

1. ¿Qué ven en el cuadro? Describan las dos imágenes.

2. ¿Adónde imaginan que se dirige cada auto?

3. ¿Cuál de los dos automóviles prefieren? ¿Por qué?

4. Si tuvieran estos autos, ¿para qué usarían cada uno?

5. ¿Piensan que los dos automóviles están relacionados? Expliquen sus respuestas.

CRITICAL THINKING

Interpretive Communication | Language Comparisons

CRITICAL THINKING

Comprehension and Synthesis Ask pairs to translate the Campo Vidal quote. Then have each pair write their translation on the board. Read all responses and vote for the best, based on a rubric. Then ask pairs to connect the quote with the painting. Have volunteers share their ideas.

Analysis and Synthesis Ask students to describe the car in each picture and explain the changes. Then ask students to analyze what Dalí could be saying in these pictures. Have a class discussion in which all students offer a guess about the interpretation of the painting. If possible, find an art critique of the painting and share it with the class.

Antes de leer

Dos palabras (fragmento)
Isabel Allende

Sobre el autor

Isabel Allende nació en 1942, en Lima, Perú, aunque es de nacionalidad chilena. Inició su carrera como periodista en la televisión y la prensa de Chile. En 1975 se exilió con su familia en Venezuela cuando el general Pinochet llegó al poder. En 1981, al saber que su abuelo estaba por morir, comenzó a escribirle una carta que luego se convertiría en la novela *La casa de los espíritus*, de enorme éxito internacional. Continuó publicando libros de gran popularidad como *Eva Luna, De amor y de sombra, El juego de Ripper, Más allá del invierno* y *Largo pétalo de mar*. Dos de sus novelas fueron llevadas al cine. Desde 1987 vive en California y en 2003 obtuvo la ciudadanía estadounidense.

Vocabulario

atónito/a *astonished*	**comerciar** *to trade*	**el/la fulano/a** *so-and-so*
el bautismo *baptism*	**de corrido** *fluently*	**el oficio** *trade*
burlar *to trick*	**descarado/a** *rude*	**pregonar** *to hawk*

1 **Vocabulario** Completa las oraciones.

1. El ___bautismo___ es un rito religioso de los cristianos.

2. No sé cómo se llama ese ___fulano___, pero no me cae bien.

3. El ___oficio___ del vendedor consiste en ___comerciar___ con todo tipo de productos.

4. Espero que Juan no piense que soy ___descarado/a___ por contestarle así.

5. El actor no pudo recitar ___de corrido___ su monólogo; se le olvidó.

2 **Conexión personal** Responde: ¿Qué poder crees que tienen las palabras en la sociedad actual? ¿Piensas que pueden suceder cosas prodigiosas en la vida real o que todo tiene una explicación racional?

3 **Análisis literario: Desarrollo del personaje**

La acción de una novela depende de la capacidad de sus personajes para llevarla a cabo. Por ejemplo, para contar una historia sobre un viaje a la Luna, es necesario desarrollar personajes valientes y aventureros; y para escribir una historia de amor, es necesario crear personajes sensibles, capaces de enamorarse y de tener sentimientos sublimes. En el fragmento de *Cuentos de Eva Luna* que vas a leer, la autora desarrolla un misterioso personaje llamado Belisa Crepusculario. Mientras lees el fragmento, fíjate en las claves que da la autora sobre ese personaje para determinar qué tipo de acción tendrá lugar en el resto de la narración.

Los medios de comunicación   *trescientos setenta y nueve* **379**

Teaching Tip Tell students that there's a common expression in Spanish, **fulano, mengano y zutano,** meaning anyone (or an unspecified person), as in the English expression "Tom, Dick, and Harry".

2 Ask students if they believe in spells, magic words or curses. Ask: **¿Creen en los hechizos, las palabras mágicas y las maldiciones o les parecen ideas primitivas e ignorantes?**

3 Explain that the name of the main character has a deliberate meaning: **Belisa** means *slender one*, and **crespúsculo** means *twilight*. Ask students to visualize the character, based on her name.

CRITICAL THINKING | Interpretive Communication | Making Connections |

Comprehension and Application Ask volunteers to summarize the biography of Isabel Allende. Then ask students: **¿Has leído una novela que haya sido llevada al cine? ¿Te gustó? ¿Por qué?**

CRITICAL THINKING

Análisis literario Explain that the name of the main character has a deliberate meaning: **Belisa** means *slender one*, and **crespúsculo** means *twilight*. Ask students to visualize the character, based on her name.

- **For Visual Learners** Ask students to describe what they see in the image, using vivid adjectives and verbs.
- **For Inclusion** Ask students to identify and list in Spanish all that they see in the image. Make a list of all students' responses on the board. Have them predict what the story is about based on the image.
- Point out to students the word **fragmento**. Ask a volunteer to explain what it means and its significance on this page.
- Share with the class that there are places in the world where people turn to **escribidores** (*street scribes*) because they don't know how to read or write.
- Give each student a blank story map (graphic organizer that lists characters, settings, problems, solutions, etc.) Then ask students to fill in all the information they can, based on the introduction.

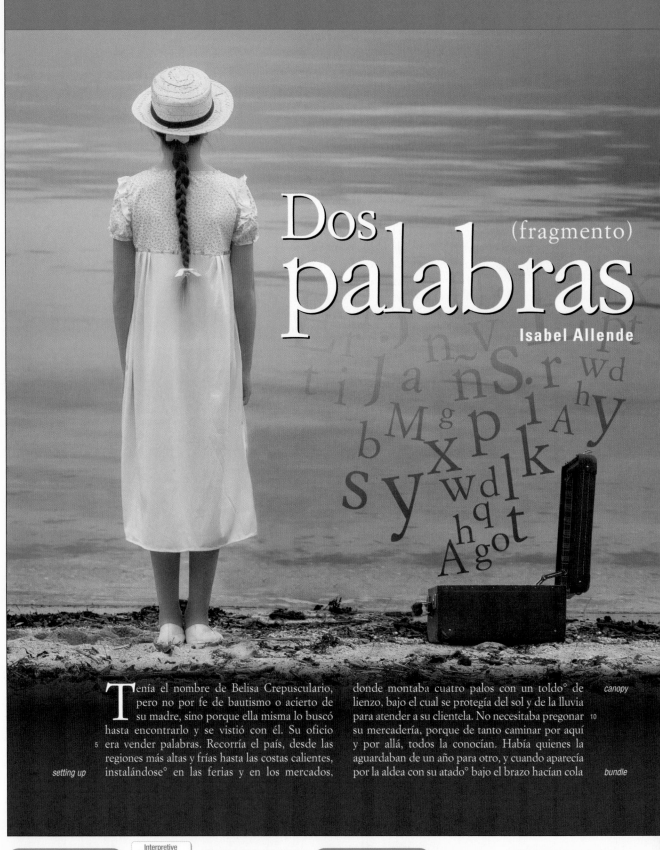

Dos palabras

(fragmento)

Isabel Allende

Tenía el nombre de Belisa Crepusculario, pero no por fe de bautismo o acierto de su madre, sino porque ella misma lo buscó hasta encontrarlo y se vistió con él. Su oficio era vender palabras. Recorría el país, desde las regiones más altas y frías hasta las costas calientes, instalándose° en las ferias y en los mercados, donde montaba cuatro palos con un toldo° de lienzo, bajo el cual se protegía del sol y de la lluvia para atender a su clientela. No necesitaba pregonar su mercadería, porque de tanto caminar por aquí y por allá, todos la conocían. Había quienes la aguardaban de un año para otro, y cuando aparecía por la aldea con su atado° bajo el brazo hacían cola

setting up (5)
canopy (10)
bundle

CRITICAL THINKING

Comprehension and Application Ask students to summarize the first 25 lines of the selection in their own words to make sure that they have a clear image of the main character and of what she does.

CRITICAL THINKING

Analysis and Evaluation Assign each student one paragraph from the reading. Ask students to write two to three comprehension questions for their paragraph. Then collect and ask the questions. This will help the class recall the story up to this point before continuing the reading.

Teaching Tips
• Allow extra time for the triple-read method to ensure reading comprehension:
1. read once to gain general comprehension;
2. read carefully a second time, identifying and looking up important, unknown words;
3. read a third time for complete comprehension and enjoyment.
• **For Inclusion** Read the story aloud, pantomiming to convey meaning. Pause after each paragraph to ask volunteers to summarize what you have read.
• **For Auditory Learners** Encourage students to read the text aloud in pairs, taking turns. This will help them rely on their auditory strengths to understand the story.

market stall 15 frente a su tenderete°. Vendía a precios justos. Por cinco centavos entregaba versos de memoria, por siete mejoraba la calidad de los sueños, por nueve escribía cartas de enamorados, por doce inventaba insultos para enemigos irreconciliables. También

20 vendía cuentos, pero no eran cuentos de fantasía, sino largas historias verdaderas que recitaba de corrido, sin saltarse nada. Así llevaba las nuevas de un pueblo a otro. La gente le pagaba por agregar una o dos líneas: nació un niño, murió fulano, se

harvests 25 casaron nuestros hijos, se quemaron las cosechas°. En cada lugar se juntaba una pequeña multitud a su alrededor para oírla cuando comenzaba a hablar y así se enteraban de las vidas de otros,

details de los parientes lejanos, de los pormenores° de

30 la Guerra Civil. A quien le comprara cincuenta centavos, ella le regalaba una palabra secreta para

to scare off espantar° la melancolía. No era la misma para todos, por supuesto, porque eso habría sido un engaño colectivo. Cada uno recibía la suya con la

35 certeza de que nadie más la empleaba para ese fin en el universo y más allá.

Belisa Crepusculario había nacido en una

poor familia tan mísera°, que ni siquiera poseía nombres para llamar a sus hijos. Vino al mundo y creció en

40 la región más inhóspita, donde algunos años las lluvias se convierten en avalanchas de agua que se llevan todo, y en otros no cae ni una gota del cielo, el sol se agranda hasta ocupar el horizonte entero y el mundo se convierte en un desierto.

45 Hasta que cumplió doce años no tuvo otra ocupación ni virtud que sobrevivir al hambre y la fatiga de siglos. Durante una interminable

drought sequía° le tocó enterrar a cuatro hermanos menores y cuando comprendió que llegaba su

prairies 50 turno, decidió echar a andar por las llanuras° en dirección al mar, a ver si en el viaje lograba burlar a la muerte. La tierra estaba erosionada, partida en

cracks profundas grietas°, sembrada de piedras, fósiles

prickly de árboles y de arbustos espinudos°, esqueletos

55 de animales blanqueados por el calor. De vez en cuando tropezaba con familias que, como ella,

mirage iban hacia el sur siguiendo el espejismo° del agua. Algunos habían iniciado la marcha llevando sus pertenencias al hombro o en carretillas, pero

60 apenas podían mover sus propios huesos y a poco

dragged andar debían abandonar sus cosas. Se arrastraban°
themselves penosamente, con la piel convertida en cuero de lagarto y los ojos quemados por la reverberación

de la luz. Belisa los saludaba con un gesto al pasar, pero no se detenía, porque no podía gastar 65 sus fuerzas en ejercicios de compasión. Muchos cayeron por el camino, pero ella era tan tozuda° *stubborn* que consiguió atravesar el infierno y arribó por fin a los primeros manantiales°, finos hilos de agua, *springs* casi invisibles, que alimentaban una vegetación 70 raquítica°, y que más adelante se convertían en *stunted* riachuelos y esteros°. *estuaries*

Belisa Crepusculario salvó la vida y además descubrió por casualidad la escritura. Al llegar a una aldea en las proximidades de la costa, el viento 75 colocó a sus pies una hoja de periódico. Ella tomó aquel papel amarillo y quebradizo° y estuvo largo *brittle* rato observándolo sin adivinar su uso, hasta que la curiosidad pudo más que su timidez. Se acercó a un hombre que lavaba un caballo en el mismo 80 charco turbio° donde ella saciara su sed. *muddy puddle*

— ¿Qué es esto? —preguntó.

—La página deportiva del periódico — replicó el hombre sin dar muestras de asombro ante su ignorancia. 85

La respuesta dejó atónita a la muchacha, pero no quiso parecer descarada y se limitó a inquirir el significado de las patitas de mosca dibujadas sobre el papel.

—Son palabras, niña. Allí dice que 90 Fulgencio Barba noqueó° al Negro Tiznao en el *knocked-out* tercer round.

Ese día Belisa Crepusculario se enteró que las palabras andan sueltas sin dueño y cualquiera con un poco de maña° puede apoderárselas para 95 *skill* comerciar con ellas. Consideró su situación y concluyó que aparte de prostituirse o emplearse como sirvienta en las cocinas de los ricos, eran pocas las ocupaciones que podía desempeñar. Vender palabras le pareció una alternativa decente. 100 A partir de ese momento ejerció esa profesión y nunca le interesó otra. Al principio ofrecía su mercancía sin sospechar que las palabras podían también escribirse fuera de los periódicos. Cuando lo supo calculó las infinitas proyecciones 105 de su negocio, con sus ahorros le pagó veinte pesos a un cura para que le enseñara a leer y escribir y con los tres que le sobraron se compró un diccionario. Lo revisó desde la A hasta la Z y luego lo lanzó° al mar, porque no 110 *threw* era su intención estafar° a los clientes con *to swindle* palabras envasadas°. [...] ■ *canned*

	Interpersonal Communication
CRITICAL THINKING	

Application Ask students to write a letter to the author, summarizing their impressions of the story. Then, ask them to exchange the letter with a partner to edit the content and grammar. Finally, ask students to write a final copy for you to review.

	Interpretive Communication	Presentational Communication
CRITICAL THINKING		

Analysis and Synthesis Ask students to choose one quote from page 380 or 381, and write it at the top of a piece of paper. Underneath, they should write a paragraph that explains the quote and its significance in the story.

Pre-AP*

AP Skill Categories
6   8

Después de leer

Dos palabras (fragmento)
Isabel Allende

Interpretive Communication

1 **Comprensión** Indica si las oraciones son **ciertas** o **falsas**. Corrige las falsas. Some answers will vary.

1. La familia de Belisa Crepusculario era muy pobre. Cierto.
2. Ella se marchó de su pueblo con cuatro de sus hermanos. Falso. Los cuatro hermanos de Belisa habían muerto y ella se marchó sola.
3. La protagonista aprendió a leer y a escribir en su casa. Falso. Ella le pagó a un cura para que le enseñara a leer y a escribir.
4. A Belisa no le gustaba engañar ni estafar a la gente. Cierto.
5. Belisa anunciaba sus servicios en los periódicos. Falso. Ella no necesitaba anunciarse porque todos la conocían.

Interpretive Communication

2 **Interpretación** Contesta las preguntas.

1. ¿En qué trabaja Belisa Crepusculario?
2. ¿La autora dice que Belisa se "vistió con su nombre". ¿Qué quiere decir eso?
3. ¿Qué hizo Belisa para "burlar a la muerte"?
4. ¿Cómo descubrió las palabras Belisa?

Interpersonal Communication

3 **Análisis** En parejas, digan si están de acuerdo o no con estas afirmaciones sobre Belisa Crepusculario. Justifiquen sus respuestas con ejemplos del texto.

1. Le cobraba demasiado dinero a la gente.
2. Era una mujer valiente.
3. Era muy popular y la gente creía en ella.
4. Nació en una familia de clase media.

Interpersonal Communication

Acquiring Information & Diverse Perspectives

4 **La autora y su personaje** En parejas, busquen en Internet información adicional sobre la vida de Isabel Allende. Después, discutan sobre el tipo de relación que puede existir entre la autora y Belisa Crepusculario. Usen las siguientes preguntas a modo de guía.

1. ¿Qué semejanzas creen que existen entre Belisa Crepusculario e Isabel Allende?
2. ¿En qué aspectos creen que la autora se identifica con su personaje?

Presentational Communication

5 **Ampliación** En parejas, creen su propia descripción de Belisa Crepusculario. Puede ser una descripción de su personalidad o de su apariencia física. Después, preséntenla ante la clase.

Interpersonal Communication

6 **Perspectiva** En grupos, imaginen que son periodistas y escriban una entrevista a Belisa Crepusculario.

- determinen el tipo de publicación donde aparecerá la entrevista
- determinen si Belisa será un personaje realista o si tendrá elementos fantásticos
- describan los gestos y la comunicación no verbal de la entrevista
- la entrevista puede incluir preguntas personales

PUEDO hablar sobre las características de un personaje literario.

Teaching Tips

2 Have students work in pairs to correct each other's answers and have them come up with additional statements about the reading.

3 Examples from the reading: Item 1: **"vendía a precios justos"**. Item 2: **"era tan tozuda que logró atravesar el infierno"**. Item 3: **"cuando aparecía por la aldea con su atado bajo el brazo hacían cola frente a su tenderete"**. Item 4: **"Hasta que cumplió doce años no tuvo otra ocupación ni virtud que sobrevivir al hambre y la fatiga de siglos"**. Item 5: **"Ella tomó aquel papel amarillo y quebradizo y estuvo largo rato observándolo sin adivinar su uso, hasta que la curiosidad pudo más que su timidez"**.

Pre-AP*

AP Skill Category 5

Virtual Chat
Available online.

4 Mention to students that the arid land described in the text may be the Atacama desert in Chile.

PRE-AP*

Interpretive Communication | Interpersonal Communication | Presentational Communication

Reading, Speaking, and Literary Analysis Read *"Dos palabras"* and discuss it with the class. Divide the class into groups of four. Tell each group to prepare one of the questions from **Actividad 3**. Group members should take careful notes, and then form new groups, so that there is one student from each question in each new group. Have each student share his or her information in the new group. Explain to students: **Una vez que hayan compartido su información con el grupo nuevo, toda la clase va a hacer una "mesa redonda"**.

Antes de leer

Vocabulario

aislar *to isolate*	**el idioma** *language*
bilingüe *bilingual*	**la lengua** *language; tongue*
el guaraní *Guarani*	**monolingüe** *monolingual*
el/la hablante *speaker*	**vencer** *to conquer*

1 **Idiomas de Bolivia** Completa las oraciones con el vocabulario de la tabla.

1. Gran parte de los ciudadanos de Bolivia son ___hablantes___ de español.

2. Aunque los conquistadores españoles trataron de imponer el ___idioma___ de su tierra, no se puede decir que los habitantes de Bolivia son ___monolingües___.

3. La ___lengua___ materna de muchos bolivianos no viene de los españoles, sino de los indígenas.

4. Hay muchos bolivianos ___bilingües___ que se comunican en español y quechua o en español y aymara.

5. El ___guaraní___ se habla en Paraguay y en partes de Bolivia, Argentina y Brasil.

2 **Conexión personal** Responde estas preguntas: ¿De dónde vienen tus antepasados? ¿Han preservado algo de otra cultura? ¿Qué? ¿Te identificas con esa(s) cultura(s)?

Contexto cultural

Los ríos, las montañas y la historia se han juntado (*come together*) para aislar a algunos pueblos de Latinoamérica y, en el proceso, permitir la supervivencia (*survival*) de cientos de idiomas indígenas. Suramérica manifiesta una diversidad lingüística casi incomparable. De hecho, en la época anterior a la conquista europea, existían más de 1.500 idiomas. En la actualidad, suramericanos bilingües y monolingües conversan en más de 350 lenguas de raíces (*roots*) no relacionadas. Entre las más de 500 lenguas que se calcula que existen en Latinoamérica, se encuentran 56 familias lingüísticas y 73 idiomas aislados, es decir, idiomas sin relación aparente. En comparación, los idiomas de Europa provienen de (*come from*) tres familias lingüísticas y hay sólo un idioma aislado, el vasco.

Algunas lenguas indígenas disponen de pocos hablantes y están en peligro de extinción, pero muchas otras prosperan y mantienen un papel central. Por ejemplo, el quechua, idioma de los incas, tiene diez millones de hablantes, sobre todo en Perú y Bolivia, y también en zonas de Colombia, Ecuador, Argentina y Chile. En Bolivia, Paraguay y Perú, por lo menos una lengua indígena comparte con el español el rango de lengua oficial del país.

Guaraní: la lengua vencedora

Es más probable que un habitante de Asunción, capital de Paraguay, salude a un amigo con las palabras **Mba'éichapa reiko?** que con la pregunta *¿Qué tal?* Lo más lógico es que el compañero responda **Iporânte ha nde?** en vez de *Bien, ¿y tú?* También es más probable que un niño paraguayo comience la escuela (o **mbo'ehao**) sin hablar español que sin saber comunicarse en guaraní.

Hay cientos de idiomas en Latinoamérica, pero el caso del guaraní en el Paraguay es único. Más que una lengua oficial, el guaraní 10 es la lengua del pueblo paraguayo. Cuando los españoles invadieron lo que ahora se conoce como Hispanoamérica, trajeron e *imposed* impusieron° su lengua como parte de la conquista cultural. Aunque muchas personas 15 se resistieron a aprenderlo, el español se *became* convirtió° en lengua del gobierno y de las instituciones oficiales en casi todas partes. En la actualidad, el hecho de conversar en español o en uno de los múltiples idiomas 20 indígenas depende frecuentemente del origen de un individuo, de su contexto social y de sus raíces familiares, entre otras cosas. *native* El uso de una lengua autóctona° típicamente se limita a las poblaciones indígenas, sobre *of Spanish and Native American descent* 25 todo a las que viven aisladas. En el Paraguay, aunque la mayoría de la población es mestiza°, actualmente las comunidades indígenas de *extremely* origen guaraní son una minoría sumamente° pequeña. Sin embargo, el guaraní se ha 30 adoptado universalmente como lengua oral de todas las personas y en todos los lugares.

El conocido escritor uruguayo Eduardo Galeano afirma que no hay otro país más que el Paraguay en el que "la lengua de los 35 vencidos se haya convertido en lengua de los vencedores". Las estadísticas cuentan una historia impresionante: según el último censo de 2012, el 34% de la población paraguaya es monolingüe en guaraní, más del 46% es 40 bilingüe y sólo el 15% es monolingüe en español. Es decir, la lengua de la minoría nativa ha conquistado el país. Casi todos los hablantes del guaraní se expresan en *jopara*, una versión híbrida del idioma que toma 45 prestadas palabras del español.

prevalence Aunque la predominancia° del guaraní *undeniable* es innegable°, los defensores de la lengua han observado que el español ha mantenido hasta hace poco una posición privilegiada 50 en el gobierno y en la educación. La falta de equilibrio se debe a una variedad de razones complejas, incluyendo algunos factores sociales, diferentes oportunidades económicas

y el uso del español para comunicarse con la comunidad global. No obstante, en las 55 últimas décadas se reconoce cada vez más la importancia del guaraní y su prestigio *is growing* aumenta°. En 1992 se cambió la constitución paraguaya para incluir la declaración: "El Paraguay es un país pluricultural y bilingüe. 60 Son idiomas oficiales el castellano y el guaraní". El guaraní prospera también en las artes y en los medios de comunicación. Existe una larga tradición popular de narrativa oral que en las últimas décadas se ha incorporado 65 a la escritura y ha inspirado a jóvenes poetas. El célebre novelista paraguayo Augusto Roa Bastos (1917-2005) introdujo expresiones y sonidos del guaraní en sus cuentos. Aunque la presencia en los medios escritos aún es 70 *limited* escasa°, los nuevos medios de comunicación del siglo XX y XXI contribuyen a la promoción del idioma y permiten, por ejemplo, que se estudie guaraní y que se publiquen narrativas en Internet. 75

¿Cómo logró una lengua indígena superar al español y convertirse en el idioma más hablado del Paraguay? ¿Se debe a alguna particularidad del lenguaje? ¿O es la consecuencia de factores históricos, como 80 *preach* la decisión de los jesuitas de predicar° el catolicismo en guaraní? ¿Qué papel tiene el aislamiento del Paraguay, ubicado en el corazón del continente y sin salida al mar? Nunca se podrá identificar una sola razón, 85 pero es evidente que con su capacidad de supervivencia y adaptación a los nuevos tiempos, el guaraní comienza a conquistar el futuro. ■

El guaraní

- En el Paraguay, más del 90% de la población se comunica en guaraní. Junto con el español, es lengua oficial del país.

- También se habla guaraní en partes del Brasil, Bolivia y la Argentina.

- La moneda del Paraguay se llama guaraní.

Los medios de comunicación

- As students read, have them create a list of facts about the **guaraní** language that catch their attention. After they finish reading, have them share the list with the class and explain why they picked those particular facts.

- **For Visual Learners** Ask pairs to present the information in the article in a graphic organizer such as a pie chart, time line, or graph. Have them present their organizers and then display them around the room.

- **To Challenge Students** Ask students to research the history of another indigenous language of Latin America that is still spoken today, for example, **quechua**, **aymara**; also perhaps **catalán** or **gallego** in Spain. Have them report on each language's history.

- **For Inclusion** Encourage students to take notes as you read and summarize the article aloud. Then ask students to report information from their notes to review the reading and make sure that all students understand it.

NATIONAL STANDARDS

Communities Do students recognize that there are indigenous languages spoken in the U.S.? Have students research and report on the linguistic families of Native American languages and on the number of speakers of these languages.

> Acquiring Information & Diverse Perspectives

Cultural Comparison Have students research to see if we have any languages from indigenous communities in the U.S. and if there are measures or laws to help maintain indigenous heritage languages.

CRITICAL THINKING

> Acquiring Information & Diverse Perspectives

Application and Synthesis Ask groups of students to choose one aspect of **guaraní** culture (music, art, rituals, food, etc.). Then have them research that aspect of **guaraní** culture on the Internet or in the library. Using visuals or samples (like music, film clips, or food), students present their findings to the class.

CRITICAL THINKING

> Interpretive Communication   Presentational Communication   Making Connections

Application and Evaluation On the board, write the Eduardo Galeano quotation: **"No hay otro país más que Paraguay en el que la lengua de los vencidos se haya convertido en lengua de los vencedores."** Ask pairs to write a paragraph which states the meaning of the quote and then analyzes how the quote summarizes the whole article. Encourage students to use evidence from the article to support their opinion.

1 Have students work in pairs to write three more true/false statements, and then exchange them with another pair. Pairs should determine whether their neighbors' statements are true or false and correct the false statements.

2 Have students give other examples of bilingual communities. Be sure to point out important examples with which they are already familiar: Canada, Hawaii, etc.

3 Ask volunteers to give an example of a situation in which these phrases might be used.

4 Have students free-write their essays without crossing out or worrying about spelling and grammar. Once they have completed a rough draft, ask them to revise with a different color pen.

Pre-AP*

AP Skill Category 8

- Ask students to say words in English that come from other languages and identify the languages they come from. Record the words on the board.

NATIONAL STANDARDS

Communities/Comparisons
For advanced classes, have students write a brief comparative essay about bilingualism in Paraguay and the United States. Ask them to consider language use at work, at school, and in popular culture. Encourage students to use comparative forms (**Estructura 5.1**) and expressions with **lo**.

Language Comparisons	Cultural Comparisons

Después de leer

Guaraní: la lengua vencedora

Interpretive Communication

1 **Comprensión** Decide si las oraciones son **ciertas** o **falsas**. Corrige las falsas.

Cierto **Falso**

☐ ☑ 1. Suramérica manifiesta poca variedad lingüística.
Suramérica manifiesta una diversidad lingüística casi incomparable.

☑ ☐ 2. Por lo general, en Suramérica sólo las poblaciones indígenas hablan una lengua indígena.

☐ ☑ 3. La mayoría de la población paraguaya es de origen guaraní.
La mayoría de la población paraguaya es mestiza.

☐ ☑ 4. El 50% de la población de Paraguay es monolingüe en español.
El 34% de la población es monolingüe en guaraní, más del 46% es bilingüe y el 15% es monolingüe en español.

☑ ☐ 5. La Constitución de 1992 declaró que Paraguay es un país pluricultural y bilingüe.

☑ ☐ 6. Existe una larga tradición popular de narrativa oral en guaraní.

☐ ☑ 7. Augusto Roa Bastos escribió sus cuentos completamente en español.
Roa Bastos introdujo expresiones del guaraní en sus cuentos.

☐ ☑ 8. La moneda de Paraguay se llama asunción.
La moneda de Paraguay se llama guaraní.

Interpretive Communication

2 **Análisis** Contesta las preguntas utilizando oraciones completas. *Some answers will vary.*

1. ¿Cuáles son algunas de las señales de que una lengua prospera?

2. ¿De qué manera es especial el caso del guaraní?
El idioma de una minoría étnica se convirtió en el idioma de la mayoría.

3. ¿Por qué se dice que el guaraní es el lenguaje del pueblo paraguayo?
La mayoría de los paraguayos se comunica en guaraní.

4. ¿A quiénes se refiere Eduardo Galeano cuando habla de los "vencedores" y los "vencidos"?
Los vencedores son los españoles que colonizaron el Paraguay y los vencidos son las minorías indígenas.

5. ¿Qué es el *jopara* y quién lo utiliza?
Es una versión híbrida del guaraní que usa palabras del español. Lo utilizan casi todos los hablantes del guaraní.

Interpretive Communication
Interpersonal Communication
Relating Cultural Practices to Perspectives

3 **Reflexión** En grupos de tres, expliquen el significado y el posible contexto de los tres dichos populares del recuadro. ¿Hay algún dicho en español o en inglés que tenga un mensaje similar? ¿Qué elementos característicos de la cultura local se hacen evidentes en los dichos?

Dichos populares en guaraní

Hetãrõ machu kuéra, mbaipy jepe nahatãi.
Si hay muchas cocineras, ni la polenta se puede hacer.

Ñande rógape mante japytu'upa.
Sólo descansamos bien en nuestra casa.

Ani rerovase nde ajaka ava ambue akã ári.
No pongas tu canasto en la cabeza de otra persona.

Presentational Communication
Acquiring Information & Diverse Perspectives

4 **Ensayo** ¿Por qué crees que el gobierno de Paraguay cambió su constitución en 1992? ¿El cambio protege a una minoría o refleja la realidad de la mayoría? ¿Cuáles son las ventajas de vivir en un país pluricultural y bilingüe? ¿Hay alguna complicación? Escribe una composición de por lo menos tres párrafos dando tu opinión sobre estas preguntas.

PUEDO hablar sobre aspectos culturales de Paraguay y sobre el significado de dichos populares en guaraní.

Interpretive Communication
Presentational Communication
Relating Cultural Practices to Perspectives

Presentational Speaking Have students listen to a podcast about bilingualism and read two other articles in Spanish about Paraguay and the **guaraní** language. Have them take notes on the three sources. Then give students one class period to each prepare a two-minute talk on the use of indigenous languages in Latin America. Have students record their talks in a language laboratory, and grade them according to current AP rubrics. Tell them: **Esto es una práctica para el examen AP. Hay que hablar por lo menos durante dos minutos, citando las tres fuentes y resumiendo la información.**

Atando cabos

¡A conversar!

1

¿Telenovelas educativas?

A. Lean la cita y, en grupos de tres, compartan sus respuestas a estas preguntas.

> "Todo programa [de televisión] educa, sólo que —lo mismo que la escuela, lo mismo que el hogar— puede educar bien o mal." (Mario Kaplún, periodista)

1. ¿Están de acuerdo con esta cita? ¿O creen que sólo los programas propiamente educativos pueden enseñar algo al público?

2. Si "educar" significa "aumentar los conocimientos", ¿de qué manera un programa de televisión puede educar "mal"? ¿Están de acuerdo con esa definición?

B. Los participantes de un debate tuvieron que dar su opinión sobre el valor de las telenovelas teniendo en cuenta lo dicho por Mario Kaplún. Lean las dos opiniones y decidan con cuál están de acuerdo. Agreguen más argumentos para defender sus posturas. Usen **que**, **cual** y **cuyo**.

El debate de hoy: **las telenovelas**

En la cita, Mario Kaplún se refiere a la televisión en general. ¿Qué pasa en el caso particular de las telenovelas? ¿Creen que las telenovelas educan "bien" o "mal"?

Carlos Moreira (52)
Colonia, Uruguay

¡Estoy de acuerdo! Incluso las peores telenovelas pueden educar "bien". En primer lugar, siempre educan indirectamente. Los personajes suelen ser estereotipos, lo cual es importante porque permite que los televidentes se identifiquen con los deseos y los temores de personajes que se muestran como modelos positivos. Además, en países como México se producen telenovelas con fines específicamente educativos, los cuales incluyen enseñar al público acerca de enfermedades, problemas sociales, etc.

Sonia Ferrero (37)
Ciudad del Este, Paraguay

Las telenovelas siempre educan mal, lo que es igual que decir que no educan. ¿Qué puede tener de educativo un melodrama exagerado con personajes que se engañan constantemente? ¿Qué pueden tener de positivo historias que muestran relaciones personales retorcidas (*twisted*)? Yo no veo nada educativo en melodramas que perpetúan estereotipos sobre buenos, malos, ricos y pobres. Me gustaría ver telenovelas más realistas, cuyos personajes sean personas comunes.

2

Noticiero En grupos de cuatro, presenten a la clase un noticiero de horario estelar. Puede ser un noticiero televisivo, de radio, o por redes sociales. Cada estudiante presentará una sección diferente, ya sea: noticias de actualidad local, deportes, entretenimiento, internacionales, etc. Si lo desean, uno(a) podrá encargarse de la publicidad en vivo. Inventen noticias y comerciales positivos de forma creativa.

MODELO   Buenas noches. Bienvenidos a su Noticiero Estelar. Los locutores de radio de la ciudad continúan con su labor social. Cumplen con su deber, aunque los dueños de las estaciones no les hayan pagado durante los últimos meses...

Los medios de comunicación

trescientos ochenta y siete **387**

Interpretive
Communication

Interpersonal
Communication

Relating Cultural
Practices to
Perspectives

Presentational
Communication

Student Resources
Cuaderno de actividades, pp. 202–203, 205
Online Activities, *eCuaderno*

Teacher Resources
Workbook TEs; Textbook and Testing Audio online; Audio Scripts; Assessment Program Tests

Teaching Tips

¡A conversar!

- Point out that some elementary and high schools have access to student news channels and other informational programming. Ask: **¿Te parece bien que haya televisión en las aulas? ¿Cuáles son las ventajas y desventajas?**

- Ask students to think of famous news channels. **¿Quiénes son los dueños de las grandes cadenas? ¿Es posible que tengan algún tipo de influencia sobre el contenido de sus programas?**

- For Part B, have students make arguments about the educational value of talk shows, reality shows, and cartoons. School & Global Communities

Pre-AP*

AP Skill Category **7**

Interpersonal Speaking Tell students to pretend that they are exchange students in Paraguay. They arrived there expecting to use Spanish exclusively, but find themselves living with a family that speaks Spanish as well as **guaraní**. In pairs, have students write a conversation between themselves and the mother or father of the host family, in which the exchange student asks about the **guaraní** language. Instruct them: **Con tu pareja, vas a escribir una conversación en la cual tu madre paraguaya o tu padre paraguayo te explica los aspectos del bilingüismo del país. Luego, van a presentar la conversación a la clase.**

¡A escribir!

• For Inclusion Review how the subjunctive can be useful for persuasion. Ex: **Es necesario que… Me gustaría que… Aunque…**

• As an additional writing exercise, have students exchange their letters with classmates and write a response letter from the television network officials.

 Pre-AP*

AP Skill Category 6

Lesson 9 Integrated Performance Assessment
Context: A Spanish-language television station is conducting an opinion poll about whether viewers think that the media influence life or that life shapes what the media present. You decide to call in and voice your opinion.

You can find the IPA activity and scoring rubric in the Assessment Program and in the Resources section online.

Atando cabos

¡A conversar!

Interpersonal Communication

3

Diario escolar digital En parejas, imaginen que ustedes son el/la director(a) editorial y un(a) asistente editorial del diario digital de su escuela. El/la director/a pide confirmación sobre el estado de la información que pidió para las secciones de la edición del día. El/la asistente responde agregando detalles.

Información	Estados
el estado del tiempo	Listo(s)
el personaje más influyente de las redes	En espera
la noticia del día	En proceso
las novedades de la escuela: profesores ausentes, exámenes aplazados	
los cinco mejores memes de la semana	
los diez consejos prácticos para estudiar eficientemente	
los estudiantes más populares: deportistas, académicos, investigadores…	
los mejores menús de los restaurantes de la escuela	

MODELO **Director(a):** Hola, Luisa. Espero que hayas corregido el artículo sobre los diez consejos prácticos para estudiar más eficientemente…
Asistente: Director(a), el artículo está listo. Inclusive ya lo subí a la red. ¿Le parece bien que lo haya publicado en la sección **Actualidad**?

Interpersonal Communication

4

Decisiones rápidas En grupos de tres o cuatro estudiantes, discutan sobre la mejor decisión que se debe tomar en cada caso. Después, un representante de cada grupo la comenta a la clase.

• Eres el productor de una telenovela y antes de grabar el capítulo final, el/la protagonista renuncia.
• Eres reportero/a y estás almorzando en un restaurante con tu familia. Entra la estrella más popular del momento al restaurante, pero no tienes cámara ni micrófono.
• Eres el/la jefe/a de redacción del periódico más reconocido de tu ciudad. De pronto hay una escasez de papel y no puedes imprimir más ejemplares.

¡A escribir!

Interpersonal Communication

School & Global Communities

Televisión en guaraní Imagina que vives en Paraguay y tu telenovela favorita sólo se transmite en español. Escribe un mensaje electrónico al periódico pidiendo que se haga una versión doblada o subtitulada al guaraní. Incluye tu opinión sobre estas preguntas:

• ¿Quiénes se beneficiarían? ¿Por qué?
• ¿Quién debería cubrir el costo de la versión en guaraní: los productores de la telenovela o el gobierno?
• ¿Debería ser obligatorio ofrecer versiones de programas en los dos idiomas?

PUEDO participar en un debate sobre programas de televisión y simular un noticiero.

PUEDO escribir una carta a un periódico solicitando cambios en la programación de una telenovela.

388 *trescientos ochenta y ocho*

Lección 9

CRITICAL THINKING

Evaluation After completing **Actividad 3**, tell students to think of the way the editorial director addressed the editorial assistant and how he/she responded. Based on that interaction, give your opinion on both parts. Ask: **¿Es el/la director(a) editorial un(a) perfeccionista? ¿Es el/la asistente eficiente? ¿Es el/la directora(a) amable? ¿Es el/la asistente responsable?**, etc.

CRITICAL THINKING

Synthesis As an extension for **Actividad 4**, have students consider the worst-case scenario if nothing is done to fix the issue. Tell them to predict what would happen, giving them examples of possible expressions to start off. Ex: **En caso de que no se grabe el capítulo final…; Si no se contrata otro/a actor/actriz…**

La televisión, la radio y el cine

la banda sonora	soundtrack
la cadena	network
el canal	channel
el/la corresponsal	correspondent
el/la crítico/a de cine	film critic
el documental	documentary
los efectos especiales	special effects
el episodio (final)	(final) episode
el/la locutor(a) de radio	radio announcer
el/la oyente	listener
la (radio)emisora	radio station
el reportaje	news report
el/la reportero/a	reporter
los subtítulos	subtitles
la telenovela	soap opera
el/la televidente	television viewer
la temporada	season
el video musical	music video
grabar	to record
rodar (o:ue)	to film
transmitir	to broadcast
doblado/a	dubbed
en directo/vivo	live

La cultura popular

la celebridad	celebrity
el chisme	gossip
la estrella (pop)	(pop) star [m/f]
la fama	fame
la moda pasajera	fad
la tendencia/ la moda	trend
hacerse famoso/a	to become famous
tener buena/ mala fama	to have a good/ bad reputation
actual	current
de moda	popular; in fashion
influyente	influential
pasado/a de moda	unfashionable; outdated

Los medios de comunicación

el acontecimiento	event
la actualidad	current events
el anuncio	advertisement; commercial
la censura	censorship
la libertad de prensa	freedom of the press
los medios de comunicación	media
la parcialidad	bias
la publicidad	advertising
el público	public; audience
enterarse (de)	to become informed (about)
estar al tanto/al día	to be up-to-date
actualizado/a	updated
controvertido/a	controversial
de último momento	up-to-the-minute
destacado/a	prominent
(im)parcial	(un)biased

La prensa

el/la lector(a)	reader
las noticias locales/ nacionales/ internacionales	local/domestic/ international news
el periódico/ el diario	newspaper
el/la periodista	journalist
la portada	front page; cover
la prensa	press
la prensa sensacionalista	tabloid(s)
el/la redactor(a)	editor
la revista (electrónica)	(online) magazine
la sección de sociedad	lifestyle section
la sección deportiva	sports page/section
la tira cómica	comic strip
el titular	headline
imprimir	to print
publicar	to publish
suscribirse (a)	to subscribe (to)

En pantalla

el maletero	trunk
la nuca	back of the neck
la sintonía	synchronization: tuning; connection
aclarar	to clarify
dar la gana	to feel like
darse cuenta (de)	to realize
darse por aludido/a	to assume that one is being referred to
embalarse	to get carried away
fijarse en	to notice
parar el carro	to hold your horses
pillar(se)	to catch

Literatura

el bautismo	baptism
el/la fulano/a	so-and-so
el oficio	trade
burlar	to trick
comerciar	to trade
pregonar	to hawk
atónito/a	astonished
descarado/a	rude
de corrido	fluently

Cultura

el guaraní	Guarani
el/la hablante	speaker
el idioma	language
la lengua	language; tongue
aislar	to isolate
vencer	to conquer
bilingüe	bilingual
monolingüe	monolingual

Más vocabulario

Expresiones útiles	Ver p. 359
Estructura	Ver pp. 366, 368–369 y 372

Teaching Tips

- Ask students to find the flashcards they have made throughout the unit. Then ask them to add any words they may have forgotten.
- Once students have their flashcards completed, encourage pairs to play the game in which each partner holds his or her deck of flashcards. On the count of three, both partners flip one card over, so that the picture/sentence/definition side is up. The first person to say both Spanish words wins both cards. If no one says the words correctly, both people take their cards back and put them at the bottom of their pile, noting the vocabulary words they missed for next time.
- Have students create a collage illustrating 10 words and expressions from the vocabulary list. Display the collages around the room. Then give each student a pad of sticky notes. Have each student choose a collage and try labeling the pictures.
- **For Auditory Learners** Have students form five groups. Assign each a vocabulary category: **la televisión/ la radio/el cine, la cultura popular, los medios de comunicación, la prensa, cinemateca, literatura, cultura**. Groups make signs for their category. Read the vocabulary list out of order, allowing time for groups to raise their card when they hear a word associated with their category. If two groups raise their cards, discuss whether the word can be in both categories.

LEARNING STYLES

For Auditory Learners Play **El bingo.** Photocopy a bingo card for each student. On their cards, students can illustrate or write definitions or synonyms for 25 of the vocabulary words. Remind them not to write the actual words. For the first few rounds, pantomime the words. In later rounds, simply call out the word. If students have the word on their bingo card, they cover it with a playing piece (beans, coins, or pieces of colored paper work well).

LEARNING STYLES

For Visual and Kinesthetic Learners Play a game of Win, Lose, or Draw. Divide the class into two teams. Have a member from each team come to the board. Secretly give these team members a vocabulary word that can be represented visually. Then, they draw a picture that represents the word. The first team to guess the word earns a point.

1 **Context.** Make it personal. Ask students to provide whatever Spanish words they may already know in the context: "Think about the arts and literature. What Spanish words come to mind?". Receive, write, and display their words to encourage and prepare. Next, ask students questions about their own experiences and thoughts about the arts and literature: **¿Te interesan las artes plásticas? ¿Qué prefieres, ir a un museo o leer un libro?**

2 **Vocabulary.** Put it into words. Connect the word study in Step 1 with what students see on these pages. **¿Cuál es tu género literario favorito? ¿Cuál forma de arte te interesa más?**

3 **Media.** Bridge experiences. Ask students about popular culture in their communities: **¿Te gustan las artesanías? ¿Has ido a un almacén de artesanías alguna vez?**

A primera vista Have students look at the photo; ask them these additional questions: **¿Qué palabras podrías utilizar para describir la obra de este artista? ¿Qué sentimientos te transmite su obra?**

Essential Questions Discuss the essential questions as a class. Point out to students that they will learn about art and literature in Spanish-speaking countries in **El mundo hispano**, **Flash cultura** and **Lecturas**.

Overarching Themes Beauty and Aesthetics: Literature, Visual Arts

A primera vista
- ¿Quién es la persona de la foto? ¿Qué está haciendo?
- ¿Qué opinas de las figuras que está pintando?
- ¿Qué papel cumple el arte en tu vida?

Essential Questions
1. ¿Cuáles son las formas de expresión artística en la actualidad?
2. ¿Qué podemos aprender de una cultura mediante sus expresiones artísticas?
3. ¿Qué nos dice la literatura de un país sobre su cultura y su historia?

Teacher Resources

Presentation
- AP® Themes & Contexts
- Grammar Slides: **Estructura** 10.1, 10.2, 10.3

Practice and Communicate
- *Cuaderno de actividades* with audio & Answer Key
- Digital Image Bank (Arts and Culture)
- Textbook Audio

Forums on **vhlcentral.com** allow you and your students to record and share audio messages. Use Forums for presentations, oral assessments, discussions, directions, etc.

10 La literatura y el arte

Can Do Goals

By the end of this lesson I will be able to:

- Write a literature review
- Talk about different forms of art
- Describe the work of an artist
- Talk about the past and the distant future

Also, I will learn about:

Culture
- The houses of Chilean poet Pablo Neruda
- Modern architecture in the city of Barcelona
- Magical realism and the **McOndo** group of writers

Skills
- Reading: Identifying the characteristics of fantastic realism
- Speaking: Giving a presentation on an artist
- Writing: Writing a food review

Lesson 10 Integrated Performance Assessment

Context: You have been asked to present a basic literary report for a Spanish-language literary blog. You read a short story in Spanish and write a brief literary report about it.

Fachada del MALBA

Producto: El Museo de Arte Latinoamericano de Buenos Aires es uno de los museos más importantes de Latinoamérica. **¿Cuál es el museo más importante de tu región? ¿Cómo es?**

---

4 **Culture.** Give new perspectives. Ask students: **¿Cómo se relacionan la literatura y el cine? ¿Prefieres las obras literarias o las versiones adaptadas al cine? ¿Por qué?**

5 **Structure.** Use grammar as a tool. Focus on presenting words in context and on personalized activities. Ask: **¿Cuántos libros habrás leído al final de este año? ¿Qué habrías hecho si supieras que tu artista favorito vendría a visitarnos hoy en la clase?**

6 **Synthesis.** Pull it all together. For each skill area, focus on the personalized activities that are provided, e.g. **Preparación,** p. 403; **Conexión personal,** pp. 415, 419.

Can Do Goals Review the list of communicative goals with your students. Point out that this lesson will provide them with the tools necessary to achieve these goals. You may also share the IPA task, found on page 423, so that students become familiar with the final communicative task they will be expected to complete.

Integrated Performance Assessment Before teaching this chapter, review the Integrated Performance Assessment (IPA) and its accompanying scoring rubric provided in the Assessment Program. Use the IPA to assess students' progress toward proficiency targets at the end of the chapter.

Producto Have students visit the MALBA website and explore its sections—or take a virtual tour if available. Have them share their experience with the class.

School & Global
Communities

Teacher Resources

Assessment
- Optional Testing Sections: **Fotonovela, Flash cultura**
- Oral Testing Suggestions
- **Prueba** A-B-C-D, with audio / Exams (Lessons 7–10; 1–10)
- Tests and Exams Answer Key
- Vocabulary Quizzes A-B / Grammar Quizzes 10.1 A-B, 10.2 A-B, 10.3 A-B

Scripts and Translations
Textbook Audio Script / Grammar Tutorials / **Fotonovela / Flash cultura /** Assessment Program

Additional Tools for Planning and Teaching
Essential Questions / I Can Worksheets / IPAs and Rubrics / Lesson Plans / Pacing Guides

Section Goals

In **Contextos**, students will learn and practice:

- vocabulary for talking about literature, literary genres, artists, art, and artistic trends
- listening to a TV program introduction and an interview containing new vocabulary

Previewing Strategy
Find out about students' experiences with art and literature. **¿Qué papel juegan el arte y la literatura en tu vida diaria? ¿Estudias literatura en tus cursos? ¿Quiénes son tus artistas y autores preferidos?**

Teaching Tip
Variación léxica:
hojear → leer por encima
desarrollarse → tener lugar
la poeta → la poetisa

NATIONAL STANDARDS
Connections: Fine Arts Bring in examples of the various art forms and styles referred to in the vocabulary list, as well as any others that you think students would benefit from. The art teacher may be able to provide samples.

> Making Connections

---

10 CONTEXTOS

Objetivo comunicativo: **Escribir una crítica literaria**

La literatura y el arte

La literatura
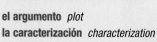

Carolina está terminando su segunda novela, que **narra** la historia de una divertida familia de actores en Chile. La historia está narrada desde **el punto de vista** del hijo mayor, **protagonista** de esta **obra literaria.**

el argumento *plot*
la caracterización *characterization*
la estrofa *stanza*
el/la lector(a) *reader*
el/la narrador(a) *narrator*
la obra literaria *literary work*
el personaje *character*
el/la protagonista *protagonist*
el punto de vista *point of view*
la rima *rhyme*
el verso *line (of poetry)*
_____
desarrollarse *to take place*
hojear *to skim*
narrar *to narrate*
tratarse de *to be about; to deal with*

Los géneros literarios

la (auto)biografía *(auto)biography*
la ciencia ficción *science fiction*
la literatura infantil/juvenil
    children's literature
la novela rosa *romance novel*
la poesía *poetry*
la prosa *prose*
_____
clásico/a *classic*
de terror *horror (story/novel)*
didáctico/a *educational*
histórico/a *historical*
humorístico/a *humorous*
policíaco/a *detective (story/novel)*
satírico/a *satirical*
trágico/a *tragic*

Los artistas

el/la artesano/a *artisan*
el/la dramaturgo/a *playwright*
el/la ensayista *essayist*
el/la escultor(a) *sculptor*
el/la muralista *muralist*
el/la novelista *novelist*
el/la pintor(a) *painter*
el poeta / la poetisa *poet*

392 *trescientos noventa y dos*

Lección 10

PRE-AP* | Presentational Communication | Making Connections | Lifelong Learning |

Speaking and Interpersonal Writing Go over vocabulary related to literature, reading, and writing. Tell students to bring in their favorite book, and to talk about it in small groups, using the new vocabulary. They should explain why it is their favorite and share any memories connected to it. It will most likely be a book in English, and may be one from their childhood. After they have talked about their book, have them write about it. Afterwards, have them choose an interesting book from another group member and write about it. Say: **Ahora vas a escribir un poco sobre tu libro favorito. También vas a escribir sobre el libro que te ha parecido el más interesante de tu grupo.**

En la clase de **bellas artes**, Carla y Lucía tienen que pintar una **naturaleza muerta**. Carla eligió usar **óleo**, pero Lucía prefiere la **acuarela**.

la acuarela *watercolor*
el autorretrato *self-portrait*
las bellas artes *fine arts*
el cuadro *painting*
la escultura *sculpture*
la naturaleza muerta *still life*
la obra (de arte) *work (of art)*
el óleo *oil painting*
el pincel *paintbrush*
la pintura *paint; painting*
la tela *canvas*

dibujar *to draw*
diseñar *to design*
esculpir *to sculpt*
reflejar *to reflect; to depict*

abstracto/a *abstract*
contemporáneo/a *contemporary*
inquietante *disturbing*
intrigante *intriguing*
llamativo/a *striking*
luminoso/a *bright*
realista *realistic; realist*

al estilo de *in the style of*
de buen/mal gusto *in good/bad taste*

Las corrientes artísticas

la corriente/el movimiento *movement*
el cubismo *Cubism*
el expresionismo *Expressionism*
el impresionismo *Impressionism*
el realismo *Realism*
el romanticismo *Romanticism*
el surrealismo *Surrealism*

La literatura y el arte

Práctica

Interpretive Communication

1 Escuchar

A. Escucha el programa de televisión y después completa las oraciones con la opción correcta.

1. Se ha organizado una exposición en el Museo de Arte ((Contemporáneo) / Moderno).

2. La exposición trata de los movimientos artísticos desde el ((romanticismo) / realismo).

3. En la exposición se pueden ver las obras de escultores y (muralistas / (pintores)) del país.

4. Muchos creen que la obra de José Ortiz es de (buen / (mal)) gusto.

5. Al presentador, la obra de José Ortiz le parece muy ((intrigante) / abstracta).

B. Escucha la entrevista del programa *ArteDifusión* y contesta las preguntas.

1. ¿A qué género literario pertenece la novela *El viento*?
   La novela *El viento* pertenece al género de novela histórica.
2. ¿De qué otros géneros tiene elementos?
   La novela tiene elementos humorísticos y de novela rosa.
3. ¿Desde qué punto de vista se ha escrito esta novela?
   La novela se ha escrito desde el punto de vista de un protagonista masculino.
4. ¿Qué personajes son los más frecuentes en la obra de Mayka Ledesma?
   En la obra de Mayka Ledesma son más frecuentes los personajes femeninos.
5. ¿Qué tienen que hacer los lectores para darse cuenta de que es una obra divertida?
   Los lectores sólo tienen que hojear la obra para darse cuenta de que es divertida.

C. En parejas, inventen una entrevista a un(a) escritor(a) o artista famoso/a y represéntenla para la clase.

2 Relaciones
Conecta las palabras de forma lógica.

_f_ 1. estrofa	a. corriente artística
_a_ 2. cubismo	b. obra de teatro
_c_ 3. tela	c. pincel
_e_ 4. esculpir	d. artesano
_b_ 5. dramaturgo	e. escultor
_h_ 6. novela policíaca	f. verso
_d_ 7. artesanía	g. realismo
_g_ 8. realista	h. género literario

(A) Audio Script
Buenas noches. Empieza el programa ArteDifusión, el único programa de televisión especializado en el mundo del arte. Gracias por estar con nosotros. Esta noche tenemos una visita excepcional: la escritora Mayka Ledesma, que viene a hablarnos de su último trabajo; pero antes tenemos preparado un pequeño reportaje sobre la maravillosa exposición que se ha organizado en el Museo de Arte Contemporáneo. La exposición recorre los diferentes movimientos artísticos desde el romanticismo hasta nuestros días. Hay obras de los escultores y pintores más reconocidos del país. En esta exposición, es visita obligatoria la sala de arte realista, donde se pueden admirar las controvertidas pinturas al óleo de José Ortiz. Muchos las encuentran de mal gusto, pero a otros, entre los que me incluyo, nos resultan muy intrigantes. Quédese con nosotros y vea el reportaje que hemos preparado sobre el tema.
Teacher Resources online

(B) Audio Script
PRESENTADOR Mayka, muchas gracias por venir a nuestro programa.
MAYKA LEDESMA Es siempre un placer estar aquí.
PRESENTADOR Lo primero que tengo que preguntarte es de qué se trata la novela *El viento*.
MAYKA LEDESMA Es una novela histórica. El argumento se desarrolla en los primeros años de la Conquista, pero no es una obra didáctica. Tiene muchos elementos de novela rosa y también se pueden encontrar muchos elementos humorísticos.
(Continued on p. 394.)

Interpretive Communication | **Presentational Communication** | **Making Connections**

Speaking and Interpersonal Writing Go over vocabulary related to art on page 395. In class, have a discussion about Spanish and Latin American painters with whom students are acquainted. Bring in prints by Goya, Velázquez, El Greco, Frida Kahlo, Dalí, Rivera, and others. In small groups, have students discuss their reactions to the works. Once students have practiced the vocabulary in their groups, have them write about their favorite painting, or a recent trip to an art museum. **Say: Ahora vas a escribir sobre tu cuadro favorito o sobre una experiencia personal en un museo de arte.**

(B) Audio Script (continued)

PRESENTADOR ¿Te fue difícil escribir una obra tan larga? ¿Cuánto tiempo te llevó escribir la novela *El viento*?

MAYKA LEDESMA Verás, la verdad es que he tardado casi dos años en escribirla. Fue para mí un proceso difícil escribir la obra desde el punto de vista de un protagonista masculino. Como sabes, normalmente mis obras están llenas de personajes femeninos, pero en esta novela, *El viento,* quería hacer algo diferente.

PRESENTADOR ¿Por qué un personaje masculino en esta ocasión?

MAYKA LEDESMA Quería mostrar las luchas de poder de aquella época y pensé que un narrador masculino iba a reflejar mejor la política de aquellos tiempos; y la historia de aquella época, no hay que olvidarla, está escrita mayoritariamente por hombres.

PRESENTADOR ¿Qué le dirías al lector que ve una novela con este argumento y piensa que no le interesan estos temas políticos o históricos?

MAYKA LEDESMA Los lectores sólo tienen que hojear la obra para darse cuenta en seguida de que es una novela divertida que simplemente se desarrolla en otra época.

Teacher Resources online

Expansion

4 As an optional writing assignment, have students invent plot fragments for these additional literary genres: **una novela de terror, una novela histórica, una novela juvenil.**

5 Ask students to talk about the last book they read: **¿Quién es el autor? ¿A qué género pertenece el libro? ¿De qué trata?**

5 **Virtual Chat**
Available online.

 Pre-AP*

AP Skill Category 5

---

3 Un crítico sin inspiración Completa las oraciones de un crítico con las palabras y expresiones de la lista.

acuarela	de mal gusto
al estilo de	inquietante
argumento	llamativo

1. Sus obras son muy ___llamativas___; en todas usa muchos colores brillantes.

2. La ___inquietante___ escena en la que aparece el fantasma del padre está inspirada en su novela anterior.

3. Vi un par de óleos interesantes en su nueva exhibición, pero lo que más impresiona son las ___acuarelas___.

4. El ___argumento___ de la novela es tan complicado que confunde al lector.

5. Los jóvenes artistas desean pintar ___al estilo de___ la admirada maestra chilena.

4 Géneros En parejas, lean los fragmentos de estas obras e indiquen a qué género literario pertenecen. Luego, elijan uno de los fragmentos y desarrollen un breve argumento.

1. María Fernanda del Olmo estaba locamente enamorada de Roberto Castro, pero vivía su amor en silencio. ___novela rosa___

2. Una intensísima luz lo despertó. Al mirar por la ventana vio cientos de robots caminando por la calle. ___ciencia ficción___

3. El detective Mora estaba seguro de que el criminal que buscaba estaba muy cerca. ___novela policíaca___

4. Sólo tenía doce años cuando nos fuimos a vivir a Chile. Todavía lo recuerdo como uno de los momentos más importantes de mi vida. ___autobiografía___

Interpersonal Communication

5 Preferencias Contesta las preguntas con oraciones completas. Después, comparte tus respuestas con un(a) compañero/a.

1. ¿Cuál es tu género literario favorito? ¿Y tu personaje favorito? ¿Por qué?

2. ¿Crees que hay arte de mal gusto? Justifica tu respuesta.

3. Imagina que eres artista. ¿Qué serías: muralista, poeta o poetisa, escultor(a), otro? ¿Por qué?

4. ¿Qué tipo de arte te interesa más: el realista o el abstracto?

5. ¿Qué influye más en la sociedad, la literatura o el arte? ¿Por qué?

6. ¿Qué corriente artística te parece más interesante? ¿Por qué?

DIFFERENTIATION

For Inclusion For additional practice after **Actividad 3**, have students work in pairs to create five more sentences with missing vocabulary words. Then have them exchange sentences with another pair and complete them.

DIFFERENTIATION

To Challenge Students After completing **Actividad 5**, ask additional discussion questions about art. Ex: **¿Te gusta el arte en los espacios públicos? ¿Crees que el gobierno local debe invertir en las artes? ¿Qué importancia tiene el arte para los habitantes de una ciudad? Explica tus respuestas.**

Comunicación

6 **Corrientes artísticas** En grupos de tres, describan estos cuadros y respondan las preguntas. Utilicen términos de la lista en sus respuestas.

- ¿A qué corriente artística pertenece la obra?
- ¿Cómo es el estilo del/de la pintor(a)?
- ¿Qué adjetivos usarías para describir el cuadro?
- ¿Hay otras obras u otros artistas que sean comparables?

abstracto	llamativo
contemporáneo	luminoso
cubismo	realismo
expresionismo	realista
impresionismo	romanticismo
intrigante	surrealismo

Pop Monalisa
Margarita María Vélez Cuervo

Rostros
Juan Manrique

Montón de heno,
Claude Monet

7 **Críticas literarias** En parejas, escriban una breve crítica de una obra literaria que hayan leído. Utilicen los puntos de análisis de la lista como guía. Luego presenten su crítica a la clase y ofrezcan su opinión sobre el valor artístico de la obra. ¿La recomendarían?

Género	¿A qué género literario pertenece la obra?
Tema	¿Cuál es el tema de la obra?
Punto de vista	¿Quién narra la historia: uno de los personajes o un narrador omnisciente?
Caracterización	¿Están bien desarrollados los personajes? ¿Te sentiste identificado/a con el/la protagonista?
Argumento	¿Tiene un argumento interesante y entretenido? ¿Se hace lento el desarrollo?
Ambiente	¿En qué época se desarrolla la historia? ¿En qué lugar? ¿Son realistas las descripciones del ambiente (*setting*)?
Tono	¿Cuál es el tono de la obra? ¿Es humorística? ¿Trágica? ¿Qué quiere expresar el/la autor(a)?

PUEDO escribir una crítica literaria.

Hasta ahora, en el video…

Ricardo espera a Marcela para ir juntos a ver a los inversionistas. Mientras tanto, Marcela decide cantar en el mariachi de Chente para participar en un concurso de música. En este episodio verás cómo termina la historia.

1

Marcela y Patricia salen de clase.

PATRICIA ¿No almorzamos juntas?

MARCELA Me habría gustado, pero voy con mi papá y mi hermano a la tienda de artesanías.

PATRICIA ¿Al fin se decidió a llevar los últimos alebrijes que hizo tu mamá?

MARCELA Si fuera por él, los habría guardado en la casa para siempre, pero lo convencimos.

2

MARCELA Te pareces a un protagonista de telenovela con esa cara de tragedia.

MANU ¡Lo mismo digo yo!

LORENZO Llevémoslos. Es muy duro, pero es lo que su madre hubiera querido.

4

DOCTORA ¿Trabajan aquí en la tienda?

LORENZO No, sólo vinimos a traer los alebrijes que hizo mi esposa. Murió hace un año.

DOCTORA ¡Habrá sido una gran artista! ¡Sus alebrijes están bellísimos!

RICARDO Mamá, ya tengo la vasija, sólo habría que...

DOCTORA Él es Ricardo, mi hijo.

5

Ricardo, al ver a Marcela, sale de la tienda molesto. Marcela lo sigue.

MARCELA ¿Qué habré hecho para que no me contestes las llamadas?

RICARDO ¡Te olvidaste de nuestra cita con los inversionistas!

MARCELA La demostración del dron se canceló por lluvia, ¿no?

RICARDO ¡Por suerte!

TEACHING OPTIONS

DIFFERENTIATION

Interpretive Communication

Predictions Before you play the episode, have students brainstorm ideas on what will happen in the last episode of the **Descubre Fotonovela** titled **Alebrijes en venta**. Collect your students' ideas and display them for the class. Once you have finished watching the episode, decide which prediction was the most accurate.

For Inclusion Have students look at the video stills and brainstorm a list of adjectives that describe how the characters might feel in each scene. After students watch the video, have them revise their lists as necessary.

Personajes

 PROFESOR
 MARCELA
 PATRICIA
 MANU
 LORENZO
 DEPENDIENTE
 DOCTORA
 RICARDO

3

En la tienda se encuentran con la doctora.

LORENZO ¿Doctora? ¡Qué gusto verla!

DOCTORA ¿Nos conocemos?

LORENZO Usted atendió a Lupita en el hospital.

DOCTORA ¿Cómo le va?

LORENZO Muy bien, gracias. Le presento a mis hijos, Manuel y Marcela.

6

RICARDO Si no hubieran cancelado habríamos quedado muy mal y habría sido tu culpa. Es mejor que no seamos socios.

MARCELA De acuerdo, no seamos socios. La verdad, yo tampoco quiero.

RICARDO ¡Mejor!

Expresiones útiles

Expressing speculation

¡Habrá sido una gran artista!
She must have been a great artist!

¿Qué habré hecho para que no me contestes las llamadas?
What did I do, for you not to answer my calls

Talking about what *might have occurred*, but did not

La habríamos bajado, pero nos dio miedo de que se nos cayera.
We would have brought it down, but we were afraid it would fall.

Me habría gustado, pero voy con mi papá y mi hermano a la tienda de artesanías.
I would have liked to, but I am going with my father and brother to the crafts store.

Talking about actions that had taken place before another past event

Llevémoslos. Es muy duro, pero es lo que su madre hubiera querido.
Let's take them. It's very hard, but it's what your mother would have wanted.

Si no hubieran cancelado, habríamos quedado muy mal, y habría sido tu culpa.
If they hadn't cancelled, we would have looked very bad, and it would have been your fault.

Additional vocabulary

el/la amante *lover, fan*
el barro *mud, clay*
la culpa *fault*
¡No me diga! *You must be kidding!*
la obra clave *key work*
el recibo *receipt*
regalar *to give (as a present)*
sostener *to hold; support*
la vasija *vessel, pot*

Teaching Tips
- Photocopy the video script and opaque out 10–15 words to create a master for a cloze activity. Hand out the photocopies and have students fill in the missing words as they watch the video.
- **Expresiones útiles** Call students' attention to the expressions and vocabulary on page 397. As a class, read through the list and discuss which words and phrases are most useful to students and why.
- After showing the **Fotonovela**, divide the class into six groups. Assign each group a different character from the **Fotonovela**. Ask the groups to describe their character's personality and what he or she does in this episode. Then ask them to predict what their characters will do tomorrow, next week, next year, and five years from now. Have groups share their descriptions with the class.

LEARNING STYLES
 Interpersonal Communication

For Kinesthetic Learners Ask students to form groups of two or three and prepare one of the stills from pages 396–397 as a skit. As each group performs its skit, the rest of the class guesses which still they chose to dramatize.

TEACHING OPTIONS

El futuro Ask the class to make predictions about the future personal and professional lives of the **Fotonovela** characters. You could also ask questions like these: **¿Será exitosa la empresa de Ricardo? ¿Qué pasará con Lorenzo y la doctora?**

Comprensión

Teaching Tips

1️⃣ Ask students to invent two events that happened before the sequence and another two that happen after.

1️⃣ After students are done with the activity, have pairs of students ask each other questions about each item. For example: **¿En qué clase están Marcela y Patricia? (Están en clase de arte.)**

2️⃣ **For Inclusion** Replay the video, pausing at key scenes.

2️⃣ **Expansion** Ask pairs of students to compare and correct each other's answers.

3️⃣ Preview the conditional perfect (**Estructura 10.2**) and the past perfect subjunctive (**Estructura 10.3**).

3️⃣ Have students invent five more statements. Then have them exchange papers with a partner and answer: **¿Quién lo habría hecho?**

3️⃣ For expansion, have students write two sentences about their lives using the same structures. For example: **Si hubiera estudiado más, habría pasado todos mis exámenes.**

Interpretive Communication

1 Opciones Completa cada oración con la opción correcta.

1. Marcela y Patricia están en clase de ____arte____.
   a. literatura   b. arte   c. física

2. Marcela, Manu y Lorenzo llevan ___los alebrijes / las máscaras___ a la tienda de artesanías.
   a. los alebrijes   b. las vasijas   c. las máscaras

3. En la tienda de artesanías, Lorenzo se encuentra con ___la doctora de Lupita___.
   a. Patricia   b. el profesor de Marcela   c. la doctora de Lupita

4. Ricardo está enojado con Marcela porque ella olvidó ___la cita con los inversionistas___.
   a. ir a cenar con él   b. la cita con los inversionistas   c. la excursión a Hierve el Agua

5. Al final, Ricardo quiere que Marcela ___sea su novia___.
   a. sea su socia   b. sea su novia   c. sea inversionista

Interpretive Communication

2 Preguntas Contesta las preguntas con oraciones completas. *Some answers may vary.*

1. ¿Por qué es tan duro para Lorenzo llevar los alebrijes a la tienda?
   Porque son los alebrijes que hizo su difunta esposa.

2. ¿Por qué dice la doctora que la mamá de Marcela habrá sido una gran artista?
   Porque los alebrijes son bellísimos.

3. ¿De qué se sorprende Marcela en la tienda?
   Marcela se sorprende al ver a Ricardo y al saber que es el hijo de la doctora.

4. ¿Qué están comprando Ricardo y su mamá en la tienda?
   Ricardo y su mamá están comprando una vasija.

5. ¿Por qué Ricardo no ha contestado las llamadas de Marcela?
   Porque está enojado con ella por olvidarse de la cita con los inversionistas.

Interpretive Communication

3 ¿Quién lo habría hecho?

A. Indica qué personaje habría hecho cada actividad si se hubieran dado las siguientes situaciones.

EL DEPENDIENTE   **LA DOCTORA**   **LORENZO**   **MARCELA**   **EL PROFESOR**

1. Si no hubiera quedado de verse con su padre, ___Marcela___ habría almorzado con Patricia.

2. Si Marcela no lo hubiera convencido, ___Lorenzo___ habría guardado los alebrijes para siempre.

3. Si Ricardo no hubiera llevado los alebrijes a la tienda, ___el dependiente___ no los habría vendido.

4. Si Lupita no hubiera estado en el hospital, ___la doctora___ no habría reconocido a Lorenzo.

5. Si no hubiera sido amante de los cuadros y las esculturas, ___el profesor___ no se habría dedicado a la enseñanza (*teaching*) del arte.

B. Ahora, en parejas, túrnense para hacerse preguntas sobre los personajes. Sigan el modelo.

MODELO
    ESTUDIANTE 1 ¿Quién habría almorzado con Patricia si no tuviera otro plan con el papá?
    ESTUDIANTE 2 Marcela habría ido a almorzar con Patricia. Ahora, ¿quién...?

TEACHING OPTIONS

Los favoritos Have students tell each other about their favorite episodes or scenes from the entire **Fotonovela**. As a class, discuss the most popular ones, and ask students to share the reasons for their choices. Ex: **Cuando Ricardo le dice casi gritando a Chente "Sí, me encanta Marcela" y ella escucha.**

EXPANSION

Pairs Have pairs pick two **Fotonovela** characters and create a story about what will become of them. Ask volunteers to share their stories with the class.
Small Groups Have groups write another episode of the **Fotonovela**.

Ampliación

Interpersonal
Communication

Relating Cultural
Practices to
Perspectives

Making
Connections

4 El arte En parejas, conversen sobre las siguientes preguntas. Compartan su opinión con la clase.
Some answers will vary.

1. ¿Te parecieron artísticos los alebrijes que hizo la mamá de Marcela? ¿Y la vasija? ¿Por qué?

2. ¿Qué debe tener una obra para ser artística?

3. ¿Puede todo objeto considerarse arte? ¿Por qué?

4. ¿Cuál es la importancia del arte en la sociedad? ¿Se puede vivir sin arte? Explica.

Interpersonal
Communication

Relating Cultural
Practices to
Perspectives

Making
Connections

5 Apuntes culturales En parejas, lean los párrafos y contesten las preguntas.

Leopoldo Méndez

Taller de Gráfica Popular

El profesor de Marcela y Patricia les habla sobre José Guadalupe Posada. Guadalupe Posada (1852-1913) fue un grabador (*engraver*), ilustrador y caricaturista mexicano cuyo legado (*legacy*) fue el punto de partida para los fundadores del Taller de Gráfica Popular. Creado en 1937 por los artistas Leopoldo Méndez, Luis Arenal Bastar y Pablo O'Higgins, entre otros, el Taller de Gráfica Popular es un colectivo de grabadores que utiliza el arte para apoyar (*to support*) causas sociales como el antimilitarismo o la unión obrera mediante pósters, banderas y panfletos.

El Museo de los Pintores Oaxaqueños

La mamá de Marcela podría haber exhibido sus alebrijes en el Museo de los Pintores Oaxaqueños (MUPO). El MUPO se creó en 2003 para exponer obras de artistas mexicanos e internacionales. Está ubicado en el Centro histórico de Oaxaca de Juárez en un edificio colonial del siglo XVII con un patio rodeado de columnas y cuatro salas de exhibiciones temporales, en las que también se ofrecen clases de danza, conferencias y visitas guiadas.

El barro negro

Ricardo y la doctora compran una vasija de barro. El barro negro es un estilo de alfarería (*pottery*) que se originó en Oaxaca sobre el año 500 a. C. Originalmente, el barro era de un color grisáceo (*grayish*) mate, pero la alfarera Rosa Real Mateo de Nieto (doña Rosa) inventó en la década de 1950 una técnica para dar el color negro metálico a las piezas que las hace famosas hoy en día. La técnica consiste en pulir (*to polish*) las piezas antes de ser cocidas (*fired*).

1. ¿Crees que el arte es una forma efectiva de apoyar causas sociales? ¿Por qué?

2. ¿Te gusta visitar museos? ¿Cuál te gustó más? ¿Qué tipo de obras viste?

3. ¿Te gustaría dedicar tu vida al arte? ¿Qué tipo de obras de arte crearías?

4. ¿Consideras que tienen el mismo valor artístico una vasija de barro negro, un panfleto de Taller de Gráfica Popular o el *Guernica* de Picasso? Explica tu respuesta.

PUEDO hablar sobre diferentes formas de arte.

PRE-AP*

Interpersonal
Communication

Making
Connections

Lifelong
Learning

Interpersonal Writing Tell students to imagine that they are visiting Oaxaca. They have been to **Museo de los Pintores Oaxaqueños**, and are very excited about what they have seen. Tell them to research information and then write an e-mail to you, their teacher, including information about the museum, and its collections. Remind them to use appropriate forms for

greeting and closure. Have students actually send this e-mail to you, and reply. Tell students: **Ahora vas a mandarme un correo electrónico sobre el MUPO y yo te contestaré. Incluye la información que hayas encontrado en la red sobre las colecciones del museo**.

---

4 Expansion Create a class debate about the meaning of art. Introduce other questions like: **¿Es el arte subjetivo? ¿Por qué? ¿Cuál es la finalidad del arte?**

Teaching Tips

5 Follow up with comprehension questions. For example: **¿Quién fue una inspiración para los fundadores de Taller de Gráfica Popular? ¿Con qué finalidad utilizaban el arte los integrantes de Taller de Gráfica Popular? ¿Con qué objetivo se creó el MUPO? ¿Qué otras actividades se pueden realizar en el MUPO, además de contemplar obras de arte? ¿De qué color era originalmente el barro negro? ¿Quién es doña Rosa?**

5 Ask heritage speakers if they know of any other traditional kinds of art from their parents' countries.

Cultural Comparison Encourage students to make some cultural comparisons: **¿Hay algún arte que se considere representativo de la cultura de tu país, como *La Catrina* de José Guadalupe Posada o los alebrijes de la madre de Marcela? ¿Hay algún tipo de barro o alfarería regional significativa de tu comunidad?**

CHILE

En detalle

LAS CASAS DE NERUDA

Isla Negra

Pablo Neruda, además de poeta, fue un asiduo° viajero.

Sus continuos viajes como cónsul y su posterior exilio político lo llevaron a una veintena de países. La distancia marcó, sin duda, su eterno deseo de crear refugios personales en sus casas de Chile, y le dio la oportunidad de coleccionar una gran variedad de objetos curiosos. A lo largo de los años, Neruda compró y luego mandó construir y remodelar tres casas en su país natal: "La Sebastiana", en Valparaíso; "La Chascona", en Santiago; y la "Isla Negra", en la ciudad costera del mismo nombre. Para él, estas construcciones eran mucho más que simples casas; eran, como su poesía, creaciones personales y, muchas veces, una proyección de sus universos poéticos. Las iba construyendo sin prisa, con gran dedicación y eligiendo hasta el más mínimo detalle.

Isla Negra era la favorita del poeta, y allí fue enterrado° junto a Matilde Urrutia, su gran amor. Hoy día, las tres residencias son casas-museo y reciben más de cien mil visitantes al año. La Fundación Pablo Neruda, creada por voluntad° expresa del poeta, las administra. Aparte de conservar su patrimonio artístico y encargarse del mantenimiento° de las casas, la fundación también organiza actividades culturales y exposiciones.

Actualmente, gracias al deseo de Neruda de mantener las casas como legado° para el pueblo chileno, todos sus admiradores pueden visitarlas y sentir, por un momento, que forman parte del particular mundo creativo del escritor. ■

Isla Negra
Neruda compró una pequeña cabaña en 1939 y la fue ampliando a lo largo de los años. La reconstruyó de tal manera que pareciera el interior de un barco. En su interior se destacan las colecciones de conchas marinas, botellas y mascarones de proa°.

La Chascona
Está situada en un terreno empinado° en Santiago de Chile. Se inició su construcción en 1953 y fue bautizada "La Chascona" en honor a Matilde Urrutia. *Chascona*, en Chile, significa "despeinada°".

La Sebastiana
Llamada así en honor al arquitecto Sebastián Collado, "La Sebastiana" está en la ciudad de Valparaíso. Se inauguró el 18 de septiembre de 1961. Decorada también con motivos marinos y con una vista panorámica de la ciudad y la bahía, era el lugar favorito de Neruda para pasar la Nochevieja°.

asiduo *frequent* **enterrado** *buried* **voluntad** *wish* **mantenimiento** *maintenance* **legado** *legacy*
mascarones de proa *figureheads* **empinado** *steep* **despeinada** *with tousled hair* **Nochevieja** *New Year's Eve*

ASÍ LO DECIMOS

Artes visuales

el arte digital   *digital art*

el arte gráfico   *graphic art*

el videoarte   *video art*

la alfarería   *clay pottery*

la cerámica   *pottery*

el dibujo   *drawing*

el grabado   *engraving*

el grafiti   *graffiti*

el mural   *mural painting*

la orfebrería   *goldwork*

el tapiz   *tapestry*

EL MUNDO HISPANOHABLANTE

Otros creadores

Frida Kahlo es una de las figuras más representativas de la pintura introspectiva mexicana del siglo XX. Su vida estuvo marcada por enfermedades y un matrimonio tortuoso con el muralista Diego Rivera. Es conocida principalmente por sus autorretratos, en los que expresa el dolor de su vida personal.

Santiago Calatrava es  el arquitecto español de más fama internacional en la actualidad. En sus creaciones predomina el color blanco. El Museo de las Artes y las Ciencias y el Hemisfèric de Valencia (España), son algunas de sus obras más destacadas.

Ariel Lacayo Argueñal es un famoso chef nicaragüense. Estudió administración y cursó una maestría en enología en los Estados Unidos. En el restaurante neoyorquino Patria, cocinó para celebridades como los Clinton, Nicole Kidman y los príncipes de Mónaco. Hoy, junto a su padre, deleita paladares° en un restaurante criollo en Nicaragua.

deleita paladares *pleases the palate*

PERFIL

NERUDA EN EL CINE

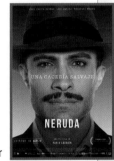

Manuel Basoalto

Se ha dicho muchas veces que Pablo Neruda tuvo una vida de cine. Sin embargo, durante décadas nadie filmó películas sobre el poeta más universal del Nuevo Mundo. Un día el sobrino de Neruda, Manuel Basoalto, se dio cuenta de esta deuda del cine chileno. Tres años más tarde, en 2014, Basoalto estrenó *Neruda*, la primera película de ficción sobre su vida. Se centra en los meses después de que Neruda criticara al presidente de Chile, Gabriel González Videla. Por esto, el poeta tiene que cambiar de identidad y huir a Argentina. El guión° está basado en entrevistas, cartas y otros documentos inéditos° sobre el poeta. "Es una película de suspenso", dice el director. El actor chileno José Secall es quien interpreta al poeta. Basoalto lo eligió porque quería un actor bueno y poco conocido. "Finalmente vi que José podía ser un Neruda muy creíble", aseguró.

Gael García Bernal interpreta a Óscar Peluchonneau en *Neruda* (2016).

> ❝ **La eternidad es una de las raras virtudes de la literatura.** ❞
> (Adolfo Bioy Casares, escritor argentino)

Entre culturas

¿Qué papel tuvo el arquitecto español Germán Rodríguez Arias en las casas de Neruda?

Investiga sobre este tema en **vhlcentral.com**.

guión *script* **inéditos** *unpublished* **enfoque** *approach* **persigue** *chases* **interpretado** *played*

Teaching Tips

- **Así lo decimos** Give students additional vocabulary words. Ex: **el mosaico** *(mosaic)*, **la pintura al fresco/el fresco** *(fresco painting)*, **el cómic** *(comic)*, **la artesanía** *(craft)*.
- **Perfil** Encourage students to reread *Poema 20* from **Lección 1**. For advanced classes, have small groups read another of Neruda's poems. Then have them discuss how they might visually represent the poem.
- **Perfil: For Visual and Kinesthetic Learners** Encourage students to represent one of Neruda's poems visually either according to their classmates' suggestions or their own ideas. Students can use any means they want (paint, magazine clippings, drawings, etc.).
- **Heritage Speakers** Ask heritage speakers to share how teens experience and express art and literature in their families' countries of origin.

NATIONAL STANDARDS
Connections: Art/ Architecture Have students learn more about Frida Kahlo or Santiago Calatrava and report to the class. Have them bring in copies of Kahlo's works or photos of Calatrava's buildings for the class to review and critique.

 21st Century Skills

Information and Media Literacy Students can go online to complete the **Entre culturas** activity for additional practice accessing and using culturally authentic sources.

Making Connections

CRITICAL THINKING

Comprehension Ask pairs to make a crossword puzzle with the new vocabulary in **Así lo decimos**. Challenge them to write their clues in Spanish, giving an example, a cloze sentence, or a definition. Then have pairs exchange their puzzles with another pair and solve them.

CRITICAL THINKING

Analysis Call on a volunteer to read the quote aloud. Ask: **Además de la literatura, ¿crees que las otras formas de arte también son eternas? Da ejemplos.**

Teaching Tips

1 After completing the activity, have students create corresponding questions for each item. Ex: **¿Salió Neruda de Chile?**

Formative Assessment Use Activity 1 as a formative check for reading comprehension; offer feedback and clarify corrections to false statements as needed, reviewing the reading where necessary to show evidence.

2 Ask pairs to write more cloze sentences to exchange with another pair. Challenge them to write two more for each section on pages 400–401.

3 For item 2, ask students to bring in and share their works, first identifying them according to the new vocabulary words. Then ask the class to ask questions or comment on each work.

3 For item 3, ask students to create their own definition of art. Then call on volunteers to share their definitions with the class.

3 **Expansion** Discuss the nature of art itself. Ask: **¿Qué es arte? ¿Quién determina si una obra es arte o no? ¿Cómo?**

4 **Partner Chat** Available online.

4 For additional discussion, have volunteers share the first time they experienced the works of their favorite artists.

Proyecto Encourage students to make their presentations interactive by beginning with a thought-provoking question.

Pre-AP*

AP Skill Category 7

¿Qué aprendiste?

1 | Interpretive Communication

¿Cierto o falso? Indica si estas afirmaciones son **ciertas** o **falsas**. Corrige las falsas. *Answers may vary slightly.*

1. Neruda no salió nunca de Chile. **Falso.** Viajó como cónsul y luego estuvo en el exilio por razones políticas.
2. Neruda coleccionó una gran variedad de objetos curiosos. **Cierto.**
3. Neruda tenía dos casas en Chile: Isla Negra y La Chascona. **Falso.** Neruda tenía tres casas en Chile: La Sebastiana, Isla Negra y La Chascona.
4. La casa La Chascona se llama así porque está ubicada en un pueblo que también tiene ese nombre. **Falso.** La Chascona se llama así en honor a Matilde Urrutia.
5. Neruda intervenía muy activamente en la construcción y decoración de sus casas. **Cierto.**
6. El poeta está enterrado junto a su esposa en La Sebastiana. **Falso.** El poeta está enterrado en Isla Negra.
7. Hoy día, las tres casas más famosas del poeta son museos. **Cierto.**
8. La Fundación Pablo Neruda se creó por deseo e iniciativa de los admiradores del poeta. **Falso.** La Fundación Pablo Neruda se creó por deseo expreso del poeta.
9. La casa Isla Negra está decorada como si fuera un barco. **Cierto.**
10. A Pablo Neruda le gustaba pasar la Nochevieja en la casa La Sebastiana. **Cierto.**
11. En la Chascona se destaca una colección de conchas marinas. **Falso.** La colección de conchas marinas está en Isla Negra.
12. La Sebastiana tiene una vista privilegiada de la ciudad de Santiago. **Falso.** La Sebastiana está ubicada en Valparaíso.

2 | Interpretive Communication

Oraciones incompletas Completa las oraciones con la información correcta. *Some answers will vary.*

1. El sobrino del poeta y director de la primera película *Neruda* se llama _____. Manuel Basoalto
2. La película *Neruda* de 2016 la dirigió _____. Pablo Larraín
3. En las creaciones de Santiago Calatrava predomina _____. el color blanco
4. Frida Kahlo se casó con el artista mexicano _____. Diego Rivera

3 | Interpretive Communication | Making Connections

Preguntas Contesta las preguntas.

1. ¿Qué forma de artesanía preferirías hacer, la alfarería o la orfebrería? ¿Por qué?
2. ¿Has practicado alguna vez alguna de las técnicas de **Así lo decimos**? ¿Qué hiciste?
3. ¿Crees que la gastronomía se puede considerar una forma de arte? Explica tu respuesta.

4 | Interpersonal Communication | Acquiring Information & Diverse Perspectives

Opiniones En parejas, elijan otro artista o creador hispano que no haya sido mencionado en esta lección. Expliquen por qué les interesa ese artista o sus obras.

MODELO Hemos elegido al pintor y escultor colombiano Fernando Botero. Nos interesan sus esculturas voluminosas porque...

PUEDO describir las obras de un artista hispanohablante.

PROYECTO

Artistas | Presentational Communication | Making Connections | Acquiring Information & Diverse Perspectives

Elige una obra en particular de uno de los artistas que se han presentado en **El mundo hispanohablante**. Busca información y prepara una presentación breve para la clase. No olvides mostrar una fotografía o ilustración de la obra. Usa las preguntas como guía.

- ¿Quién es el/la artista?
- ¿Cómo se llama la obra?
- ¿Cuáles son las características de la obra?
- ¿Por qué es famosa la obra y por qué la elegiste?

402 *cuatrocientos dos*

Lección 10

PRE-AP* | Presentational Communication | Acquiring Information & Diverse Perspectives

Presentational Speaking Have each student research the life of an artist or writer from Spain or Latin America. Following the requirements of the AP exam, they should use at least two sources: one auditory and one written. Tell them to take notes on the sources, organize their notes, make an outline, and prepare to talk to the class for two minutes about the life of the person they have researched. Encourage them to bring visuals if appropriate. You should grade these presentations according to the most current AP rubrics on AP Central (apcentral.collegeboard.com).

Arquitectura modernista

Ahora que ya sabes acerca de las casas de Pablo Neruda en Chile, mira este episodio de **Flash cultura**. Conocerás los diferentes tipos de la singular arquitectura modernista en Barcelona y sus máximos representantes.

VOCABULARIO ÚTIL

brillar to shine	**el hierro forjado** wrought iron
la calavera skull	**el tejado** tile roof
el encargo job, assignment	**el tranvía** streetcar
la fachada front of building	**redondeado/a** rounded

Corresponsal: Mari Carmen Ortiz
País: España

Entre 1880 y 1930, surge° el modernismo en Cataluña de forma radicalmente diferente al resto de Europa.

El Parque Güell posee los toques y detalles característicos de Gaudí. El uso de baldosines° irregulares... formas curvas... contrastes sorpresivos...

Desgraciadamente, su inesperada muerte paralizó las obras, y el edificio sigue todavía inacabado a pesar de los muchos esfuerzos de continuación.

surge emerges **baldosines** ceramic tiles

1 **Preparación** Responde estas preguntas: ¿Qué tipo de arquitectura te gusta? ¿Prefieres los edificios modernos o los edificios más tradicionales? ¿Cuál es tu monumento favorito? ¿Por qué es especial para ti?

2 **Comprensión** Indica si estas afirmaciones son **ciertas** o **falsas**. Después, en parejas, corrijan las falsas. *Interpretive Communication*

1. La zona de Barcelona donde está la Casa Batlló se conoce como La Gran Manzana. **Falso.** Esta zona se conoce como La Manzana de la Discordia.
2. En el Paseo de Gracia hay casas con estilos muy diferentes y contrastantes. **Cierto.**
3. El modernismo en Cataluña es muy diferente al modernismo del resto de Europa porque los arquitectos modernistas catalanes dan menos importancia a la estética y a los materiales. **Falso.** Los arquitectos modernistas catalanes dan más importancia a la estética y a los materiales.
4. Lluís Domènech i Montaner fue el creador de la Sagrada Familia. **Falso.** Antonio Gaudí fue el creador de la Sagrada Familia.
5. Puig i Cadafalch fue influenciado por la arquitectura holandesa y flamenca. **Cierto.**

3 **Expansión** En parejas, contesten estas preguntas. *Interpersonal Communication*

• ¿Qué obra del video les ha gustado más? ¿Por qué?
• ¿Dónde preferirían vivir: en la Casa Amatller, en la Casa Batlló o en una de las casas de Neruda? ¿Por qué?
• ¿Conocen otros monumentos que contengan algunas de las características del modernismo? ¿Cuáles?

PUEDO opinar sobre la arquitectura modernista en España.

Teaching Tip Explain that **cuatro gatos** means *an insignificant number of people*, as in **Vinieron cuatro gatos** (*Only a few [unimportant] people came*). Ask the class to guess the meaning of other Spanish sayings like **Dar gato por liebre, Buscarle tres pies al gato**, and **Hay gato encerrado**.

Comprensión
Virtual Chat Available online

NATIONAL STANDARDS
Connections The architecture presented in the video focuses on the unique history of Barcelona. Guide students to research and share: what does the architecture of other Spanish-speaking cities or regions say about their history or understanding of themselves? With what era is the architecture associated?

Making Connections   *Acquiring Information & Diverse Perspectives*

Expansion After watching **Flash cultura**, have one half of the students write an e-mail and send it to one of their classmates (you should pair the students), who should respond the original email. Say: **Imagina que estás estudiando en Barcelona. Escríbele un correo electrónico a tu mejor amigo en el que le cuentes sobre las maravillas arquitectónicas de esta ciudad. Debes incluir por lo menos una pregunta para tu amigo en cuanto a sus intereses sobre el tema o sus experiencias turísticas.**

Pre-AP*
AP Skill Category 6

LEARNING STYLES *Presentational Communication*

Visual Learners Have students choose a building by one of the featured artists in the **Flash cultura** video, the **En detalle** reading, or the **El mundo hispanohablante** box. and prepare a report to present to the class. Encourage them to use visuals such as pictures, sketches, floor plans, and models.

CRITICAL THINKING *Presentational Communication* *Relating Cultural Practices to Perspectives* *Acquiring Information & Diverse Perspectives*

Application and Synthesis Tell students that Gaudí based much of his designs on forms found in nature. In groups of three, have students research this design philosophy and prepare a presentation on how it was employed by Gaudí or other architects. Then have them present their findings to the class. Encourage groups to include as many visuals as possible.

10.1 The future perfect

• The future perfect tense (**el futuro perfecto**) is formed with the future of **haber** and a past participle.

The future perfect		
pintar	**vender**	**salir**
habré pintado	habré vendido	habré salido
habrás pintado	habrás vendido	habrás salido
habrá pintado	habrá vendido	habrá salido
habremos pintado	habremos vendido	habremos salido
habréis pintado	habréis vendido	habréis salido
habrán pintado	habrán vendido	habrán salido

• The future perfect is used to express what *will have happened* at a certain point. The phrase **para** + [*time expression*] is often used with the future perfect.

Ya **habré leído** la novela para el lunes.
I will already have read the novel by Monday.

Para el año que viene, los arquitectos **habrán diseñado** el nuevo museo.
By next year, the architects will have designed the new museum.

• **Antes de (que), (para) cuando, dentro de**, and **hasta (que)** are also used with time expressions or other verb forms to indicate when the action in the future perfect will have happened.

Cuando lleguemos al teatro, ya **habrá empezado** la obra.
When we get to the theater, the play will have already started.

Lo **habré terminado dentro de** dos horas.
I will have finished it within two hours.

• The future perfect may also express speculation regarding a past action.

¿Habrá tenido éxito la exposición de este fin de semana?
I wonder if this weekend's exhibition was a success.

No lo sé, pero **habrá ido** mucha gente a verla.
I don't know, but I suppose a lot of people went to see it.

¡Habrá sido una gran artista!

¿Qué habré hecho para que no me contestes las llamadas?

Práctica y comunicación

1 **Artes y letras** Completa las oraciones con el futuro perfecto.

1. Me imagino que ustedes ya <u>habrán leído</u> (leer) el poema para mañana.
2. ¿<u>Habrá conocido</u> (conocer) Juan a la famosa autora?
3. Para la próxima semana, Ana y yo <u>habremos terminado</u> (terminar) de leer el cuento.
4. Le dije al pintor que yo <u>habré conseguido</u> (conseguir) una modelo para el jueves.
5. Me imagino que las obras ya se <u>habrán vendido</u> (vender).

2 **Planes** Tú y tus amigos habían planeado encontrarse a las seis de la tarde para ir al ballet, pero nadie ha venido y tú no sabes por qué. Escribe suposiciones con la información del cuadro. Sigue el modelo.

> **MODELO** **Entendí mal los planes.**
> Habré entendido mal los planes.

1. Me dejaron un mensaje telefónico.	1. Me habrán dejado un mensaje telefónico.
2. Uno de mis amigos tuvo un accidente.	2. Uno de mis amigos habrá tenido un accidente.
3. Me equivoqué de día.	3. Me habré equivocado de día.
4. Fue una broma.	4. Habrá sido una broma.
5. Lo soñé.	5. Lo habré soñado.

3 **Excusas** Cada vez que la profesora hace preguntas, Mónica responde con excusas. En parejas, utilicen el futuro perfecto para completar la conversación. Después, inventen un final para la conversación.

Interpersonal Communication

PROFESORA Buenos días. ¿Todos (1) <u>habrán entregado</u> (entregar) el ensayo para el final del día?

MÓNICA Yo lo (2) <u>habré escrito</u> (escribir) para el viernes, profesora.

PROFESORA Pero me imagino que tú ya (3) <u>habrás visto</u> (ver) la exposición del escultor, ¿verdad?

MÓNICA Pues... estuve con fiebre... todo el fin de semana. Pero voy mañana.

PROFESORA Por lo menos (4) <u>habrás ido</u> (ir) a la biblioteca a hacer las investigaciones necesarias, ¿no?

MÓNICA Pues, fui, pero otro estudiante ya había sacado los libros que necesitaba. Según la bibliotecaria, él los (5) <u>habrá devuelto</u> (devolver) para mañana.

4 **El futuro** Hazles estas preguntas a tres de tus compañeros/as.

Interpersonal Communication

- Cuando terminen las próximas vacaciones de verano, ¿qué habrás hecho?
- Antes de terminar la escuela secundaria, ¿qué aventuras habrás tenido?
- Dentro de diez años, ¿dónde habrás estado y a quién habrás conocido?
- Cuando tengas cuarenta años, ¿qué decisiones importantes habrás tomado?
- Cuando seas anciano/a, ¿qué lecciones habrás aprendido de la vida?

PUEDO hablar sobre el futuro lejano.

La literatura y el arte

cuatrocientos cinco **405**

Estructura **405**

Teaching Tips
- Remind students that the past participle does not change form in any perfect tense.
- Write several sentences on the board and ask volunteers to conjugate the verbs, choosing the correct *perfect* tense. Examples:
  1. **Julián _____ (hacer) los quehaceres, pero llegó Luisa y lo invitó al cine. (habría hecho)**
  2. **Cuando lleguen mis amigos, yo ya _____ (terminar) el trabajo para la clase de español. (habré terminado)**

- **For Kinesthetic Learners** On slips of paper write cloze sentences in the conditional perfect (with the verbs blanked out). On other strips of paper, write the conditional perfect answers for each cloze sentence. Give each student a slip of paper and have him or her walk around the room, read the slip aloud, and try to find the slip's mate. Once all students are matched, have pairs read their sentence for the class.

10.2 The conditional perfect

Me habría gustado, pero voy con mi papá y mi hermano a la tienda de artesanías.

- The conditional perfect tense (**el condicional perfecto**) is formed with the conditional of **haber** and a past participle.

The conditional perfect		
pensar	tener	sentir
habría pensado	habría tenido	habría sentido
habrías pensado	habrías tenido	habrías sentido
habría pensado	habría tenido	habría sentido
habríamos pensado	habríamos tenido	habríamos sentido
habríais pensado	habríais tenido	habríais sentido
habrían pensado	habrían tenido	habrían sentido

- The conditional perfect tense is used to express what *might have occurred* but did not.

Habría ido al museo, pero mi amiga tenía otros planes.
I would have gone to the museum, but my friend had other plans.

Seguramente, **habrías ganado** la apuesta.
You probably would have won the bet.

Otros actores **habrían representado** mejor esta obra.
Other actors would have performed this play better.

Creo que Andrés **habría sido** un gran pintor.
I think Andrés would have been a great painter.

La habríamos bajado, pero nos dio miedo de que se nos cayera.

- The conditional perfect may also express probability or conjecture about the past.

¿**Habrían apreciado** los críticos su gran creatividad?
I wonder if the critics might have appreciated her great creativity.

Los **habría sorprendido** con su talento.
She might have surprised them with her talent.

DIFFERENTIATION

To Challenge Students First, have students write two more examples for each point; then have them write their examples on the board. Review the examples with the class.
For Inclusion Play **El juego de dados.** Form groups of three: one "teacher" and two "players." Give a die and a verb list to each group, plus an answer sheet to the "teacher." The answer sheet should illustrate a model conjugation for a regular -ar,

DIFFERENTIATION

-**er,** and -**ir** conditional perfect verb, plus any irregular verbs you wish to include. Players throw the die to determine which verb form they should give: 1 = **yo**; 2 = **tú**; 3 = **Ud./él/ella**; 4 = **nosotros/as**; 5 = **Uds./ellos/ellas**; 6 = "teacher's" choice. Players follow the verb list in order when giving verb forms, and receive a point for each correct answer. If you are teaching **vosotros,** 5 = **vosotros/as** and 6 = **Uds./ellos/ellas.**

Práctica y comunicación

1 **Lo que habrían hecho** Completa las oraciones con el condicional perfecto.

1. No me gustó la obra de teatro. Incluso yo mismo _habría imaginado_ (imaginar) un protagonista más interesante.
2. Yo, en su lugar, lo _habría dibujado_ (dibujar) de modo más abstracto.
3. A la autora le _habría gustado_ (gustar) escribir ficción histórica, pero el público sólo quería más novelas rosas.
4. Nosotros _habríamos escrito_ (escribir) ese cuento desde otro punto de vista.
5. ¿Tú _habrías hecho_ (hacer) lo mismo en esa situación?

Interpersonal Communication

Making Connections

2 **Otro final** En parejas, conecten las historias con sus finales. Luego, utilicen el condicional perfecto para inventar otros finales. Sigan el modelo.

> **MODELO** **Titanic / El barco se hunde (sinks).**
>
> En nuestra historia, el barco no se habría hundido. Los novios se habrían casado y...

La Bella y la Bestia ———→ El monstruo mata a su creador.
Frankenstein ———→ Se casa con el príncipe.
El Señor de los Anillos ———→ Frodo destruye el anillo.
Romeo y Julieta ———→ Regresa a su hogar en Kansas.
El Mago de Oz ———→ Los novios se mueren.

Interpretive Communication

Interpersonal Communication

3 **¿Y ustedes?** En parejas, miren los dibujos y túrnense para decir lo que habrían hecho en cada situación. Utilicen el condicional perfecto y sean creativos.

 1.
 2.
 3.
 4.
 5.
 6.

Presentational Communication

4 **Autobiografías** Utiliza el condicional perfecto para escribir un párrafo de tu autobiografía. Menciona tres cosas que no cambiarías de tu vida y tres cosas que habrías hecho de forma diferente.

> **PUEDO** escribir una composición sobre mi vida en el futuro y las cosas que cambiaría.

Teaching Tips

1 Before beginning the activity, point out that **yo en su lugar** and similar phrases take the conditional or the conditional perfect.

2 **Expansion** Give students additional stories or have them brainstorm their own. Ex: **E.T., *Lo que el viento se llevó*** (*Gone with the Wind*), ***Rocky***.

3 For additional practice, continue the activity with photos from magazines and newspapers.

3 **Partner Chat** Available online.

🔊 **Pre-AP***

AP Skill Category **5**

4 **For Inclusion** Encourage students to write their autobiography in a time line form with phrases and sentences describing important events. Challenge them to use at least one conditional perfect phrase in their time line.

4 As a variant, have students write a paragraph of the autobiography of a famous person, either real or fictitious.

🔊 **Pre-AP***

AP Skill Category **8**

- Ask students to state what these people would have done if they had had more money: **mis padres, yo, mi mejor amigo, los estudiantes de la universidad.** Ex: **Con más dinero, mis padres habrían comprado una pintura de Picasso.**

Teaching Tips
- Remind students that the past participle does not change form in any perfect tense.
- To review the subjunctive, write several trigger expressions on the board and ask volunteers to complete each sentence. Example: **Fue imposible que...**
- **For Visual Learners**
  As you write different examples and charts on the board, ask students to come to the board and, using a marker or chalk of a different color, underline or circle the past perfect subjunctive examples.

Extra Practice Go to **vhlcentral.com** for more practice with the past perfect subjunctive.

10.3 The past perfect subjunctive

Es muy duro, pero es lo que su madre hubiera querido.

Nunca hubiéramos imaginado que los alebrijes se venderían tan bien.

- The past perfect subjunctive (**el pluscuamperfecto del subjuntivo**) is formed with the past subjunctive of **haber** and a past participle.

The past perfect subjunctive		
cambiar	**poder**	**influir**
hubiera cambiado	hubiera podido	hubiera influido
hubieras cambiado	hubieras podido	hubieras influido
hubiera cambiado	hubiera podido	hubiera influido
hubiéramos cambiado	hubiéramos podido	hubiéramos influido
hubierais cambiado	hubierais podido	hubierais influido
hubieran cambiado	hubieran podido	hubieran influido

- The past perfect subjunctive is used in subordinate clauses under the same conditions as other subjunctive forms. It refers to actions or conditions that had taken place before another past occurence.

Le molestó que los escritores no **hubieran asistido** a su conferencia.
It annoyed her that the writers hadn't attended her lecture.

No era cierto que la galería **hubiera cerrado** sus puertas definitivamente.
It was not true that the gallery had closed its doors permanently.

- When the action in the main clause is in the past, both the past subjunctive and the past perfect subjunctive can be used in the subordinate clause. However, the meaning of each sentence may be different.

PAST SUBJUNCTIVE	PAST PERFECT SUBJUNCTIVE
Esperaba que me **llamaras**. ¡Qué bueno oír tu voz!	Esperaba que me **hubieras llamado**. ¿Qué pasó?
I was hoping you would call me. It's great to hear your voice!	*I wished that you would have called me. What happened?*
Deseaba que me **ayudaras**.	Deseaba que me **hubieras ayudado**.
I wished that you would help me.	*I wished that you would have helped me.*

DIFFERENTIATION

For Inclusion Ask volunteers to reproduce the past perfect subjunctive box on the board, with different sample verbs such as **pintar, querer,** and **escribir.**

DIFFERENTIATION

To Challenge Students Ask each student to write an example sentence for each of the new verbs their classmates have conjugated in the chart on the board (**pintar, querer,** and **escribir**). Then, have volunteers write their examples on the board, under or next to the conjugated verb. Finally, have other volunteers read and translate the sentences.

Práctica y comunicación

1 **Hubiera...** Completa las oraciones con el pluscuamperfecto del subjuntivo.

1. Habría ido a la tertulia si no ___hubiera llovido___ (llover).
2. Si yo ___hubiera logrado___ (lograr) publicar mi libro, habría sido un superventas.
3. Me molestó que ellos no ___hubieran dado___ (dar) el premio al otro poeta.
4. Si nosotros ___hubiéramos pensado___ (pensar) eso, lo habríamos dicho.
5. Si ella ___hubiera pedido___ (pedir) más por sus cuadros, habría ganado millones.
6. ¡Qué lástima que sus padres no ___hubieran apoyado___ (apoyar) su interés por las artes!

2 **Oraciones** Une los elementos de las columnas para crear cinco oraciones con el pluscuamperfecto del subjuntivo.

Dudaba de que	yo	escribir cuentos policíacos
Esperábamos que	tú	ganar un premio literario
Me sorprendió que	el artista	tener talento
Ellos querían que	nosotros	venir a la exposición
No creías que	los poetas	vender ese autorretrato

3 **¡A quejarse!** Daniel es escritor y Graciela es pintora. Tienen mucho talento, pero no han tenido éxito en sus profesiones. En parejas, utilicen el pluscuamperfecto del subjuntivo para escribir una conversación en la que se quejaron de las oportunidades que perdieron.

Interpersonal Communication

MODELO **GRACIELA** No fue justo que le hubieran dado ese premio literario a García Márquez. Tienes mucho más talento que él...

> No fue justo que....
> No podía creer que...
> Si hubiera logrado...
> Si tú sólo hubieras...

4 **Síntesis** En grupos de cuatro, dramaticen una conversación en la que uno/a de ustedes entrevista al ganador y a los dos finalistas del concurso *El ídolo de la música*. Utilicen por lo menos tres usos del futuro perfecto, del condicional perfecto, y del pluscuamperfecto del subjuntivo. Luego representen su entrevista para la clase.

Interpersonal Communication

MODELO **REPORTERO** Carolina, eres el nuevo ídolo de la música. ¡El año que viene será increíble! ¿Qué crees que habrá pasado para esta fecha, el próximo año?
GANADORA Pues, seguramente habré grabado mi primer disco y...
REPORTERO Christopher, tus aficionados no habrán creído lo que pasó esta noche. Si hubieras tenido otra oportunidad, ¿qué habrías hecho distinto?
FINALISTA Quizás si hubiera cantado algo más clásico, los jueces no me habrían criticado tanto. O si hubiera..

PUEDO participar en una conversación en la que se hable de diferentes circunstancias del pasado y del futuro.

Teaching Tips

1 Write four additional cloze sentences on the board, leaving blanks for the verbs. Have pairs complete them with the verbs of their choice and then read their sentences aloud. Vote on the most creative sentences.

Formative Assessment Use Activity 1 as a good bell-ringer the next day, or an exit ticket after teaching/reviewing the past perfect subjunctive. Offer feedback and reteach as needed, especially irregular past participles.

3 Before completing the activity, review **si** clauses in all tenses.

3 **Partner Chat** Available online.

4 To help groups get started, have them list verbs and vocabulary words to use in their interviews.

Pre-AP*

AP Skill Category **5**

21st Century Skills

4 **Flexibility and Adaptability** Remind students to include input from all team members, adapting their presentation so it represents the whole group.

21st Century Skills

4 **Productivity and Accountability** As a class, decide if the rubric you developed for the previous chapter works for this chapter's assignment. If not, adjust it to meet what students need to accomplish.

DIFFERENTIATION

For Visual Learners Before completing **Actividad 1**, ask volunteers to scan each item to find the subject of the dependent (second) clause and read it aloud to the class. Then as students complete the sentence, they can circle the subject of the main clause before trying to insert the verb.
For Kinesthetic Learners After students have completed **Actividad 2**, review the answers by playing **Rompecabezas**.

DIFFERENTIATION

Ask students to write their answers on slips of paper. Then ask the students to separate the slips between clauses cutting each one in a different puzzle pattern. Then ask students to exchange their puzzle pieces with a partner and try to reassemble the sentences using their knowledge of past perfect subjunctive and the puzzle pattern clues.

Section Goals

In **En pantalla**, students will:
• watch the documentary *Jóvenes valientes*
• practice listening for and using vocabulary and structures learned in this lesson

 Pre-AP*

AP Skill Categories
1 **2** **3** **4**

Student Resources
Online Video and Activities

Teacher Resources
Transcript & Translation

❶ In-Class Tip For additional practice, have students form sentences with the remaining words and read their sentences aloud.

❷ In-Class Tip After students have answered the questions in pairs, ask them to share their responses in small groups.

❷ Partner Chat Available online.

❸ In-Class Tip Encourage students to share their opinions with the class. As a class, analyze the importance of each value for life in general, providing specific everyday examples.

Antes de ver el video

JÓVENES VALIENTES

país Colombia

duración 14 minutos

director Giovanni Granada

con bailarines jóvenes, padres y maestras

Vocabulario

aportar *to contribute*

apoyar *to support*

burlarse *to mock*

la confianza *confidence*

la enseñanza *teaching*

el entorno *surroundings*

el espectáculo *show*

la formación *training; preparation*

la fortaleza *strength*

la meta *goal*

el respaldo *support*

sacar provecho *to benefit from*

el telón *curtain*

valiente *brave*

1 **Oraciones** Completa las oraciones con las palabras o expresiones apropiadas.

1. El arte tiene un papel fundamental en la ___formación___ de las personas.
2. El arte puede ___aportar___ muchos beneficios a la vida de los jóvenes.
3. Uno de esos beneficios es mejorar la ___confianza___ en uno mismo.
4. Otro beneficio es la formación de la ___fortaleza___ ante situaciones difíciles.
5. Para alcanzar una ___meta___ es necesario trabajar duro.
6. Si en tu comunidad ofrecen clases gratuitas de arte, deberías ___sacar provecho___ de ellas.
7. Al final del espectáculo, cae el ___telón___.

Interpersonal Communication

Making Connections

2 **Preguntas** En parejas, contesten estas preguntas.

1. ¿Qué actividad artística practicas o te gustaría practicar?
2. ¿Por qué te gusta esa actividad artística en particular?
3. ¿Te gustaría dedicarte a ese tipo de arte de manera profesional? ¿Por qué?
4. ¿Qué enseñanzas puede transmitir en tu vida o en la vida de otras personas?
5. ¿Qué se necesita para sobresalir (*stand out*) en ese arte?
6. ¿Conoces a alguna persona que sobresalga en ese arte? ¿Cómo es esa persona?

Interpersonal Communication

Making Connections

3 **Valores** De la siguiente lista de valores, elige los dos que en tu opinión son los más importantes para un arte escénico (*perfoming art*) como el teatro, la danza o el circo. Después, comparte tus opiniones con un grupo de compañeros/as.

• la confianza en uno/a mismo/a
• la disciplina
• la fortaleza de carácter

• el respeto por las diferencias
• el sentido de la responsabilidad
• el trabajo en equipo

Making Connections

CRITICAL THINKING

Evaluation and Analysis Have small groups of students talk about the arts classes they take at school (or outside school, if applicable). Ask them to discuss questions like these: **¿Cómo son las clases de arte que toman? ¿Son aburridas o divertidas? ¿Son fáciles o difíciles? ¿Son sólo técnicas o también promueven valores como el respeto y el trabajo en equipo?**

CRITICAL THINKING

Evaluation and Analysis Have your class think about the importance of starting the arts and physical education at an early age. Ask: **¿Por qué es importante iniciarse en una actividad artística o en un deporte desde muy pequeños? ¿Todos los niños y niñas deben practicar las mismas actividades artísticas y deportes desde muy pequeños, o se les debe dejar que elijan libremente lo que quieren estudiar? ¿Por qué?**

- Have students analyze the title of the documentary. Ask: **¿Qué sugiere el título *Jóvenes valientes*? Con base en la foto, ¿quiénes son los jóvenes valientes? ¿Por qué creen que son valientes?**
- Discuss with the class the subtitle **La pasión de un sueño.** Ask students what they are passionate about and what they would do to pursue their dreams.

Expansion If you have students in your class who practice one of the performing arts, ask them to share their experiences with the class. Encourage them to answer these questions:

- **¿Cuándo comenzaste a practicar esa actividad artística?**
- **¿Cuánto tiempo le dedicas a la semana?**
- **Para ti, ¿qué es lo más difícil de este arte?**
- **¿Qué cosas has debido sacrificar para poder dedicarte a este arte?**
- **¿Quieres dedicarte a este arte profesionalmente? ¿Por qué?**

Making Connections

CRITICAL THINKING | Presentational Communication | School & Global Communities

Evaluation and Analysis Tell your students that your class has been chosen to provide ideas for a documentary on a sport or one of the performing arts your school is particularly interested in. The purpose of the documentary is to show other schools and the community what students in your school have achieved in that art or sport. Ask small groups of students to brainstorm ideas for the documentary including the content and images it should show. Ask them to provide ideas for a poster, including a title, a subtitle, and a few images that are representative of that art or sport in your school, using the poster on this page as a model. Have them sketch the posters and present them to the class. Have the class vote for the best ideas and posters.

Escenas

TEMA Este documental nos lleva al mundo de unos bailarines de ballet que se preparan para su presentación de final de año. A través de las historias de cinco jóvenes, descubrimos lo que sucede tanto tras el escenario como en sus vidas cotidianas.

MARIANA MOJICA Es un sentimiento inexplicable. Son los nervios combinados con la alegría, como con un poquito° de angustia al mismo tiempo.

FERNEY MENESES Su mundo es éste y en este momento está totalmente apasionado.

NATALIA HERNÁNDEZ El entrenamiento° es muy duro. Todos los días tengo que estudiar y […] trato de repartir° mi tiempo y de ensayar° por las noches.

MÓNICA PACHECHO El trabajo en equipo. Entender que lo que yo haga afecta a todo el grupo.

SONIA PEÑALOSA Frente a muchos dolores […] ella siempre está fuerte y dispuesta a° no parar su proceso de danza.

MARIANA MOJICA Para mí ésa es la muestra de que el esfuerzo° sí se recompensa°.

un poquito *a bit* **entrenamiento** *training* **repartir** *to distribute* **ensayar** *to rehearse*
dispuesta a *willing* **esfuerzo** *effort* **recompensa** *rewards*

Presentational Speaking Have small groups of students research a ballet dancer from a Spanish-speaking country and make a short presentation about him/her, including his/her background and major achievements. Besides the other names mentioned on this page, they may also research dancers like Tamara Rojo (Spain), Paloma Herrera (Argentina), Elisa Carrillo (Mexico), Osiel Gounod

(Cuba), and Herman Cornejo (Argentina).

Interpersonal Speaking Have student pairs prepare an interview between a journalist and one of the dancers from the documentary. They could also choose to interview one of the parents, or the school's artistic director. Encourage them to use vocabulary from the film. Have a few pairs present their interviews to the class.

Después de ver el video

1 **Comprensión** Mira los fragmentos de Natalia y Luisa Fernanda y responde a las preguntas.

Natalia

1. ¿Qué hace Natalia además de bailar ballet?
   Es estudiante de medicina en noveno semestre.
2. ¿Cómo reparte su tiempo?
   Se levanta muy temprano, va al hospital todo el día y practica por las noches.
3. ¿Cómo influyeron sus padres en su gusto por el ballet?
   Sus padres la llevaron a muchos espectáculos de música y ballet cuando era niña.
4. ¿Qué hace para tranquilizarse antes de salir al escenario?
   Trata de olvidarse del público o de bailar para ellos.

Luisa Fernanda

1. ¿A qué edad comenzó a tomar clases de ballet?
   A los cuatro años.
2. ¿Por qué decidió suspender sus clases?
   Porque estaba cansada, desmotivada y tenía muchas responsabilidades.
3. ¿Cuántos años estuvo retirada del ballet?
   Estuvo retirada tres años más o menos.
4. ¿Cómo la afectó la suspensión en su carrera?
   Ha perdido su condición física y también ha perdido confianza en ella misma.

2 **Un día en la vida de...** En parejas, elijan una de estas bailarinas y hagan una lista de lo que puede hacer en un día normal. Después, reúnanse con otra pareja que haya elegido a una bailarina diferente y comparen sus listas.

Natalia

Sofía

Luisa Fernanda

3 **Análisis** En grupos pequeños, discutan el significado de las siguientes expresiones tomadas del video.

"Obviamente, no se lo dije, pero... simplemente lo apoyé."
—Ferney Meneses (padre de Salvador)

"La formación en el ballet clásico aporta una serie de elementos que posteriormente en su vida van a tener que enfrentar."
—Mónica Pacheco

"Eso ha hecho que nosotros como padres siempre la estemos admirando tanto por su gran fortaleza espiritual."
—Sonia Peñalosa (madre de Sofía)

"Si yo quiero que me vaya bien tanto en el colegio como en el ballet, tengo que hacer un esfuerzo extra."
—Mariana Mojica

PUEDO hablar sobre lo que se requiere para ser un(a) bailarín(a) profesional y sobre los aportes de esta formación.

---

1 **In-Class Tip** Have students write additional comprehension questions about other dancers in the documentary. Challenge the class to answer their questions.

2 **In-Class Tip** Point out the differences between the dancers that influence their daily lives. For instance, while Sofía is a young student who has a medical condition, Natalia is a medical student and Luisa Fernanda is a full-time professional dancer. Encourage them to find similarities and differences between the lives of these dancers and their own daily lives.

3 **In-Class Tip** Have student groups summarize their analysis of the quotes for the class.

Expansion Have students work in groups to choose one or two aspects of the documentary that they identify as different from what they would expect in their daily life. Encourage them to discuss the lessons they have learned from this documentary.

3 **Partner Chat** Available online.

CRITICAL THINKING

Expansion Ask students to think of films about real or fictional performing artists. (Ex: *Pitch Perfect, High School Musical, Step Up, Billy Elliot*). Have a few volunteers tell briefly what these films are about.
Expansion Divide the class into five sections. Assign each section one name from the documentary (Salvador, Sofía, Natalia, Mariana, and Luisa Fernanda). Ask students to write predictions

TEACHING OPTIONS

about each dancer's life a few years from now, using the future perfect (see pages 404–405). Ex: **En tres años, Natalia se habrá graduado de la escuela de medicina y habrá conseguido un trabajo en un hospital, pero seguirá bailando en sus tiempos libres. En cinco años, Sofía habrá recuperado su salud y habrá ingresado a una escuela profesional de ballet.**

Section Goals

In **Lecturas**, students will:
- learn about **Julio Cortázar** and **el realismo fantástico**
- read **Cortázar's** *Continuidad de los parques*
- learn about the young Latin American group of writers **McOndo** and contrast their style with magical realism

 Pre-AP*

AP Skill Categories
1 **2** **3** **4**

Student Resources
Cuaderno de actividades,
p. 226
Online Activities

Teacher Resources
Workbook TE

Teaching Tips
- Ask the class to discuss the feeling the painting conveys: **¿Cómo se sienten las mujeres? ¿Cómo lo sabes? ¿Qué efecto, o efectos, tienen los colores en los sentimientos de las personas? ¿Cómo te sientes cuando miras la imagen?**
- **For Inclusion** Point to the book and the people in the image and ask volunteers to describe them.
- **For Visual and Kinesthetic Learners** Ask students to create a different image to accompany the quote. Have them share their image with the class and explain why it complements the quote.
- **To Challenge Students** Ask students to write a statement that expresses what they believe about literature. Their statement can begin the same way as Vargas Llosa's: **"La literatura nace..."** Display the quotes around the room.

"La literatura nace del paso entre lo que el hombre es y lo que quisiera ser."

Mario Vargas Llosa

Dos mujeres leyendo, 1934
Pablo Picasso, España

 Interpretar En parejas, contesten estas preguntas. Some answers will vary.

1. ¿Qué ven en el cuadro? Descríbanlo brevemente.
2. ¿Dónde creen que están los personajes de la pintura?
3. ¿Qué estarán leyendo y por qué lo hacen juntos?
4. A ustedes, ¿qué es lo que más les gusta leer? ¿En qué lugar lo hacen?

414 *cuatrocientos catorce*

Lección 10

CRITICAL THINKING Interpretive Communication | Making Connections

Knowledge and Comprehension Ask volunteers to describe the painting. Then ask volunteers to explain the quote in Spanish. Ask several students to give examples to support the explanation of the quote.
Synthesis Ask the class to connect the quote with the painting. Accept all reasonable responses, but ask volunteers to support their ideas with details from the image and the quote.

CRITICAL THINKING

Analysis and Evaluation Ask pairs to discuss their opinion of the painting and support their opinions with specifics from the image. If possible, show other paintings by Pablo Picasso and ask students to consider the style and subject of his paintings. Then ask them to evaluate him as an artist.

Antes de leer

Continuidad de los parques

Sobre el autor

Julio Cortázar nació en Bruselas, Bélgica, en 1914. Llegó a Argentina cuando tenía cuatro años. En 1932 se graduó como maestro de escuela y luego comenzó sus estudios en la Universidad de Buenos Aires, los cuales no pudo terminar por motivos económicos. Desde 1951, hasta su muerte en 1984, vivió en París. A pesar de vivir muchos años fuera de Argentina, Cortázar siempre se mostró interesado en la realidad sociopolítica de América Latina. En sus textos representa al mundo como un gran laberinto del que el ser humano debe escapar. Su obra se caracteriza por el uso magistral (*masterful*) del lenguaje y el juego constante entre la realidad y la fantasía. Por esta última característica se lo considera uno de los creadores del "realismo fantástico". Sus obras más conocidas son la novela *Rayuela* (1963) y libros de cuentos como *Historias de cronopios y de famas* (1962).

Vocabulario

acariciar *to caress*	**la mejilla** *cheek*
al alcance *within reach*	**el pecho** *chest*
el arroyo *stream*	**el/la testigo** *witness*
la coartada *alibi*	**la trama** *plot*

1 **Oraciones incompletas** Completa las oraciones.

1. Esa película tiene una ___trama___ muy complicada.
2. La niña ___acaricia___ la cara del bebé; tiene la ___mejilla___ muy suave.
3. Decidimos acampar junto al ___arroyo___.
4. El otro día fui ___testigo___ de un hecho extraordinario.

2 **Conexión personal** Responde estas preguntas: ¿Leíste alguna vez un libro tan fascinante que no podías dejar de leerlo? ¿Cuál? ¿Tuviste una experiencia similar con una película o serie de televisión?

3 **Análisis literario: el realismo fantástico**

Entretejer (*Weaving*) la ficción y la realidad se ha convertido en un recurso frecuente en la literatura latinoamericana. Este recurso es particularmente común en la obra de escritores argentinos como Jorge Luis Borges y Julio Cortázar. A diferencia del realismo mágico, que se caracteriza por mostrar lo maravilloso como normal, en el realismo fantástico se confunden realidad y fantasía. Se presenta un hecho real y se le agrega un elemento ilusorio o fantástico sin nunca marcar claramente los límites entre uno y otro. Esto lleva a historias dentro de historias y el lector debe darse cuenta, o a veces elegir conscientemente, en qué historia está o qué está sucediendo. A medida que leas *Continuidad de los parques,* busca elementos del realismo fantástico.

Teaching Tips

- Read the quote on page 414 aloud and discuss. Ex: **¿Es verdad que la literatura siempre representa lo que querríamos ser? ¿Prefieres que la literatura sea optimista o pesimista?**
- Ask students to make flashcards of the new vocabulary and play a game of **Concentración**.

Conexión personal

Ask additional questions to spark discussion. Ex: **¿Por qué es importante identificarse con los personajes de una novela o película? ¿Crees que las experiencias personales influyen en la manera en que una persona interpreta una historia?** You can also have students prepare a presentation using all these questions as prompts.

AP Skill Category **7**

Análisis literario

Discuss fantastic realism. **¿Qué dificultades presenta la lectura de una historia de realismo fantástico?**

Expansion Ask pairs to make a crossword puzzle of all of the vocabulary words and exchange it with another pair to complete.

NATIONAL STANDARDS

Connections: Literature Have students discuss the relationship between fantasy and reality and give examples from other literature or art.

Making Connections

Reading and Presentational Writing Read and discuss with the class the information about fantastic realism on this page. Provide them with another source, and remind them of what they have already learned about magical realism. After discussing the differences between **realismo mágico** and **realismo fantástico**, have students write about the differences. Tell students: **Describan por lo menos dos diferencias que hay entre el realismo mágico y el realismo fantástico.**

- **Visual and Kinesthetic Learners** Display several large pictures around the room that could also accompany the title of the story. Ask students to walk around to look at the pictures, then stand next to the one they think best suits the story's title. Using vocabulary for literary analysis, have each student briefly explain his or her choice to the class.
- **For Inclusion** Read the story aloud to the class. Pause after each paragraph and ask volunteers to summarize. Then model filling in the Reading Strategy chart before moving on to the next paragraph.
- **To Challenge Students** Ask students to triple read the story silently: once quickly for cursory comprehension; once slowly, identifying and looking up important, unknown words; and once more for complete comprehension. Then have students take notes and compare Reading Strategy charts with a partner.
- **Auditory Learners** Ask groups of three to take turns triple-reading the story aloud. Then, together, the small groups should complete their Reading Strategy charts.

Reading Strategy Help students make a graphic organizer on which to record their notes while reading. On the board, model making a four-column chart with these headings: **Los personajes, El escenario, La acción, La fantasía.**

Continuidad

Julio Cortázar

CRITICAL THINKING

Knowledge and Application Ask pairs to define the word **continuidad**. Then ask them to explain its importance in their lives. Remind students to give examples to support their ideas. Have pairs share with the class definitions and opinions of **continuidad**.

CRITICAL THINKING — Interpretive Communication

Synthesis and Analysis Ask volunteers to describe the image on page 416 and explain how it relates to the title, **Continuidad de los parques**. Record their ideas on chart paper; later, type up the list and distribute copies after reading the selection. Students should keep these lists in their notebook to refer to when studying for the exam.

de los parques

Había empezado a leer la novela unos días antes. La abandonó por negocios urgentes, volvió a abrirla cuando regresaba en tren a la finca°; se dejaba interesar lentamente por la trama, por el dibujo de los personajes. Esa tarde, después de escribir una carta a su apoderado° y discutir con el mayordomo° una cuestión de aparcerías°, volvió al libro en la tranquilidad del estudio que miraba hacia el parque de los robles°. Arrellanado° en su sillón favorito, de espaldas a la puerta que lo hubiera molestado como una irritante posibilidad de intrusiones, dejó que su mano izquierda acariciara una y otra vez el terciopelo° verde y se puso a leer los últimos capítulos. Su memoria retenía sin esfuerzo los nombres y las imágenes de los protagonistas; la ilusión novelesca lo ganó casi enseguida. Gozaba del placer casi perverso de irse desgajando° línea a línea de lo que lo rodeaba, y sentir a la vez que su cabeza descansaba cómodamente en el terciopelo del alto respaldo°, que los cigarrillos seguían al alcance de la mano, que más allá de los ventanales danzaba el aire del atardecer bajo los robles. Palabra a palabra, absorbido por la sórdida disyuntiva° de los héroes, dejándose ir hacia las imágenes que se concertaban y adquirían color y movimiento, fue testigo del último encuentro en la cabaña del monte°.

Primero entraba la mujer, recelosa°; ahora llegaba el amante, lastimada la cara por el chicotazo° de una rama°. Admirablemente restañaba° ella la sangre con sus besos, pero él rechazaba sus caricias, no había venido para repetir las ceremonias de una pasión secreta, protegida por un mundo de hojas secas y senderos furtivos. El puñal° se entibiaba° contra su pecho y debajo latía° la libertad agazapada°. Un diálogo anhelante° corría por las páginas como un arroyo de serpientes, y se sentía que todo estaba decidido desde siempre. Hasta esas caricias que enredaban° el cuerpo del amante como queriendo retenerlo y disuadirlo, dibujaban abominablemente la figura de otro cuerpo que era necesario destruir. Nada había sido olvidado: coartadas, azares, posibles errores. A partir de esa hora cada instante tenía su empleo minuciosamente atribuido. El doble repaso despiadado° se interrumpía apenas para que una mano acariciara una mejilla. Empezaba a anochecer.

Sin mirarse ya, atados rígidamente a la tarea que los esperaba, se separaron en la puerta de la cabaña. Ella debía seguir por la senda° que iba al norte. Desde la senda opuesta él se volvió un instante para verla correr con el pelo suelto. Corrió a su vez, parapetándose° en los árboles y los setos°, hasta distinguir en la bruma malva° del crepúsculo° la alameda° que llevaba a la casa. Los perros no debían ladrar°, y no ladraron. El mayordomo no estaría a esa hora, y no estaba. Subió los tres peldaños° del porche y entró. Desde la sangre galopando° en sus oídos le llegaban las palabras de la mujer: primero una sala azul, después una galería, una escalera alfombrada°. En lo alto, dos puertas. Nadie en la primera habitación, nadie en la segunda. La puerta del salón, y entonces el puñal en la mano, la luz de los ventanales, el alto respaldo de un sillón de terciopelo verde, la cabeza del hombre en el sillón leyendo una novela. ∎

country house
agent
butler
sharecropping
oak trees / Settled
velvet
tearing off
back (of chair or sofa)
dilemma
the cabin in the woods
suspicious(ly)
lash / branch
staunched
dagger / was becoming warm
was beating
crouched (in wait) / yearning
were entangling
ruthless
trail
taking cover
hedges / mauve mist
twilight / tree-lined path
bark
steps
pounding
carpeted

CRITICAL THINKING Interpretive Communication

Comprehension and Synthesis After students complete their reading and their Reading Strategy charts, have volunteers share their charts with the class. Focus on the action and fantasy columns. Make sure the class understands what happened in the story. Then ask them to decide what is fantasy and what is reality and why they think that, supporting their ideas with information from the story.

CRITICAL THINKING

Application and Evaluation Ask students to tell whether they liked the story or not. Ask them to support their opinions with information from the story and their own lives. Then ask volunteers to share a time when they imagined they were part of a book or a movie (perhaps when they were a child). Ask the class to relate these experiences to that of the **dueño** in the story.

Continuidad de los parques

Julio Cortázar

Interpretive Communication **1** **Comprensión** Ordena los hechos que suceden en el cuento.

____2____ a. Sentado en su sillón de terciopelo verde, volvió al libro en la tranquilidad del estudio.

____5____ b. Finalmente, ella se fue hacia el norte y él llegó hasta la casa del bosque.

____1____ c. Un hombre regresó a su finca después de haber terminado unos negocios urgentes.

____8____ d. Llegó hasta el salón y se dirigió hacia el hombre que, sentado en el sillón de terciopelo verde, estaba leyendo una novela.

____6____ e. Ese día los perros no ladraron y el mayordomo no estaba.

____3____ f. En la novela, una mujer y su amante se encontraban en una cabaña.

____7____ g. Él subió los tres peldaños del porche y entró en la casa.

____4____ h. Se habían reunido allí para terminar de planear un asesinato.

Interpretive Communication / *Making Connections* **2** **Interpretación** Contesta las preguntas.

1. Según se deduce de sus costumbres, ¿cómo crees que es la personalidad del hombre que estaba sentado en el sillón? Presenta ejemplos del cuento.

2. ¿Por qué crees que el mayordomo no trabajaba ese día?

3. ¿Qué relación hay entre la pareja de la cabaña y el hombre que está leyendo la novela?

4. ¿Quién crees que es la víctima? Haz una lista de las claves que hay en el cuento.

5. ¿Qué elementos visuales del cuento son propios de la novela de misterio?

6. ¿Cómo logra el escritor mantener la atención de sus lectores?

Interpretive Communication / *Interpersonal Communication* **3** **Análisis** En parejas, conversen sobre estas preguntas.

1. ¿Qué habría pasado si el hombre del sillón hubiera cerrado el libro antes?

2. Imaginen que la novela que está leyendo el hombre es de otro género: humor, romance, ciencia ficción, etc. ¿Cuál habría sido el final en ese caso? Escríbanlo y, luego, compártanlo con la clase.

3. Expliquen por qué creen que este cuento se titula "Continuidad de los parques".

Presentational Communication **4** **Un nuevo final** Escribe un párrafo que describa lo que sucede después del final del cuento. Decide si el final será sobre el hombre que lee la novela o sobre la segunda historia que parece estar dentro de la primera.

PUEDO continuar un relato en el que se utiliza el realismo fantástico.

Antes de leer

Vocabulario

la alusión *allusion*	**la narrativa** *narrative work*
el canon (literario) *(literary) canon*	**el relato** *account*
editar *to publish*	**transcurrir** *to take place*
el estereotipo *stereotype*	**tratar (sobre/acerca de)**
estético/a *aesthetic*	*to be about; to deal with*

La muerte y la doncella Completa las oraciones con el vocabulario de la tabla.

1. El argentino-chileno Ariel Dorfman se considera representante del ___canon___ literario de Latinoamérica, en parte por el éxito de su obra de teatro *La muerte y la doncella*.

2. La ___narrativa___ de Dorfman incluye géneros como la novela y el ensayo.

3. *La muerte y la doncella* ___trata acerca de/ sobre___ los efectos de la tortura en una mujer que cree encontrarse con su torturador.

4. La obra es interesante porque los personajes no son ___estereotipos___, sino que son individuos complejos.

5. La acción ___transcurre___ en un lugar que no se identifica, pero podría ser el Chile de Pinochet.

Conexión personal ¿Puede haber estereotipos positivos? ¿O son todos, por definición, negativos? ¿Cómo puede un estereotipo aparentemente positivo afectar negativamente a un individuo?

Contexto cultural

Gabriel García Márquez

En 1967, Gabriel García Márquez escribió una obra que se ha convertido en uno de los símbolos más reconocibles de la literatura de América Latina. *Cien años de soledad* es uno de los mayores ejemplos del *realismo mágico* y nos transporta al pueblo mítico de Macondo, donde objetos comunes como el hielo (*ice*) se presentan como maravillosos, mientras que las cosas más sorprendentes —como una lluvia de flores que caen del cielo— se narran como si fueran normales. Incluso en el siglo XXI, las obras de García Márquez dominan el mercado literario y se siguen estudiando como ejemplos de un género innovador y sorprendente. Lo que es más notable aún, han conseguido definir un estilo que se reconoce mundialmente como latinoamericano y que todavía inspira a nuevos escritores. Isabel Allende y Laura Esquivel son dos escritoras destacadas que emplean la técnica del realismo mágico para combinar lo cotidiano con lo sobrenatural. Las muy exitosas novelas *La casa de los espíritus* (1982) y *Como agua para chocolate* (1989) son claros ejemplos de este género.

Teaching Tips
- Ask pairs of students to write cloze sentences with the remaining vocabulary and then exchange them with another pair to solve.
- Ask students to make flashcards with the new vocabulary and play a game in which each partner holds a deck of flashcards in his or her hands. On the count of three, they each flip one card over, picture/sentence/ definition side up. The first person to say both Spanish words wins both cards. If no one says the words correctly, both people take their cards back and put them at the bottom of their pile, noting the vocabulary words they missed for next time.

Culture Note Discuss the effects of globalization. Encourage students who have traveled or lived in other countries to talk about their experiences abroad. Ask: **¿Qué elementos son "globales" hoy en día? ¿La comida? ¿Las telecomunicaciones? ¿Crees que la globalización hace que las personas vayan perdiendo su cultura?**

NATIONAL STANDARDS
Communities Call on volunteers to give their own definition of a stereotype. Then have students tell anecdotes about their personal experiences with stereotypes. Ask: **¿Has tratado alguna vez a alguien de forma diferente a causa de algún estereotipo? ¿Cuál es la mejor forma de acabar con los estereotipos?**

CRITICAL THINKING | Presentational Communication | Acquiring Information & Diverse Perspectives | **CRITICAL THINKING**

Knowledge and Comprehension Ask groups of students to research the life of Gabriel García Márquez. Then have them present their findings in a time line to be displayed around the room during the reading and discussion of the article.

Application and Synthesis Ask pairs to summarize the **Contexto cultural.** Then ask volunteers to share with the class any knowledge or prior experience they have had with *Cien años de soledad*, *La casa de los espíritus*, or *Como agua para chocolate.* If possible, show clips from the latter two movies that particularly illustrate magical realism. Then discuss magical realism and its purpose in literature.

Teaching Tips

- Before reading, ask pairs to create an SQA chart: In the first column they record all they already know (**saber**) about **McOndo**. In the second column, they record all that they want (**querer**) to know or their questions about **McOndo**. Then after they read the article, have students record all that they learned (**aprender**) in the third column.

- **For Inclusion** Read the article slowly aloud, pausing after each paragraph to allow volunteers to summarize. Then allow time for students to take notes in the second and third columns of their SQA charts. Model asking new questions and taking notes as necessary.

- **To Challenge Students** Ask students to triple-read the article silently. Then ask them to take notes in their SQA charts and share them with a partner to check their comprehension.

- **For Auditory Learners** Ask the class to form five groups. Assign each group one paragraph including inserts. Groups read their paragraph aloud and then summarize it by taking notes in their SQA charts. Then they present their paragraphs to the class so that the rest of the class can take notes in their charts.

De Macondo a McOndo

En Santiago de Chile, ¿es típico observar una tormenta de flores? ¿Es sorprendente encontrar un cubito de hielo° en una Coca-Cola en Buenos Aires? Un grupo de jóvenes escritores, encabezado° por el chileno Alberto Fuguet, responde rotundamente° que no. Estos
5 escritores afirman que tienen más en común con la generación estadounidense que creció con los videojuegos y MTV que con el mundo mágico y mítico de Macondo. Por eso, transformando el nombre del pueblo ficticio de las novelas de García Márquez, el grupo tomó el nombre "McOndo" en un guiño de ojo° al

ice cube
led
emphatically
wink

CRITICAL THINKING | Interpretive Communication | Language Comparisons

CRITICAL THINKING | Acquiring Information & Diverse Perspectives

Knowledge and Comprehension Ask the class to scan the first paragraph of the article for cognates. Then ask volunteers to list all the cognates on the board. Discuss as a class which are true and which are false. To facilitate the reading, encourage students to identify the cognates throughout the article.

Application and Synthesis Ask students to research the **McOndo** group on the Internet. Remind students how to select the Spanish-language option at their favorite search engine website. Encourage them to find and read at least one website on **McOndo** writers. Have students share their findings with the class.

omnipresente McDonald's, a las pioneras computadoras Macintosh y a los *condos*.

El grupo McOndo escribe una literatura intensamente personal, urbana y llena de alusiones a la cultura popular. Fuguet describe a su grupo como apolítico, adicto a la televisión por cable y aficionado a Internet. La televisión, la radio, el cine e Internet se infiltran en sus obras e introducen *current* temas globales y muy corrientes°. Las obras de Fuguet revelan más huellas de Hollywood que de García Márquez o Borges, y mayor influencia de videos musicales estadounidenses que de *Cien años de soledad*.

¿Qué hay de latinoamericano en las obras de McOndo?, se preguntan algunos lectores que identifican América Latina con el realismo mágico. ¿No podrían transcurrir en cualquier sitio?, es otra pregunta habitual. Justamente, el editor de una revista literaria estadounidense muy prestigiosa le hizo esta pregunta a Fuguet después *rejected* de que la revista rechazara° uno de sus cuentos. Las novelas de Isabel Allende y Laura Esquivel, por ejemplo, llevan al lector a un lugar exótico cuyos olores y colores son a la vez extraños y familiares. ¿Pueden tener éxito en el mercado literario relatos en los que nada es exótico para los lectores acostumbrados a la vida urbana de la gran ciudad?

Los escritores de McOndo tampoco se identifican con los productos de sus contemporáneos más realistas como, por ejemplo, Sandra Cisneros, Julia Álvarez y Esmeralda Santiago, que cuentan la difícil experiencia de los latinos en los Estados Unidos. Los personajes de McOndo son latinos

en un mundo globalizado. Esto se ve como un hecho normal y no como una experiencia especial o traumática. Según los autores de McOndo, su literatura es tan latinoamericana como las otras porque sus obras tratan acerca de la realidad de muchas personas: una existencia moderna, comercial, confusa y sin fronteras. En su opinión, la noción de que la realidad latinoamericana está constituida por hombres de fuerza

Los escritores de McOndo

Algunos escritores que se identifican con **Alberto Fuguet** y el mundo de McOndo son Rodrigo Fresán y Martín Rejtman de Argentina, Jaime Bayly del Perú, Sergio Gómez de Chile, Edmundo Paz Soldán de Bolivia y Naief Yehya de México. En 1997 Sergio Gómez y Alberto Fuguet editaron una antología de cuentos titulada *McOndo*, que incluye relatos de escritores latinoamericanos menores de treinta y cinco años.

colossal descomunal°, tormentas de flores y muchachas que suben al cielo no sólo es estereotípica sino empobrecedora°. En *damaging* un ensayo muy conocido de salon.com que se ha convertido en el manifiesto de los escritores de McOndo, Fuguet escribe: "Es una injusticia reducir la esencia de América Latina a hombres con ponchos y sombreros, zares de la *drug lords / gun-toting* droga° que portan armas° y señoritas *sway* sensuales que se menean° al ritmo de la salsa". Fuguet prefiere representar el mundo reconocible de Internet, la comida rápida y la música popular. Sólo con el tiempo sabremos si su *proposal* propuesta° estética tendrá la presencia *long-lasting* duradera°, la influencia y la importancia indiscutida del realismo mágico. ∎

La literatura y el arte

Teaching Tips
- As students read, have them jot down a list of pop culture elements that are mentioned in the reading. Have them put a star next to those elements with which they strongly identify.
- Assign pairs of students one of the writers mentioned in the insert on page 421. Have them research their lives and writing and present them to the class.
- Ask the class to debate whether the **McOndo** works are Latin American. Divide the class into two teams—**Sí** and **No**. Encourage each team to write and rehearse three to five points and counterpoints. To determine counterpoints, students must consider what the other side is most likely to say.
- **Heritage Speakers** Ask students to speak about the influence of American popular culture in their families' countries of origin. Ask them to share what stores, fads, music, movies, shows, and people are known and liked in the country.

Expansion Find an example of **McOndo** writing that is appropriate for the class to read. Photocopy it and ask small groups to read it aloud. Have a class discussion of the plot summary, pop culture references, and students' opinions on what makes this writing Latin American.

Cultural Comparison After students research the writers in the insert and present them, add this dimension: **Compara dos de los escritores presentados. ¿En qué se asemejan? ¿En qué se diferencian?**

PRE-AP* | Interpersonal Communication | Making Connections | Lifelong Learning

Speaking: Panel Discussion Have students conduct a panel discussion in which they talk about contemporary writing. Each student should discuss a different writer. Possibilities include: Sandra Cisneros, Julia Álvarez, Gabriel García Márquez, Alberto Fuguet, Edmundo Paz Soldán, or any member of **McOndo**. Tell each student to describe the style of his or her writer. Then tell students: **Al final, ustedes van a crear una lista de libros que les gustaría leer.**

De Macondo a McOndo

1

Comprensión Responde las preguntas con oraciones completas. Some answers will vary.

1. En el siglo XXI, ¿tienen éxito las obras de realismo mágico?
   Sí, las obras de García Márquez dominan el mercado literario y también son populares las novelas de Isabel Allende y Laura Esquivel.
2. ¿De dónde viene el nombre McOndo? Es una transformación de Macondo, el nombre del pueblo ficticio de García Márquez, y una referencia a McDonald's, a las computadoras Macintosh y a los condos.
3. ¿Cuáles son algunas de las influencias importantes en la literatura de Fuguet?
   La televisión, la radio, el cine e Internet son algunas de las influencias importantes.
4. ¿Cuáles son algunas de las críticas que reciben los escritores de McOndo?
   Sus obras podrían transcurrir en cualquier lugar; los personajes no son típicamente latinoamericanos.
5. ¿Por qué se identifican más los escritores de McOndo con algunos jóvenes estadounidenses que con García Márquez u otros escritores?
   El estilo de vida de estos escritores se parece al de los jóvenes estadounidenses.

2

Reflexión En parejas, respondan las preguntas.

1. ¿Qué opinan los jóvenes de McOndo de las representaciones de hombres con ponchos y de las señoritas sensuales que bailan salsa?
2. ¿Qué opinas del uso de estereotipos en la literatura y en el cine?
3. ¿Crees que el estilo de los escritores de McOndo es incompatible con el realismo mágico? ¿Se podrían combinar en una obra? ¿Cuál sería el resultado?

3

Comparación En grupos de tres, comparen las dos citas. La primera es de la lectura de García Márquez de la **Lección 5** y la segunda de Augusto Monterroso de la **Lección 6**.

> Un chorro (*spurt*) de luz dorada y fresca como el agua empezó a salir de la bombilla (*light bulb*) rota, y lo dejaron correr hasta que el nivel llegó a cuatro palmos. Entonces cortaron la corriente (*electric current*), sacaron el bote, y navegaron a placer (*leisurely*) por entre las islas de la casa.

> Entonces floreció en él una idea que tuvo por digna de su talento y de su cultura universal y de su arduo conocimiento de Aristóteles. Recordó que para ese día se esperaba un eclipse total de sol. Y dispuso […] valerse de (*to make use of*) aquel conocimiento para engañar (*deceive*) a sus opresores y salvar la vida.

1. ¿Qué es lo que puede suceder después de cada una de las citas? ¿Cuál de los sucesos que pueden ocurrir es más "maravilloso"?
2. ¿Qué diferencias pueden observar en el estilo de los dos escritores? ¿Cuál es más directo? ¿Cuál usa más recursos literarios, por ejemplo, metáforas?
3. ¿Qué estilo prefieren? ¿Por qué?

4

Realismo mágico tecnológico Elige una de las situaciones y escribe el primer párrafo de un cuento en el que el autor decide recurrir al realismo mágico para describir objetos y situaciones que se relacionan con la tecnología, la vida urbana y la cultura pop.

- un virus infectó la computadora
- tu celular hace llamadas por sí solo
- tu iPad lee tus pensamientos
- tu Wii quiere jugar al aire libre

PUEDO escribir un párrafo utilizando elementos del realismo mágico.

Teaching Tips

1 **For Inclusion** Encourage students to refer back to the article to answer the questions. Model with item 1, identifying key words in the item and the appropriate passage(s) in the reading.

2 **For Visual Learners** Allow time for these students to jot down responses to each item before having to discuss them with a partner.

2 For item 2, have students share examples of stereotypes in literature they have read or movies they have seen.

3 To help students organize their thoughts, have them make two columns and take notes about the quotes under each.

3 Ask students additional questions: Ex: **¿Cuál es el propósito de estos autores?**

4 Brainstorm additional situations. Ex: **Tu teléfono celular guarda toda la música del mundo; tu cámara digital puede pintar retratos.**

NATIONAL STANDARDS

Communities In groups of four, ask students to discuss how the digital era and increased mobility have increased cultural exchange. Ask students to group their examples in two columns: the first should list examples of U.S. influence on Latin American popular culture, and the second should provide examples of Latin American influence on U.S. popular culture.

CRITICAL THINKING

Comprehension and Analysis As an alternative to **Actividad 3**, encourage students to record their ideas in a Venn diagram. To challenge students, encourage them to go back and read again the whole García Márquez reading from **Lección 5** and the whole Allende reading from **Lección 9**. Then groups can compare and contrast the complete stories.

CRITICAL THINKING

Application and Synthesis Challenge students to create their own **McOndo** story. Remind students that their story should be "**intensamente personal, urbana y llena de alusiones a la cultura popular.**" Also, students should consider the influences of Fuguet, the founder of **McOndo**: "**la televisión, la radio, el cine e Internet.**"

Atando cabos

¡A conversar!

Literatura y arte En grupos de cuatro, preparen una presentación sobre un(a) artista que les interese.

> **Tema:** Preparen una presentación sobre alguno de los artistas famosos de esta lección o elijan otro.
>
> **Preparación:** Investiguen en Internet o en la biblioteca. Una vez tengan la información sobre el/la artista, elijan los puntos más importantes que van a tratar. Busquen o preparen material audiovisual para ofrecer una visión más amplia del tema.
>
> **Organización:** Escriban un esquema que les ayude a organizar su presentación. Pueden guiarse respondiendo las siguientes preguntas.
>
> 1. ¿Dónde nació el/la artista? 3. ¿Cómo llegó a ser conocido/a?
>
> 2. ¿A qué se dedicó o dedica? 4. ¿Qué logros alcanzó con su obra?

Presentational Communication

Acquiring Information & Diverse Perspectives

Making Connections

Estrategia de comunicación

Cómo hablar de arte

1. No habríamos elegido a este/a artista si su obra no fuera...

2. Se hizo famoso/a gracias a...

3. Uno de los rasgos que caracteriza a este/a artista es...

4. A veces, los temas que trata son...

5. En esta obra podemos ver ciertos rasgos del movimiento cubista/ surrealista/indigenista...

6. Actualmente, sus obras...

¡A escribir!

Obras maestras culinarias Imagina que eres una(a) chef muy famoso/a y que todas las semanas escribes una columna con críticas de restaurantes para una revista de arte. Elige un plato que te guste cocinar o que siempre comas en tu restaurante favorito y escribe un párrafo en el que describes el plato como si fuera una obra de arte. Usa el vocabulario que aprendiste en esta lección.

Presentational Communication

> **MODELO** Hoy quiero presentarles una obra radical: empanadillas de cochinillo con salsa Dalí. Es un verdadero festival de los sentidos.

PUEDO hacer una presentación sobre un artista de mi interés.

CRITICAL THINKING

Evaluation Before students begin the **¡A conversar!** or the **¡A escribir!** projects, review the rubrics by which you will assess their work. For the presentation, you may want to consider assessing: **la habilidad de trabajar en grupo; la división equitativa de las tareas; la investigación completa; el material audiovisual; la organización del esquema; la presentación oral,** etc. For the article, you may want to assess:

CRITICAL THINKING

School & Global Communities

Lifelong Learning

la receta completa, la gramática, las ideas, la organización, la originalidad, etc.

Application Try to find ways to publish students' work. You may want to invite parents and other school personnel to the presentations. Have students make invitations in Spanish. You may want to include well-written articles on your school's website, or print a class cookbook.

Student Resources
Cuaderno de actividades, pp. 224–225, 227
Online Activities

Teacher Resources
Workbook TEs; Textbook and Testing Audio online; Audio Scripts; Assessment Program Tests

Teaching Tips
¡A conversar!
• Have students form multileveled groups and divide the work according to individual strengths. Heritage speakers can recommend artists from their families' countries of origin. Everyone researches, while a student with leadership strengths coordinates the tasks. Advanced students lead writing the **esquema**, while other students dictate information they have researched. Visual Learners lead making visuals, while Auditory Learners lead the presentation to the class.

• Give students additional questions to consider in organizing their presentation, Ex: **¿Cuál es el contexto histórico del artista? ¿Qué representa en sus obras? ¿Su arte ha cambiado a lo largo de su vida? ¿Dónde pueden ver sus obras?**

¡A escribir!
• Have students look at Spanish-language cooking magazines or websites to get ideas for dishes and food vocabulary.

Lesson 10 Integrated Performance Assessment
Context: You have been asked to present a basic literary report for a Spanish-language literary blog. You read a short story in Spanish and write a brief literary report about it.

You can find the IPA activity and scoring rubric in the Assessment Program and in the Resources section online.

Student Resources
Online Activities

Teacher Resources
Textbook and Testing Audio online; Testing Audio Script; Assessment Program Tests

Teaching Tips
- Ask students to find their set of flashcards from the lesson. Then ask them to add any new words they missed.
- Once students have their flashcards, encourage pairs to play the game *Timed Concentration*. Pairs place their flashcards vocabulary side down. Set a timer on one minute and say: **¡Ya!** Student A points to a card, names the vocabulary, and flips the card over to check. If correct, A keeps the card. If incorrect, A returns the card. After one minute is up, set the timer again for Student B. At the end of six minutes, pairs see who has the most cards.
- **El bingo** Give students blank bingo cards with large squares. Students can illustrate or write definitions or synonyms for 25 of the vocabulary words. Remind them not to write the actual words.
- Then give each student a handful of playing pieces (beans, coins, etc.) Play several rounds of Bingo.
- Play a game of Win, Lose, or Draw. Divide the class into two teams. Have a member from each team come to the board. Secretly give them a vocabulary word that can be represented visually. Then the members draw a picture that represents the word. The first team to guess the word gets a point.

21st Century Skills

Creativity and Innovation
Ask students to prepare a presentation about literature or art using lesson vocabulary and grammar.

La literatura

el argumento	plot
la caracterización	characterization
la estrofa	stanza
el/la lector(a)	reader
el/la narrador(a)	narrator
la obra literaria	literary play
el personaje	character
el/la protagonista	protagonist
el punto de vista	point of view
la rima	rhyme
el verso	line (of poetry)
desarrollarse	to take place
hojear	to skim
narrar	to narrate
tratarse de	to be about; to deal with

Los géneros literarios

la (auto)biografía	(auto)biography
la ciencia ficción	science fiction
la literatura infantil / juvenil	children's literature
la novela rosa	romance novel
la poesía	poetry
la prosa	prose
clásico/a	classic
de terror	horror (story/novel)
didáctico/a	educational
histórico/a	historical
humorístico/a	humorous
policíaco/a	detective (story/novel)
satírico/a	satirical
trágico/a	tragic

Los artistas

el/la artesano/a	artisan
el/la dramaturgo/a	playwright
el/la ensayista	essayist
el/la escultor(a)	sculptor
el/la muralista	muralist
el/la novelista	novelist
el/la pintor(a)	painter
el poeta / la poetisa	poet

El arte

la acuarela	watercolor
el autorretrato	self-portrait
las bellas artes	fine arts
el cuadro	painting
la escultura	sculpture
la naturaleza muerta	still life
la obra (de arte)	work (of art)
el óleo	oil painting
el pincel	paintbrush
la pintura	paint; painting
la tela	canvas
dibujar	to draw
diseñar	to design
esculpir	to sculpt
reflejar	to reflect; to depict
abstracto/a	abstract
contemporáneo/a	contemporary
inquietante	disturbing
intrigante	intriguing
llamativo/a	striking
luminoso/a	bright
realista	realistic; realist
al estilo de	in the style of
de buen/mal gusto	in good/bad taste

Las corrientes artísticas

la corriente/el movimiento	movement
el cubismo	Cubism
el expresionismo	Expressionism
el impresionismo	Impressionism
el realismo	Realism
el romanticismo	Romanticism
el surrealismo	Surrealism

Más vocabulario

Expresiones útiles	Ver p. 397
Estructura	Ver pp. 404, 406 y 408

En pantalla

la confianza	confidence
la enseñanza	teaching
el entorno	surroundings
el espectáculo	show
la formación	training; preparation
la fortaleza	strength
la meta	goal
el respaldo	support
el telón	curtain
aportar	to contribute
apoyar	to support
burlarse	to mock
sacar provecho	to benefit from
valiente	brave

Literatura

el arroyo	stream
la coartada	alibi
la mejilla	cheek
el pecho	chest
el/la testigo	witness
la trama	plot
acariciar	to caress
al alcance	withing reach

Cultura

la alusión	allusion
el canon (literario)	(literary) canon
el estereotipo	stereotype
la narrativa	narrative work
el relato	account
editar	to publish
transcurrir	to take place
tratar (sobre/acerca de)	to be about; to deal with
estético/a	aesthetic

LEARNING STYLES

For Visual Learners Have students choose 10–15 words and expressions from the vocabulary list. Encourage students to choose words that they think they will use or need to know later. Then have them create a collage with magazine clippings, downloaded images, or their own drawings, illustrating the words and expressions.

LEARNING STYLES

For Auditory Learners Students form five groups. Assign each group a vocabulary category: **la literatura, los géneros literarios, los artistas, el arte,** and **las corrientes artísticas**. Groups make signs for their category. Read the vocabulary list at random, allowing time for groups to raise their card when they hear a word associated with their category.

Verb Conjugation Tables

Guide to the Verb List and Tables

Below you will find the infinitive of the verbs introduced as active vocabulary in **DESCUBRE**. Each verb is followed by a model verb conjugated according to the same pattern. The number in parentheses indicates where in the verb tables, pp. 429–436, you can find the conjugated forms of the model verb.

abrazar (z:c) like cruzar (37)

aburrir(se) like vivir (3)

acabar(se) like hablar (1)

acariciar like hablar (1)

acentuar (acentúo) like graduar (40)

acercarse (c:qu) like tocar (43)

aclarar like hablar (1)

acompañar like hablar (1)

aconsejar like hablar (1)

acordar(se) (o:ue) like contar (24)

acostar(se) (o:ue) like contar (24)

acostumbrar(se) like hablar (1)

actualizar (z:c) like cruzar (37)

adelgazar (z:c) like cruzar (37)

adjuntar like hablar (1)

adorar like hablar (1)

afeitar(se) like hablar (1)

afligir(se) (g:j) like proteger (42) for spelling change only

agotar like hablar (1)

ahorrar like hablar (1)

aislar (aíslo) like enviar (39)

alojar(se) like hablar (1)

amar like hablar (1)

amenazar (z:c) like cruzar (37)

anotar like hablar (1)

apagar (g:gu) like llegar (41)

aparecer (c:zc) like conocer (35)

aplaudir like vivir (3)

apreciar like hablar (1)

arreglar(se) like hablar (1)

arrepentirse (e:ie) like sentir (33)

ascender (e:ie) like entender (27)

atraer like traer (21)

atrapar like hablar (1)

atreverse like comer (2)

averiguar like hablar (1)

bailar like hablar (1)

bañar(se) like hablar (1)

barrer like comer (2)

beber like comer (2)

bendecir (e:i) like decir (8)

besar like hablar (1)

borrar like hablar (1)

botar like hablar (1)

brindar like hablar (1)

caber (4)

caer (y) (5)

calentar (e:ie) like pensar (30)

cancelar like hablar (1)

cazar (z:c) like cruzar (37)

celebrar like hablar (1)

cepillar(se) like hablar (1)

clonar like hablar (1)

cobrar like hablar (1)

cocinar like hablar (1)

colocar (c:qu) like tocar (43)

colonizar (z:c) like cruzar (37)

comer(se) (2)

componer like poner (15)

comprobar (o:ue) like contar (24)

conducir (c:zc) (6)

congelar(se) like hablar (1)

conocer (c:zc) (35)

conquistar like hablar (1)

conseguir (e:i) (gu:g) like seguir (32)

conservar like hablar (1)

contagiar(se) like hablar (1)

contaminar like hablar (1)

contar (o:ue) (24)

contentarse like hablar (1)

contraer like traer (21)

contratar like hablar (1)

contribuir (y) like destruir (38)

convertirse (e:ie) like sentir (33)

coquetear like hablar (1)

crear like hablar (1)

crecer (c:zc) like conocer (35)

creer (y) (36)

criar(se) (crío) like enviar (39)

criticar (c:qu) like tocar (43)

cruzar (z:c) (37)

cuidar like hablar (1)

cumplir like vivir (3)

curarse like hablar (1)

dar(se) (7)

deber like comer (2)

decir (e:i) (8)

delatar like hablar (1)

denunciar like hablar (1)

depositar like hablar (1)

derretir(se) (e:i) like pedir (29)

derribar like hablar (1)

derrocar (c:qu) like tocar (43)

derrotar like hablar (1)

desafiar (desafío) like enviar (39)

desaparecer (c:zc) like conocer (35)

desarrollar(se) like hablar (1)

descansar like hablar (1)

descargar (g:gu) like llegar (41)

descongelar(se) like hablar (1)

descubrir like vivir (3) *except* past participle is descubierto

descuidar(se) like hablar (1)

desear like hablar (1)

deshacer like hacer (11)

despedir(se) (e:i) like pedir (29)

despertar(se) (e:ie) like pensar (30)

destruir (y) (38)

devolver (o:ue) like volver (34)

dibujar like hablar (1)

dirigir (g:j) like proteger (42) for spelling change only

disculpar(se) like hablar (1)

discutir like vivir (3)

diseñar like hablar (1)

disfrutar like hablar (1)

disgustar like hablar (1)

disponer(se) like poner (15)

distinguir (gu:g) like seguir (32) for spelling change only

distraer like traer (21)

divertirse (e:ie) like sentir (33)

doler (o:ue) like volver (34) *except* past participle is regular

dormir(se) (o:ue) (25)

ducharse like hablar (1)

echar like hablar (1)

editar like hablar (1)

educar (c:qu) like tocar (43)

elegir (e:i) (g:j) like pedir (29) for stem change, like proteger (42) for spelling change only

embalar(se) like hablar (1)

emigrar like hablar (1)

empatar like hablar (1)

empeorar like hablar (1)

empezar (e:ie) (z:c) (26)

enamorarse like hablar (1)

encabezar (z:c) like cruzar (37)

encantar like hablar (1)

encargar(se) (g:gu) like llegar (41)

encender (e:ie) like entender (27)

enfermarse like hablar (1)

enganchar like hablar (1)

engañar like hablar (1)

engordar like hablar (1)

ensayar like hablar (1)

entender (e:ie) (27)

enterarse like hablar (1)

enterrar (e:ie) like pensar (30)

entretener(se) like tener (20)

enviar (envío) (39)

esclavizar (z:c) like cruzar (37)

escoger (g:j) like proteger (42)

esculpir like vivir (3)

establecer(se) (c:zc) like conocer (35)

estar (9)

exigir (g:j) like proteger (42) for spelling change only

explotar like hablar (1)

exportar like hablar (1)

expulsar like hablar (1)

expulsar like hablar (1)

extinguir(se) (gu:g) like seguir (32) for spelling change only

fabricar (c:qu) like tocar (43)

faltar like hablar (1)

fascinar like hablar (1)

festejar like hablar (1)

fijar(se) like hablar (1)

financiar like hablar (1)

florecer (c:zc) like conocer (35)

flotar like hablar (1)

formular like hablar (1)

freír (e:i) (frío) like reír (31)

funcionar like hablar (1)

gastar like hablar (1)

gobernar (e:ie) like pensar (30)

grabar like hablar (1)

graduar(se) (gradúo) (40)

guardar(se) like hablar (1)

gustar like hablar (1)

haber (10)

habitar like hablar (1)

hablar (1)

hacer(se) (11)

herir (e:ie) like sentir (33)

hervir (e:ie) like sentir (33)

hojear like hablar (1)

huir (y) like destruir (38)

humillar like hablar (1)

importar like hablar (1)

impresionar like hablar (1)

imprimir like vivir (3)

inscribirse like vivir (3)

insistir like vivir (3)

instalar like hablar (1)

integrar(se) like hablar (1)

interesar like hablar (1)

invadir like vivir (3)

inventar like hablar (1)

invertir (e:ie) like sentir (33)

investigar (g:gu) like llegar (41)

ir (12)

jubilarse like hablar (1)

jugar (u:ue) (g:gu) (28)

jurar like hablar (1)

lastimarse like hablar (1)

latir like vivir (3)

lavar(se) like hablar (1)

levantar(se) like hablar (1)

liberar like hablar (1)

lidiar like hablar (1)

limpiar like hablar (1)

llegar (g:gu) (41)

llevar(se) like hablar (1)

lograr like hablar (1)

luchar like hablar (1)

madrugar (g:gu) like llegar (41)

malgastar like hablar (1)

manipular like hablar (1)

maquillarse like hablar (1)

meditar like hablar (1)

mejorar like hablar (1)

merecer (c:zc) like conocer (35)

meter(se) like comer (2)

molestar like hablar (1)

morder (o:ue) like volver (34) *except* past participle is regular

morirse (o:ue) like dormir (25) *except* past participle is muerto

mudar(se) like hablar (1)

narrar like hablar (1)

navegar (g:gu) like llegar (41)

necesitar like hablar (1)

obedecer (c:zc) like conocer (35)

ocultar(se) like hablar (1)

odiar like hablar (1)

oír (y) (13)

olvidar(se) like hablar (1)

opinar like hablar (1)

oponerse like poner (15)

oprimir like vivir (3)

oscurecer (c:zc) like conocer (35)

parar like hablar (1)

parecer(se) (c:zc) like conocer (35)

patear like hablar (1)

pedir (e:i) (29)

peinar(se) like hablar (1)

pensar (e:ie) (30)

permanecer (c:zc) like conocer (35)

pertenecer (c:zc) like conocer (35)

pillar like hablar (1)

pintar like hablar (1)

poblar (o:ue) like contar (24)

poder (o:ue) (14)

poner(se) (15)

preferir (e:ie) like sentir (33)

preocupar(se) like hablar (1)

prestar like hablar (1)

prevenir like venir (22)

prever like ver (23)

probar(se) (o:ue) like contar (24)

producir (c:zc) like conducir (6)

prohibir (prohíbo) like enviar (39) for spelling change only

proponer like poner (15)

proteger (g:j) (42)

protestar like hablar (1)

publicar (c:qu) like tocar (43)

quedar(se) like hablar (1)

quejarse like hablar (1)

querer (e:ie) (16)

quitar(se) like hablar (1)

recetar like hablar (1)

rechazar (z:c) like cruzar (37)

reciclar like hablar (1)

reclamar like hablar (1)

recomendar (e:ie) like pensar (30)

reconocer (c:zc) like conocer (35)

recorrer like comer (2)

recuperar(se) like hablar (1)

reducir (c:zc) like conducir (6)

reflejar like hablar (1)

regresar like hablar (1)

rehacer like hacer (11)

reír(se) (e:i) (31)

relajar(se) like hablar (1)

rendirse (e:i) like pedir (29)

renunciar like hablar (1)

reservar like hablar (1)

resolver (o:ue) like volver (34)

retratar like hablar (1)

reunir(se) (reúno) like graduar (40) for spelling change only

rezar (z:c) like cruzar (37)

rociar like hablar (1)

rodar (o:ue) like contar (24)

rogar (o:ue) (g:gu) like contar (24) for stem changes; like llegar (41) for spelling change

romper like comer (2) *except* past participle is roto

saber (17)

sacrificar (c:qu) like tocar (43)

salir (18)

salvar like hablar (1)

sanar like hablar (1)

secar(se) (c:qu) like tocar (43)

seguir (e:i) (gu:g) (32)

seleccionar like hablar (1)

sentir(se) (e:ie) (33)

señalar like hablar (1)

sepultar like hablar (1)

ser (19)

soler (o:ue) like volver (34) *except* past participle is regular

solicitar like hablar (1)

sonar (o:ue) like contar (24)

soñar (o:ue) like contar (24)

sorprender(se) like comer (2)

subsistir like vivir (3)

suceder like comer (2)

sufrir like vivir (3)

sugerir (e:ie) like sentir (33)

suponer like poner (15)

suprimir like vivir (3)

suscribirse like vivir (3)

tener (20)

tirar like hablar (1)

titularse like hablar (1)

tocar (c:qu) (43)

torear like hablar (1)

toser like comer (2)

traducir (c:zc) like conducir (6)

traer (21)

transcurrir like vivir (3)

transmitir like vivir (3)

trasnochar like hablar (1)

tratar(se) like hablar (1)

valer like salir (18) for irregular endings, *except* imperative **tú** is vale

vencer (c:z) (44)

venerar like hablar (1)

venir (22)

ver(se) (23)

vestir(se) (e:i) like pedir (29)

vivir (3)

volar (o:ue) like contar (24)

volver (o:ue) (34)

votar like hablar (1)

Regular verbs: simple tenses

Infinitive	INDICATIVE					SUBJUNCTIVE		IMPERATIVE
	Present	Imperfect	Preterite	Future	Conditional	Present	Past	
1 hablar	hablo	hablaba	hablé	hablaré	hablaría	hable	hablara	
	hablas	hablabas	hablaste	hablarás	hablarías	hables	hablaras	habla tú (no hables)
Participles:	habla	hablaba	habló	hablará	hablaría	hable	hablara	hable Ud.
hablando	hablamos	hablábamos	hablamos	hablaremos	hablaríamos	hablemos	habláramos	hablemos
hablado	habláis	hablabais	hablasteis	hablaréis	hablaríais	habléis	hablarais	hablad (no habléis)
	hablan	hablaban	hablaron	hablarán	hablarían	hablen	hablaran	hablen Uds.
2 comer	como	comía	comí	comeré	comería	coma	comiera	
	comes	comías	comiste	comerás	comerías	comas	comieras	come tú (no comas)
Participles:	come	comía	comió	comerá	comerían	coma	comiera	coma Ud.
comiendo	comemos	comíamos	comimos	comeremos	comeríamos	comamos	comiéramos	comamos
comido	coméis	comíais	comisteis	comeréis	comeríais	comáis	comierais	comed (no comáis)
	comen	comían	comieron	comerán	comerían	coman	comieran	coman Uds.
3 vivir	vivo	vivía	viví	viviré	viviría	viva	viviera	
	vives	vivías	viviste	vivirás	vivirías	vivas	vivieran	vive tú (no vivas)
Participles:	vive	vivía	vivió	vivirá	viviría	viva	viviera	viva Ud.
viviendo	vivimos	vivíamos	vivimos	viviremos	viviríamos	vivamos	viviéramos	vivamos
vivido	vivís	vivíais	vivisteis	viviréis	viviríais	viváis	vivierais	vivid (no viváis)
	viven	vivían	vivieron	vivirán	vivirían	vivan	vivieran	vivan Uds.

All verbs: compound tenses

PERFECT TENSES						
INDICATIVE				**SUBJUNCTIVE**		
Present Perfect	Past Perfect	Future Perfect	Conditional Perfect	Present Perfect	Past Perfect	
he	había	habré	habría	haya	hubiera	
has	habías	habrás	habrías	hayas	hubieras	
ha `}` hablado	había `}` hablado	habrá `}` hablado	habría `}` hablado	haya `}` hablado	hubiera `}` hablado	
hemos `}` comido	habíamos `}` comido	habremos `}` comido	habríamos `}` comido	hayamos `}` comido	hubiéramos `}` comido	
habéis `}` vivido	habíais `}` vivido	habréis `}` vivido	habríais `}` vivido	hayáis `}` vivido	hubierais `}` vivido	
han	habían	habrán	habrían	hayan	hubieran	

PROGRESSIVE TENSES

INDICATIVE				SUBJUNCTIVE	
Present Progressive	Past Progressive	Future Progressive	Conditional Progressive	Present Progressive	Past Progressive
estoy	estaba	estaré	estaría	esté	estuviera
estás	estabas	estarás	estarías	estés	estuvieras
está } hablando	estaba } hablando	estará } hablando	estaría } hablando	esté } hablando	estuviera } hablando
estamos } comiendo	estábamos } comiendo	estaremos } comiendo	estaríamos } comiendo	estemos } comiendo	estuviéramos } comiendo
estáis } viviendo	estabais } viviendo	estaréis } viviendo	estaríais } viviendo	estéis } viviendo	estuvierais } viviendo
están	estaban	estarán	estarían	estén	estuvieran

Irregular verbs

	Infinitive	INDICATIVE					SUBJUNCTIVE		IMPERATIVE
		Present	Imperfect	Preterite	Future	Conditional	Present	Past	
4	caber	**quepo**	cabía	**cupe**	**cabré**	**cabría**	**quepa**	**cupiera**	
		cabes	cabías	**cupiste**	**cabrás**	**cabrías**	**quepas**	**cupieras**	cabe tú (no **quepas**)
	Participles:	cabe	cabía	**cupo**	**cabrá**	**cabría**	**quepa**	**cupiera**	**quepa** Ud.
	cabiendo	cabemos	cabíamos	**cupimos**	**cabremos**	**cabríamos**	**quepamos**	**cupiéramos**	**quepamos**
	cabido	cabéis	cabíais	**cupisteis**	**cabréis**	**cabríais**	**quepáis**	**cupierais**	cabed (no **quepáis**)
		caben	cabían	**cupieron**	**cabrán**	**cabrían**	**quepan**	**cupieran**	**quepan** Uds.
5	caer(se)	**caigo**	caía	caí	caeré	caería	**caiga**	**cayera**	
		caes	caías	**caíste**	caerás	caerías	**caigas**	**cayeras**	cae tú (no **caigas**)
	Participles:	cae	caía	**cayó**	caerá	caería	**caiga**	**cayera**	**caiga** Ud.
	cayendo	caemos	caíamos	**caímos**	caeremos	caeríamos	**caigamos**	**cayéramos**	**caigamos**
	caído	caéis	caíais	**caísteis**	caeréis	caeríais	**caigáis**	**cayerais**	caed (no **caigáis**)
		caen	caían	**cayeron**	caerán	caerían	**caigan**	**cayeran**	**caigan** Uds.
6	conducir	**conduzco**	conducía	**conduje**	conduciré	conduciría	**conduzca**	**condujera**	
	(c:zc)	conduces	conducías	**condujiste**	conducirás	conducirías	**conduzcas**	**condujeras**	conduce tú (no **conduzcas**)
		conduce	conducía	**condujo**	conducirá	conduciría	**conduzca**	**condujera**	**conduzca** Ud.
	Participles:	conducimos	conducíamos	**condujimos**	conduciremos	conduciríamos	**conduzcamos**	**condujéramos**	**conduzcamos**
	conduciendo	conducís	conducíais	**condujisteis**	conduciréis	conduciríais	**conduzcáis**	**condujerais**	conducid (no **conduzcáis**)
	conducido	conducen	conducían	**condujeron**	conducirán	conducirían	**conduzcan**	**condujeran**	**conduzcan** Uds.

		INDICATIVE				SUBJUNCTIVE		IMPERATIVE
Infinitive	Present	Imperfect	Preterite	Future	Conditional	Present	Past	
7 dar	**doy**	daba	**di**	daré	daría	**dé**	**diera**	
	das	dabas	**diste**	darás	darías	des	**dieras**	da tú (no des)
Participles:	da	daba	**dio**	dará	daría	**dé**	**diera**	**dé** Ud.
dando	damos	dábamos	**dimos**	daremos	daríamos	demos	**diéramos**	demos
dado	**dais**	dabais	**disteis**	daréis	daríais	**deis**	dierais	dad (no **deis**)
	dan	daban	**dieron**	darán	darían	den	**dieran**	den Uds.
8 decir (e:i)	**digo**	decía	**dije**	**diré**	**diría**	diga	dijera	
	dices	decías	**dijiste**	**dirás**	**dirías**	digas	dijeras	**di** tú (no **digas**)
Participles:	**dice**	decía	**dijo**	**dirá**	**diría**	diga	dijera	**diga** Ud.
diciendo	decimos	decíamos	**dijimos**	**diremos**	**diríamos**	digamos	dijéramos	**digamos**
dicho	decís	decíais	**dijisteis**	**diréis**	**diríais**	digáis	dijerais	decid (no **digáis**)
	dicen	decían	**dijeron**	**dirán**	**dirían**	digan	dijeran	**digan** Uds.
9 estar	**estoy**	estaba	**estuve**	estaré	estaría	**esté**	**estuviera**	
	estás	estabas	**estuviste**	estarás	estarías	**estés**	**estuvieras**	**está** tú (no **estés**)
Participles:	**está**	estaba	**estuvo**	estará	estaría	**esté**	**estuviera**	**esté** Ud.
estando	estamos	estábamos	**estuvimos**	estaremos	estaríamos	estemos	**estuviéramos**	estemos
estado	estáis	estabais	**estuvisteis**	estaréis	estaríais	estéis	**estuvierais**	estad (no estéis)
	están	estaban	**estuvieron**	estarán	estarían	**estén**	**estuvieran**	**estén** Uds.
10 haber	**he**	había	**hube**	**habré**	**habría**	haya	hubiera	
	has	habías	**hubiste**	**habrás**	**habrías**	hayas	hubieras	
Participles:	**ha**	había	**hubo**	**habrá**	**habría**	haya	hubiera	
habiendo	**hemos**	habíamos	**hubimos**	**habremos**	**habríamos**	hayamos	hubiéramos	
habido	habéis	habíais	**hubisteis**	**habréis**	**habríais**	hayáis	hubierais	
	han	habían	**hubieron**	**habrán**	**habrían**	hayan	hubieran	
11 hacer	**hago**	hacía	**hice**	**haré**	**haría**	haga	hiciera	
	haces	hacías	**hiciste**	**harás**	**harías**	hagas	hicieras	**haz** tú (no **hagas**)
Participles:	hace	hacía	**hizo**	**hará**	**haría**	haga	hiciera	**haga** Ud.
haciendo	hacemos	hacíamos	**hicimos**	**haremos**	**haríamos**	hagamos	hiciéramos	**hagamos**
hecho	hacéis	hacíais	**hicisteis**	**haréis**	**haríais**	hagáis	hicierais	haced (no **hagáis**)
	hacen	hacían	**hicieron**	**harán**	**harían**	hagan	hicieran	**hagan** Uds.
12 ir	**voy**	**iba**	**fui**	iré	iría	**vaya**	fuera	
	vas	**ibas**	**fuiste**	irás	irías	**vayas**	fueras	**ve** tú (no **vayas**)
Participles:	**va**	**iba**	**fue**	irá	iría	**vaya**	fuera	**vaya** Ud.
yendo	**vamos**	**íbamos**	**fuimos**	iremos	iríamos	**vayamos**	**fuéramos**	**vamos** (no **vayamos**)
ido	**vais**	**ibais**	**fuisteis**	iréis	iríais	**vayáis**	fuerais	id (no **vayáis**)
	van	**iban**	**fueron**	irán	irían	**vayan**	fueran	**vayan** Uds.
13 oír (y)	**oigo**	oía	**oí**	oiré	oiría	**oiga**	oyera	
	oyes	oías	**oíste**	oirás	oirías	**oigas**	oyeras	**oye** tú (no **oigas**)
Participles:	**oye**	oía	**oyó**	oirá	oiría	**oiga**	oyera	**oiga** Ud.
oyendo	**oímos**	oíamos	**oímos**	oiremos	oiríamos	**oigamos**	oyéramos	**oigamos**
oído	oís	oíais	**oísteis**	oiréis	oiríais	**oigáis**	oyerais	**oíd** (no **oigáis**)
	oyen	oían	**oyeron**	oirán	oirían	**oigan**	oyeran	**oigan** Uds.

	Infinitive	INDICATIVE					SUBJUNCTIVE		IMPERATIVE
		Present	Imperfect	Preterite	Future	Conditional	Present	Past	
14	poder (o:ue)	puedo	podía	pude	podré	podría	pueda	pudiera	
		puedes	podías	pudiste	podrás	podrías	puedas	pudieras	puede tú (no puedas)
	Participles:	puede	podía	pudo	podrá	podría	pueda	pudiera	pueda Ud.
	pudiendo	podemos	podíamos	pudimos	podremos	podríamos	podamos	pudiéramos	podamos
	podido	podéis	podíais	pudisteis	podréis	podríais	podáis	pudierais	poded (no podáis)
		pueden	podían	pudieron	podrán	podrían	puedan	pudieran	puedan Uds.
15	poner	pongo	ponía	puse	pondré	pondría	ponga	pusiera	
		pones	ponías	pusiste	pondrás	pondrías	pongas	pusieras	pon tú (no pongas)
	Participles:	pone	ponía	puso	pondrá	pondría	ponga	pusiera	ponga Ud.
	poniendo	ponemos	poníamos	pusimos	pondremos	pondríamos	pongamos	pusiéramos	pongamos
	puesto	ponéis	poníais	pusisteis	pondréis	pondríais	pongáis	pusierais	poned (no pongáis)
		ponen	ponían	pusieron	pondrán	pondrían	pongan	pusieran	pongan Uds.
16	querer (e:ie)	quiero	quería	quise	querré	querría	quiera	quisiera	
		quieres	querías	quisiste	querrás	querrías	quieras	quisieras	quiere tú (no quieras)
	Participles:	quiere	quería	quiso	querrá	querría	quiera	quisiera	quiera Ud.
	queriendo	queremos	queríamos	quisimos	querremos	querríamos	queramos	quisiéramos	queramos
	querido	queréis	queríais	quisisteis	querréis	querríais	queráis	quisierais	quered (no queráis)
		quieren	querían	quisieron	querrán	querrían	quieran	quisieran	quieran Uds.
17	saber	sé	sabía	supe	sabré	sabría	sepa	supiera	
		sabes	sabías	supiste	sabrás	sabrías	sepas	supieras	sabe tú (no sepas)
	Participles:	sabe	sabía	supo	sabrá	sabría	sepa	supiera	sepa Ud.
	sabiendo	sabemos	sabíamos	supimos	sabremos	sabríamos	sepamos	supiéramos	sepamos
	sabido	sabéis	sabíais	supisteis	sabréis	sabríais	sepáis	supierais	sabed (no sepáis)
		saben	sabían	supieron	sabrán	sabrían	sepan	supieran	sepan Uds.
18	salir	salgo	salía	salí	saldré	saldría	salga	saliera	
		sales	salías	saliste	saldrás	saldrías	salgas	salieras	sal tú (no salgas)
	Participles:	sale	salía	salió	saldrá	saldría	salga	saliera	salga Ud.
	saliendo	salimos	salíamos	salimos	saldremos	saldríamos	salgamos	saliéramos	salgamos
	salido	salís	salíais	salisteis	saldréis	saldríais	salgáis	salierais	salid (no salgáis)
		salen	salían	salieron	saldrán	saldrían	salgan	salieran	salgan Uds.
19	ser	soy	era	fui	seré	sería	sea	fuera	
		eres	eras	fuiste	serás	serías	seas	fueras	sé tú (no seas)
	Participles:	es	era	fue	será	sería	sea	fuera	sea Ud.
	siendo	somos	éramos	fuimos	seremos	seríamos	seamos	fuéramos	seamos
	sido	sois	erais	fuisteis	seréis	seríais	seáis	fuerais	sed (no seáis)
		son	eran	fueron	serán	serían	sean	fueran	sean Uds.
20	tener	tengo	tenía	tuve	tendré	tendría	tenga	tuviera	
		tienes	tenías	tuviste	tendrás	tendrías	tengas	tuvieras	ten tú (no tengas)
	Participles:	tiene	tenía	tuvo	tendrá	tendría	tenga	tuviera	tenga Ud.
	teniendo	tenemos	teníamos	tuvimos	tendremos	tendríamos	tengamos	tuviéramos	tengamos
	tenido	tenéis	teníais	tuvisteis	tendréis	tendríais	tengáis	tuvierais	tened (no tengáis)
		tienen	tenían	tuvieron	tendrán	tendrían	tengan	tuvieran	tengan Uds.

	Infinitive	INDICATIVE					SUBJUNCTIVE		IMPERATIVE
		Present	Imperfect	Preterite	Future	Conditional	Present	Past	
21	traer	**traigo**	traía	**traje**	traeré	traería	**traiga**	**trajera**	
		traes	traías	**trajiste**	traerás	traerías	**traigas**	**trajeras**	trae tú (no **traigas**)
	Participles:	trae	traía	**trajo**	traerá	traería	**traiga**	**trajera**	**traiga** Ud.
	trayendo	traemos	traíamos	**trajimos**	traeremos	traeríamos	**traigamos**	**trajéramos**	**traigamos**
	traído	traéis	traíais	**trajisteis**	traeréis	traeríais	**traigáis**	**trajerais**	traed (no **traigáis**)
		traen	traían	**trajeron**	traerán	traerían	**traigan**	**trajeran**	**traigan** Uds.
22	venir	**vengo**	venía	**vine**	**vendré**	**vendría**	venga	viniera	
		vienes	venías	**viniste**	**vendrás**	**vendrías**	vengas	vinieras	ven tú (no **vengas**)
	Participles:	**viene**	venía	**vino**	**vendrá**	**vendría**	venga	viniera	**venga** Ud.
	viniendo	venimos	veníamos	**vinimos**	**vendremos**	**vendríamos**	vengamos	viniéramos	vengamos
	venido	venís	veníais	**vinisteis**	**vendréis**	**vendríais**	vengáis	vinierais	venid (no **vengáis**)
		vienen	venían	**vinieron**	**vendrán**	**vendrían**	vengan	vinieran	**vengan** Uds.
23	ver	**veo**	**veía**	**vi**	veré	vería	vea	viera	
		ves	**veías**	viste	verás	verías	veas	vieras	ve tú (no **veas**)
	Participles:	ve	**veía**	**vio**	verá	vería	vea	viera	**vea** Ud.
	viendo	vemos	**veíamos**	vimos	veremos	veríamos	veamos	viéramos	**veamos**
	visto	**veis**	**veíais**	visteis	veréis	veríais	**veáis**	vierais	ved (no **veáis**)
		ven	**veían**	vieron	verán	verían	vean	vieran	**vean** Uds.

Stem-changing verbs

	Infinitive	INDICATIVE					SUBJUNCTIVE		IMPERATIVE
		Present	Imperfect	Preterite	Future	Conditional	Present	Past	
24	contar	**cuento**	contaba	conté	contaré	contaría	**cuente**	contara	
	(o:ue)	**cuentas**	contabas	contaste	contarás	contarías	**cuentes**	contaras	**cuenta** tú (no **cuentes**)
		cuenta	contaba	contó	contará	contaría	**cuente**	contara	**cuente** Ud.
	Participles:	contamos	contábamos	contamos	contaremos	contaríamos	contemos	contáramos	contemos
	contando	contáis	contabais	contasteis	contaréis	contaríais	contéis	contarais	contad (no contéis)
	contado	**cuentan**	contaban	contaron	contarán	contarían	**cuenten**	contaran	**cuenten** Uds.
25	dormir	**duermo**	dormía	dormí	dormiré	dormiría	**duerma**	**durmiera**	
	(o:ue)	**duermes**	dormías	dormiste	dormirás	dormirías	**duermas**	**durmieras**	**duerme** tú (no **duermas**)
		duerme	dormía	**durmió**	dormirá	dormiría	**duerma**	**durmiera**	**duerma** Ud.
	Participles:	dormimos	dormíamos	dormimos	dormiremos	dormiríamos	**durmamos**	**durmiéramos**	**durmamos**
	durmiendo	dormís	dormíais	dormisteis	dormiréis	dormiríais	**durmáis**	**durmierais**	dormid (no **durmáis**)
	dormido	**duermen**	dormían	**durmieron**	dormirán	dormirían	**duerman**	**durmieran**	**duerman** Uds.
26	empezar	**empiezo**	empezaba	**empecé**	empezaré	empezaría	**empiece**	empezara	
	(e:ie) (z:c)	**empiezas**	empezabas	empezaste	empezarás	empezarías	**empieces**	empezaras	**empieza** tú (no **empieces**)
		empieza	empezaba	empezó	empezará	empezaría	**empiece**	empezara	**empiece** Ud.
	Participles:	empezamos	empezábamos	empezamos	empezaremos	empezaríamos	**empecemos**	empezáramos	**empecemos**
	empezando	empezáis	empezabais	empezasteis	empezaréis	empezaríais	**empecéis**	empezarais	empezad (no **empecéis**)
	empezado	**empiezan**	empezaban	empezarán	empezarán	empezarían	**empiecen**	empezaran	**empiecen** Uds.

Infinitive	INDICATIVE					SUBJUNCTIVE		IMPERATIVE
	Present	**Imperfect**	**Preterite**	**Future**	**Conditional**	**Present**	**Past**	
27 entender (e:ie)	**entiendo**	entendía	entendí	entenderé	entendería	**entienda**	entendiera	
	entiendes	entendías	entendiste	entenderás	entenderías	**entiendas**	entendieras	**entiende** tú (no **entiendas**)
	entiende	entendía	entendió	entenderá	entendería	**entienda**	entendiera	**entienda** Ud.
Participles:	entendemos	entendíamos	entendimos	entenderemos	entenderíamos	entendamos	entendiéramos	entendamos
entendiendo	entendéis	entendíais	entendisteis	entenderéis	entenderíais	entendáis	entendierais	entended (no entendáis)
entendido	**entienden**	entendían	entendieron	entenderán	entenderían	**entiendan**	entendieran	**entiendan** Uds.
28 jugar (u:ue) (g:gu)	**juego**	jugaba	**jugué**	jugaré	jugaría	**juegue**	jugara	
	juegas	jugabas	jugaste	jugarás	jugarías	**juegues**	jugaras	**juega** tú (no **juegues**)
	juega	jugaba	jugó	jugará	jugaría	**juegue**	jugara	**juegue** Ud
Participles:	jugamos	jugábamos	jugamos	jugaremos	jugaríamos	**juguemos**	jugáramos	**juguemos**
jugando	jugáis	jugabais	jugasteis	jugaréis	jugaríais	**juguéis**	jugarais	jugad (no **juguéis**)
jugado	**juegan**	jugaban	jugaron	jugarán	jugarían	**jueguen**	jugaran	**jueguen** Uds.
29 pedir (e:i)	**pido**	pedía	pedí	pediré	pediría	**pida**	pidiera	
	pides	pedías	pediste	pedirás	pedirías	**pidas**	pidieras	**pide** tú (no **pidas**)
Participles:	**pide**	pedía	**pidió**	pedirá	pediría	**pida**	pidiera	**pida** Ud.
pidiendo	pedimos	pedíamos	pedimos	pediremos	pediríamos	**pidamos**	**pidiéramos**	**pidamos**
pedido	pedís	pedíais	pedisteis	pediréis	pediríais	**pidáis**	pidierais	pedid (no **pidáis**)
	piden	pedían	**pidieron**	pedirán	pedirían	**pidan**	pidieran	**pidan** Uds.
30 pensar (e:ie)	**pienso**	pensaba	pensé	pensaré	pensaría	**piense**	pensara	
	piensas	pensabas	pensaste	pensarás	pensarías	**pienses**	pensaras	**piensa** tú (no **pienses**)
	piensa	pensaba	pensó	pensará	pensaría	**piense**	pensara	**piense** Ud.
Participles:	pensamos	pensábamos	pensamos	pensaremos	pensaríamos	pensemos	pensáramos	pensemos
pensando	pensáis	pensabais	pensasteis	pensaréis	pensaríais	penséis	pensarais	pensad (no penséis)
pensado	**piensan**	pensaban	pensaron	pensarán	pensarían	**piensen**	pensaran	**piensen** Uds.
31 reír (e:i)	**río**	reía	reí	reiré	reiría	**ría**	riera	
	ríes	reías	**reíste**	reirás	reirías	**rías**	rieras	**ríe** tú (no **rías**)
Participles:	**ríe**	reía	**rió**	reirá	reiría	**ría**	riera	**ría** Ud.
riendo	**reímos**	reíamos	**reímos**	reiremos	reiríamos	**riamos**	**riéramos**	**riamos**
reído	reís	reíais	**reísteis**	reiréis	reiríais	**riáis**	rierais	reíd (no **riáis**)
	ríen	reían	**rieron**	reirán	reirían	**rían**	rieran	**rían** Uds.
32 seguir (e:i) (gu:g)	**sigo**	seguía	seguí	seguiré	seguiría	**siga**	siguiera	
	sigues	seguías	seguiste	seguirás	seguirías	**sigas**	siguieras	**sigue** tú (no **sigas**)
	sigue	seguía	**siguió**	seguirá	seguiría	**siga**	siguiera	**siga** Ud.
Participles:	seguimos	seguíamos	seguimos	seguiremos	seguiríamos	**sigamos**	**siguiéramos**	**sigamos**
siguiendo	seguís	seguíais	seguisteis	seguiréis	seguiríais	**sigáis**	siguierais	seguid (no **sigáis**)
seguido	**siguen**	seguían	**siguieron**	seguirán	seguirían	**sigan**	siguieran	**sigan** Uds.
33 sentir (e:ie)	**siento**	sentía	sentí	sentiré	sentiría	**sienta**	sintiera	
	sientes	sentías	sentiste	sentirás	sentirías	**sientas**	sintieras	**siente** tú (no **sientas**)
Participles:	**siente**	sentía	**sintió**	sentirá	sentiría	**sienta**	sintiera	**sienta** Ud.
sintiendo	sentimos	sentíamos	sentimos	sentiremos	sentiríamos	**sintamos**	**sintiéramos**	**sintamos**
sentido	sentís	sentíais	sentisteis	sentiréis	sentiríais	**sintáis**	sintierais	sentid (no **sintáis**)
	sienten	sentían	**sintieron**	sentirán	sentirían	**sientan**	sintieran	**sientan** Uds.

Infinitive	INDICATIVE					SUBJUNCTIVE		IMPERATIVE
	Present	Imperfect	Preterite	Future	Conditional	Present	Past	
34 volver (o:ue)	**vuelvo**	volvía	volví	volveré	volvería	**vuelva**	volviera	
	vuelves	volvías	volviste	volverás	volverías	**vuelvas**	volvieras	**vuelve** tú (no **vuelvas**)
	vuelve	volvía	volvió	volverá	volvería	**vuelva**	volviera	**vuelva** Ud.
Participles:	volvemos	volvíamos	volvimos	volveremos	volveríamos	volvamos	volviéramos	volvamos
volviendo	volvéis	volvíais	volvisteis	volveréis	volveríais	volváis	volvierais	volved (no volváis)
vuelto	**vuelven**	volvían	volvieron	volverán	volverían	**vuelvan**	volvieran	**vuelvan** Uds.

Verbs with spelling changes only

Infinitive	INDICATIVE					SUBJUNCTIVE		IMPERATIVE
	Present	Imperfect	Preterite	Future	Conditional	Present	Past	
35 conocer (c:zc)	**conozco**	conocía	conocí	conoceré	conocería	**conozca**	conociera	
	conoces	conocías	conociste	conocerás	conocerías	**conozcas**	conocieras	conoce tú (no **conozcas**)
	conoce	conocía	conoció	conocerá	conocería	**conozca**	conociera	**conozca** Ud.
Participles:	conocemos	conocíamos	conocimos	conoceremos	conoceríamos	**conozcamos**	conociéramos	**conozcamos**
conociendo	conocéis	conocíais	conocisteis	conoceréis	conoceríais	**conozcáis**	conocierais	conoced (no **conozcáis**)
conocido	conocen	conocían	conocieron	conocerán	conocerían	**conozcan**	conocieran	**conozcan** Uds.
36 creer (y)	creo	creía	creí	creeré	creería	crea	**creyera**	
	crees	creías	**creíste**	creerás	creerías	creas	**creyeras**	cree tú (no creas)
Participles:	cree	creía	**creyó**	creerá	creería	crea	**creyera**	crea Ud.
creyendo	creemos	creíamos	**creímos**	creeremos	creeríamos	creamos	**creyéramos**	creamos
creído	creéis	creíais	**creísteis**	creeréis	creeríais	creáis	**creyerais**	creed (no creáis)
	creen	creían	**creyeron**	creerán	creerían	crean	**creyeran**	crean Uds.
37 cruzar (z:c)	cruzo	cruzaba	**crucé**	cruzaré	cruzaría	**cruce**	cruzara	
	cruzas	cruzabas	cruzaste	cruzarás	cruzarías	**cruces**	cruzaras	cruza tú (no **cruces**)
Participles:	cruza	cruzaba	cruzó	cruzará	cruzaría	**cruce**	cruzara	**cruce** Ud.
cruzando	cruzamos	cruzábamos	cruzamos	cruzaremos	cruzaríamos	**crucemos**	cruzáramos	**crucemos**
cruzado	cruzáis	cruzabais	cruzasteis	cruzaréis	cruzaríais	**crucéis**	cruzarais	cruzad (no **crucéis**)
	cruzan	cruzaban	cruzaron	cruzarán	cruzarían	**crucen**	cruzaran	**crucen** Uds.
38 destruir (y)	**destruyo**	destruía	destruí	destruiré	destruiría	**destruya**	**destruyera**	
	destruyes	destruías	destruiste	destruirás	destruirías	**destruyas**	**destruyeras**	**destruye** tú (no **destruyas**)
Participles:	**destruye**	destruía	**destruyó**	destruirá	destruiría	**destruya**	**destruyera**	**destruya** Ud.
destruyendo	destruimos	destruíamos	destruimos	destruiremos	destruiríamos	**destruyamos**	**destruyéramos**	**destruyamos**
destruido	destruís	destruíais	destruisteis	destruiréis	destruiríais	**destruyáis**	**destruyerais**	destruid (no **destruyáis**)
	destruyen	destruían	**destruyeron**	destruirán	destruirían	**destruyan**	**destruyeran**	**destruyan** Uds.
39 enviar (envío)	**envío**	enviaba	envié	enviaré	enviaría	**envíe**	enviara	
	envías	enviabas	enviaste	enviarás	enviarías	**envíes**	enviaras	**envía** tú (no **envíes**)
	envía	enviaba	envió	enviará	enviaría	**envíe**	enviara	**envíe** Ud.
Participles:	enviamos	enviábamos	enviamos	enviaremos	enviaríamos	enviemos	enviáramos	enviemos
enviando	enviáis	enviabais	enviasteis	enviaréis	enviaríais	enviéis	enviarais	enviad (no enviéis)
enviado	**envían**	enviaban	enviaron	enviarán	enviarían	**envíen**	enviaran	**envíen** Uds.

		INDICATIVE					SUBJUNCTIVE		IMPERATIVE
Infinitive	Present	Imperfect	Preterite	Future	Conditional	Present	Past	
40 graduarse (gradúo)	**gradúo**	graduaba	gradué	graduaré	graduaría	**gradúe**	graduara	
	gradúas	graduabas	graduaste	graduarás	graduarías	**gradúes**	graduaras	**gradúa** tú (no **gradúes**)
	gradúa	graduaba	graduó	graduará	graduaría	**gradúe**	graduara	**gradúe** Ud.
Participles:	graduamos	graduábamos	graduamos	graduaremos	graduaríamos	graduemos	graduáramos	graduemos
graduando	graduáis	graduabais	graduasteis	graduaréis	graduaríais	graduéis	graduarais	graduad (no graduéis)
graduado	**gradúan**	graduaban	graduaron	graduarán	graduarían	**gradúen**	graduaran	**gradúen** Uds.
41 llegar (g:gu)	llego	llegaba	**llegué**	llegaré	llegaría	**llegue**	llegara	
	llegas	llegabas	llegaste	llegarás	llegarías	**llegues**	llegaras	llega tú (no **llegues**)
Participles:	llega	llegaba	llegó	llegará	llegaría	**llegue**	llegara	**llegue** Ud.
llegando	llegamos	llegábamos	llegamos	llegaremos	llegaríamos	**lleguemos**	llegáramos	**lleguemos**
llegado	llegáis	llegabais	llegasteis	llegaréis	llegaríais	**lleguéis**	llegarais	llegad (no **lleguéis**)
	llegan	llegaban	llegaron	llegarán	llegarían	**lleguen**	llegaran	**lleguen** Uds.
42 proteger (g:j)	**protejo**	protegía	protegí	protegeré	protegería	**proteja**	protegiera	
	proteges	protegías	protegiste	protegerás	protegerías	**protejas**	protegieras	protege tú (no **protejas**)
	protege	protegía	protegió	protegerá	protegería	**proteja**	protegiera	**proteja** Ud.
Participles:	protegemos	protegíamos	protegimos	protegeremos	protegeríamos	**protejamos**	protegiéramos	**protejamos**
protegiendo	protegéis	protegíais	protegisteis	protegeréis	protegeríais	**protejáis**	protegierais	proteged (no **protejáis**)
protegido	protegen	protegían	protegieron	protegerán	protegerían	**protejan**	protegieran	**protejan** Uds.
43 tocar (c:qu)	toco	tocaba	**toqué**	tocaré	tocaría	**toque**	tocara	
	tocas	tocabas	tocaste	tocarás	tocarías	**toques**	tocaras	toca tú (no **toques**)
Participles:	toca	tocaba	tocó	tocará	tocaría	**toque**	tocara	**toque** Ud.
tocando	tocamos	tocábamos	tocamos	tocaremos	tocaríamos	**toquemos**	tocáramos	**toquemos**
tocado	tocáis	tocabais	tocasteis	tocaréis	tocaríais	**toquéis**	tocarais	tocad (no **toquéis**)
	tocan	tocaban	tocaron	tocarán	tocarían	**toquen**	tocaran	**toquen** Uds.
44 vencer (c:z)	**venzo**	vencía	vencí	venceré	vencería	**venza**	venciera	
	vences	vencías	venciste	vencerás	vencerías	**venzas**	vencieras	vence tú (no **venzas**)
Participles:	vence	vencía	venció	vencerá	vencería	**venza**	venciera	**venza** Ud.
venciendo	vencemos	vencíamos	vencimos	venceremos	venceríamos	**venzamos**	venciéramos	**venzamos**
vencido	vencéis	vencíais	vencisteis	venceréis	venceríais	**venzáis**	vencierais	venced (no **venzáis**)
	vencen	vencían	vencieron	vencerán	vencerían	**venzan**	vencieran	**venzan** Uds.

Guide to Vocabulary

Contents of the glossary

This glossary contains the words and expressions listed on the **Vocabulario** page found at the end of each lesson in **DESCUBRE** as well as other useful vocabulary. The number following an entry indicates the **DESCUBRE** level and lesson where the word or expression was introduced. Check the **Estructura** sections of each lesson for words and expressions related to those grammar topics.

Abbreviations used in this glossary

adj.	adjective	*f.*	feminine	*interj.*	interjection	*prep.*	preposition
adv.	adverb	*fam.*	familiar	*m.*	masculine	*pron.*	pronoun
conj.	conjunction	*form.*	formal	*pl.*	plural	*sing.*	singular
d.o.	direct obj.	*i.o.*	indirect obj.	*p.p.*	past participle	*v.*	verb

Note on alphabetization

In the Spanish alphabet **ñ** is a separate letter following **n**. Therefore in this glossary you will find that **añadir** follows **anuncio**.

Spanish-English

A

a *prep.* at; to 1.1
  a bordo aboard 1.1
  a dieta on a diet 2.6
  a la derecha to the right 1.2
  a la izquierda to the left 1.2
  a la plancha grilled 1.8
  a la(s) (+ *time*) at (+ *time*) 1.1
  a menos que *conj.* unless 2.4
  a menudo *adv.* often 2.1
  a nombre de in the name of 1.5
  a plazos in installments 2.5
  ¿A qué hora...? At what time...? 1.1
  A sus órdenes. At your service. 2.2
  a tiempo *adv.* on time 2.1
  a veces *adv.* sometimes 2.1
  a ver let's see 1.2
¡Abajo el/la...! *adv.* Down with...! 2.6
abeja *f.* bee
abierto/a *adj.* open 1.5, 2.5
abogado/a *m., f.* lawyer 2.7
abrazar *v.* to hug; to hold 3.1
abrazar(se) *v.* to hug; to embrace (each other) 2.2
abrazo *m.* hug
abrigo *m.* coat 1.6
abril *m.* April 1.5
abrir *v.* to open 1.3
abrir(se) *v.* to open
  abrirse paso to make one's way
abrocharse *v.* to fasten

abrocharse el cinturón de seguridad *to fasten one's seat belt*
abstracto/a *adj.* abstract 3.10
abuelo/a *m., f.* grandfather; grandmother 1.3
abuelos *pl.* grandparents 1.3
aburrido/a *adj.* bored; boring 1.5
aburrir *v.* to bore 1.7, 3.2
aburrirse *v.* to get bored 2.8, 3.2
acabar de (+ *inf.*) *v.* to have just (*done something*) 1.6
acabarse *v.* to run out; to come to an end 3.6
acampar *v.* to camp 1.5
acantilado *m.* cliff
acariciar *v.* to caress 3.10
acaso *adv.* perhaps 3.3
accidente *m.* accident 2.1
  accidente automovilístico *m.* car accident 3.5
acción *f.* action 2.8
  de acción action (*genre*) 2.8
aceite *m.* oil 1.8
acentuar *v.* to accentuate 3.10
acercarse (a) *v.* to approach 3.2
ácido/a *adj.* acid 2.4
aclarar *v.* to clarify 3.9
acoger *v.* to welcome; to take in; to receive
acogido/a *adj.* received
  bien acogido/a well received 3.8
acompañar *v.* to go with; to accompany 2.5, 3.10
aconsejar *v.* to advise; to suggest 2.3, 3.4
acontecimiento *m.* event 2.9, 3.9
acordar (o:ue) *v.* to agree 3.2

acordarse (de) (o:ue) *v.* to remember 1.7, 3.2
acostarse (o:ue) *v.* to go to bed 1.7, 3.2
acostumbrado/a a *adj.* accustomed to
  estar acostumbrado/a a to be used to
acostumbrarse (a) *v.* to get used to; to grow accustomed to 3.3
activista *m., f.* activist
activo/a *adj.* active 2.6
acto: en el acto immediately; on the spot 3.3
actor *m.* actor 2.7, 3.9
actriz *f.* actor 2.7, 3.9
actual *adj.* current 3.9
actualidad *f.* current events 3.9
actualidades *f., pl.* news; current events 2.9
actualizado/a *adj.* up-to-date 3.9
actualizar *v.* to update 3.7
actualmente *adv.* currently
acuarela *f.* watercolor 3.10
acuático/a *adj.* aquatic 1.4
adelantado/a *adj.* advanced
adelanto *m.* improvement 3.4
adelgazar *v.* to lose weight 3.4; to slim down 2.6
además (de) *adv.* furthermore; besides 2.1
adicional *adj.* additional
adinerado/a *adj.* wealthy 3.8
adiós *m.* good-bye 1.1
adivinar *v.* to guess
adjetivo *m.* adjective
adjuntar *v.* to attach 3.7
  adjuntar un archivo to attach a file 3.7
administración de empresas *f.* business administration 1.2

administrar *v.* to manage; to run 3.8

ADN (ácido desoxirribonucleico) *m.* DNA 3.7

adolescencia *f.* adolescence 1.9

¿adónde? *adv.* where (to)? (*destination*) 1.2

adorar *v.* to adore 3.1

aduana *f.* customs 1.5

  agente de aduanas *m., f.* customs agent 3.5

advertencia *f.* warning 3.8

aeróbico/a *adj.* aerobic 2.6

aeropuerto *m.* airport 1.5

afectado/a *adj.* affected 2.4

afeitarse *v.* to shave 1.7, 3.2

aficionado/a (a) *adj.* fond of; a fan (of) 1.4, 3.2

  ser aficionado/a de to be a fan of

afirmativo/a *adj.* affirmative

afligir *v.* afflict 3.4

afligirse *v.* to get upset 3.3

afortunado/a *adj.* lucky

afueras *f., pl.* suburbs; outskirts 2.3

agencia de viajes *f.* travel agency 1.5

agenda *f.* datebook 3.3

agente *m., f.* agent; officer;

  agente de aduanas *m., f.* customs agent 3.5

  agente de viajes *m., f.* travel agent 1.5

agnóstico/a *adj.* agnostic

agobiado/a *adj.* overwhelmed 3.1

agosto *m.* August 1.5

agotado/a *adj.* exhausted 3.4

agotar *v.* to use up 3.6

agradable *adj.* pleasant

agradecimiento *m.* gratitude

agua *f.* water 1.8

  agua mineral mineral water 1.8

aguja *f.* needle 3.4

agujero *m.* hole

  agujero en la capa de ozono *m.* hole in the ozone layer

  agujero negro *m.* black hole 3.7

  agujerito *m.* small hole 3.7

ahogado/a *adj.* drowned 3.5

ahogarse *v.* to smother; to drown

ahora *adv.* now 1.2

  ahora mismo right now 1.5

ahorrar *v.* to save (*money*) 2.5, 3.8

ahorrarse *v.* to save oneself 3.7

ahorros *m.* savings 2.5, 3.8

aire *m.* air 1.5

aislado/a *adj.* isolated 3.6

aislar *v.* to isolate 3.9

ajedrez *m.* chess 3.2

ajo *m.* garlic 1.8

al (*contraction of* **a + el**) 1.2

  al aire libre open-air 1.6

  al contado in cash 2.5

  al este to the east 2.5

  al fondo (de) at the end (of) 2.3

  al lado de beside 1.2

  al norte to the north 2.5

  al oeste to the west 2.5

  al sur to the south 2.5

ala *f.* wing

alba *f.* dawn; daybreak

albergue *m.* hostel 3.5

álbum *m.* album 3.2

alcalde/alcaldesa *m., f.* mayor

alcance *m.* reach 3.7

  al alcance within reach 3.10

  al alcance de la mano within reach 3.7

alcanzar *v.* to reach; to achieve; to succeed in

alcoba *f.* bedroom 2.3

aldea *f.* village

alegrarse (de) *v.* to be happy 2.4

alegre *adj.* happy; joyful 1.5

alegría *f.* happiness 1.9

alemán, alemana *adj.* German 1.3

alérgico/a *adj.* allergic 2.1

alfombra *f.* carpet; rug 2.3

algo *pron.* something; anything 1.7

algodón *m.* cotton 1.6

alguien *pron.* someone; somebody; anyone 1.7

algún, alguno(s)/a(s) *adj., pron.* any; some 1.7

alimentación *f.* diet (nutrition) 3.4

alimento *m.* food

aliviar *v.* to reduce 2.6

  aliviar el estrés/la tensión to reduce stress/tension 2.6

allá *adv.* there

allí *adv.* there 1.5

  allí mismo right there 2.5

alma *f.* soul 3.1

almacén *m.* department store 1.6

almohada *f.* pillow 2.3

almorzar (o:ue) *v.* to have lunch 1.4

almuerzo *m.* lunch 1.8

aló *interj.* hello (*on the telephone*) 2.2

alojamiento *m.* lodging 3.5

alojarse *v.* to stay 3.5

alquilar *v.* to rent 2.3

  alquilar una película to rent a movie 3.2

alquiler *m.* rent (payment) 2.3

alta definición: de alta definición *adj.* high definition 3.7

alterar *v.* to modify; to alter

alternador *m.* alternator 2.2

altillo *m.* attic 2.3

altiplano *m.* high plateau

alto/a *adj.* tall 1.3

altoparlante *m.* loudspeaker

aluminio *m.* aluminum 2.4

alusión *f.* allusion 3.10

ama de casa *m., f.* housekeeper; caretaker 2.3

amable *adj.* nice; friendly 1.5

amado/a *m., f.* loved one; sweetheart 3.1

amanecer *m.* sunrise; morning

amar *v.* to love 3.1

amarillo/a *adj.* yellow 1.6

ambiental *adj.* environmental 3.6

ambos/as *pron., adj.* both

amenaza *f.* threat 3.8

amigo/a *m., f.* friend 1.3

amistad *f.* friendship 1.9

amor *m.* love 1.9

  amor (no) correspondido (un)requited love

amueblado/a *adj.* furnished

analgésico *m.* painkiller 3.4

anaranjado/a *adj.* orange 1.6

anciano/a *m., f.* elderly gentleman/lady; *adj.* elderly

andar *v.* to walk

  andar (+ pres. participle) to be (*doing something*)

  andar en patineta to skateboard 1.4

anfitrión/anfitriona *m., f.* host(ess) 3.8

anillo *m.* ring 3.5

animado/a *adj.* lively 3.2

animal *m.* animal 2.4

animar *v.* to cheer up; to encourage

  ¡Anímate! Cheer up! (*sing.*) 3.2

  ¡Anímense! Cheer up! (*pl.*) 3.2

ánimo *m.* spirit 3.1

aniversario (de bodas) *m.* (wedding) anniversary 1.9

anoche *adv.* last night 1.6

anotar (un gol/un punto) *v.* to score (a goal/a point) 3.2

ansia *f.* anxiety 3.1

ansioso/a *adj.* anxious 3.1

anteayer *adv.* the day before yesterday 1.6

antemano: de antemano *adv.* beforehand

antena *f.* antenna

  antena parabólica satellite dish

anterior *adj.* previous 3.8

antes *adv.* before 1.7

  antes de *prep.* before 1.7

  antes (de) que *conj.* before 2.4

  antes que nada first and foremost

antibiótico *m.* antibiotic 2.1
antigüedad *f.* antiquity
antiguo/a *adj.* ancient
antipático/a *adj.* unpleasant 1.3
anunciar *v.* to announce; to advertise 2.9
anuncio *m.* advertisement; commercial 2.7, 3.9
añadir *v.* to add
año *m.* year 1.5
  año pasado last year 1.6
apagado/a *adj.* turned off 3.7
apagar *v.* to turn off 2.2, 3.3
  apagar las velas to blow out the candles 3.8
aparato *m.* appliance
aparecer *v.* to appear 3.1
apartamento *m.* apartment 2.3
apellido *m.* last name 1.3
apenas *adv.* hardly; scarcely 2.1, 3.3
aplaudir *v.* to applaud 2.8, 3.2
aplicación *f.* application 2.2
apogeo *m.* height; highest level 3.5
aportación *f.* contribution
apostar (o:ue) *v.* to bet
apoyarse (en) *v.* to lean (on)
apreciado/a *adj.* appreciated
apreciar *v.* to appreciate 2.8, 3.1
aprender (a + *inf.*) *v.* to learn 1.3
aprendizaje *m.* learning
aprobación *f.* approval 3.9
aprobar (o:ue) *v.* to approve; to pass (*a class*)
  aprobar una ley to pass a law
aprovechar *v.* to make good use of; to take advantage of
apuesta *f.* bet
apurarse *v.* to hurry; to rush 2.6
apuro: tener apuro to be in a hurry; to be in a rush
aquel, aquella *adj.* that (over there) 1.6
aquél, aquélla *pron.* that (over there) 1.6
aquello *neuter pron.* that thing; that fact 1.6
aquellos/as *pl. adj.* those (over there) 1.6
aquéllos/as *pl. pron.* those (ones) (over there) 1.6
aquí *adv.* here 1.1
  Aquí está... Here it is... 1.5
  Aquí estamos en... Here we are at/in... 1.2
  aquí mismo right here 2.2
araña *f.* spider 3.6
árbitro/a *m., f.* referee 3.2
árbol *m.* tree 2.4, 3.6
archivo *m.* file 2.2
  bajar un archivo to download a file
arduo/a *adj.* hard 3.3
arepa *f.* cornmeal cake

argumento *m.* plot 3.10
árido/a *adj.* arid
aristocrático/a *adj.* aristocratic
arma *f.* weapon
armado/a *adj.* armed
armario *m.* closet 2.3
arqueología *f.* archaeology
arqueólogo/a *m., f.* archaeologist 2.7
arquitecto/a *m., f.* architect 2.7
arrancar *v.* to start (*a car*) 2.2
arrastrar *v.* to drag
arrecife *m.* reef 3.6
arreglar *v.* to fix; to arrange 2.2; to neaten; to straighten up 2.3
arreglarse *v.* to get ready 3.3
arrepentirse (e:ie) (de) *v.* to repent; to regret 3.2
arriba *adv.* up
arriesgado/a *adj.* risky 3.5
arriesgar(se) *v.* to risk; to take a risk
arroba *f.* @ symbol 2.2, 3.7
arroyo *m.* stream 3.10
arroz *m.* rice 1.8
arruga *f.* wrinkle
arte *m.* art 1.2
  artes *f., pl.* arts 2.8
artefacto *m.* artifact 3.5
artesanía *f.* craftsmanship; crafts 2.8
artesano/a *m., f.* artisan 3.10
artículo *m.* article 2.9
artista *m., f.* artist 1.3
artístico/a *adj.* artistic 2.8
arveja *m.* pea 1.8
asado/a *adj.* roast 1.8
asaltar *v.* to rob 3.10
ascender (e:ie) *v.* to rise; to be promoted 3.8
ascenso *m.* promotion 2.7
ascensor *m.* elevator 1.5
asco *m.* revulsion
  dar asco to be disgusting
asegurar *v.* to assure; to guarantee
asegurarse *v.* to make sure
aseo *m.* cleanliness; hygiene
  aseo personal *m.* personal care
asesor(a) *m., f.* consultant; advisor 3.8
así *adv.* like this; so (*in such a way*) 2.1, 3.3
  así así so-so
asiento *m.* seat 3.2
asistir (a) *v.* to attend 1.3
asombrar *v.* to amaze
asombrarse *v.* to be astonished
asombro *m.* amazement; astonishment
asombroso/a *adj.* astonishing
aspecto *m.* appearance; look
  tener buen/mal aspecto to look healthy/sick 3.4

aspiradora *f.* vacuum cleaner 2.3
aspirante *m. f.* candidate; applicant 2.7
aspirina *f.* aspirin 2.1, 3.4
astronauta *m., f.* astronaut 3.7
astrónomo/a *m., f.* astronomer 3.7
asunto *m.* matter; topic
asustado/a *adj.* frightened; scared
atar *v.* to tie (up)
ataúd *m.* casket 3.2
ateísmo *m.* atheism
ateo/a *adj.* atheist
aterrizar *v.* to land (*an airplane*) 3.5
atletismo *m.* track-and-field events
atracción *f.* attraction
atraer *v.* to attract 3.1
atrapar *v.* to trap; to catch 3.6
atrasado/a *adj.* late 3.3
atrasar *v.* to delay
atreverse (a) *v.* to dare (to) 3.2
atropellar *v.* to run over
atún *m.* tuna 1.8
audiencia *f.* audience
aumentar de peso to gain weight 2.6
aumento *m.* increase 2.7
  aumento de sueldo *m.* pay raise 2.7, 3.8
aunque *conj.* although
auricular *m.* telephone receiver 3.7
ausente *adj.* absent
auténtico/a *adj.* real; genuine 3.3
auto(móvil) *m.* auto(mobile) 1.5
autobiografía *f.* autobiography 3.10
autobús *m.* bus 1.1
autoestima *f.* self-esteem 3.4
automático/a *adj.* automatic
autopista *f.* highway 2.2
autoritario/a *adj.* strict; authoritarian 3.1
autorretrato *m.* self-portrait 3.3, 3.10
auxiliar de vuelo *m., f.* flight attendant
auxilio *m.* help; aid
  primeros auxilios *m., pl.* first aid 3.4
avance *m.* advance; breakthrough 3.7
avanzado/a *adj.* advanced 3.7
avaro/a *m., f.* miser
ave *f.* bird 2.4, 3.6
avenida *f.* avenue
aventura *f.* adventure 2.8, 3.5
  de aventura adventure (*genre*) 2.8
aventurero/a *m., f.* adventurer 3.5
avergonzado/a *adj.* ashamed; embarrassed 1.5

avergonzar *v.* to embarrass 3.8
averiguar *v.* to find out 3.1
avión *m.* airplane 1.5
avisar *v.* to inform; to warn
aviso *m.* notice; warning 3.5
¡Ay! *interj.* Oh!
  ¡Ay, qué dolor! Oh, what pain!
ayer *adv.* yesterday 1.6
ayudar(se) *v.* to help (each other) 2.2, 2.3
azar *m.* chance 3.5
azúcar *m.* sugar 1.8
azul *adj.* blue 1.6

B

bahía *f.* bay 3.5
bailar *v.* to dance 1.2, 3.1
bailarín/bailarina *m.,* *f.* dancer 2.8
baile *m.* dance 2.8
bajar *v.* to lower
bajar(se) de *v.* to get off of/out of (*a vehicle*) 2.2
bajo/a *adj.* short (*in height*) 1.3
  bajo control under control 1.7
balcón *m.* balcony 2.3, 3.3
balón *m.* ball 3.2
baloncesto *m.* basketball 1.4
banana *f.* banana 1.8
bañarse *v.* to bathe; to take a bath 1.7, 3.2
bancario/a *adj.* banking
bancarrota *f.* bankruptcy 3.8
banco *m.* bank 2.5
banda *f.* band 2.8
banda sonora *f.* soundtrack 3.9
bandera *f.* flag
baño *m.* bathroom 1.7
barato/a *adj.* cheap; inexpensive 1.6, 3.3
barbaridad *f.* outrageous thing 3.10
barco *m.* boat 1.5
barrer *v.* to sweep 2.3, 3.3
  barrer el suelo to sweep the floor 2.3
barrio *m.* neighborhood 2.3
bastante *adv.* quite; enough 3.3; rather 2.1; pretty 2.4
basura *f.* trash 2.3
batalla *f.* battle
baúl *m.* trunk 2.2
bautismo *m.* baptism
beber *v.* to drink 1.3, 3.1
bebida *f.* drink 1.8
béisbol *m.* baseball 1.4
bellas artes *f., pl.* fine arts 2.8, 3.10
belleza *f.* beauty 2.5
bendecir (e:i) *v.* to bless
beneficio *m.* benefit 2.7
besar *v.* to kiss 3.1
besar(se) *v.* to kiss (each other) 2.2

beso *m.* kiss 1.9
biblioteca *f.* library 1.2
bicicleta *f.* bicycle 1.4
bien *adj., adv.* well 1.1
  bien acogido/a *adj.* well received 3.8
bienestar *m.* well-being 2.6, 3.4
bienvenida *f.* welcome 3.5
bienvenido(s)/a(s) *adj.* welcome 2.3
bilingüe *adj.* bilingual 3.9
billar *m.* billiards 3.2
billete *m.* paper money; ticket
billón *m.* trillion
biografía *f.* biography 3.10
biología *f.* biology 1.2
biólogo/a *m., f.* biologist 3.7
bioquímico/a *adj.* biochemical 3.7
bisabuelo/a *m., f.* great-grandfather; great-grandmother 1.3
bistec *m.* steak 1.8
bitácora *f.* travel log; weblog 3.7
bizcocho *m.* biscuit
blanco/a *adj.* white 1.6
blog *m.* blog 3.7
blogonovela *f.* blognovel 3.7
blogosfera *f.* blogosphere 3.7
bluejeans *m., pl.* jeans 1.6
blusa *f.* blouse 1.6
bobo/a *m., f.* silly, stupid person 3.7
boca *f.* mouth 2.1
boda *f.* wedding 1.9
boleto *m.* ticket 2.8
boliche *m.* bowling 3.2
bolsa *f.* purse, bag 1.6; sack; stock market
  bolsa (de valores) *f.* stock market 3.8
bombardeo *m.* bombing 3.6
bombero/a *m., f.* firefighter 2.7
bondad *f.* goodness
  ¿Tendría usted la bondad de (+ inf.)...? Could you please...? (*form.*)
bonito/a *adj.* pretty 1.3
bordo: a bordo *adv.* on board 3.5; aboard 1.1
borrador *m.* eraser 1.2
borrar *v.* to erase 2.2, 3.7
bosque *m.* forest 2.4
  bosque lluvioso *m.* rain forest 3.6
  bosque tropical *m.* tropical forest; rain forest 2.4
bostezar *v.* to yawn
bota *f.* boot 1.6
botar *v.* to throw... out 3.5
botarse *v.* to outdo oneself (*P. Rico; Cuba*) 3.5
bote *m.* boat 3.5
botella *f.* bottle 1.9
botones *m., f. sing.* bellhop 1.5

brazo *m.* arm 2.1
brindar *v.* to make a toast 1.9, 3.2
broma *f.* joke 3.1
bromear *v.* to joke
brújula *f.* compass 3.5
bucear *v.* to scuba dive 1.4
buceo *m.* scuba diving 3.5
budista *adj.* Buddhist
buen, bueno/a *adj.* good 1.3, 1.6
  estar bueno/a to (still) be good (*i.e., fresh*)
  ser bueno/a to be good (*by nature*)
  ¡Buen fin de semana! Have a nice weekend!
  Buen provecho. Enjoy your meal.
  ¡Buen viaje! Have a good trip! 1.6
  buena forma good shape (*physical*) 2.6
  Buena idea. Good idea. 1.4
  Buenas noches. Good evening.; Good night. 1.1
  Buenas tardes. Good afternoon. 1.1
  buenísimo extremely good
  ¿Bueno? Hello. (*on the telephone*) 2.2
  Buenos días. Good morning. 1.1
bueno *adv.* well 1.2, 2.8
búfalo *m.* buffalo
bulevar *m.* boulevard
burla *f.* mockery
burlarse (de) *v.* to make fun (of)
burocracia *f.* bureaucracy
buscador *m.* browser 2.2, search engine 3.7
buscar *v.* to look for 1.2
búsqueda *f.* search
buzón *m.* mailbox 2.5

C

caballo *m.* horse 1.5
cabaña *f.* cabin 1.5
caber *v.* to fit 3.1
  no cabe duda de there's no doubt 2.4
cabeza *f.* head 2.1
cabo *m.* cape; end (*rope, string*)
  al fin y al cabo sooner or later; after all
  llevar a cabo to carry out (*an activity*)
cabra *f.* goat
cacique *m.* tribal chief
cada *adj.* each 1.6
cadena *f.* network 3.9
  cadena de televisión *f.* television network
caducar *v.* to expire
caer(se) *v.* to fall (down) 2.1, 3.1

caer bien/mal *to (not) get along well with* 3.2
café *m.* café 1.4; coffee 1.8; *adj.* brown 1.6
cafeína *f.* caffeine 2.5
cafetera *f.* coffeemaker 2.3
cafetería *f.* cafeteria 1.2
caído/a *adj., p.p.* fallen 2.5
caja *f.* cash register 1.6; box
   caja de herramientas *f.* toolbox
cajero/a *m., f.* cashier 2.5
   cajero automático *m.* ATM 2.5
calcetín (calcetines) *m.* sock(s) 1.6
calculadora *f.* calculator 2.2
caldo *m.* soup
calentamiento global *m.* global warming 3.6
calentarse (e:ie) *v.* to warm up 2.6, 3.3
calidad *f.* quality 1.6
callado/a *adj.* quiet; silent
callarse *v.* to be quiet/silent
calle *f.* street 2.2
calmante *m.* tranquilizer 3.4
calmarse *v.* to calm down; to relax
calor *m.* heat 1.4
caloría *f.* calorie 2.6
calzar *v.* to take size... shoes 1.6
calzoncillos *m. pl.* underwear (men's)
cama *f.* bed 1.5
cámara de video *f.* video camera 2.2
cámara digital *f.* digital camera 2.2
camarero/a *m., f.* waiter; waitress 1.8
camarón *m.* shrimp 1.8
cambiar (de) *v.* to change 1.9
cambio *m.* change
   a cambio de in exchange for
   cambio de moneda *m.* currency exchange
camerino *m.* star's dressing room 3.9
caminar *v.* to walk 1.2
camino *m.* road
camión *m.* truck; bus
camisa *f.* shirt 1.6
camiseta *f.* t-shirt 1.6
campamento *m.* campground 3.5
campaña *f.* campaign
campeón/campeona *m., f.* champion 3.2
campeonato *m.* championship 3.2
campo *m.* countryside 1.5; field 3.6; ball field 3.5
canadiense *adj.* Canadian 1.3
canal *m.* channel 3.9; television channel 2.2, 2.8

cancelar *v.* to cancel 3.5
cáncer *m.* cancer
cancha *f.* field 3.2
canción *f.* song 2.8
candidato/a *m., f.* candidate 2.9
canon literario *m.* literary canon 3.10
cansado/a *adj.* tired 1.5
cansancio *m.* exhaustion 3.3
cansarse *v.* to become tired
cantante *m., f.* singer 2.8, 3.2
cantar *v.* to sing 1.2
capa *f.* layer
   capa de ozono *f.* ozone layer 3.6
capaz *adj.* competent; capable 3.8
capilla *f.* chapel
capital *f.* capital city 1.1
capitán *m.* captain
capítulo *m.* chapter
capó *m.* hood 2.2
cara *f.* face 1.7
caracterización *f.* characterization 3.10
caramelo *m.* caramel 1.9
cargo *m.* position
   estar a cargo de to be in charge of 3.1
cariño *m.* affection 3.1
cariñoso/a *adj.* affectionate 3.1
carne *f.* meat 1.8
   carne de res *f.* beef 1.8
carnicería *f.* butcher shop 2.5
caro/a *adj.* expensive 1.6, 3.3
carpintero/a *m., f.* carpenter 2.7
carrera *f.* career 2.7
carretera *f.* highway 2.2
carro *m.* car; automobile 2.2
carta *f.* letter 1.4; (playing) card 1.5
cartas *f. pl.* (playing) cards 3.2
cartel *m.* poster 2.3
cartera *f.* wallet 1.6
cartero/a *m., f.* mail carrier 2.5
casa *f.* house; home 1.2
casado/a *adj.* married 1.9, 3.1
casarse (con) *v.* to get married (to) 1.9
cascada *f.* cascade; waterfall 3.5
casi *adv.* almost 2.1, 3.3
   casi nunca *adv.* rarely 3.3
castigo *m.* punishment
casualidad *f.* chance; coincidence 3.5
   por casualidad by chance 3.3
catástrofe *f.* catastrophe; disaster
   catástrofe natural *f.* natural disaster
categoría *f.* category 3.5
   de buena categoría *adj.* high quality 3.5
católico/a *adj.* Catholic
catorce *n., adj.* fourteen 1.1
cazar *v.* to hunt 2.4, 3.6

cebolla *f.* onion 1.8
ceder *v.* give up
cederrón *m.* CD-ROM
celda *f.* cell
celebrar *v.* to celebrate 1.9, 3.2
celebridad *f.* celebrity 3.9
celos *m. pl.* jealousy
   tener celos de to be jealous of 3.1
celoso/a *adj.* jealous 3.1
célula *f.* cell 3.7
celular *adj.* cellular 2.2
cementerio *m.* cemetery
cena *f.* dinner 1.8
cenar *v.* to have dinner 1.2
censura *f.* censorship 3.9
centavo *m.* cent
centro *m.* downtown 1.4
   centro comercial *m.* shopping mall 1.6, 3.3
cepillarse *v.* to brush 3.2
   cepillarse los dientes/el pelo to brush one's teeth/one's hair 1.7
cerámica *f.* pottery 2.8
cerca de *prep.* near 1.2
cerdo *m.* pork 1.8; pig 3.6
cereales *m., pl.* cereal; grains 1.8
cero *m.* zero 1.1
cerrado/a *adj.* closed 1.5, 2.5
cerrar (e:ie) *v.* to close 1.4
cerro *m.* hill
certeza *f.* certainty
certidumbre *f.* certainty
césped *m.* grass 2.4
ceviche *m.* marinated fish dish 1.8
   ceviche de camarón *m.* lemon-marinated shrimp 1.8
chaleco *m.* vest
champán *m.* champagne 1.9
champiñón *m.* mushroom 1.8
champú *m.* shampoo 1.7
chaqueta *f.* jacket 1.6
chatear *v.* to chat 2.2
chau *fam. interj.* bye 1.1
cheque *m.* (bank) check 2.5
   cheque de viajero *m.* traveler's check 2.5
chévere *adj. fam.* terrific
chico/a *m., f.* boy; girl 1.1
chino/a *adj.* Chinese 1.3
chisme *m.* gossip 3.9
chiste *m.* joke 3.1
chocar (con) *v.* to run into
chocolate *m.* chocolate 1.9
choque *m.* collision, crash 2.9, 3.3
choza *f.* hut
chuleta *f.* chop (food) 1.8
   chuleta de cerdo *f.* pork chop 1.8
cibercafé *m.* cybercafé
cicatriz *f.* scar
ciclismo *m.* cycling 1.4

cielo *m.* sky 2.4
cien(to) *n., adj.* one hundred 1.2
ciencia *f.* science 1.2
  ciencia ficción *f.* science fiction (genre) 2.8, 3.10
científico/a *m., f.* scientist 2.7, 3.7; *adj.* scientific
cierto/a *adj.* certain, sure 2.4
  ¡Cierto! Sure!
  es cierto it's certain 2.4
  no es cierto it's not certain 2.4
cinco *n., adj.* five 1.1
cincuenta *n., adj.* fifty 1.2
cine *m.* movie theater 1.4, 3.2
cinta *f.* (audio) tape
  cinta caminadora *f.* treadmill 2.6
cinturón *m.* belt 1.6
  cinturón de seguridad *m.* seatbelt 3.5
  abrocharse el cinturón de seguridad to fasten one's seatbelt
  ponerse el cinturón to fasten the seatbelt 3.5
  quitarse el cinturón to unfasten the seatbelt 3.5
circo *m.* circus 3.2
circulación *f.* traffic 2.2
cirugía *f.* surgery 3.4
cirujano/a *m., f.* surgeon 3.4
cisterna *f.* cistern; underground tank 3.6
cita *f.* date; quotation 1.9
  cita a ciegas *f.* blind date 3.1
ciudad *f.* city 1.4
ciudadano/a *m., f.* citizen; *adj.* citizen 2.9
civilización *f.* civilization
civilizado/a *adj.* civilized
Claro (que sí). *interj., fam.* Of course. 2.7, 3.3
clase *f.* class 1.2
  clase de ejercicios aeróbicos *f.* aerobics class 2.6
clásico/a *adj.* classical 2.8; classic 3.10
claustro *m.* cloister
cliente/a *m., f.* customer 1.6
clima *m.* climate
clínica *f.* clinic 2.1
clonar *v.* to clone 3.7
club *m.* club
  club deportivo *m.* sports club 3.2
coartada *f.* alibi 3.10
cobrador(a) *m., f.* debt collector 3.8
cobrar *v.* to cash (*a check*) 2.5; to charge; to receive 3.8
coche *m.* car; automobile 2.2
cochinillo *m.* suckling pig 3.10
cocina *f.* kitchen; stove 2.3

cocinar *v.* to cook 2.3, 3.3
cocinero/a *m., f.* cook, chef 2.7
codo *m.* elbow
cofre *m.* hood 2.2
cohete *m.* rocket 3.7
cola *f.* line 2.5; tail
  hacer cola to wait in line 3.2
coleccionar *v.* to collect
coleccionista *m., f.* collector
colesterol *m.* cholesterol 2.6
colgar (o:ue) *v.* to hang (up)
colina *f.* hill
colmena *f.* beehive 3.8
colocar *v.* to place (*an object*) 3.2
colonia *f.* colony
colonizar *v.* to colonize
color *m.* color 1.3, 1.6
columnista *m., f.* columnist 3.9
combatiente *m., f.* combatant
combustible *m.* fuel 3.6
comedia *f.* comedy; play 2.8
comediante *m., f.* comedian 3.1
comedor *m.* dining room 2.3
comensal *m., f.* dinner guest 3.10
comenzar (e:ie) *v.* to begin 1.4
comer *v.* to eat 1.3, 3.1, 3.2
comercial *adj.* commercial; business-related 2.7
comerciante *m., f.* storekeeper; trader
comercio *m.* commerce; trade 3.8
comerse *v.* to eat up 3.2
comestible *adj.* edible
  planta comestible *f.* edible plant
cometa *m.* comet 3.7
comida *f.* food 3.6; meal 1.8
  comida enlatada *f.* canned food 3.6
  comida rápida *f.* fast food 3.4
como *prep., conj.* like; as 1.8
¿cómo? *adv.* what?; how? 1.1
  ¿Cómo es...? What's... like? 1.3
  ¿Cómo está usted? *form.* How are you? 1.1
  ¿Cómo estás? *fam.* How are you? 1.1
  ¿Cómo les fue...? *pl.* How did... go for you? 2.6
  ¿Cómo que son...? What do you mean they are...?
  ¿Cómo se llama (usted)? *form.* What's your name? 1.1
  ¿Cómo te llamas (tú)? *fam.* What's your name? 1.1
cómo *adv.* how
  ¡Cómo no! Of course!
cómoda *f.* chest of drawers 2.3
cómodo/a *adj.* comfortable 1.5

compañero/a de clase *m., f.* classmate 1.2
compañero/a de cuarto *m., f.* roommate 1.2
compañía *f.* company; firm 2.7, 3.8
compartir *v.* to share 1.3
completamente *adv.* completely 2.7
completo/a *adj.* complete; filled up
componer *v.* to compose 3.1
compositor(a) *m., f.* composer 2.8
comprar *v.* to buy 1.2
compras *f., pl.* purchases 1.5
  ir de compras to go shopping 1.5
comprender *v.* to understand 1.3
comprobar (o:ue) *v.* to prove 3.7
comprometerse (con) *v.* to get engaged (to) 1.9
compromiso *m.* awkward situation 3.10; commitment; responsibility 3.1
computación *f.* computer science 1.2
computadora *f.* computer 1.1
  computadora portátil *f.* portable computer; laptop 2.2, 3.7
comunicación *f.* communication 2.9
comunicarse (con) *v.* to communicate (with) 2.9
comunidad *f.* community 1.1, 3.4
con *prep.* with 1.2
  Con él/ella habla. This is he/she. (*on the telephone*) 2.2
  con frecuencia *adv.* frequently 2.1
  Con permiso. Pardon me.; Excuse me. 1.1
  con tal (de) que *conj.* provided (that) 2.4
conciencia *f.* conscience
concierto *m.* concert 2.8, 3.2
concordar (o:ue) *v.* to agree
concurso *m.* game show; contest 2.8
conducir *v.* to drive 1.6, 2.2, 3.1
conductor(a) *m., f.* driver 1.1; announcer
conejo *m.* rabbit 3.6
conexión de satélite *f.* satellite connection 3.7
conferencia *f.* conference 3.8
confesar (e:ie) *v.* to confess
confianza *f.* trust; confidence 3.1
confirmar *v.* to confirm 1.5

confirmar una reservación to confirm a reservation **1.5**

confundido/a *adj.* confused **1.5**

confundir (con) *v.* to confuse (with)

congelado/a *adj.* frozen

congelador *m.* freezer **2.3**

congelar(se) *v.* to freeze **3.7**

congeniar *v.* to get along

congestionado/a *adj.* congested; stuffed-up **2.1**

congestionamiento *m.* traffic jam **3.5**

conjunto *m.* collection

conjunto (musical) *m.* (musical) group, band

conmigo *pron.* with me **1.4, 1.9**

conmovedor(a) *adj.* moving

conocer *v.* to know **3.1**; to be acquainted with **1.6**

conocido/a *adj.; p.p.* known

conocimiento *m.* knowledge

conquista *f.* conquest

conquistador(a) *m., f.* conquistador; conqueror

conquistar *v.* to conquer

conseguir (e:i) *v.* to get; to obtain **1.4**

conseguir boletos/entradas to get tickets **3.2**

consejero/a *m., f.* counselor; advisor **2.7**

consejo *m.* advice

conservación *f.* conservation **2.4**

conservador(a) *adj.* conservative; *m., f.* curator

conservar *v.* to conserve **2.4**; to preserve **3.6**

considerar *v.* to consider

Considero que... In my opinion...

consiguiente *adj.* resulting; consequent

por consiguiente consequently; as a result

construir *v.* to build

consulado *m.* consulate

consulta *f.* doctor's appointment **3.4**

consultorio *m.* doctor's office **2.1, 3.4**

consumir *v.* to consume **2.6**

consumo *m.* consumption

consumo de energía *m.* energy consumption

contabilidad *f.* accounting **1.2**

contador(a) *m., f.* accountant **2.7, 3.8**

contagiarse *v.* to become infected **3.4**

contaminación *f.* pollution **2.4**

contaminación del aire/del agua *f.* air/water pollution **2.4, 3.6**

contaminado/a *adj.* polluted **2.4**

contaminar *v.* to pollute **2.4**; to contaminate **3.6**

contar (o:ue) *v.* to tell **1.4**; to count **3.2**

contar con to count on **2.3**

contemporáneo/a *adj.* contemporary **3.10**

contentarse con *v.* to be contented/satisfied with **3.1**

contento/a *adj.* happy; content **1.5**

contestadora *f.* answering machine **2.2**

contestar *v.* to answer **1.2**

contigo *fam. pron.* with you **1.9**

continuación *f.* sequel

contraer *v.* to contract **3.1**

contraseña *f.* password **3.7**

contratar *v.* to hire **2.7, 3.8**

contrato *m.* contract **3.8**

contribuir (a) *v.* to contribute **3.6**

control *m.* control **1.7**

control remoto (universal) *m.* (universal) remote control **2.2, 3.7**

controlar *v.* to control **2.4**

controvertido/a *adj.* controversial **3.9**

contundente *adj.* filling; heavy **3.10**

conversación *f.* conversation **1.2**

conversar *v.* to converse, to chat **1.2**

convertirse (e:ie) (en) *v.* to become **3.2**

copa *f.* wineglass **2.3**

Copa del Mundo *f.* World Cup

coquetear *v.* to flirt **3.1**

coraje *m.* courage

corazón *m.* heart **2.1, 3.1**

corbata *f.* tie **1.6**

cordillera *f.* mountain range **3.6**

cordura *f.* sanity **3.4**

coro *m.* choir; chorus

corrector ortográfico *m.* spell-checker **3.7**

corredor(a) de bolsa *m., f.* stockbroker **2.7**

correo *m.* mail; post office **2.5**

correo electrónico *m.* e-mail **1.4**

correr *v.* to run **1.3**

corresponsal *m., f.* correspondent **3.9**

corrida *f.* bullfight **3.2**

corriente *f.* movement **3.10**

corrupción *f.* corruption

corte *m.* cut

de corte ejecutivo of an executive nature

cortesía *f.* courtesy

cortinas *f., pl.* curtains **2.3**

corto *m.* short film **3.1**

corto/a *adj.* short *(in length)* **1.6**

cortometraje *m.* short film **3.1**

cosa *f.* thing **1.1**

cosecha *f.* harvest

costa *f.* coast **3.6**

costar (o:ue) *f.* to cost **1.6**

costoso/a *adj.* costly; expensive

costumbre *f.* custom; habit **3.3**

cotidiano/a *adj.* everyday **3.3**

vida cotidiana *f.* everyday life

cráter *m.* crater **2.4**

crear *v.* to create **3.7**

creatividad *f.* creativity

crecer *v.* to grow **3.1**

crecimiento *m.* growth

creencia *f.* belief

creer *v.* to believe **2.4**

creer (en) *v.* to believe (in) **1.3**

no creer (en) *v.* not to believe (in) **2.4**

No creas. Don't you believe it.

creído/a *adj.* conceited; *p.p.* believed **2.5**

crema de afeitar *f.* shaving cream **1.7**

creyente *m., f.* believer

criar *v.* to raise

haber criado to have raised **3.1**

criarse *v.* to grow up **3.1**

crimen *m.* crime; murder **2.9**

crisis *f.* crisis

crisis económica *f.* economic crisis **3.8**

cristiano/a *adj.* Christian

criticar *v.* to critique **3.10**

crítico/a *m., f.* critic; *adj.* critical

crítico/a de cine movie critic **3.9**

crucero *m.* cruise ship **3.5**

cruzar *v.* to cross **2.5**

cuaderno *m.* notebook **1.1**

cuadra *f.* (city) block **2.5**

cuadro *m.* picture **2.3**; painting **3.3, 3.10**

¿cuál(es)? *pron.* which?; which one(s)? **1.2**

¿Cuál es la fecha de hoy? What is today's date? **1.5**

cuando *conj.* when **1.7, 2.4**

¿cuándo? *adv.* when? **1.2**

¿cuánto(s)/a(s)? *adj.* how much/how many? **1.1**

¿Cuánto cuesta...? How much does... cost? **1.6**

¿Cuántos años tienes? *fam.* How old are you? **1.3**

cuarenta *n., adj.* forty **1.2**

cuarentón/cuarentona *adj.* forty-year-old; in her/his forties

cuarto *m.* room **1.2, 1.7**

cuarto de baño *m.* bathroom **1.7**

cuarto/a *n., adj.* fourth **1.5**

menos cuarto quarter to *(time)*

y cuarto quarter after *(time)* **1.1**

cuatro *n., adj.* four **1.1**
cuatrocientos/as *n., adj.* four hundred **1.2**
cubierto/a *adj., p.p.* covered
cubiertos *m., pl.* silverware
cubismo *m.* cubism **3.10**
cubrir *v.* to cover
cucaracha *f.* cockroach **3.6**
cuchara *f.* (table or large) spoon **2.3**
cuchillo *m.* knife **2.3**
cuello *m.* neck **2.1**
cuenta *f.* calculation, sum; bill **1.9**; account **2.5**
  al final de cuentas after all
  cuenta corriente *f.* checking account **2.5, 3.8**
  cuenta de ahorros *f.* savings account **2.5, 3.8**
  tener en cuenta to keep in mind
cuento *m.* short story **2.8**
cuerpo *m.* body **2.1**
  cuerpo y alma heart and soul
cueva *f.* cave
cuidado *m.* care **1.3, 3.1**
  bien cuidado/a well-kept
cuidadoso/a *adj.* careful **3.1**
cuidar(se) *v.* to take care of (oneself) **2.4, 3.1**
  ¡Cuídense! Take care! **2.5**
culpa *f.* guilt
culpable *adj.* guilty
cultivar *v.* to grow
culto *m.* worship
culto/a *adj.* cultured; educated; refined
cultura *f.* culture **2.8**
  cultura popular pop culture
cumbre *f.* summit; peak
cumpleaños *m., sing.* birthday **1.9**
cumplir *v.* to carry out **3.8**
  cumplir años to have a birthday **1.9**
cuñado/a *m., f.* brother-in-law; sister-in-law **1.3**
cura *m.* priest
curarse *v.* to heal; to be cured **3.4**
curativo/a *adj.* healing **3.4**
currículum (vitae) *m.* résumé **2.7, 3.8**
curso *m.* course **1.2**

D

danza *f.* dance **2.8**
dañar *v.* to damage; to break down **2.1**
dañino/a *adj.* harmful **3.6**
dar *v.* to give **1.6, 1.9**
  dar a to look out upon (*location*)

dar asco to be disgusting
dar de comer to feed **3.6**
dar direcciones *v.* to give directions **2.5**
dar el primer paso to take the first step
dar la gana to feel like **3.9**
dar la vuelta (al mundo) to go around (the world)
dar paso a to give way to
dar un consejo to give advice
dar un paseo to take a stroll/ walk **3.2**
dar una vuelta to take a walk/ stroll
darse con to bump into; to run into (*something*) **2.1**
darse cuenta to realize **3.2, 3.9**
darse por aludido/a to realize/assume that one is being referred to **3.9**
darse por vencido to give up
darse prisa to hurry; to rush **2.6**
dardos *m. pl.* darts **3.2**
dato *m.* piece of data
de *prep.* of; from **1.1**
  de algodón (made of) cotton **1.6**
  de aluminio (made of) aluminum **2.4**
  de buen humor in a good mood **1.5**
  de compras shopping **1.5**
  de cuadros plaid **1.6**
  ¿De dónde eres? *fam.* Where are you from? **1.1**
  ¿De dónde es usted? *form.* Where are you from? **1.1**
  de excursión hiking **1.4**
  de hecho in fact
  de ida y vuelta roundtrip **1.5**
  de la mañana in the morning; A.M. **1.1**
  de la noche in the evening; at night; P.M. **1.1**
  de la tarde in the afternoon; in the early evening; P.M. **1.1**
  de lana (made of) wool **1.6**
  de lunares polka-dotted **1.6**
  de mal humor in a bad mood **1.5**
  de mi vida of my life **2.6**
  de moda in fashion **1.6**
  De nada. You're welcome. **1.1**
  De ninguna manera. No way. **2.7**
  de niño/a as a child **2.1**
  de parte de on behalf of **2.2**
  ¿De parte de quién? Who is calling? (*on the telephone*) **2.2**
  de plástico (made of) plastic **2.4**
  ¿de quién...? *pron., sing.* whose...? **1.1**

  ¿de quiénes...? *pron., pl.* whose...? **1.1**
  de rayas striped **1.6**
  de repente *adv.* suddenly **1.6, 3.3**
  de seda (made of) silk **1.6**
  de terror horror (*story/novel*) **3.10**
  de vaqueros western (*genre*) **2.8**
  de vez en cuando from time to time **2.1**
  de vidrio (made of) glass **2.4**
debajo de *prep.* below; under **1.2**
deber *m.* responsibility; obligation **2.9**; duty **3.8**
deber *v.* to owe **3.8**; should; must; ought to **1.3**
  deber dinero to owe money **3.2**
Debe ser... It must be... **1.6**
debido a due to (the fact that)
débil *adj.* weak **2.6**
década *f.* decade
decidido/a *adj.* decided **2.5**
decidir (+ *inf.*) *v.* to decide **1.3**
décimo/a *n., adj.* tenth **1.5**
decir (e:i) (que) *v.* to say (that) **3.1**; to tell (that) **1.4, 1.9**
  decir la respuesta to say the answer **1.4**
  decir la verdad to tell the truth **1.4**
  decir mentiras to tell lies **1.4**
declarar *v.* to declare; to say **2.9**
dedicatoria *f.* dedication
dedo *m.* finger **2.1**
  dedo del pie *m.* toe **2.1**
deforestación *f.* deforestation **2.4, 3.6**
dejar *v.* to leave; to allow; to let **2.3**; to quit; to leave behind **2.7**
  dejar a alguien to leave someone **3.1**
  dejar de (+ *inf.*) *v.* to stop (*doing something*) **2.4**
  dejar de fumar to quit smoking **3.4**
  dejar en paz to leave alone **3.8**
  dejar una propina to leave a tip **1.9**
del (*contraction of* **de + el**) of the; from the
delante de *prep.* in front of **1.2**
delgado/a *adj.* thin; slender **1.3**
delicioso/a *adj.* delicious **1.8**
demás *adj.* the rest; *pron.* others; other people
demasiado *adj., adv.* too; too much **1.6**
democracia *f.* democracy
demorar *v.* to delay

dentista *m., f.* dentist 2.1
dentro de (diez años) within (ten years) 2.7; inside
denunciar *v.* to denounce 3.9
dependiente/a *m., f.* clerk 1.6
deporte *m.* sport 1.4
deportista *m., f.* athlete, sports person 3.2
deportivo/a *adj.* sports-related 1.4
depositar *v.* to deposit 2.5, 3.8
depresión *f.* depression 3.4
deprimido/a *adj.* depressed 3.1
derecha *f.* right 1.2
derecho *adj.* straight (ahead) 2.5
　a la derecha de to the right of 1.2
derecho *m.* law; *pl.* rights 2.9
　derechos civiles *m.* civil rights
　derechos humanos *m.* human rights
derramar *v.* to spill
derretir(se) (e:i) *v.* to melt 3.7
derribar *v.* to bring down; to overthrow
derrocar *v.* to overthrow
derrota *f.* defeat
derrotado/a *adj.* defeated
derrotar *v.* to defeat
desafiante *adj.* challenging 3.4
desafiar *v.* to challenge 3.2
desafío *m.* challenge 3.7
desanimado/a *adj.* discouraged
desanimarse *v.* to get discouraged
desánimo *m.* the state of being discouraged 3.1
desaparecer *v.* to disappear 3.1, 3.6
desarrollado/a *adj.* developed
desarrollar *v.* to develop 2.4
desarrollarse *v.* to take place 3.10
desarrollo *m.* development 3.6
　país en vías de desarrollo developing country
desastre (natural) *m.* (natural) disaster 2.9
desatar *v.* to untie
desayunar *v.* to have breakfast 1.2
desayuno *m.* breakfast 1.8
descafeinado/a *adj.* decaffeinated 2.6
descansar *v.* to rest 1.2, 3.4
descanso *m.* rest 3.8
descargar *v.* to download 2.2, 3.7
descendiente *m., f.* descendent
descompuesto/a *adj.* not working; out of order 2.2
descongelar(se) *v.* to defrost 3.7
desconocido/a *m., f.* stranger
describir *v.* to describe 1.3
descrito/a *p.p.* described 2.5

descubierto/a *p.p.* discovered 2.5
descubridor(a) *m., f.* discoverer
descubrimiento *m.* discovery 3.7
descubrir *v.* to discover 2.4, 3.4
descuidar(se) *v.* to get distracted; to neglect 3.6
desde *prep.* from 1.6
desear *v.* to wish; to desire 1.2, 3.4
desechable *adj.* disposable 3.6
desempleado/a *adj.* unemployed 3.8
desempleo *m.* unemployment 2.9, 3.8
desenlace *m.* ending
deseo *m.* desire; wish
　pedir un deseo to make a wish
deshacer *v.* to undo 3.1
desierto *m.* desert 2.4, 3.6
desigual *adj.* unequal
desigualdad *f.* inequality 2.9
desilusión *f.* disappointment
desmayarse *v.* to faint 3.4
desorden *m.* disorder; mess 3.7
desordenado/a *adj.* disorderly 1.5
despacho *m.* office
despacio *adv.* slowly 2.1
despedida *f.* farewell 3.5
despedido/a *adj.* fired
despedir (e:i) *v.* to fire 2.7, 3.8
despedirse (de) (e:i) *v.* to say good-bye (to) 3.3
despegar *v.* to take off 3.5
despejado/a *adj.* clear (*weather*)
despertador *m.* alarm clock 1.7
despertarse (e:ie) *v.* to wake up 1.7, 3.2
después *adv.* afterwards; then 1.7
　después de *prep.* after 1.7
　después de que *conj.* after 2.4
destacado/a *adj.* prominent 3.9
destacar *v.* to emphasize; to point out
destino *m.* destination 3.5
destrozar *v.* to destroy
destruir *v.* to destroy 2.4, 3.6
detestar *v.* to detest
detrás de *prep.* behind 1.2
deuda *f.* debt 3.8
devolver (o:ue) *v.* to return (*items*) 3.3
devoto/a *adj.* pious
día *m.* day 1.1
　día de fiesta *m.* holiday 1.9
　estar al día con las noticias to keep up with the news
diamante *m.* diamond 3.5
diario *m.* diary 1.1; newspaper 2.9, 3.9
diario/a *adj.* daily 1.7, 3.3

dibujar *v.* to draw 1.2, 3.10
dibujo *m.* drawing 2.8
　dibujos animados *m., pl.* cartoons 2.8
diccionario *m.* dictionary 1.1
dicho/a *adj., p.p.* said 2.5
diciembre *m.* December 1.5
dictador(a) *m., f.* dictator
dictadura *f.* dictatorship 2.9
didáctico/a *adj.* educational 3.10
diecinueve *n., adj.* nineteen 1.1
dieciocho *n., adj.* eighteen 1.1
dieciséis *n., adj.* sixteen 1.1
diecisiete *n., adj.* seventeen 1.1
diente *m.* tooth 1.7
dieta *f.* diet 2.6
　comer una dieta equilibrada to eat a balanced diet 2.6
　estar a dieta to be on a diet 3.4
diez *n., adj.* ten 1.1
difícil *adj.* difficult; hard 1.3
Diga. Hello. (*on telephone*) 2.2
digestión *f.* digestion
digital *adj.* digital 3.7
digno/a *adj.* worthy 3.6
diligencia *f.* errand 2.5
diluvio *m.* heavy rain
dinero *m.* money 1.6
　dinero en efectivo cash 3.3
Dios *m.* God
dios(a) *m., f.* god/goddess 3.5
diputado/a *m., f.* representative
dirección *f.* address 2.5
　dirección de correo electrónico *f.* e-mail address 3.7
　dirección electrónica *f.* e-mail address 2.2
direcciones *f., pl.* directions 2.5
directo/a *adj.* direct
　en directo *adj.* live 3.9
director(a) *m., f.* director; (*musical*) conductor 2.8
dirigir *v.* to direct 2.8; to manage 3.1
disco compacto *m.* compact disc (CD)
discoteca *f.* discotheque; dance club 3.2
discriminación *f.* discrimination 2.9
discriminado/a *adj.* discriminated
disculpar *v.* to excuse
disculparse *v.* to apologize 3.6
discurso *m.* speech 2.9
　pronunciar un discurso to give a speech
discutir *v.* to argue 3.1
diseñador(a) *m., f.* designer 2.7
diseñar *v.* to design 3.8, 3.10
diseño *m.* design
disfraz *m.* costume

disfrazado/a *adj.* disguised; in costume

disfrutar (de) *v.* to enjoy 3.2; to reap the benefits (of) 2.6

disgustado/a *adj.* upset 3.1

disgustar *v.* to upset 3.2

disminuir *v.* to decrease

disponerse a *v.* to be about to 3.6

disponible *adj.* available

distinguido/a *adj.* honored

distinguir *v.* to distinguish 3.1

distraer *v.* to distract 3.1

distraído/a *adj.* distracted

disturbio *m.* riot 3.8

diversidad *f.* diversity 3.4

diversión *f.* fun activity; entertainment; recreation 1.4

divertido/a *adj.* fun 3.2

divertirse (e:ie) *v.* to have fun 1.9, 3.2

divorciado/a *adj.* divorced 1.9, 3.1

divorciarse (de) *v.* to get divorced (from) 1.9

divorcio *m.* divorce 1.9, 3.1

doblado/a *adj.* dubbed 3.9

doblaje *m.* dubbing (*film*)

doblar *v.* to dub (*film*); to fold; 3.1; to turn 2.5; to turn (*a corner*)

doble *m., f.* double (*in movies*) 3.9; *adj.* double

doce *n., adj.* twelve 1.1

doctor(a) *m., f.* doctor 1.3, 2.1

documental *m.* documentary 2.8, 3.9

documentos de viaje *m., pl.* travel documents

dolencia *f.* illness; condition 3.4

doler (o:ue) *v.* to hurt 2.1; to ache 3.2

dolor *m.* ache; pain 2.1

dolor de cabeza *m.* headache 2.1

doméstico/a *adj.* domestic 2.3

domingo *m.* Sunday 1.2

dominio *m.* rule

dominó *m.* dominoes

don/doña title of respect used with a person's first name 1.1

donde *prep.* where

¿dónde? *adv.* where? 1.1

¿Dónde está...? Where is...? 1.2

dondequiera *adv.* wherever 3.4

dormir (o:ue) *v.* to sleep 1.4, 3.2

dormirse (o:ue) *v.* to go to sleep; to fall asleep 1.7, 3.2

dormitorio *m.* bedroom 2.3

dos *n., adj.* two 1.1

dos veces *adv.* twice; two times 1.6

doscientos/as *n., adj.* two hundred 1.2

drama *m.* drama; play 2.8

dramático/a *adj.* dramatic 2.8

dramaturgo/a *m., f.* playwright 2.8, 3.10

droga *f.* drug 2.6

drogadicto/a *m., f.* drug addict 2.6

ducha *f.* shower 1.7

ducharse *v.* to shower 3.2; to take a shower 1.7

duda *f.* doubt 2.4

dudar *v.* to doubt 2.4

no dudar *v.* not to doubt 2.4

dueño/a *m., f.* owner 3.8; landlord 1.8

dulces *m., pl.* sweets; candy 1.9

durante *prep.* during 1.7

durar *v.* to last 2.9

duro/a *adj.* hard; difficult 3.7

E

e *conj.* (*used instead of* **y** *before words beginning with* **i** *and* **hi**) and 1.4

echar *v.* to throw; to throw away 3.5

echar a correr to take off running

echar (una carta) al buzón to put (a letter) in the mailbox 2.5; to mail 2.5

echar un vistazo to take a look

ecología *f.* ecology 2.4

economía *f.* economics 1.2

ecosistema *m.* ecosystem 3.6

ecoturismo *m.* ecotourism 2.4, 3.5

Ecuador *m.* Ecuador 1.1

ecuatoriano/a *adj.* Ecuadorian 1.3

edad *f.* age 1.9

Edad Media *f.* Middle Ages

edificio *m.* building 2.3

edificio de apartamentos *m.* apartment building 2.3

editar *v.* to publish 3.10

educar *v.* to educate; to inform; to raise; to bring up 3.1

efectivo *m.* cash

efectos especiales *m., pl.* special effects 3.9

efectos secundarios *m., pl.* side effects 3.4

eficiente *adj.* efficient

ejecutivo/a *m., f.* executive 3.8

de corte ejecutivo of an executive nature 3.8

ejercicio *m.* exercise 2.6

ejercicios aeróbicos *m.* aerobic exercises 2.6

ejercicios de estiramiento *m.* stretching exercises 2.6

ejército *m.* army 2.9,

el *m., sing., def. art.* the 1.1

él *sub. pron.* he 1.1; *pron., obj. of prep.* him 1.9

elecciones *f. pl.* election 2.9

electoral *adj.* electoral

electricista *m., f.* electrician 2.7

electrodoméstico *m.* electric appliance 2.3

electrónico/a *adj.* electronic

elegante *adj.* elegant 1.6

elegido/a *adj.* chosen; elected

elegir (e:i) *v.* to elect 2.9; to choose

ella *sub. pron.* she 1.1; *pron., obj. of prep.* her 1.9

ellos/as *sub. pron.* they 1.1; *pron., obj. of prep.* them 1.9

embajada *f.* embassy

embajador(a) *m., f.* ambassador

embalarse *v.* to go too fast (*Esp.*) 3.9

embarazada *adj.* pregnant 2.1

embarcar *v.* to board

emergencia *f.* emergency 2.1

emigrar *v.* to emigrate

emisión *f.* broadcast

emisión en vivo/directo *f.* live broadcast

emisora *f.* (radio) station

emitir *v.* to broadcast 2.9

emocionado/a *adj.* excited 3.1

emocionante *adj.* exciting

empatar *v.* to tie (*games*) 3.2

empate *m.* tie (*game*) 3.2

empeorar *v.* to deteriorate; to get worse 3.4

emperador *m.* emperor

emperatriz *f.* empress

empezar (e:ie) *v.* to begin 1.4

empleado/a *m., f.* employee 1.5, 3.8

empleado/a *adj.* employed 3.8

empleo *m.* employment 2.7; job 3.8

empresa *f.* company, firm 2.7

empresa multinacional *f.* multinational company 3.8

empresario/a *m., f.* entrepreneur 3.8

empujar *v.* to push

en *prep.* in; on; at 1.2

en casa at home 1.7

en caso (de) que *conj.* in case (that) 2.4

en cuanto *conj.* as soon as 2.4

en efectivo in cash 2.5

en exceso in excess 2.6

en línea inline 1.4; online 3.7

¡En marcha! Let's get going! 2.6

en mi nombre in my name

en punto on the dot; exactly; sharp (*time*) 1.1

Vocabulario

¿en qué? in what?; how? **1.2**
¿En qué puedo servirles? How can I help you? **1.5**
enamorado/a (de) *adj.* in love (with) **1.5, 3.1**
enamorarse (de) *v.* to fall in love (with) **1.9, 3.1**
encabezar *v.* to lead
encantado/a *adj.* delighted; Pleased to meet you. **1.1**
encantar *v.* to like very much **3.2**; to love (*inanimate objects*) **1.7**
  ¡Me encantó! I loved it! **2.6**
encargado/a *m., f.* person in charge
  estar encargado/a de to be in charge of **3.1**
encargarse de *v.* to be in charge of **3.1**
encender (e:ie) *v.* to turn on **3.3**
encima de *prep.* on top of **1.2**
encogerse *v.* to shrink
  encogerse de hombros to shrug
encontrar (o:ue) *v.* to find **1.4**
encontrar(se) (o:ue) *v.* to meet (each other); to run into (each other) **2.2**
encuesta *f.* poll; survey **2.9**
energía *f.* energy **2.4**
  energía eólica *f.* wind power
  energía nuclear *f.* nuclear energy **2.4**
  energía solar *f.* solar energy **2.4**
enérgico/a *adj.* energetic **3.8**
enero *m.* January **1.5**
enfermarse *v.* to get sick **2.1, 3.4**
enfermedad *f.* disease; illness **2.1, 3.4**
enfermero/a *m., f.* nurse **2.1, 3.4**
enfermo/a *adj.* sick **2.1**
enfrentar *v.* to confront
enfrente de *adv.* opposite; facing **2.5**
enganchar *v.* to get caught **3.5**
engañar *v.* to betray **3.9**
engordar *v.* to gain weight **2.6, 3.4**
enlace *m.* link **3.7**
enojado/a *adj.* mad; angry **1.5**
enojarse (con) *v.* to get angry (with) **1.7**
enojo *m.* anger
enrojecer *v.* to turn red; to blush
ensalada *f.* salad **1.8**
ensayar *v.* to rehearse **3.9**
ensayista *m., f.* essayist **3.10**
ensayo *m.* essay; rehearsal
enseguida *adv.* right away **1.9, 3.3**
enseñanza *f.* teaching; lesson

enseñar *v.* to teach **1.2**
ensuciar *v.* to get (*something*) dirty **2.3**
entender (e:ie) *v.* to understand **1.4**
enterarse (de) *v.* to become informed (about) **3.9**
enterrado/a *adj.* buried **3.2**
enterrar (e:ie) *v.* to bury
entonces *adv.* then **1.7**
  en aquel entonces at that time **3.3**
entrada *f.* entrance **2.3**; ticket **2.8**
entre *prep.* between; among **1.2**
entrega *f.* delivery
entremeses *m., pl.* hors d'oeuvres; appetizers **1.8**
entrenador(a) *m., f.* coach; trainer **2.6, 3.2**
entrenarse *v.* to train **2.6**
entretener(se) (e:ie) *v.* to entertain, to amuse (oneself) **3.2**
entretenido/a *adj.* entertaining **3.2**
entrevista *f.* interview **2.7**
  entrevista de trabajo *f.* job interview **3.8**
entrevistador(a) *m., f.* interviewer **2.7**
entrevistar *v.* to interview **2.7**
envase *m.* container **2.4**
envenenado/a *adj.* poisoned **3.6**
enviar *v.* to send; to mail **2.5**
epidemia *f.* epidemic **3.4**
episodio *m.* episode **3.9**
  episodio final final episode **3.9**
época *f.* era; epoch; historical period
equilibrado/a *adj.* balanced **2.6**
equipado/a *adj.* equipped **2.6**
equipaje *m.* luggage **1.5**
equipo *m.* team **1.4, 3.2**
equivocado/a *adj.* wrong **1.5**
equivocarse *v.* to be mistaken; to make a mistake
eres *fam., sing.* you are **1.1**
erosión *f.* erosion **3.6**
erudito/a *adj.* learned
es he/she/it is **1.1**
  Es bueno que... It's good that... **2.3**
  Es de... He/She is from... **1.1**
  es extraño it's strange **2.4**
  Es importante que... It's important that... **2.3**
  es imposible it's impossible **2.4**
  es improbable it's improbable **2.4**
  Es la una. It's one o'clock. **1.1**
  Es malo que... It's bad that... **2.3**
  Es mejor que... It's better that... **2.3**

  Es necesario que... It's necessary that... **2.3**
  es obvio it's obvious **2.4**
  es ridículo it's ridiculous **2.4**
  es seguro it's sure **2.4**
  es terrible it's terrible **2.4**
  es triste it's sad **2.4**
  es una lástima it's a shame **2.4**
  Es urgente que... It's urgent that... **2.3**
  es verdad it's true **2.4**
esa(s) *f., adj.* that; those **1.6**
ésa(s) *f., pron.* that (one); those (ones) **1.6**
esbozar *v.* to sketch
esbozo *m.* outline; sketch
escalada *f.* climb (*mountain*)
escalador(a) *m., f.* climber
escalar *v.* to climb **1.4**
  escalar montañas to climb mountains **1.4**
escalera *f.* stairs; stairway **2.3**; staircase **3.3**
escena *f.* scene **3.1**
escenario *m.* scenery; stage **3.2**
esclavitud *f.* slavery
esclavizar *v.* enslave
esclavo/a *m., f.* slave
escoba *f.* broom
escoger *v.* to choose **1.8, 3.1**
escribir *v.* to write **1.3**
  escribir un mensaje electrónico to write an e-mail message **1.4**
  escribir una carta to write a letter **1.4**
  escribir una postal to write a postcard
escrito/a *adj., p.p.* written **2.5**
escritor(a) *m., f.* writer **2.8**
escritorio *m.* desk **1.2**
escuchar *v.* to listen (to)
  escuchar la radio to listen to the radio **1.2**
  escuchar música to listen to music **1.2**
escuela *f.* school **1.1**
esculpir *v.* to sculpt **2.8, 3.10**
escultor(a) *m., f.* sculptor **2.8, 3.10**
escultura *f.* sculpture **2.8, 3.10**
ese *m., sing., adj.* that **1.6**
ése *m., sing., pron.* that (one) **1.6**
esfuerzo *m.* effort
eso *neuter pron.* that; that thing **1.6**
esos *m., pl., adj.* those **1.6**
ésos *m., pl., pron.* those (ones) **1.6**
espacial *adj.* related to space
  transbordador espacial *m.* space shuttle **3.7**
espacio *m.* space **3.7**
espacioso/a *adj.* spacious

espalda *f.* back
  a mis espaldas behind my back 3.9
  estar de espaldas a to have one's back to
espantar *v.* to scare
España *f.* Spain 1.1
español *m.* Spanish *(language)* 1.2
español(a) *adj.* Spanish 1.3
espárragos *m., pl.* asparagus 1.8
especialista *m., f.* specialist
especialización *f.* major 1.2
especializado/a *adj.* specialized 3.7
especie *f.* species 3.6
  especie en peligro de extinción endangered species
espectacular *adj.* spectacular 2.6
espectáculo *m.* show 2.8, 3.2
espectador(a) *m., f.* spectator 3.2
espejo *m.* mirror 1.7
  espejo retrovisor *m.* rearview mirror
espera *f.* wait
esperanza *f.* hope 3.6
esperar *v.* to hope; to wish 2.4
  esperar (+ inf.) *v.* to wait (for); to hope 1.2
espiritual *adj.* spiritual
esposo/a *m., f.* husband; wife; spouse 1.3
esquí (acuático) *m.* (water) skiing 1.4
esquiar *v.* to ski 1.4
esquina *f.* corner 2.5
está he/she/it is; you are 1.2
  Está bien. That's fine. 2.2
  Está (muy) despejado. It's (very) clear. *(weather)*
  Está lloviendo. It's raining. 1.5
  Está nevando. It's snowing. 1.5
  Está (muy) nublado. It's (very) cloudy. *(weather)* 1.5
esta(s) *f., adj.* this; these 1.6
  esta noche tonight 1.4
ésta(s) *f., pron.* this (one); these (ones) 1.6
  Ésta es... *f.* This is... *(introducing someone)* 1.1
estabilidad *f.* stability
establecer *v.* to start, to establish 2.7
establecer(se) *v.* to establish (oneself)
estación *f.* station; season 1.5
  estación de autobuses *f.* bus station 1.5
  estación del metro *f.* subway station 1.5
  estación de tren *f.* train station 1.5

estacionamiento *m.* parking lot 2.5
estacionar *v.* to park 2.2
estadio *m.* stadium 1.2
estado civil *m.* marital status 1.9
estado de ánimo *m.* mood 3.4
Estados Unidos (EE.UU.) *m.* United States 1.1
estadounidense *adj.* from the United States 1.3
estampado/a *adj.* print
estampilla *f.* stamp 2.5
estante *m.* bookcase; bookshelves 2.3
estar *v.* to be 1.2
  estar a cargo de to be in charge of
  estar a (veinte kilómetros) de aquí to be (20 kilometers) from here 2.2
  estar a dieta to be on a diet 2.6
  estar a la venta to be for sale 3.10
  estar aburrido/a to be bored 1.5
  estar afectado/a (por) to be affected (by) 2.4
  estar al día to be up-to-date 3.9
  estar al tanto to be informed 3.9
  estar bajo control to be under control 1.7
  estar bajo presión to be under stress/pressure
  estar bueno/a to be good *(i.e., fresh)*
  estar cansado/a to be tired 1.5
  estar contaminado/a to be polluted 2.4
  estar de acuerdo to agree 2.7
  estar de moda to be in fashion 1.6
  estar de vacaciones to be on vacation 1.5
  estar en buena forma to be in good shape 2.6
  estar enfermo/a to be sick 2.1
  estar harto/a (de) to be fed up (with); to be sick (of) 3.1
  estar listo/a to be ready 2.6
  estar lleno/a to be full 3.5
  estar perdido/a to be lost 2.5
  estar resfriado/a to have a cold 3.4
  estar roto/a to be broken 2.1
  estar seguro/a to be sure 1.5
  estar torcido/a to be twisted; to be sprained 2.1
  Estoy (completamente) de acuerdo. I agree (completely). 2.7

  No está nada mal. It's not bad at all. 1.5
  No estoy de acuerdo. I don't agree. 2.7
estatal *adj.* public; pertaining to the state
estatua *f.* statue 2.8
este *m.* east 2.5; *interj.* um 2.8
este *m., sing., adj.* this 1.6
éste *m., sing., pron.* this (one) 1.6
  Éste es... *m.* This is... *(introducing someone)* 1.1
estéreo *m.* stereo 2.2
estereotipo *m.* stereotype 3.10
estético/a *m., f.* aesthetic 3.10
estilo *m.* style
  al estilo de... in the style of... 3.10
estiramiento *m.* stretching 2.6
esto *neuter pron.* this; this thing 1.6
estómago *m.* stomach 2.1
estornudar *v.* to sneeze 2.1
estos *m., pl., adj.* these 1.6
éstos *m., pl., pron.* these (ones) 1.6
estrecho/a *adj.* narrow
estrella *f.* star 2.4
  estrella de cine *m., f.* movie star 2.8
  estrella fugaz *f.* shooting star
  estrella pop *f. m., f.* pop star 3.9
estreno *m.* premiere; debut 3.2
estrés *m.* stress 2.6
estrofa *f.* stanza 3.10
estudiante *m., f.* student 1.1, 1.2
estudiantil *adj.* student 1.2
estudiar *v.* to study 1.2
estudio *m.* studio
  estudio de grabación *m.* recording studio
estufa *f.* stove 2.3
estupendo/a *adj.* stupendous 1.5
etapa *f.* stage 1.9; phase
eterno/a *adj.* eternal
ético/a *adj.* ethical 3.7
  poco ético/a unethical
etiqueta *f.* label; tag
evitar *v.* to avoid 2.4
examen *m.* test; exam 1.2
  examen médico *m.* physical exam 2.1
excelente *adj.* excellent 1.5
exceso *m.* excess; too much 2.6
excitante *adj.* exciting
excursión *f.* excursion; hike; tour 3.5
excursionista *m., f.* hiker
exigir *v.* to demand 3.1, 3.4, 3.8
exilio político *m.* political exile
exitoso/a *adj.* successful 3.8

exótico/a *adj.* exotic
experiencia *f.* experience 2.9, 3.8
experimentar *v.* to experience; to feel
experimento *m.* experiment 3.7
explicar *v.* to explain 1.2
exploración *f.* exploration
explorar *v.* to explore
explotación *f.* exploitation
explotar *v.* to exploit
exportaciones *f., pl.* exports
exportar *v.* to export 3.8
exposición *f.* exhibition
expresión *f.* expression
expresionismo *m.* expressionism 3.10
expulsar *v.* to expel
extinción *f.* extinction 2.4
extinguir *v.* to extinguish
extinguirse *v.* to become extinct 3.6
extranjero/a *adj.* foreign 2.8
extrañar *v.* to miss
  extrañar a (alguien) to miss (someone)
  extrañarse de algo to be surprised about something
extraño/a *adj.* strange 2.4
extraterrestre *m., f.* alien 3.7

F

fábrica *f.* factory
fabricar *v.* to manufacture; to make 3.7
fabuloso/a *adj.* fabulous 1.5
facciones *f.* facial features 3.3
fácil *adj.* easy 1.3
factor *m.* factor
  factores de riesgo risk factors
factura *f.* bill 3.8
falda *f.* skirt 1.6
fallecer *v.* to die
falso/a *adj.* insincere 3.1
faltar *v.* to lack; to need 1.7, 3.2
fama *f.* fame 3.9
  tener buena/mala fama to have a good/bad reputation 3.9
familia *f.* family 1.3
famoso/a *adj.* famous 2.7, 3.9
  hacerse famoso to become famous 3.9
farándula *f.* entertainment 3.1
farmacia *f.* pharmacy 2.1
faro *m.* lighthouse; beacon 3.5
fascinar *v.* to fascinate 1.7; to like very much 3.2
fatiga *f.* fatigue; weariness 3.8
fatigado/a *adj.* exhausted 3.3
favor *m.* favor
  hacer un/el favor (a) to do someone a/the favor
favoritismo *m.* favoritism

favorito/a *adj.* favorite 1.4
fax *m.* fax (machine)
fe *f.* faith
febrero *m.* February 1.5
fecha *f.* date 1.5
felicidad *f.* happiness
  ¡Felicidades! Congratulations! 1.9
  ¡Felicidades a todos! Congratulations to all!
  ¡Felicitaciones! Congratulations! 1.9
feliz *adj.* happy 1.5, 3.3
  ¡Feliz cumpleaños! Happy birthday! 1.9
fenomenal *adj.* great, phenomenal 1.5
feo/a *adj.* ugly 1.3
feria *f.* fair 3.2
festejar *v.* to celebrate 3.2
festival *m.* festival 2.8, 3.2
fiabilidad *f.* reliability
fiebre *f.* fever 2.1, 3.4
fiesta *f.* party 1.9
fijarse *v.* to notice 3.9
  fijarse en to take notice of 3.2
fijo/a *adj.* fixed, set 1.6, 3.8
fin *m.* end 1.4
  al fin y al cabo sooner or later; after all
  fin de semana *m.* weekend 1.4
final: al final de cuentas after all 3.7
finalmente *adv.* finally 2.6
financiar *v.* to finance 3.8
financiero/a *adj.* financial 3.8
finanza(s) *f.* finance(s)
firma *f.* signature
firmar *v.* to sign (*a document*) 2.5
física *f.* physics 1.2
físico/a *m., f.* physicist 3.7
flan (de caramelo) *m.* baked (caramel) custard 1.9
flexible *adj.* flexible 2.6
flor *f.* flower 2.4
florecer *v.* to flower 3.6
flotar *v.* to float 3.5
folklórico/a *adj.* folk; folkloric 2.8
folleto *m.* brochure
fondo *m.* end 2.3; bottom
  a fondo *adv.* thoroughly
forma *f.* form; shape 2.6
  de todas formas in any case
  mala forma física *f.* bad physical shape
  ponerse en forma to get in shape 3.4
formular *v.* to formulate 3.7
formulario *m.* form 2.5
fortaleza *f.* strength
forzado/a *adj.* forced
foto(grafía) *f.* photograph 1.1
fraile *m.* friar

francés, francesa *adj.* French 1.3
frasco *m.* flask
frecuentemente *adv.* frequently 2.1
freír (e:i) *v.* to fry 3.3
frenos *m., pl.* brakes
fresco/a *adj.* cool 1.5
frijoles *m., pl.* beans 1.8
frío/a *adj.* cold 1.5
frito/a *adj.* fried 1.8
frontera *f.* border 3.5
fruta *f.* fruit 1.8
frutería *f.* fruit store 2.5
frutilla *f.* strawberry
fuente *f.* fountain; source
  fuente de energía *f.* energy source 3.6
  fuente de fritada *f.* platter of fried food, mixed grill 1.8
fuera *adv.* outside
fuerte *adj.* strong 2.6
fuerza *f.* force; power
  fuerza de voluntad *f.* will power 3.4
  fuerza laboral *f.* labor force
  fuerzas armadas *f., pl.* armed forces
fumar *v.* to smoke 2.6
  no fumar *v.* not to smoke 2.6
función *f.* performance (*theater/ movie*) 3.2
funcionar *v.* to work 2.2, 3.7; to function
fútbol *m.* soccer 1.4
  fútbol americano *m.* football 1.4
futurista *adj.* futuristic
futuro/a *adj.* future 2.7
  en el futuro in the future 2.7

G

gafas (de sol)/(oscuras) *f., pl.* (sun)glasses 1.6
galería *f.* gallery 3.10
galleta *f.* cookie 1.9
gana *f.* desire
  sentir/tener ganas de to want to; to feel like
ganar *v.* to win 1.4; to earn (*money*) 2.7
  ganar bien/mal to be well/ poorly paid 3.8
  ganar las elecciones to win an election
  ganar un partido to win a game 3.2
  ganarse la vida to earn a living 3.8
ganga *f.* bargain 1.6, 3.3
garaje *m.* garage; (mechanic's) repair shop 2.2; garage (*in a house*) 2.3
garganta *f.* throat 2.1

gasolina *f.* gasoline 2.2
gasolinera *f.* gas station 2.2
gastar *v.* to spend *(money)* 1.6, 3.8
gato *m.* cat 2.4
gemelo/a *m., f.* twin 1.3
gen *m.* gene 3.7
generar *v.* to produce; to generate
generoso/a *adj.* generous
genética *f.* genetics 3.4
gente *f.* people 1.3
geografía *f.* geography 1.2
gerente *m., f.* manager 2.7, 3.8
gesto *m.* gesture
gimnasio *m.* gymnasium 1.4
gobernador(a) *m., f.* governor
gobernante *m., f.* ruler
gobernar (e:ie) *v.* to govern
gobierno *m.* government 2.4
golf *m.* golf 1.4
gordo/a *adj.* fat 1.3
grabadora *f.* tape recorder 1.1
grabar *v.* to record 2.2, 3.9
gracias *f., pl.* thank you;
thanks 1.1
  Gracias por todo. Thanks for
everything. 1.9, 2.6
  Gracias una vez más.
Thanks again. 1.9
gracioso/a *adj.* funny; pleasant
3.1
graduarse (de/en) *v.* to graduate
(from/in) 1.9
gran, grande *adj.* big; large 1.3
grasa *f.* fat 2.6
gratis *adj.* free of charge 2.5
grave *adj.* grave; serious 2.1
gravedad *f.* gravity 3.7
gravísimo/a *adj.* extremely
serious 2.4
grillo *m.* cricket
gripe *f.* flu 2.1, 3.4
gris *adj.* gray 1.6
gritar *v.* to shout; to scream 1.7
grupo *m.* group
  grupo musical *m.* musical
group, band
guantes *m., pl.* gloves 1.6
guapo/a *adj.* handsome;
good-looking 1.3
guaraní *m.* Guaraní 3.9
guardar *v.* to save *(on a
computer)* 2.2; to save 3.7
guardarse (algo) *v.* to keep
(something) to yourself 3.1
guerra *f.* war 2.9
  guerra civil *f.* civil war
guerrero/a *m., f.* warrior
guía *m., f.* guide
  guía turístico/a *m., f.* tour
guide 3.5
guión *m.* screenplay; script 3.9
guita *f.* cash; dough *(Arg.)* 3.7
gusano *m.* worm
gustar *v.* to be pleasing to; to like
1.2, 3.2, 3.4

Me gustaría... I would like...
¡No me gusta nada...!
  I don't like... at all!
gusto *m.* pleasure 2.8; taste 3.10
  Con mucho gusto. Gladly.
  El gusto es mío. The pleasure
is mine. 1.1
  de buen/mal gusto in good/
bad taste 3.10
  Gusto de verlo/la. *form.* It's
nice to see you. 2.9
  Gusto de verte. *fam.* It's
nice to see you. 2.9
  Mucho gusto. Pleased to meet
you. 1.1
  ¡Qué gusto volver a verlo/la!
form. I'm happy to see you
again! 2.9
  ¡Qué gusto volver a verte!
fam. I'm happy to see you
again! 2.9

H

haber *(aux.)* *v.* to have *(done
something)* 2.6
  Ha sido un placer. It's been a
pleasure. 2.6
habilidad *f.* skill
hábilmente *adv.* skillfully
habitación *f.* room 1.5, 3.5
  **habitación individual/
doble** *f.* single/double room
1.5, 3.5
habitante *m., f.* inhabitant
habitar *v.* to inhabit
hablante *m., f.* speaker 3.9
hablar *v.* to talk; to speak 1.2, 3.1
  Hablando de esto, ...
  Speaking of that, ...
hacer *v.* to do; to make 1.4, 3.1, 3.4
  Hace buen tiempo. The
weather is good. 1.5
  Hace (mucho) calor. It's (very)
hot. *(weather)* 1.5
  Hace fresco. It's cool.
(weather) 1.5
  Hace (mucho) frío. It's very
cold. *(weather)* 1.5
  Hace mal tiempo. The weather
is bad. 1.5
  Hace (mucho) sol. It's (very)
sunny. *(weather)* 1.5
  Hace (mucho) viento. It's
(very) windy. *(weather)* 1.5
  hacer algo a propósito to do
something on purpose
  hacer clic to click 3.7
  hacer cola to wait in line 3.2
  hacer diligencias to run
errands 2.5
  hacer ejercicio to exercise 2.6
  hacer ejercicios aeróbicos to
do aerobics 2.6

**hacer ejercicios de
estiramiento** to do
stretching exercises 2.6
hacer un/el favor (a) to do
someone a/the favor
hacer el papel (de) to play the
role (of) 2.8
hacer gimnasia to work out
2.6
hacer juego (con) to match
(with) 1.6
hacer la cama to make the
bed 2.3
hacer las maletas to pack
(one's) suitcases 1.5, 3.5
hacer mandados to run
errands 3.3
hacer quehaceres domésticos
to do household chores 2.3
hacer transbordo to change
(planes/trains) 3.5
hacer turismo to go sightseeing
hacer un viaje to take a trip
1.5, 3.5
hacer una excursión to go on
a hike; to go on a tour
hacerle caso a alguien to pay
attention to someone 3.1
hacerle daño a alguien to
hurt someone
hacerle gracia a alguien to
be funny to someone
hacerse daño to hurt oneself
hacia *prep.* toward 2.5
hallazgo *m.* finding; discovery
3.4
hambre *f.* hunger 1.3
hambriento/a *adj.* hungry
hamburguesa *f.* hamburger 1.8
haragán/haragana *adj.* lazy; idle
3.8
harto/a *adj.* tired; fed up (with)
  estar harto/a (de) to be fed
up (with); to be sick (of) 3.1
hasta *prep.* until 1.6; toward
  hasta la fecha up until now
  Hasta la vista. See you later.
1.1
  Hasta luego. See you later. 1.1
  Hasta mañana. See you
tomorrow. 1.1
  hasta que *conj.* until 2.4
  Hasta pronto. See you
soon. 1.1
hay *v.* there is; there are 1.1
  Hay (mucha) contaminación.
It's (very) smoggy.
  Hay (mucha) niebla. It's
(very) foggy.
  Hay que It is necessary that 2.5
  No hay duda de There's no
doubt 2.4
  No hay de qué. You're
welcome. 1.1
hecho *p.p.* done 2.5

heladería *f.* ice cream shop 2.5
helado *m.* ice cream 1.9
helado/a *adj.* iced 1.8
helar (e:ie) *v.* to freeze
heredar *v.* to inherit
herencia *f.* heritage
  herencia cultural *f.* cultural heritage
herida *f.* injury 3.4
herido/a *adj.* injured
herir (e:ie) *v.* to hurt 3.1
hermanastro/a *m., f.* stepbrother; stepsister 1.3
hermano/a *m., f.* brother; sister 1.3
  hermano/a mayor/menor *m., f.* older/younger brother/sister 1.3
hermanos *m., pl.* siblings (brothers and sisters) 1.3
hermoso/a *adj.* beautiful 1.6
heroico/a *adj.* heroic
herradura *f.* horseshoe
herramienta *f.* tool
  caja de herramientas *f.* toolbox
hervir (e:ie) *v.* to boil 3.3
hierba *f.* grass 2.4
higiénico/a *adj.* hygienic
hijastro/a *m., f.* stepson; stepdaughter 1.3
hijo/a *m., f.* son; daughter 1.3
  hijo/a único/a *m., f.* only child 1.3
hijos *m., pl.* children 1.3
hindú *adj.* Hindu
hipoteca *f.* mortgage 3.8
historia *f.* history 1.2; story 2.8
historiador(a) *m., f.* historian
histórico/a *adj.* historic; historical 3.10
hockey *m.* hockey 1.4
hogar *m.* home; fireplace 3.3
hojear *v.* to skim 3.10
hola *interj.* hello; hi 1.1
hombre *m.* man 1.1
  hombre de negocios *m.* businessman 2.7, 3.8
hombro *m.* shoulder
  encogerse de hombros to shrug
hondo/a *adj.* deep 3.2
hora *f.* hour 1.1; the time
  horas de visita *f., pl.* visiting hours
horario *m.* schedule 1.2, 3.3
hormiga *f.* ant 3.6
horno *m.* oven 2.3
  horno de microondas *m.* microwave oven 2.3
horror *m.* horror 2.8
  de horror horror (*genre*) 2.8
hospedarse *v.* to stay; to lodge
hospital *m.* hospital 2.1
hotel *m.* hotel 1.5

hoy *adv.* today 1.2
  hoy día *adv.* nowadays
  Hoy es... Today is... 1.2
huelga *f.* strike (*labor*) 2.9, 3.8
huella *f.* trace; mark 3.8
huerto *m.* orchard
hueso *m.* bone 2.1
huésped *m., f.* guest 1.5
huevo *m.* egg 1.8
humanidad *f.* humankind
humanidades *f., pl.* humanities 1.2
húmedo/a *adj.* humid; damp 3.6
humillar *v.* to humiliate 3.8
humorístico/a *adj.* humorous 3.10
hundir *v.* to sink
huracán *m.* hurricane 2.9, 3.6

I

ida *f.* one way (*travel*)
idea *f.* idea 1.4
ideología *f.* ideology
idioma *m.* language 3.9
iglesia *f.* church 1.4
igual *adj.* equal
igualdad *f.* equality 2.9
igualmente *adv.* likewise 1.1
ilusión *f.* illusion; hope
imagen *f.* image; picture 3.2, 3.7
imaginación *f.* imagination
imparcial *adj.* unbiased 3.9
imperio *m.* empire
impermeable *m.* raincoat 1.6
importaciones *f., pl.* imports
importado/a *adj.* imported 3.8
importante *adj.* important 1.3, 3.4
importar *v.* to be important to; to matter 1.7, 3.2, 3.4; to import 3.8
imposible *adj.* impossible 2.4
impresionar *v.* to impress 3.1
impresionismo *m.* impressionism 3.10
impresora *f.* printer 2.2
imprevisto/a *adj.* unexpected 3.3
imprimir *v.* to print 2.2, 3.9
improbable *adj.* improbable 2.4
improviso: de improviso *adv.* unexpectedly
impuesto *m.* tax 2.9
  impuesto de ventas *m.* sales tax 3.8
inalámbrico/a *adj.* wireless 3.7
incapaz *adj.* incompetent; incapable 3.8
incendio *m.* fire 2.9; 3.6
incertidumbre *f.* uncertainty

incluido/a *adj.* included 3.5
increíble *adj.* incredible 1.5
independencia *f.* independence
índice *m.* index
  índice de audiencia *m.* ratings
indígena *adj.* indigenous 3.9; *m., f.* indigenous person 3.4
individual *adj.* private (*room*) 1.5
industria *f.* industry
inesperado/a *adj.* unexpected 3.3
inestabilidad *f.* instability
infancia *f.* childhood
infección *f.* infection 2.1
inflamado/a *adv.* inflamed 3.4
inflamarse *v.* to become inflamed
inflexible *adj.* inflexible
influyente *adj.* influential 3.9
informar *v.* to inform 2.9
informarse *v.* to get information
informática *f.* computer science 3.7
informativo *m.* news bulletin 3.9
informe *m.* report 2.9
ingeniero/a *m., f.* engineer 1.3, 3.7
inglés *m.* English (*language*) 1.2
inglés, inglesa *adj.* English 1.3
ingresar *v.* to enter; to enroll in; to become a member of
  ingresar datos to enter data
injusto/a *adj.* unjust
inmaduro/a *adj.* immature 3.1
inmigración *f.* immigration
inmoral *adj.* immoral
innovador(a) *adj.* innovative 3.7
inodoro *m.* toilet 1.7
inquietante *adj.* disturbing; unsettling 3.10
inscribirse *v.* to register
inseguro/a *adj.* insecure 3.1
insensatez *f.* folly 3.4
insistir (en) *v.* to insist (on) 2.3, 3.4
inspector(a) de aduanas *m., f.* customs inspector 1.5
inspirado/a *adj.* inspired
instalar *v.* to install 3.7
integrarse (a) *v.* to become part (of)
inteligente *adj.* intelligent 1.3
intercambiar *v.* to exchange
interesante *adj.* interesting 1.3
interesar *v.* to be interesting to; to interest 1.7, 3.2
internacional *adj.* international 2.9
Internet *m., f.* Internet 2.2, 3.7
interrogante *m.* question; doubt 3.7

intrigante *adj.* intriguing 3.10
inundación *f.* flood 2.9, 3.6
inundar *v.* to flood
inútil *adj.* useless 3.2
invadir *v.* to invade
inventar *v.* to invent 3.7
invento *m.* invention 3.7
inversión *f.* investment
  inversión extranjera *f.*
    foreign investment 3.8
inversor(a) *m., f.* investor
invertir (e:ie) *v.* to invest 2.7, 3.8
investigador(a) *m., f.* researcher 3.4
investigar *v.* to investigate; to research 3.7
invierno *m.* winter 1.5
invitado/a *m., f.* guest (*at a function*) 1.9
invitar *v.* to invite 1.9
inyección *f.* injection 2.1
ir *v.* to go 1.4, 3.1, 3.2
  ir a (+ inf.) to be going to (*do something*) 1.4
  ir de compras to go shopping 1.5, 3.3
  ir de excursión (a las montañas) to go for a hike (in the mountains) 1.4
  ir de pesca to go fishing
  ir de vacaciones to go on vacation 1.5, 3.5
  ir en autobús to go by bus 1.5
  ir en auto(móvil) to go by auto(mobile); to go by car 1.5
  ir en avión to go by plane 1.5
  ir en barco to go by boat 1.5
  ir en metro to go by subway
  ir en motocicleta to go by motorcycle 1.5
  ir en taxi to go by taxi 1.5
  ir en tren to go by train
irresponsable *adj.* irresponsible
irse (de) *v.* to go away (from) 3.2; to leave 1.7
isla *f.* island 3.5
italiano/a *adj.* Italian 1.3
itinerario *m.* itinerary 3.5
izquierdo/a *adj.* left 1.2
  a la izquierda de to the left of 1.2

J

jabalí *m.* wild boar 3.10
jabón *m.* soap 1.7
jamás *adv.* never; not ever 1.7
jamón *m.* ham 1.8
japonés, japonesa *adj.* Japanese 1.3
jarabe (para la tos) *m.* (cough) syrup 3.4
jardín *m.* garden; yard 2.3

jaula *f.* cage
jefe, jefa *m., f.* boss 2.7
jornada *f.* (work) day
joven *adj.* young 1.3; *m., f.* youth; young person 1.1
joyería *f.* jewelry store 2.5
jubilación *f.* retirement
jubilarse *v.* to retire (*from work*) 1.9, 3.8
judío/a *adj.* Jewish
juego *m.* game 3.2
  juego de mesa *m.* board game 3.2
  juego de pelota *m.* ball game 3.5
jueves *m., sing.* Thursday 1.2
juez(a) *m., f.* judge
jugador(a) *m., f.* player 1.4
jugar (u:ue) *v.* to play 1.4
  jugar a las cartas to play cards 1.5
jugo (de fruta) *m.* (fruit) juice 1.8
juicio *m.* trial; judgment
julio *m.* July 1.5
jungla *f.* jungle 2.4
junio *m.* June 1.5
juntos/as *adj.* together 1.9
jurar *v.* to promise
justicia *f.* justice
justo/a *adj.* just
juventud *f.* youth 1.9

K

kilómetro *m.* kilometer 2.2

L

la *f., sing., def. art.* the 1.1; *f., sing., d.o. pron.* her, it, *form.* you 1.5
laboratorio *m.* laboratory 1.2
  laboratorio espacial *m.* space lab
ladrillo *m.* brick
ladrón/ladrona *m., f.* thief
lago *m.* lake 2.4
lágrimas *f. pl.* tears
lámpara *f.* lamp 2.3
lana *f.* wool 1.6
langosta *f.* lobster 1.8
lanzar *v.* to throw; to launch
lápiz *m.* pencil 1.1
largo/a *adj.* long 1.6
  a largo plazo long-term
  a lo largo de along; beside
largometraje *m.* full-length film
las *f., pl., def. art.* the 1.1; *f., pl., d.o. pron.* them, *form.* you 1.5
lástima *f.* shame 2.4

lastimar *v.* to injure
lastimarse *v.* to injure oneself 2.1; to get hurt 3.4
  lastimarse el pie to injure one's foot 2.1
lata *f.* (tin) can 2.4
latir *v.* to beat 3.4
lavabo *m.* sink 1.7
lavadora *f.* washing machine 2.3
lavandería *f.* laundromat 2.5
lavaplatos *m., sing.* dishwasher 2.3
lavar *v.* to wash 2.3, 3.3
  lavar (el suelo/los platos) to wash (the floor/the dishes) 2.3
lavarse *v.* to wash oneself 1.7, 3.2
  lavarse la cara to wash one's face 1.7
  lavarse las manos to wash one's hands 1.7
le *sing., i.o. pron.* to/for him, her, *form.* you 1.6
  Le presento a... *form.* I would like to introduce you to (name). 1.1
lealtad *f.* loyalty
lección *f.* lesson 1.1
leche *f.* milk 1.8
lechuga *f.* lettuce 1.8
lector(a) *m., f.* reader 3.9
leer *v.* to read 1.3
  leer correo electrónico to read e-mail 1.4
  leer un periódico to read a newspaper 1.4
  leer una revista to read a magazine 1.4
leído *p.p.* read 2.5
lejano/a *adj.* distant 3.5
lejos de *prep.* far from 1.2
lengua *f.* tongue 3.9; language 1.2
  lenguas extranjeras *f., pl.* foreign languages 1.2
lentes (de sol) *m., pl.* (sun)glasses
  lentes de contacto *m., pl.* contact lenses
lento/a *adj.* slow 2.2
león *m.* lion 3.6
les *pl., i.o. pron.* to/for them, *form.* you 1.6
lesión *f.* wound 3.4
letrero *m.* sign 2.5
levantar *v.* to pick up; to lift 2.6
  levantar pesas to lift weights 2.6
levantarse *v.* to get up 1.7, 3.2
ley *f.* law 2.4
  aprobar una ley to approve a law; to pass a law
  cumplir la ley to abide by the law

proyecto de ley *m.* bill
leyenda *f.* legend 3.5
liberal *adj.* liberal
liberar *v.* to liberate
libertad *f.* liberty; freedom 2.9
  libertad de prensa freedom of the press 3.9
libre *adj.* free 1.4
  al aire libre outdoors 3.6
librería *f.* bookstore 1.2
libro *m.* book 1.2
licencia de conducir *f.* driver's license 2.2
líder *m., f.* leader
liderazgo *m.* leadership
lidiar *v.* to fight (*bulls*) 3.2
límite *m.* border
limón *m.* lemon 1.8
limpiar *v.* to clean 2.3, 3.3
  limpiar la casa to clean the house 2.3
limpieza *f.* cleaning 3.3
limpio/a *adj.* clean 1.5
línea *f.* line
listo/a *adj.* ready; smart 1.5
literatura *f.* literature 1.2, 3.10
  literatura infantil/juvenil children's literature 3.10
llamar *v.* to call 2.2
  llamar por teléfono to call on the phone
llamarse *v.* to be called; to be named 1.7
llamativo/a *adj.* striking 3.10
llanta *f.* tire 2.2
llanto *m.* weeping; crying 3.3
llave *f.* key 1.5
llegada *f.* arrival 1.5, 3.5
llegar *v.* to arrive 1.2
llenar *v.* to fill 2.2, 2.5
  llenar el tanque to fill the tank 2.2
  llenar (un formulario) to fill out (a form) 2.5
lleno/a *adj.* full 2.2
llevar *v.* to carry 1.2, 3.2; to wear; to take 1.6
  llevar a cabo to carry out (*an activity*)
  llevar... años de (casados) to be (married) for... years 3.1
  llevar una vida sana to lead a healthy lifestyle 2.6
llevarse *v.* to carry away 3.2
  llevarse bien/mal (con) to get along well/badly (with) 1.9, 3.1
llover (o:ue) *v.* to rain 1.5
  Llueve. It's raining. 1.5
lluvia *f.* rain 2.4
  lluvia ácida *f.* acid rain 2.4
lo *m., sing. d.o. pron.* him, it, *form.* you 1.5
  ¡Lo hemos pasado de película! We've had a great time! 2.9

¡Lo hemos pasado maravillosamente! We've had a great time! 2.9
lo mejor the best (thing) 2.9
Lo pasamos muy bien. We had a good time. 2.9
lo peor the worst (thing) 2.9
lo que *conj.* that which; what 2.3
Lo siento. I'm sorry. 1.1
Lo siento muchísimo. I'm so sorry. 1.4
loco/a *adj.* crazy 1.6
  ¡Ni loco/a! *adj.* No way! 3.9
locura *f.* madness; insanity
locutor(a) *m., f.* (TV or radio) announcer 2.9, 3.9
lograr *v.* to manage; to achieve 3.3
lomo a la plancha *m.* grilled flank steak 1.8
loro *m.* parrot
los *m., pl., def. art.* the 1.1; *m. pl., d.o. pron.* them, *form.* you 1.5
lotería *f.* lottery
lucha *f.* struggle; fight
luchar (contra/por) *v.* to fight; to struggle (against/for) 2.9
lucir *v.* to wear, to display 3.3
luego *adv.* then 1.7; later 1.1
lugar *m.* place 1.4
lujo *m.* luxury 3.8
  de lujo luxurious
lujoso/a luxurious 3.5
luminoso/a *adj.* bright 3.10
luna *f.* moon 1.5
  luna llena *f.* full moon
lunares *m.* polka dots 1.6
lunes *m., sing.* Monday 1.2
luz *f.* light; power; electricity 2.3, 3.7

M

macho *m.* male
madera *f.* wood
madrastra *f.* stepmother 1.3
madre *f.* mother 1.3
  madre soltera *f.* single mother
madrugar *v.* to wake up early 3.4
madurez *f.* maturity; middle age 1.9
maduro/a *adj.* mature 3.1
maestro/a *m., f.* teacher 2.7
magia *f.* magic
magnífico/a *adj.* magnificent 1.5
maíz *m.* corn 1.8
mal, malo/a *adj.* bad 1.3
maldición *f.* curse
malestar *m.* discomfort 3.4
maleta *f.* suitcase 1.1, 3.5

hacer las maletas to pack one's suitcases 1.5, 3.5
maletero *m.* trunk 3.9
malgastar *v.* to waste 3.6
malhumorado/a *adj.* ill-tempered; in a bad mood
mamá *f.* mom 1.3
manantial *m.* spring
mancha *f.* stain
manchar *v.* to stain
mandar *v.* to order 2.3; to send; to mail 2.5
manejar *v.* to drive 2.2
manera *f.* way 2.7
manga *f.* sleeve 3.5
manifestación *f.* protest; demonstration
manifestante *m., f.* protester 3.6
manipular *v.* to manipulate 3.9
mano *f.* hand 1.1
  mano de obra *f.* labor
  ¡Manos arriba! Hands up!
manta *f.* blanket 2.3
mantener *v.* to keep; to maintain 2.6
  mantenerse en contacto to keep in touch 3.1
  mantenerse en forma to stay in shape 2.6, 3.4
mantequilla *f.* butter 1.8
manuscrito *m.* manuscript
manzana *f.* apple 1.8
mañana *f.* morning, A.M. 1.1; tomorrow 1.1
mapa *m.* map 1.2
maquillaje *m.* makeup 1.7, 3.3
maquillarse *v.* to put on makeup 1.7, 3.2
mar *m.* sea 1.5, 3.6
maratón *m.* marathon
maravilloso/a *adj.* marvelous 1.5
marca *f.* brand
marcar *v.* to mark
  marcar (un gol/punto) to score (a goal/point) 3.2
marcharse *v.* to leave
marco *m.* frame
mareado/a *adj.* dizzy 3.4; nauseated 2.1
margarina *f.* margarine 1.8
marido *m.* husband
marinero *m.* sailor
mariposa *f.* butterfly
mariscos *m., pl.* shellfish 1.8
marítimo/a *adj.* maritime
marrón *adj.* brown 1.6
martes *m., sing.* Tuesday 1.2
marzo *m.* March 1.5
más *pron., adj., adv.* more 1.2
  más allá de beyond
  más bien rather
  más de (+ *number*) more than 1.8
  más... que more... than 1.8
  más tarde later (on) 1.7

masaje *m.* massage 2.6
masticar *v.* to chew
matador/a *m., f.* bullfighter who kills the bull 3.2
matemáticas *f., pl.* mathematics 1.2
matemático/a *m., f.* mathematician 3.7
materia *f.* course 1.2
matiz *m.* subtlety
matrimonio *m.* marriage 1.9
máximo/a *adj.* maximum 2.2
mayo *m.* May 1.5
mayonesa *f.* mayonnaise 1.8
mayor *m.* elder; *adj.* older 1.3
  el/la mayor *adj.* the eldest 1.8; the oldest
  mayor de edad of age
mayoría *f.* majority
me *sing., d.o. pron.* me 1.5; *sing., i.o. pron.* to/for me 1.6
  Me duele mucho. It hurts me a lot. 2.1
  Me gusta... I like... 1.2
  Me gustaría(n)... I would like... 2.8
  Me llamo... My name is... 1.1
  Me muero por... I'm dying to (for)...
  No me gustan nada. I don't like them at all. 1.2
mecánico/a *m., f.* mechanic 2.2; *adj.* mechanical
mecanismo *m.* mechanism
mediano/a *adj.* medium
medianoche *f.* midnight 1.1
medias *f., pl.* pantyhose, stockings 1.6
medicamento *m.* medication 2.1
medicina *f.* medicine 2.1
  medicina alternativa *f.* alternative medicine
médico/a *m., f.* doctor 1.3; *adj.* medical 2.1
medida *f.* means; measure
  medidas de seguridad *f. pl.* security measures 3.5
medio/a *adj.* half 1.3; *m.* half; middle; means
  medio ambiente *m.* environment 2.4
  medio/a hermano/a *m., f.* half-brother; half-sister 1.3
  mediodía *m.* noon 1.1
  medios de comunicación *m., pl.* means of communication; media 2.9
  y media thirty minutes past the hour (*time*) 1.1
medir (e:i) *v.* to measure
meditar *v.* to meditate
mejilla *f.* cheek 3.10
mejor *adj.* better 1.8
  el/la mejor *adj.* the best 1.8
mejorar *v.* to improve 2.4, 3.4

melocotón *m.* peach 1.8
mendigo/a *m., f.* beggar
menor *adj.* younger 1.3
  el/la menor *adj.* the youngest 1.8
menos *adv.* less 2.1
  menos cuarto..., menos quince... quarter to... (*time*) 1.1
  menos de (+ *number*) fewer than 1.8
  menos... que less... than 1.8
mensaje *m.* message
  mensaje de texto *m.* text message 2.2, 3.7
  mensaje electrónico *m.* e-mail message 1.4
mentira *f.* lie 1.4, 3.1
  de mentiras pretend 3.5
mentiroso/a *adj.* lying 3.1
menú *m.* menu 1.8
menudo: a menudo *adv.* frequently; often 3.3
mercadeo *m.* marketing 3.1
mercado *m.* market 1.6, 3.8
  mercado al aire libre *m.* open-air market 1.6
mercancía *f.* merchandise
merecer *v.* to deserve 3.8
merendar (e:ie) *v.* to snack 1.8; to have an afternoon snack
merienda *f.* afternoon snack 2.6
mes *m.* month 1.5
mesa *f.* table 1.2
mesero/a *m., f.* waiter; waitress
mesita *f.* end table 2.3
  mesita de noche *f.* night stand 2.3
mestizo/a *m., f.* person of mixed ethnicity (part indigenous)
meta *f.* finish line
meterse *v.* to break in (*to a conversation*) 3.1
metro *m.* subway 1.5
mexicano/a *adj.* Mexican 1.3
México *m.* Mexico 1.1
mezcla *f.* mixture
mezquita *f.* mosque
mí *pron., obj. of prep.* me 1.9
mi(s) *poss. adj.* my 1.3
microonda *f.* microwave 2.3
  horno de microondas *m.* microwave oven 2.3
miedo *m.* fear 1.3
miel *f.* honey 3.8
mientras *adv.* while
miércoles *m., sing.* Wednesday 1.2
mil *m.* one thousand 1.2
  mil millones *m.* billion
  Mil perdones. I'm so sorry. (*lit.* A thousand pardons.) 1.4
milagro *m.* miracle
militar *m., f.* military
milla *f.* mile 2.2

millón *m.* million 1.2
  millones (de) *m.* millions (of)
mineral *m.* mineral 2.6
ministro/a *m., f.* minister
  ministro/a protestante *m., f.* Protestant minister
minoría *f.* minority
minuto *m.* minute 1.1
mío(s)/a(s) *poss. adj. and pron.* my; (of) mine 2.2
mirada *f.* gaze 3.1
mirar *v.* to look (at); to watch 1.2
  mirar (la) televisión to watch television 1.2
misa *f.* mass 3.2
mismo/a *adj.* same 1.3
  él/ella mismo/a himself; herself
  Lo mismo digo yo. The same here.
mitad *f.* half
mito *m.* myth 3.5
mochila *f.* backpack 1.2
moda *f.* fashion 1.6; trend
  de moda *adj.* popular; in fashion 3.9
  moda pasajera *f.* fad 3.9
modelo *m., f.* model (*fashion*)
módem *m.* modem
moderno/a *adj.* modern 2.8
modificar *v.* to modify; to reform
modo *m.* means; manner
mojar *v.* to moisten
mojarse *v.* to get wet
molestar *v.* to bother; to annoy 1.7, 3.2
momento *m.* moment
  de último momento *adj.* up-to-the-minute 3.9
  noticia de último momento *f.* last-minute news
monarca *m., f.* monarch
monitor *m.* (computer) monitor 2.2
monitor(a) *m., f.* trainer
monja *f.* nun
mono *m.* monkey 3.6
monolingüe *adj.* monolingual 3.9
montaña *f.* mountain 1.4, 3.6
montar a caballo to ride a horse 1.5
monte *m.* mountain 3.6
monumento *m.* monument 1.4
mora *f.* blackberry 1.8
morado/a *adj.* purple 1.6
moral *adj.* moral
morder (o:ue) *v.* to bite 3.6
moreno/a *adj.* brunet(te) 1.3
morir (o:ue) *v.* to die 1.8
morirse (o:ue) de *v.* to die of 3.2
moroso/a *m., f.* debtor 3.8
mosca *f.* fly 3.6
mostrar (o:ue) *v.* to show 1.4

motocicleta *f.* motorcycle   1.5
motor *m.* motor
motosierra *f.* power saw   3.7
móvil *m.* cell phone   3.7
movimiento *m.* movement   3.10
muchacho/a *m., f.* boy; girl   1.3
muchísimo *adj., adv.* very much   1.2
mucho/a *adj., adv.* a lot of; much   1.2; many   1.3
  (Muchas) gracias. Thank you (very much).; Thanks (a lot).   1.1
  muchas veces *adv.* a lot; many times   2.1
  Muchísimas gracias. Thank you very, very much.   1.9
  Mucho gusto. Pleased to meet you.   1.1
mudar *v.* to change   3.2
mudarse *v.* to move (*from one house to another*)   2.3, 3.2
mueble *m.* piece of furniture   3.3
muebles *m., pl.* furniture   2.3
muela *f.* molar
muelle *m.* pier   3.5
muerte *f.* death   1.9
muerto *p.p.* died   2.5
muestra *f.* sample; example
mujer *f.* wife; woman   1.1
  mujer de negocios *f.* businesswoman   2.7, 3.8
  mujer policía *f.* female police officer
mujeriego *m.* womanizer   3.2
multa *f.* fine
multinacional *f.* multinational company
multitud *f.* crowd
mundial *adj.* worldwide
Mundial *m.* World Cup   3.2
mundo *m.* world   2.4
municipal *adj.* municipal
muralista *m., f.* muralist   3.10
músculo *m.* muscle   2.6
museo *m.* museum   1.4
música *f.* music   1.2, 2.8
musical *adj.* musical   2.8
músico/a *m., f.* musician   2.8, 3.2
musulmán/musulmana *adj.* Muslim
muy *adv.* very   1.1
  Muy amable. That's very kind of you.   1.5
  (Muy) bien, gracias. (Very) well, thanks.   1.1

N

nacer *v.* to be born   1.9
nacimiento *m.* birth   1.9
nacional *adj.* national   2.9
nacionalidad *f.* nationality   1.1

nada *pron., adv.* nothing   1.1; not anything   1.7
  nada mal not bad at all   1.5
nadar *v.* to swim   1.4
nadie *pron.* no one, nobody, not anyone   1.7
naipes *m. pl.* playing cards   3.2
naranja *f.* orange   1.8
nariz *f.* nose   2.1
narrador(a) *m., f.* narrator   3.10
narrar *v.* to narrate   3.10
narrativa *f.* narrative work   3.10
natación *f.* swimming   1.4
nativo/a *adj.* native
natural *adj.* natural   2.4
naturaleza *f.* nature   2.4
  naturaleza muerta *f.* still life   3.10
nave espacial *f.* spaceship
navegante *m., f.* navigator   3.7
navegar *v.* to sail   3.5
  navegar (en Internet) to surf (the Internet)   2.2
  navegar la red to surf the web   3.7
Navidad *f.* Christmas   1.9
necesario/a *adj.* necessary   2.3, 3.4
necesidad *f.* need   3.5
  de primerísima necesidad of utmost necessity   3.5
necesitar (+ *inf.*) *v.* to need   1.2, 3.4
necio/a *adj.* stupid
negar (e:ie) *v.* to deny   2.4
  no negar (e:ie) *v.* not to deny   2.4
negativo/a *adj.* negative
negocio *m.* business
negocios *m., pl.* business; commerce   2.7
negro/a *adj.* black   1.6
nervioso/a *adj.* nervous   1.5
nevar (e:ie) *v.* to snow   1.5
  Nieva. It's snowing.   1.5
ni... ni... *conj.* neither... nor...   1.7
nido *m.* nest
niebla *f.* fog
nieto/a *m., f.* grandson; granddaughter   1.3
nieve *f.* snow
niñez *f.* childhood   1.9
ningún, ninguno/a(s) *adj., pron.* no; none; not any   1.7
  ningún problema no problem
niño/a *m., f.* child   1.3
nítido/a *adj.* sharp
nivel *m.* level
  nivel del mar *m.* sea level
no *adv.* no; not   1.1
  ¿no? right?   1.1
  No cabe duda de... There is no doubt...   2.4
  No es así. That's not the way it is.   2.7

No es para tanto. It's not a big deal.   2.3
no es seguro it's not sure   2.4
no es verdad it's not true   2.4
No está nada mal. It's not bad at all.   1.5
no estar de acuerdo to disagree
No estoy seguro. I'm not sure.
no hay there is not; there are not   1.1
No hay de qué. You're welcome.   1.1
No hay duda de... There is no doubt...   2.4
No hay problema. No problem.   1.7
¡No me diga(s)! You don't say!   2.2
No me gustan nada. I don't like them at all.   1.2
no muy bien not very well   1.1
No quiero. I don't want to.   1.4
No sé. I don't know.
No se preocupe. *form.* Don't worry.   1.7
No te preocupes. *fam.* Don't worry.   1.7
no tener razón to be wrong   1.3
noche *f.* night   1.1
nombrar *v.* to name
nombre *m.* name   1.1
  nombre artístico *m.* stage name   3.1
nominación *f.* nomination
nominado/a *m., f.* nominee
norte *m.* north   2.5
norteamericano/a *adj.* (North) American   1.3
nos *pl., d.o. pron.* us   1.5; *pl., i.o. pron.* to/for us   1.6
  Nos divertimos mucho. We had a lot of fun.   2.9
  Nos vemos. See you.   1.1
nosotros/as *sub. pron.* we   1.1; *pron., obj. of prep.* us   1.9
noticia *f.* news
noticias *f., pl.* news   2.9
  noticias locales/nacionales/internacionales local/domestic/international news   3.9
noticiero *m.* newscast   2.9
novecientos/as *n., adj.* nine hundred   1.2
novela rosa *f.* romance novel   3.10
novelista *m., f.* novelist   3.7, 3.10
noveno/a *n., adj.* ninth   1.5
noventa *n., adj.* ninety   1.2
noviembre *m.* November   1.5
novio/a *m., f.* boyfriend; girlfriend   1.3

nube *f.* cloud 2.4
nublado/a *adj.* cloudy 1.5
   Está (muy) nublado. It's (very) cloudy. 1.5
nuca *f.* nape 3.9
nuclear *adj.* nuclear 2.4
nuera *f.* daughter-in-law 1.3
nuestro(s)/a(s) *poss. adj.* our 1.3; *poss. adj. and pron.* (of) ours 2.2
nueve *n., adj.* nine 1.1
nuevo/a *adj.* new 1.6
número *m.* number 1.1; (shoe) size 1.6
nunca *adv.* never; not ever 1.7
nutrición *f.* nutrition 2.6
nutricionista *m., f.* nutritionist 2.6
nutritivo/a *adj.* nutritious 3.4

O

o *conj.* or 1.7
   o... o; either... or 1.7
obedecer *v.* to obey 2.9, 3.1
obesidad *f.* obesity 3.4
obra *f.* work (*of art, literature, music, etc.*) 2.8
   obra de arte *f.* work of art 3.10
   obra de teatro *f.* play (*theater*) 3.2
   obra maestra *f.* masterpiece 2.8, 3.3
obsequio *m.* gift
obtener *v.* to obtain; to get 2.7
obvio/a *adj.* obvious 2.4
océano *m.* ocean
ochenta *n., adj.* eighty 1.2
ocho *n., adj.* eight 1.1
ochocientos/as *n., adj.* eight hundred 1.2
ocio *m.* leisure
octavo/a *n., adj.* eighth 1.5
octubre *m.* October 1.5
ocupación *f.* occupation 2.7
ocupado/a *adj.* busy 1.5
ocurrir *v.* to occur; to happen 2.9
ocurrírsele a alguien *v.* to occur to someone
odiar *v.* to hate 1.9, 3.1
oeste *m.* west 2.5
ofensa *f.* insult 3.10
oferta *f.* offer 2.3; proposal 3.9
oficina *f.* office 2.3
oficio *m.* trade 2.7
ofrecer *v.* to offer 1.6
ofrecerse (a) *v.* to offer (to)
oído *m.* (*sense*) hearing; inner ear 2.1
   oído *p.p.* heard 2.5
oír *v.* to hear 1.4, 3.1
   Oiga./Oigan. *form., sing./pl.* Listen. (*in conversation*) 1.1

Oye. *fam., sing.* Listen. (*in conversation*) 1.1
ojalá (que) *interj.* I hope (that); I wish (that) 2.4
ojeras *f. pl.* bags under the eyes
ojo *m.* eye 2.1
ola *f.* wave 3.5
óleo *m.* oil painting 3.10
Olimpiadas *f. pl.* Olympics
olvidar *v.* to forget 2.1
olvidarse (de) *v.* to forget (about) 3.2
olvido *m.* forgetfulness; oblivion 3.1
ombligo *m.* navel 3.4
once *n., adj.* eleven 1.1
onda *f.* wave
ópera *f.* opera 2.8
operación *f.* operation 2.1, 3.4
operar *v.* to operate
opinar *v.* to think; to be of the opinion
   Opino que... In my opinion...
oponerse a *v.* to oppose 3.4
oprimir *v.* to oppress
ordenado/a *adj.* orderly 1.5
ordinal *adj.* ordinal (number)
oreja *f.* (outer) ear 2.1
organismo público *m.* government agency 3.9
orgulloso/a *adj.* proud 3.1
   estar orgulloso/a de to be proud of
orilla *f.* shore
   a orillas de on the shore of 3.6
ornamentado/a *adj.* ornate
orquesta *f.* orchestra 2.8
ortografía *f.* spelling
ortográfico/a *adj.* spelling
os *fam., pl., d.o. pron.* you 1.5; *fam., pl., i.o. pron.* to/for you 1.6
oscurecer *v.* to darken 3.6
oso *m.* bear
otoño *m.* autumn 1.5
otro/a *adj.* other; another 1.6
   otra vez *adv.* again
oveja *f.* sheep 3.6
ovni *m.* UFO 3.7
oyente *m., f.* listener 3.9

P

paciente *m., f.* patient 2.1
pacífico/a *adj.* peaceful
padrastro *m.* stepfather 1.3
padre *m.* father 1.3
   padre soltero *m.* single father
padres *m., pl.* parents 1.3
pagar *v.* to pay 1.6, 1.9
pagar a plazos to pay in installments 2.5

pagar al contado to pay in cash 2.5
pagar en efectivo to pay in cash 2.5
pagar la cuenta to pay the bill 1.9
página *f.* page 2.2
   página principal *f.* home page 2.2
   página web web page 3.7
país *m.* country 1.1
   país en vías de desarrollo *m.* developing country
paisaje *m.* landscape 1.5; scenery 3.6
pájaro *m.* bird 2.4, 3.6
palabra *f.* word 1.1
palmera *f.* palm tree
pan *m.* bread 1.8
   pan tostado *m.* toasted bread 1.8
panadería *f.* bakery 2.5
panfleto *m.* pamphlet
pantalla *f.* screen 2.2, 3.2
   pantalla de computadora *f.* computer screen
   pantalla de televisión *f.* television screen 3.2
   pantalla líquida *f.* LCD screen 3.7
pantalones *m., pl.* pants 1.6
   pantalones cortos *m., pl.* shorts 1.6
pantuflas *f.* slippers 1.7
papa *f.* potato 1.8
   papas fritas *f., pl.* fried potatoes; French fries 1.8
papá *m.* dad 1.3
papás *m., pl.* parents 1.3
papel *m.* paper 1.2; role 2.8, 3.9
   desempeñar un papel to play a role (*in a play*); to carry out
papelera *f.* wastebasket 1.2
paquete *m.* package 2.5
par *m.* pair 1.6
   par de zapatos *m.* pair of shoes 1.6
para *prep.* for; in order to; by; used for; considering 2.2; for
   Para mí, ... In my opinion, ...
   para nada not at all
   para que *conj.* so that 2.4
parabrisas *m., sing.* windshield 2.2
paradoja *f.* paradox
parar *v.* to stop 2.2
   parar el carro to hold your horses 3.9
parcial *adj.* biased 3.9
parcialidad *f.* bias 3.9
parecer *v.* to seem 1.6, 3.2
   A mi parecer, ... In my opinion, ...

Al parecer, no le gustó. It looks like he/she didn't like it. **3.6**

Me parece hermosa/o. I think it's pretty.

Me pareció... I thought.. **3.1**

Parece que está triste/ contento/a. It looks like he/she is sad/happy. **3.6**

¿Qué te pareció Mariela? What did you think of Mariela? **3.1**

parecerse *v.* to look like **3.2, 3.3**

pared *f.* wall **2.3, 3.5**

pareja *f.* (married) couple; partner **1.9, 3.1**

parientes *m., pl.* relatives **1.3**

parque *m.* park **1.4**

parque de atracciones *m.* amusement park **3.2**

párrafo *m.* paragraph

parroquia *f.* parish

parte *f.* part

de parte de on behalf of **2.2**

Por mi parte, ... As for me, ...

particular *adj.* private; personal; particular

partido *m.* party (*politics*); game; match (*sports*) **1.4**

ganar/perder un partido to win/lose a game **3.2**

partido político *m.* political party

pasado/a *adj.* last; past **1.6**

pasado *p.p.* passed

pasado/a de moda *adj.* out-of-date; no longer popular **3.9**

pasaje *m.* ticket **1.5**

pasaje de ida y vuelta *m.* roundtrip ticket **1.5, 3.5**

pasajero/a *m., f.* passenger **1.1**; *adj.* fleeting; passing

pasaporte *m.* passport **1.5, 3.5**

pasar *v.* to go through **1.5**; to pass (across, through, etc.)

pasar la aspiradora to vacuum **2.3, 3.3**

pasar por el banco to go by the bank **2.5**

pasar por la aduana to go through customs

pasar tiempo to spend time

pasarlo bien/mal to have a good/bad time **1.9, 3.1**

Son cosas que pasan. These things happen.

pasarse *v.* to go too far

pasatiempo *m.* pastime **3.2**; hobby **1.4**

pasear *v.* to take a walk; to stroll **1.4**

pasear en bicicleta to ride a bicycle **1.4**

pasear por to walk around **1.4**

paseo *m.* stroll

pasillo *m.* hallway **2.3**

paso *m.* passage; pass; step

abrirse paso to make one's way

pasta de dientes *f.* toothpaste **1.7**

pastel *m.* cake; pie **1.9**

pastel de chocolate *m.* chocolate cake **1.9**

pastel de cumpleaños *m.* birthday cake

pastelería *f.* pastry shop **2.5**

pastilla *f.* pill **3.4**; tablet **2.1**

pasto *m.* grass

pata *f.* foot/leg of an animal

patada *f.* kick **3.3**

patata *f.* potato **1.8**

patatas fritas *f., pl.* fried potatoes; French fries **1.8**

patear *v.* to kick **3.2**

patente *f.* patent **3.7**

patinar (en línea) *v.* to (inline) skate **1.4**

patineta *f.* skateboard **1.4**

patio *m.* patio; yard **2.3**

pavo *m.* turkey **1.8**

payaso/a *m., f.* clown **3.8**

paz *f.* peace **2.9**

pecado *m.* sin

pececillo de colores *m.* goldfish

pecho *m.* chest **3.10**

pedir (e:i) *v.* to ask **3.1, 3.4**; to ask for; to request **1.4**; to order (*food*) **1.8**

pedir prestado to borrow **2.5, 3.8**

pedir un deseo to make a wish **3.8**

pedir un préstamo to apply for a loan **2.5**

pegar *v.* to stick

peinarse *v.* to comb one's hair **1.7, 3.2**

pelear *v.* to fight

película *f.* film; movie **1.4**

peligro *m.* danger **2.4**

en peligro de extinción endangered **3.6**

peligroso/a *adj.* dangerous **2.9, 3.5**

pelirrojo/a *adj.* red-haired **1.3**

pelo *m.* hair **1.7**

pelota *f.* ball **1.4**

peluquería *f.* beauty salon **2.5**

peluquero/a *m., f.* hairdresser **2.7**

pena *f.* sorrow **3.4**

¡Qué pena! What a pity!

penicilina *f.* penicillin **2.1**

pensar (e:ie) *v.* to think **1.4, 3.1**

pensar (+ inf.) *v.* to intend to **1.4**; to plan to (*do something*)

pensar en *v.* to think about **1.4**

pensión *f.* boardinghouse; bed and breakfast inn

peor *adj.* worse **1.8**

el/la peor *adj.* the worst **1.8**

pequeño/a *adj.* small **1.3**

pera *f.* pear **1.8**

perder (e:ie) *v.* to lose; to miss **1.4;**

perder las elecciones to lose an election

perder un partido to lose a game **3.2**

perder un vuelo to miss a flight **3.5**

pérdida *f.* loss

perdido/a *adj.* lost **2.5**

Perdón. Pardon me.; Excuse me. **1.1**

perdonar *v.* to forgive

Perdona. *fam.*/**Perdone.** *form.* Pardon me.; Excuse me.

perezoso/a *adj.* lazy

perfeccionar *v.* to improve; to perfect

perfecto/a *adj.* perfect **1.5**

periódico *m.* newspaper **1.4, 3.9**

periodismo *m.* journalism **1.2**

periodista *m., f.* journalist **1.3, 3.9**

permanecer *v.* to remain; to last **3.4**

permisivo/a *adj.* permissive; easy-going **3.1**

permiso *m.* permission

Con permiso. Pardon me.; Excuse me.

pero *conj.* but **1.2**

perro *m.* dog **2.4**

perseguir (e:i) *v.* to pursue; to persecute

persona *f.* person **1.3**

personaje *m.* character **2.8, 3.10**

personaje principal *m.* main character **2.8**

personaje secundario *m.* secondary character

pertenecer (a) *v.* to belong (to)

pesadilla *f.* nightmare

pesas *f. pl.* weights **2.6**

pesca *f.* fishing **3.5**

pescadería *f.* fish market **2.5**

pescado *m.* fish (*cooked*) **1.8**

pescador(a) *m., f.* fisherman; fisherwoman

pescar *v.* to fish **1.5**

pesimista *m., f.* pessimist

peso *m.* weight **2.6**

pez *m.* fish (*live*) **2.4, 3.6**

picadura *f.* insect bite

picar *v.* to sting, to peck

picnic *m.* picnic

pico *m.* peak, summit

pie *m.* foot **2.1**

piedad *f.* mercy **3.8**

piedra *f.* stone **2.4, 3.5**

pierna *f.* leg **2.1**

pieza *f.* piece (*art*) **3.10**

pillar *v.* to get (catch) **3.9**
piloto *m., f.* pilot
pimienta *f.* black pepper **1.8**
pincel *m.* paintbrush **3.10**
pincelada *f.* brush stroke **3.10**
pintar *v.* to paint **2.8, 3.3**
pintor(a) *m., f.* painter **2.7, 3.3, 3.10**
pintura *f.* painting **3.10**; picture **2.3, 2.8**
piña *f.* pineapple **1.8**
pirámide *f.* pyramid **3.5**
piscina *f.* swimming pool **1.4**
piso *m.* floor (*of a building*) **1.5**
pizarra *f.* blackboard **1.2**
placer *m.* pleasure **2.6**
   Ha sido un placer. It's been a pleasure. **2.6**
plancha *f.* iron
planchar la ropa to iron the clothes **2.3**
planear *v.* to plan
planes *m., pl.* plans
planeta *m.* planet **3.7**
planta *f.* plant **2.4**
   planta baja *f.* ground floor **1.5**
plástico *m.* plastic **2.4**
plata *f.* money (*L. Am.*) **3.7**
plato *m.* dish (*in a meal*) **1.8**; plate **2.3**
   plato principal *m.* main dish **1.8**
playa *f.* beach **1.5**
plaza *f.* city or town square **1.4**
   plaza de toros *f.* bullfighting stadium **3.2**
plazo: a corto/largo plazo short/long-term **3.8**
plazos *m., pl.* periods; time **2.5**
pluma *f.* pen **1.2**
población *f.* population **3.4, 2.4**
poblador(a) *m., f.* settler; inhabitant
poblar (o:ue) *v.* to settle; to populate
pobre *adj.* poor **1.6**
pobreza *f.* poverty **3.8**
poco/a *adj.* little; few **1.5, 2.1**
poder (o:ue) *v.* to be able to **3.1**; can **1.4**
poderoso/a *adj.* powerful
poema *m.* poem **2.8**
poesía *f.* poetry **2.8, 3.10**
poeta *m., f.* poet **2.8, 3.10**
polémica *f.* controversy
polen *m.* pollen **3.8**
policía *f.* police (force) **2.2**
policíaco/a *adj.* detective (*story/novel*) **3.10**
política *f.* politics **2.9**
político/a *m., f.* politician **2.7, 3.11**; *adj.* political **2.9**
pollo *m.* chicken **1.8**
   pollo asado *m.* roast chicken **1.8**

polvo *m.* dust **3.3**
   quitar el polvo to dust **3.3**
ponchar *v.* to go flat
poner *v.* to put; to place **1.4, 3.1, 3.2**; to turn on (*electrical appliances*) **2.2**
   poner a prueba to test; to challenge
   poner cara (de hambriento/a) to make a (hungry) face
   poner la mesa to set the table **2.3**
   poner un disco compacto to play a CD
   poner(se) una inyección to give/to get an injection, a shot **2.1, 3.4**
ponerse (+ *adj.*) *v.* to become (*+ adj.*) **1.7**; to put on (*clothing*) **1.7, 3.2**
   ponerse a dieta to go on a diet **3.4**
   ponerse bien/mal to get well/ill **3.4**
   ponerse de pie to stand up
   ponerse el cinturón *to fasten the seat belt* **3.5**
   ponerse en forma to get in shape **3.4**
   ponerse pesado/a to become annoying
popa *f.* stern **3.5**
por *prep.* in exchange for; for; by; in; through; around; along; during; because of; on account of; on behalf of; in search of; by way of; by means of **2.2**
   por aquí around here **2.2**
   por avión by plane
   por ejemplo for example **2.2**
   por eso that's why; therefore **2.2**
   por favor please **1.1**
   por fin *adv.* finally **2.2**
   por la mañana in the morning **1.7**
   por la noche at night **1.7**
   por la tarde in the afternoon **1.7**
   por lo menos *adv.* at least **2.1**
   ¿por qué? *adv.* why? **1.2**
   Por supuesto. Of course. **2.7**
   por teléfono by phone; on the phone
   por último *adv.* finally **1.7**
porque *conj.* because **1.2**
porquería *f.* garbage; poor quality **3.10**
portada *f.* front page; cover **3.9**
portarse bien/mal *v.* to behave well/badly
portátil *m.* portable **2.2**
porvenir *m.* future **2.7**
   ¡Por el porvenir! Here's to the future! **2.7**

posesivo/a *adj.* possessive **1.3**
posible *adj.* possible **2.4**
   en todo lo posible as much as possible
   es posible it's possible **2.4**
   no es posible it's not possible **2.4**
postal *f.* postcard
postre *m.* dessert **1.9**
pozo *m.* well
   pozo petrolero *m.* oil well
practicar *v.* to practice **1.2**
   practicar deportes to play sports **1.4**
precio (fijo) *m.* (fixed; set) price **1.6**
precolombino/a *adj.* pre-Columbian
preferir (e:ie) *v.* to prefer **1.4, 3.4**
pregunta *f.* question
preguntar *v.* to ask (*a question*) **1.2**
preguntarse *v.* to wonder
prehistórico/a *adj.* prehistoric
premiar *v.* to give a prize
premio *m.* prize; award **2.8**
prender *v.* to turn on **2.2**
prensa *f.* press **2.9, 3.9**
   prensa sensacionalista *f.* tabloid(s) **3.9**
   rueda de prensa *f.* press conference
preocupado/a (por) *adj.* worried (about) **1.5, 3.1**
preocupar *v.* to worry **3.2**
preocuparse (por) *v.* to worry (about) **1.7, 3.2**
preparar *v.* to prepare **1.2**
preposición *f.* preposition
presentación *f.* introduction
presentador(a) de noticias *m., f.* news reporter
presentar *v.* to introduce; to present **2.8**; to put on (*a performance*) **2.8**
   Te presento a... I would like to introduce (*name*) to you. *fam.* **1.1**
   Le presento a... I would like to introduce (*name*) to you. *form.* **1.1**
presentir (e:ie) *v.* to foresee
presionar *v.* to pressure; to stress
presiones *f., pl.* pressures **2.6**
prestado/a *adj.* borrowed
préstamo *m.* loan **2.5**
prestar *v.* to lend **3.8**; to loan **1.6**
presupuesto *m.* budget **3.8**
prevenido/a *adj.* cautious
prevenir *v.* to prevent **3.4**
prever *v.* to foresee **3.6**
previsto/a *adj., p.p.* planned **3.3**

primavera *f.* spring **1.5**
primer(a) ministro/a *m., f.* prime minister
primer, primero/a *n., adj.* first **1.5**
 primeros auxilios *m. pl.* first aid **3.4**
primo/a *m., f.* cousin **1.3**
principal *adj.* main **1.8**
prisa *f.* haste **1.3**; hurry; rush **3.6**
 darse prisa to hurry; to rush **2.6**
privilegio *m.* privilege **3.8**
proa *f.* bow **3.5**
probable *adj.* probable **2.4**
 es probable it's probable **2.4**
 no es probable it's not probable **2.4**
probador *m.* dressing room **3.3**
probar (o:ue) *v.* to taste; to try **1.8, 3.3**
probarse (o:ue) *v.* to try on **1.7, 3.3**
problema *m.* problem **1.1**
procesión *f.* procession
producir *v.* to produce **3.1**
productivo/a *adj.* productive **3.8**
profesión *f.* profession **1.3, 2.7**
profesor(a) *m., f.* teacher **1.1, 1.2**
profundo/a *adj.* deep
programa *m.* **1.1**
 programa de computación *m.* software **2.2, 3.7**
 programa de entrevistas/ realidad *m.* talk/reality show **2.8**
programador(a) *m., f.* computer programmer **1.3**
prohibido/a *adj.* prohibited **3.5**
prohibir *v.* to prohibit **2.1, 3.4**; to forbid
prominente *adj.* prominent
promover (o:ue) *v.* to promote
pronombre *m.* pronoun
pronto *adv.* soon **2.1**
pronunciar *v.* to pronounce
 pronunciar un discurso to give a speech
propaganda *f.* advertisement **3.9**
propensión *f.* tendency
propietario/a *m., f.* (property) owner
propina *f.* tip **1.9**
propio/a *adj.* own **2.7**
proponer *v.* to propose **3.1, 3.4**
 proponer matrimonio to propose marriage **3.1**
proporcionar *v.* to provide; to supply
propósito: a propósito *adv.* on purpose **3.3**
prosa *f.* prose **3.10**
protagonista *m., f.* protagonist; main character **3.1, 3.10**

proteger *v.* to protect **2.4, 3.1, 3.6**
protegido/a *adj.* protected **3.5**
proteína *f.* protein **2.6**
protestar *v.* to protest
provecho *m.* benefit
 Buen provecho. Enjoy your meal. **3.6**
proveniente (de) *adj.* originating (in); coming from
provenir (de) *v.* to come from; to originate from
próximo/a *adj.* next **2.7**
proyecto *m.* project
 proyecto de ley *m.* bill
prueba *f.* test; quiz **1.2**; proof **3.2**
psicología *f.* psychology **1.2**
psicólogo/a *m., f.* psychologist **2.7**
publicar *v.* to publish **2.8, 3.9**
publicidad *f.* advertising **3.9**
público *m.* public; audience **2.8, 3.9**
pueblo *m.* town **1.4**; people **3.4**
puente *m.* bridge
puerta *f.* door **1.2**
 puerta de embarque *f.* (airline) gate **3.5**
puerto *m.* port **3.5**
Puerto Rico *m.* Puerto Rico **1.1**
puertorriqueño/a *adj.* Puerto Rican **1.3**
pues *conj.* well **1.2, 2.8**
puesto *m.* position; job **2.7, 3.8**; *p.p.* put **2.5**
punto *m.* period **3.2**
 punto de vista *m.* point of view **3.10**
pureza *f.* purity **3.6**
puro/a *adj.* clean; pure **2.4**

Q

que *pron.* that; which; who **2.3**
 ¿En qué...? In which...? **1.2**
 ¿qué? *pron.* what? **1.1**
 ¡Qué...! How...! **1.3**
 ¿Qué día es hoy? What day is it? **1.2**
 ¡Qué dolor! What pain!
 ¿Qué hay de nuevo? What's new? **1.1**
 ¿Qué hora es? What time is it? **1.1**
 ¿Qué les parece? What do you (pl.) think?
 ¿Qué pasa? What's happening?; What's going on? **1.1**
 ¿Qué pasó? What happened? **2.2**
 ¿Qué precio tiene? What is the price?

 ¡Qué ropa más bonita! What pretty clothes! **1.6**
 ¡Qué sorpresa! What a surprise!
 ¿Qué tal...? How are you?; How is it going? **1.1**; How is/are...? **1.2**
 ¿Qué talla lleva/usa? What size do you wear? *form.* **1.6**
 ¿Qué tiempo hace? How's the weather? **1.5**
 ¡Qué va! Of course not!
quedar *v.* to be left over; to fit (clothing) **1.7**; to be left behind; to be located **2.5**
quedarse *v.* to stay **1.7, 3.5**; to remain **1.7**
 quedarse callado/a to remain silent **3.1**
 quedarse sin to run out of **3.6**
 quedarse sordo/a to go deaf **3.4**
 quedarse viudo/a to become widowed
quehacer *m.* chore **3.3**
 quehaceres domésticos *m., pl.* household chores **2.3**
queja *f.* complaint
quejarse (de) *v.* to complain (about) **3.2**
quemado/a *adj.* burned (out) **2.2**
quemar *v.* to burn (a CD) **2.2**
querer (e:ie) *v.* to want **3.1, 3.4**; to love **1.4**
queso *m.* cheese **1.8**
quien(es) *pron.* who; whom; that **2.3**
¿quién(es)? *pron.* who?; whom? **1.1**
 ¿Quién es...? Who is...? **1.1**
 ¿Quién habla? Who is speaking? (telephone) **2.2**
química *f.* chemistry **1.2**
químico/a *m., f.* chemist **3.7**; *adj.* chemical **3.7**
quince *n., adj.* fifteen **1.1**
 menos quince quarter to (time) **1.1**
 y quince quarter after (time) **1.1**
quinceañera *f.* young woman's fifteenth birthday celebration; fifteen-year old girl **1.9**
quinientos/as *n., adj.* five hundred **1.2**
quinto/a *n., adj.* fifth **1.5**
quirúrgico/a *adj.* surgical
quisiera *v.* I would like **2.8**
quitar *v.* to take away; to remove **3.2**
 quitar el polvo to dust **2.3, 3.3**
 quitar la mesa to clear the table **2.3**

quitarse *v.* to take off   1.7; to take off (*clothing*)   3.2
  quitarse el cinturón to unfasten the seatbelt   3.5
quizás *adv.* maybe   1.5

R

rabino/a *m., f.* rabbi
racismo *m.* racism   2.9
radiación *f.* radiation
radio *f.* radio (*medium*)   1.2; *m.* radio (set)   1.2
radioemisora *f.* radio station   3.9
radiografía *f.* x-ray   2.1
raíz *f.* root
rana *f.* frog   3.6
rancho *m.* ranch
rápido/a *adv.* quickly   2.1
rasgo *m.* trait; characteristic
rata *f.* rat
ratón *m.* mouse   2.2
ratos libres *m., pl.* spare (free) time   1.4, 3.2
raya *f.* war paint   3.5; stripe   1.6
rayo *m.* ray; lightning
  ¿Qué rayos...? What on earth...?   3.5
raza *f.* race
razón *f.* reason   1.3
reactor *m.* reactor
realismo *m.* realism   3.10
realista *adj.* realistic; realist   3.10
rebaja *f.* sale   1.6
rebeldía *f.* rebelliousness
rebuscado/a *adj.* complicated
recado *m.* (telephone) message   2.2
recepción *f.* front desk   3.5
receta *f.* prescription   2.1, 3.4
recetar *v.* to prescribe   2.1, 3.4
rechazar *v.* to reject
rechazo *m.* refusal; rejection
recibir *v.* to receive   1.3
reciclable *adj.* recyclable
reciclaje *m.* recycling   2.4
reciclar *v.* to recycle   2.4, 3.6
recién casado/a *m., f.* newlywed   1.9
recital *m.* recital
reclamar *v.* to claim; to demand
recoger *v.* to pick up   2.4
recomendable *adj.* recommendable; advisable   3.5
  poco recomendable not advisable; inadvisable
recomendar (e:ie) *v.* to recommend   1.8, 2.3, 3.4
reconocer *v.* to recognize   3.1
reconocimiento *m.* recognition
recordar (o:ue) *v.* to remember   1.4
recorrer *v.* to tour an area; to go across; to travel   3.5

recuerdo *m.* memory
recuperarse *v.* to recover   3.4
recurso *m.* resource   2.4
  recurso natural *m.* natural resource   2.4, 3.6
red *f.* network; web   2.2
redactor(a) *m., f.* editor   3.9
  redactor(a) jefe *m., f.* editor-in-chief
redondo/a *adj.* round   3.2
reducir *v.* to reduce   2.4
  reducir velocidad *v.* to reduce speed   3.5
reembolso *m.* refund   3.3
reflejar *v.* to reflect; to depict   3.10
reforma *f.* reform
  reforma económica *f.* economic reform
refresco *m.* soft drink   1.8
refrigerador *m.* refrigerator   2.3
refugiarse *v.* to take refuge
refugio *m.* refuge   3.6
regalar *v.* to give (*a gift*)   1.9
regalo *m.* gift   1.6
regatear *v.* to bargain   1.6
región *f.* region; area   2.4
regla *f.* rule
regocijo *m.* joy   3.4
regresar *v.* to return   1.2, 3.5
regreso *m.* return (*trip*)
regular *adj.* so-so; OK   1.1
rehacer *v.* to remake; to redo   3.1
reído *p.p.* laughed   2.5
reina *f.* queen
reino *m.* reign; kingdom
reír(se) (e:i) *v.* to laugh   1.9
relacionado/a *adj.* related
  estar relacionado/a to have good connections
relaciones *f., pl.* relationships
relajarse *v.* to relax   1.9, 3.4
relámpago *m.* lightning   3.6
relato *m.* story; account   3.10
religión *f.* religion
religioso/a *adj.* religious
reloj *m.* clock; watch   1.2
remitente *m.* sender
remo *m.* oar   3.5
remordimiento *m.* remorse
rendimiento *m.* performance
rendirse (e:i) *v.* to surrender
renovable *adj.* renewable   3.6
renunciar (a) *v.* to resign (from)   2.7; to quit   3.8
  renunciar a un cargo to resign a post
repaso *m.* revision; review   3.10
repentino/a *adj.* sudden   3.3
repertorio *m.* repertoire
repetir (e:i) *v.* to repeat   1.4
reportaje *m.* report   2.9; news report   3.9
reportero/a *m., f.* reporter   2.7, 3.9

reposo *m.* rest
  estar en reposo to be at rest
repostería *f.* pastry
represa *f.* dam
representante *m., f.* representative   2.9
reproducirse *v.* to reproduce
reproductor de CD/DVD/MP3 *m.* CD/DVD/MP3 player   2.2, 3.7
resbaladizo/a *adj.* slippery
resbalar *v.* to slip
rescatar *v.* to rescue
resentido/a *adj.* resentful   3.6
reservación *f.* reservation
reservar *v.* to reserve   3.5
resfriado *m.* cold (*illness*)   2.1, 3.4
residencia estudiantil *f.* dormitory   1.2
residir *v.* to reside
resolver (o:ue) *v.* to resolve; to solve   2.4, 3.6
respeto *m.* respect
respiración *f.* breathing   3.4
respirar *v.* to breathe   2.4
responsable *adj.* responsible
respuesta *f.* answer
restaurante *m.* restaurant   1.4
resuelto/a *adj., p.p.* resolved   2.5
retrasado/a *adj.* delayed   3.5
retrasar *v.* to delay
retraso *m.* delay
retratar *v.* to portray   3.3
retrato *m.* portrait   3.3
reunión *f.* meeting   2.7, 3.8
reunirse (con) *v.* to get together (with)   3.2
revisar *v.* to check   2.2
  revisar el aceite to check the oil   2.2
revista *f.* magazine   1.4, 3.9
  revista electrónica *f.* online magazine   3.9
revolucionario/a *adj.* revolutionary   3.7
revolver (o:ue) *v.* to stir; to mix up
rey *m.* king
rezar *v.* to pray
rico/a *adj.* rich   1.6; tasty; delicious   1.8
ridículo/a *adj.* ridiculous   2.4
riesgo *m.* risk
rima *f.* rhyme   3.10
rincón *m.* corner; nook
río *m.* river   2.4
riqueza *f.* wealth   3.8
riquísimo/a *adj.* extremely delicious   1.8
rociar *v.* to spray   3.6
rodar (o:ue) *v.* to film   3.9
rodeado/a *adj.* surrounded   3.7
rodear *v.* to surround
rodilla *f.* knee   2.1

rogar (o:ue) *v.* to beg   2.3, 3.4
rojo/a *adj.* red   1.6
romanticismo *m.* romanticism 3.10
romántico/a *adj.* romantic   2.8
romper *v.* to break   2.1
  romper (con) *v.* to break up (with)   1.9, 3.1
  romperse la pierna to break one's leg   2.1
ropa *f.* clothing; clothes   1.6
  ropa interior *f.* underwear 1.6
rosado/a *adj.* pink   1.6
roto/a *adj.* broken   2.1, 2.5
rozar *v.* to brush against; to touch lightly
rubio/a *adj.* blond(e)   1.3
ruedo *m.* bull ring   3.2
ruido *m.* noise
ruina *f.* ruin   3.5
ruso/a *adj.* Russian   1.3
ruta maya *f.* Mayan Trail   3.5
rutina *f.* routine   1.7, 3.3
  rutina diaria *f.* daily routine 1.7

S

sábado *m.* Saturday   1.2
saber *v.* to know; to know how   1.6; to taste   1.8
  saber (a) to taste (like)   1.8, 3.1
  ¿Cómo sabe? How does it taste?   3.4
  Sabe a ajo/menta/limón. It tastes like garlic/mint/lemon. 3.4
  ¿Y sabe bien? And does it taste good?   3.4
sabiduría *f.* wisdom
sabio/a *adj.* wise
sabor *m.* taste; flavor
  ¿Qué sabor tiene?
    ¿Chocolate? What flavor is it? Chocolate?   3.4
  Tiene un sabor dulce/agrio/ amargo/agradable. It has a sweet/sour/bitter/pleasant taste.   3.4
sabrosísimo/a *adj.* extremely delicious   1.8
sabroso/a *adj.* tasty; delicious 1.8
sacar *v.* to take out
  sacar fotos to take photos   1.5
  sacar la basura to take out the trash   2.3
  sacar(se) un diente to have a tooth removed   2.1
sacerdote *m.* priest

saciar *v.* to satisfy; to quench
sacrificar *v.* to sacrifice   3.6
sacrificio *m.* sacrifice
sacristán *m.* sexton
sacudir *v.* to dust   2.3
  sacudir los muebles to dust the furniture   2.3
sagrado/a *adj.* sacred; holy
sal *f.* salt   1.8
sala *f.* living room   2.3; room; hall
  sala de conciertos *f.* concert hall
  sala de emergencia(s) *f.* emergency room   2.1, 3.4
salario *m.* salary   2.7
salchicha *f.* sausage   1.8
salida *f.* departure; exit   1.5, 3.6
salir *v.* to leave   1.4; to go out 3.1
  salir (a comer) to go out (to eat)   3.2
  salir (con) to go out (with)   3.1; to date   1.9
  salir de to leave from
  salir para to leave for (*a place*)
salmón *m.* salmon   1.8
salón de belleza *m.* beauty salon   2.5
salto *m.* jump
salud *f.* health   2.1, 3.4
  ¡A tu salud! To your health!
  ¡Salud! Cheers!   3.8
saludable *adj.* healthy   2.1; nutritious   3.4
saludar(se) *v.* to greet (each other)   2.2
saludo *m.* greeting   1.1
  saludos a... greetings to...   1.1
salvaje *adj.* wild   3.6
salvar *v.* to save   3.6
sanar *v.* to heal   3.4
sandalia *f.* sandal   1.6
sandía *f.* watermelon
sándwich *m.* sandwich   1.8
sano/a *adj.* healthy   2.1, 3.4
satélite *m.* satellite
sátira *f.* satire
satírico/a *adj.* satirical   3.10
  tono satírico/a *m.* satirical tone
se *ref. pron.* himself, herself, itself, themselves; *form.* yourself, yourselves   1.7
se *impersonal* one   2.1
  Se hizo... He/She/It became...
  Se nos dañó... The... broke down.   2.2
  Se nos pinchó una llanta. We had a flat tire.   2.2
secadora *f.* clothes dryer   2.3
secarse *v.* to dry oneself   1.7; to dry off   3.2
sección *f.* section   3.9
  sección de (no) fumar *f.* (non)smoking section   1.8

sección de sociedad *f.* lifestyle section   3.9
sección deportiva *f.* sports page/section   3.9
seco/a *adj.* dry   3.6
secretario/a *m., f.* secretary   2.7
secuencia *f.* sequence
secuestro *m.* kidnapping
sed *f.* thirst   1.3
seda *f.* silk   1.6
sedentario/a *adj.* sedentary   2.6
seguir (e:i) *v.* to follow; to continue   1.4
según *prep.* according to
segundo/a *n., adj.* second   1.5
seguridad *f.* safety; security   3.5
  cinturón de seguridad *m.* seatbelt   3.5
  medidas de seguridad *f. pl.* security measures   3.5
seguro *m.* insurance   3.5
seguro/a *adj.* sure; safe   1.5; confident   3.1
seis *n., adj.* six   1.1
seiscientos/as *n., adj.* six hundred   1.2
seleccionar *v.* to select; to pick out   3.3
sello *m.* stamp   2.5
selva *f.* jungle   2.4, 3.5
semana *f.* week   1.2
  fin de semana *m.* weekend 1.4
  semana pasada *f.* last week 1.6
semanal *adj.* weekly
semestre *m.* semester   1.2
semilla *f.* seed
senador(a) *m., f.* senator
sendero *m.* trail; trailhead   2.4
sensato/a *adj.* sensible   3.1
sensible *adj.* sensitive   3.1
sentarse (e:ie) *v.* to sit down 1.7
sentido *m.* sense
  en sentido figurado figuratively
  sentido común *m.* common sense
sentimiento *m.* feeling; emotion 3.1
sentir(se) (e:ie) *v.* to feel   1.7, 3.1; to be sorry; to regret   2.4
señal *f.* sign   3.2
señalar *v.* to point to; to signal 3.2
señor (Sr.) *m.* Mr.; sir   1.1
señora (Sra.) *f.* Mrs.; ma'am 1.1
señorita (Srta.) *f.* Miss   1.1
separado/a *adj.* separated   1.9, 3.1
separarse (de) *v.* to separate (from)   1.9

septiembre *m.* September **1.5**
séptimo/a *n., adj.* seventh **1.5**
sepultar *v.* to bury
sequía *f.* drought **3.6**
ser *v.* to be **1.1, 3.1**
  ser aficionado/a (a) to be a fan (of) **1.4**
  ser alérgico/a (a) to be allergic (to) **2.1**
  ser gratis to be free of charge **2.5**
serio/a *adj.* serious
serpiente *f.* snake **3.6**
servicio de habitación *m.* room service **3.5**
servicios *m., pl.* facilities
servidumbre *f.* servants; servitude **3.3**
servilleta *f.* napkin **2.3**
servir (e:i) *v.* to serve **1.8;** to help **1.5**
sesenta *n., adj.* sixty **1.2**
sesión *f.* showing
setecientos/as *n., adj.* seven hundred **1.2**
setenta *n., adj.* seventy **1.2**
sexismo *m.* sexism **2.9**
sexto/a *n., adj.* sixth **1.5**
sí *adv.* yes **1.1**
si *conj.* if **1.4**
SIDA *m.* AIDS **2.9**
sido *p.p.* been **2.6**
siempre *adv.* always **1.7**
siete *n., adj.* seven **1.1**
siglo *m.* century
silbar *v.* to whistle
silla *f.* seat **1.2**
sillón *m.* armchair **2.3**
similar *adj.* similar
simpático/a *adj.* nice; likeable **1.3**
sin *prep.* without **1.2, 2.4**
  sin duda without a doubt
  sin embargo *adv.* however
  sin que *conj.* without **2.4**
  sin ti without you *fam.*
sinagoga *f.* synagogue
sincero/a *adj.* sincere
sindicato *m.* labor union **3.8**
sino *conj.* but (rather) **1.7**
síntoma *m.* symptom **2.1**
sintonía *f.* tuning; synchronization **3.9**
sintonizar *v.* to tune into (*radio or television*)
siquiera *conj.* even
  ni siquiera *conj.* not even
sitio web *m.* website **2.2, 3.7**
situado/a *adj., p.p.* situated; located
  estar situado/a en to be set in
soberanía *f.* sovereignty
soberano/a *m., f.* sovereign; ruler
sobre *m.* envelope **2.5;** *prep.* on; over **1.2**

sobre todo above all **3.6**
sobredosis *f.* overdose
sobrevivencia *f.* survival
sobrevivir *v.* to survive
sobrino/a *m., f.* nephew; niece **1.3**
sociable *adj.* sociable
sociedad *f.* society
socio/a *m., f.* partner; member **3.8**
sociología *f.* sociology **1.2**
sofá *m.* couch; sofa **2.3**
sol *m.* sun **1.4, 1.5, 2.4**
solar *adj.* solar **2.4**
soldado *m., f.* soldier **2.9**
soleado/a *adj.* sunny
soledad *f.* solitude; loneliness **3.3**
soler (o:ue) *v.* to be in the habit of; to be used to **3.3**
solicitar *v.* to apply (*for a job*) **2.7, 3.8**
solicitud (de trabajo) *f.* (job) application **2.7**
sólo *adv.* only **1.3**
solo/a *adj.* alone; lonely **3.1**
soltero/a *adj.* single **1.9, 3.1**
  madre soltera *f.* single mother
  padre soltero *m.* single father
solución *f.* solution **2.4**
sombrero *m.* hat **1.6**
Son las dos. It's two o'clock. **1.1**
sonar (o:ue) *v.* to ring **2.2, 3.7**
sonreído *p.p.* smiled **2.5**
sonreír (e:i) *v.* to smile **1.9**
soñar (o:ue) (con) *v.* to dream (about) **3.1**
sopa *f.* soup **1.8**
soplar *v.* to blow
soportar *v.* to support
  soportar a alguien to put up with someone **3.1**
sordo/a *adj.* deaf
  quedarse sordo/a to go deaf **3.4**
sorprender *v.* to surprise **1.9, 3.2**
sorprenderse (de) *v.* to be surprised (about) **3.2**
sorpresa *f.* surprise **1.9**
sortija *f.* ring **3.5**
sospecha *f.* suspicion
sospechar *v.* to suspect
sótano *m.* cellar **2.3**
soy I am **1.1**
  Soy de... I'm from... **1.1**
  Soy yo. That's me. **1.1**
su(s) *poss. adj.* his; her; its; *form.* your; their **1.3**
suavidad *f.* smoothness
subasta *f.* auction **3.10**
subdesarrollo *m.* underdevelopment
subida *f.* ascent
subir(se) a *v.* to get on/into (*a vehicle*) **2.2**

subsistir *v.* to survive
subtítulos *m., pl.* subtitles **3.9**
suburbio *m.* suburb
suceder *v.* to happen **3.1**
sucio/a *adj.* dirty **1.5**
sucre *m.* former Ecuadorian currency **1.6**
sucursal *f.* branch
sudar *v.* to sweat **2.6**
suegro/a *m., f.* father-in-law; mother-in-law **1.3**
sueldo *m.* salary **2.7**
  aumento de sueldo *m.* raise in salary **3.8**
  sueldo fijo *m.* base salary **3.8**
  sueldo mínimo *m.* minimum wage **3.8**
suelo *m.* floor **2.3**
suelto/a *adj.* loose
sueño *n.* sleep **1.3**
suerte *f.* luck **1.3**
suéter *m.* sweater **1.6**
sufrimiento *m.* pain; suffering
sufrir (de) *v.* to suffer (from) **2.1, 3.4**
  sufrir muchas presiones to be under a lot of pressure **2.6**
  sufrir una enfermedad to suffer an illness **2.1**
sugerir (e:ie) *v.* to suggest **2.3, 3.4**
superar *v.* to overcome
superficie *f.* surface
supermercado *m.* supermarket **2.5, 3.3**
supervivencia *f.* survival
suponer *v.* to suppose **1.4, 3.1**
suprimir *v.* to abolish; to suppress
supuesto/a *adj.* false; so-called; supposed
  Por supuesto. Of course.
sur *m.* south **2.5**
surrealismo *m.* surrealism **3.10**
suscribirse (a) *v.* to subscribe (to) **3.9**
sustantivo *m.* noun
suyo(s)/a(s) *poss. adj. and pron.* (of) his/her; (of) hers; (of) its; *form.* (of) your, (of) yours, (of) their **2.2**

T

tacaño/a *adj.* cheap; stingy **3.1**
tacón *m.* heel
  tacón alto high heel
tal como *conj.* just as
tal vez *adv.* maybe **1.5**
talento *m.* talent **3.1**
talentoso/a *adj.* talented **2.8, 3.1**
talla *f.* size **1.6**
  talla grande *f.* large **1.6**

taller mecánico *m.* garage; workshop; mechanic's repairshop 2.2

también *adv.* also; too 1.2, 1.7

tampoco *adv.* neither; not either 1.7

tan *adv.* so 1.5

  tan pronto como *conj.* as soon as 2.4

  tan... como as... as 1.8

tanque *m.* tank 2.2, 3.6

tanto *adv.* so much

  tanto... como as much... as 1.8

  tantos/as... como as many... as 1.8

tapa *f.* lid, cover

tapón *m.* traffic jam 3.5

taquilla *f.* box office 3.2

tarde *f.* afternoon; evening; P.M. 1.1; *adv.* late 1.7

tarea *f.* homework 1.2

tarjeta *f.* card

  tarjeta de crédito/débito *f.* credit/debit card 1.6, 3.3

  tarjeta de embarque *f.* boarding card 3.5

  tarjeta postal *f.* postcard

tatarabuelo/a *m., f.* great-great-grandfather/mother

taxi *m.* taxi 1.5

taza *f.* cup 2.3

té *m.* tea 1.8

  té helado *m.* iced tea 1.8

te *sing., fam., d.o. pron.* you 1.5; *sing., fam., i.o. pron.* to/for you 1.6

  ¿Te gusta(n)...? Do you like...? 1.2

  ¿Te gustaría? Would you like to? 2.8

  Te presento a... *fam.* I would like to introduce... to you. 1.1

teatro *m.* theater 2.8

teclado *m.* keyboard 2.2

técnico/a *m., f.* technician 2.7

tejido *m.* weaving 2.8

tela *f.* canvas 3.10

teleadicto/a *m., f.* couch potato 2.6

teléfono (celular) *m.* (cell) telephone 2.2, 3.7

telenovela *f.* soap opera 2.8, 3.9

telescopio *m.* telescope 3.7

teletrabajo *m.* telecommuting 2.7

televidente *m., f.* television viewer 3.9

televisión *f.* television 1.2, 2.2, 3.2

  televisión por cable *f.* cable television

televisor *m.* television set 2.2, 3.2

temer *v.* to fear, to be afraid 2.4

temperatura *f.* temperature 2.1

templo *m.* temple

temporada *f.* season; period; **temporada alta/baja** high/low season 3.5

temprano *adv.* early 1.7

tendencia *f.* trend 3.9

  tendencia izquierdista/derechista *f.* left-wing/right-wing bias

tenedor *m.* fork 2.3

tener *v.* to have 1.3

  tener... años to be... years old 1.3

    Tengo... años. I'm... years old. 1.3

  tener buen/mal aspecto to look healthy/sick 3.4

  tener buena/mala fama to have a good/bad reputation 3.9

  tener (mucho) calor to be (very) hot 1.3

  tener celos (de) to be jealous (of) 3.1

  tener (mucho) cuidado to be (very) careful 1.3

  tener dolor to have pain 2.1

  tener éxito to be successful 2.7

  tener fiebre to have a fever 2.1

  tener (mucho) frío to be (very) cold 1.3

  tener ganas de (+ inf.) to feel like (*doing something*) 1.3

  tener (mucha) hambre to be (very) hungry 1.3

  tener (mucho) miedo (de) to be (very) afraid (of); to be (very) scared (of) 1.3

  tener miedo (de) que to be afraid that

  tener planes to have plans

  tener (mucha) prisa to be in a (big) hurry 1.3

  tener que (+ inf.) *v.* to have to (*do something*) 1.3

  tener razón to be right 1.3

  tener (mucha) sed to be (very) thirsty 1.3

  tener (mucho) sueño to be (very) sleepy 1.3

  tener (mucha) suerte to be (very) lucky 1.3

  tener tiempo to have time 1.4

  tener una cita to have a date; to have an appointment 1.9

tenis *m.* tennis 1.4

tensión *f.* tension 2.6

  tensión (alta/baja) *f.* (high/low) blood pressure 3.4

teoría *f.* theory 3.7

terapia intensiva *f.* intensive care 3.4

tercer, tercero/a *n., adj.* third 1.5

térmico/a *adj.* thermal

terminar *v.* to end; to finish 1.2

  terminar de (+ inf.) *v.* to finish (*doing something*) 2.3

terremoto *m.* earthquake 2.9, 3.6

terreno *m.* land 3.6

terrible *adj.* terrible 2.4

territorio *m.* territory

terrorismo *m.* terrorism

testigo *m., f.* witness 3.10

ti *pron., obj. of prep., fam.* you

tiburón *m.* shark 3.5

tiempo *m.* time 1.4; weather 1.5

  a tiempo on time 3.3

  tiempo libre *m.* free time 3.2

tienda *f.* shop; store 1.6

  tienda de campaña *f.* tent

tierra *f.* land; earth 3.6; soil 2.4

tigre *m.* tiger 3.6

timbre *m.* doorbell; tone; tone of voice 3.3

  tocar el timbre to ring the doorbell

timidez *f.* shyness

tímido/a *adj.* shy 3.1

tío/a *m., f.* uncle; aunt 1.3

tíos *m.* aunts and uncles 1.3

típico/a *adj.* typical; traditional

tipo *m.* guy 3.2

tira cómica *f.* comic strip 3.9

tirar *v.* to throw 3.5

titular *m.* headline 3.9

titularse *v.* to graduate 3.3

título *m.* title

tiza *f.* chalk 1.2

toalla *f.* towel 1.7

tobillo *m.* ankle 2.1

tocadiscos compacto *m.* compact disc player 2.2

tocar *v.* to play (*a musical instrument*) 2.8; to touch 2.4

  ¿A quién le toca? Whose turn is it? 3.2

  tocar el timbre to ring the doorbell 3.3

  ¿Todavía no me toca? Is it my turn yet? 3.2

todavía *adv.* yet; still 1.5

todo *m.* everything 1.5

  Todo está bajo control. Everything is under control. 1.7

todo(s)/a(s) *adj.* all 1.4; whole; *adv.* every

  en todo el mundo throughout the world 2.4

  todo derecho straight (ahead) 2.5

  todos los días everyday 2.1

todos *m., pl.* all of us; everybody; everyone

  ¡Todos a bordo! All aboard! 1.1

tomar *v.* to take; to drink   1.2
  tomar clases to take classes
    1.2
  tomar el sol to sunbathe   1.4
  tomar en cuenta take into
    account
  tomar en serio to take seriously
    3.8
  tomar fotos to take photos   1.5
  tomar la temperatura to take
    someone's temperature   2.1
tomate *m.* tomato   1.8
tonto/a *adj.* silly; foolish   1.3
torcerse (o:ue) (el tobillo) *v.* to
  sprain (one's ankle)   2.1
torcido/a *adj.* twisted; sprained
  2.1
torear *v.* to fight bulls in the
  bullring   3.2
toreo *m.* bullfighting   3.2
torero/a *m., f.* bullfighter   3.2
tormenta *f.* storm   2.9
  tormenta tropical *f.* tropical
    storm   3.6
tornado *m.* tornado   2.9
torneo *m.* tournament   3.2
tortilla *f.* tortilla   1.8
  tortilla de maíz *f.* corn tortilla
    1.8
tos *f., sing.* cough   2.1, 3.4
toser *v.* to cough   2.1, 3.4
tostado/a *adj.* toasted   1.8
tostadora *f.* toaster   2.3
tóxico/a *adj.* toxic   3.6
tozudo/a *adj.* stubborn   3.8
trabajador(a) *adj.* industrious
  3.8; hard-working   1.3
trabajar *v.* to work   1.2
  trabajar duro to work hard   3.8
trabajo *m.* job; work   2.7
tradicional *adj.* traditional   3.1
traducir *v.* to translate   1.6, 3.1
traer *v.* to bring   1.4, 3.1
tráfico *m.* traffic   2.2
tragar *v.* to swallow
tragedia *f.* tragedy   2.8
trágico/a *adj.* tragic   3.10
traición *f.* betrayal
traído *p.p.* brought   2.5
traidor(a) *m., f.* traitor
traje (de baño) *m.* (bathing)
  suit   1.6
  traje de luces *m.* bullfighter's
    outfit (*lit.* costume of lights)   3.2
trama *f.* plot   3.10
tranquilo/a *adj.* calm   3.1; quiet
  2.6
  Tranquilo/a. Relax.   1.7
transbordador espacial *m.*
  space shuttle   3.7
transcurrir *v.* to take place   3.10
tránsito *m.* traffic
transmisión *f.* transmission
transmitir *v.* to broadcast   2.9, 3.9
transplantar *v.* to transplant

transporte público *m.* public
  transportation
trasnochar *v.* to stay up very late
  or all night   3.4
trastorno *m.* disorder
tratado *m.* treaty
tratamiento *m.* treatment   3.4
tratar *v.* to treat   3.4
  tratar (sobre/acerca de) to
    be about; to deal with   3.4
  tratar de (+ *inf.*) *v.* to try (*to do
    something*)   2.6
tratarse de *v.* to be about; to
  deal with   3.10
Trato hecho. You've got a
  deal.   2.8
trayectoria *f.* path; history   3.1
trazar *v.* to trace
trece *n., adj.* thirteen   1.1
treinta *n., adj.* thirty   1.1, 1.2
  y treinta thirty minutes past
    the hour (*time*)   1.1
tren *m.* train   1.5
tres *n., adj.* three   1.1
trescientos/as *n., adj.* three
  hundred   1.2
tribu *f.* tribe
tribunal *m.* court
trimestre *m.* trimester; quarter
  1.2
triste *adj.* sad   1.5
tropical *adj.* tropical
  tormenta tropical *f.* tropical
    storm   3.6
truco *m.* trick   3.2
trueno *m.* thunder   3.6
trueque *m.* barter; exchange
tú *fam. sub. pron.* you   1.1
  Tú eres... You are...   1.1
tu(s) *fam. poss. adj.* your   1.3
tubería *f.* piping; plumbing   3.6
turismo *m.* tourism   1.5, 3.5
turista *m., f.* tourist   1.1, 3.5
turístico/a *adj.* touristic; tourist
  3.5
tuyo(s)/a(s) *fam. poss. adj. and
  pron.* your; (of) yours   2.2

U

u *conj.* (*used instead of o before
  words beginning with o and ho*) or
ubicar *v.* to put in a place; to locate
ubicarse *v.* to be located
Ud. *form., sing., sub. pron.* you
  1.1
Uds. *form., pl., sub. pron.* you
  1.1
último/a *adj.* last
un, una *indef. art.* a; an   1.1
uno/a *n., adj.* one   1.1
  a la una at one o'clock   1.1
  una vez *adv.* once; one time
    1.6

una vez más one more time
  1.9
único/a *adj.* only   1.3; unique
universidad *f.* university;
  college   1.2
unos/as *pl. indef. art.* some
  1.1; *pron.* some   1.1
uña *f.* fingernail
urbano/a *adj.* urban
urgente *adj.* urgent   2.3, 3.4
usar *v.* to wear; to use   1.6
usted (Ud.) *form., sing. sub.
  pron.* you   1.1
ustedes (Uds.) *form., pl. sub.
  pron.* you   1.1
usuario/a *m., f.* user   3.7
útil *adj.* useful
uva *f.* grape   1.8

V

vaca *f.* cow   2.4, 3.6
vacaciones *f. pl.* vacation   1.5
vacuna *f.* vaccine   3.4
vacunar(se) *v.* to vaccinate; to
  get vaccinated   3.4
vago/a *m., f.* slacker   3.7
vagón *m.* carriage; coach   3.7
valer *v.* to be worth   3.1
valiente brave   3.5
valioso/a *adj.* valuable   3.6
valle *m.* valley   2.4
valor *m.* bravery; value
vamos let's go   1.4
vándalo/a *m., f.* vandal   3.6
vanguardia *f.* vanguard
  a la vanguardia at the
    forefront   3.7
vaquero *m.* cowboy   2.8
  de vaqueros western (*genre*)
    2.8
varios/as *adj. pl.* various; several
  1.8
vaso *m.* glass   2.3
veces *f., pl.* times   1.6
vecino/a *m., f.* neighbor   2.3
veinte *n., adj.* twenty   1.1
veinticinco *n., adj.* twenty-five
  1.1
veinticuatro *n., adj.* twenty-four
  1.1
veintidós *n., adj.* twenty-two   1.1
veintinueve *n., adj.* twenty-nine
  1.1
veintiocho *n., adj.* twenty-eight
  1.1
veintiséis *n., adj.* twenty-six   1.1
veintisiete *n., adj.* twenty-seven
  1.1
veintitrés *n., adj.* twenty-three
  1.1
veintiún, veintiuno/a *n., adj.*
  twenty-one   1.1
vejez *f.* old age   1.9

vela *f.* candle
velocidad *f.* speed **2.2**
  velocidad máxima *f.* speed limit **2.2**
venado *m.* deer
vencer *v.* to conquer; to defeat **3.2, 3.9**
vencido/a *adj.* expired **3.5**
venda *f.* bandage **3.4**
vendedor(a) *m., f.* salesperson **1.6, 3.8**
vender *v.* to sell **1.6**
veneno *m.* poison **3.6**
venenoso/a *adj.* poisonous **3.6**
venerar *v.* to worship
venir *v.* to come **1.3, 3.1**
venta *f.* sale
  estar a la venta to be for sale
ventaja *f.* advantage
ventana *f.* window **1.2**
ver *v.* to see **1.4, 3.1**
  a ver let's see **1.2**
  ver películas to see movies **1.4**
  Yo lo/la veo muy triste. He/She looks very sad to me. **3.6**
verano *m.* summer **1.5**
verbo *m.* verb
verdad *f.* truth
  ¿verdad? right? **1.1**
verde *adj.* green **1.6**
verduras *pl., f.* vegetables **1.8**
vergüenza *f.* shame; embarrassment
  tener vergüenza (de) to be ashamed (of) **3.1**
verse *v.* to look; to appear
  ¡Qué guapo/a te ves! How attractive you look! *fam.* **3.6**
  ¡Qué elegante se ve usted! How elegant you look! *form.* **3.6**
  Se ve tan feliz. He/She looks so happy. **3.6**
verso *m.* line (*of poetry*) **3.10**
vestido *m.* dress **1.6**
vestidor *m.* fitting room
vestirse (e:i) *v.* to get dressed **1.7, 3.2**
vez *f.* time **1.6**
  a veces *adv.* sometimes **3.3**
  de vez en cuando now and then; once in a while **3.3**
  érase una vez once upon a time
  por primera/última vez for the first/last time **3.2**
viajar *v.* to travel **1.2**
viaje *m.* trip **1.5, 3.5**
  hacer un viaje to take a trip **3.5**
viajero/a *m., f.* traveler **1.5, 3.5**
victoria *f.* victory
victorioso/a *adj.* victorious
vida *f.* life **1.9**
  vida cotidiana *f.* everyday life
video *m.* video

video musical *m.* music video **3.9**
video(casete) *m.* video(cassette)
videocasetera *f.* VCR **2.2**
videoconferencia *f.* videoconference **2.7**
videojuego *m.* video game **1.4, 3.2**
vidrio *m.* glass **2.4**
viejo/a *adj.* old **1.3**
viento *m.* wind **1.5**
viernes *m., sing.* Friday **1.2**
vigente *adj.* valid **3.5**
vigilar *v.* to watch
vinagre *m.* vinegar **1.8**
vino *m.* wine **1.8**
violencia *f.* violence **2.9**
virus *m.* virus **3.4**
visitar *v.* to visit **1.4**
  visitar monumentos to visit monuments **1.4**
vistazo *m.* glance;
  echar un vistazo to take a look
visto/a *adj., p.p.* seen **2.5**
vitamina *f.* vitamin **2.6**
viudo/a *m., f.* widower; widow **1.9**; widowed **3.1**
vivienda *f.* housing **2.3**
vivir *v.* to live **1.3, 3.1**
vivo/a *adj.* bright; lively; living
  en vivo *adj.* live **3.9**
volante *m.* steering wheel **2.2**
volar (o:ue) *v.* to fly **3.8**
volcán *m.* volcano **2.4**
vóleibol *m.* volleyball **1.4**
volver (o:ue) *v.* to come back; to return **1.4**
  volver a ver(te/lo/la) to see (you/him/her) again **2.9**
vos *sub. pron., sing.* you
vosotros/as *sub. pron. form., pl.* you **1.1**
votar *v.* to vote **2.9**
vuelo *m.* flight
vuelta *f.* return trip
vuelto/a *adj., p.p.* returned **2.5**
vuestro(s)/a(s) *poss. adj.* your **1.3**; *poss. adj. and pron., fam.* (of) yours **2.2**

W

walkman *m.* walkman
web *f.* (the) web **3.7**

Y

y *conj.* and **1.1**
  y cuarto quarter after (*time*) **1.1**
  y media half-past (*time*) **1.1**
  y quince quarter after (*time*) **1.1**

y treinta thirty (minutes past the hour) **1.1**
  ¿Y tú? *fam.* And you? **1.1**
  ¿Y usted? *form.* And you? **1.1**
ya *adv.* already **1.6**
yerno *m.* son-in-law **1.3**
yeso *m.* cast **3.4**
yo *sub. pron.* I **1.1**
  Yo soy... I'm... **1.1**
yogur *m.* yogurt **1.8**

Z

zaguán *m.* entrance hall; vestibule **3.3**
zanahoria *f.* carrot **1.8**
zapatería *f.* shoe store **2.5**
zapatos de tenis *m., pl.* tennis shoes, sneakers **1.6**
zoológico *m.* zoo **3.2**

English-Spanish

A

a **un, uno/a** *m., f., sing.; indef. art.* 1.1
@ symbol **arroba** *f.* 2.2
A.M. **mañana** *f.* 1.1
able: be able to **poder (o:ue)** *v.* 1.4
aboard **a bordo** 1.1
abolish **suprimir** *v.*
above all **sobre todo** 3.6
absent **ausente** *adj.*
abstract **abstracto/a** *adj.* 3.10
accentuate **acentuar** *v.* 3.10
accident **accidente** *m.* 2.1
 car accident **accidente automovilístico** *m.* 3.5
accompany **acompañar** *v.* 2.5
account **cuenta** *f.* 2.5;
 (*story*) **relato** *m.* 3.10
 checking account **cuenta corriente** *f.* 2.5, 3.8
 on account of **por** *prep.* 2.2
 savings account **cuenta de ahorros** *f.* 2.5, 3.8
accountant **contador(a)** *m., f.* 2.7, 3.8
accounting **contabilidad** *f.* 1.2
accustomed (to) **acostumbrado/a (a)** *adj.*
 grow accustomed (to) **acostumbrarse (a)** *v.* 3.3
ache **dolor** *m.* 2.1; **doler (o:ue)** *v.* 3.2
achieve **lograr** *v.* 3.3; **alcanzar** *v.*
acid **ácido/a** *adj.* 2.4
acid rain **lluvia ácida** *f.* 2.4
acquainted: be acquainted with **conocer** *v.* 1.6
action (*genre*) **de acción** *f.* 2.8
active **activo/a** *adj.* 2.6
activist **activista** *m., f.*
actor **actor, actriz** *m., f.* 2.7, 3.9
add **añadir** *v.*
addict (*drug*) **drogadicto/a** *m., f.* 2.6
additional **adicional** *adj.*
address **dirección** *f.* 2.5
adjective **adjetivo** *m.*
admission ticket **entrada** *f.*
adolescence **adolescencia** *f.* 1.9
adore **adorar** *v.* 3.1
advance **avance** *m.* 3.7
advanced **adelantado/a** *adj.*; **avanzado/a** *adj.* 3.7
advantage **ventaja** *f.*
 take advantage of **aprovechar** *v.*
adventure **aventura** *f.* 3.5
 adventure (*genre*) **de aventura** *f.* 2.8
adventurer **aventurero/a** *m., f.* 3.5

advertise **anunciar** *v.* 2.9
advertisement **anuncio** *m.* 2.7; **propaganda** *f.* 3.9
advertising **publicidad** *f.* 3.9
advice **consejo** *m.* 1.6
 give advice **dar consejos** 1.6
advisable **recomendable** *adj.* 3.5
 not advisable **poco recomendable** *adj.*
advise **aconsejar** *v.* 2.3, 3.4
advisor **consejero/a** *m., f.* 2.7; **asesor(a)** *m., f.* 3.8
aerobic **aeróbico/a** *adj.* 2.6
 aerobics class **clase de ejercicios aeróbicos** *f.* 2.6
 do aerobics **hacer ejercicios aeróbicos** 2.6
aesthetic **estético/a** *m., f.* 3.10
affected **afectado/a** *adj.* 2.4
 be affected (by) **estar afectado/a (por)** 2.4
affection **cariño** *m.* 3.1
affectionate **cariñoso/a** *adj.* 3.1
affirmative **afirmativo/a** *adj.*
afflict **afligir** *v.* 3.4
afraid: be (very) afraid (of) **tener (mucho) miedo (de)** 1.3
 be afraid that **tener miedo (de) que; temer** *v.* 2.4
after **después de** *prep.* 1.7; **después de que** *conj.* 2.4
 after all **al final de cuentas** 3.7; **al fin y al cabo**
afternoon **tarde** *f.* 1.1
afterward **después** *adv.* 1.7
again **otra vez** *adv.*
age **edad** *f.* 1.9
 of age **mayor de edad**
agent **agente** *m., f.*
 customs agent **agente de aduanas** *m., f.* 3.5
agnostic **agnóstico/a** *adj.*
agree **concordar (o:ue)** *v.*; **acordar (o:ue)** *v.* 3.2; **estar de acuerdo** 2.7
 I agree (completely). **Estoy (completamente) de acuerdo.** 2.7
 I don't agree. **No estoy de acuerdo.** 2.7
agreement **acuerdo** *m.* 2.7
aid **auxilio** *m.*
 first aid **primeros auxilios** *m. pl.* 3.4
AIDS **SIDA** *m.* 2.9
air **aire** *m.* 2.4
 air pollution **contaminación del aire** *f.* 2.4
airplane **avión** *m.* 1.5
airport **aeropuerto** *m.* 1.5
alarm clock **despertador** *m.* 1.7
album **álbum** *m.* 3.2
alibi **coartada** *f.* 3.10
alien **extraterrestre** *m., f.* 3.7

all **todo(s)/a(s)** *adj.* 1.4
 All aboard! **¡Todos a bordo!** 1.1
 all of us **todos** 1.1
 all over the world **en todo el mundo**
allergic **alérgico/a** *adj.* 2.1
 be allergic (to) **ser alérgico/a (a)** 2.1
alleviate **aliviar** *v.*
allusion **alusión** *f.* 3.10
almost **casi** *adv.* 2.1, 3.3
alone **solo/a** *adj.* 3.1
along **por** *prep.* 2.2
already **ya** *adv.* 1.6
also **también** *adv.* 1.2, 1.7
alternative medicine **medicina alternativa** *f.*
alternator **alternador** *m.* 2.2
although **aunque** *conj.*
aluminum **aluminio** *m.* 2.4
 (made of) aluminum **de aluminio** 2.4
always **siempre** *adv.* 1.7
amaze **asombrar** *v.*
amazement **asombro** *m.*
ambassador **embajador(a)** *m., f.*
American, (North) **norteamericano/a** *adj.* 1.3
among **entre** *prep.* 1.2
amuse (oneself) **entretener(se) (e:ie)** *v.* 3.2
amusement **diversión** *f.*
ancient **antiguo/a** *adj.*
and **y** *conj.* 1.1; **e** (*before words beginning with* i *or* hi) 1.4
 And you? **¿Y tú?** *fam.* 1.1; **¿Y usted?** *form.* 1.1
anger **enojo** *m.*
angry **enojado/a** *adj.* 1.5
 get angry (with) **enojarse** *v.* **(con)** 1.7
animal **animal** *m.* 2.4
ankle **tobillo** *m.* 2.1
anniversary **aniversario** *m.* 1.9
 wedding anniversary **aniversario de bodas** 1.9
announce **anunciar** *v.* 2.9
announcer (TV/radio) **locutor(a)** *m., f.* 2.9; **conductor(a)** *m., f.*
annoy **molestar** *v.* 1.7, 3.2
another **otro/a** *adj.* 1.6
answer **contestar** *v.* 1.2; **respuesta** *f.*
answering machine **contestadora** *f.* 2.2
ant **hormiga** *f.* 3.6
antenna **antena** *f.*
antibiotic **antibiótico** *m.* 2.1
antiquity **antigüedad** *f.*
anxiety **ansia** *f.* 3.1
anxious **ansioso/a** *adj.* 3.1
any **algún, alguno/a(s)** *adj., pron.* 1.7
anyone **alguien** *pron.* 1.7
anything **algo** *pron.* 1.7

apartment **apartamento** *m.* 2.3

apartment building **edificio de apartamentos** *m.* 2.3

apologize **disculparse** *v.* 3.6

appear **parecer** *v.*; **aparecer** *v.* 3.1

appearance **aspecto** *m.*

appetizers **entremeses** *m.*, *pl.* 1.8

applaud **aplaudir** *v.* 2.8, 3.2

apple **manzana** *f.* 1.8

appliance (electric) **electrodoméstico** *m.* 2.3

applicant **aspirante** *m., f.* 2.7

application **aplicación** (*program*) *f.* 2.2; **solicitud** *f.* 2.7

job application **solicitud de trabajo** *f.* 2.7

apply (*for a job*) **solicitar** *v.* 2.7, 3.8

apply for a loan **pedir un préstamo** 2.5

appointment **cita** *f.* 1.9

have an appointment **tener una cita** 1.9

appreciate **apreciar** *v.* 2.8, 3.1

appreciated **apreciado/a** *adj.*

approach **acercarse (a)** *v.* 3.2

approval **aprobación** *f.* 3.9

approve **aprobar (o:ue)** *v.*

April **abril** *m.* 1.5

aquatic **acuático/a** *adj.* 1.4

archaeologist **arqueólogo/a** *m., f.* 2.7

archaeology **arqueología** *f.*

architect **arquitecto/a** *m., f.* 2.7

area **región** *f.* 2.4

argue **discutir** *v.* 3.1

arid **árido/a** *adj.*

aristocratic **aristocrático/a** *adj.*

arm **brazo** *m.* 2.1

armchair **sillón** *m.* 2.3

armed **armado/a** *adj.*

army **ejército** *m.* 2.9

around **por** *prep.* 2.2

around here **por aquí** 2.2

arrange **arreglar** *v.* 2.2

arrival **llegada** *f.* 1.5, 3.5

arrive **llegar** *v.* 1.2

art **arte** *m.* 1.2

arts **artes** *f., pl.* 2.8

fine arts **bellas artes** *f., pl.* 2.8

article **artículo** *m.* 2.9

artifact **artefacto** *m.* 3.5

artisan **artesano/a** *m., f.* 3.10

artist **artista** *m., f.* 1.3

artistic **artístico/a** *adj.* 2.8

as **como** *prep., conj.* 1.8

as... as **tan... como** 1.8

as a child **de niño/a** 2.1

as many... as **tantos/as... como** 1.8

as much... as **tanto... como** 1.8

as soon as **en cuanto** *conj.* 2.4; **tan pronto como** *conj.* 2.4

ascent **subida** *f.*

ashamed **avergonzado/a** *adj.*

be ashamed (of) **tener vergüenza (de)** 3.1

ask (*a question*) **preguntar** *v.*

ask for **pedir (e:i)** *v.* 1.4, 3.1, 3.4

asparagus **espárragos** *m., pl.* 1.8

aspirin **aspirina** *f.* 2.1, 3.4

assure **asegurar** *v.*

astonished: be astonished **asombrarse** *v.*

astonishing **asombroso/a** *adj.*

astonishment **asombro** *m.*

astronaut **astronauta** *m., f.* 3.7

astronomer **astrónomo/a** *m., f.* 3.7

at **a** *prep.* 1.1; **en** *prep.* 1.2

at (+ *time*) **a la(s) (+ *time*)** 1.1

at home **en casa** 1.7

at least **por lo menos** 2.1

at night **por la noche** 1.7

at the end (of) **al fondo (de)** 2.3

At what time...? **¿A qué hora...?** 1.1

At your service. **A sus órdenes.** 2.2

atheism **ateísmo** *m.*

atheist **ateo/a** *adj.*

athlete **deportista** *m., f.* 3.2

ATM **cajero automático** *m.* 2.5

attach **adjuntar** *v.* 3.7

attach a file **adjuntar un archivo** 3.7

attend **asistir (a)** *v.* 1.3

attic **altillo** *m.* 2.3

attract **atraer** *v.* 1.4, 3.1

attraction **atracción** *f.*

auction **subasta** *f.* 3.10

audience **público** *m.* 2.8, 3.9; **audiencia** *f.*

August **agosto** *m.* 1.5

aunt **tía** *f.* 1.3

aunts and uncles **tíos** *m., pl.* 1.3

authoritarian **autoritario/a** *adj.* 3.1

autobiography **autobiografía** *f.* 3.10

automatic **automático/a** *adj.*

automobile **automóvil** *m.* 1.5; **carro** *m.* 2.2; **coche** *m.* 2.2

autumn **otoño** *m.* 1.5

available **disponible** *adj.*

avenue **avenida** *f.*

avoid **evitar** *v.* 2.4

award **premio** *m.* 2.8

awkward situation **compromiso** *m.* 3.10

B

back **espalda** *f.*

behind my back **a mis espaldas** 3.9

have one's back to **estar de espaldas a**

backpack **mochila** *f.* 1.2

bad **mal, malo/a** *adj.* 1.3

It's bad that... **Es malo que...** 2.3

It's not at all bad. **No está nada mal.** 1.5

bag **bolsa** *f.* 1.6

bags under the eyes **ojeras** *f., pl.*

bakery **panadería** *f.* 2.5

balanced **equilibrado/a** *adj.* 2.6

eat a balanced diet **comer una dieta equilibrada** 2.6

balcony **balcón** *m.* 2.3, 3.3

ball **pelota** *f.* 1.4; **balón** *m.* 3.2

ball field **campo** *m.* 3.5

ball game **juego de pelota** *m.* 3.5

banana **banana** *f.* 1.8

band **banda** *f.* 2.8; **conjunto** (*musical*) *m.*

bandage **venda** *f.* 3.4

bank **banco** *m.* 2.5

banking **bancario/a** *adj.*

bankruptcy **bancarrota** *f.* 3.8

baptism **bautismo** *m.*

bargain **ganga** *f.* 1.6, 3.3; **regatear** *v.* 1.6

barter **trueque** *m.*

baseball (*game*) **béisbol** *m.* 1.4

basement **sótano** *m.* 2.3

basketball (*game*) **baloncesto** *m.* 1.4

bathe **bañarse** *v.* 1.7

bathing suit **traje** *m.* **de baño** 1.6

bathroom **baño** *m.* 1.7; **cuarto de baño** *m.* 1.7

battle **batalla** *f.*

bay **bahía** *f.* 3.5

be **ser** *v.* 1.1; **estar** *v.* 1.2

be able to **poder (o:ue)** *v.* 3.1

be about (*deal with*) **tratarse de** *v.* 3.10; **tratar (sobre/ acerca de)** *v.* 3.4

be about to **disponerse a** *v.* 3.6

be promoted **ascender (e:ie)** *v.* 3.8

be... years old **tener... años** 1.3

beach **playa** *f.* 1.5

beans **frijoles** *m., pl.* 1.8

bear **oso** *m.*

beat **latir** *v.* 3.4

beautiful **hermoso/a** *adj.* 1.6

beauty **belleza** *f.* 2.5

beauty salon **peluquería** *f.* 2.5;
salón *m.* **de belleza** 2.5
because **porque** *conj.* 1.2
because of **por** *prep.* 2.2
become (+ *adj.*) **ponerse** (+ *adj.*)
1.7; **convertirse (en) (e:ie)** *v.*
3.2
become annoying **ponerse
pesado/a** *v.*
become extinct **extinguirse**
v. 3.6
become infected **contagiarse**
v. 3.4
become inflamed **inflamarse** *v.*
become informed (about)
enterarse (de) *v.* 3.9
become part (of) **integrarse
(a)** *v.*
become tired **cansarse** *v.*
bed **cama** *f.* 1.5
go to bed **acostarse (o:ue)**
v. 1.7
bed and breakfast inn **pensión** *f.*
bedroom **alcoba** *f.* 2.3;
dormitorio *m.* 2.3;
recámara *f.*
beef **carne de res** *f.* 1.8
beehive **colmena** *f.* 3.8
been **sido** *p.p.* 2.6
before **antes** *adv.* 1.7; **antes de**
prep. 1.7; **antes (de) que**
conj. 2.4
beforehand **de antemano**
beg **rogar (o:ue)** *v.* 2.3, 3.4
beggar **mendigo/a** *m., f.*
begin **comenzar (e:ie)** *v.* 1.4;
empezar (e:ie) *v.* 1.4
behalf: on behalf of **de parte de**
2.2
behave well/badly **portarse**
v. **bien/mal**
behind **detrás de** *prep.* 1.2
belief **creencia** *f.*
believe (in) **creer** *v.* **(en)** 1.3, 2.4
Don't you believe it. **No creas.**
not to believe **no creer** 2.4
believed **creído** *p.p.* 2.5
believer **creyente** *m., f.*
bellhop **botones** *m., f. sing.* 1.5
belong (to) **pertenecer (a)** *v.*
below **debajo de** *prep.* 1.2
belt **cinturón** *m.* 1.6
seatbelt **cinturón de
seguridad** *m.* 3.5
benefit **beneficio** *m.* 2.7
benefits **beneficios** *m. pl.*
beside **al lado de** *prep.* 1.2
besides **además (de)** *adv.* 2.1
best **el/la mejor** *adj.* 1.8; **lo
mejor** *neuter* 2.9
bet **apostar (o:ue)** *v.;* **apuesta** *f.*
betray **engañar** *v.* 3.9
betrayal **traición** *f.*
better **mejor** *adj.* 1.8
It's better that... **Es mejor
que...** 2.3

between **entre** *prep.* 1.2
beverage **bebida** *f.*
beyond **más allá de**
bias **parcialidad** *f.* 3.9
left-wing/right-wing bias
**tendencia izquierdista/
derechista** *f.*
biased **parcial** *adj.* 3.9
bicycle **bicicleta** *f.* 1.4
big **gran, grande** *adj.* 1.3
bilingual **bilingüe** *adj.* 3.9
bill **cuenta** *f.* 1.9; **factura**
f. 3.8; **proyecto de ley** *m.*
billiards **billar** *m.* 3.2
billion **mil millones** *m.*
biochemical **bioquímico/a**
adj. 3.7
biography **biografía** *f.* 3.10
biologist **biólogo/a** *m., f.* 3.7
biology **biología** *f.* 1.2
bird **ave** *f.* 2.4, 3.6; **pájaro**
m. 2.4, 3.6
birth **nacimiento** *m.* 1.9
birthday **cumpleaños** *m., sing.*
1.9
have a birthday **cumplir años**
1.9
biscuit **bizcocho** *m.*
bite **morder (o:ue)** *v.* 3.6
black **negro/a** *adj.* 1.6
blackberry **mora** *f.* 1.8
blackboard **pizarra** *f.* 1.2
blanket **manta** *f.* 2.3
bless **bendecir (e:i)** *v.*
block (city) **cuadra** *f.* 2.5
blog **blog** *m.* 3.7
blognovel **blogonovela** *f.* 3.7
blogosphere **blogosfera** *f.* 3.7
blond(e) **rubio/a** *adj.* 1.3
blood **sangre** *f.* 3.4
(high/low) blood pressure
tensión (alta/baja) *f.* 3.4
blouse **blusa** *f.* 1.6
blow **soplar** *v.*
blow out the candles **apagar
las velas** 3.8
blue **azul** *adj.* 1.6
blush **enrojecer** *v.*
board **embarcar** *v.*
on board **a bordo** *adj.* 3.5
board game **juego de mesa**
m. 3.2
boarding card **tarjeta de
embarque** *f.* 3.5
boarding house **pensión** *f.*
boat **barco** *m.* 1.5;
bote *m.* 3.5
body **cuerpo** *m.* 2.1
boil **hervir (e:ie)** *v.* 3.3
bombing **bombardeo** *m.* 3.6
bone **hueso** *m.* 2.1
book **libro** *m.* 1.2
bookcase **estante** *m.* 2.3
bookshelves **estantes** *m.* 2.3
bookstore **librería** *f.* 1.2
boot **bota** *f.* 1.6

border **frontera** *f.* 3.5; **límite** *m.*
bore **aburrir** *v.* 1.7, 3.2
bored **aburrido/a** *adj.* 1.5
be bored **estar aburrido/a** 1.5
get bored **aburrirse** *v.* 2.8
boring **aburrido/a** *adj.* 1.5
born: be born **nacer** *v.* 1.9
borrow **pedir prestado** 2.5, 3.8
borrowed **prestado/a** *adj.*
boss **jefe** *m.,* **jefa** *f.* 2.7
both **ambos/as** *pron., adj.*
bother **molestar** *v.* 1.7, 3.2
bottle **botella** *f.* 1.9
bottom **fondo** *m.*
boulevard **bulevar** *m.*
bow **proa** *f.* 3.5
bowling **boliche** *m.* 3.2
box **caja** *f.*
toolbox **caja de
herramientas** *f.*
box office **taquilla** *f.* 3.2
boy **chico** *m.* 1.1; **muchacho**
m. 1.3
boyfriend **novio** *m.* 1.3
brakes **frenos** *m., pl.*
branch **sucursal** *f.*
brand **marca** *f.*
brave **valiente** 3.5
bravery **valor** *m.*
bread **pan** *m.* 1.8
break **romper** *v.* 2.1
break (one's leg) **romperse
(la pierna)** 2.1
break down **dañar** *v.* 2.1
break in (*to a conversation*)
meterse *v.* 3.1
break up (with) **romper** *v.*
(con) 1.9, 3.1
The... broke down. **Se nos
dañó el/la...** 2.2
breakfast **desayuno** *m.* 1.2, 1.8
have breakfast **desayunar**
v. 1.2
breakthrough **avance** *m.* 3.7
breathe **respirar** *v.* 2.4
breathing **respiración** *f.* 3.4
brick **ladrillo** *m.*
bridge **puente** *m.*
bright **luminoso/a** *adj.* 3.10
bring **traer** *v.* 1.4, 3.1
bring down **derribar** *v.*
bring up (*raise*) **educar** *v.* 3.1
broadcast **transmitir** *v.* 2.9, 3.9;
emitir *v.* 2.9; **emisión** *f.*
live broadcast **emisión en
vivo/directo** *f.*
brochure **folleto** *m.*
broken **roto/a** *adj.* 2.1, 2.5
be broken **estar roto/a** 2.1
broom **escoba** *f.*
brother **hermano** *m.* 1.3
brothers and sisters **hermanos**
m., pl. 1.3
brother-in-law **cuñado** *m.* 1.3
brought **traído** *p.p.* 2.5

Vocabulario

brown **café** *adj.* 1.6; **marrón** *adj.* 1.6
browser **buscador** *m.* 2.2
brunet(te) **moreno/a** *adj.* 1.3
brush **cepillar(se)** *v.* 1.7, 3.2
  brush against **rozar** *v.*
  brush one's hair **cepillarse el pelo** 1.7
  brush one's teeth **cepillarse los dientes** 1.7
brush stroke **pincelada** *f.* 3.10
Buddhist **budista** *adj.*
budget **presupuesto** *m.* 3.8
buffalo **búfalo** *m.*
build **construir** *v.* 1.4
building **edificio** *m.* 2.3
bull ring **ruedo** *m.* 3.2
bullfight **corrida** *f.* 3.2
bullfighter **torero/a** *m., f.* 3.2
  bullfighter who kills the bull **matador/a** *m., f.* 3.2
  bullfighter's outfit **traje de luces** *m.* 3.2
bullfighting **toreo** *m.* 3.2
  bullfighting stadium **plaza de toros** *f.* 3.2
bump into (*something accidentally*) **darse con** 2.1; (*someone*) **encontrarse** *v.* 2.2
bureaucracy **burocracia** *f.*
buried **enterrado/a** *adj.* 3.2
burn (*a CD*) **quemar** *v.* 2.2
burned (out) **quemado/a** *adj.* 2.2
bury **enterrar (e:ie), sepultar** *v.*
bus **autobús** *m.* 1.1
  bus station **estación** *f.* **de autobuses** 1.5
business **negocios** *m. pl.* 2.7
  business administration **administración** *f.* **de empresas** 1.2
  business-related **comercial** *adj.* 2.7
businessman **hombre de negocios** *m.* 3.8
businessperson **hombre/mujer de negocios** *m., f.* 2.7
businesswoman **mujer de negocios** *f.* 3.8
busy **ocupado/a** *adj.* 1.5
but **pero** *conj.* 1.2; (rather) **sino** *conj.* 1.7
butcher shop **carnicería** *f.* 2.5
butter **mantequilla** *f.* 1.8
butterfly **mariposa** *f.*
buy **comprar** *v.* 1.2
by **por** *conj.* 2.2; **para** *prep.* 2.2
  by means of **por** *prep.* 2.2
  by phone **por teléfono** 2.2
  by plane **en avión** 1.5
  by way of **por** *prep.* 2.2
bye **chau** *interj. fam.* 1.1

C

cabin **cabaña** *f.* 1.5
cable television **televisión** *f.* **por cable**
café **café** *m.* 1.4
cafeteria **cafetería** *f.* 1.2
caffeine **cafeína** *f.* 2.6
cage **jaula** *f.*
cake **pastel** *m.* 1.9
  chocolate cake **pastel de chocolate** *m.* 1.9
calculation (*sum*) **cuenta** *f.*
calculator **calculadora** *f.* 2.2
call **llamar** *v.* 2.2
  be called **llamarse** *v.* 1.7
  call on the phone **llamar por teléfono**
calm **tranquilo/a** *adj.* 2.6, 3.1
calm down **calmarse** *v.*
  Calm down. **Tranquilo/a.**
calorie **caloría** *f.* 2.6
camera **cámara** *f.* 2.2
camp **acampar** *v.* 1.5
campaign **campaña** *f.*
campground **campamento** *m.* 3.5
can **poder (o:ue)** *v.* 1.4; (*tin*) **lata** *f.* 2.4
Canadian **canadiense** *adj.* 1.3
cancel **cancelar** *v.* 3.5
cancer **cáncer** *m.*
candidate **aspirante** *m., f.* 2.7; **candidato/a** *m., f.* 2.9
candle **vela** *f.*
candy **dulces** *m., pl.* 1.9
canon **canon** *m.* 3.10
canvas **tela** *f.* 3.10
capable **capaz** *adj.* 3.8
cape **cabo** *m.*
capital city **capital** *f.* 1.1
captain **capitán** *m.*
car **coche** *m.* 2.2; **carro** *m.* 2.2; **auto(móvil)** *m.* 1.5
caramel **caramelo** *m.* 1.9
card **tarjeta** *f.*; (*playing*) **carta** *f.* 1.5, 3.2; **naipe** *f.* 3.2
  credit/debit card **tarjeta de crédito/débito** *f.*
care **cuidado** *m.* 1.3, 3.1
  personal care **aseo personal** *m.*
  Take care! **¡Cuídense!** 2.6
  take care of **cuidar** *v.* 2.4
career **carrera** *f.* 2.7
careful **cuidadoso/a** *adj.* 3.1
  be (very) careful **tener (mucho) cuidado** 1.3
caress **acariciar** *v.* 3.3, 3.10
caretaker **ama** *m., f.* **de casa** 2.3
carpenter **carpintero/a** *m., f.* 2.7
carpet **alfombra** *f.* 2.3
carriage **vagón** *m.* 3.7

carrot **zanahoria** *f.* 1.8
carry **llevar** *v.* 1.2, 3.2
  carry away **llevarse** *v.* 3.2
  carry out **cumplir** *v.* 3.8
  carry out (*an activity*) **llevar a cabo**
cartoons **dibujos** *m., pl.* **animados** 2.8
cascade **cascada** *f.* 3.5
case: in any case **de todas formas**
  in case (that) **en caso (de) que** *conj.* 2.4
cash (*a check*) **cobrar** *v.* 2.5; **(en) efectivo** 1.6; **dinero en efectivo** *m.* 3.3; (*Arg.*) **guita** *f.*
  pay in cash **pagar al contado** 2.5; **pagar en efectivo** 2.5
cashier **cajero/a** *m., f.*
cash register **caja** *f.* 1.6
casket **ataúd** *m.* 3.2
cast **yeso** *m.* 3.4
cat **gato** *m.* 2.4
catastrophe **catástrofe** *f.*
catch **atrapar** *v.* 3.6; **pillar** *v.* 3.9
category **categoría** *f.* 3.5
Catholic **católico/a** *adj.*
cautious **prevenido/a** *adj.*
cave **cueva** *f.*
CD player **reproductor de CD** *m.* 3.7
CD-ROM **cederrón** *m.*
celebrate **celebrar** *v.* 1.9; **festejar** *v.* 3.2
celebration **celebración** *f.*
  young woman's fifteenth birthday celebration **quinceañera** *f.* 1.9
celebrity **celebridad** *f.* 3.9
cell **célula** *f.* 3.7; **celda** *f.*
cell phone **móvil** *m.* 3.7; **teléfono celular** *m.* 3.7
cellar **sótano** *m.* 2.3
cellular **celular** *adj.* 2.2
cellular telephone **teléfono celular** *m.* 2.2
cemetery **cementerio** *m.*
censorship **censura** *f.* 3.9
cent **centavo** *m.*
century **siglo** *m.*
cereal **cereales** *m., pl.* 1.8
certain **cierto** *m.* 2.4; **seguro** *m.* 2.4
  it's (not) certain **(no) es cierto/seguro** 2.4
certainty **certeza** *f.*, **certidumbre** *f.*
chalk **tiza** *f.* 1.2
challenge **desafío** *m.* 3.7; **desafiar** *v.* 3.2; **poner a prueba**
challenging **desafiante** *adj.* 3.4
champagne **champán** *m.* 1.9

champion **campeón/campeona**
m., f. 3.2
championship **campeonato** m.
3.2
chance **azar** m. 3.5; **casualidad**
f. 3.5
by chance **por casualidad**
3.3
change **cambio** m.; **cambiar** v.
(de) 1.9; **mudar** v. 3.2
change (planes/trains) **hacer** v.
transbordo 3.5
channel **canal** m. 3.9
television channel **canal de**
televisión m. 2.2, 2.8
chapel **capilla** f.
chapter **capítulo** m.
character (fictional) **personaje**
m. 2.2, 2.8, 3.10
main/secondary character
personaje principal/
secundario m. 2.8
characteristic (trait) **rasgo** m.
characterization **caracterización**
f. 3.10
charge **cobrar** v. 3.8
be in charge of **encargarse de**
v. 3.1; **estar a cargo de;**
estar encargado/a de
person in charge **encargado/a**
m., f.
chat **conversar** v. 1.2; **chatear**
v. 2.2
chauffeur **conductor(a)** m.,
f. 1.1
cheap (stingy) **tacaño/a** adj. 3.1;
(inexpensive) **barato/a** adj.
1.6, 3.3
check (bank) **cheque** m. 2.5;
comprobar (o:ue) v.; **revisar**
v. 2.2
check the oil **revisar el aceite**
2.2
checking account **cuenta** f.
corriente 2.5
cheek **mejilla** f. 3.10
cheer up **animar** v.
Cheer up! **¡Anímate!** sing.;
¡Anímense! pl. 3.2
Cheers! **¡Salud!** 3.8
cheese **queso** m. 1.8
chef **cocinero/a** m., f. 2.7
chemical **químico/a** adj. 3.7
chemist **químico/a** m., f. 3.7
chemistry **química** f. 1.2
chess **ajedrez** m. 3.2
chest **pecho** m. 3.10
chest of drawers **cómoda** f. 2.3
chew **masticar** v.
chicken **pollo** m. 1.8
child **niño/a** m., f. 1.3
childhood **niñez** f. 1.9;
infancia f.
children **hijos** m., pl. 1.3
Chinese **chino/a** adj. 1.3

chocolate **chocolate** m. 1.9
chocolate cake **pastel** m. **de**
chocolate 1.9
choir **coro** m.
cholesterol **colesterol** m. 2.6
choose **elegir (e:i)** v.; **escoger**
v. 1.8, 3.1
chop (food) **chuleta** f. 1.8
chore **quehacer** m. 3.3
chorus **coro** m.
chosen **elegido/a** adj.
Christian **cristiano/a** adj.
Christmas **Navidad** f. 1.9
church **iglesia** f. 1.4
cinema **cine** m. 3.2
circus **circo** m. 3.2
cistern **cisterna** f. 3.6
citizen **ciudadano/a** m., f. 2.9
city **ciudad** f. 1.4
civilization **civilización** f.
civilized **civilizado/a** adj.
claim **reclamar** v.
clarify **aclarar** v. 3.9
class **clase** f. 1.2
take classes **tomar clases** 1.2
classic **clásico/a** adj. 3.10
classical **clásico/a** adj. 2.8
classmate **compañero/a** m., f. **de**
clase 1.2
clean (pure) **puro/a** adj. 2.4;
limpio/a adj. 1.5; **limpiar**
v. 2.3, 3.3
clean the house **limpiar la casa**
2.3
cleaning **limpieza** f. 3.3
cleanliness **aseo** m.
clear (weather) **despejado/a** adj.
clear the table **quitar la mesa**
2.3
It's (very) clear. (weather) **Está**
(muy) despejado.
clerk **dependiente/a** m., f. 1.6
click **hacer clic** 3.7
cliff **acantilado** m.
climate **clima** m.
climb (mountain) **escalada** f.;
escalar v. 1.4
climb mountains **escalar**
montañas 1.4
climber **escalador(a)** m., f.
clinic **clínica** f. 2.1
clock **reloj** m. 1.2
cloister **claustro** m.
clone **clonar** v. 3.7
close **cerrar (e:ie)** v. 1.4
closed **cerrado/a** adj. 1.5
closet **armario** m. 2.3
clothes **ropa** f. 1.6
clothes dryer **secadora** f. 2.3
clothing **ropa** f. 1.6
cloud **nube** f. 2.4
cloudy **nublado/a** adj. 1.5
It's (very) cloudy. **Está (muy)**
nublado. 1.5
clown **payaso/a** m., f. 3.8

club **club** m.
sports club **club deportivo** m.
3.2
coach (train) **vagón** m. 3.7;
(trainer) **entrenador(a)** m.,
f. 3.2
coast **costa** f. 3.6
coat **abrigo** m. 1.6
cockroach **cucaracha** f. 3.6
coffee **café** m. 1.8
coffeemaker **cafetera** f. 2.3
coincidence **casualidad** f. 3.5
cold **frío** m. 1.5; (illness)
resfriado m. 2.1, 3.4
be (feel) (very) cold **tener**
(mucho) frío 1.3
have a cold **estar resfriado/a**
3.4
It's (very) cold. (weather) **Hace**
(mucho) frío. 1.5
collect **coleccionar** v.
college **universidad** f. 1.2
collision **choque** m. 2.9
colonize **colonizar** v.
colony **colonia** f.
color **color** m. 1.3, 1.6
columnist **columnista** m., f. 3.9
comb one's hair **peinarse** v. 1.7,
3.2
combatant **combatiente** m., f.
come **venir** v. 1.3, 3.1
come back **volver (o:ue)** v.
come from **provenir (de)** v.
come to an end **acabarse** v.
3.6
come with **acompañar**
v. 3.10
comedian **comediante** m.,
f. 3.1
comedy **comedia** f. 2.8
comet **cometa** m. 3.7
comfortable **cómodo/a** adj. 1.5
comic strip **tira cómica** f. 3.9
commerce **negocios** m., pl. 2.7;
comercio m. 3.8
commercial **comercial** adj. 2.7;
anuncio m. 3.9
commitment **compromiso** m.
3.1
communicate (with) **comunicarse**
v. **(con)** 2.9
communication **comunicación** f.
2.9
means of communication
medios m. pl. **de**
comunicación 2.9
community **comunidad** f. 1.1,
3.4
compact disc (CD) **disco** m.
compacto
compact disc player (CD player)
tocadiscos m. sing.
compacto 2.2
company **compañía** f., **empresa**
f. 2.7, 3.8

multinational company
empresa multinacional f.
3.8

comparison **comparación** f.

compass **brújula** f. 3.5

competent **capaz** adj. 3.8

complain (about) **quejarse (de)**
v. 3.2

complaint **queja** f.

completely **completamente**
adv. 2.7

complicated **rebuscado/a** adj.

compose **componer** v. 3.1

composer **compositor(a)** m., f.
2.8

computer **computadora** f. 1.1

computer disc **disco** m.

computer monitor **monitor** m.
2.2

computer programmer
programador(a) m., f. 1.3

computer science **computación**
f. 1.2; **informática** f. 3.7

conceited **creído/a** adj.

concert **concierto** m. 2.8, 3.2

condition (illness) **dolencia** f.
3.4

conductor (musical) **director(a)**
m., f. 2.8

conference **conferencia** f. 3.8

confess **confesar (e:ie)** v.

confidence **confianza** f. 3.1

confident **seguro/a** adj. 3.1

confirm **confirmar** v. 1.5
confirm a reservation
confirmar una reservación
1.5

confront **enfrentar** v.

confuse (with) **confundir (con)** v.

confused **confundido/a** adj. 1.5

congested **congestionado/a**
adj. 2.1

Congratulations! (for an event such
as a birthday or anniversary)
¡Felicidades! 1.9; (for an
event such as an engagement
or a good grade on a test)
¡Felicitaciones! 1.9
Congratulations to all!
¡Felicidades a todos!

connection **conexión** f.

conquer **conquistar** v.; **vencer**
v. 3.2, 3.9

conqueror **conquistador(a)** m., f.

conquest **conquista** f.

conscience **conciencia** f.

consequently **por consiguiente**
adv.

conservation **conservación**
f. 2.4

conservative **conservador(a)** adj.

conserve **conservar** v. 2.4, 3.6

consider **considerar** v.

considering **para** prep. 2.2

consulate **consulado** m.

consultant **asesor(a)** m., f. 3.8

consume **consumir** v. 2.6

consumption **consumo** m.
energy consumption **consumo
de energía** m.

container **envase** m. 2.4

contaminate **contaminar** v. 3.6

contamination **contaminación**
f. 3.6

contemporary **contemporáneo/a**
adj. 3.10

content **contento/a** adj. 1.5

contented: be contented with
contentarse con v. 3.1

contest **concurso** m. 2.8

continue **seguir (e:i)** v. 1.4

contract **contrato** m. 3.8;
contraer v. 3.1

contribute **contribuir (a)** v. 3.6

contribution **aportación** f.

control **control** m.; **controlar** v.
2.4
be under control **estar bajo
control** 1.7

controversial **controvertido/a**
adj. 3.9

controversy **polémica** f.

conversation **conversación** f. 1.1

converse **conversar** v. 1.2

cook **cocinero/a** m., f. 2.7;
cocinar v. 2.3, 3.3

cookie **galleta** f. 1.9

cool **fresco/a** adj. 1.5
Be cool. **Tranquilo/a.** 1.7
It's cool. (weather) **Hace
fresco.** 1.5

corn **maíz** m. 1.8

corner **esquina** f. 2.5; **rincón** m.

cornmeal cake **arepa** f.

correspondent **corresponsal**
m., f. 3.9

corruption **corrupción** f.

cost **costar (o:ue)** v. 1.6

costly **costoso/a** adj.

costume **disfraz** m.
in costume **disfrazado/a** adj.

cotton **algodón** f. 1.6
(made of) cotton **de algodón**
1.6

couch **sofá** m. 2.3

couch potato **teleadicto/a** m., f.
2.6

cough **tos** f. 2.1, 3.4; **toser** v.
2.1, 3.4
cough syrup **jarabe para la tos**
m. 3.4

counselor **consejero/a** m., f. 2.7

count **contar (o:ue)** v. 3.2
count (on) **contar** v. **(con)**
1.4, 2.3

country (nation) **país** m. 1.1

countryside **campo** m. 1.5, 3.6

couple **pareja** f. 1.9, 3.1

courage **coraje** m.

course **curso** m. 1.2;
materia f. 1.2

of course **claro** interj. 3.3; **por
supuesto; ¡cómo no!**

court **tribunal** m.

courtesy **cortesía** f.

cousin **primo/a** m., f. 1.3

cover **portada** f. 3.9; **tapa** f.;
cubrir v.

covered **cubierto** p.p.

cow **vaca** f. 2.4, 3.6

crafts **artesanía** f. 2.8

craftsmanship **artesanía** f. 2.8

crash **choque** m. 3.3

crater **cráter** m. 2.4

crazy **loco/a** adj. 1.6

create **crear** v. 3.7

creativity **creatividad** f.

credit **crédito** m. 1.6
credit card **tarjeta** f. **de
crédito** 1.6

crime **crimen** m. 2.9

crisis **crisis** f.
economic crisis **crisis
económica** f. 3.8

critic **crítico/a** m., f.
movie critic **crítico/a de cine**
m., f. 3.9

critical **crítico/a** adj.

critique **criticar** v. 3.10

cross **cruzar** v. 2.5

crowd **multitud** f.

cruise ship **crucero** m. 3.5

cry **llorar** v. 3.3

crying **llanto** m. 3.3

cubism **cubismo** m. 3.10

culture **cultura** f. 2.8
pop culture **cultura popular** f.

cultured **culto/a** adj.

cup **taza** f. 2.3

currency exchange **cambio** m. **de
moneda**

current events **actualidades** f., pl.
2.9

currently **actualmente** adv.

curse **maldición** f.

curtains **cortinas** f., pl. 2.3

custard (baked) **flan** m. 1.9

custom **costumbre** f. 1.1, 3.3

customer **cliente/a** m., f. 1.6

customs **aduana** f. 1.5

customs agent **agente de
aduanas** m., f. 3.5

customs inspector **inspector(a)
de aduanas** m., f. 1.5

cut **corte** m.

cybercafé **cibercafé** m. 2.2

cycling **ciclismo** m. 1.4

D

---

dad **papá** m. 1.3

daily **diario/a** adj. 1.7, 3.3
daily routine **rutina** f. **diaria**
1.7

dam **represa** f.

damage **dañar** *v.* 2.1
damp **húmedo/a** *adj.* 3.6
dance **bailar** *v.* 2.1, 3.1; **danza**
f. 2.8; **baile** *m.* 2.8
dance club **discoteca** *f.* 3.2
dancer **bailarín/bailarina** *m., f.*
2.8
danger **peligro** *m.* 2.4
dangerous **peligroso/a** *adj.* 2.9,
3.5
dare (to) **atreverse (a)** *v.* 3.2
darken **oscurecer** *v.* 3.6
darts **dardos** *m. pl.* 3.2
data **datos** *m.*
piece of data **dato** *m.*
date (*appointment*) **cita** *f.* 1.9;
(*calendar*) **fecha** *f.* 1.5;
(*someone*) **salir** *v.* **con**
(alguien) 1.9
blind date **cita a ciegas** *f.* 3.1
have a date **tener una**
cita 1.9
datebook **agenda** *f.* 3.3
daughter **hija** *f.* 1.3
daughter-in-law **nuera** *f.* 1.3
dawn **alba** *f.*
day **día** *m.* 1.1
day before yesterday **anteayer**
adv. 1.6
daybreak **alba** *f.*
deaf **sordo/a** *adj.*
go deaf **quedarse sordo/a**
3.4
deal **trato** *m.* 2.8
deal with (*be about*) **tratarse**
de *v.* 3.10
It's not a big deal. **No es para**
tanto. 2.3
You've got a deal! **¡Trato**
hecho! 2.8
death **muerte** *f.* 1.9
debt **deuda** *f.* 3.8
debt collector **cobrador(a)** *m.,*
f. 3.8
debtor **moroso/a** *m., f.* 3.8
debut (*premiere*) **estreno** *m.* 3.2
decade **década** *f.*
decaffeinated **descafeinado/a**
adj. 2.6
December **diciembre** *m.* 1.5
decide **decidir** *v.* **(+ inf.)** 1.3
decided **decidido/a** *adj.,*
p.p. 2.5
declare **declarar** *v.* 2.9
decrease **disminuir** *v.*
dedication **dedicatoria** *f.*
deep **hondo/a** *adj.* 3.2;
profundo/a *adj.*
deer **venado** *m.*
defeat **derrota** *f.*; **derrotar** *v.*;
vencer *v.* 3.2, 3.9
defeated **derrotado/a** *adj.*
deforestation **deforestación**
f. 2.4, 3.6
defrost **descongelar(se)** *v.* 3.7

delay **atrasar** *v.*; **demorar** *v.*;
retrasar *v.*; **retraso** *m.*
delayed **retrasado/a** *adj.* 3.5
delicious **delicioso/a** *adj.* 1.8;
rico/a *adj.* 1.8; **sabroso/a**
adj. 1.8
delighted **encantado/a** *adj.* 1.1
delivery **entrega** *f.*
demand **exigir** *v.* 3.1, 3.4, 3.8;
reclamar *v.*
democracy **democracia** *f.*
demonstration **manifestación** *f.*
denounce **delatar** *v.* 3.3;
denunciar *v.* 3.9
dentist **dentista** *m., f.* 2.1
deny **negar (e:ie)** *v.* 2.4
not to deny **no negar** 2.4
department store **almacén**
m. 1.6
departure **salida** *f.* 1.5
depict **reflejar** *v.* 3.10
deposit **depositar** *v.* 2.5, 3.8
depressed **deprimido/a** *adj.* 3.1
depression **depresión** *f.* 3.4
descendent **descendiente** *m., f.*
describe **describir** *v.* 1.3
described **descrito** *p.p.* 2.5
desert **desierto** *m.* 2.4, 3.6
deserve **merecer** *v.* 3.8
design **diseño** *m.*; **diseñar** *v.*
3.8, 3.10
designer **diseñador(a)** *m., f.* 2.7
desire **desear** *v.* 1.2, 3.4; **deseo**
m.; **gana** *f.*
desk **escritorio** *m.* 1.2
dessert **postre** *m.* 1.9
destination **destino** *m.* 3.5
destroy **destruir** *v.* 2.4, 3.6
detective (*story/novel*) **policíaco/a**
adj. 3.10
deteriorate **empeorar** *v.* 3.4
detest **detestar** *v.*
develop **desarrollar** *v.* 2.4
developed **desarrollado/a** *adj.*
developing **en vías de**
desarrollo
developing country **país en**
vías de desarrollo *m.*
development **desarrollo** *m.* 3.6
diamond **diamante** *m.* 3.5
diary **diario** *m.* 1.1
dictator **dictador(a)** *m., f.*
dictatorship **dictadura** *f.* 2.9
dictionary **diccionario** *m.* 1.1
die **morir (o:ue)** *v.* 1.8;
fallecer *v.*
be dead **estar muerto/a**
die of **morirse (o:ue) de**
v. 3.2
died **muerto** *p.p.* 2.5
diet (*nutrition*) **alimentación** *f.*
3.4; **dieta** *f.* 2.6
balanced diet **dieta**
equilibrada *f.* 2.6
be on a diet **estar a dieta**
2.6, 3.4

go on a diet **ponerse a**
dieta 3.4
difficult **difícil** *adj.* 1.3; **duro/a**
adj. 3.7
digestion **digestión** *f.*

digital **digital** *adj.* 3.7
digital camera **cámara** *f.*
digital 2.2
dining room **comedor** *m.* 2.3
dinner **cena** *f.* 1.2, 1.8
dinner guest **comensal** *m., f.*
3.10
have dinner **cenar** *v.* 1.2
direct **dirigir** *v.* 2.8, 3.1
directions **direcciones** *f., pl.* 2.5
give directions **dar direcciones**
2.5
director **director(a)** *m., f.* 2.8
dirty **sucio/a** *adj.* 1.5
get (*something*) dirty **ensuciar**
v. 2.3
disagree **no estar de acuerdo**
disappear **desaparecer** *v.* 3.1,
3.6
disappointment **desilusión** *f.*
disaster **desastre** *m.* 2.9;
catástrofe *f.*
natural disaster **catástrofe**
natural *f.*
discomfort **malestar** *m.* 3.4
discotheque **discoteca** *f.* 3.2
discouraged **desanimado/a** *adj.*
get discouraged **desanimarse**
v.
the state of being discouraged
desánimo *m.* 3.1
discover **descubrir** *v.* 2.4, 3.4
discovered **descubierto/a** *adj.,*
p.p. 2.5
discoverer **descubridor(a)** *m., f.*
discovery **descubrimiento** *m.*
3.7; **hallazgo** *m.* 3.4
discriminated **discriminado/a**
adj.
discrimination **discriminación** *f.*
2.9
disease **enfermedad** *f.* 3.4
disguised **disfrazado/a** *adj.*
disgusting: be disgusting **dar asco**
dish **plato** *m.* 1.8, 2.3
main dish **plato principal** *m.*
1.8
dishwasher **lavaplatos** *m., sing.*
2.3
disk **disco** *m.*
disorder **desorden** *m.* 3.7;
(*condition*) **trastorno** *m.*
disorderly **desordenado/a**
adj. 1.5
display **llevar** *v.* 3.3
disposable **desechable** *adj.* 3.6
distant **lejano/a** *adj.* 3.5
distinguish **distinguir** *v.* 3.1
distract **distraer** *v.* 3.1

distracted **distraído/a** *adj.*
    get distracted **descuidar(se)**
    v. 3.6
disturbing **inquietante** *adj.* 3.10
dive **bucear** *v.* 1.4
diversity **diversidad** *f.* 3.4
divorce **divorcio** *m.* 1.9, 3.1
divorced **divorciado/a** *adj.* 1.9,
    3.1
    get divorced (from) **divorciarse**
    v. **(de)** 1.9
dizzy **mareado/a** *adj.* 2.1, 3.4
DNA **ADN (ácido
    desoxirribonucleico)** *m.* 3.7
do **hacer** *v.* 1.4, 3.1, 3.4
    be (*doing something*) **andar
    (+** *pres. participle*) *v.*
    do aerobics **hacer ejercicios
    aeróbicos** 2.6
    do household chores **hacer
    quehaceres domésticos**
    2.3
    do someone a/the favor **hacer
    un/el favor (a)**
    do something on purpose
    hacer algo a propósito
    do stretching exercises **hacer
    ejercicios de estiramiento**
    2.6
doctor **doctor(a)** *m., f.* 1.3, 2.1;
    médico/a *m., f.* 1.3
    doctor's appointment **consulta**
    f. 3.4
    doctor's office **consultorio** *m.*
    3.4
documentary (*film*) **documental**
    m. 2.8, 3.9
dog **perro** *m.* 2.4
domestic **doméstico/a** *adj.*
    domestic appliance
    electrodoméstico *m.* 2.3
dominoes **dominó** *m.*
done **hecho** *p.p.* 2.5
door **puerta** *f.* 1.2
doorbell **timbre** *m.*
    ring the doorbell **tocar el
    timbre**
dormitory **residencia** *f.*
    estudiantil 1.2
double **doble** *adj.* 1.5;
    (*in movies*) **doble** *m., f.* 3.9
    double room **habitación** *f.*
    doble 1.5
doubt **duda** *f.* 2.4;
    interrogante
    m. 3.7; **dudar** *v.* 2.5
    there is no doubt that...
    no cabe duda de... 2.4;
    no hay duda de... 2.4
Down with...! **¡Abajo el/la...!**
download **descargar** *v.* 2.2, 3.7
downtown **centro** *m.* 1.4
drag **arrastrar** *v.*
drama **drama** *m.* 2.8
dramatic **dramático/a** *adj.* 2.8
draw **dibujar** *v.* 1.2, 3.10

drawing **dibujo** *m.* 2.8
dream (about) **soñar (o:ue)
    (con)** *v.* 3.1
dress **vestido** *m.* 1.6
    get dressed **vestirse (e:i)** *v.* 1.7
dressing room **probador** *m.* 3.3;
    (*star's*) **camerino** *m.* 3.9
drink **bebida** *f.* 1.8; **beber**
    v. 1.3, 3.1; **tomar** *v.* 1.2
drinking glass **copa** *f.*
drive **conducir** *v.* 1.6, 3.1;
    manejar *v.* 2.2
driver **conductor(a)** *m., f.* 1.1
drought **sequía** *f.* 3.6
drown **ahogarse** *v.*
drowned **ahogado/a** *adj.* 3.5
drug **droga** *f.* 2.6
drug addict **drogadicto/a** *m., f.*
    2.6
dry oneself **secarse** *v.* 1.7
dry **seco/a** *adj.* 3.6; **secar** *v.*
    dry off **secarse** *v.* 3.2
dub (*film*) **doblar** *v.*
dubbed **doblado/a** *adj.* 3.9
dubbing **doblaje** *m.*
during **durante** *prep.* 1.7; **por**
    prep. 2.2
dust **polvo** *m.* 3.3; **sacudir**
    v. 2.3; **quitar el polvo** 2.3
    dust the furniture **sacudir los
    muebles** 2.3
duty **deber** *m.* 3.8
DVD player **reproductor** *m.* **de
DVD** 2.2

E

each **cada** *adj.* 1.6
eagle **águila** *f.*
ear (*outer*) **oreja** *f.* 2.1
early **temprano** *adv.* 1.7
earn **ganar** *v.* 2.7
    earn a living **ganarse la vida**
    3.8
earth **tierra** *f.* 3.6
    What on earth...? **¿Qué
    rayos...?** 3.5
earthquake **terremoto** *m.* 2.9,
    3.6
ease **aliviar** *v.*
east **este** *m.* 2.5
    to the east **al este** 2.5
easy **fácil** *adj.* 1.3
easy-going (*permissive*)
    permisivo/a *adj.* 3.1
eat **comer** *v.* 1.3
    eat up **comerse** *v.* 3.2
ecology **ecología** *f.* 2.4
economics **economía** *f.* 1.2
ecosystem **ecosistema** *m.* 3.6
ecotourism **ecoturismo** *m.*
    2.4, 3.5
Ecuador **Ecuador** *m.* 1.1
Ecuadorian **ecuatoriano/a** *adj.*
    1.3

edible **comestible** *adj.*
    edible plant **planta
    comestible** *f.*
editor **redactor(a)** *m., f.* 3.9
editor-in-chief **redactor(a) jefe**
    m., f.
educate **educar** *v.*
educated (*cultured*) **culto/a** *adj.*
educational **didáctico/a** *adj.*
    3.10
effective **eficaz** *adj.*
efficient **eficiente** *adj.*
effort **esfuerzo** *m.*
egg **huevo** *m.* 1.8
eight hundred **ochocientos/as**
    n., adj. 1.2
eight **ocho** *n., adj.* 1.1
eighteen **dieciocho** *n., adj.* 1.1
eighth **octavo/a** *n., adj.* 1.5
eighty **ochenta** *n., adj.* 1.2
either... or **o... o** *conj.* 1.7
elbow **codo** *m.*
elder **mayor** *adj.*
elderly **anciano/a** *adj.*
    elderly gentleman/lady
    anciano/a *m., f.*
eldest **el/la mayor** *adj.* 1.8
elect **elegir (e:i)** *v.* 2.9
elected **elegido/a** *adj.*
election **elecciones** *f. pl.* 2.9
electoral **electoral** *adj.*
electric appliance
    electrodoméstico *m.* 2.3
electrician **electricista** *m., f.*
    2.7
electricity **luz** *f.* 2.3, 3.7
electronic **electrónico/a** *adj.*
elegant **elegante** *adj.* 1.6
elevator **ascensor** *m.* 1.5
eleven **once** *n., adj.* 1.1
e-mail **correo** *m.* **electrónico**
    1.4
    e-mail address **dirrección** *f.*
    electrónica 2.2, **dirección
    de correo electrónico** 3.7
    e-mail message **mensaje** *m.*
    electrónico 1.4
    read e-mail **leer el correo
    electrónico** 1.4
embarrass **avergonzar** *v.* 3.8
embarrassed **avergonzado/a**
    adj. 1.5
embarrassment **vergüenza** *f.*
embassy **embajada** *f.*
embrace (each other) **abrazar(se)**
    v. 2.2
emergency **emergencia** *f.* 2.1
    emergency room **sala** *f.* **de
    emergencia(s)** 2.1
emigrate **emigrar** *v.*
emotion **sentimiento** *m.* 3.1
emperor **emperador** *m.*
emphasize **destacar** *v.*
empire **imperio** *m.*
employed **empleado/a** *adj.* 3.8

employee **empleado/a** *m.*, *f.*
1.5, 3.8
employment **empleo** *m.* 2.7, 3.8
empress **emperatriz** *f.*
encourage **animar** *v.*
end **fin** *m.* 1.4; **terminar** *v.* 1.2
(*rope, string*) **cabo** *m.*
end table **mesita** *f.* 2.3
endangered **en peligro de**
extinción *adj.*
endangered species **especie en**
peligro de extinción *f.*
ending **desenlace** *m.*
energetic **enérgico/a** *adj.* 3.8
energy **energía** *f.* 2.4
nuclear energy **energía**
nuclear *f.* 2.4
wind energy **energía eólica** *f.*
engaged: get engaged (to)
comprometerse *v.* **(con)** 1.9
engineer **ingeniero/a** *m.*, *f.* 1.3,
3.7
English (*language*) **inglés** *m.* 1.2;
inglés, inglesa *adj.* 1.3
enjoy **disfrutar (de)** *v.* 2.6, 3.2
Enjoy your meal. **Buen**
provecho.
enough **bastante** *adv.* 2.1, 3.3
enslave **esclavizar** *v.*
enter **ingresar** *v.*
enter data **ingresar datos**
entertain (oneself) **entretener(se)**
(e:ie) *v.* 3.2
entertaining **entretenido/a** *adj.*
3.2
entertainment **diversión** *f.* 1.4;
farándula *f.* 3.1
entrance **entrada** *f.* 2.3
entrepreneur **empresario/a** *m.*, *f.*
3.8
envelope **sobre** *m.* 2.5
environment **medio ambiente**
m. 2.4, 3.6
environmental **ambiental** *adj.*
3.6
epidemic **epidemia** *f.* 3.4
episode **episodio** *m.* 3.9
final episode **episodio final**
m. 3.9
equal **igual** *adj.*
equality **igualdad** *f.* 2.9
equipped **equipado/a** *adj.* 2.6
era **época** *f.*
erase **borrar** *v.* 2.2, 3.7
eraser **borrador** *m.* 1.2
erosion **erosión** *f.* 3.6
errand **diligencia** *f.* 2.5;
mandado *m.* 3.3
run errands **hacer mandados**
3.3
essay **ensayo** *m.*
essayist **ensayista** *m.*, *f.* 3.10
establish **establecer** *v.*;
(oneself) **establecer(se)** *v.*
eternal **eterno/a** *adj.*

ethical **ético/a** *adj.* 3.7
even **siquiera** *conj.*
not even **ni siquiera** *conj.*
evening **tarde** *f.* 1.1
event **acontecimiento** *m.* 2.9,
3.9
everybody **todos** *m.*, *pl.*
every day **todos los días** 2.1
everyday **cotidiano/a** *adj.* 3.3
everyday life **vida cotidiana** *f.*
everything **todo** *m.* 1.5
Everything is under control.
Todo está bajo control.
1.7
exactly **en punto** 1.1
exam **examen** *m.* 1.2
example (*sample*) **muestra** *f.*
excellent **excelente** *adj.* 1.5
excess **exceso** *m.* 2.6
in excess **en exceso** 2.6
exchange **intercambiar** *v.*
in exchange for **por** 2.2
excited **emocionado/a** *adj.* 3.1
exciting **emocionante** *adj.*
excursion **excursión** *f.* 3.5
excuse **disculpar** *v.*
Excuse me. (*May I?*) **Con**
permiso. 1.1; (*I beg*
your pardon.) **Perdona.**
(*fam.*)/**Perdone.** (*form.*)/
Perdón. 1.1
executive **ejecutivo/a** *m.*, *f.* 3.8
of an executive nature **de corte**
ejecutivo 3.8
exercise **ejercicio** *m.* 2.6;
hacer *v.* **ejercicio** 2.6
exhausted **agotado/a** *adj.* 3.4;
fatigado/a *adj.* 3.4
exhaustion **cansancio** *m.* 3.3
exhibition **exposición** *f.*
exile **exilio** *m.*
political exile **exilio político** *m.*
exit **salida** *f.* 1.5, 3.6
exotic **exótico/a** *adj.*
expel **expulsar** *v.*
expensive **caro/a** *adj.* 1.6,
3.3; **costoso/a** *adj.*
experience **experiencia** *f.* 2.9,
3.8; **experimentar** *v.*
experiment **experimento** *m.* 3.7
expire **caducar** *v.*
expired **vencido/a** *adj.* 3.5
explain **explicar** *v.* 1.2
exploit **explotar** *v.*
exploitation **explotación** *f.*
exploration **exploración** *f.*
explore **explorar** *v.*
export **exportar** *v.* 3.8
exports **exportaciones** *f.*, *pl.*
expression **expresión** *f.*
expressionism **expresionismo** *m.*
3.10
extinct: become extinct
extinguirse *v.* 3.6
extinction **extinción** *f.* 2.4

extinguish **extinguir** *v.*
extremely delicious **riquísimo/a**
adj. 1.8
extremely serious **gravísimo/a**
adj. 2.4
eye **ojo** *m.* 2.1

F

fabulous **fabuloso/a** *adj.* 1.5
face **cara** *f.* 1.7
facial features **facciones** *f.*, *pl.*
3.3
facilities **servicios** *m.*, *pl.*
facing **enfrente de** *prep.* 2.5
fact **hecho** *m.*
in fact **de hecho**
factor **factor** *m.*
risk factors **factores de riesgo**
m. pl.
factory **fábrica** *f.*
fad **moda pasajera** *f.* 3.9
faint **desmayarse** *v.* 3.4
fair **feria** *f.* 3.2
faith **fe** *f.*
fall (*season*) **otoño** *m.* 1.5
fall (down) **caerse** *v.* 2.1; **caer**
v. 3.1
fall asleep **dormirse (o:ue)** *v.*
1.7
fall in love (with) **enamorarse**
v. **(de)** 1.9, 3.1
fallen **caído/a** *adj.*, *p.p.* 2.5
fame **fama** *f.* 3.9
family **familia** *f.* 1.3
famous **famoso/a** *adj.* 2.7, 3.9
become famous **hacerse**
famoso 3.9
fan (of) **aficionado/a (a)** *adj.*
1.4, 3.2
be a fan (of) **ser aficionado/a**
(de/a) 1.4
far from **lejos de** *prep.* 1.2
farewell **despedida** *f.* 1.1, 3.5
fascinate **fascinar** *v.* 1.7, 3.2
fashion **moda** *f.* 1.6
be in fashion **estar de moda**
1.6
fast **rápido/a** *adj.*
fasten **abrocharse** *v.*
fasten one's seatbelt
abrocharse el cinturón
de seguridad
fasten the seatbelt **ponerse el**
cinturón de seguridad 3.5
fat **gordo/a** *adj.* 1.3; **grasa**
f. 2.6
father **padre** *m.* 1.3
father-in-law **suegro** *m.* 1.3
fatigue **fatiga** *f.* 3.8
favor **favor** *m.*
do someone a/the favor **hacer**
un/el favor (a)
favorite **favorito/a** *adj.* 1.4

favoritism **favoritismo** *m.*

fax (*machine*) **fax** *m.*

fear **miedo** *m.* 1.3; **temer** *v.* 2.4

February **febrero** *m.* 1.5

fed up (with) **harto/a** *adj.*
  be fed up (with) **estar harto/a (de)** 3.1

feed **dar de comer** 3.6

feel **sentir(se) (e:ie)** *v.* 1.7, 3.1;
  (*experience*) **experimentar** *v.*
  feel like **dar la gana** 3.9
  feel like (*doing something*)
    tener ganas de (+ *inf.*) 1.3

feeling **sentimiento** *m.* 3.1

festival **festival** *m.* 2.8, 3.2

fever **fiebre** *f.* 2.1, 3.4
  have a fever **tener fiebre** 2.1, 3.4

few **pocos/as** *adj., pl.*
  fewer than **menos de (+ *number*)** 1.8

field **campo** *m.* 3.6; **cancha** *f.* 3.2
  major field of study
    especialización *f.*

fifteen **quince** *n., adj.* 1.1
  fifteen-year-old girl
    quinceañera *f.* 1.9

fifth **quinto/a** *n., adj.* 1.5

fifty **cincuenta** *n., adj.* 1.2

fight **lucha** *f.;* **pelear** *v.*
  fight (for/against) **luchar** *v.* **(por/contra)** 2.9
  fight bulls **lidiar** *v.* 3.2
  fight bulls in the bullring
    torear *v.* 3.2

figuratively **en sentido figurado**

figure (*number*) **cifra** *f.*

file **archivo** *m.* 2.2
  download a file **bajar un archivo**

fill **llenar** *v.* 2.2
  fill out (a form) **llenar (un formulario)** 2.5
  fill the tank **llenar el tanque** 2.2

filled up (full) **completo/a** *adj.*
  The hotel is full. **El hotel está completo.**

filling **contundente** *adj.* 3.10

film **película** *f.;* **rodar (o:ue)** *v.* 3.9

finally **finalmente** *adv.* 2.6; **por último** 1.7; **por fin** 2.2

finance(s) **finanzas** *f. pl.;* **financiar** *v.* 3.8

financial **financiero/a** *adj.* 3.8

find **encontrar (o:ue)** *v.* 1.4
  find (each other) **encontrar(se)** *v.*
  find out **averiguar** *v.* 3.1

finding **hallazgo** *m.* 3.4

fine **multa** *f.*
  That's fine. **Está bien.** 2.2

fine arts **bellas artes** *f., pl.* 2.8, 3.10

finger **dedo** *m.* 2.1

fingernail **uña** *f.*

finish **terminar** *v.* 1.2
  finish (*doing something*)
    terminar *v.* **de (+ *inf.*)** 2.3
  finish line **meta** *f.*

fire **incendio** *m.* 2.9, 3.6; **despedir (e:i)** *v.* 2.7, 3.8

fired **despedido/a** *adj.*

firefighter **bombero/a** *m., f.* 2.7

fireplace **hogar** *m.* 3.3

firm **compañía** *f.* 2.7, 3.8; **empresa** *f.* 2.7

first **primer, primero/a** *n., adj.* 1.5
  first and foremost **antes que nada**

first aid **primeros auxilios** *m., pl.* 3.4

fish (*food*) **pescado** *m.* 1.8;
  (*live*) **pez** *m.* 2.4, 3.6; **pescar** *v.* 1.5

fish market **pescadería** *f.* 2.5

fisherman **pescador** *m.*

fisherwoman **pescadora** *f.*

fishing **pesca** *f.* 1.5, 3.5

fit **caber** *v.* 3.1; (*clothing*) **quedar** *v.* 1.7, 3.2

fitting room **vestidor** *m.*

five **cinco** *n., adj.* 1.1

five hundred **quinientos/as** *n., adj.* 1.2

fix (*put in working order*)
  arreglar *v.* 2.2

fixed **fijo/a** *adj.* 1.6

flag **bandera** *f.*

flank steak **lomo** *m.* 1.8

flask **frasco** *m.*

flat tire: We had a flat tire. **Se nos pinchó una llanta.** 2.2

flavor **sabor** *m.*
  What flavor is it? **¿Qué sabor tiene?** 3.4

fleeting **pasajero/a** *adj.*

flexible **flexible** *adj.* 2.6

flight **vuelo** *m.*

flight attendant **auxiliar de vuelo** *m., f.*

flirt **coquetear** *v.* 3.1

float **flotar** *v.* 3.5

flood **inundación** *f.* 2.9, 3.6; **inundar** *v.*

floor (*of a building*) **piso** *m.* 1.5; **suelo** *m.* 2.3
  ground floor **planta baja** *f.* 1.5
  top floor **planta alta** *f.*

flower **flor** *f.* 2.4; **florecer** *v.* 3.6

flu **gripe** *f.* 2.1, 3.4

fly **mosca** *f.* 3.6; **volar (o:ue)** *v.* 3.8

fog **niebla** *f.*

fold **doblar** *v.*

folk **folklórico/a** *adj.* 2.8

follow **seguir (e:i)** *v.* 1.4

folly **insensatez** *f.* 3.4

fond of **aficionado/a (a)** *adj.* 3.2

food **comida** *f.* 1.8, 3.6; **alimento** *m.*
  canned food **comida enlatada** *f.* 3.6
  fast food **comida rápida** *f.* 3.4

foolish **tonto/a** *adj.* 1.3

foot **pie** *m.* 2.1; (*of an animal*) **pata** *f.*

football **fútbol** *m.* **americano** 1.4

for **para** *prep.* 2.2; **por** *prep.* 2.2
  for example **por ejemplo** 2.2
  for me **para mí** 1.8

forbid **prohibir** *v.*

force **fuerza** *f.*
  armed forces **fuerzas armadas** *f., pl.*
  labor force **fuerza laboral** *f.*

forced **forzado/a** *adj.*

forefront: at the forefront **a la vanguardia**

foreign **extranjero/a** *adj.* 2.8
  foreign languages **lenguas** *f. pl.* **extranjeras** 1.2

foresee **presentir (e:ie)** *v.,* **prever** *v.*

forest **bosque** *m.* 2.4

forget (about) **olvidar** *v.* 2.1; **olvidarse (de)** *v.* 3.2

forgetfulness **olvido** *m.* 3.1

forgive **perdonar** *v.*

fork **tenedor** *m.* 2.3

form **formulario** *m.* 2.5; **forma** *f.*

formulate **formular** *v.* 3.7

forty **cuarenta** *n., adj.* 1.2
  forty-year-old; in her/his forties
    cuarentón/cuarentona *adj.*

fountain **fuente** *f.*

four **cuatro** *n., adj.* 1.1

four hundred **cuatrocientos/as** *n., adj.* 1.2

fourteen **catorce** *n., adj.* 1.1

fourth **cuarto/a** *n., adj.* 1.5

frame **marco** *m.*

free **libre** *adj.* 1.4
  be free (of charge) **ser gratis** 2.5
  free time **tiempo libre** *m.* 1.4, 3.2; **ratos libres** *m. pl.* 1.4, 3.2

freedom **libertad** *f.* 2.9
  freedom of the press **libertad de prensa** *f.* 3.9

freeze **congelar(se)** *v.* 3.7; **helar (e:ie)** *v.*

freezer **congelador** *m.* 2.3

French **francés, francesa** *adj.* 1.3

French fries **papas** *f., pl.* **fritas** 1.8, **patatas** *f., pl.* **fritas** 1.8

frequently **a menudo** *adv.* 3.3; **frecuentemente** *adv.* 2.1; **con frecuencia** *adv.* 2.1

friar **fraile** *m.*
Friday **viernes** *m., sing.* 1.2
fried **frito/a** *adj.* 1.8
  fried potatoes **papas** *f., pl.*
    fritas 1.8, **patatas** *f., pl.*
    fritas 1.8
friend **amigo/a** *m., f.* 1.3
friendly **amable** *adj.* 1.5
friendship **amistad** *f.* 1.9
frightened **asustado/a** *adj.*
frog **rana** *f.* 3.6
from **de** *prep.* 1.1; **desde** *prep.* 1.6
  from time to time **de vez en cuando** 2.1
  He/She/It is from… **Es de…** 1.1
  I'm from… **Soy de…** 1.1
  from the United States **estadounidense** *adj.* 1.3
front desk **recepción** *f.* 3.5
front page **portada** *f.* 3.9
frozen **congelado/a** *adj.*
fruit **fruta** *f.* 1.8
  fruit juice **jugo** *m.* **de fruta** 1.8
  fruit store **frutería** *f.* 2.5
fry **freír (e:i)** *v.* 3.3
fuel **combustible** *m.* 3.6
full **lleno/a** *adj.* 2.2;
  full-length film **largometraje** *m.*
fun **divertido/a** *adj.* 3.2
  fun activity **diversión** *f.* 1.4
  have fun **divertirse (e:ie)** *v.* 1.9
function **funcionar** *v.*
funny **gracioso/a** *adj.* 3.1
  be funny (to someone) **hacerle gracia (a alguien)**
furnished **amueblado/a** *adj.*
furniture **muebles** *m., pl.* 2.3;
  mueble *m.* 3.3
furthermore **además (de)** *adv.* 2.1
future **futuro** *adj.* 2.7; **porvenir** *m.* 2.7
  Here's to the future! **¡Por el porvenir!** 2.7
  in the future **en el futuro** 2.7
futuristic **futurista** *adj.*

G

gain weight **aumentar** *v.* **de peso** 2.6; **engordar** *v.* 2.6, 3.4
gallery **galería** *f.* 3.10
game **juego** *m.* 3.2;
  (*match*) **partido** *m.* 1.4
  ball game **juego de pelota** *m.* 3.5
  board game **juego de mesa** *m.* 3.2
  game show **concurso** *m.* 2.8
  win/lose a game **ganar/perder un partido** 3.2

garage (*in a house*) **garaje** *m.* 2.2, 2.3; **taller (mecánico)** *m.* 2.2
garbage (*poor quality*) **porquería** *f.* 3.10
garden **jardín** *m.* 2.3
garlic **ajo** *m.* 1.8
gas station **gasolinera** *f.* 2.2
gasoline **gasolina** *f.* 2.2
gate: airline gate **puerta de embarque** *f.* 3.5
gaze **mirada** *f.* 3.1
gene **gen** *m.* 3.7
generate **generar** *v.*
generous **generoso/a** *adj.*
genetics **genética** *f.* 3.4
genuine **auténtico/a** *adj.* 3.3
geography **geografía** *f.* 1.2
German **alemán, alemana** *adj.* 1.3
gesture **gesto** *m.*
get **conseguir (e:i)** *v.* 1.4; **obtener** *v.* 2.7
  get along **congeniar** *v.*
  get along well/badly (with) **llevarse bien/mal (con)** 1.9, 3.1
  get a shot **ponerse una inyección** *v.* 3.4
  get bored **aburrirse** *v.* 2.8, 3.2
  get caught **enganchar** *v.* 3.5
  get discouraged **desanimarse** *v.*
  get distracted **descuidar(se)** *v.* 3.6
  get dressed **vestirse (e:i)** *v.* 3.2
  get hurt **lastimarse** *v.* 3.4
  get in shape **ponerse en forma** 3.4
  get information **informarse** *v.*
  get off of (*a vehicle*) **bajar(se)** *v.* **de** 2.2
  get on/into (*a vehicle*) **subir(se)** *v.* **a** 2.2
  get out of (*a vehicle*) **bajar(se)** *v.* **de** 2.2
  get ready **arreglarse** *v.* 3.3
  get sick **enfermarse** *v.* 3.4
  get tickets **conseguir (e:i) boletos/entradas** 3.2
  get together (with) **reunirse (con)** *v.* 3.2
  get up **levantarse** *v.* 1.7, 3.2
  get upset **afligirse** *v.* 3.3
  get used to **acostumbrarse (a)** *v.* 3.3
  get vaccinated **vacunarse** *v.* 3.4
  get well/ill **ponerse bien/mal** 3.4
  get wet **mojarse** *v.*
  get worse **empeorar** *v.* 3.4
gift **regalo** *m.* 1.6, **obsequio**
girl **chica** *f.* 1.1; **muchacha** *f.* 1.3
girlfriend **novia** *f.* 1.3
give **dar** *v.* 1.6, 1.9; (*as a gift*) **regalar** 1.9

give a prize **premiar** *v.*
give a shot **poner una inyección** 3.4
give up **darse por vencido ceder** *v.*
give way to **dar paso a**
gladly **con mucho gusto** 3.10
glance **vistazo** *m.*
glass (*drinking*) **vaso** *m.* 2.3; **vidrio** *m.* 2.4
  (made of) glass **de vidrio** 2.4
glasses **gafas** *f., pl.* 1.6
global warming **calentamiento global** *m.* 3.6
gloves **guantes** *m., pl.* 1.6
go **ir** *v.* 1.4, 3.1, 3.2
  be going to (*do something*) **ir a (+ inf.)** 1.4
  go across **recorrer** *v.* 3.5
  go around (the world) **dar la vuelta (al mundo)**
  go away (from) **irse (de)** *v.* 1.7, 3.2
  go by boat **ir en barco** 1.5
  go by bus **ir en autobús** 1.5
  go by car **ir en auto(móvil)** 1.5
  go by motorcycle **ir en motocicleta** 1.5
  go by taxi **ir en taxi** 1.5
  go by the bank **pasar por el banco** 2.5
  go down **bajar(se)** *v.*
  go on a hike (in the mountains) **ir de excursión (a las montañas)** 1.4
  go to bed **acostarse (o:ue)** *v.* 3.2
  go to sleep **dormirse (o:ue)** *v.* 3.2
  go too far **pasarse** *v.*
  go too fast **embalarse** (*Esp.*) *v.* 3.9
  go out **salir** *v.* 1.9, 3.1
  go out (to eat) **salir (a comer)** *v.* 3.2
  go out with **salir con** *v.* 1.9, 3.1
  go shopping **ir de compras** 3.3
  go up **subir** *v.*
  go with **acompañar** *v.* 2.5
  Let's go. **Vamos.** 1.4
goat **cabra** *f.*
God **Dios** *m.*
god/goddess **dios(a)** *m., f.* 3.5
goldfish **pececillo de colores** *m.*
golf **golf** *m.* 1.4
good **buen, bueno/a** *adj.* 1.3, 1.6
  be good (*i.e. fresh*) **estar bueno;** (*by nature*) **ser bueno**
  Good afternoon. **Buenas tardes.** 1.1

Vocabulario

Good evening. **Buenas noches.** 1.1
Good idea. **Buena idea.** 1.4
Good morning. **Buenos días.** 1.1
Good night. **Buenas noches.** 1.1
It's good that... **Es bueno que...** 2.3
good-bye **adiós** m. 1.1
say good-bye (to) **despedirse (e:i)** v. (de) 3.3
good-looking **guapo/a** adj. 1.3
goodness **bondad** f.
gossip **chisme** m. 3.9
govern **gobernar (e:ie)** v.
government **gobierno** m. 2.4
government agency **organismo público** m. 3.9
governor **gobernador(a)** m., f.
graduate (from/in) **graduarse** v. (de/en) 1.9, 3.3
grains **cereales** m., pl. 1.8
granddaughter **nieta** f. 1.3
grandfather **abuelo** m. 1.3
grandmother **abuela** f. 1.3
grandparents **abuelos** m., pl. 1.3
grandson **nieto** m. 1.3
grape **uva** f. 1.8
grass **césped** m. 2.4; **hierba** f. 2.4; **pasto** m.
gratitude **agradecimiento** m.
grave **grave** adj. 2.1
gravity **gravedad** f. 3.7
gray **gris** adj. 1.6
great **fenomenal** adj. 1.5
great-grandfather **bisabuelo** m. 1.3
great-grandmother **bisabuela** f. 1.3
great-great-grandfather/mother **tatarabuelo/a** m., f.
green **verde** adj. 1.6
greet (each other) **saludar(se)** v. 2.2
greeting **saludo** m. 1.1
Greetings to... **Saludos a...** 1.1
grilled (food) **a la plancha** 1.8
grilled flank steak **lomo a la plancha** m. 1.8
ground floor **planta baja** f. 1.5
group **grupo** m.
musical group **grupo musical** m.
grow **crecer** v. 3.1; **cultivar** v.
grow accustomed to **acostumbrarse (a)** v. 3.3
grow up **criarse** v. 3.1
growth **crecimiento** m.
Guarani **guaraní** m. 3.9
guarantee **asegurar** v.
guess **adivinar** v.

guest (at a house/hotel) **huésped** m., f. 1.5; (invited to a function) **invitado/a** m., f. 1.9
guide **guía** m., f. 2.4
guilt **culpa** f.
guilty **culpable** adj.
guy **tipo** m. 3.2
gymnasium **gimnasio** m. 1.4

H

habit **costumbre** f. 3.3
be in the habit of **soler (o:ue)** v. 3.3
hair **pelo** m. 1.7
hairdresser **peluquero/a** m., f. 2.7
half **medio/a** adj. 1.3; **mitad** f.
half-past... (time) **...y media** 1.1
half-brother **medio hermano** 1.3
half-sister **media hermana** 1.3
hall **sala** f.
concert hall **sala de conciertos** f.
hallway **pasillo** m. 2.3
ham **jamón** m. 1.8
hamburger **hamburguesa** f. 1.8
hand **mano** f. 1.1
Hands up! **¡Manos arriba!**
handsome **guapo/a** adj. 1.3
hang (up) **colgar (o:ue)** v.
happen **ocurrir** v. 2.9; **suceder** v. 3.1
These things happen. **Son cosas que pasan.**
happiness **alegría** v. 1.9; **felicidad** f.
happy **alegre** adj. 1.5; **contento/a** adj. 1.5; **feliz** adj. 1.5, 3.3
be happy **alegrarse** v. (de) 2.4
Happy birthday! **¡Feliz cumpleaños!** 1.9
hard **difícil** adj. 1.3; **arduo** adj. 3.3; **duro/a** adj. 3.7
hardly **apenas** adv. 2.1; 3.3
hard-working **trabajador(a)** adj. 1.3, 3.8
harmful **dañino/a** adj. 3.6
harvest **cosecha** f.
haste **prisa** f. 1.3
hat **sombrero** m. 1.6
hate **odiar** v. 1.9, 3.1
have **tener** v. 1.3, 3.1
Have a good trip! **¡Buen viaje!** 1.1
have a tooth removed **sacar(se) un diente** 2.1

have fun **divertirse (e:ie)** v. 3.2
have time **tener tiempo** 1.4
have to (do something) **tener que (+ inf.)** 1.3; **deber (+ inf.)** v.
he **él** sub. pron. 1.1
head **cabeza** f. 2.1
headache **dolor de cabeza** m. 2.1
headline **titular** m. 3.9
heal **curarse** v. 3.4; **sanar** v. 3.4
healing **curativo/a** adj. 3.4
health **salud** f. 2.1, 3.4
To your health! **¡A tu salud!**
healthy **saludable** adj. 2.1; **sano/a** adj. 2.1, 3.4
lead a healthy lifestyle **llevar una vida sana** 2.6
hear **oír** v. 1.4, 3.1
heard **oído** p.p. 2.5
hearing (sense) **oído** m. 2.1
heart **corazón** m. 2.1, 3.1
heart and soul **cuerpo y alma**
heat **calor** m. 1.5
heavy (filling) **contundente** adj. 3.10
heavy rain **diluvio** m.
heel **tacón** m.
high heel **tacón alto** m.
height (highest level) **apogeo** m. 3.5
Hello. **Hola.** 1.1; (on the telephone) **Aló.** 2.2; **¿Bueno?** 2.2; **Diga.** 2.2
help (aid) **auxilio** m.; **ayudar** v. 2.3; **servir (e:i)** v. 1.5
help each other **ayudarse** v. 2.2
her **su(s)** poss. adj. 1.3; **suyo(s)/a(s)** poss. adj. 2.2; **la** f., sing., d.o. pron. 1.5
to/for her **le** f., sing., i.o. pron. 1.6
here **aquí** adv. 1.1
Here it is. **Aquí está.** 1.5
Here we are at/in... **Aquí estamos en...**
hers **suyo(s)/a(s)** poss. pron. 2.2
heritage **herencia** f.
cultural heritage **herencia cultural** f.
heroic **heroico/a** adj.
Hi. **Hola.** 1.1
high definition **de alta definición** adj. 3.7
highest level **apogeo** m. 3.5
highway **autopista** f. 2.2; **carretera** f. 2.2
hike **excursión** f. 1.4
go on a hike **hacer una excursión; ir de excursión** 1.4

hiker **excursionista** *m., f.*
hiking **de excursión** 1.4
hill **cerro** *m.*; **colina** *f.*
him **lo** *m., sing., d.o. pron.* 1.5
    to/for him **le** *m., sing., i.o. pron.*
    1.6
Hindu **hindú** *adj.*
hire **contratar** *v.* 2.7, 3.8
his **su(s)** *poss. adj.* 1.3;
    (of) his **suyo(s)/a(s)** *poss. adj.*
    and pron. 2.2
historian **historiador(a)** *m., f.*
historic **histórico/a** *adj.*
historical **histórico/a** *adj.* 3.10
    historical period **era** *f.*
history **historia** *f.* 1.2, 2.8
hobby **pasatiempo** *m.* 1.4
hockey **hockey** *m.* 1.4
hold (*hug*) **abrazar** *v.* 3.1
    hold your horses **parar el carro**
    (*Esp.*) 3.9
hole **agujero** *m.*
    black hole **agujero negro** *m.*
    3.7
    hole in the ozone layer **agujero**
    en la capa de ozono *m.*
    small hole **agujerito** *m.* 3.7
holiday **día** *m.* **de fiesta** 1.9
holy **sagrado/a** *adj.*
home **casa** *f.* 1.2; **hogar** *m.*
    3.3
home page **página** *f.* **principal**
    2.2
homework **tarea** *f.* 1.2
honey **miel** *f.* 3.8
honored **distinguido/a** *adj.*
hood **capó** *m.* 2.2; **cofre**
    m. 2.2
hope **esperanza** *f.* 3.6; **ilusión**
    f.; **esperar** *v.* (**+** *inf.*) 1.2, 2.4
    I hope (that) **ojalá (que)** 2.4
horror **horror** *m.* 2.8;
    (*genre*) **de horror** 2.8; (*story/*
    novel) **de terror** 3.10
hors d'oeuvres **entremeses** *m.,*
    pl. 1.8
horse **caballo** *m.* 1.5
horseshoe **herradura** *f.*
hospital **hospital** *m.* 2.1
host(ess) **anfitrión/anfitriona**
    m., f. 3.8
hostel **albergue** *m.* 3.5
hot: be (*feel*) (very) hot **tener**
    (mucho) calor 1.3
    It's (very) hot. **Hace (mucho)**
    calor. 1.5
hotel **hotel** *m.* 1.5
hour **hora** *f.* 1.1
house **casa** *f.* 1.2
household chores **quehaceres** *m.,*
    pl. **domésticos** 2.3
housekeeper **ama** *m., f.* **de**
    casa 2.3
housing **vivienda** *f.* 2.3
How...! **¡Qué...!** 1.3

how? **¿cómo?** *adv.* 1.1
    How are you? **¿Qué tal?** 1.1;
    ¿Cómo estás? *fam.* 1.1;
    ¿Cómo está usted? *form.*
    1.1
    How can I help you? **¿En qué**
    puedo servirles? 1.5
    How did it go for you...?
    ¿Cómo le/les fue...? 2.6
    How is it going? **¿Qué**
    tal? 1.1
    How is/are...? **¿Qué**
    tal...? 1.2
    How is the weather? **¿Qué**
    tiempo hace? 2.6
    How much/many?
    ¿Cuánto(s)/a(s)? *adj.* 1.1
    How much does ... cost?
    ¿Cuánto cuesta...? 1.6
    How old are you? **¿Cuántos**
    años tienes? *fam.* 1.3
however **sin embargo**
hug (each other) **abrazar(se)** *v.*
    2.2, 3.1
humanities **humanidades** *f., pl.*
    1.2
humankind **humanidad** *f.*
humid **húmedo/a** *adj.* 3.6
humiliate **humillar** *v.* 3.8
humorous **humorístico/a** *adj.*
    3.10
hundred **cien, ciento** *n., adj.* 1.2
hunger **hambre** *f.* 1.3
hungry **hambriento/a** *adj.*
    be (very) hungry **tener**
    (mucha) hambre 1.3
hunt **cazar** *v.* 2.4, 3.6
hurricane **huracán** *m.* 2.9, 3.6
hurry **prisa** *f.* 3.6; **apurarse**
    v. 2.6; **darse prisa** *v.* 2.6
    be in a (big) hurry **tener**
    (mucha) prisa 1.3
hurt **herir (e:ie)** *v.* 3.1;
    doler (o:ue) *v.* 2.1, 3.2
    get hurt **lastimarse** *v.* 3.4
    hurt oneself **hacerse daño**
    hurt someone **hacerle daño a**
    alguien
    It hurts me a lot... **Me duele**
    mucho... 2.1
husband **esposo** *m.* 1.3;
    marido *m.*
hut **choza** *f.*
hygiene **aseo** *m.*
hygienic **higiénico/a** *adj.*

I

I **yo** *pron.* 1.1
    I am... **Yo soy...** 1.1
    I hope (that) **Ojalá (que)**
    interj. 2.4
    I wish (that) **Ojalá (que)**
    interj. 2.4

ice cream **helado** *m.* 1.9
    ice cream shop **heladería** *f.*
    2.5
iced **helado/a** *adj.* 1.8
    iced tea **té** *m.* **helado** 1.8
idea **idea** *f.* 1.4
ideology **ideología** *f.*
if **si** *conj.* 1.4
illness **dolencia** *f.* 3.4;
    enfermedad *f.* 2.1, 3.4
ill-tempered **malhumorado/a**
    adj.
illusion **ilusión** *f.*
image **imagen** *f.* 3.2, 3.7
imagination **imaginación** *f.*
immature **inmaduro/a** *adj.* 3.1
immediately **en el acto** 3.3
immigration **inmigración** *f.*
immoral **inmoral** *adj.*
import **importar** *v.* 3.8
important **importante** *adj.* 1.3,
    3.4
    be important (to) **importar** *v.*
    1.7, 3.2, 3.4
    It's important that... **Es**
    importante que... 2.3
imported **importado/a** *adj.* 3.8
imports **importaciones** *f., pl.*
impossible **imposible** *adj.* 2.4
    it's impossible **es imposible**
    2.4
impress **impresionar** *v.* 3.1
impressionism **impresionismo**
    m. 3.10
improbable **improbable** *adj.* 2.4
    it's improbable **es improbable**
    2.4
improve **mejorar** *v.* 2.4, 3.4;
    perfeccionar *v.*
improvement **adelanto** *m.* 3.4
in **en** *prep.* 1.2; **por** *prep.* 2.2
    in a bad mood **de mal humor**
    1.5
    in a good mood **de buen**
    humor 1.5
    in front of **delante de** *prep.*
    1.2
    in love (with) **enamorado/a**
    (de) *adj.* 1.5, 3.1
    in search of **por** *prep.* 2.2
    in the afternoon **de la tarde**
    1.1; **por la tarde** 1.7
    in the direction of **para** *prep.*
    1.1
    in the early evening **de la tarde**
    1.1
    in the morning **de la mañana**
    1.1; **por la mañana** 1.7
    in the evening **de la noche**
    1.1; **por la tarde** 1.7
inadvisable **poco recomendable**
    adj. 3.5
incapable **incapaz** *adj.* 3.8
included **incluido/a** *adj.* 3.5
incompetent **incapaz** *adj.* 3.8

increase **aumento** *m.* 2.7
incredible **increíble** *adj.* 1.5
independence **independencia** *f.*
index **índice** *m.*
indigenous **indígena** *adj.* 3.9
  indigenous person **indígena**
  m., f. 3.4
industrious **trabajador(a)** *adj.*
  3.8
industry **industria** *f.*
inequality **desigualdad** *f.* 2.9
inexpensive **barato/a** *adj.* 3.3
infected: become infected
  contagiarse *v.* 3.4
infection **infección** *f.* 2.1
inflamed **inflamado/a** *adj.* 3.4
  become inflamed **inflamarse** *v.*
inflexible **inflexible** *adj.*
influential **influyente** *adj.* 3.9
inform **informar** *v.* 2.9; **avisar** *v.*
  be informed **estar al tanto**
  3.9
  become informed (about)
    enterarse (de) *v.* 3.9
inhabit **habitar** *v.*
inhabitant **habitante** *m., f.;*
  poblador(a) *m., f.*
inherit **heredar** *v.*
injection **inyección** *f.* 2.1
  give an injection **poner una**
    inyección 2.1
injure **lastimar** *v.;* (oneself)
  lastimarse *v.* 2.1
  injure (one's foot) **lastimarse** *v.*
    (el pie) 2.1
injured **herido/a** *adj.*
injury **herida** *f.* 3.4
inner ear **oído** *m.* 2.1
innovative **innovador(a)** *adj.*
  3.7
insanity **locura** *f.*
insect bite **picadura** *f.*
insecure **inseguro/a** *adj.* 3.1
inside **dentro** *adv.*
insincere **falso/a** *adj.* 3.1
insist (on) **insistir** *v.* **(en)** 2.3,
  3.4
inspired **inspirado/a** *adj.*
instability **inestabilidad** *f.*
install **instalar** *v.* 3.7
installments: pay in installments
  pagar a plazos 2.5
insult **ofensa** *f.* 3.10
insurance **seguro** *m.* 3.5
intelligent **inteligente** *adj.* 1.3
intend to **pensar** *v.* **(+ *inf.*)** 1.4
intensive care **terapia intensiva**
  f. 3.4
interest **interesar** *v.* 1.7, 3.2
interesting **interesante** *adj.* 1.3
  be interesting **interesar** *v.* 1.7,
    3.2
international **internacional** *adj.*
  2.9
Internet **Internet** *m., f.* 2.2, 3.7

interview **entrevista** *f.* 2.7;
  entrevistar *v.* 2.7
  job interview **entrevista de**
    trabajo *f.* 3.8
interviewer **entrevistador(a)**
  m., f. 2.7
intriguing **intrigante** *adj.* 3.10
introduction **presentación** *f.*
  I would like to introduce (*name*)
    to you. **Le presento a…**
    form. 1.1; **Te presento a…**
    fam. 1.1
invade **invadir** *v.*
invent **inventar** *v.* 3.7
invention **invento** *m.* 3.7
invest **invertir (e:ie)** *v.* 2.7, 3.8
investigate **investigar** *v.* 3.7
investment **inversión** *f.*
  foreign investment **inversión**
    extranjera *f.* 3.8
investor **inversor(a)** *m., f.*
invite **invitar** *v.* 1.9
iron **plancha** *f.*
  iron clothes **planchar la ropa**
  2.3
irresponsible **irresponsable** *adj.*
island **isla** *f.* 3.5
isolate **aislar** *v.* 3.9
isolated **aislado/a** *adj.* 3.6
it **lo/la** *sing., d.o., pron.* 1.5
Italian **italiano/a** *adj.* 1.3
itinerary **itinerario** *m.* 3.5
its **su(s)** *poss. adj.* 1.3;
  suyo(s)/a(s) *poss. pron.* 2.2

J

jacket **chaqueta** *f.* 1.6
January **enero** *m.* 1.5
Japanese **japonés, japonesa**
  adj. 1.3
jealous **celoso/a** *adj.*
  be jealous of **tener celos de**
  3.1
jealousy **celos** *m., pl.* 3.1
jeans **bluejeans** *m., pl.* 1.6
jewelry store **joyería** *f.* 2.5
Jewish **judío/a** *adj.*
job **empleo** *m.* 2.7, 3.8; **puesto**
  m. 2.7, 3.8; **trabajo** *m.* 2.7
  job application **solicitud** *f.* **de**
    trabajo 2.7
  job interview **entrevista de**
    trabajo *f.* 3.8
jog **correr** *v.*
joke **broma** *f.* 3.1; **chiste** *m.*
  3.1; **bromear** *v.*
journalism **periodismo** *m.* 1.2
journalist **periodista** *m., f.* 1.3,
  3.9
joy **alegría** *f.* 1.9; **regocijo** *m.*
  3.4
  give joy **dar alegría** 1.9
joyful **alegre** *adj.* 1.5

judge **juez(a)** *m., f.*
judgment **juicio** *m.*
juice **jugo** *m.* 1.8
July **julio** *m.* 1.5
jump **salto** *m.*
June **junio** *m.* 1.5
jungle **selva** *f.* 2.4, 3.5; **jungla**
  f. 2.4
just **apenas** *adv.;* **justo/a** *adj.*
  have just (*done something*)
    acabar de (+ *inf.*) 1.6
  just as **tal como** *conj.*
justice **justicia** *f.*

K

keep **mantener** *v.* **guardar** *v.*
  keep in mind **tener en cuenta**
  keep in touch **mantenerse en**
    contacto *v.* 3.1
  keep (something) to yourself
    guardarse (algo) *v.* 3.1
  keep up with the news **estar al**
    día con las noticias
key **llave** *f.* 1.5
keyboard **teclado** *m.* 2.2
kick **patada** *f.* 3.3; **patear** *v.* 3.2
kidnapping **secuestro** *m.*
kilometer **kilómetro** *m.* 2.2
kind **amable** *adj.*
  That's very kind of you. **Muy**
    amable. 1.5
king **rey** *m.*
kingdom **reino** *m.*
kiss **beso** *m.* 1.9; **besar** *v.* 3.1
  kiss each other **besarse** *v.* 2.2
kitchen **cocina** *f.* 2.3
knee **rodilla** *f.* 2.1
knife **cuchillo** *m.* 2.3
know **saber** *v.* 1.6, 3.1;
  conocer *v.* 1.6, 3.1
  know how **saber** *v.* 1.6
knowledge **conocimiento** *m.*

L

label **etiqueta** *f.*
labor **mano de obra** *f.*
labor union **sindicato** *m.* 3.8
laboratory **laboratorio** *m.* 1.2
lack **faltar** *v.* 1.7, 3.2
lake **lago** *m.* 2.4
lamp **lámpara** *f.* 2.3
land **tierra** *f.* 2.4, 3.6; **terreno**
  m. 3.6
  land (*an airplane*) **aterrizar**
    v. 3.5
landlord **dueño/a** *m., f.* 1.8
landscape **paisaje** *m.* 1.5, 3.6
language **lengua** *f.* 1.2;
  idioma *m.* 3.9
laptop (computer) **computadora**
  f. **portátil** 2.2, 3.7

large **grande** *adj.* 1.3;
(*clothing size*) **talla grande** *f.*
1.6
last **durar** *v.* 2.9; **pasado/a**
adj. 1.6; **último/a** *adj.*
last name **apellido** *m.* 1.3
last night **anoche** *adv.* 1.6
last week **semana** *f.* **pasada**
1.6
last year **año** *m.* **pasado** 1.6
late **tarde** *adv.* 1.7; **atrasado/a**
adj. 3.3
later (on) **más tarde** 1.7
See you later. **Hasta la vista.**
1.1; **Hasta luego.** 1.1
laugh **reírse (e:i)** *v.* 1.9
laughed **reído** *p.p.* 2.5
launch **lanzar** *v.*
laundromat **lavandería** *f.* 2.5
law **derecho** *m.*; **ley** *f.* 2.4
abide by the law **cumplir** *v.* **la**
ley
approve/pass a law **aprobar**
(o:ue) *v.* **una ley**
lawyer **abogado/a** *m., f.* 2.7
layer **capa** *f.*
ozone layer **capa de ozono** *f.*
3.6
lazy **perezoso/a** *adj.*; **haragán/**
haragana *adj.* 3.8
lead **encabezar** *v.*
leader **líder** *m., f.*
leadership **liderazgo** *m.*
lean (on) **apoyarse (en)** *v.*
learn **aprender** *v.* **(a +** *inf.*) 1.3
learned **erudito/a** *adj.*
learning **aprendizaje** *m.*
least: at least **por lo menos** *adv.*
2.1
leave **salir** *v.* 1.4; **irse** *v.* 1.7;
marcharse *v.*; **dejar** *v.*
leave alone **dejar en paz** 3.8
leave a tip **dejar una propina**
1.9
leave behind **dejar** *v.* 2.7
leave for (*a place*) **salir para**
leave from **salir de**
leave someone **dejar a**
alguien *v.*
left **izquierdo/a** *adj.* 1.2
be left over **quedar** *v.* 1.7, 3.2
to the left of **a la izquierda de**
1.2
leg **pierna** *f.* 2.1; (*of an*
animal) **pata** *f.*
legend **leyenda** *f.* 3.5
leisure **ocio** *m.*
lemon **limón** *m.* 1.8
lend **prestar** *v.* 1.6, 3.8
less **menos** *adv.* 2.1
less... than **menos... que** 1.8
less than **menos de (+** *number*)
1.8
lesson **lección** *f.* 1.1;
(*teaching*) **enseñanza** *f.*

let **dejar** *v.* 2.3
let's see **a ver** 1.2
letter **carta** *f.* 1.4, 2.5
lettuce **lechuga** *f.* 1.8
level **nivel** *m.*
sea level **nivel del mar** *m.*
liberal **liberal** *adj.*
liberate **liberar** *v.*
liberty **libertad** *f.* 2.9
library **biblioteca** *f.* 1.2
license (*driver's*) **licencia** *f.* **de**
conducir 2.2
lid **tapa** *f.*
lie **mentira** *f.* 1.4, 3.1
life **vida** *f.* 1.9
everyday life **vida cotidiana** *f.*
of my life **de mi vida** 2.6
lifestyle: lead a healthy lifestyle
llevar una vida sana 2.6
lift **levantar** *v.* 2.6
lift weights **levantar**
pesas 2.6
light **luz** *f.* 2.3
lighthouse **faro** *m.* 3.5
lightning **rayo** *m.*; **relámpago** *m.*
3.6
like **como** *prep.* 1.8
like this **así** *adv.* 2.1, 3.3
like **gustar** *v.* 1.2, 3.2, 3.4
Do you like...? **¿Te**
gusta(n)...? *fam.* 1.2
I don't like them at all. **No me**
gustan nada. 1.2
I don't like ... at all! **¡No me**
gusta nada...!
I like... **Me gusta(n)...** 1.2
like very much **encantar** *v.*
3.2; **fascinar** *v.* 3.2
likeable **simpático/a** *adj.* 1.3
likewise **igualmente** *adv.* 1.1
line **línea** *f.*; **cola** (*queue*) *f.*
2.5; (*of poetry*) **verso** *m.* 3.10
wait in line **hacer cola** 3.2
link **enlace** *m.* 3.7
lion **león** *m.* 3.6
listen (to) **escuchar** *v.* 1.2
Listen! (*command*) **¡Oye!** *fam.,*
sing. 1.1; **¡Oiga/Oigan!**
form., sing. pl. 1.1
listen to music **escuchar**
música 1.2
listen to the radio **escuchar la**
radio 1.2
listener **oyente** *m., f.* 3.9
literature **literatura** *f.* 1.2, 3.10
children's literature **literatura**
infantil/juvenil *f.* 3.10
little (*quantity*) **poco/a** *adj.* 1.5;
poco *adv.* 2.1
live **en vivo** *adj.* 3.9, **en directo**
adj. 3.9
live broadcast **emisión en**
vivo/directo *f.*
live **vivir** *v.* 1.3, 3.1
lively **animado/a** *adj.* 3.2
living room **sala** *f.* 2.3

loan **préstamo** *m.* 2.5;
prestar *v.* 1.6, 2.5
lobster **langosta** *f.* 1.8
locate **ubicar** *v.*
located **situado/a** *adj.*
be located **quedar** *v.* 2.5;
ubicarse *v.*
lodge **hospedarse** *v.*
lodging **alojamiento** *m.* 3.5
loneliness **soledad** *f.* 3.3
lonely **solo/a** *adj.* 3.1
long **largo/a** *adj.* 1.6
long-term **a largo plazo**
look **aspecto** *m.*; **verse** *v.*
He/She looks so happy. **Se ve**
tan feliz. 3.6
He/She looks very sad to me. **Yo**
lo/la veo muy triste. 3.6
How attractive you look! *fam.*
¡Qué guapo/a te ves! 3.6
How elegant you look! *form.*
¡Qué elegante se ve
usted! 3.6
It looks like he/she didn't like it.
Al parecer, no le gustó. 3.6
It looks like he/she is sad/
happy. **Parece que está**
triste/contento/a. 3.6
look (at) **mirar** *v.* 1.2
look for **buscar** *v.* 1.2
look healthy/sick **tener buen/**
mal aspecto 3.4
look like **parecerse** *v.* 3.2, 3.3
look out upon **dar a** *v.*
take a look **echar un vistazo**
loose **suelto/a** *adj.*
lose **perder (e:ie)** *v.* 1.4
lose a game **perder un**
partido 3.2
lose an election **perder las**
elecciones
lose weight **adelgazar** *v.* 2.6,
3.4
loss **pérdida** *f.*
lost **perdido/a** *adj.* 2.5
be lost **estar perdido/a** 2.5
lot: a lot **muchas veces** *adv.* 2.1
a lot of **mucho/a** *adj.* 1.2, 1.3
lottery **lotería** *f.*
loudspeaker **altoparlante** *m.*
love **amor** *m.* 1.9; (*another*
person) **amar; querer (e:ie)** *v.*
1.4, 3.1; (*inanimate objects*)
encantar *v.* 1.7
in love **enamorado/a** *adj.* 1.5
I loved it! **¡Me encantó!** 2.6
(un)requited love **amor (no)**
correspondido *m.*
lower **bajar** *v.*
loyalty **lealtad** *f.*
luck **suerte** *f.* 1.3
lucky **afortunado/a** *adj.*
be (very) lucky **tener (mucha)**
suerte 1.3
luggage **equipaje** *m.* 1.5
lunch **almuerzo** *m.* 1.8

have lunch **almorzar (o:ue)** *v.*
1.4
luxurious **lujoso/a** 3.5; **de lujo**
luxury **lujo** *m.* 3.8
lying **mentiroso/a** *adj.* 3.1

M

ma'am **señora (Sra.)** *f.* 1.1
mad **enojado/a** *adj.* 1.5
madness **locura** *f.*
magazine **revista** *f.* 1.4, 3.9
  online magazine **revista
electrónica** *f.* 3.9
magic **magia** *f.*
magnificent **magnífico/a** *adj.* 1.5
mail **correo** *m.* 2.5; **enviar** *v.*;
mandar *v.* 2.5; **echar (una
carta) al buzón** 2.5
mailbox **buzón** *m.* 2.5
mail carrier **cartero/a** *m., f.* 2.5
main **principal** *adj.* 1.8
maintain **mantener** *v.* 2.6
major **especialización** *f.* 2
majority **mayoría** *f.*
make **hacer** *v.* 1.4, 3.1, 3.4
  make a (hungry) face **poner
cara (de hambriento/a)**
  make a toast **brindar** *v.* 3.2
  make a wish **pedir un deseo**
3.8
  make fun of **burlarse (de)** *v.*
  make good use of **aprovechar** *v.*
  make one's way **abrirse paso**
  make sure **asegurarse** *v.*
  make the bed **hacer la cama**
2.3
makeup **maquillaje** *m.* 1.7, 3.3
  put on makeup **maquillarse** *v.*
1.7
male **macho** *m.*
mall **centro comercial** *m.* 3.3
man **hombre** *m.* 1.1
manage **administrar** *v.* 3.8;
dirigir *v.* 3.1; **lograr** *v.* 3.3
manager **gerente** *m., f.* 2.7, 3.8
manipulate **manipular** *v.* 3.9
manufacture **fabricar** *v.* 3.7
manuscript **manuscrito** *m.*
many **mucho/a** *adj.* 1.3
  many times **muchas
veces** 2.1
map **mapa** *m.* 1.2
marathon **maratón** *m.*
March **marzo** *m.* 1.5
margarine **margarina** *f.* 1.8
marinated fish **ceviche** *m.* 1.8
  lemon-marinated shrimp
ceviche *m.* **de camarón**
1.8
marital status **estado** *m.* **civil** 1.9
maritime **marítimo/a** *adj.*
market **mercado** *m.* 1.6, 3.8
  open-air market **mercado** *m.*
al aire libre 1.6

marketing **mercadeo** *m.* 3.1
marriage **matrimonio** *m.* 1.9
married **casado/a** *adj.* 1.9, 3.1
  get married (to) **casarse** *v.*
(con) 1.9
marvelous **maravilloso/a** *adj.* 1.5
marvelously **maravillosamente**
adv. 2.9
mass **misa** *f.* 3.2
massage **masaje** *m.* 2.6
masterpiece **obra maestra** *f.*
2.8, 3.3
match (*sports*) **partido** *m.* 1.4
  match (with) **hacer juego
(con)** 1.6
mathematician **matemático/a**
m., f. 3.7
mathematics **matemáticas** *f., pl.*
1.2
matter **asunto** *m.*; **importar** *v.*
1.7, 3.2, 3.4
mature **maduro/a** *adj.* 3.1
maturity **madurez** *f.* 1.9
maximum **máximo/a** *adj.* 2.2
May **mayo** *m.* 1.5
Mayan Trail **ruta maya** *f.* 3.5
maybe **tal vez** *adv.* 1.5; **quizás**
adv. 1.5
mayonnaise **mayonesa** *f.* 1.8
mayor **alcalde/alcaldesa** *m., f.*
me **me** *sing., d.o. pron.* 1.5; **mí**
pron., obj. of prep. 1.9
  It's me. **Soy yo.** 1.1
  to/for me **me** *sing., i.o. pron.* 1.6
meal **comida** *f.* 1.8
mean **antipático/a** *adj.*
means of communication **medios**
m. pl. **de comunicación** 2.9
measure **medida** *f.*; **medir (e:i)** *v.*
  security measures **medidas de
seguridad** *f. pl.* 3.5
meat **carne** *f.* 1.8
mechanic **mecánico/a** *m., f.* 2.2
  mechanic's repair shop **taller** *m.*
mecánico 2.2
mechanical **mecánico/a** *adj.*
mechanism **mecanismo** *m.*
media **medios** *m., pl.* **de
comunicación** 2.9
medical **médico/a** *adj.* 2.1
medication **medicamento**
m. 2.1
medicine **medicina** *f.* 2.1
meditate **meditar** *v.*
medium **mediano/a** *adj.*
meet (each other) **encontrar(se)**
v. 2.2; **conocerse(se)** *v.* 1.8
meeting **reunión** *f.* 2.7, 3.8
melt **derretir(se) (e:i)** *v.* 3.7
member **socio/a** *m., f.* 3.8
memory **recuerdo** *m.*
menu **menú** *m.* 1.8
merchandise **mercancía** *f.*
mercy **piedad** *f.* 3.8
mess **desorden** *m.* 3.7
message **mensaje** *m.*;

(*telephone*) **recado** *m.* 2.2
  text message **mensaje de
texto** *m.* 3.7
Mexican **mexicano/a** *adj.* 1.3
Mexico **México** *m.* 1.1
microwave **microonda** *f.* 2.3
  microwave oven **horno** *m.***de
microondas** 2.3
middle age **madurez** *f.* 1.9
Middle Ages **Edad Media** *f.*
middle **medio** *m.*
midnight **medianoche** *f.* 1.1
mile **milla** *f.* 2.2
military **militar** *m., f.*
milk **leche** *f.* 1.8
million **millón** *m.* 1.2
  million of **millón de** *m.* 1.2
mine **mío(s)/a(s)** *poss. pron.* 2.2
mineral **mineral** *m.* 2.6
  mineral water **agua** *f.* **mineral**
1.8
minister **ministro/a** *m., f.*
  Protestant minister **ministro/a
protestante** *m., f.*
minority **minoría** *f.*
minute **minuto** *m.* 1.1
  last-minute news **noticia de
último momento** *f.*
  up-to-the-minute **de último
momento** *adj.* 3.9
miracle **milagro** *m.*
mirror **espejo** *m.* 1.7
miser **avaro/a** *m., f.*
Miss **señorita (Srta.)** *f.* 1.1
miss **extrañar** *v.*; **perder (e:ie)** *v.*
1.4
  miss (someone) **extrañar a
(alguien)** *v.*
  miss a flight **perder un vuelo**
3.5
mistake: make a mistake
equivocarse *v.*
mistaken **equivocado/a** *adj.*
  be mistaken **equivocarse** *v.*
mixed: person of mixed ethnicity
(*part indigenous*) **mestizo/a**
m., f.
mixture **mezcla** *f.*
mockery **burla** *f.*
model (*fashion*) **modelo** *m., f.*
modem **módem** *m.*
modern **moderno/a** *adj.* 2.8
modify **modificar** *v.*; **alterar** *v.*
moisten **mojar** *v.*
mom **mamá** *f.* 1.3
moment **momento** *m.*
monarch **monarca** *m., f.*
Monday **lunes** *m., sing.* 1.2
money **dinero** *m.* 1.6;
(*L. Am.*) **plata** *f.* 3.7
monitor **monitor** *m.* 2.2
monkey **mono** *m.* 3.6
monolingual **monolingüe** *adj.*
3.9
month **mes** *m.* 1.5
monument **monumento** *m.* 1.4

mood **estado de ánimo** *m.* 3.4
  in a bad mood
    malhumorado/a *adj.*
moon **luna** *f.* 2.4
  full moon **luna llena** *f.*
moral **moral** *adj.*
more **más** 1.2
  more... than **más... que** 1.8
  more than **más de (+** *number***)**
    1.8
morning **mañana** *f.* 1.1
mortgage **hipoteca** *f.* 3.8
mosque **mezquita** *f.*
mother **madre** *f.* 1.3
mother-in-law **suegra** *f.* 1.3
motor **motor** *m.*
motorcycle **motocicleta** *f.* 1.5
mountain **montaña** *f.* 1.4, 3.6;
  monte *m.*
  mountain range **cordillera** *f.*
    3.6
mouse **ratón** *m.* 2.2
mouth **boca** *f.* 2.1
move (*change residence*) **mudarse**
  v. 2.3, 3.2
movement **corriente** *f.*;
  movimiento *m.* 3.10
movie **película** *f.* 1.4
  movie star **estrella** *f.* **de cine**
    2.8
  movie theater **cine** *m.* 1.4, 3.2
moving **conmovedor(a)** *adj.*
MP3 player **reproductor** *m.* **de**
  MP3 2.2
Mr. **señor (Sr.); don** *m.* 1.1
Mrs. **señora (Sra.); doña** *f.* 1.1
much **mucho/a** *adj.* 1.2, 1.3
  very much **muchísimo/a** *adj.*
    1.2
municipal **municipal** *adj.*
muralist **muralista** *m., f.* 3.10
murder **crimen** *m.* 2.9
muscle **músculo** *m.* 2.6
museum **museo** *m.* 1.4
mushroom **champiñón** *m.* 1.8
music **música** *f.* 1.2, 2.8
music video **video musical**
  m. 3.9
musical **musical** *adj.* 2.8
musician **músico/a** *m., f.* 2.8, 3.2
Muslim **musulmán/**
  musulmana *adj.*
must **deber** *v.* **(+** *inf.***)** 1.3
  It must be... **Debe ser...** 1.6
my **mi(s)** *poss. adj.* 1.3;
  mío(s)/a(s) *poss. adj.* 2.2
myth **mito** *m.* 3.5

N

name **nombre** *m.* 1.1;
  nombrar *v.*
  be named **llamarse** *v.* 1.7
  in the name of **a nombre de**
    1.5

last name **apellido** *m.*
My name is... **Me**
  llamo... 1.1
nape **nuca** *f.* 3.9
napkin **servilleta** *f.* 2.3
narrate **narrar** *v.* 3.10
narrative work **narrativa** *f.* 3.10
narrator **narrador(a)** *m., f.* 3.10
narrow **estrecho/a** *adj.*
national **nacional** *adj.* 2.9
nationality **nacionalidad** *f.* 1.1
native **nativo/a** *adj.*
natural **natural** *adj.* 2.4
  natural disaster **desastre** *m.*
    natural 2.9
  natural resource **recurso** *m.*
    natural 2.4, 3.6
nature **naturaleza** *f.* 2.4
nauseated **mareado/a** *adj.* 2.1
navel **ombligo** *m.* 3.4
navigator **navegante** *m., f.* 3.7
near **cerca de** *prep.* 1.2
neaten **arreglar** *v.* 2.3
necessary **necesario/a** *adj.* 2.3,
  3.4
  It is necessary that... **Hay**
    que... 2.3, 2.5
necessity **necesidad** *f.* 3.5
  of utmost necessity **de**
    primerísima necesidad 3.5
neck **cuello** *m.* 2.1
need **necesidad** *f.* 3.5
need **faltar** *v.* 1.7; **necesitar** *v.*
  (+ *inf.***)** 1.2, 3.4
needle **aguja** *f.* 3.4
negative **negativo/a** *adj.*
neglect **descuidar(se)** *v.* 3.6
neighbor **vecino/a** *m., f.* 2.3
neighborhood **barrio** *m.* 2.3
neither **tampoco** *adv.* 1.7
  neither... nor **ni... ni** *conj.* 1.7
nephew **sobrino** *m.* 1.3
nervous **nervioso/a** *adj.* 1.5
nest **nido** *m.*
network **red** *f.* 2.2; **cadena** *f.* 3.9
  television network **cadena de**
    televisión *f.*
never **nunca** *adv.* 1.7; **jamás**
  adv. 1.7
new **nuevo/a** *adj.* 1.6
newlywed **recién casado/a** *m., f.*
  1.9
news **noticias** *f., pl.* 2.9;
  actualidades *f., pl.* 2.9 *f.*
  local/domestic/international
    news **noticias locales/**
    nacionales/internacionales
    f., pl. 3.9
  news bulletin **informativo** *m.*
    3.9
  news report **reportaje** *m.* 3.9
  news reporter **presentador(a)**
    de noticias *m., f.*
newscast **noticiero** *m.* 2.9
newspaper **periódico** *m.* 1.4,
  3.9; **diario** *m.* 2.9, 3.9

next **próximo/a** *adj.* 2.7
  next to **al lado de** *prep.* 1.2
nice **simpático/a** *adj.* 1.3;
  amable *adj.* 1.5
niece **sobrina** *f.* 1.3
night **noche** *f.* 1.1
  night stand **mesita** *f.* **de**
    noche 2.3
nightmare **pesadilla** *f.*
nine **nueve** *n., adj.* 1.1
nine hundred **novecientos/as** *n.,*
  adj. 1.2
nineteen **diecinueve** *n., adj.* 1.1
ninety **noventa** *n., adj.* 1.2
ninth **noveno/a** *n., adj.* 1.5
no **no** *adv.* 1.1; **ningún,**
  ninguno/a(s) *adj.* 1.7
  no one **nadie** *pron.* 1.7
  No problem. **No hay**
    problema. 1.7
  No way! **¡Ni loco/a!** 2.7, 3.9
nobody **nadie** *pron.* 1.7
noise **ruido** *m.*
nomination **nominación** *f.*
nominee **nominado/a** *m., f.*
none **ningún, ninguno/a(s)**
  pron. 1.7
nook **rincón** *m.*
noon **mediodía** *m.* 1.1
nor **ni** *conj.* 1.7
north **norte** *m.* 2.5
  to the north **al norte** 2.5
nose **nariz** *f.* 2.1
not **no** 1.1
  not any **ningún, ninguno/a(s)**
    adj. 1.7
  not anyone **nadie** *pron.* 1.7
  not anything **nada** *pron.* 1.7
  not bad at all **nada mal** 1.5
  not either **tampoco** *adv.* 1.7
  not ever **nunca** *adv.* 1.7;
    jamás *adv.* 1.7
  Not very well. **No muy bien.**
    1.1
  not working **descompuesto/a**
    adj. 2.2
notebook **cuaderno** *m.* 1.1
nothing **nada** *pron.* 1.1, 1.7
notice **aviso** *m.* 3.5; **fijarse** *v.*
  3.9
  take notice of **fijarse en** *v.* 3.2
noun **sustantivo** *m.*
novelist **novelista** *m., f.* 3.7,
  3.10
November **noviembre** *m.* 1.5
now **ahora** *adv.* 1.2
  now and then **de vez en**
    cuando 3.3
nowadays **hoy día** *adv.*
nuclear **nuclear** *adj.* 2.4
  nuclear energy **energía**
    nuclear *f.* 1.7, 2.4
number **número** *m.* 1.1
nun **monja** *f.*
nurse **enfermero/a** *m., f.* 2.1,
  3.4

nutrition **nutrición** *f.* 2.6
nutritionist **nutricionista** *m., f.* 2.6
nutritious **nutritivo/a** *adj.* 3.4; *(healthy)* **saludable** *adj.* 3.4

O

oar **remo** *m.* 3.5
obesity **obesidad** *f.* 3.4
obey **obedecer** *v.* 2.9, 3.1
obligation **deber** *m.* 2.9
oblivion **olvido** *m.* 3.1
obtain **conseguir (e:i)** *v.* 1.4; **obtener** *v.* 2.7
obvious **obvio/a** *adj.* 2.4
   it's obvious **es obvio** 2.4
occupation **ocupación** *f.* 2.7
occur **ocurrir** *v.* 2.9; *(to someone)* **ocurrírsele (a alguien)** *v.*
o'clock: It's... o'clock. **Son las...** 1.1
   It's one o'clock. **Es la una.** 1.1
October **octubre** *m.* 1.5
of **de** *prep.* 1.1
   Of course. **Claro que sí.** 2.7; **Por supuesto.** 2.7
offer **oferta** *f.* 2.3, 3.9; **ofrecer (c:zc)** *v.* 1.6; **ofrecerse (a)** *v.*
office **oficina** *f.* 2.3; **despacho** *m.*
   doctor's office **consultorio** *m.* 2.1
officer **agente** *m., f.*
often **a menudo** *adv.* 2.1, 3.3
Oh! **¡Ay!**
oil **aceite** *m.* 1.8
oil painting **óleo** *m.* 3.10
OK **regular** *adj.* 1.1
   It's okay. **Está bien.**
old **viejo/a** *adj.* 1.3
   old age **vejez** *f.* 1.9
older **mayor** *adj.* 1.3
   older brother/sister **hermano/a mayor** *m., f.* 1.3
oldest **el/la mayor** *adj.* 1.8
Olympics **Olimpiadas** *f. pl.*
on **en** *prep.* 1.2; **sobre** *prep.* 1.2
   on behalf of **por** *prep.* 2.2
   on the dot **en punto** 1.1
   on time **a tiempo** 2.1
   on top of **encima de** *prep.* 1.2
   on purpose **a propósito** *adv.* 3.3
once **una vez** 1.6
   once in a while **de vez en cuando** 3.3
one **un, uno/a** *m., f., sing. pron.* 1.1
   one more time **una vez más** 1.9
   one time **una vez** 1.6
one hundred **cien(to)** *n., adj.* 1.2

one million **un millón** *m.* 1.2
one thousand **mil** *n., adj.* 1.2
onion **cebolla** *f.* 1.8
online **en línea** *adj.* 3.7
only **sólo** *adv.* 1.3; **único/a** *adj.* 1.3
   only child **hijo/a único/a** *m., f.* 1.3
open **abierto/a** *adj.* 1.5, 2.5; **abrir(se)** *v.* 1.3
open-air **al aire libre** 1.6
   open-air market **mercado al aire libre** *m.* 1.6
opera **ópera** *f.* 2.8
operate **operar** *v.*
operation **operación** *f.* 2.1, 3.4
opinion **opinión** *f.*
   In my opinion, ... **A mi parecer, ...; Considero que..., Opino que...**
   be of the opinion **opinar** *v.*
oppose **oponerse a** *v.* 3.4
opposite **enfrente de** *prep.* 2.5
oppress **oprimir** *v.*
or **o** *conj.*; **u** *(before words beginning with **o** or **ho**)* 1.7
orange **anaranjado/a** *adj.* 1.6; **naranja** *f.* 1.8
orchard **huerto** *m.*
orchestra **orquesta** *f.* 2.8
order **mandar** 2.3; *(food)* **pedir (e:i)** *v.* 1.8
   in order to **para** *prep.* 2.2
orderly **ordenado/a** *adj.* 1.5
ordinal *(numbers)* **ordinal** *adj.*
originating (in) **proveniente (de)** *adj.*
ornate **ornamentado/a** *adj.*
other **otro/a** *adj.* 1.6
others; other people **los/las demás** *pron.*
ought to **deber** *v.* **(+ *inf*.)** 1.3
our **nuestro(s)/a(s)** *poss. adj.* 1.3
ours **nuestro(s)/a(s)** *poss. pron.* 2.2
outdo oneself *(P. Rico; Cuba)* **botarse** *v.* 3.5
outline **esbozo** *m.*
out-of-date **pasado/a de moda** *adj.* 3.9
out of order **descompuesto/a** *adj.* 2.2
outrageous thing **barbaridad** *f.* 3.10
outskirts **afueras** *f., pl.* 2.3
oven **horno** *m.* 2.3
over **sobre** *prep.* 1.2
overcome **superar** *v.*
overdose **sobredosis** *f.*
overthrow **derribar** *v.*, **derrocar** *v.*
overwhelmed **agobiado/a** *adj.* 3.1
owe **deber** *v.* 3.8
   owe money **deber dinero** 3.2
own **propio/a** *adj.* 2.7

owner **dueño/a** *m., f.* 1.8, 3.8; **propietario/a** *m., f.*

P

P.M. **tarde** *f.* 1.1
pack (one's suitcases) **hacer las maletas** 1.5, 3.5
package **paquete** *m.* 2.5
page **página** *f.* 2.2
   web page **página web** *f.* 3.7
pain **dolor** *m.* 2.1; *(suffering)* **sufrimiento** *m.*
   have pain **tener dolor** 2.1
painkiller **el analgésico** *m.* 3.4
paint **pintura** *f.* 3.10; **pintar** *v.* 2.8, 3.3
paintbrush **pincel** *m.* 3.10
painter **pintor(a)** *m., f.* 2.7, 3.3, 3.10
painting **pintura** *f.* 2.3, 2.8, 3.10; **cuadro** *m.* 3.3, 3.10
pair **par** *m.* 1.6
   pair of shoes **par de zapatos** *m.* 1.6
palm tree **palmera** *f.*
pamphlet **panfleto** *m.*
pants **pantalones** *m., pl.* 1.6
pantyhose **medias** *f., pl.* 1.6
paper **papel** *m.* 1.2
paradox **paradoja** *f.*
Pardon me. *(May I?)* **Con permiso.** 1.1; *(Excuse me.)* **Perdón.** 1.1
parents **padres** *m., pl.* 1.3; **papás** *m., pl.* 1.3
parish **parroquia** *f.*
park **parque** *m.* 1.4; **estacionar** *v.* 2.2
   amusement park **parque de atracciones** *m.* 3.2
parking lot **estacionamiento** *m.* 2.5
parrot **loro** *m.*
part **parte** *f.*
   become part (of) **integrarse (a)** *v.*
partner *(couple)* **pareja** *f.* 1.9, 3.1; *(member)* **socio/a** *m., f.* 3.8
party **fiesta** *f.* 1.9
   (politics) **partido** *m.*
   political party **partido político** *m.*
pass *(a class)* **aprobar (o:ue)** *v.*
   pass a law **aprobar una ley**
passed **pasado** *p.p.*
passenger **pasajero/a** *m., f.* 1.1
passing **pasajero/a** *adj.*
passport **pasaporte** *m.* 1.5, 3.5
password **contraseña** *f.* 3.7
past **pasado** *m.*; **pasado/a** *adj.* 1.6
pastime **pasatiempo** *m.* 1.4, 3.2
pastry **repostería** *f.*

pastry shop **pastelería** *f.* 2.5
patent **patente** *f.* 3.7
path (*history*) **trayectoria** *f.* 3.1
patient **paciente** *m., f.* 2.1
patio **patio** *m.* 2.3
pay **pagar** *v.* 1.6
  be well/poorly paid **ganar bien/mal** 3.8
  pay attention to someone **hacerle caso a alguien** 3.1
  pay in cash **pagar al contado; pagar en efectivo** 2.5
  pay in installments **pagar a plazos** 2.5
  pay the bill **pagar la cuenta** 1.9
pea **arveja** *m.* 1.8
peace **paz** *f.* 2.9
peaceful **pacífico/a** *adj.*
peach **melocotón** *m.* 1.8
peak **cumbre** *f.;* **pico** *m.*
pear **pera** *f.* 1.8
peck **picar** *v.*
pen **pluma** *f.* 1.2
pencil **lápiz** *m.* 1.1
penicillin **penicilina** *f.* 2.1
people **gente** *f.* 1.3; **pueblo** *m.* 3.4
pepper (*black*) **pimienta** *f.* 1.8
per **por** *prep.* 2.2
perfect **perfecto/a** *adj.* 1.5
performance **rendimiento** *m.;* (*theater; movie*) **función** *f.* 3.2
perhaps **quizás** *adv.,* **tal vez** *adv.,* **acaso** *adv.* 3.3
period **punto** *m.* 3.2
permanent **fijo/a** *adj.* 3.8
permission **permiso** *m.*
permissive **permisivo/a** *adj.* 3.1
persecute **perseguir (e:i)** *v.*
person **persona** *f.* 1.3
personal (*private*) **particular** *adj.*
pessimist **pesimista** *m., f.*
pharmacy **farmacia** *f.* 2.1
phase **etapa** *f.*
phenomenal **fenomenal** *adj.* 1.5
photograph **foto(grafía)** *f.* 1.1
physical (*exam*) **examen** *m.* **médico** 2.1
physician **doctor(a)** *m., f.* 1.3, **médico/a** *m., f.* 1.3
physicist **físico/a** *m., f.* 3.7
physics **física** *f.* 1.2
pick out **seleccionar** *v.* 3.3
pick up **recoger** *v.* 2.4; **levantar** *v.*
picnic **picnic** *m.*
picture **cuadro** *m.* 2.3; **pintura** *f.* 2.3; **imagen** *f.* 3.2, 3.7
pie **pastel** *m.* 1.9
piece (*art*) **pieza** *f.* 3.10
pier **muelle** *m.* 3.5
pig **cerdo** *m.* 3.6
pill (*tablet*) **pastilla** *f.* 2.1; 3.4
pillow **almohada** *f.* 2.3

pilot **piloto** *m., f.*
pineapple **piña** *f.* 1.8
pink **rosado/a** *adj.* 1.6
pious **devoto/a** *adj.*
piping **tubería** *f.* 3.6
pity **pena** *f.*
  What a pity! **¡Qué pena!**
place **lugar** *m.* 1.4; (*an object*) **colocar** *v.* 3.2; **poner** *v.* 1.4, 3.1, 3.2
plaid **de cuadros** 1.6
plan **planear** *v.*
planet **planeta** *m.* 3.7
planned **previsto/a** *adj., p.p.* 3.3
plans **planes** *m., pl.*
  have plans **tener planes**
plant **planta** *f.* 2.4
plastic **plástico** *m.* 2.4
  (made of) plastic **de plástico** 2.4
plate **plato** *m.* 2.3
plateau: high plateau **altiplano** *m.*
play (*theater*) **obra de teatro** *f.* 3.10; **drama** *m.* 2.8; **comedia** *f.* 2.8; **jugar (u:ue)** *v.* 1.4; (*a musical instrument*) **tocar** *v.* 2.8
  play a CD **poner un disco compacto** *v.* 3.2
  play a role **hacer el papel de** 2.8
  play cards **jugar a las cartas** 1.5
  play sports **practicar deportes** 1.4
player **jugador(a)** *m., f.* 1.4
playing cards **cartas** *f. pl.* 3.2; **naipes** *m. pl.* 3.2
playwright **dramaturgo/a** *m., f.* 2.8, 3.10
plead **rogar (o:ue)** *v.* 3.4
pleasant **agradable** *adj.;* (*funny*) **gracioso/a** *adj.* 3.1
please **por favor** 1.1
  Could you please...? **¿Tendría usted la bondad de (+ *inf.*)...?** *form.*
  Pleased to meet you. **Mucho gusto.** 1.1; **Encantado/a.** *adj.* 1.1
pleasing: be pleasing to **gustar** *v.* 1.2, 1.7
pleasure **gusto** *m.* 1.1; **placer** *m.* 2.6
  It's a pleasure to... **Gusto de (+ *inf.*)** 2.9

  It's been a pleasure. **Ha sido un placer.** 2.6
  The pleasure is mine. **El gusto es mío.** 1.1
plot **trama** *f.* 3.10; **argumento** *m.* 3.10
plumbing (*piping*) **tubería** *f.* 3.6
poem **poema** *m.* 2.8

poet **poeta** *m., f.* 2.8, 3.10
poetry **poesía** *f.* 2.8, 3.10
point (to) **señalar** *v.* 3.2
  point out **destacar** *v.*
point of view **punto de vista** *m.* 3.10
poison **veneno** *m.* 3.6
poisoned **envenenado/a** *adj.* 3.6
poisonous **venenoso/a** *adj.* 3.6
police (*force*) **policía** *f.* 2.2
political **político/a** *adj.* 2.9
politician **político/a** *m., f.* 2.7
politics **política** *f.* 2.9
polka-dotted **de lunares** 1.6
poll **encuesta** *f.* 2.9
pollen **polen** *m.* 3.8
pollute **contaminar** *v.* 2.4, 3.6
polluted **contaminado/a** *adj.* 2.4
  be polluted **estar contaminado/a** 2.4
pollution **contaminación** *f.* 2.4, 3.6
pool **piscina** *f.* 1.4
poor **pobre** *adj.* 1.6
poor quality **porquería** *f.* 3.10
populate **poblar** *v.*
population **población** *f.* 2.4, 3.4
pork **cerdo** *m.* 1.8
  pork chop **chuleta** *f.* **de cerdo** 1.8
port **puerto** *m.* 3.5
portable **portátil** *adj.* 2.2
  portable computer **computadora** *f.* **portátil** 2.2
portrait **retrato** *m.* 3.3
portray **retratar** *v.* 3.3
position **puesto** *m.* 2.7, 3.8; **cargo** *m.*
possessive **posesivo/a** *adj.* 1.3
possible **posible** *adj.* 2.4
  as much as possible **en todo lo posible**
  it's (not) possible **(no) es posible** 2.4
postcard **postal** *f.*
poster **cartel** *m.* 2.3
post office **correo** *m.* 2.5
potato **papa** *f.* 1.8, **patata** *f.* 1.8
pottery **cerámica** *f.* 2.8
poverty **pobreza** *f.* 3.8
power **fuerza** *f.;* (*electricity*) **luz** *f.* 3.7
  will power **fuerza** *f.* **de voluntad** 3.4
powerful **poderoso/a** *adj.*
power saw **motosierra** *f.* 3.7
practice **practicar** *v.* 1.2
pray **rezar** *v.*
pre-Columbian **precolombino/a** *adj.*
prefer **preferir (e:ie)** *v.* 1.4, 3.4
pregnant **embarazada** *adj.* 2.1
prehistoric **prehistórico/a** *adj.*
premiere **estreno** *m.* 3.2

prepare **preparar** *v.* 1.2
preposition **preposición** *f.*
prescribe (*medicine*) **recetar** *v.*
2.1, 3.4
prescription **receta** *f.* 2.1, 3.4
present **regalo** *m.*; **presentar** *v.*
2.8
preserve **conservar** *v.* 3.6
press **prensa** *f.* 2.9, 3.9
press conference **rueda de
prensa** *f.*
pressure (*stress*) **presión** *f.*;
presionar *v.*
be under a lot of pressure **sufrir
muchas presiones** 2.6
be under stress/pressure **estar
bajo presión**
pretend **de mentiras** *adj.* 3.5
pretty **bonito/a** *adj.* 1.3;
bastante *adv.* 2.4
prevent **prevenir** *v.* 3.4
previous **anterior** *adj.* 3.8
price **precio** *m.* 1.6
fixed/set price **precio** *m.* **fijo**
1.6
priest **cura** *m.*; **sacerdote** *m.*
prime minister **primer(a)
ministro/a** *m., f.*
print **estampado/a** *adj.*;
imprimir *v.* 2.2, 3.9
printer **impresora** *f.* 2.2
private (*room*) **individual** *adj.*;
particular *adj.*
privilege **privilegio** *m.* 3.8
prize **premio** *m.* 2.8
give a prize **premiar** *v.*
probable **probable** *adj.* 2.4
it's (not) probable **(no) es
probable** 2.4
problem **problema** *m.* 1.1
procession **procesión** *f.*
produce (*generate*) **generar** *v.*;
producir *v.* 3.1
productive **productivo/a** *adj.*
3.8
profession **profesión** *f.* 1.3, 2.7
professor **profesor(a)** *m., f.*
program **programa** *m.* 1.1
programmer **programador(a)**
m., f. 1.3
prohibit **prohibir** *v.* 2.1, 3.4
prohibited **prohibido/a** *adj.* 3.5
prominent **destacado/a**
adj. 3.9; **prominente** *adj.*
promise **jurar** *v.*
promote **promover (o:ue)** *v.*
promotion (*career*) **ascenso** *m.*
2.7
pronoun **pronombre** *m.*
pronounce **pronunciar** *v.*
proof **prueba** *f.* 3.2
proposal **oferta** *f.* 3.9
propose **proponer** *v.* 3.1, 3.4;
propose marriage **proponer
matrimonio** 3.1
prose **prosa** *f.* 3.10

protagonist **protagonista** *m., f.*
3.1, 3.10
protect **proteger** *v.* 2.4, 3.1, 3.6
protected **protegido/a** *adj.* 3.5
protein **proteína** *f.* 2.6
protest **manifestación** *f.*;
protestar *v.*
protester **manifestante** *m., f.* 3.6
proud **orgulloso/a** *adj.* 3.1
be proud of **estar orgulloso/a
de**
prove **comprobar (o:ue)** *v.* 3.7
provide **proporcionar** *v.*
provided (that) **con tal (de) que**
conj. 2.4
psychologist **psicólogo/a**
m., f. 2.7
psychology **psicología** *f.* 1.2
public **público** *m.* 3.9;
(*pertaining to the state*) **estatal**
adj.
public transportation **transporte
público** *m.*
publish **editar** *v.* 3.10; **publicar**
v. 2.8, 3.9
Puerto Rican **puertorriqueño/a**
adj. 1.3
pull a tooth **sacar una muela**
punishment **castigo** *m.*
purchases **compras** *f., pl.* 1.5
pure **puro/a** *adj.* 2.4
purity **pureza** *f.* 3.6
purple **morado/a** *adj.* 1.6
purse **bolsa** *f.* 1.6
pursue **perseguir (e:i)** *v.*
push **empujar** *v.*
put **poner** *v.* 1.4, 3.1, 3.2;
puesto *p.p.* 2.5
put (a letter) in the mailbox
echar (una carta) al buzón
2.5
put in a place **ubicar** *v.*
put on (*a performance*)
presentar *v.* 2.8
put on (*clothing*) **ponerse** *v.*
1.7
put on makeup **maquillarse**
v. 1.7, 3.2
pyramid **pirámide** *f.* 3.5

Q

quality **calidad** *f.* 1.6
high quality **de buena
categoría** *adj.* 3.5
quarter **trimestre** *m.* 1.2
quarter after (*time*) **y cuarto**
1.1; **y quince** 1.1
quarter to (*time*) **menos
cuarto**
1.1; **menos quince** 1.1
queen **reina** *f.*
quench **saciar** *v.*
question **pregunta** *f.* 1.2;

interrogante *m.* 3.7
quickly **rápido** *adv.* 2.1
quiet **tranquilo/a** *adj.* 2.6;
callado/a *adj.*
be quiet **callarse** *v.*
quit **dejar** *v.* 2.7; **renunciar** *v.*
3.8
quit smoking **dejar de fumar**
3.4
quite **bastante** *adv.* 3.3
quiz **prueba** *f.* 1.2
quotation **cita** *f.*

R

rabbi **rabino/a** *m., f.*
rabbit **conejo** *m.* 3.6
race **raza** *f.*
racism **racismo** *m.* 2.9
radiation **radiación** *f.*
radio (*medium*) **radio** *f.* 1.2
radio (set) **radio** *m.* 2.2
radio announcer **locutor(a) de
radio** *m., f.* 3.9
radio station **(radio)emisora** *f.*
3.9
rain **llover (o:ue)** *v.* 1.5; **lluvia**
f. 2.4
It's raining. **Llueve.** 1.5; **Está
lloviendo.** 1.5
rain forest **bosque** *m.* **tropical**
2.4; **bosque** *m.* **lluvioso** 3.6
raincoat **impermeable** *m.* 1.6
raise **aumento** *m.*; (*salary*)
aumento de sueldo 2.7, 3.8;
criar *v.*; **educar** *v.* 3.1
have raised **haber criado** 3.1
ranch **rancho** *m.*
rarely **casi nunca** *adv.* 3.3
rat **rata** *f.*
rather **bastante** *adv.* 2.1; **más
bien** *adv.*
ratings **índice de audiencia** *m.*
ray **rayo** *m.*
reach **alcance** *m.* 3.7;
alcanzar *v.*
within reach **al alcance** 3.10;
al alcance de la mano
reactor **reactor** *m.*
read **leer** *v.* 1.3; **leído** *p.p.* 2.5
read a magazine **leer una
revista** 1.4
read a newspaper **leer un
periódico** 1.4
read e-mail **leer correo
electrónico** 1.4
reader **lector(a)** *m., f.* 3.9
ready **listo/a** *adj.* 1.5
(Are you) ready? **¿(Están)
listos?** 2.6
real **auténtico/a** *adj.* 3.3
realism **realismo** *m.* 3.10
realist **realista** *adj.* 3.10
realistic **realista** *adj.* 3.10

realize **darse cuenta** *v.* 3.2, 3.9
  realize that one is being referred
    to **darse por aludido/a** 3.9
reap the benefits (of) **disfrutar** *v.*
  (de) 2.6
rearview mirror **espejo**
  retrovisor *m.*
rebelliousness **rebeldía** *f.*
receive **recibir** *v.* 1.3
received **acogido/a** *adj.*
  well received **bien acogido/a**
    adj. 3.8
recital **recital** *m.*
recognition **reconocimiento** *m.*
recognize **reconocer** *v.* 3.1
recommend **recomendar (e:ie)**
  v. 1.8, 2.3, 3.4
recommendable **recomendable**
  adj. 3.5
record **grabar** *v.* 2.2, 3.9
recover **recuperarse** *v.* 3.4
recreation **diversión** *f.* 1.4
recyclable **reciclable** *adj.*
recycle **reciclar** *v.* 2.4, 3.6
recycling **reciclaje** *m.* 2.4
red **rojo/a** *adj.* 1.6
red-haired **pelirrojo/a** *adj.* 1.3
redo **rehacer** *v.* 3.1
reduce **reducir** *v.* 2.4
  reduce (speed) **reducir**
    (velocidad) 3.5
  reduce stress/tension **aliviar el**
    estrés/la tensión 2.6
reef **arrecife** *m.* 3.6
referee **árbitro/a** *m., f.* 3.2
refined (*cultured*) **culto/a** *adj.*
reflect **reflejar** *v.* 3.10
reform **reforma** *f.*
  economic reform **reforma**
    económica *f.*
refrigerator **refrigerador** *m.* 2.3
refuge **refugio** *m.* 3.6
refund **reembolso** *m.* 3.3
refusal **rechazo** *m.*
region **región** *f.* 2.4
register **inscribirse** *v.*
regret **sentir (e:ie)** *v.* 2.4
rehearsal **ensayo** *m.*
rehearse **ensayar** *v.* 3.9
reign **reino** *m.*
reject **rechazar** *v.*
rejection **rechazo** *m.*
relatives **parientes** *m., pl.* 1.3
relax **relajarse** *v.* 1.9, 3.4
  Relax. **Tranquilo/a.** 1.7
reliability **fiabilidad** *f.*
religion **religión** *f.*
religious **religioso/a** *adj.*
remain **quedarse** *v.* 1.7;
  permanecer *v.* 3.4
remake **rehacer** *v.* 3.1
remember **acordarse (o:ue)** *v.*
  (de) 1.7, 3.2; **recordar (o:ue)**
  v. 1.4
remorse **remordimiento** *m.*

remote control **control remoto**
  m. 2.2
  universal remote control
    control remoto universal
    m. 3.7
renewable **renovable** *adj.* 3.6
rent (*payment*) **alquiler** *m.* 2.3;
  alquilar *v.* 2.3
  rent a movie **alquilar una**
    película 3.2
repeat **repetir (e:i)** *v.* 1.4
repent **arrepentirse (e:ie)** *v.* **(de)**
  3.2
repertoire **repertorio** *m.*
report **informe** *m.* 2.9;
  reportaje *m.* 2.9
reporter **reportero/a** *m., f.* 2.7,
  3.9
representative **representante**
  m., f. 2.9; **diputado/a** *m., f.*
reproduce **reproducirse** *v.*
reputation **reputación** *f.*
  have a good/bad reputation
    tener buena/mala fama
    3.9
request **pedir (e:i)** *v.* 1.4
rescue **rescatar** *v.*
research **investigar** *v.* 3.7
researcher **investigador(a)** *m., f.*
  3.4
resentful **resentido/a** *adj.* 3.6
reservation **reservación** *f.* 1.5
reserve **reservar** *v.* 3.5
reside **residir** *v.*
resign (from) **renunciar (a)**
  v. 2.7
resolve **resolver (o:ue)** *v.* 2.4
resolved **resuelto** *p.p.* 2.5
resource **recurso** *m.* 2.4
respect **respeto** *m.*
responsibility **deber** *m.* 2.9;
  responsabilidad *f.*
responsible **responsable** *adj.*
rest **descanso** *m.* 3.8; **reposo**
  m.; **descansar** *v.* 1.2, 3.4
  be at rest **estar en reposo**
restaurant **restaurante** *m.* 1.4
resulting **consiguiente** *adj.*
résumé **currículum (vitae)** *m.*
  2.7, 3.8
retire (*from work*) **jubilarse** *v.*
  1.9, 3.8
retirement **jubilación** *f.*
return **regresar** *v.* 1.2, 3.5;
  volver (o:ue) *v.* 1.4; (*items*)
  devolver (o:ue) *v.* 3.3
  return (trip) **vuelta** *f.;*
    regreso *m.*
returned **vuelto** *p.p.* 2.5
review **repaso** *m.* 3.10
revision **repaso** *m.* 3.10
revolutionary **revolucionario/a**
  adj. 3.7
revulsion **asco** *m.*
rhyme **rima** *f.* 3.10

rice **arroz** *m.* 1.8
rich **rico/a** *adj.* 1.6
ride: ride a bicycle **pasear en**
  bicicleta 1.4
  ride a horse **montar a**
    caballo 1.5
ridiculous **ridículo/a** *adj.* 2.4
  it's ridiculous **es ridículo** 2.4
right **derecha** *f.* 1.2
  be right **tener razón** 1.3
  right? (*question tag*) **¿no?** 1.1;
    ¿verdad? 1.1
  right away **enseguida** *adv.*
    1.9, 3.3
  right here **aquí mismo** 2.2
  right now **ahora mismo** 1.5
  right there **allí mismo** 2.5
  to the right of **a la derecha**
    de 1.2
rights **derechos** *m.* 2.9
  civil rights **derechos civiles**
    m. pl.
  human rights **derechos**
    humanos *m. pl.*
ring **anillo** *m.* 3.5; **sortija** *f.* 3.5;
  sonar (o:ue) *v.* 2.2, 3.7
  ring the doorbell **tocar el**
    timbre 3.3
riot **disturbio** *m.* 3.8
rise **ascender (e:ie)** *v.* 3.8
risk **riesgo** *m.*
  take a risk **arriesgar(se)** *v.*
risky **arriesgado/a** *adj.* 3.5
river **río** *m.* 2.4
road **camino** *m.*
roast **asado/a** *adj.* 1.8
  roast chicken **pollo** *m.* **asado**
    1.8
rob **asaltar** *v.* 3.10
rocket **cohete** *m.* 3.7
role **papel** *m.* 3.9
  play a role (*in a play*)
    desempeñar un papel
rollerblade **patinar en línea**
romance novel **novela rosa** *f.*
  3.10
romantic **romántico/a** *adj.* 2.8
romanticism **romanticismo** *m.*
  3.10
room **habitación** *f.* 1.2, 1.5,
  3.5; **cuarto** *m.* 1.2, 1.7
  emergency room **sala de**
    emergencia(s) *f.* 3.4
  living room **sala** *f.* 2.3
  room service **servicio de**
    habitación *m.* 3.5
  single/double room **habitación**
    individual/doble *f.* 3.5
roommate **compañero/a** *m., f.*
  de cuarto
root **raíz** *f.*
round **redondo/a** *adj.* 3.2
roundtrip **de ida y vuelta** 1.5
  roundtrip ticket **pasaje** *m.* **de**
    ida y vuelta 1.5, 3.5

routine **rutina** *f.* 1.7, 3.3
rug **alfombra** *f.* 2.3
ruin **ruina** *f.* 3.5
rule **regla** *f.*; **dominio** *m.*
ruler **gobernante** *m., f.*;
  (*sovereign*) **soberano/a** *m., f.*
run **correr** *v.* 1.3
  run errands **hacer
    diligencias** 2.5
  run into (*have an accident*)
    chocar (con) *v.*; (*meet
    accidentally*) **encontrar(se)
    (o:ue)** *v.* 2.2; (*run
    into something*) **darse
    (con)** 2.1; (*each other*)
    encontrar(se) (o:ue) *v.* 2.2
  run out (of) **acabarse** *v.* 3.6;
    quedarse sin *v.* 3.6
  run over **atropellar** *v.*
rush **prisa** *f.* 3.6; **apurarse** *v.*
  2.6; **darse prisa** 2.6
  be in a rush **tener apuro**
Russian **ruso/a** *adj.* 1.3

S

sacred **sagrado/a** *adj.*
sacrifice **sacrificar** *v.* 3.6;
  sacrificio *m.*
sad **triste** *adj.* 1.5, 2.4
  it's sad **es triste** 2.4
safe **seguro/a** *adj.* 1.5
safety **seguridad** *f.* 3.5
said **dicho** *p.p.* 2.5
sail **navegar** *v.* 3.5
sailor **marinero** *m.*
salad **ensalada** *f.* 1.8
salary **salario** *m.* 2.7; **sueldo**
  m. 2.7
  base salary **sueldo fijo** *m.*
    3.8
  raise in salary **aumento de
    sueldo** *m.* 3.8
sale **rebaja** *f.* 1.6; **venta** *f.*
  be for sale **estar a la venta**
    3.10
salesperson **vendedor(a)** *m., f.*
  1.6, 3.8
salmon **salmón** *m.* 1.8
salt **sal** *f.* 1.8
same **mismo/a** *adj.* 1.3
  The same here. **Lo mismo
    digo yo.**
sample **muestra** *f.*
sandal **sandalia** *f.* 1.6
sandwich **sándwich** *m.* 1.8
sanity **cordura** *f.* 3.4
satellite **satélite** *m.*
  satellite connection **conexión
    de satélite** *f.* 3.7
  satellite dish **antena
    parabólica** *f.*
satire **sátira** *f.*
satirical **satírico/a** *adj.* 3.10

satirical tone **tono satírico** *m.*
satisfied: be satisfied with
  contentarse con *v.* 3.1
satisfy (*quench*) **saciar** *v.*
Saturday **sábado** *m.* 1.2
sausage **salchicha** *f.* 1.8
save (*on a computer*) **guardar** *v.*
  2.2, 3.7; (*money*) **ahorrar** *v.*
  2.5, 3.8; **salvar** *v.* 3.6
  save oneself **ahorrarse** *v.* 3.7
savings **ahorros** *m.* 2.5, 3.8
  savings account **cuenta** *f.* **de
    ahorros** 2.5
say **decir** *v.* 1.4, 3.1;
  declarar *v.* 2.9
  say good-bye **despedirse
    (e:i)** *v.* 3.3
  say that **decir que** *v.* 1.4, 1.9
  say the answer **decir la
    respuesta** 1.4
scar **cicatriz** *f.*
scarcely **apenas** *adv.* 2.1, 3.3
scare **espantar** *v.*
scared **asustado/a** *adj.*
  be (very) scared (of) **tener
    (mucho) miedo (de)** 1.3
scene **escena** *f.* 3.1
scenery **paisaje** *m.* 3.6;
  escenario *m.* 3.2
schedule **horario** *m.* 1.2, 3.3
school **escuela** *f.* 1.1
science **ciencia** *f.* 1.2
science fiction **ciencia ficción** *f.*
  2.8, 3.10
scientific **científico/a** *adj.*
scientist **científico/a** *m., f.* 2.7,
  3.7
score (a goal/a point) **anotar
  (un gol/un punto)** *v.* 3.2;
  marcar (un gol/punto) *v.*
screen **pantalla** *f.* 2.2, 3.2
  computer screen **pantalla de
    computadora** *f.*
  LCD screen **pantalla líquida** *f.*
    3.7
  television screen **pantalla de
    televisión** *f.* 3.2
screenplay **guión** *m.* 3.9
script **guión** *m.* 3.9
scuba dive **bucear** *v.* 1.4
scuba diving **buceo** *m.* 3.5
sculpt **esculpir** *v.* 2.8, 3.10
sculptor **escultor(a)** *m., f.* 2.8,
  3.10
sculpture **escultura** *f.* 2.8, 3.10
sea **mar** *m.* 1.5, 3.6
seal **sello** *m.*
search **búsqueda** *f.*
search engine **buscador** *m.* 3.7
season **estación** *f.* 1.5;
  (*period*) **temporada** *f.*
  high/low season **temporada
    alta/baja** *f.* 3.5
seat **asiento** *m.* 3.2; **silla** *f.*
  1.2

seatbelt **cinturón de seguridad**
  m. 3.5
  fasten the seatbelt
    **abrocharse/ponerse el
    cinturón de seguridad**
    3.5
  unfasten the seatbelt **quitarse
    el cinturón de seguridad**
    3.5
second **segundo/a** *n., adj.* 1.5
secretary **secretario/a** *m., f.* 2.7
section **sección** *f.* 3.9
  lifestyle section **sección de
    sociedad** *f.* 3.9
  sports section **sección
    deportiva** *f.* 3.9
security **seguridad** *f.* 3.5
  security measures **medidas de
    seguridad** *f. pl.* 3.5
sedentary **sedentario/a** *adj.* 2.6
see **ver** *v.* 1.4, 3.1
  see (you/him/her) again **volver
    a ver(te/lo/la)** 2.9
  see movies **ver películas** 1.4
  See you. **Nos vemos.** 1.1
  See you later. **Hasta la vista.**
    1.1; **Hasta luego.** 1.1
  See you soon. **Hasta pronto.**
    1.1
  See you tomorrow. **Hasta
    mañana.** 1.1
seed **semilla** *f.*
seem **parecer** *v.* 1.6, 3.2
seen **visto** *p.p.* 2.5
select **seleccionar** *v.* 3.3
self-esteem **autoestima** *f.* 3.4
self-portrait **autorretrato**
  m. 3.3, 3.10
sell **vender** *v.* 1.6
semester **semestre** *m.* 1.2
senator **senador(a)** *m., f.*
send **enviar** *v.* 2.5; **mandar** *v.*
  2.5
sender **remitente** *m.*
sense **sentido** *m.*
  common sense **sentido común**
    m.
sensible **sensato/a** *adj.* 3.1
sensitive **sensible** *adj.* 3.1
separate (from) **separarse** *v.* **(de)**
  1.9
separated **separado/a** *adj.* 1.9,
  3.1
September **septiembre** *m.* 1.5
sequel **continuación** *f.*
sequence **secuencia** *f.*
serious **grave** *adj.* 2.1
serve **servir (e:i)** *v.* 1.8
servitude **servidumbre** *f.* 3.3
set (*fixed*) **fijo/a** *adj.* 1.6
  set the table **poner la mesa**
    2.3
settle **poblar** *v.*
settler **poblador(a)** *m., f.*
seven **siete** *n., adj.* 1.1

seven hundred **setecientos/as** *n., adj.* 1.2

seventeen **diecisiete** *n., adj.* 1.1

seventh **séptimo/a** *n., adj.* 1.5

seventy **setenta** *n., adj.* 1.2

several **varios/as** *adj. pl.* 1.8

sexism **sexismo** *m.* 2.9

sexton **sacristán** *m.*

shame **vergüenza** *f.*; **lástima** *f.* 2.4

   it's a shame **es una lástima** 2.4

shampoo **champú** *m.* 1.7

shape **forma** *f.* 2.6

   bad physical shape **mala forma física** *f.*

   be in good shape **estar en buena forma** 2.6

   get in shape **ponerse en forma** 3.4

   stay in shape **mantenerse en forma** 3.4

share **compartir** *v.* 1.3

shark **tiburón** *m.* 3.5

sharp (*time*) **en punto** 1.1; **nítido/a** *adj.*

shave **afeitarse** *v.* 1.7, 3.2

shaving cream **crema** *f.* **de afeitar** 1.7

she **ella** *sub. pron.* 1.1

sheep **oveja** *f.* 3.6

shellfish **mariscos** *m., pl.* 1.8

ship **barco** *m.*

shirt **camisa** *f.* 1.6

shoe **zapato** *m.* 1.6

   shoe size **número** *m.* 1.6

   shoe store **zapatería** *f.* 2.5

   tennis shoes **zapatos** *m., pl.* **de tenis** 1.6

shop **tienda** *f.* 1.6

shopping: go shopping **ir de compras** 1.5

shopping mall **centro comercial** *m.* 1.6

shore **orilla** *f.*

on the shore of **a orillas de** 3.6

short (*in height*) **bajo/a** *adj.* 1.3; (*in length*) **corto/a** *adj.* 1.6

   short film **corto** *m.* 3.1, **cortometraje** *m.* 3.1

   short story **cuento** *m.* 2.8

   short/long-term **a corto/largo plazo** 3.8

shorts **pantalones cortos** *m., pl.* 1.6

shot (*injection*) **inyección** *f.*

   give a shot **poner una inyección** 3.4

should (*do something*) **deber** *v.* (**+ inf.**) 1.3

shoulder **hombro** *m.*

shout **gritar** *v.*

show **espectáculo** *m.* 2.8, 3.2; **mostrar (o:ue)** *v.* 1.4

   game show **concurso** *m.* 2.8

shower **ducha** *f.* 1.7; **ducharse** *v.* 1.7

showing **sesión** *f.*

shrimp **camarón** *m.* 1.8

shrink **encogerse** *v.*

shrug **encogerse de hombros**

shy **tímido/a** *adj.* 3.1

shyness **timidez** *f.*

siblings **hermanos/as** *pl.* 1.3

sick **enfermo/a** *adj.* 2.1

   be sick **estar enfermo/a** 2.1

   be sick (of) **estar harto/a (de)** 3.1

   get sick **enfermarse** *v.* 2.1, 3.4

side effects **efectos secundarios** *m., pl.* 3.4

sign **firmar** *v.* 2.5; **letrero** *m.* 2.5; **señal** *f.* 3.2

signal **señalar** *v.* 3.2

signature **firma** *f.*

silent **callado/a** *adj.* 3.7

   be silent **callarse** *v.*

   remain silent **quedarse callado/a** 3.1

silk **seda** *f.* 1.6

   (made of) silk **de seda** 1.6

silly **tonto/a** *adj.* 1.3

silly person **bobo/a** *m., f.* 3.7

sin **pecado** *m.*

since **desde** *prep.*

sincere **sincero/a** *adj.*

sing **cantar** *v.* 1.2

singer **cantante** *m., f.* 2.8, 3.2

single **soltero/a** *adj.* 1.9, 3.1

   single father **padre soltero** *m.*

   single mother **madre soltera** *f.*

   single room **habitación individual** *f.* 1.5

sink **lavabo** *m.* 1.7; **hundir** *v.*

sir **señor (Sr.)** *m.* 1.1

sister **hermana** *f.* 1.3

sister-in-law **cuñada** *f.* 1.3

sit down **sentarse (e:ie)** *v.* 1.7

situated **situado/a** *adj.*

six **seis** *n., adj.* 1.1

six hundred **seiscientos/as** *n., adj.* 1.2

sixteen **dieciséis** *n., adj.* 1.1

sixth **sexto/a** *n., adj.* 1.5

sixty **sesenta** *n., adj.* 1.2

size **talla** *f.* 1.6

   shoe size **número** *m.* 1.6

skate (inline) **patinar (en línea)** 1.4

skateboard **andar en patineta** 1.4

sketch **esbozar** *v.*; **esbozo** *m.*

ski **esquiar** *v.* 1.4

skiing **esquí** *m.* 1.4

   waterskiing **esquí** *m.* **acuático** 1.4

skill **habilidad** *f.*

skillfully **hábilmente** *adv.*

skim **hojear** *v.* 3.10

skirt **falda** *f.* 1.6

sky **cielo** *m.* 2.4

slacker **vago/a** *m., f.* 3.7

slave **esclavo/a** *m., f.*

slavery **esclavitud** *f.*

sleep **dormir (o:ue)** *v.* 1.4, 3.2; **sueño** *m.* 1.3

   go to sleep **dormirse (o:ue)** *v.* 1.7

sleepy: be (very) sleepy **tener (mucho) sueño** 1.3

sleeve **manga** *f.* 3.5

slender **delgado/a** *adj.* 1.3

slim down **adelgazar** *v.* 2.6

slip **resbalar** *v.*

slippers **pantuflas** *f.* 1.7

slippery **resbaladizo/a** *adj.*

slow **lento/a** *adj.* 2.2

slowly **despacio** *adv.* 2.1

small **pequeño/a** *adj.* 1.3

smart **listo/a** *adj.* 1.5

smile **sonreír (e:i)** *v.* 1.9

smiled **sonreído** *p.p.* 2.5

smoggy: It's (very) smoggy. **Hay (mucha) contaminación.**

smoke **fumar** *v.* 1.8, 2.6

   not to smoke **no fumar** 2.6

smoking section **sección** *f.* **de fumar** 1.8

   nonsmoking section **sección** *f.* **de (no) fumar** 1.8

smoothness **suavidad** *f.*

snack **merendar (e:ie)** *v.* 1.8, 2.6

   afternoon snack **merienda** *f.* 2.6

   have a snack **merendar** *v.*

snake **serpiente** *f.* 3.6

sneakers **zapatos** *m. pl.* **de tenis** 1.6

sneeze **estornudar** *v.* 2.1

snow **nevar (e:ie)** *v.* 1.5; **nieve** *f.*

snowing: It's snowing. **Nieva.** 1.5; **Está nevando.** 1.5

so (*in such a way*) **así** *adv.* 2.1; **tan** *adv.* 1.5

   so much **tanto** *adv.*

   so-so **regular** 1.1; **así así**

   so that **para que** *conj.* 2.4

soap **jabón** *m.* 1.7

soap opera **telenovela** *f.* 2.8, 3.9

soccer **fútbol** *m.* 1.4

sociable **sociable** *adj.*

society **sociedad** *f.*

sociology **sociología** *f.* 1.2

sock(s) **calcetín (calcetines)** *m.* 1.6

sofa **sofá** *m.* 2.3

soft drink **refresco** *m.* 1.8

software **programa** *m.* **de computación** 2.2, 3.7

soil **tierra** *f.* 2.4

solar **solar** *adj.* 2.4

   solar energy **energía** *f.* **solar** 2.4

soldier **soldado** *m., f.* 2.9
solitude **soledad** *f.* 3.3
solution **solución** *f.* 2.4
solve **resolver (o:ue)** *v.* 2.4, 3.6
some **algún, alguno(s)/a(s)** *adj.,*
pron. 1.7; **unos/as** *pron. pl.;*
indef. art. 1.1
somebody **alguien** *pron.* 1.7
someone **alguien** *pron.* 1.7
something **algo** *pron.* 1.7
sometimes **a veces** *adv.* 2.1, 3.3
son **hijo** *m.* 1.3
song **canción** *f.* 2.8
son-in-law **yerno** *m.* 1.3
soon **pronto** *adv.* 2.1
See you soon. **Hasta pronto.**
1.1
sorrow **pena** *f.* 3.4
sorry: to be sorry **sentir (e:ie)** *v.*
2.4
I'm sorry. **Lo siento.** 1.4
I'm so sorry. **Mil perdones.**
1.4; **Lo siento muchísimo.**
1.4
soul **alma** *f.* 3.1
soundtrack **banda sonora** *f.*
3.9
soup **sopa** *f.* 1.8
source **fuente** *f.*
energy source **fuente de**
energía *f.* 3.6
south **sur** *m.* 2.5
to the south **al sur** 2.5
sovereign **soberano/a** *m., f.*
sovereignty **soberanía** *f.*
space **espacial** *adj.*; **espacio** *m.*
3.7
space lab **laboratorio espacial** *m.*
spaceship **nave espacial** *f.*
space shuttle **transbordador**
espacial *m.* 3.7
spacious **espacioso/a** *adj.*
Spain **España** *f.* 1.1
Spanish (*language*) **español** *m.*
1.2; **español(a)** *adj.* 1.3
spare time **ratos libres** *m.* 1.4
speak **hablar** *v.* 1.2, 3.1
Speaking of that, ... **Hablando**
de esto, ...
speaker **hablante** *m., f.* 3.9
special effects **efectos especiales**
m., pl. 3.9
specialist **especialista** *m., f.*
specialized **especializado/a** *adj.*
3.7
species **especie** *f.* 3.6
endangered species **especie en**
peligro de extinción *f.*
spectacular **espectacular** *adj.*
2.6
spectator **espectador(a)** *m., f.*
3.2
speech **discurso** *m.* 2.9
give a speech **pronunciar un**
discurso
speed **velocidad** *f.* 2.2

speed limit **velocidad** *f.*
máxima 2.2
spell-checker **corrector**
ortográfico *m.* 3.7
spelling **ortografía** *f.*;
ortográfico/a *adj.*
spend (*money*) **gastar** *v.* 1.6, 3.8
spider **araña** *f.* 3.6
spill **derramar** *v.*
spirit **ánimo** *m.* 3.1
spiritual **espiritual** *adj.*
spoon (*table or large*) **cuchara** *f.*
2.3
sport **deporte** *m.* 1.4
sports-related **deportivo/a** *adj.*
1.4
spot: on the spot **en el acto**
3.3
spouse **esposo/a** *m., f.* 1.3
sprain (one's ankle) **torcerse**
(o:ue) *v.* **(el tobillo)** 2.1
sprained **torcido/a** *adj.* 2.1
be sprained **estar torcido/a**
2.1
spray **rociar** *v.* 3.6
spring **primavera** *f.* 1.5;
manantial *m.*
square (*city or town*) **plaza** *f.*
1.4
stability **estabilidad** *f.*
stadium **estadio** *m.* 1.2
stage (*theater*) **escenario** *m.* 3.2;
(*phase*) **etapa** *f.* 1.9
stage name **nombre artístico**
m. 3.1
stain **mancha** *f.*; **manchar** *v.*
staircase **escalera** *f.* 2.3, 3.3
stairway **escalera** *f.* 2.3
stamp **estampilla** 2.5; **sello**
m. 2.5
stand in line **hacer cola** 2.5
stand up **ponerse de pie**
stanza **estrofa** *f.* 3.10
star **estrella** *f.* 2.4; (*movie*)
estrella *f.*
pop star **estrella pop** *f.* 3.9
shooting star **estrella fugaz** *f.*
start (*a vehicle*) **arrancar** *v.* 2.2;
establecer *v.* 2.7
station **estación** *f.* 1.5
statue **estatua** *f.* 2.8
status: marital status **estado** *m.*
civil 1.9
stay **hospedarse** *v.*; **quedarse**
v. 1.7, 3.5
stay in shape **mantenerse en**
forma 2.6
stay up very late or all night
trasnochar *v.* 3.4
steak **bistec** *m.* 1.8
steering wheel **volante** *m.* 2.2
step **etapa** *f.*; **paso** *m.*
take the first step **dar el**
primer paso
stepbrother **hermanastro**
m. 1.3

stepdaughter **hijastra** *f.* 1.3
stepfather **padrastro** *m.* 1.3
stepmother **madrastra** *f.* 1.3
stepsister **hermanastra** *f.* 1.3
stepson **hijastro** *m.* 1.3
stereo **estéreo** *m.* 2.2
stereotype **estereotipo** *m.* 3.10
stern **popa** *f.* 3.5
stick **pegar** *v.*
still **todavía** *adv.* 1.5
still life **naturaleza muerta** *f.*
3.10
sting **picar** *v.*
stingy **tacaño/a** *adj.* 3.1
stir **revolver (o:ue)** *v.*
stockbroker **corredor(a)** *m., f.* **de**
bolsa 2.7
stockings **medias** *f., pl.* 1.6
stock market **bolsa (de valores)**
f. 3.8
stomach **estómago** *m.* 2.1
stone **piedra** *f.* 2.4, 3.5
stop **parar** *v.* 2.2
stop (*doing something*) **dejar**
de (+ *inf.*) 2.4
store **tienda** *f.* 1.6
storekeeper **comerciante** *m., f.*
storm **tormenta** *f.* 2.9
tropical storm **tormenta** *f.*
tropical 3.6
story **cuento** *m.* 2.8; **historia** *f.*
2.8; (*account*) **relato** *m.* 3.10
stove **cocina** *f.* 2.3; **estufa** *f.*
2.3
straight **derecho** *adj.* 2.5
straight (ahead) **derecho** 2.5
straighten up **arreglar** *v.* 2.3
strange **extraño/a** *adj.* 2.4
it's strange **es extraño** 2.4
stranger **desconocido/a** *adj.*
strawberry **frutilla** *f.*, **fresa** *f.*
stream **arroyo** *m.* 3.10
street **calle** *f.* 2.2
strength **fortaleza** *f.*
stress **estrés** *m.* 2.6
stretching **estiramiento** *m.* 2.6
do stretching exercises **hacer**
ejercicios de estiramiento
2.6
strict **autoritario/a** *adj.* 3.1
strike (*labor*) **huelga** *f.* 2.9, 3.8
striking **llamativo/a** *adj.* 3.10
stripe **raya** *f.* 1.6, 3.5
striped **de rayas** 1.6
stroll **pasear** *v.* 1.4; **paseo** *m.*
strong **fuerte** *adj.* 2.6
struggle (for/against) **luchar** *v.*
(por/contra) 2.9; **lucha** *f.*
stubborn **tozudo/a** *adj.* 3.8
student **estudiante** *m., f.* 1.1,
1.2; **estudiantil** *adj.* 1.2
studio **estudio** *m.*
recording studio **estudio de**
grabación *f.*
study **estudiar** *v.* 1.2

stuffed-up (*sinuses*) **congestionado/a** *adj.* 2.1
stupendous **estupendo/a** *adj.* 1.5
stupid **necio/a** *adj.*
stupid person **bobo/a** *m., f.* 3.7
style **estilo** *m.*
  in the style of... **al estilo de...** 3.10
subscribe (to) **suscribirse (a)** *v.* 3.9
subtitles **subtítulos** *m., pl.* 3.9
subtlety **matiz** *m.*
suburb **suburbio** *m.*
suburbs **afueras** *f., pl.* 2.3
subway **metro** *m.* 1.5
  subway station **estación** *f.* **del metro** 1.5
succeed in (*reach*) **alcanzar** *v.*
success **éxito** *m.* 2.7
successful **exitoso/a** *adj.* 3.8
  be successful **tener éxito** 2.7
such as **tales como**
suckling pig **cochinillo** *m.* 3.10
sudden **repentino/a** *adj.* 3.3
suddenly **de repente** *adv.* 1.6, 3.3
suffer (from) **sufrir (de)** *v.* 2.1, 3.4
  suffer an illness **sufrir una enfermedad** 2.1
suffering **sufrimiento** *m.*
sugar **azúcar** *m.* 1.8
suggest **aconsejar** *v.* 2.3, 3.4; **sugerir (e:ie)** *v.* 2.3, 3.4
suit **traje** *m.* 1.6
suitcase **maleta** *f.* 1.1, 3.5
summer **verano** *m.* 1.5
summit **cumbre** *f.*
sun **sol** *m.* 1.5, 2.4
sunbathe **tomar el sol** 1.4
Sunday **domingo** *m.* 1.2
sunglasses **gafas** *f., pl.* **de sol/oscuras** 1.6; **lentes** *m. pl.* **de sol**
sunny: It's (very) sunny. **Hace (mucho) sol.** 1.5
sunrise **amanecer** *m.*
supermarket **supermercado** *m.* 2.5, 3.3
supply **proporcionar** *v.*
support **soportar** *v.* 3.1
suppose **suponer** *v.* 1.4, 3.1
suppress **suprimir** *v.*
sure **seguro/a** *adj.* 1.5; **cierto/a** *adj.*

  be sure **estar seguro/a** 1.5
  Sure! **¡Cierto!**
surf (the Internet) **navegar** *v.* **(en Internet)** 2.2
  surf the web **navegar la red** 3.7
surface **superficie** *f.*
surgeon **cirujano/a** *m., f.* 3.4
surgery **cirugía** *f.* 3.4
surgical **quirúrgico/a** *adj.*

surprise **sorprender** *v.* 1.9, 3.2; **sorpresa** *f.* 1.9
surprised **sorprendido** *adj.* 3.2
  be surprised (about) **sorprenderse (de)** *v.* 3.2
surrealism **surrealismo** *m.* 3.10
surrender **rendirse (e:i)** *v.*
surround **rodear** *v.*
surrounded **rodeado/a** *adj.* 3.7
survey **encuesta** *f.* 2.9
survival **supervivencia** *f.;* **sobrevivencia** *f.*
survive **subsistir** *v.;* **sobrevivir** *v.*
suspect **sospechar** *v.*
suspicion **sospecha** *f.*
swallow **tragar** *v.*
sweat **sudar** *v.* 2.6
sweater **suéter** *m.* 1.6
sweep **barrer** *v.* 3.3
  sweep the floor **barrer el suelo** 2.3
sweetheart **amado/a** *m., f.* 3.1
sweets **dulces** *m., pl.* 1.9
swim **nadar** *v.* 1.4
swimming **natación** *f.* 1.4
swimming pool **piscina** *f.* 1.4
symptom **síntoma** *m.* 2.1
synagogue **sinagoga** *f.*
syrup **jarabe** *m.* 3.4

T

table **mesa** *f.* 1.2
tablespoon **cuchara** *f.* 2.3
tablet (*pill*) **pastilla** *f.* 2.1
tabloid(s) **prensa sensacionalista** *f.* 3.9
tag **etiqueta** *f.*
take **tomar** *v.* 1.2; **llevar** *v.* 1.6
  take a bath **bañarse** *v.* 1.7, 3.2
  take a look **echar un vistazo**
  take a shoe size **calzar** *v.* 1.6
  take a shower **ducharse** *v.* 1.7
  take a trip **hacer un viaje** 3.5
  take a vacation **ir(se) de vacaciones** 3.5
  take away (*remove*) **quitar** *v.* 3.2
  take care of **cuidar** *v.* 2.4, 3.1
  take care of oneself **cuidarse** *v.*
  take off (*clothing*) **quitarse** *v.* 1.7, 3.2
  take off (*airplanes*) **despegar** *v.* 3.5
  take off running **echar a correr**
  take out the trash **sacar la basura** 2.3
  take photos **tomar fotos** 1.5; **sacar fotos** 1.5
  take place **desarrollarse** *v.* 3.10; **transcurrir** *v.* 3.10

take refuge **refugiarse** *v.*
  take seriously **tomar en serio** 3.8
  take someone's temperature **tomar la temperatura** 2.1
talent **talento** *m.* 3.1
talented **talentoso/a** *adj.* 2.8, 3.1
talk *v.* **hablar** 1.2
  talk show **programa** *m.* **de entrevistas** 2.8
tall **alto/a** *adj.* 1.3
tank **tanque** *m.* 2.2, 3.6
tape (*audio*) **cinta** *f.*
  tape recorder **grabadora** *f.* 1.1
taste **probar (o:ue)** *v.* 1.8
  And does it taste good? **¿Y sabe bien?** 3.4
  How does it taste? **¿Cómo sabe?** 3.4
  It tastes like garlic/mint/lemon. **Sabe a ajo/menta/limón.** 3.4
  taste (like) **saber (a)** *v.* 1.8, 3.1
taste **gusto** *m.* 3.10; **sabor** *m.*
  in good/bad taste **de buen/mal gusto** 3.10
  It has a sweet/sour/bitter/ pleasant taste. **Tiene un sabor dulce/agrio/ amargo/agradable.** 3.4
tasty **rico/a** *adj.* 1.8; **sabroso/a** *adj.* 1.8
tax **impuesto** *m.* 2.9
  sales tax **impuesto de ventas** *m.* 3.8
taxi **taxi** *m.* 1.5
tea **té** *m.* 1.8
teach **enseñar** *v.* 1.2
teacher **profesor(a)** *m., f.* 1.1, 1.2; **maestro/a** *m., f.* 2.7
teaching **enseñanza** *f.*
team **equipo** *m.* 1.4, 3.2
tears **lágrimas** *f. pl.*
technician **técnico/a** *m., f.* 2.7
telecommuting **teletrabajo** *m.* 2.7
telephone **teléfono** 2.2
  cellular telephone **teléfono celular** *m.* 2.2
  telephone receiver **auricular** *m.* 3.7
telescope **telescopio** *m.* 3.7
television **televisión** *f.* 1.2, 2.2, 3.2
  television set **televisor** *m.* 2.2, 3.2
  television viewer **televidente** *m., f.* 3.2
tell **contar (o:ue)** *v.* 1.4, 3.2; **decir** *v.* 1.4
  tell that **decir** *v.* **que** 1.4, 1.9
  tell lies **decir mentiras** 1.4
  tell the truth **decir la verdad** 1.4

temperature **temperatura** *f.* 2.1
temple **templo** *m.*
ten **diez** *n., adj.* 1.1
tendency **propensión** *f.*
tennis **tenis** *m.* 1.4
tennis shoes **zapatos** *m., pl.* **de tenis** 1.6
tension **tensión** *f.* 2.6
tent **tienda** *f.* **de campaña**
tenth **décimo/a** *n., adj.* 1.5
terrible **terrible** *adj.* 2.4
   it's terrible **es terrible** 2.4
terrific **chévere** *adj.*
territory **territorio** *m.*
terrorism **terrorismo** *m.*
test **prueba** *f.* 1.2; **examen** *m.* 1.2; **poner a prueba**
text message **mensaje** *m.* **de texto** 2.2
Thank you. **Gracias.** 1.1
   Thank you (very much). **(Muchas) gracias.** 1.1
   Thank you very, very much. **Muchísimas gracias.** 1.9
   Thanks (a lot). **(Muchas) gracias.** 1.1
   Thanks again. (*lit.* Thanks one more time.) **Gracias una vez más.** 1.9
   Thanks for everything. **Gracias por todo.** 1.9, 2.6
that **que, quien(es), lo que** *conj.* 2.3
   that (one) **ése, ésa, eso** *pron.* 1.6; **ese, esa,** *adj.* 1.6
   that (over there) **aquél, aquélla, aquello** *pron.* 1.6; **aquel, aquella** *adj.* 1.6
   that which **lo que** *conj.* 2.3
   That's me. **Soy yo.** 1.1
   That's not the way it is. **No es así.** 2.7
   that's why **por eso** 2.2
the **el** *m. sing.,* **la** *f. sing.,* **los** *m. pl.,* **las** *f. pl.*
theater **teatro** *m.* 2.8
their **su(s)** *poss. adj.* 1.3; **suyo/a(s)** *poss. adj.* 2.2
theirs **suyo/a(s)** *poss. pron.* 2.2
them **los/las** *pl., d.o. pron.* 1.5; **ellos/as** *pron., obj. of prep.* 1.9
   to/for them **les** *pl., i.o. pron.* 1.6
then **después** (*afterward*) *adv.* 1.7; **entonces** (*as a result*) *adv.* 1.7; **luego** (*next*) *adv.* 1.7; **pues** *adv.* 2.6
theory **teoría** *f.* 3.7
there **allí** *adv.* 1.5; **allá** *adv.*
   There is/are... **Hay...** 1.1
   There is/are not... **No hay...** 1.1
therefore **por eso** 2.2
thermal **térmico/a** *adj.*
these **éstos, éstas** *pron.* 1.6;

estos, estas *adj.* 1.6
they **ellos** *m. pron.,* **ellas** *f. pron.* 1.1
thief **ladrón/ladrona** *m., f.*
thin **delgado/a** *adj.* 1.3
thing **cosa** *f.* 1.1
think **pensar (e:ie)** *v.* 1.4, 3.1; (*believe*) **creer** *v.*; (*to be of the opinion*) **opinar** *v.*
   I think it's pretty. **Me parece hermosa/o.**
   I thought... **Me pareció...** 3.1
   think about **pensar en** *v.* 1.4
   What did you think of...? **¿Qué te pareció...?** 3.1
third **tercero/a** *n., adj.* 1.5
thirst **sed** *f.* 1.3
thirsty: be (very) thirsty **tener (mucha) sed** 1.3
thirteen **trece** *n., adj.* 1.1
thirty **treinta** *n., adj.* 1.1; 1.2; thirty (minutes past the hour) **y treinta; y media** 1.1
this **este, esta** *adj.*; **éste, ésta, esto** *pron.* 1.6
   This is... (*introduction*) **Éste/a es...** 1.1
   This is he/she. (*on the telephone*) **Con él/ella habla.** 2.2
thoroughly **a fondo** *adv.*
those **ésos, ésas** *pron.* 1.6; **esos, esas** *adj.* 1.6
those (*over there*) **aquéllos, aquéllas** *pron.* 1.6; **aquellos, aquellas** *adj.* 1.6
thousand **mil** *m.* 1.6
threat **amenaza** *f.* 3.8
three **tres** *n., adj.* 1.1
three hundred **trescientos/as** *n., adj.* 1.2
throat **garganta** *f.* 2.1
through **por** *prep.* 2.2
throughout: throughout the world **en todo el mundo** 2.4
throw **tirar** *v.* 3.5
   throw away **echar** *v.* 3.5
   throw... out **botar** *v.* 3.5
thunder **trueno** *m.* 3.6
Thursday **jueves** *m., sing.* 1.2
thus **así** *adv.*
ticket **boleto** *m.* 2.8; **pasaje** *m.* 1.5
tie **corbata** *f.* 1.6; (*game*) **empate** *m.* 3.2
tie (up) **atar** *v.*; (*games*) **empatar** *v.* 3.2
tiger **tigre** *m.* 3.6
time **tiempo** *m.* 1.4; **vez** *f.* 1.6
   at that time **en aquel entonces**
   for the first/last time **por primera/última vez** 3.2
   have a good/bad/horrible time **pasarlo bien/mal** 1.9, 3.1

on time **a tiempo** 3.3
   once upon a time **érase una vez**
   We had a great time. **Lo pasamos de película.** 2.9
   (At) What time...? **¿A qué hora...?** 1.1
   What time is it? **¿Qué hora es?** 1.1
times **veces** *f., pl.* 1.6
   many times **muchas veces** 2.1
   two times **dos veces** 1.6
tip **propina** *f.* 1.9
tire **llanta** *f.* 2.2
tired **cansado/a** *adj.* 1.5
   be tired **estar cansado/a** 1.5
   become tired **cansarse** *v.*
to **a** *prep.* 1.1
toast (*drink*) **brindar** *v.* 1.9; **pan** *m.* **tostado**
toasted **tostado/a** *adj.* 1.8
   toasted bread **pan** *m.* **tostado** 1.8
toaster **tostadora** *f.* 2.3
today **hoy** *adv.* 1.2
   Today is... **Hoy es...** 1.2
toe **dedo** *m.* **del pie** 2.1
together **juntos/as** *adj.* 1.9
toilet **inodoro** *m.* 1.7
tomato **tomate** *m.* 1.8
tomorrow **mañana** *f.* 1.1
   See you tomorrow. **Hasta mañana.** 1.1
tone of voice **timbre** *m.* 3.3
tongue **lengua** *f.* 3.9
tonight **esta noche** *adv.* 1.4
too **también** *adv.* 1.2, 1.7
   too much **demasiado/a** *adj.*; **demasiado** *adv.* 1.6
tool **herramienta** *f.*
toolbox **caja de herramientas** *f.* 3.2
tooth **diente** *m.* 1.7
toothpaste **pasta** *f.* **de dientes** 1.7
topic **asunto** *m.*
tornado **tornado** *m.* 2.9
tortilla **tortilla** *f.* 1.8
touch **tocar** *v.* 2.4, 2.8
   touch lightly **rozar** *v.*
tour **excursión** *f.* 1.4, 3.5
   tour an area **recorrer** *v.*
tour guide **guía turístico/a** *m., f.* 3.5
tourism **turismo** *m.* 1.5, 3.5
tourist **turista** *m., f.* 1.1, 3.5; **turístico/a** *adj.* 3.5
tournament **torneo** *m.* 3.2
toward **hacia** *prep.* 2.5; **para** *prep.* 2.2
towel **toalla** *f.* 1.7
town **pueblo** *m.* 1.4
toxic **tóxico/a** *adj.* 3.6
trace **huella** *f.* 3.8; **trazar** *v.*

track-and-field events **atletismo** *m.*

trade **comercio** *m.* 3.8; **oficio** *m.* 2.7

trader **comerciante** *m., f.*

traditional **tradicional** *adj.* 3.1; (*typical*) **típico/a** *adj.*

traffic **circulación** *f.* 2.2; **tráfico** *m.* 2.2; **tránsito** *m.*
traffic jam **congestionamiento** *m.* 3.5; **tapón** *m.* 3.5
traffic signal **semáforo** *m.*

tragedy **tragedia** *f.* 2.8

tragic **trágico/a** *adj.* 3.10

trail **sendero** *m.* 2.4

train **entrenarse** *v.* 2.6; **tren** *m.* 1.5
train station **estación** *f.* **de tren** 1.5

trainer **entrenador(a)** *m., f.* 2.6, 3.2

trait **rasgo** *m.*

traitor **traidor(a)** *m., f.*

tranquilizer **calmante** *m.* 3.4

translate **traducir** *v.* 1.6, 3.1

transmission **transmisión** *f.*

transplant **transplantar** *v.*

trap **atrapar** *v.* 3.6

trash **basura** *f.* 2.3

travel **viajar** *v.* 1.2; (*go across*) **recorrer** *v.* 3.5

travel agent **agente** *m., f.* **de viajes** 1.5

traveler **viajero/a** *m., f.* 1.5, 3.5

traveler's check **cheque** *m.* **de viajero** 2.5

travel log **bitácora** *f.* 3.7

treadmill **cinta caminadora** *f.* 2.6

treat **tratar** *v.* 3.4

treatment **tratamiento** *m.* 3.4

treaty **tratado** *m.*

tree **árbol** *m.* 2.4, 3.6

trend **moda** *f.*; **tendencia** *f.* 3.9

trial **juicio** *m.*

tribal chief **cacique** *m.*

tribe **tribu** *f.*

trick **truco** *m.* 3.2

trillion **billón** *m.*

trimester **trimestre** *m.* 1.2

trip **viaje** *m.* 1.5, 3.5
take a trip **hacer un viaje** 1.5, 3.5

tropical **tropical** *adj.*
tropical forest **bosque** *m.* **tropical** 2.4
tropical storm **tormenta** *f.* **tropical** 3.6

true **verdad** *adj.* 2.4
it's (not) true **(no) es verdad** 2.4

trunk **baúl** *m.* 2.2; **maletero** *m.* 3.9

trust **confianza** *f.* 3.1

truth **verdad** *f.*

try **intentar** *v.*; **probar (o:ue)** *v.* 1.8, 3.3
try (*to do something*) **tratar de (+ inf.)** 2.6
try on **probarse (o:ue)** *v.* 1.7, 3.3

t-shirt **camiseta** *f.* 1.6

Tuesday **martes** *m., sing.* 1.2

tuna **atún** *m.* 1.8

tune into (*radio or television*) **sintonizar** *v.*

tuning **sintonía** *f.* 3.9

turkey **pavo** *m.* 1.8

turn (*a corner*) **doblar** *v.* 2.5
be my/your/his turn **me/te/le, etc. + tocar** *v.*
Is it my turn yet? **¿Todavía no me toca?** 3.2
turn off (*electricity/appliance*) **apagar** *v.* 2.2, 3.3
turned off **apagado/a** *adj.* 3.7
turn on (*electricity/appliance*) **encender (e:ie)** *v.* 3.3; **poner** *v.* 2.2; **prender** *v.* 2.2
turn red **enrojecer** *v.*
Whose turn is it to pay the tab? **¿A quién le toca pagar la cuenta?** 3.2

twelve **doce** *n., adj.* 1.1

twenty **veinte** *n., adj.* 1.1

twenty-eight **veintiocho** *n., adj.* 1.1

twenty-five **veinticinco** *n., adj.* 1.1

twenty-four **veinticuatro** *n., adj.* 1.1

twenty-nine **veintinueve** *n., adj.* 1.1

twenty-one **veintiún, veintiuno/a** *n., adj.* 1.1

twenty-seven **veintisiete** *n., adj.* 1.1

twenty-six **veintiséis** *n., adj.* 1.1

twenty-three **veintitrés** *n., adj.* 1.1

twenty-two **veintidós** *n., adj.* 1.1

twice **dos veces** 1.6

twin **gemelo/a** *m., f.* 1.3

twisted **torcido/a** *adj.* 2.1
be twisted **estar torcido/a** 2.1

two **dos** *n., adj.* 1.1
two times **dos veces** 1.6

two hundred **doscientos/as** *n., adj.* 1.2

U

UFO **ovni** *m.* 3.7

ugly **feo/a** *adj.* 1.3

unbiased **imparcial** *adj.* 3.9

uncertainty **incertidumbre** *f.*

uncle **tío** *m.* 1.3

under **bajo** *adv.* 1.7; **debajo de** *prep.* 1.2

underdevelopment **subdesarrollo** *m.*

underground tank **cisterna** *f.* 3.6

understand **comprender** *v.* 1.3; **entender (e:ie)** *v.* 1.4

underwear **ropa interior** *f.* 1.6; (*men's*) **calzoncillos** *m. pl.*

undo **deshacer** *v.* 3.1

unemployed **desempleado/a** *adj.* 3.8

unemployment **desempleo** *m.* 2.9, 3.8

unequal **desigual** *adj.*

unethical **poco ético/a**

unexpected **imprevisto/a** *adj.* 3.3; **inesperado/a** *adj.* 3.3

unexpectedly **de improviso** *adv.*

unfasten the seatbelt **quitarse el cinturón de seguridad** 3.5

unique **único/a** *adj.*

United States **Estados Unidos (EE.UU.)** *m. pl.* 1.1

university **universidad** *f.* 1.2

unjust **injusto/a** *adj.*

unless **a menos que** *conj.* 2.4

unmarried **soltero/a** *adj.*

unpleasant **antipático/a** *adj.* 1.3

unsettling **inquietante** *adj.* 3.10

untie **desatar** *v.*

until **hasta** *prep.* 1.6; **hasta que** *conj.* 2.4; **hasta** *adv.*

up **arriba** *adv.* 2.6
up until now **hasta la fecha**

update **actualizar** *v.* 3.7

upset **disgustado/a** *adj.* 3.1; **disgustar** *v.* 3.2
get upset **afligirse** *v.* 3.3

up-to-date **actualizado/a** *adj.* 3.9
be up-to-date **estar al día** 3.9

urban **urbano/a** *adj.*

urgent **urgente** *adj.* 2.3, 3.4
It's urgent that... **Es urgente que...** 2.3

us **nos** *pl., d.o. pron.* 1.5
to/for us **nos** *pl., i.o. pron.* 1.6

use **usar** *v.* 1.6
use up **agotar** *v.* 3.6

used: be used to **estar acostumbrado/a a**
get used to **acostumbrarse (a)** *v.* 3.3
I used to... (*was in the habit of*) **solía**

used for **para** *prep.* 2.2

useful **útil** *adj.*

useless **inútil** *adj.* 3.2

user **usuario/a** *m., f.* 3.7

Vocabulario

V

vacation **vacaciones** *f., pl.* 1.5
  be on vacation **estar de
    vacaciones** 1.5
  go on vacation **ir de
    vacaciones** 1.5
  take a vacation **ir(se) de
    vacaciones** 3.5
vaccinate **vacunar(se)** *v.* 3.4
vaccine **vacuna** *f.* 3.4
vacuum **pasar la
  aspiradora** 2.3, 3.3
vacuum cleaner **aspiradora** *f.*
  2.3
valid **vigente** *adj.* 3.5
valley **valle** *m.* 2.4
valuable **valioso/a** *adj.* 3.6
value **valor** *m.*
vandal **vándalo/a** *m., f.* 3.6
various **varios/as** *adj. pl.* 1.8
VCR **videocasetera** *f.* 2.2
vegetables **verduras** *pl., f.* 1.8
verb **verbo** *m.*
very **muy** *adv.* 1.1
  very much **muchísimo** *adv.*
    1.2
  (Very) well, thank you. **(Muy)
    bien, gracias.** 1.1
victorious **victorioso/a** *adj.*
victory **victoria** *f.*
video **video** *m.*
  video camera **cámara** *f.* **de
    video** 2.2
  video game **videojuego** *m.*
    1.4, 3.2
videocassette **videocasete** *m.*
videoconference
  videoconferencia *f.* 2.7
village **aldea** *f.*
vinegar **vinagre** *m.* 1.8
violence **violencia** *f.* 2.9
virus **virus** *m.* 3.4
visit **visitar** *v.* 1.4
  visit monuments **visitar
    monumentos** 1.4
visiting hours **horas de visita**
  f., pl.
vitamin **vitamina** *f.* 2.6
volcano **volcán** *m.* 2.4
volleyball **vóleibol** *m.* 1.4
vote **votar** *v.* 2.9

W

wage: minimum wage **sueldo
  mínimo** *m.* 3.8
wait **espera** *f.*; **esperar** *v.*
  wait (for) **esperar** *v.* **(+** *inf.***)**
    1.2
  wait in line **hacer cola** 3.2
waiter/waitress **camarero/a**
  m., f. 1.8; **mesero/a** *m., f.*

wake up **despertarse (e:ie)**
  v. 1.7, 3.2
  wake up early **madrugar** *v.* 3.4
walk **andar** *v.*; **caminar** *v.* 1.2
  take a stroll/walk **dar un
    paseo** 3.2; **dar una vuelta**
  take a walk **pasear** *v.* 1.4
  walk around **pasear por** 1.4
walkman **walkman** *m.*
wall **pared** *f.* 2.3, 3.5
wallet **cartera** *f.* 1.6
want **querer (e:ie)** *v.* 1.4, 3.1,
  3.4
  I don't want to. **No quiero.** 1.4
war **guerra** *f.* 2.9
  civil war **guerra civil** *f.*
warm up **calentar (e:ie)** *v.* 2.6,
  3.3
warn **avisar** *v.*
warning **advertencia** *f.* 3.8;
  aviso *m.* 3.5
warrior **guerrero/a** *m., f.*
wash **lavar** *v.* 2.3, 3.3
  wash one's face/hands **lavarse
    la cara/las manos** 1.7
  wash oneself *v.* **lavarse** 1.7, 3.2
  wash the floor, the dishes
    lavar el suelo, los platos
    2.3
washing machine **lavadora** *f.* 2.3
waste **malgastar** *v.* 3.6
wastebasket **papelera** *f.* 1.2
watch **mirar** *v.* 1.2; **vigilar** *v.*;
  reloj *m.* 1.2
  watch television **mirar (la)
    televisión** 1.2
water **agua** *f.* 1.8
water pollution **contaminación**
  f. **del agua** 2.4
watercolor **acuarela** *f.* 3.10
waterfall **cascada** *f.* 3.5
waterskiing **esquí** *m.* **acuático**
  1.4
wave **ola** *f.* 3.5; **onda** *f.*
way **manera** *f.* 2.7
we **nosotros(as)** *sub. pron.* 1.1
weak **débil** *adj.* 2.6
wealth **riqueza** *f.* 3.8
wealthy **adinerado/a** *adj.* 3.8
weapon **arma** *m.*
wear **llevar** *v.* 1.6; **usar** *v.* 1.6;
  lucir *v.* 3.3
weariness **fatiga** *f.* 3.8
weather **tiempo** *m.*
  The weather is bad. **Hace mal
    tiempo.** 1.5
  The weather is good. **Hace
    buen tiempo.** 1.5
weaving **tejido** *m.* 2.8
web **red** *f.* 2.2; **web** *f.* 3.7
weblog **bitácora** *f.* 3.7
website **sitio** *m.* **web** 2.2, 3.7
wedding **boda** *f.* 1.9
Wednesday **miércoles** *m., sing.*
  1.2
week **semana** *f.* 1.2

weekend **fin** *m.* **de semana** 1.4
  Have a nice weekend! **¡Buen
    fin de semana!**
weekly **semanal** *adj.*
weeping **llanto** *m.* 3.3
weight **peso** *m.* 2.6
  lift weights **levantar** *v.* **pesas**
    2.6
welcome **bienvenido(s)/a(s)** *adj.*
  2.3; **bienvenida** *f.* 3.5;
  acoger *v.*
well **pues** *adv.* 1.2, 2.8; **bueno**
  adv. 1.2, 2.8; **pozo** *m.*
  oil well **pozo petrolero** *m.*
  (Very) well, thanks. **(Muy)
    bien, gracias.** 1.1
well-being **bienestar** *m.* 2.6, 3.4
well-organized **ordenado/a** *adj.*
well-received **bien acogido/a**
  adj. 3.8
west **oeste** *m.* 2.5
  to the west **al oeste** 2.5
western (*genre*) **de vaqueros** 2.8
what **lo que** *pron.* 2.3
  what? **¿qué?** *pron.* 1.1
  At what time...? **¿A qué
    hora...?** 1.1
  What a pleasure to...! **¡Qué
    gusto (+** *inf.***)...!** 2.9
  What day is it? **¿Qué día es
    hoy?** 1.2
  What do you guys think? **¿Qué
    les parece?** 1.9
  What happened? **¿Qué pasó?**
    2.2
  What is today's date? **¿Cuál es
    la fecha de hoy?** 1.5
  What nice clothes! **¡Qué ropa
    más bonita!** 1.6
  What size do you take? **¿Qué
    talla lleva (usa)?** *form.* 1.6
  What time is it? **¿Qué hora
    es?** 1.1
  What's going on? **¿Qué pasa?**
    1.1
  What's happening? **¿Qué
    pasa?** 1.1
  What's... like? **¿Cómo es...?**
    1.3
  What's new? **¿Qué hay de
    nuevo?** 1.1
  What's the weather like? **¿Qué
    tiempo hace?** 1.5
  What's wrong? **¿Qué
    pasó?** 2.2
  What's your name? **¿Cómo se
    llama usted?** *form.* 1.1
  What's your name? **¿Cómo te
    llamas (tú)?** *fam.* 1.1
when **cuando** *conj.* 1.7, 2.4
  when? **¿cuándo?** *adv.* 1.2
where **donde** *prep.*
  where (to)? (*destination*)
    ¿adónde? *adv.* 1.2;
    (*location*)
    ¿dónde? *adv.* 1.1

Where are you from? **¿De dónde eres (tú)?** *fam.* 1.1; **¿De dónde es (usted)?** *form.* 1.1

Where is…? **¿Dónde está…?** 1.2

wherever **dondequiera** *adv.* 3.4

which **que** *pron.*, **lo que** *pron.* 2.3

which? **¿cuál?** *pron.* 1.2; **¿qué?** *adj.* 1.2; In which…? **¿En qué…?** 1.2

which one(s)? **¿cuál(es)?** *pron.* 1.2

while **mientras** *conj.; adv.*

whistle **silbar** *v.*

white **blanco/a** *adj.* 1.6

who **que** *pron.* 2.3; **quien(es)** *pron.* 2.3

who? **¿quién(es)?** *pron.* 1.1 Who is…? **¿Quién es…?** 1.1

Who is calling? (*on the telephone*) **¿De parte de quién?** 2.2

Who is speaking? (*on the telephone*) **¿Quién habla?** 2.2

whole **todo/a** *adj.*

whom **quien(es)** *pron.* 2.3

whose **¿de quién(es)?** *pron., adj.* 1.1

why? **¿por qué?** *adv.* 1.2

widowed **viudo/a** *adj.* 3.1; become widowed **quedarse viudo/a**

widower/widow **viudo/a** *n., adj.* 1.9

wife **esposa** *f.* 1.3

wild **salvaje** *adj.* 3.6 **wild boar jabalí** *m.* 3.10

win **ganar** *v.* 1.4 win a game **ganar un partido** 3.2

win an election **ganar las elecciones**

wind **viento** *m.* 1.5 wind power **energía eólica** *f.*

window **ventana** *f.* 1.2

windshield **parabrisas** *m., sing.* 2.2

windy: It's (very) windy. **Hace (mucho) viento.** 1.5

wine **vino** *m.*

wineglass **copa** *f.* 2.3

wing **ala** *m.*

winter **invierno** *m.* 1.5

wireless **inalámbrico/a** *adj.* 3.7

wisdom **sabiduría** *f.*

wise **sabio/a** *adj.*

wish **desear** *v.* 1.2, 3.4; **esperar** *v.* 2.4; **deseo** *m.* I wish (that) **ojalá (que)** 2.4 make a wish **pedir un deseo** 3.8

with **con** *prep.* 1.2 with me **conmigo** 1.4, 1.9 with you **contigo** *fam.* 1.9

within (ten years) **dentro de (diez años)** *prep.* 2.7

without **sin** *prep.* 1.2, 2.4, 2.6; **sin que** *conj.* 2.4 without you **sin ti** *fam.*

witness **testigo** *m., f.* 3.10

woman **mujer** 1.1 *f.* businesswoman **mujer de negocios** *f.* 3.8

womanizer **mujeriego** *m.* 3.2

wonder **preguntarse** *v.*

wood **madera** *f.*

wool **lana** *f.* 1.6 (made of) wool **de lana** 1.6

word **palabra** *f.* 1.1

work **trabajar** *v.* 1.2; **funcionar** *v.* 2.2, 3.7 work hard **trabajar duro** 3.8 work out **hacer gimnasia** 2.6

work **trabajo** *m.* 2.7; (*of art, literature, music, etc.*) **obra** *f.* 2.8 work day **jornada** *f.* work of art **obra de arte** *f.* 3.10

workshop **taller** *m.*

world **mundo** *m.* 2.4 World Cup **Copa del Mundo** *f.*; **Mundial** *m.* 3.2

worldwide **mundial** *adj.*

worm **gusano** *m.*

worried (about) **preocupado/a (por)** *adj.* 1.5, 3.1

worry **preocupar** *v.* 3.2 Don't worry. **No se preocupe.** *form.* 1.7; **No te preocupes.** *fam.* 1.7 worry (about) **preocuparse** *v.* (**por**) 1.7, 3.2

worse **peor** *adj.* 1.8

worship **culto** *m.*; **venerar** *v.*

worst **el/la peor** *adj.*, **lo peor** *n.* 1.8, 2.9

worth: be worth **valer** *v.* 3.1

worthy **digno/a** *adj.* 3.6

Would you like to…? **¿Te gustaría…?** *fam.* 1.4

wound **lesión** *f.* 3.4

wrinkle **arruga** *f.*

write **escribir** *v.* 1.3 write a letter/e-mail message **escribir una carta/un mensaje electrónico** 1.4

writer **escritor(a)** *m., f.* 2.8

written **escrito** *p.p.* 2.5

wrong **equivocado/a** *adj.* 1.5 be wrong **no tener razón** 1.3

x-ray **radiografía** *f.* 2.1

yard **jardín** *m.* 2.3; **patio** *m.* 2.3

yawn **bostezar** *v.*

year **año** *m.* 1.5 be… years old **tener… años** 1.3

yellow **amarillo/a** *adj.* 1.6

yes **sí** *interj.* 1.1

yesterday **ayer** *adv.* 1.6

yet **todavía** *adv.* 1.5

yogurt **yogur** *m.* 1.8

you *sub. pron.* **tú** *fam. sing.*, **usted (Ud.)** *form. sing.*, **vosotros/as** *fam. pl.*, **ustedes (Uds.)** *form. pl.* 1.1; *d. o. pron.* **te** *fam. sing.*, **lo/la** *form. sing.*, **os** *fam. pl.*, **los/las** *form. pl.* 1.5; *obj. of prep.* **ti** *fam. sing.*, **usted (Ud.)** *form. sing.*, **vosotros/as** *fam. pl.*, **ustedes (Uds.)** *form. pl.* 1.9 (to, for) you *i.o. pron.* **te** *fam. sing.*, **le** *form. sing.*, **os** *fam. pl.*, **les** *form. pl.* 1.6

you are… **Tú eres…** 1.1

You don't say! **¡No me digas!** *fam.*; **¡No me diga!** *form.* 2.2

You're welcome. **De nada.** 1.1; **No hay de qué.** 1.1

young **joven** *adj.* 1.3 young person **joven** *m., f.* 1.1 young woman **señorita (Srta.)** *f.*

younger **menor** *adj.* 1.3 younger brother/sister **hermano/a menor** *m., f.* 1.3

youngest **el/la menor** *adj.* 1.8

your **su(s)** *poss. adj. form.* 1.3; **tu(s)** *poss. adj. fam. sing.* 1.3; **vuestro/a(s)** *poss. adj. form. pl.* 1.3; **tuyo/a(s)** *poss. adj. fam. sing.* 2.2; **suyo/a(s)** *poss. adj. fam. sing.* 2.2

yours *form.* **suyo/a(s)** *poss. pron. form.* 2.2; **tuyo/a(s)** *poss. fam. sing.* 2.2; **vuestro/a(s)** *poss. fam.* 2.2

youth **juventud** *f.* 1.9

zero **cero** *m.* 1.1

zoo **zoológico** *m.* 3.2

Índice

Every effort has been made to trace the copyright holders of the works published herein. If proper copyright acknowledgment has not been made, please contact the publisher and we will correct the information in future printings.

Photography and Art Credits

All images © by Vista Higher Learning unless otherwise noted.

Cover: Carlos Muñoz.

Front Matter (SE): xvi: (all) Carlos Muñoz; **xx:** (l) Corbis Historical/Getty Images; (r) Florian Biamm/123RF; **xxi:** (l) Lawrence Manning/Corbis; (r) Kelly Redinger/Design Pics Inc/Alamy; **xxii:** José Blanco; **xxiii:** (l) Digital Vision/Getty Images; (r) ESB Professional/Shutterstock; **xxiv:** Fotolia IV/Fotolia; **xxv:** (l) Goodshoot/Corbis; (r) Tyler Olson/Shutterstock; **xxvi:** Shelly Wall/Shutterstock; **xxvii:** (t) Martín Bernetti; (b) Daniel Montiel/Fotolia; **xxviii:** Martín Bernetti; **xxix:** (t) Damir Karan/iStockphoto; (b) Vilainecrevette/123RF; **xxx:** Celso Diniz/Shutterstock.

Front Matter (TE): T12: Asiseeit/iStockphoto; **T17:** PeopleImages/iStockphoto; **T32:** Teodor Cucu/500px; **T37:** SimmiSimons/iStockphoto; **T41:** Monkeybusiness/Deposit Photos.

Preliminary Lesson: 0–1: Holly Wilmeth/Stockbyte/Getty Images; **1:** SDI Productions/E+/Getty Images; **6:** Linda Lucía Santana; **7:** (t) Foto de Mauricio Velez; (m) *Dignatario Manteña* (2000), Nadín Ospina. Cerámica, 27 x 7 x 12 cm. Nadín Ospina; (b) Vanessa Bertozzi; **12:** Antonio Diaz/123RF; **13:** Skynesher/E+/Getty Images.

Lesson 1: 14–15: RicardoImagen/E+/Getty Images; **15:** David Ramos/Getty Images; **16:** (tl) Nora y Susana/Fotocolombia; (bl, br) Martín Bernetti; (tr) Nancy Ney/Digital Vision/Getty Images; **17:** (t) Martín Bernetti; (m) T. Ozonas/Masterfile; (b) Corbis; **20–22:** (all) Carlos Muñoz; **23:** (t) VHL; (m) GDA/El Universal de México/Newscom; (b) Gilc/123RF; **24:** *Saint George and the Dragon* (c. 1432/1435), Rogier van der Weyden. Oil on panel, painted surface: 14.3 x 10.5 cm (5 5/8 x 4 1/8 in.). Ailsa Mellon Bruce Fund/National Gallery of Art; **25:** (t) Photo by Lori Barra. Courtesy of Isabel Allende; (bl) Diego Grandi/Alamy; (br) Courtesy of Penguin Random House; **26:** Stockbyte/Getty Images; **32:** (all) Carlos Muñoz; **34:** Janet Dracksdorf; **35:** (tl) Ali Burafi; (tm) Janet Dracksdorf; (tr) José Blanco; (bl) Paola Rios-Schaaf; (bm) Oscar Artavia Solano; (br) Robert Fried/Alamy; **36:** Carlos Muñoz; **44:** *Los enamorados* (1923), Pablo Picasso. © 2020 Estate of Pablo Picasso/Artists Rights Society (ARS), New York; **45:** Jean-Régis Roustan/Roger-Viollet/Getty Images; **46:** Triff/Shutterstock; **49:** (l) Win McNamee/Getty Images; (r) Bernard Bisson/Sygma/Getty Images; **50:** (t) J. Scott Applewhite/AFP/Getty Images; (b) White House Press Office/ZUMA Press/Newscom; **51:** Jared Wickerham/Getty Images; **53:** (t, bml, br) Kakigori Studio/Shutterstock; (bl, bmr) NotionPic/Shutterstock; **54:** Martín Bernetti.

Lesson 2: 56–57: BennyMarty/500px; **57:** Nichola Chapman/Shutterstock; **58:** (tl) Rasmus Rasmussen/iStockphoto; (tr) Divine Images/Plush Studios/Media Bakery; (bl) José Blanco; (br) Tom Pennington/Getty Images Sport/Getty Images; **59:** (t) Corbis; (m) John Lund/Drew Kelly/AGE Fotostock; (b) Juan Silva/Corbis; **62–64:** (all) Carlos Muñoz; **65:** (t) VHL; (m) Morenovel/Deposit Photos; (b) Photosphere/Shutterstock; **66:** (l) Vera Anderson/WireImage/Getty Images; (r) David Fisher/Shutterstock; **67:** (t) Allstar Picture Library/Alamy; (bl) Juan Medina/Reuters/Newscom; (br) Amazon Studios/Album/Newscom; **68:** Lipnitzki/Roger Viollet/Getty Images; **70:** (all) Carlos Muñoz; **74:** (all) Carlos Muñoz; **75:** Carlos Dominique/Alamy; **76:** (t) Denise Bernadette/iStockphoto; (ml, mr, br) Martín Bernetti; (mm) John Lund/Annabelle Breakey/Media Bakery; (bl) Paula Díez; (bm) Reed Kaestner/Corbis; **78:** (l) Carlos Muñoz; (r) Martín Bernetti; **86:** *Minué o Tertulia en Casa de Francisco Antonio de Escalada* (1831), Carlos Enrique Pellegrini. Watercolor. Oronoz/Album/SuperStock; **87:** Mariana Silvia Eliano/Cover/Getty Images; **88:** BrAt82/Shutterstock; **91:** Alfredo Dagli Orti/Shutterstock; **92:** Motmot/Shutterstock.

Lesson 3: 98–99: Klaus Vedfelt/DigitalVision/Getty Images; **99:** Lunov Mykola/Shutterstock; **100:** (l) Nancy Camley; (r) Monkey Business Images/Shutterstock; **101:** (t) Simone Van Den Berg/123RF; (b) Dmitrijs Dmitrijevs/iStockphoto; **104–106:** (all) Carlos Muñoz; **107:** (all) Carlos Muñoz; **108:** (t) Patrick van Katwijk/Picture-Alliance/DPA/AP Images; (m) I. Zorstan/DYDPPA/REX/Shutterstock; (b) Belen Diaz/DYDPPA/REX/Shutterstock; **109:** (t) Ian Waldie/Getty Images; (bl) Maria Eugenia Corbo; (br) Chema Moya/EPA-EFE/REX/Shutterstock; **110:** Mark Shenley/Alamy; **113:** (all) Carlos Muñoz; **115:** JGI/Jamie Grill/Media Bakery; **116:** (all) Carlos Muñoz; **117:** James W. Porter/The Image Bank/Getty Images; **118:** David C. Tomlinson/The Image Bank/Getty Images; **120:** (all) Carlos Muñoz; **121:** Carlos Muñoz; **128:** *La Siesta* (2010), Oscar Sir Avendaño. Técnica: mixta, 1 metro x 1,50 cmtrs. © 2010 Oscar Sir Avendaño; **129:** Agencia el Universal GDA Photo Service/Newscom; **130:** *Autorretrato con pelo cortado* (1940), Frida Kahlo. Oil on canvas, 15 3/4 x 11" (40 x 27.9 cm). Digital Image © The Museum of Modern Art/Licensed by SCALA/Art Resource, NY/© 2020 Banco de México Diego Rivera Frida Kahlo Museums Trust, Mexico, D.F./Artists Rights Society (ARS), New York; **133:** (t) *Guernica* (1937), Pablo Picasso. Oil on canvas, 349.3 x 776.6 cm. Museo Nacional Centro de Arte Reina Sofia, Madrid, Spain. Castrovilli/123RF/© 2020 Estate of Pablo Picasso/Artists Rights Society (ARS), New York; (b) *Niños comiendo uvas y un melón* (1645-1646), Bartolomé Esteban Murillo. Oil on canvas, 145.9 x 103.6 cm. BPK, Berlin/Art Resource, NY; **134:** *Vieja friendo huevos* (1618), Diego Rodríguez Velázquez. Oil on canvas, 100.50 x 119.50 cm (framed: 148.00 x 128.60 x 7.60 cm). Erich Lessing/Art Resource, NY; **135:** (t) *El triunfo de Baco (Los borrachos)* (1628-1629), Diego Rodríguez Velázquez. Oil on canvas, 165 x 225 cm. Scala/Art Resource, NY; (b) *Las Meninas* (Ca. 1656), Diego Rodríguez Velázquez. Oil on canvas, 276 x 318 cm. Erich Lessing/Art Resource, NY; **137:** Basque Country/Mark Baynes/Alamy.